OLJE SELECTIONS
18

국부론 2

사단법인 olje

올재의 꿈

올재는 지혜 나눔을 위해 2011년 9월 설립된 비영리 사단법인입니다. 예술과 문화 속에 담긴 지식과 교양을 널리 소개하고 향유함으로써, 격변하는 세상의 지향점을 찾고, 올바르고 창의적인 교육의 기틀을 마련하는 것이 올재의 꿈입니다. 특히 올재는 인문 고전이나 문화 예술을 접할 기회가 많지 않은 소외 계층과 저소득층 청소년들을 위해 다양한 지혜 나눔의 계기를 마련하고자 합니다.

올재의 첫 번째 지혜 나눔은 인문 고전입니다. 〈올재 클래식스〉는 최고 수준의 번역본을 부담 없는 가격에 보급합니다. 각 종당 5천 권을 발행하며 4천 권은 교보문고에서 6개월간 한정 판매합니다. 미판매된 도서와 발행 부수의 20%는 복지시설, 교정 기관, 저소득층 등에 무료 기증합니다. 출간한 번역본은 일정 기간 후 올재 인터넷 홈페이지(www.olje.or.kr)에 게시합니다.

Share the wisdom. Change the world.

사단법인 olje

올재의 새로운 지혜 나눔, 〈올재 셀렉션즈〉

〈올재 셀렉션즈〉는 판매 수익금이 전액 지혜 나눔에 쓰이는 시리즈로, 〈올재 클래식스〉로 한정 발행된 도서 가운데 독자들의 재발간 요청이 뜨거운 책들을 선별해 다시 편집하고 손질하여 펴내는 책들입니다. 지혜 나눔을 위해 각종 후원을 받아 2,900원이란 낮은 가격으로 판매되는 〈올재 클래식스〉 시리즈보다는 다소 높은 가격에 판매하는 대신 판매로 얻어지는 수익이 모두 공익을 위해 다시 쓰입니다. 〈올재 셀렉션즈〉를 통해 주옥 같은 고전도 읽으면서 지혜 나눔에도 동참하시기 바랍니다.

정기 후원과 일반 후원으로 올재의 지혜 나눔에 참여하세요.
올재의 벗들이 심은 작은 홀씨가 전국 곳곳에 인문 고전의 꽃으로 피어납니다.

올재 후원함 | 예금주 사단법인 올재

국민은행 023501-04-184681 농협 301-0100-8607-71
신한은행 100-027-966986 우리은행 1005-401-996902
하나은행 162-910013-46904

후원 문의처 | 올재 사무국

ⓣ 02)720-8278 ⓗ www.olje.or.kr ⓔ oljeclassics@olje.or.kr
@oljeclassics www.facebook.com/oljeclassics

지혜 나눔을 함께한 벗들

KYOBO 교보문고 Calligraphy Sooltong

차례

제 4 편
정치경제학의 체계에 관하여

제 5 편
주권자 또는 국가의 수입에 관하여

일러두기

1. 본 역서의 저본은 《An Inquiry into the Nature and Causes of the Wealth of Nations by Adam Smith, edited with an Introduction, Notes, Marginal Summary and an Enlarged Index by Edwin Cannan, M. A.》, 6th edition, Lodon, 1950, 2 vols.이다.
2. 편집부는 《An Inquiry into the Nature and Causes of the Wealth of Nations by Adam Smith, edited with an Introduction, Notes, Marginal Summary and an Enlarged Index by Edwin Cannan》(London : Methuen, 1904), 2 vols.를 참고하여, 원서상 각주의 〔 〕 및 본문의 큰 괄호는 그대로 표기하고, 역자 · 편집자 주는 작은 괄호에 넣으며, 편집자 주의 각주는 *로 표시한다.
3. 번역은 한글을 원칙으로 하되, 필요한 경우 한자와 에드윈 캐넌Edwin Cannan(1904) 판版의 원어 그대로 병기한다.
4. 외래어의 표기는 외래어 표기 용례에 따랐으나 흔히 쓰이는 것은 관용대로 표기한다.
5. 학술적 표기법에 따른 각주는 용어 및 약자를 풀어서 기재하고, 저자 · 편집자 · 역자 등의 인명은 되도록 전체 이름을 사용하여 독자의 이해를 돕고자 한다.
6. 본문 중에 다음과 같은 부호를 사용한다.
    - 대화나 직접 인용은 " "으로, 부분 인용이나 강조하고자 하는 말은 ' '으로 표시한다.
    - 장편의 시 · 소설 등의 도서명과 잡지명 따위는 《 》으로, 단편의 시 · 소설 등의 도서명과 논문 따위는 〈 〉으로 표시한다.
    - 동격의 개념을 가진 단어는 ( )으로 작게 표시하고, 음이 다른 단어는 〔 〕으로 표시한다.

제 4 편

정치경제학의 체계에 관하여

서론

정치경제학의 제1의 목적은 국민에게 생활자료를 공급하는 데 있다.

정치가 또는 입법자의 학문의 한 부문이라고 생각되는 정치경제학(Political œconomy)는 두 가지 별개의 목적을 내세우고 있다. 첫째는 인민에게 풍부한 수입 또는 생활자료를 공급하는 것, 즉 더 적절히 말한다면 인민이 그들 스스로를 위하여 그러한 수입 또는 생활자료를 손수 조달할 수 있게 해 주는 것이며, 둘째는 국가, 즉 공동사회(state or commonwealth)에 공공의 직무를 수행하는 데 충분한 수입을 공급하는 것이다. 정치경제학은 인민과 주권자의 쌍방을 부유하게 만들려는 것이다.

이 목적을 위해서 이루어진 두 가지의 상이한 체계를 설명하기로 한다.

여러 가지 시대와 국민들에게 있어서 부유의 상이한 진보는 정치경제학의 체계를 발생시켰다. 그 하나는 상업의 체계(system of commerce) 또 하나는 농업의 체계(system of agriculture)라고 부를 수 있다. 나는 이 두 가지를 될 수 있는 대로 완전히 그리고 명료하게 설명하려고 노력할 것이다. 먼저 상업의 체계부터 시작하려고 한다. 그것은 근대적인 체계이며, 우리나라와 우리 시대에 가장 잘 이해되고 있다.

제1장 상업의 체계, 즉 중상주의체계의 원리에 관하여

일상 용어로서 부와 화폐는 동의어로 생각되고 있다.

부가 화폐 또는 금은으로 구성되어 있다는 것은 화폐의 두 가지 기능, 즉 상업의 도구로서의 기능과 가치척도로서의 기능에서 자연스럽게 생기는 통속적인 견해이다. 그것이 상업의 도구라는 사실의 결과로서 우리는 화폐만 가지고 있으면 다른 어떤 상품에 의한 것보다 더 쉽게 우리가 필요로 하는 어떤 것이라도 획득할 수 있다. 우리가 항상 당면하는 큰 문제는 화폐를 손에 넣는 것이다. 그 것이 획득되기만 하면, 그 뒤 무엇을 구매하거나 어려움은 없다. 그리고 화폐가 가치의 척도라는 것의 결과로 우리는 모든 다른 상품의 가치를 이것과 교환될 화폐의 양에 의하여 평가한다. 우리는 부자를 가리켜 많은 화폐를 가지고 있는 사람이라고 말하고, 가난뱅이를 가리켜 극히 적은 화폐밖에 없는 사람이라고 말한다. 검소한 사람이나 또는 부유해지려고 애쓰는 사람은 돈을 좋아하는 사람이라고들 한다. 부주의하고 관대하거나 낭비하는 사람은 화폐에 무관심한 사람이라고 말한다. 부유하게 된다는 것은 곧 돈을 손에 넣는 것이며, 요컨대 부와 화폐는 일상 용어로서는 모든 점에서 동의어로 간주되고 있다.

이와 마찬가지로 타타르인들은 부는 가축으로 이루어져 있다고 생각했다.

부자와 마찬가지로 부국이란 화폐가 충만해 있는 나라라고 생각되고 있다. 그리고 어떤 나라에 금은을 축적하는 것이 그 나라를 부유하게 만드는 가장 손쉬운 길이라고 생각되고 있다. 아메리카의 발견 후 얼마 동안 스페인인이 어떤 미지의 해안에 도달했을 때, 그들의 첫 질문은 으레 그 부근 어디에 금이나 은이 발견된 곳이 있는가 하는 것이었다. 그들은 얻은 정보에 근거하여 그곳에 정주지를 만들 만한 가치가 있는지 없는지, 또는 그 나라를 정복해 볼 만한 가치가 있는지 없는지를 판단했다. 프랑스 국왕의 대사로서 유명한 칭기즈칸의 아들 가운데 한 사람에게 파견된 수도사 플라노 카르피노Plano Carpino는 타타르인들은 으레 자기에게 프랑스 왕국에는 양과 소가 많이 있는지 없는지를 묻곤 했다고 한다.[1]

1 〔교황 인노센트 4세Pope Innocent Ⅳ가 1246년에 사절로서 파견한 프란체스코회 수도사 플라노 카르피니Plano Carpini와 루이 9세가 1253년에 대사로서 파견한 또 한 사람의 프란체스코회 수도사 귀욤 드 뤼브뤼키Guillaume de Rubruquis와 혼동되어 있는 것 같다. "1869년에 《국부론》을 편집하여 출판한" 로저스Rogers가 이 구절에 관한 각주에서 지적하고 있는 바와 같이 이것은 뤼브뤼키Rubruquis, 《Voyage en Tartarie et à la Chine》, 제33장과 관련된 것인 듯하다. 뤼브뤼키가 진술하고 있는 것에 의하면 위대한 칸의 비서들은 언젠가 프랑스에 관하

그들의 질문은 스페인인의 그것과 동일한 목적을 가지고 있었다. 그들이 알고 싶었던 것은 그 나라가 정복할 만한 가치가 있을 만큼 부유한지 아닌지였다. 타타르인들 사이에는 일반적으로 화폐의 사용에 관하여 무지한 다른 모든 목축 국민들 사이에서와 마찬가지로, 가축이 상업의 용구이며, 가치의 척도이다. 그러므로 스페인인에 의하면 부가 금은에 있었던 것과 마찬가지로 타타르인들에 의하면 부는 가축에 있었던 것이다. 이 두 견해 가운데서 타타르인들의 견해가 진리에 훨씬 더 가까울 것이다.

로크는 금은을 국민의 부의 가장 실질적인 부분이라고 생각했다.

로크는 화폐와 그 밖의 동산적 재화動産的財貨(moveable goods) 간의 구별을 주목하고 있다. 그는 말하기를 모든 동산적 재화는 대단히 소비되기 쉬운 특질의 것이므로 그것들로 구성되는 부는 그렇게 믿음직스러운 것일 수 없다. 그래서 어떤 연도에는 그것들로 충만해 있는 국민도 아무것도 수출하지 않고 단지 그들 자신의 낭비와 사치에 의해서 그다음 해에는 그것들의 큰 부족에 빠지게 된다. 이와 반대로 화폐는 견실한 친구로서, 비록 사람의 손에서 사람의 손으로 돌아다닐지라도, 국외로는 못 나가게 해 두기만 하면, 그렇게 쉽게 낭비도 소비도 되지 않는다. 그러므로 그에 의하면 금은은 한 나라의 동산적 부(moveable wealth) 가운데서 가장 실속 있고, 실질적인 부분이며, 이 때문에 그는 그러한 금속을 증식시키는 것이야말로 정치경제학의 큰 목적이어야 한다고 생각했다.[2]

여 호기심을 드러내 보이면서 "마치 그들이 당장 그곳에 가서 전부 가지고 올 용의가 있는 것처럼 그곳에는 소와 양과 말이 많이 있느냐고 물었다"라는 것이다. 플라노 카르피니 및 뤼브뤼키는 모두 피에르 버거론Pierre Bergeron, 《Voyages faits principalement en Asie dans les xii., xiv. et xv. siècles》(덴하그La Haye, 1735)의 가운데 나와 있다.〕

2 〔이 문단의 어떤 부분도 그 근거가 극히 박약하다. 그것은 아마 《Some Considerations》(1696), 17~18면과 77~79면 및 《Civil Government》, 제46~50항에 관한 부정확한 기억에서 유래한 것일 것이다. 그것은 아마 조회도 하지 않고 《Lectures》에서 그대로 전기되었던 것 같다. 《Lectures》, 198면을 보라.〕

다른 사람들은 해외에서 함대와 군대를 유지하기 위하여 다액의 화폐를 가지고 있을 필요가 있다고 한다.

다른 사람들은 만일 어떤 국민이 전 세계에서 분리될 수 있다면, 그 국민 사이에 유통하는 화폐가 많거나 적거나, 그것은 그렇게 중요하지 않을 것이라고 용인하고 있다. 즉 그들은 이 화폐에 의하여 유통되는 소비재가 보다 다수의, 또는 보다 소수의 화폐 조각과 교환되는 것뿐이니, 그 나라의 실질적인 빈부는 전적으로 그러한 소비재가 풍부한지 부족한지에 의존하고 있다고 보고 있다. 그러나 외국민과 관계를 가지고, 대외 전쟁을 하지 않을 수 없고, 먼 지방에 함대와 군대를 유지해 두지 않으면 안 되는 나라들로서는 사정이 다르다고 그들은 생각한다. 그들은 말하기를 이런 것은 그것들에 지불해야 할 화폐를 해외로 보내지 않고서는 수행될 수 없는 것이며, 어떤 국민이 국내에 다액의 화폐를 갖고 있지 않은 한 많은 화폐를 해외로 보낼 수 없다고 한다. 따라서 그러한 모든 국민은 필요가 있을 경우에 대외 전쟁을 수행할 수 있는 자금을 소유하기 위하여, 평시에는 금은을 축적하려고 노력하지 않으면 안 된다는 것이다.

그래서 모든 유럽 국민은 금은을 축적하려고 꾀했다. 처음에는 수출금지에 의하여 그렇게 했으나,

이들 통속적인 견해의 결과로서 유럽의 모든 여러 국민은 별로 효과는 없었지만, 그들의 자국에 금은을 축적하는 데 가능한 모든 수단을 연구하여 왔다. 유럽에 그러한 금속을 공급하는 주요 광산의 소유자였던 스페인과 포르투갈은 가장 가혹한 형벌로써 그러한 금속의 수출을 금지했거나, 또는 그 수출에 꽤 많은 관세를 물게 했다. 옛날에는 그와 같은 금지는 유럽의 다른 대부분의 국민의 정책의 일부를 이루고 있었던 것 같다. 그러한 금지는 그러한 일이 있으리라고는 전혀 생각되지도 않는[3] 곳에서까지 발견되고 있다. 즉 스코틀랜드 의회의 옛날

3 〔"전혀 생각되지도 않는"의 원문은 "least of all expect"인데 초판에는 "expect least of all"로 되어 있다.〕

법령에는 금은을 "왕국의 밖으로(forth of the Kingdom)"[4] 가지고 가는 것을 중형으로 금지하고 있다. 그와 같은 정책은 옛날에는 프랑스와 잉글랜드에서도 시행되고 있었다.

상인들은 이것이 불편하다는 것을 알았다.
그런데 그러한 나라들이 상업적으로 되었을 때, 상인들은 많은 경우에 이러한 금지가 극히 불편하다는 것을 알게 되었다. 그들은 자국으로 수입하거나, 또는 어느 다른 외국으로 수출하거나 간에 자신들이 원하는 외국자화를 구매하는 데 다른 어떤 상품으로써 하는 것보다 금은으로써 하는 편이 종종 더 유리하게 구매할 수 있었다. 따라서 그들은 이 금지를 무역에 유해하다고 항의했다.

그리하여 수출은 반드시 국내의 자재를 감소시키는 것이라고 할 수 없다고 논했으며,
그들은 첫째, 해외 재화를 구매하기 위하여 금은을 수출하는 것은 이 왕국 내의 그러한 금속의 양을 반드시 감소시킨다고는 할 수 없다고 주장했다. 이와는 반대로 오히려 수출은 이따금 그 양[5]을 증가시킬 것이라고 주장했다. 왜냐하면 그 때문에 외국 재화의 소비가 국내에서 증가하지만 않는다면, 그러한 재화는 외국에 재수출될 수 있으며, 더구나 그곳에서 큰 이윤을 올리면서 팔릴 수 있을 것이므로, 본래 그 재화를 구매하기 위하여 보내졌던 것보다 훨씬 많은 재보를 가지고 돌아올 수 있을 것이기 때문이다. 먼 씨Mr. Mun는 외국무역의 이러한 작용을 농업에 있어서의 파종기와 수확기에 비교하고 있었다. 그는 말하기를 "만일 우리가 파종기에 양질의 많은 곡물을 땅속에 묻어 버리는 농부의 행동만을 본다면, 우리는 그를 농부라기보다 오히려 미친 사람이라고 생각할 것이다. 그러나 우리가 그의 노력의 끝을 맺는 수확기에 있어서의 노동을 생각한다면, 우리

4 〔"왕국의 밖으로(forth of the realm)"이라는 말은 1487년(1월) 법률 제11호에 있다. 그 밖의 법령은 1436년 법률 제13호, 1451년 법률 제15호, 1482년 법률 제8호이다.〕

5 〔"그 양"은 초판에서는 "그것(it)"으로 되어 있다.〕

는 그의 행동의 가치와 풍부한 수확물을 보게 될 것이다"[6]라고 한다.

그 금속은 무역차액에 주의만 한다면 유지될 수 있을 것이라고 논했다.

그들은 둘째로, 이러한 금지는 금은이 그 가치에 비해서 부피가 작기 때문에 쉽게 해외로 밀수될 수 있을 것이므로, 그것들의 수출을 저지할 수 없을 것이라고 주장했다.[7] 이 수출은 그들이 소위 말하는 무역차액(balance fo trade)에 적당히 주의를 기울이기만 하면 방지될 수 있을 것이라[8]는 것이다. 그 나라가 수입한 것보다 더 많은 가치를 수출했을 때는, 그 차액은 외국민으로부터 당연히 지불되게 되고, 또 그 지불은 금은으로 되지 않으면 안 되므로, 이 때문에 이 왕국에 있어서 그런 금속의 양은 증가된다는 것이다. 그러나 그 나라가 수출하는 것보다 더 많은 가치를 수입했을 경우에는, 당연히 그 차액은 외국민에게 지불되게 되고, 그 지불도 역시 동일한 방법으로 되지 않으면 안 되므로, 그 양이 이로 인해 감소된다는 것이다. 이런 경우에 그러한 금속의 수출을 금지한다고 해서 그것을 방지할 수 없을 것이고, 다만 그 수출을 더 위험하게 만들고, 또한 보다 그 수출을 더 비싸게 먹히게 할 뿐이라는 것이다. 그렇게 되면 그렇지 않을 경우에 비해 환(exchange)은 무역차액이 역조逆調인 나라에게는 훨씬 더 불리하게 될 것인데, 이는 외국환어음을 구매한 상인이 그것을 판매한 은행가에게 송금하는 데 따르는 자연적 위험·노고·경비뿐만 아니라 그 금지 때문에 일어나는 의외의 위험에

6 〔《England's Treasure by Foreign Trade, or the Balance of our Foreign Trade is the Rule of our Treasure》(1664), 제4장의 말미. 그러나 여기에서는 "We will rather accompt him a mad man"이라고 되어 있는데, 스미스는 그것을 "We shall account him rather a madman"이라고 하고 있다.〕

7 〔토머스 먼Thomas Mun, 《England's Treasure》, 제6장.〕

8 〔"무역에 관련된 다른 여러 사항 가운데서도 무역차액에 관해서는 많은 논의가 있었는데, 그것을 정당하게 이해해 두는 것이 무엇보다도 유익할 것이다." 조시아 차일드Josiah Child, 《New Discourse of Trade》(1694), 152면, 제9장, 이렇게 하면서 무역차액에 관한 설명을 꺼내고 있다. 무역차액이라는 용어는 먼의 저작이 쓰이기 이전부터 사용되고 있었다. 잉글리스 팔그레이브Inglis Palgrave, 《Dictionary of Political Economy》의 'Balance of Trade, History of the theory'의 항을 보라.〕

대해서도 대가를 지불하지 않으면 안 되기 때문이라는 것이다. 그러나 환이 어떤 나라에 불리하게 되면 될수록 무역수지도 필연적으로 그 나라에 점점 더 불리하게 되는데, 이는 그 나라의 화폐는 차액을 얻게 되는 나라의 그것에 비하여 반드시 그만큼 가치가 적어지기 때문인 것이다. 예를 들면 잉글랜드와 네덜란드 사이의 환이 잉글랜드에 5퍼센트 불리하다면 네덜란드에서 은 100온스의 어음을 구매하기 위해서는 잉글랜드에서의 금 105온스를 필요로 할 것이다. 따라서 잉글랜드에서의 은 105온스는 네덜란드에서의 은 100온스의 가치밖에 나가지 않을 것이며, 네덜란드의 재화를 그만큼밖에 구매하지 못할 것이다. 그러나 이와는 반대로 네덜란드에서의 은 100온스는 잉글랜드에서의 은 105온스의 가치가 되고, 그만큼의 양이 되는 잉글랜드의 재화를 구매할 것이라는 것이다. 즉 환시세의 차에 의하여 네덜란드에 팔리는 잉글랜드의 재화는 그만큼 싸게 팔릴 것이고, 잉글랜드에 팔릴 네덜란드의 재화는 그만큼 비싸게 팔릴 것이라고 한다. 그리고 이 차가 얼마만큼 되느냐에 따라, 전자의 재화는 그만큼 적은 네덜란드의 화폐를 잉글랜드에 끌어오며, 후자의 재화는 그만큼 많은 잉글랜드의 화폐를 네덜란드에 끌어올 것이다. 따라서 무역차액도 필연적으로 그만큼 잉글랜드에 불리하게 되고, 금은의 더 많은 차액을 네덜란드에 수출할 필요가 있게 될 것이라는 것이다.

그들의 논의는 일부는 궤변적이었으나,

그들 논의는 일부 충분한 근거가 있고 일부는 궤변적이었다. 그들 논의는 무역을 위한 금은의 수출은 그 나라에 유리할 수가 흔히 있다고 주장한 한에 있어서는 충분한 근거가 있다. 그리고 개인들이 금은의 수출에 어떤 이익을 보게 되면 어떠한 금지도 그들의 수출을 방지할 수 없다고 주장하고 있는 점에서도 그것들은 역시 충분한 근거가 있는 것이었다. 그러나 다른 필요품도 틀림없이 적당한 양이 공급되고, 그로써 그 일정량이 유지 또는 증가되지만, 금은의 양을 유지하거나 증가시키는 데 정부의 주의가 더욱더 필요하다고 상정하고 있는 점에서는 궤변적이었다. 그리고 또한 그것들이 환시세가 높으면 그들의 소위 불리한 무역차액도 필연적으로 증대한다. 즉 보다 다량의 금은의 수출을 초래한다고 주장하고 있는 점에서도 아마 궤변적이었던 것 같다. 사실 환시세가 높다는 것은 외국에 다소나마 화폐를 지불하지 않으면 안 되는 상인에게는 극히 불리했다. 그들은 그들의 은행가들로부터 발행해 받는 이들 나라 앞으로 낸 어음에 그만큼 더 비싸게 지불한 것이다. 그러나 비록 금지에서 생기는 위험이 은행가들에게 어떤 특별한 경비를 내게 했을지라도 그 때문에 반드시 그 나라에서 조금이라도 더 많은 화폐가 반출된다고는 할 수 없을 것이다. 이 경비는 화폐를 그 나라에서 밀수출하는 데 대체로 다 쓰일 것이며, 따라서 발행된 어음의 정확한 금액을 초과하여 단 하나의 6펜스화의 수출도 일어나지 않을 것이다. 또한 환시세가 높다는 것은, 이 높은 환으로써 지불하는 금액을 가능한 한, 소액으로 할 수 있도록 하기 위해서 자연히 상인들을 자신들 수출고가 수입고와 균형하도록 노력하고 싶어지게 할 것이다. 뿐만 아니라 환시세가 높다는 것은 외국 재화의 가격을 올리고 그 소비를 감소시키므로 반드시 조세로서의 작용을 하지 않을 수 없었을 것이다.[9] 그러므로 그것은 그들이 소위 말하는 불리한 무역차액, 따라서 금은의 수출을 증가시키지 못하고 감소시키는 경향이 있을 것이다.

그들은 의회와 추밀원을 설복했다. 잉글랜드 및 프랑스에서는 외국의 주화와 지금의 수출이 허가되었으며, 네덜란드에서는 자국의 주화의 수출까지 허가되었다. 재보는 외국무역에 의하여 획득된다는 것이 일반적으로 승인된 명제가 되었다.

논지는 이상과 같은 것이었는데 이는 이에 귀를 기울인 사람들을 설복했다. 그들 논의는 상인들에 의하여 의회와 군주의 추밀원 귀족들과, 농촌의 지주들에게 제출되었다. 즉 무역을 이해하는 사람들이라고 생각되었던 사람들에 의하여 자신들은 문외한이라고 자각하고 있는 사람들에게 제출되었다. 외국무역이 나

9 〔이 문장은 제2판에 처음 나온다. 초판에는 그다음의 문장이 "그러므로 환시세가 높다는 것은 그들이 소위 말하는……"으로 시작되어 있다.〕

라를 부유하게 했다는 것을 상인들은 물론, 귀족과 농촌 지주에게도 경험이 증명했던 것이지만 어떻게 해서, 즉 어떤 방법으로 나라를 부하게 했는가 하는 것에 관해선 그들 가운데 아무도 잘 알지 못했다. 상인들은 외국무역이 어떤 방법으로 자신들을 부유하게 만들어 주었는가를 완전히 알고 있었다. 그것을 안다는 것은 그들의 직무이기도 했다. 그러나 그것이 어떻게 해서 나라를 부유하게 했는가를 안다는 것은 그들의 직무는 아니었다. 이 문제는, 그들이 외국무역에 관련된 여러 법률에 대해 어떤 변경을 자신들 나라에 신청할 필요가 있을 경우가 아니라면, 그들의 고려에 들어가지도 않았다. 그러니 외국무역의 유리한 효과와 이들 효과가 현행법에 의하여 어떻게 방해되고 있는가에 관하여, 무엇인가 설명을 할 필요가 생겼던 것이다. 그 안건에 판결을 내리도록 되어 있는 재판관들에게는 외국무역이란 그 나라에 화폐를 가져다주는 것인데, 지금 문제시되고 있는 법률이 그렇지 않을 경우 외국무역이 가지고 올 만큼의 화폐를 가져오지 못하여 저지하고 있다는 것을 들었을 때, 그것이 가장 만족스러운 설명인 것같이 느껴졌다. 그러므로 그들 논의는 희망했던 대로의 결과를 가져왔다. 프랑스 및 잉글랜드에서의 금은의 수출금지는 그들 각 국가의 주화에만 국한되었다. 외국의 주화 및 지금의 수출은 자유로 되었다. 네덜란드와 그 밖의 약간의 지방에선 이 자유가 해당 국가의 주화에까지 확대되었다. 정부의 주의는 금은의 수출에 대한 감시에서, 그러한 금속을 감시하는 일로 바뀌어졌다. 즉 정부의 주의는 하나의 무익한 주의로부터 훨씬 복잡하고, 훨씬 더 까다로우면서 역시 동등하게 무익한 또 하나의 주의로 바뀌었다고 하겠다. 《외국무역에 있어서의 잉글랜드의 재보England's Treasure in Foreign Trade》[10]라고 하는 먼의 책의 표제는 비단 잉글랜드에서뿐만 아니라 다른 모든 상업국들의 정치경제학의 기본적 명제가 되었다. 모든 상업 가운데서 가장 중요하고, 등액의 자본이 최대의 수입을 가져오며 그 나라의 인민에게 최대의 일자리를 창조해 주는 내륙 또는 국내상업은 오직 외국무역에 종속적인 것에 지나지 않는다고 생각되었다. 그것은 그 나라에 화폐를

10 〔"in"은 "by"의 오식이다.〕

들여오지도 않으며, 그 나라에서 가지고 나가지도 않는다고 했다. 그러므로 그 나라는 국내상업의 번영 또는 표제가 외국무역의 상태에 간접적으로 영향을 미치는 한에 있어서는 예외이지만, 그렇지 않는 한, 그것에 의하여 더 부유해질 수도 없고 더 가난해질 수도 없다는 것이었다.

금은은 정부의 주의 없이도 수입될 것이다.

자국에 포도원을 갖고 있지 않은 나라는 그 포도주를 외국으로부터 수입해야 하는 것과 마찬가지로, 자국에 광산을 전혀 갖고 있지 않은 나라는 틀림없이 그 나라의 금은을 외국에서 수입해 와야 한다. 그러나 정부의 주의가 전자의 대상보다 후자의 대상에 더 많이 돌려져야 할 필요가 있는 것 같진 않다. 포도주를 구매할 수단을 가지고 있는 나라는 언제든지 필요로 하는 포도주를 획득할 것이고, 금은을 구매할 수단을 가지고 있는 나라에는 그들 금속의 부족이란 없을 것이다. 금은도 다른 모든 상품과 마찬가지로 일정한 가격으로 구매되게끔 되어 있다. 그리고 금은이 다른 모든 상품의 가격인 것과 마찬가지로 다른 모든 상품은 이러한 금속의 가격이기도 하다. 우리는 정부의 주의가 전혀 없더라도 무역의 자유가 우리들의 필요로 하는 포도주를 언제나 공급해 줄 것이라는 것을 안심하고 확신하는 바이다. 그리고 우리는 무역의 자유가 우리의 상품의 유통에 있어서나, 그 밖의 용도에 있어서나, 우리가 구매 또는 사용할 수 있는 모든 금은을 언제나 우리에게 공급해 주리라고 믿어도 좋을 것이다.

금은은 유효수요가 있을 때는 다른 어떤 상품들보다 더 쉽게 수입될 수 있다.

인간의 근로가 구매 또는 생산할 수 있는 모든 상품의 양은 어떤 나라에 있어서나 유효수요에 따라, 즉 그 상품을 마련하고 또 시장에 보내기 위해서 지불되지 않으면 안 되는 지대·노동·이윤의 전부를 기꺼이 지불하는 사람들의 수요에 따라서 자연적으로 조절된다. 그러나 금은만큼 그 유효수요에 따라 더 쉽게, 더 정확하게 조절되는 상품은 없다. 왜냐하면 이러한 금속은 부피는 작지만 가치가 크기 때문에 다른 어떤 상품보다도, 어떤 장소에서 다른 장소로, 즉 그것을 값싼 곳에서 비싼 곳으로, 그것들이 유효수요를 초과하고 있는 곳에서 부족한 곳으로 쉽게 수송될 수 있기 때문이다. 예를 들면 만일 잉글랜드에 금의 초과량에 대한 유효수요가 있다면 정기선은 리스본 또는 그 밖의 그것이 획득될 수 있는 곳이라면 어떤 곳으로부터라도 500만 개 이상의 기니화로 주조할 수 있는 50톤의 금을 가지고 올 수 있을 것이다. 그러나 만일 이와 동일한 가치의 곡물에 대한 유효수요가 있다면[11] 그것을 수입하는 데는 1톤당 5기니로 해서 100만 톤의 선박, 즉 각 1000톤의 배 1000척을 필요로 할 것이다. 잉글랜드의 전체 해군 함선으로도 불충분할 것이다.

금은의 양이 그 수요를 초과할 때는 그들의 수출을 방지하는 것은 불가능하며, 공급이 유효수요에 따르지 못할 때는 그들의 수입을 방지하는 것도 마찬가지로 불가능할 것이다.

어떤 나라에 수입된 금은의 양이 유효수요를 초과할 때는 정부의 어떠한 경계도 그들의 수출을 방지할 수 없다. 스페인과 포르투갈의 모든 잔인한 법률로써도 그들의 금은을 국내에 억눌러 둘 수는 없다. 페루와 브라질로부터의 계속적인 수입이 그러한 나라들의 유효수요를 초과하고, 그곳에서의 그러한 금속의 가격을 그 이웃 나라에서의 그것 이하로 떨어뜨린다. 이와 반대로 어떤 특정국에 있어서의 그것들의 양이 유효수요를 충족하지 못하여 그 가격을 이웃 제국의 그것[12] 이상으로 올릴 정도라면, 정부는 그것들을 수입하는 데 아무런 수고도 할 필요가 없을 것이다. 만일 정부가 그들의 수입을 방지하려고 전력을 다한다 하더라도[13] 정부는 그 목적을 달성할 수 없을 것이다. 그들 금속은 스파르타인이

11 〔원문에 있어서는 이곳과 4행 앞의 가정절이 "there were"로 돼 있는데 초판에서 제3판까지는 "there was"로 되어 있다.〕

12 〔"이웃 제국의 그것"은 초판에는 "이웃 제국에 있어서의 그것"이라고 되어 있다.〕

13 〔이 구절의 원문은 "if it were……"라고 가정법이 되어 있는데 초판에서 제3판까지는 "if it was……"라고 직설법으로 되어 있다.〕

그것들을 구매할 수단을 획득했을 때 라케다이몬Lacedemon에 그것들을 반입하는 것에 반대한 리크루고스Lycurgus의 법률의 모든 장벽을 깨뜨려 버렸던 것이다. 관세에 관한 모든 잔인한 법률도 네덜란드 및 예테보리의 동인도회사의 차茶의 수입을 방지할 수 없다. 왜냐하면 그것은 이 회사의 차는 영국 동인도회사의 차보다도 약간 더 싸기 때문이다. 그렇다 하더라도 1파운드의 차의 부피는 그 대가로서 보통 은으로 지불될 때의 최고가격 중 하나인 16실링의 은의 부피의 약 100배이고, 이와 동일 가격의 금의 부피의 2000배 이상이나 된다. 따라서 밀수하는 데도 꼭 그만큼의 곤란이 배가하는 셈이다.

수송하기 쉽다는 것이 금은의 가치를 그렇게 균일하게 만들고 있다.

금은의 가격이, 시장이 간혹 공급과잉 또는 공급부족일 때도 그 부피가 크기 때문에 위치의 이동을 저지당하고 있는 대부분의 다른 상품처럼, 부단히 변동하지 않는 것은 그런 금속이 과잉된 곳으로부터 부족한 곳으로 수송하기가 쉽다는 데 어느 정도 기인하고 있다. 물론 그러한 금속의 가격도 변동을 전혀 겪지 않는 것은 아니다. 그러나 있을 수 있는 변동이란 일반적으로 완만하고 점진적이며 균일하다. 예를 들면 유럽에서는 뚜렷한 근거도 없는데 금세기 및 앞 세기를 통하여 스페인령 서인도 제도로부터 끊임없이 수입되어 왔기 때문에 금은의 가치는 일관하여 그리고 점차적으로 하락했다고 생각되고 있다.[14] 그러나 모든 다른 상품의 화폐가격을 단번에 눈에 띌 정도로 현저하게 인상 또는 인하할 만큼의 어떤 갑작스러운 변화를 금은의 가격에 가져오기 위해서는 아메리카의 발견에 의해 일어났던 것만큼의 상업상의 어떤 변혁을 필요로 한다.

만일 금은이 부족하게 되면 지폐로써 그것을 대신할 수 있을 것이다.

이상과 같은 모든 성질이 있음에도 불구하고 만일 금은을 구매할 수단을 가지

14 〔제1편 제11장의 긴 "여론"에 대하여 전혀 언급하고 있지 않는 것은 이 "여론"이 본서에 삽입되기 전에, 이 구절이 쓰였다는 것을 시사하고 있다.〕

고 있는 나라에서 어떤 시기에 금은이 부족하다면 금은을 대신하는, 편법은 거의 어떤 다른 상품의 그것보다도 더 많이 있다. 만일 제조업의 원료가 부족하면, 산업은 정지하지 않으면 안 된다. 만일 식량이 부족하면 인민은 굶주리지 않을 수 없다. 그러나 화폐가 부족하면 비록 대단히 불편하더라도 물물교환이 그것을 대신할 것이다. 신용으로써 매매하고, 여러 상인들이 1개월에 한 번 또는 1년에 한 번 서로 그들의 신용을 결제하면 별로 큰 불편 없이 그것을 대신할 것이다. 잘 통제된 지폐가 그것을 대신하면 아무런[15] 불편도 없을 뿐만 아니라 어떤 경우에는 약간의 이익이 있을 것이다. 그러므로 어떤 일이 있어도 정부의 주의가 어떤 나라에 있어서의 화폐량의 유지 또는 증가를 감시하는 데 기울어졌을 때처럼 불필요하게 쓰였던 때는 아니었다.

화폐 부족에 관한 불평은 흔히 있으나, 이것은 차입의 곤란을 의미하는 것에 지나지 않는다.

그러나 화폐가 부족하다고 하는 불평처럼 흔한 불평은 없다. 화폐는 포도주와 마찬가지로 그것을 살 수단도, 그것을 빌리기 위한 신용도 모두 갖고 있지 않은 사람에게는 언제나 부족함이 틀림없다. 그중 어느 한 가지를 가지고 있는 사람들은 그들이 필요로 하는 화폐 또는 포도주의 어느 것도 부족할 수가 좀처럼 없을 것이다. 그런데도 화폐가 부족하다는 불평은 반드시 앞일을 생각지 않는 낭비자들에게 한정된 것은 아니다. 그것은 때로는 모든 상업도시와 그 인근 지방을 통하여 일반적인 것이 되어 있다. 과잉거래가 그 공통의 원인이다. 착실한 사람들이라도 자신들 기획이 자본과 균형을 이루지 못하면, 자칫하면 화폐를 구매할 수단도 그것을 빌 신용도 잃게 되기 마련이며, 이것은 지출이 수입과 균형을 이루지 못하는 낭비자들의 경우와 같은 것이다. 그들의 기획이 아직 과실을 맺을 수 있기 전에 그들의 자재는 사라져 버리고, 그들의 신용도 그것과 더불어

15 〔초판에는 이 이하가 다음과 같이 되어 있다. 즉 "아무런 불편도 없을 뿐만 아니라 대단히 큰 이익이 있을 것이다."〕

사라진다. 그들은 화폐를 빌리기 위하여 동분서주하는데, 누구나 그들에게 빌려줄 돈은 없다고 말한다. 화폐의 부족에 관한 이러한 일반적 불평이 반드시 일상적인 수량의 금은화폐 조각이 그 나라에 유통하고 있지 않다는 것을 증명하는 것은 아니고, 화폐와 바꿀 수 있는 것은 아무것도 갖고 있지 않은 많은 사람들이 그러한 화폐 조각을 원하고 있다는 것을 증명해 주는 것이라 하겠다. 상업의 이윤이 통상이윤보다 크기라도 하면, 대소상인들 사이에 과잉거래라고 하는 일반적 과오를 범하게 된다. 그들은 반드시 평상보다 더 많은 화폐를 해외에 보내는 것은 아니지만, 국내에서나 해외에서나 신용에 의하여 평상의 양 이상의 재화를 사들여서 그 재화를 먼 시장에 수송하여 지불청구가 있기 전에 그 대금이 회수되기를 바라고 있다. 그런데 지불청구는 대금회수代金回收 이전에 오는데, 그들은 수중에 화폐를 구매할 수 있거나 또는 신용에 필요한 확실한 담보를 줄 수 있는 아무것도 갖고 있지 않다. 화폐가 부족하다고 하는 일반적 불평을 일으키는 것은 금은의 부족이 아니고, 그러한 사람들이 신용하는 경우와 그들의 채권자들이 지불을 받을 경우에 당면하는 곤란성인 것이다.

화폐는 국민자본의 작은 부분을 이루고 있는 데 지나지 않는다.

부는 화폐나 또는 금은에 있는 것이 아니라, 화폐가 구매하는 것에 있으며, 화폐는 구매력 때문에 가치가 있을 뿐이라는 것을 증명하려고 열심히 노력하는 것은 너무 우스꽝스러운 일일 것이다. 화폐가 국민자본의 일부분을 이루고 있음은 틀림없으나, 그것은 대체로 그것의 작은 부분에 지나지 않으며, 항상 가장 이익이 나지 않는 부분이라는 것은 이미 밝혀 둔 바이다.

화폐는 단순한 상업의 용구이기 때문에 파는 것보다는 사는 것이 더 쉽다.

상인이 재화로써 화폐를 구매하기보다는 화폐로써 재화를 구매하는 편이 일반적으로 더 쉽다는 것을 알고 있다는 것은 부가 재화보다도 더 본질적으로 화폐에 있기 때문이 아니라, 화폐는 잘 알려져 있고, 확정되어 있는 상업 용구이며,

이것과 교환으로 무엇이든지 쉽게 주어지지만 어떤 것으로서도 반드시 똑같은 정도로 쉽게 모든 것과의 교환으로 획득될 수 있는 것은 아니기 때문이다. 그 위에 대부분의 재화는 화폐보다도 손상되기 쉬우며, 상인이 그런 것을 보존하고 있음으로써 훨씬 더 많은 손실을 보게 되는 수가 허다할 것이다. 또한 그가 자기의 재화의 대금을 그의 금고에 넣어 둘 경우보다도, 그 재화를 수중에 갖고 있는 편이 또한 그가 도저히 응할 수 없을 만큼의 화폐에 대한 청구를 받기가 더 쉬운 것이다. 이런 모든 점이 있음에도 그의 이윤은 구매하는 것에서보다 판매하는 것에서 더 직접적으로 생긴다. 그래서 그는 이상과 같은 모든 이유에서 자기의 화폐를 재화와 교환하려 하기보다 자기의 재화를 화폐와 교환하려고 더 애쓴다. 그러나 자기의 창고에 재화를 풍족하게 가지고 있는 특정한 상인이 때맞추어 그것을 팔 수 없으므로 때로는 파멸하는 수가 있지만 어떤 국민 또는 국가가 이와 동일한 재난을 당하기는 쉽지 않다. 한 상인의 총자본은 화폐를 얻으려고 예정된 멸실되기 쉬운 재화로 구성되는 수가 많다. 그러나 어떤 국민 또는 국가도 그 이웃으로부터 금은을 구매하기 위해 언제나 예정되어 있는 것은 일국의 노동의 연간 생산물 가운데 극히 적은 부분에 지나지 않는 것이다. 이 생산물의 많은 부분은 그 나라 자체에서 유통되고 소비된다. 그리고 해외에 보내지는 잉여부분까지도 그 대부분은 대체로 다른 외국 재화의 구매를 위하여 예정되어 있다. 그러므로 비록 금은을 구매하기 위하여 예정된 재화와 교환으로 금은을 획득할 수 없을지라도 그 국민은 파산하지는 않는다. 실제로는 그 국민은 약간의 손실과 불편을 입을지도 모를 것이며, 화폐를 대신하는 데 필요한 방법 가운데 어떤 것을 강구하지 않을 수 없게 될 것이다. 그렇지만 그 나라의 토지 및 노동의 연간 생산물은 평상시와 동일 또는 거의 동일할 것이다. 왜냐하면 평상시와 동일 또는 거의 동일한 소비 가능한 자본이 그 생산물을 유지하는 데 사용될 것이기 때문이다. 그리고 재화는 반드시, 화폐가 재화를 끌어당기는 것처럼, 그렇게 쉽게 화폐를 끌어온다고는 할 수 없지만, 장기간에 걸쳐 보면 화폐가 재화를 끌어오는 것에 비해서까지도 더 필연적으로 재화는 화폐를 끌어온다. 재화는 화폐를 구매하는 이외의 많은 다른 목적에 도움이 되지만 화폐는 재화를 구매하는 이외에는 전혀 소용이 될 수 없다. 그러므로 화폐는 반드시 재화의 뒤를 쫓아다녀야 하지만, 재화는 항상 또는 반드시 화폐의 뒤를 쫓아다닌다고는 할 수 없다. 재화를 사는 사람은 반드시 그것을 다시 팔려는 것은 아니고, 흔히는 사용하거나 또는 소비하기 위해서 산다. 그런데 그것을 파는 사람은 항상 다시 그것을 살 작정으로 그렇게 한다. 전자는 자기의 일을 전부 수행하는 수가 많지만, 후자는 자기의 일의 반 이상을 결코 수행할 수 없다. 사람들이 화폐를 욕구하는 것은 그것 자체 때문이 아니고, 그것으로써 그들이 구매할 수 있는 것 때문이다.

어떤 상품의 내구성이 그것을 필요 이상으로 축적하는 데 대한 이유는 되지 않는다. 소비 가능한 상품들은 쉽게 소멸되는 반면, 금은은 보다 더 내구적인 성질을 가지고 있으므로, 만일 이렇게 부단한 수출이 없다면 몇 세대 동안 모두 축적되어 그 나라의 실질적 부는 믿을 수 없을 만큼 증가할 것이라고들 한다. 그러므로 어떤 나라의 경우든 그렇게 오래가는 상품을 그렇게도 멸실하기 쉬운 상품과 교환하는 것을 주로 하는 무역처럼 불리한 것은 있을 수 없다고 주장되고 있다. 그러나 우리는 잉글랜드의 철물을 프랑스의 포도주와 교환하는 것을 주로 하는 무역을 불리한 것이라고 생각하지는 않는다. 그러나 철물은 극히 내구적인 상품이어서, 만일 이런 계속적인 수출이 없다면,[16] 이것 역시 몇 세대에 걸쳐 축적되어 그 나라의 살림 도구는 믿을 수 없을 만큼 증가할 것이다. 그러나 곧 알 수 있는 것이지만 그러한 살림 도구의 수는 어느 나라에서나 그것들의 용도에 의해 필연적으로 제한된다는 것이며, 그리고 그곳에서 많은 살림 도구를 갖는다는 것은 불합리할 것이며, 만일 식료품의 양이 증가한다면, 식료품의 증가량의 일부분은 살림 도구를 구매하는 데 사용되거나, 또는 그것들을 제조하는 것을 일

16 〔이 구절의 원문은 "were it not……"라고 가정법으로 되어 있는데, 초판부터 제3판까지는 "was it not……"이라고 직설법으로 되어 있다.〕

삼고 있는 직공들의 수를 부양하는 데 사용될 것이므로 그것에 따라서 살림 도구의 수도 쉽게 증가할 것이라는 것이다. 이와 마찬가지로, 곧 알 수 있는 것은, 모든 나라에서 금은의 양은 이런 금속의 용도에 의해 제한되며, 그것들의 용도는 주화로서 상품을 유통시키고, 금기와 은기로서 일종의 가구를 공급하는 데 있다는 것, 모든 나라에서의 주화의 양은 그것에 의해 유통되는 상품들의 가치에 의해 규제되는 것으로서, 상품들의 가치가 증가하면 그 일부는 상품들의 유통에 불가결한 주화의 추가량을 구매하기 위해 그것을 획득할 수 있는 곳이라면 어떠한 해외로도 곧 보내질 것이라는 것, 금기와 은기의 양은 그런 부류의 화려함에 즐겨 빠져 버리려는 개인의 가족의 수와 부에 의해 규제되는 것으로서 그런 가족의 수와 부가 증가하면, 그 증가한 부의 일부는 금기와 은기의 추가량이 되는 곳이라면 어떤 곳에서나 그것을 구매하기 위하여 사용될 가능성이 가장 많을 것이라는 것, 어떤 나라에 금은의 불필요한 양을 도입하거나 또는 그것을 억류해 줌으로써 그 나라의 부를 증가시키려고 시도하는 것은 개인의 가족에 불필요한 수의 살림 도구를 굳이 갖게 함으로써 그들의 좋은 음식을 증가시키려는 것과 똑같이 불합리하다는 것을 인정할 것이다. 그러한 불필요한 부엌세간을 구매하는 경비가 그 가족의 식료품을 질적으로나 양적으로 증진시키기는커녕 오히려 감퇴시키는 것과 마찬가지로, 금은의 불필요한 양을 구매하는 경비는 어느 나라에서나 인민을 먹이고 입히고 거주하게 하며, 그들을 부양하고 고용할 부를 필연적으로 감소시킬 것이 틀림없다. 금은은 주화의 형태든 금기와 은기의 형태로서든 간에, 부엌의 비품과 다를 바 없는 도구에 지나지 않는다는 것을 기억해 두어야 할 것이다. 금은의 용도를 증가시켜 보라. 즉 금은에 의하여 유통되고, 고용되고, 마련되는 소비 가능한 상품들을 증가시켜 보라. 그러면 여러분은 틀림없이 금은의 양을 증가시키게 될 것이지만, 만일 여러분이 비상수단으로써 그 양을 증가시키려고 꾀한다면, 틀림없이 그 용도를 감소시키고, 그러한 금속의 경우에는 그 용도가 필요로 하는 이상으로는 결코 많아질 수 없는 그 양까지도 감소시키게 될 것이다. 만일 금은이 그 양 이상으로 축적되기라도 한다면 그 수송은 극히 쉬운데, 그것을 놀려 둔다든지 사용하지 않음으로써 일어나는 손실은 너무 크기 때문에 어떠한 법률로써도 그것들이 즉시 외국으로 보내지는 것을 방지할 수는 없는 것이다.

금은의 축적은 원격지에서의 전쟁을 수행하기 위하여 소요되는 것은 아니다.

어떤 나라로 하여금 대외 전쟁을 수행하고 멀리 떨어진 곳에서 함대와 군대를 유지하도록 하기 위해서, 금은을 축적하게 하는 것이 반드시 필요하다고는 할 수 없다. 함대와 군대는 금은으로 유지되는 것이 아니라, 소비재로써 유지되는 것이다. 국내 산업의 연간 생산물, 즉 토지와 노동 및 소비 가능한 자재에서 오는 연간 수입에 의하여 멀리 떨어진 곳에서의 소비 가능한 재화를 구매할 수단을 가지고 있는 국민은 그곳에서의 대외 전쟁을 감당할 수 있다.

그 전비戰備는 (1) 금은, (2) 제조품 또는 (3) 원생산물의 수출에 의하여 지불된다.

어떤 국민은 멀리 떨어진 곳에서 군대의 봉급과 식료품을 다음 세 가지 방법으로 획득할 수 있다. 첫째, 그 국민이 축적한 금은의 일부분, 또는 둘째, 그의 제조업의 연간 생산물의 일부분, 또는 마지막으로 그의 매년 원생산물의 일부분 중의 어느 것을 해외로 보내는 것에 의한다.

금은은 유통화폐, 금기와 은기 및 금고 내의 화폐로 되어 있다.

어떤 나라에 축적되어 있거나 저장되어 있다고 생각되어 마땅한 금은은 다음 세 부분으로 구별한다. 첫째, 유통화폐이며, 둘째, 개인의 가정의 식기류, 마지막으로는 다년간의 절약으로 축적되어 군주의 금고에 저장되어 있는 화폐이다.

유통화폐에서는 거의 절약될 수가 없고,

그 나라의 유통화폐에서 많은 것이 절약될 수는 좀처럼 없다. 왜냐하면 거기에는 많은 여분이라고는 거의 있을 수 없기 때문이다. 어떤 나라에서 매년 매매되는 재화의 가치는 그것들을 유통하고 적당한 소비자에게 분배하기 위해 일정량의 화폐를 필요로 하지만, 그 이상 쓰일 필요는 없다. 유통의 수로는 반드시 그 수로를 가득 채울 만큼 충분한 금액을 그 수로 자체에 끌어들이며 결코 그 이상은 받아들이지 않는다. 그러나 대외 전쟁의 경우에는 일반적으로 이 수로에서 얼마만큼 인출된다. 해외에서 부양되는 사람의 수가 많아지므로 국내에서 유통하는 재화는 그만큼 적어지므로, 그것을 유통시키는 데 필요한 화폐도 적어진다. 그러한 경우 대체로 잉글랜드의 재무부증권·해군어음·은행어음과 같은 여러 가지 종류의 지폐가 굉장히 많이 발행된다. 그리고 이것들이 유통되고 있는 금은을 대신함으로써 훨씬 다량의 금은을 해외로 보낼 기회를 준다. 그럼에도 불구하고 이 모든 것으로도 거액의 경비가 들고 수년이나 계속되는 대외 전쟁을 유지하는 데는 진약한 재원밖에 제공할 수 없을 것이다.

금기와 은기는 결코 많은 이익을 가져오지 못했으며,
개인의 가정의 금기와 은기를 용해하는 것은 위에서 말한 것에 비해서도 훨씬 더 무의미한 재원에 지나지 않는다는 것은 모든 기회를 통해서 알게 되었다. 최근의 전쟁 시초에 프랑스 국민이 이러한 방법으로 끌어낸 이익은 금기와 은기를 만드는 기교의 상실을 메울 만큼도 되지 않았다.

화폐를 군주의 금고에 축적해 두는 것은 방기되었다.
옛날에는 군주가 축적한 재보는 훨씬 더 많고 훨씬 더 영속적인 재원을 제공했다. 오늘날에는 프로이센의 국왕을 제외한다면, 재보의 축적은 전혀 유럽의 군주의 정책이 아닌 것같이 생각된다.

금세기의 대외 전쟁은 유통화폐로써 지불되지 않았음이 명백하고,
역사에 기록되어 있는 가운데서 아마 가장 많은 경비가 든 금세기의 대외 전쟁을 유지했던 재원은 유통화폐 또는 개인의 가정의 식기류 또는 군주의 재보의

수출에는 거의 의존하지 않았던 것 같다. 최근의 프랑스와의 전쟁은 영국으로서는 9000만 파운드 이상의 비용이 들었다. 이 가운데는 신新채권 7500만 파운드뿐만 아니라[17] 1파운드당 2실링이 부가된 지조 및 감채기금에서의 연간 차입금이 포함되어 있다. 이 비용의 3분의 2 이상이 먼 나라에서, 즉 독일, 포르투갈, 아메리카, 그리고 지중해의 여러 항구, 동인도 및 서인도 제도에서 소비되었다.[18] 잉글랜드의 국왕은 축적된 재보를 전혀 갖고 있지 않았다. 우리는 엄청난 양의 식기류가 용해되었다는 것도 들은 적이 없다. 이 나라에 유통하고 있는 금은이 1800만 파운드 이상으로 되리라고는 상정되지 않았다. 그런데 최근의 금화의 개주 이래 그 금액은 상당히 과소평가되었던 것이라고 믿어지고 있다. 그러므로 우리는 내가 견문했다고 기억하고 있는 가운데서 가장 과장된 계산에 따라서,[19] 금은을 합하여 3000만 파운드에 달했다고 상정하기로 하자.[20] 만일 전쟁이 우리나라의 화폐에 의하여 수행되었다고 하면 이 계산에 따르더라도 6년 내지 7년의 기간 중에 그 화폐 전부가 적어도 2회는 해외로 보내졌다가는 다시 돌아왔을 것이다. 만일 이런 사실이 상정되어도 좋다면, 그것은 화폐를 보존하기 위한 감시가 정부로서는 얼마나 불필요한 것인가를 입증해 주는 가장 결정적인 증거를 제공해 줄 것이다. 왜냐하면 이러한 상정에 의하면 이 나라의 전체 화폐가 대단히 단기간 중의 두 가지 상이한 시기에 틀림없이 해외로 나가고 다시 되돌아왔을 것이 틀림없는 데도 그것을 아무도 의식하지 못하고 있었다는 사실 때문이다. 그런데 유통의 수로는 이 기간의 어떤 시점에 있어서도 평상 이상으로 공허했던 것 같지는 않았다. 화폐에 대하여 지불할 수단을 가지고 있었던 사람들이 화폐의 부족을 느낀 사람은 거의 없었다. 실제로 외국무역의 이윤은 전시 중에 평상시보다 훨씬 더 컸으며, 특히 전쟁 말기에는 그러했다. 이 사실은, 언제나 그렇지

17 〔《The Present State of the Nation》 28면.〕

18 〔"이 경비의 3분의 2 이상은……쓰였다"의 원문은 "more than two-thirds of this expense were laid out"인데 초판에서 제2판까지는 "were"가 "was"로 되어 있다.〕

19 〔초판에서는 여기까지 구절이 "그러므로 우리는 호즐리 씨의 과장된 계산에 따라"로 되어 있다.〕

20 〔《Lectures》, 199면.〕

만, 영국의 모든 항구에서 일시적 과잉거래를 일으켰으며, 이것은 또한 과잉거래에 항상 따르는 화폐의 결점이라는 통례의 불평을 일으켰던 것이다. 화폐를 사들일 수단도, 그것을 차입할 신용도 갖고 있지 않은 많은 사람들이 화폐를 원했다. 그리고 채무자들은 빌리는 것이 곤란함을 알았으므로, 채권자는 돌려받는 것이 곤란하다는 것을 알았다. 그러나 금은은 이것들을 얻는 데 그만한 가치를 지불할 수 있는 사람들에게는 대체로 그들이 가치의 대가로서 금은을 얻을 수 있었던 것이다.

그것은 상품으로써 지불되었다.

따라서 최근의 전쟁의 거액의 경비는 금은의 수출에 의하여서가 아니라 여러 가지 종류의 영국의 상품의 수출에 의하여 주로 지불되었음이 틀림없다. 정부 또는 그 밑에서 활동하고 있었던 사람들이 어떤 외국에 송금을 하기 위해 한 개인과 계약했을 때, 그 상인은 당연히 자기가 어음을 주었던 외국의 거래처에 금은보다도 오히려 상품을 보냄으로써 그 지불을 하려고 노력할 것이다. 만일 그 나라에서 영국의 상품에 대한 수요가 없으면, 그 나라 앞으로 된 어음을 구매할 수 있는 제3국에 보내려고 노력할 것이다. 상품들의 수송은 그것들이 시장에 알맞게 적합한 것일 때는 항상 상당한 이윤이 따르지만, 금은의 수송은 언제나 어떠한 이윤이 따르는 경우가 별로 없다. 그러한 금속이 외국 상품을 구매하기 위하여 해외에 보내질 때는 상인의 이윤은 그 구매에서 생기는 것이 아니고, 그 구입품의 판매에서 생긴다. 그러나 금은이 단순히 채무지불을 위하여 해외로 보내질 때는 그 상인은 구입품을 얻지 못하고, 따라서 아무런 이윤도 획득하지 못한다. 그러므로 그는 자연히 금은의 수출에 의하여서보다는 오히려 상품들의 수출에 의하여 자기의 대외 채무를 지불하는 방법을 찾으려는 창안력을 발휘한다. 최근의 전쟁을 통하여 다량의 영국의 재화가 아무런 구입품도 갖고 돌아오지 못하고 수출되었다는 것이 《국민의 현상The Present State of the Nation》[21]의 저

21 〔(조지 그렌빌George Grenville의 지시하에 윌리엄 녹스William Knox가 집필한) 《The Present

자에 의하여 지적된 것도 이 때문이다.

나라에서 나라로 유통하는 지금의 일부가 사용되었을 것이지만 그것은 여러 상품들로써 구매되었을 것이 틀림없다.

상술한 세 부류의 금은 이외에 모든 큰 상업국에는 외국무역의 목적을 위하여 상호 수입되고 수출되는 상당히 다량의 지금地金이 있다. 이러한 지금은 모든 개개의 나라에서 고정주화가 유통하고 있는 것과 같이 여러 상업국들 사이를 유통하고 있는 것과 같이 여러 상업국들 사이를 유통하고 있으므로, 큰 상업 공화국의 화폐라고 생각되어도 좋을 것이다. 국정주화는 그의 운동 및 방향을 각개 나라의 경계 내에 유통하는 상품에서 잡는데, 상업 공화국의 화폐는 그의 운동 및 방향을 여러 나라 사이를 유통하는 상품에서 잡는다. 양자는 모두 교환을 촉진하는 데 사용하고 있으며, 전자는 동일국에 있어서의 여러 개인 간의, 후자는 여러 국민 간의 교환을 촉진하기 위하여 사용된다. 큰 상업 공화국의 이러한 화폐의 일부는 최근의 전쟁을 수행하는 데 사용되어 왔었을지도 모르며, 아마 실제로 사용되었을 것이다. 전면적인 전시에는 보통 평화가 깊게 깃들여져 있을 경우에 따르게 되는 것과는 다른 하나의 움직임과 방향이 화폐에 특징지워지게 마련이며, 따라서 화폐는 전장의 주변에서보다 많이 유통하며, 전지와 그 이웃 여러 지방들에서 여러 가지 군대의 급여와 식료품을 구매하기 위해서 더욱더 많이 사용된다고 상정하는 것이 당연하다. 그러나 상업 공화국의 이런 화폐 가운데 영국이 이런 방법으로 사용할 수 있었던 부분이 얼마였든 간에 그것은 영국의 상품들로써나 또는 이러한 상품으로 구매된 다른 어떤 것으로써 해마다 구매되었을 것이 틀림없다. 그리고 이것은 또한 우리에게 전쟁의 수행을 가능하게 한 재원으로서는 상품, 즉 이 나라의 토지 및 노동의 연간 생산물임을 상기시켜 주고 있다. 사실 그렇게도 거액의 연간 경비가 연간 다량의 생산물

State of the Nation, Particularly with respect to its Trade, Finances, etc., addressed to the King and both Houses of Parliament》(1768), 7~8면.〕

에서 지불되었을 것이 틀림없다고 상정하는 것은 당연하다고 하겠다. 예를 들면 1761년의 경비는 1900만 파운드 이상에 달했다. 어떠한 축적도 그렇게 거액의 연간 낭비를 지탱할 수는 결코 없었을 것이다. 그것을 감당할 수 있었을 만큼의 금은의 연간 생산도 결코 불가능한 것이다. 해마다 스페인과 포르투갈에 수입되는 금은의 전량은 최량의 기록에 의하면 보통 영화 600만 파운드를 크게 상회하지 않고 있는데, 이는 최근의 전쟁의 몇 년에 있어서는 거의 4개월의 경비도 지불하지 못했을 것이다.

보다 정교한 제조품이 이 목적을 위해서는 가장 편리한 상품이다.

멀리 떨어져 있는 지방들에서 군대의 급여와 식료품, 또는 그런 것들을 구매하는 데 사용될 상업 공화국의 화폐의 어떤 부분을 그곳에서 구매하기 위하여, 그러한 지방에 수송하는 데 가장 적합한 상품들은 적은 용적에 큰 가치를 포함하고, 따라서 적은 경비로써 대단히 먼 곳에 수출될 수 있는 비교적 정교하고 개량된 제조품이라고 생각된다. 자기의 산업이 해마다 그러한 제조품의 대잉여를 생산하고 그것을 외국에 수출하고 있는 나라는 다량의 금은을 수출하지 않고서도, 그리고 수출할 그만의 양을 갖고 있지 않고서도 여러 해에 걸쳐 대단히 경비가 많이 드는 대외 전쟁을 수행할 수 있다. 물론, 이 경우에 제조품의 연간 잉여 가운데 상당한 부분이 상인에게는 수익을 가져다주지만 그 나라에는 아무런 보수도 가져다주지 않고, 수출되지 않으면 안 된다. 즉 정부는 외국에서 군대의 급여와 식료품을 구매하기 위하여 그러한 외국 앞으로 낸 상인의 어음을 구매하기 때문이다. 그런데도 이 잉여상인의 어음을 구매하기 때문이다. 그런데도 이 잉여의 어떤 부분은 역시 계속하여 어떤 보수를 가져올 것이다.[22] 전시에는 제조업자들에게는 이중의 수요가 있을 것이니, 그들은 첫째, 군대의 급여와 식료품

22 〔여기까지의 두 가지 문장은 초판에서는 다음과 같이 되어 있다. "물론 이 경우 제조업의 연간 잉여분의 상당한 부분은 아무런 수익도 가져오지 않고 수출되지 않으면 안 된다. 그러나 그 가운데 일부분은 역시, 계속 수익을 가지고 돌아올 것이다."〕

을 위하여 외국 앞으로 발행된 어음을 지불하기 위하여 해외에 보내지는 재화를 만들어 내도록 요구받고 있으며, 둘째로, 국내에서 일상 소비되어 버리는 보통의 물품을 구매하는 데 필요한 재화를 만들 것을 요구받고 있다. 따라서 가장 파괴적인 대외 전쟁이 한창일 때는 대다수의 제조업자가 흔히 크게 번성하는 수가 있다. 그리고 이와 반대로 평화 회복 시에는 그들은 쇠퇴하는 수가 있다. 즉 그들은 그들의 나라가 파멸되는 절정기에 번성하고, 그들의 국가가 번영을 회복했을 때에 쇠퇴하기 시작하는 수가 있다. 최근의 전쟁 중과 평화 후 얼마 동안 영국의 제조업의 다종다양한 부문에서의 여러 가지 상태는 방금 설명해 온 것의 하나의 예증으로서 도움이 될 것이다.

총생산물은 불편하다.

대단히 경비가 많이 들고 오래 계속되는 대외 전쟁이라면 토지의 원생산물의 수출에 의하여서는 불편 없이 수행될 수는 결코 없을 것이다. 군대의 급여와 식료품을 구매할 수 있을 만큼의 원생산물의 양을 외국에 보내는 데 드는 경비는 너무나 거액이 될 것이다. 뿐만 아니라 자국의 주민의 생활자료로써 충분한 양보다 훨씬 더 많은 원생산물을 생산하는 나라는 거의 없다. 그러므로 그것의 대량을 해외에 보내는 것은 인민의 생활 필수 자료의 일부분을 해외에 보내는 것이 될 것이다. 그러나 제조품의 수출에 있어서는 사정이 다르다. 제조품 때문에 고용되고 있는 사람들의 생활 유지 자료는 국내에 남겨지고 그들의 소산의 잉여부분만이 수출된다. 흄 씨는 잉글랜드의 고대 제왕이 장기간의 대외 전쟁을 중단함이 없이 수행할 능력을 전혀 갖지 못했다는 것에 관하여 이따금 주목하곤 한다.[23] 당시의 잉글랜드인은 국내소비에서 꽤 많이 할애할 수 없는 토지의 원생산물, 또는 이것과 마찬가지로 수송비가 너무 많이 드는 가장 조잡한 종류의 몇 가지 제조품을 제외한다면 외국에서 자국 군대의 급여와 식료품을 구매하기 위한 수단을 전혀 갖고 있지 않았다. 이러한 무능력은 화폐의 부족에서 생긴 것이

23 〔《History》(1773), 제19~20장, 제3권, 168면.〕

아니라, 비교적 정교하고 개량된 제조품의 부족에서 비롯된 것이다. 지금은 물론 그 당시의 잉글랜드에서도 매매는 화폐에 의해 거래되었었다는 유통화폐의 양은 당시 통상적으로 거래되고 있었던 구매와 판매의 수 및 가치에 대하여 그것이 현재 거래되고 있는 구매와 판매의 수 및 가치에 대한 것과 동일한 비율을 지니고 있었음이 틀림없으며, 아니 오히려 당시의 유통화폐의 양은 현재보다도 더 큰 비율을 갖고 있었을 것이다. 왜냐하면 금은이 하는 일의 대부분을 현재에 맡아 하고 있는 지폐가 그 당시에는 없었기 때문이다. 상업과 제조업이 거의 알려져 있지 않은 나라들 사이에서는 주권자는 뒤에서 설명하려 하는 이유로 비상시에 자기의 신민으로부터 상당한 원조를 좀처럼 받아 낼 수 없다. 그러므로 그런 나라들에선 대체로 주권자는 그러한 비상사태에 대한 유일한 자원으로 재보財寶를 축적하려고 노력한다. 이러한 필요는 별문제라 하더라도 그는 그러한 사태에 놓이면 자연히 축적을 위해 불가결한 절약을 하고 싶어진다. 그렇게 소박한 상태에서는 군주의 경비까지도 궁정의 번지르르한 화려함을 즐기는 허영심에 의하여 지배되지 않고, 자기의 차지인에 대한 하사와 종자에 대한 환대를 위하여 쓰인다. 그런데 하사와 환대가 낭비를 초래하는 일은 좀처럼 없지만 허영심은 거의 언제나 낭비를 가져온다. 따라서 모든 타타르인의 족장은 재보를 소유하고 있다. 우크라이나에서 코사크족의 족장이며, 카를 12세의 유명한 동맹자였던 마제파Mazepa의 재보는 대단히 많았다고 한다. 메로빙거 왕조의 프랑스 왕들은 모두 재보를 가지고 있었다. 그들이 그들의 왕국을 그들의 여러 자손들에게 분할했을 때, 그들의 재보도 또한 나누어 주었다. 색슨의 여러 군주들과 정복 후 초기의 제왕도 마찬가지로 재보를 축적했던 것 같다. 모든 새로운 치세의 당초에 이루어지는 약탈은 왕위 계승의 확보를 위한 가장 본질적인 수단으로서 이전 국왕의 재보를 몰수하는 것이 보통이었다. 그러나 개선된 상업제국의 주권자들은 재보의 축적에 관하여 상기한 바와 동일한 필요하에 있는 것은 아니다. 왜냐하면 그들은 대체로 비상시에 그들의 신민으로부터 비상한 원조를 얻을 수 있기 때문이다. 게다가 그들은 그렇게 하고 싶은 마음이 별로 없다. 그들은 자연적으로, 아마도 필연적으로 시대의 유행에 따르고, 그들의 경비는 자국의 영토 안에서의 다른 모든 대토지소유자의 경비를 지배하는 것과 같은 엄청난 허영심에 의하여 규제된다. 그들의 궁정의 무의미한 사치는 날로 더 눈부시게 되고, 그 경비는 축적을 방해할 뿐만 아니라, 보다 더 필요한 경비를 위해 예정된 재원을 잠식하기도 한다. 데르실리다스Dercyllidas가 페르시아 궁정에 관하여 자기는 그곳에서 대단한 장려함을 보았지만 위력은 거의 보지 못했으며, 다수의 하인들은 보았지만 병사는 거의 보지 못했다고 말했던 것은 유럽의 몇몇 군주의 궁정에 들어맞을 것이다.[24]

외국무역의 주된 이익은 금은의 수입이 아니라 국내에서 수요가 없는 잉여생산물을 외국에 내보내고, 국내에 수요가 있는 어떤 것을 가지고 돌아오는 데 있다.

금은의 수입은 국민이 외국무역에서 끌어내는 주요한 이익도 아니며 하물며 유일한 이익도 아니다. 어떠한 지방 간에 외국무역이 행해지든 간에 그 모든 지방들은 두 가지 별개의 이익을 그것에서 끌어낸다. 그것은 그들의 토지 및 노동의 생산물 가운데서, 그곳에서는 수요가 없는 잉여부분을 내보내어 이것과 교환으로 그곳에서 수요가 있는 어떤 다른 것을 가지고 돌아오는 것이다. 그것은 그들의 잉여분을 그들의 욕망의 일부를 만족시키고 향락을 증가시킬 수 있는 어떤 다른 것과 교환함으로써, 그러한 잉여분에 가치를 부가한다. 무역이 있게 됨으로써 국내시장이 좁아도, 기술 또는 제조업의 어떤 특정부문에 있어서의 분업이 최고도로 완전히 이루어지지 못하게 되는 일은 없게 되었다. 그들 지방의 노동의 생산물 가운데 국내소비를 초과하는 부분이 얼마가 되든지 간에 이 부분에 대해, 더욱 광대한 시장을 개방해 줌으로써 그 지방들로 하여금 그들의 생산력을 개선하고, 연간 생산물을 최대한으로 증가시키고, 그렇게 함으로써 그 사회의 실질적 수입 및 부를 증가시키도록[25] 장려한다. 외국무역은 이것이 행해지고

24 〔'데르실리다스Dercyllidas'는 안티오쿠스Antiochus의 잘못인 것 같다. 크세노폰Xenophon, 《Hellenica》, 제7권, 제1장, 제38항을 보라.〕

있는 모든 나라에 대하여 이렇게도 위대하고 중요한 임무를 수행하는 데 끊임없이 종사하고 있다. 그들 모든 나라들은 외국무역에서 커다란 이익을 끌어내고 있는 바, 상인이 거주하는 나라가 끌어내는 이익은 일반적으로 최대의 것이다. 이는 상인은 일반적으로 어떤 다른 특정국보다도, 자국의 욕망을 충족하고 자국의 잉여분을 내어보내는 일에 더욱 많이 종사하고 있기 때문이다. 광산이 전혀 없는 나라에 모자라는 금은을 수입하는 것은 틀림없이 외국무역 업무의 일부이다. 그러나 그것은 가장 적은 부분에 지나지 않는다. 단순히 이 때문에 외국무역을 하고 있는 나라는 1세기에 한 척의 배에도 실어 올 필요가 있을 수 없을 것이다.

아메리카의 발견이 유럽에 이익을 주었던 것은 금은을 값싸게 만들었기 때문이 아니고, 새로운 시장을 개방하여 노동의 생산력을 개선했기 때문이다.

아메리카의 발견이 유럽을 부유하게 한 것은 금은의 수입에 의한 것은 아니다. 아메리카의 광산들이 풍광이기 때문에 그러한 금속은 더 값이 싸졌다. 현재 한 벌의 식기는 15세기에 먹혔을 가격에 비하여 그 3분의 1의 곡물 또는 3분의 1의 노동으로써 구매될 수 있다. 유럽은 노동 및 상품들의 동일한 연령의 지출로써 그 당시 구매할 수 있었던 양의 약 세 배량의 식기류를 해마다 구입할 수 있다. 그러나 어떤 상품이 그 일상 가격의 3분의 1로 팔리게 되면 그것을 전에 구매했던 사람들은 이전의 양의 세 배를 구매할 수 있을 뿐만 아니라, 그것은 이전보다 훨씬 다수의 구매자, 아마 열 배 이상 아니 스무 배 이상의 구매자가 구매할 수 있을 만한 수준에까지 떨어진다. 그러므로 현재의 유럽에는 현재와 같은 진보 속에서는 만일 아메리카의 광산들이 전혀 발견되지 않았을 경우 존재했을 금기와 은기의 양이 세 배 이상뿐 아니라 스무 배 이상 내지 서른 배 이상이나 존재할는지도 모른다. 틀림없이 지금까지 유럽은 확실히 극히 사소한 것이기는 하지만 그런 한에 있어서는 현

25 〔"……증가시키도록"의 원문은 "thereby to increase……"인데 초판에는 "to"가 없다.〕

실적 편의를 획득한 셈이다. 금은이 값싸다는 것은 그러한 금속을 그 이전에 비하여 화폐의 목적에 오히려 부적당한 것으로 만들고 있다. 이전과 동일한 구매를 하기 위하여 우리는 그런 금속을 보다 더 많이 지참하지 않으면 안 되고, 종래에는 그로트groat 한 개를 가졌었는데, 이제는 우리의 호주머니 속에 실링화 한 개를 가지고 다니지 않으면 안 된다. 이러한 불편과 이와 반대의 편리 중 어느 쪽이 가장 쓸모없는 것인가를 논한다는 것은 어려운 것이다. 전자 및 후자의 어느 것도 유럽의 상태에 극히 본질적인 어떤 변화를 가져올 수는 없었다. 그러나 아메리카의 발견은 확실히 가장 본질적인 변화를 가져왔다. 유럽의 전 상품에 대하여 무진장의 새로운 시장을 개방해 줌으로써 그것은 새로운 분업과 기술의 개선을 일으켰는데 이것은 옛날 상업의 좁은 범위에서는 그 생산물의 대부분을 흡수할 만한 시장이 없었기 때문에 결코 일어날 수 없었던 것이다. 유럽의 모든 나라에서는 노동의 생산력이 개선되었고, 노동의 생산물도 증가했으며, 이와 더불어 주민의 실질적 수입과 부도 증가했다. 유럽의 상품들은 아메리카에게는 거의 모두가 새로운 것이었으며, 아메리카의 많은 상품은 유럽에게 새로운 것이었다. 그러므로 이전에는 생각도 못 했던 새로운 일련의 교환이 개시되었다. 그리고 그것은 구대륙에 대해서도 당연히 그러했을 것이다. 유럽인들의 야만적인 부정행위는 모든 나라에 의당 유리했을 아메리카의 발견이라는 한 사건을 그들 불행한 나라들 가운데 몇몇에 대해서는 파멸적이고 파괴적인 사건으로 만들어 버렸다.

만일 동인도무역이 자유였다면 동인도에의 항로의 발견은 훨씬 더 유리했을 것이다. 은의 동인도에로의 수출은 유해하지는 않다.

이와 거의 동시에 일어났던 희망봉을 경유하는 동인도 항로의 발견은 거리가 더 먼 데도 불구하고 아마 아메리카의 그것에 비해서까지도 외국상업에 보다 넓은 활동 분야를 열어 주었다. 아메리카에는 모든 점에 있어서 야만인보다 뛰어난 국민은 둘밖에 없었으며, 이들은 발견되자마자 거의 전멸되었다. 그 나머지는 단순한 야만인이었다. 그런데 동인도에 있어서의 다른 몇 개 제국은 물론 중국·인도스탄·일본이라는 여러 제국들이 멕시코와 페루보다 더 나은 금은의 풍광을 갖고 있지 않았음에도 다른 모든 점에서 멕시코와 페루의 어느 쪽보다 훨씬 더 부유했고, 더 잘 경작되어 있었으며, 모든 기술과 제조업에 있어서 더 진보하고 있었던 것이며, 물론 이 두 나라의 옛날 상태에 관한 스페인의 저술가들의 과장된 기술이 전혀 신용할 만한 가치가 없는 것은 확실하지만, 가령 우리가 그것을 신용한다면 더욱더 그러했다. 그런데 부유하고 문명화한 여러 국민들 상호 간은 야만인과 미개인 사이에서보다 항상 훨씬 더 큰 가치를 교환할 수 있다. 그러나 유럽은 지금까지 아메리카와의 상업에서보다 동인도와의 상업에서 오히려 훨씬 더 적은 이익밖에 끌어내지 못했다. 포르투갈인은 약 1세기 동안 동인도무역을 자신들이 독점하고 있었다. 따라서 유럽의 다른 나라들이 어떤 재화를 동인도에 보내거나 받아들이는 것은 간접적으로 그들을 통해서만이 가능했다. 전前세기의 초두에 네덜란드인이 포르투갈인을 잠식하기 시작했을 때 네덜란드인은 자신들의 전 동인도무역을 하나의 배타적인 회사에 부여했다. 잉글랜드인·프랑스인·스웨덴인·덴마크인도 모두 네덜란드인의 예를 따랐다. 유럽의 대국민으로서 동인도와의 자유무역에서 이익을 본 나라는 아직 없을 정도이다. 왜 동인도무역이 유럽의 거의 모든 국민과 그 각국의 식민지와의 무역에 있어서 해당 국가의 모든 신민의 자유에 맡겨져 있는 아메리카 무역만큼 유리하지 못했는가에 관해서는 이 이외의 이유를 들 필요가 없다. 그들 동인도회사들이 그들 각각의 본국 정부로부터 획득한 배타적 특권들, 그들의 거대한 부, 큰 특전 및 보호는 그들 회사들에 대한 많은 질투를 불러일으켰던 것이다. 이러한 질투는 그 회사들의 무역이 해당 국가에서 해마다 다량의 은을 수출하기 때문에 전혀 유해하다고 이따금 주장했다. 이것에 대하여 당사자들은 다음과 같이 답했다. 즉 이러한 끊임없는 은의 수출에 의하여 그들의 무역은 전 유럽을 가난하게 만드는 경향이 있을지 모르지만, 그것을 해 나가는 특정국을 그렇게 만드는 경향이 있는 것은 아니다. 왜냐하면 그것은 동인도에서 가져오는 물품의 일부를 다른 유럽 제국에 수출함으로써 반출했던 것보다 훨씬 다량의 그 금속을 해마다 본국으로 가지고 오기 때문이라고 했다. 그 이의와 답변은 모두 방금 내가 검토해 온 통속적인 견해에 입각한 것이다. 그러므로 양자의 어느 것에 관해서 이 이상 더 말할 필요는 없다. 동인도에 은을 매년 수출함으로써 유럽에서는 은기가, 그렇지 않았을 경우에 비하여 약간 비쌀 것이며, 주조은화는 훨씬 다량의 노동과 상품들을 구매하게 될 것이다. 이 두 가지 결과 가운데 전자는 극소의 손실에 불과하며, 후자는 극히 적은 이익에 불과하다. 양자는 모두 너무 보잘것없는 것이어서 공공사회의 주의를 받을 만한 것도 못된다. 동인도와의 무역은 유럽의 상품들에 시장을 개방해 줌으로써, 또는 거의 같은 것이 되겠지만 그런 상품들로써 구매되는 금과 은에 시장을 개방함으로써 필연적으로 유럽의 상품들의 연간 생산을 증가시키고, 따라서 유럽의 실질적 부와 수입을 증가시키는 경향이 있을 것임에 틀림없다. 그런데 종래 동인도와의 무역이 그것들을 극히 조금밖에 증가시키지 못했던 것은 아마 모든 곳에서 그 무역이 괴로움을 받고 있는 여러 제한에 기인하고 있는 것 같다.

시작할 때는 부에 토지와 가옥 및 소비 가능한 재화를 포함하고 있던 저술가들도 뒤에 가선 그것을 종종 잊어버린다.

나는 지루하게 될 것을 무릅쓰고 부는 화폐 또는 금은에 있다고 하는 이 통속적인 견해를 아주 상세히 검토할 필요가 있다고 생각했다. 이미 설명한 바와 같이 일상 용어로서의 화폐는 흔히 부를 의미하고 있다. 그리고 이 표현의 애매함이 우리들로 하여금 이 통속적인 견해에 아주 친근감을 갖게 했으므로 그 견해가 불합리하다는 것을 확신하고 있는 사람들까지도 자칫하면 그들 자신의 원리들을 망각하고 그들이 추리를 해 가는 동안에 그것은 확정적이고 부정할 수 없는 진리로서 인정된 것이라고 생각하기 쉬운 것이다. 사업에 관한 잉글랜드의 가장 뛰어난 저자들 가운데 몇몇 사람들은 일국의 부는 그 금은에만 있는 것이 아니고, 그 토지와 가옥 및 모든 종류의 소비 가능한 재화에 있다는 것을 설명하면서 시작한다. 그러나 그들의 추리를 전개해 감에 따라, 토지와 가옥 및 소비 가능한 재화는 그들의 기억에서 빠져 나가 버린 것 같고, 그들의 논의의 경향은 어느덧 모든 부는 금은에 있고, 그러한 금속을 증식하는 것이야말로 국민의 공업과 상업의 큰 목적이라고 흔히 상정하고 있다.

부는 금은에 있다고 생각되었기 때문에 정치경제학은 수입을 감소시키고 수출을 장려하도록 노력하는데,

그러나 두 가지 원리, 즉 부는 금은에 존재한다는 것과, 그러한 금속을 광산이 없는 나라에 들여올 수 있는 것은 무역차액에 의할 수밖에 없다는 것, 다시 말해서 그 나라가 수입하는 것보다 더 큰 가치를 수출하는 수밖에 없다는 것의 두 가지 원리가 확립되었으므로, 국내소비를 위한 외국 재화의 수입을 가능한 한 많이 줄이고 국내 산업의 생산물의 수출을 될 수 있는 대로 증가시킨다는 것이 필연적으로 정치경제학의 큰 목표가 되었다. 따라서 나라를 부유하게 만들기 위한 경제정책의 2대 수단은 수입에 대한 여러 제한과 수출에 대한 여러 장려였다고 하겠다.

그 방법은 수입에 대한 제한에는 두 가지 종류가 있었다.

첫째는, 어느 나라에서 수입되어 오든지 간에, 국내에서 생산될 수 있는 외국 재화의 국내소비를 위한 수입에 대한 제한이다.

둘째로, 무역차액이 불리하다고 생각되는 특정 국가들로부터의 거의 모든 종류의 재화의 수입에 대한 제한이다. 그러한 여러 가지 제한은 때로는 높은 비율의 과세(duties)이었고, 때로는 절대적인 금지였다.

수출에 대한 장려인데,

수출은 어떤 때는 조세환급에 의하여, 어떤 때는 장려금에 의하여, 어떤 때는 외국과의 유리한 통상조약에 의하여 또 어떤 때는 먼 지방에 식민지를 건설하는

것에 의하여 장려되었다.

조세환급은 두 가지 다른 경우에 주어진다. 국내 제조품이 어떤 조세 또는 내국 소비세를 물게 되어 있었을 때는, 그들의 전부 또는 일부가 그것을 수출했을 경우 종종 반환되었다. 그리고 조세가 과해지는 외국 재화가 재수출을 목적으로 수입될 때 이 조세의 전부 또는 일부가 그러한 수출의 경우 반환될 때도 있었다.

장려금은 어떤 초창기의 제조업이나 또는 다른 종류의 가운데서 특별히 우대할 가치가 있는 것이라고 생각되는 그러한 부류의 산업을 장려하기 위하여 주어졌다.

유리한 통상조약에 의하여, 그 나라의 재화와 상인은, 체약국締約國 이외의 다른 나라의 재화와 상인에게 수여되어 있는 것을 능가하는 특정한 특권이 어떤 외국에서 획득되었다.

먼 나라에 식민지를 건설함으로써 그것들을 건설한 나라의 재화와 상인은 특정한 특권뿐만 아니라 독점권까지 흔히 획득했다.

이러한 제한과 장려는 이하의 여섯 장에서 고찰될 것이다.

수입에 대한 상술한 두 종류의 제한은 수출에 대한 이러한 네 가지 장려와 함께 상업의 체계가 무역차액을 자국에 유리하도록 돌림으로써 어떤 나라에서의 금은의 양을 증가시킬 것을 제안하고 있는 여섯 가지 주요한 수단이다. 나는 개개의 장에서 그것들의 하나하나를 고찰할 것이다. 그리고 나는 그러한 수단이 그 나라에 화폐를 들여온다고 생각되고 있는 경향에 관해서는 이 이상 더 많은 주의를 하지 않고, 하나하나가 그 나라의 근로의 연간 생산물에 미치게 될 효과는 어떤 것인가를 주로 검토할 것이다. 이들 수단이 이 연간 생산물의 가치를 증가시키거나 또는 감소시키는 경향을 갖게 됨에 따라 그들은 명백히 그 나라의 실질적 부와 수입을 증가시키거나 또는 감소시키는 경향을 가질 것임에 틀림없다.

제2장 국내에서 생산될 수 있는 재화의 외국으로부터의 수입에 대한 제한에 관하여

특정의 국내 산업에 독점권을 부여하는 높은 비율의 과세와 금지는 대단히 흔한 것으로 되어 있다.

높은 비율의 과세 또는 절대적인 금지에 의하여 국내에서 생산될 수 있는 재화의 외국으로부터의 수입을 제한하면 그러한 재화의 생산에 종사하는 국내 산업에게는 다소간 국내시장의 독점이 확보된다. 그리하여 생가축 또는 소금에 절인 식료품의 외국으로부터의 수입금지는 영국의 목축업자에게 수육을 위한 국내시장의 독점을 확보해 준다. 곡물의 수입에 대한 높은 비율의 과세는 알맞게 풍작일 때에는 금지와 같은 정도가 되는데 그 상품의 생산업자에게는 위와 똑같은 이익을 준다. 외국 모직물의 수입금지는 모직물 제조업자에게는 이와 동등하게 유리하다.[26] 견직물업은 전적으로 외국의 원료에만 의존하고 있으나 최근에 동등한 이익을 획득했다.[27] 아마포 제조업은 아직 그것을 획득하지 못했으나 그것으로 향하여 거보巨步를 내디디고 있다.[28] 영국에서는 다른 많은 부류의 제조업자들(manufacturers)[29]이 이와 똑같은 방법으로 자신들의 동국인에 대해 전면적 또는 거의 전면적인 독점권을 획득했다. 영국으로의 수입이 절대적으로나 또는 일정한 사정에서 금지되어 있는 재화가 다종다양하다는 것은 관세법을 잘 모르는 사람들에게는 쉽게 짐작이 갈 수 있을 만한 정도를 크게 넘고 있다.[30]

그러한 독점은 특정된 산업을 장려하지만 산업 일반을 증진시키지도 않으며 그것에 최선의 방향을 제시하지도 않는다.

26 〔에드워드 3세 제11, 12년 법률 제3호, 에드워드 4세 제4년 법률 제7호.〕
27 〔조지 3세 제6년 법률 제28호.〕
28 〔조지 3세 제7년 법률 제28호의 부가세에 의한 것이다.〕
29 〔제5판에서는 "manufactures"라고 오식되어 있다.〕
30 〔이 문장은 〈증보 및 정정〉과 제3판에서 처음 나온다.〕

국내시장의 이러한 독점이 그것을 향수하는 특정 종류의 산업에게는 흔히 커다란 자극을 줄뿐더러, 또한 이렇지 않은 경우에 이 사업에 돌아갔을 사회의 노동 및 자재 쌍방의 몫보다도 더 큰 몫을 흔히들 그 사업에로 돌려준다는 것은 의심할 바 없다. 그러나 그것이 그 사회의 산업 일반을 증진시키거나, 또는 그것에 더 유리한 방향을 제시해 주는 경향이라도 있을지 없을지는 아주 그렇게 명백하지는 않을 것 같다.[31]

고용되는 사람 수는 사회의 자본에 대한 일정한 비율을 넘을 수 없으며,

사회의 산업 일반은 그 사회의 자본이 사용할 수 있는 것을 넘을 수 없다. 어떤 특정인이 취업시킬 수 있는 직공의 수는 그 사람의 자본에 대하여 일정한 비율을 갖고 있지 않으면 안 되듯이 일대 사회의 전 성원에 의하여 계속 고용될 수 있는 직공의 수도 그 사회의 전체 자본에 대하여 일정한 비율을 가지지 않으면 안 되며, 결코 그 비율을 초과할 수 없다. 상업에 관한 어떠한 법규도 어떤 사회에서 산업의 양을 그 자본이 유지할 수 있는 양 이상으로 증가시킬 수는 없다. 그것은 산업의 일부를 이것이 없었을 경우에 향하지 않았을지도 모르는 방향으로 돌릴 수는 있다. 그리고 이러한 인위적인 방향이 저절로 향했을 방향보다도 그 사회에 더 유리한 것 같다는 것은 아무래도 확실하지 않다.

그리고 모든 사람의 이해관계야말로 그 사람으로 하여금 사회에 대하여 가장 유리한 자본의 용도를 찾게 한다.

모든 개인은 그가 지배할 수 있는 어떠한 자본에 대해서도 가장 유리한 용도를 찾아내려고 부단히 노력하고 있다. 실은 그의 안중에 있는 것은 자기 자신의 이익이지, 사회의 이익은 아니다. 그러나 자기 자신의 이익에 관해 연구해 가면 자연히 아니 오히려 필연적으로 그로 하여금 그 사회에도 가장 유리한 용도를 택하게 되는 것이다.

31 〔"명백(evident)"이 초판에는 "확실(certain)"로 되어 있다.〕

(1) 그는 자본을 될 수 있는 대로 본바닥에 가까운 곳에서 사용하려고 한다.

첫째, 모든 개인은 자기의 자본을 될 수 있는 대로 본바닥에 가까운 곳에서, 따라서 그는 될 수 있는 대로 국내 산업을 많이 유지하도록 사용하려고 노력하는데, 이 경우 단지 그는 그렇게 함으로써 자재의 통상적인 이윤 또는 그보다 그렇게 적지 않은 이윤을 획득할 수 있다는 것을 조건으로 하고 있다.

그리하여 이윤이 등액인 경우엔 모든 도매상인은 당연히 소비품의 외국무역보다도 국내상업을 더 좋아하며 운송업보다도 소비품의 외국무역을 더 좋아한다. 국내상업에서는 소비품의 외국무역에서 흔히 그러한 것처럼 자기의 자본이 그렇게 오랫동안 그의 시야에서 벗어나 있지는 않다. 그는 자기가 신임하는 사람들의 성격과 상태를 비교적 잘 알 수 있으며, 만일 그가 간혹 속기라도 한다면 그는 그 구제를 찾아야 하는 자국의 법률들을 비교적 잘 알고 있다. 운송업에 있어서는 그 상인의 자본은 말하자면 두 개의 외국 사이에 나뉘어져 있으며, 그것의 어떤 부분도 반드시 자국에 보내오지도 않는다. 즉 자기 자신의 직접의 감독과 지배하에 놓이지 않는 것이다. 한 사람의 암스테르담의 상인이 쾨니히스베르크에서 리스본에 곡물을 운반하고, 리스본에서 쾨니히스베르크에 과일과 포도주를 운반하는 데 사용하는 자본은 보통 그 절반은 쾨니히스베르크에, 나머지 절반은 리스본에 있지 않으면 안 된다. 그 어떤 부분도 암스테르담에 올 필요가 없다. 그러한 상인의 자연적인 주소는 쾨니히스베르크나 리스본에 있어야 하며, 그가 암스테르담의 주소를 택할 수 있는 것은 어떤 대단히 특수한 사정이 있을 경우에 한한다. 그러나 자기의 자본에서 그렇게 멀리 떨어져 있음으로써 느끼는 불안 때문에 대체로 그는 리스본의 시장에 향할 쾨니히스베르크의 재화와 쾨니히스베르크 시장에 향할 리스본의 재화 쌍방의 일부를 암스테르담에 가지고 올 결심을 한다. 그리고 이 때문에 약간의 세금과 관세의 지불은 물론, 짐을 싣고 짐을 푸는 데 이중의 부담을 지게 되더라도, 자기 자본의 일부를 자기 자신의 감독과 지배하에 두기 위해서는 이러한 특별비용을 기꺼이 부담한다. 그리고 운송업의 상당한 몫을 가지고 있는 나라라면 어느 나라나 무역을 맡아 보고 있는 모든 여러 나라의 재화의 집산지(emporium), 즉 일반시장이 된다. 그 상인은 두 번째의 하적과 양륙을 덜기 위해서 그러한 모든 여러 나라의 재화를 될 수 있는 대로 많이 국내시장에서 팔아 버리려고 항상 노력한다. 그리하여 그가 할 수 있는 데까지는 자기의 운송업을 소비품의 외국무역으로 전환시키려고 노력한다. 마찬가지로 소비품의 외국무역에 종사하고 있는 상인도 외국무역을 위한 재화를 수집할 때, 동일 또는 거의 동일한 이윤이라면 서슴지 않고 항상 될 수 있는 대로 많은 부분을 국내에서 팔려고 할 것이다. 그리하여 그가 할 수 있는 한에는 자기의 소비품의 외국무역을 국내상업으로 바꾼다면 그는 수출하는 데 있어서의 위험과 번로를 덜게 될 것이다. 이렇게 하여 본국은 모든 나라의 주민의 자본이 비록 특수한 원인들에 의하여 그곳에서 쫓겨나서 더욱 먼 곳에서 사용되도록 밀려나는 수도 있지만 끊임없이 그 주위를 순환하고 항상 그곳을 지적하고 있는, 말하자면 중심지인 것이다. 그러나 이미 설명한 바와 같이 국내상업에 사용되는 자본은 소비품의 외국무역에 사용되는 등액의 자본보다도 필연적으로 더 다량의 국내 산업을 활동시키고 그 나라의 더욱더 많은 수의 국민에게 수입과 일터를 준다. 그리고 소비품의 외국무역에 사용되는 자본은 운송업에 사용되는 등액의 자본에 비하면 동일한 이익을 갖는다. 그러므로 이윤이 등액 또는 거의 등액일 경우에는 모든 개인은 자연히 국내 산업에 대하여 최대의 지지를 제공하고 자기 자신의 나라의 최대다수의 인민[32]에게 수입과 일터를 줄 수 있는 그러한 방법으로 자기의 자본을 사용하고 싶어 한다.

⑵ 그는 가능한 최대의 가치를 생산하려고 노력한다.

둘째, 자기의 자본을 국내 산업의 유지에 사용하는 모든 개인은 반드시 그의 생산물이 가능한 최대한으로 많은 가치를 가질 수 있도록 하는 방향으로 그 산업을 돌리려고 노력한다.

32 〔"최대다수의 인민"의 원문은 "the greatest number of people"인데 초판에는 "the greatest number of the people"이라고 되어 있다.〕

산업의 생산물이란 곧 그것이 사용하는 대상, 즉 원료에 그것이 부가한 것을 뜻한다. 이 생산물의 가치에 비례해서 고용주의 이윤도 마찬가지로 크거나 작거나 한다. 그러나 어떤 사람이 산업의 유지에 자본을 사용한 것은 다만 이윤 때문에 그렇게 할 따름이다. 따라서 그는 생산물이 최대의 가치를 가질 듯한, 즉 그것이 화폐 또는 그 밖의 재화의 최대량과 교환될 듯한 그 산업의 유지에 그것을 사용하려고 항상 노력한다.

그러나 모든 사회의 연간 수입은 항상 그 산업의 연간 총생산물의 교환가치와 정확하게 동등하다. 아니 오히려 그 교환가치와 정확하게 동일물인 것이다. 그러므로 모든 개인은 자기의 자본을 국내 산업의 유지에 사용할 것과 그 생산물이 최대한으로 많은 가치를 가질 수 있을 듯한 방향으로 그 산업을 돌리는 것의 쌍방을 위하여 될 수 있는 한 노력하기 때문에 모든 개인은 필연적으로 그 사회의 연간 수입을 될 수 있는 대로 크게 하려고 힘을 다한다. 사실 대체로 그는 공공의 이익을 촉진할 것을 의도하고 있지도 않으며, 그가 그 공공의 이익을 얼마나 촉진하고 있는가를 알고 있지도 않다. 외국 산업의 유지보다도 국내 산업의 유지를 택함으로써 그는 자기 자신의 안전만을 의도하고 그 생산물이 최대의 가치를 가질 수 있는 방법으로 그 생산을 지향시킴으로써 그는 자기 자신의 이익만을 의도하고 있다. 그리고 그는 이런 경우에도 많은 다른 경우와 마찬가지로 '보이지 않는 손(an invisible hand)'에 의하여 인도되어 자기가 전혀 의도하지 않았던 목적을 촉진하게 된다. 그가 그 목적을 전혀 의도해 보지 않았다고 해서 반드시 그 사회를 위해서 더 나쁘다고 할 수 없다. 그는 자기 자신의 이익을 추구함으로써 흔히 그가 실제로 그것을 촉진할 것을 할 때보다 오히려 더 효과적으로 사회의 이익을 촉진시킨다. 나는 공공의 행복을 위하여 상업을 하고 있는 척하는 사람들이 행복을 크게 증진시켰다는 것을 들어본 적이 없다. 실로 그것은 상인들 간에는 그렇게 흔하지 않은 태도이며, 그들을 설득하여 그렇게 하지 못하도록 말할 필요도 없는 것이다.

그는 이런 것에 관해서는 정치가보다 훨씬 더 잘 판단할 수 있다.

모든 개인은 자기의 국한된 입장에서 자기의 자본이 사용할 수 있는 국내 산업의 종류는 어떤 것이며, 또 어떤 생산물의 가치가 최대의 것이 될 것 같은지를 어떤 정치가나 입법자가 그를 위해서 해 줄 수 있는 것보다 훨씬 더 잘 판단할 수 있다는 것은 명백하다. 개인에게 그 자본을 어떻게 사용해야 할 것인지를 지시하려고 꾀하기라도 하는 정치가가 있다면, 그는 가장 불필요한 주의를 손수 부담할 뿐만 아니라, 한 개인은 물론, 어떤 추밀원 또는 원로원에도 안전하게 위탁될 수 없는 권한을 맡게 될 것이다. 더욱이 그 권한은 자기야말로 그것을 행사할 적임자라고 공상할 만큼 우둔하고 외람된 사람의 수중에 있을 경우에는 다른 어떤 곳에 있을 경우보다도 더 위험한 것이 될 것이다.

높은 비율의 과세와 금지는 사람들로 하여금 해외에서 더 싸게 구매할 수 있는 것을 국내에서 생산하기 위하여 자본을 사용하게 한다.

어떤 특정의 기술 또는 제조업에 있어서 국내 산업의 생산물에 국내시장의 독점권을 주는 것은 그들이 어떠한 방법으로 그들의 자본을 사용해야 하는가에 관하여 어느 정도 지시해 주는 것과 같으며, 그렇게 하는 것은 거의 대부분의 경우 소용없는 규제가 되거나 또는 유해한 규제가 될 것이 틀림없다. 만일 국내 산업의 생산물이 외국 산업의 그것과 똑같이 싸게 나올 수 있다면 이러한 규칙은 일반적으로 유해한 것임에 틀림없는 것이다. 구매하는 것보다 더 비싸게 먹히는 것을 집에서 만들려고 하지 않는 것은 모든 분별 있는 가장의 격언이다. 재봉사는 자기의 신발을 손수 만들려고 하지 않고, 구두점에서 산다. 구두 만드는 사람은 자기의 의복을 만들려고 하지 않고 재봉사에게 맡긴다. 농업경영자는 의복도 구두도 만들려 하지 않고 재봉사에게 맡긴다. 농업경영자는 의복도 구두도 만들려 하지 않고 그들의 여러 가지 공장을 사용한다. 그들 모두는 그들의 모든 노동을 그 이웃 사람들보다 약간이라도 유리한 방면에 사용하고 그의 생산물의 일부로써 또는 같은 것이지만, 그의 생산물 가격의 일부로써 자신들이 필요로 하는 다른 모든 것을 구매하는 것이 그들의 이익이라는 것을 알고 있다.

국민에게나 한 개인에게나, 보다 싸게 구매할 수 있는 것을 만든다는 것은 어리석은 짓이다.
모든 개인의 가족의 행동에서 분별 있음이 일대 왕국의 행동에서 어리석음이 될 수는 좀처럼 없다. 만일 어떤 외국이 우리에게 우리 자신이 만들 수 있는 것보다 더 싸게 어떤 상품을 공급해 줄 수 있다면, 우리는 우리에게 유리한 방법으로 운영한 우리 산업의 생산물의 일부로써 그것을 외국에서 사는 것이 더 낫다. 그 나라의 전체 산업은 항상 그것을 사용하는 자본에 비례하고 있으므로, 그 구입에 의하여 축소되지 않는 것은 상술한 공장들의 경우와 마찬가지이다. 그러나 단지 그것이 최대의 이익을 가져오도록 사용될 수 있는 방법을 발견하도록 방임될 뿐일 것이다. 이리하여 전체 산업이 만들 수 있는 것보다 더 싸게 살 수 있는 대상을 지향할 때 그것이 최대의 이익을 위해 사용되지 않음은 명백하다. 전체 산업의 연간 생산물의 가치는 전체 산업이 이와 같이 그가 생산하도록 지시받은 상품보다 명백하게 가치가 더 큰 상품들의 생산을 그만두게 될 때, 다소 감소한다. 여기에서의 상정에 의하면 그 상품은 국내에서 만들 수 있는 것보다 더 싸게 외국으로부터 구매할 수 있는 셈이다. 따라서 그 상품은 등액의 자본을 사용하는 산업이 만일 자연 과정을 따르도록 진행되고 방임되었을 경우 국내에서 생산되었을 상품들의 일부만으로써, 또는 동일한 뜻이지만, 그러한 상품들의 가격의 일부로써 구매될 수 있었을 것이다. 그러므로 그 나라의 산업은 그렇게 해서 보다 더 유리한 용도에서, 보다 덜 유리한 용도에 전용된다. 그리고 그의 연간 생산물의 교환가치는 입법자의 의도에 의하여 증가되기는 커녕 그러한 모든 규제에 의하여 필연적으로 감소될 것이 틀림없다.

이러한 규제들에 의하여 때로는 어떤 제조업은 그렇게 하지 않았을 경우보다 더 빨리 확립되는 수도 있었지만, 그렇게 하는 것은 자본의 축적을 더 완만하게 할 것이며, 사실 그러한 규제 때문에 때로는 어떤 특정된 제조업이 그렇지 않은 경우에 확립될 수 있었을 것보다 더 빨리 확립될지도 모른다. 그러나 그렇게 해서 그 사회의 산업이 그렇지 않았을 경우보다도 더 빨리 어떤 특정의 수로에 유리하게 옮겨질 수 있을지라도, 그 사회의 산업이나 또는 수입의 총량이 그러한 규제로 인해 증가될 수 있는 결과는 결코 되지 않았을 것이다. 그 사회의 산업은 그 자본이 증가하는 데 비례하여서만이 증가할 수 있고, 또한 그 자본은 그 수입에서 점차적으로 저축될 수 있는 것에 비례하여서만이 증가할 수 있다. 그러나 그러한 모든 규제의 직접적인 효과는 그 수입을 감소시키는 것이며, 그의 수입을 감소시키는 것이, 자본과 산업을 다 같이 그들의 자연적인 용도를 찾게끔 방임해 두었을 경우에 자본이 자연히 증가하는 것에 비해 더 빠르게 그의 자본을 증가시킬 것 같지는 않다는 것은 확실하다.

그리고 그 나라는 그러한 제조업을 전혀 확립하지 않았더라도, 그 부는 항상 마찬가지일 것이다.
그러한 규제가 없기 때문에 그 사회가 계획된 제조업을 전혀 확립하지 못하더라도, 그 때문에 그 사회가 그 존속기간 중의 어떤 시기에 반드시 더 가난한 사회가 된다고는 할 수 없을 것이다. 그 사회의 존속기간 중의 모든 시기를 통해서 그의 자본 및 노동의 전부는 비록 대상이야 여러 가지이긴 하지만, 그 시기에 가장 유리하게 사용되고 있었을 것이다. 모든 시기에 있어서 그의 수입은 그의 자본이 제공해 줄 수 있는 최대의 것이었을 것이며, 자본 및 수입의 쌍방은 최대한으로 신속하게 증가되었을 것이다.

어떤 나라가 위대한 자연적인 이점을 거역해서까지도 노력해야 한다고 제의하는 사람은 아무도 없겠지만, 자연적인 것이든 노력으로 획득된 것이든 간에 비교적 적은 이점을 거역해서까지 노력한다는 것도 불합리하다.

어떤 나라가 특수한 상품을 생산함에 있어서 타국에 대하여 가지는 자연적 이점은 때로는 너무 크기 때문에 그 이점과 경쟁한다는 것이 허사라는 것은 전 세계가 인정하고 있다. 온실·온상·온벽을 이용하여 스코틀랜드에서는 대단히 양질의 포도가 재배될 수 있고, 외국으로부터 가져올 수 있는 것과, 적어도 동등하게 양질의 것에 들이는 비용의 약 30배나 들이면 대단히 양질의 포도주도 그 포도에서 만들어질 수 있을 것이다. 다만 단순히 스코틀랜드에서 붉은 포도주와 버건디산 포도주의 제조를 장려하기 위해서 모든 외국산 포도주의 수입을 금지하는 법률이라도 있다면 그것이 합리적인 법률이겠는가? 그러나 만일 그 나라가 원하는 것과 등량의 상품들을 다른 나라들에서 구매해 오는 데 필요한 금액보다 30배나 많은 자본과 근로를 어떤 용도에 전향시키는 것이 명백히 불합리한 짓이라고 한다면, 비록 그렇게 유별나게 눈에 띄지는 않더라도 자본 또는 근로의 30분의 1, 또는 300분의 1일지라도 그러한 용도에 돌린다는 것도 그와 똑같은 종류의 불합리한 짓임이 틀림없겠다. 일국이 타국에 대하여 가지는 이점이 자연적인 것인지 또는 획득된 것인지는 이런 점에서 별로 중요한 것이 못 된다. 일국이 그러한 이점을 가지고, 타국이 그런 이점을 결여하고 있는 한 항상 후자에게는 자국에서 만들기보다는 타국에서 사들이는 것이 더 유리할 것이다. 한 사람의 공장이 또 다른 직업에 종사하는 그의 이웃 사람에 대하여 가지는 장점은 획득한 장점에 지나지 않는다. 그렇지만 그들 양자는 자신들 본직에 속하지 않는 물품을 만들기보다는 그것을 상호 구매하는 것이 더 유리하다는 것을 알고 있다.

상인과 제조업자는 높은 비율의 과세와 금지에 의하여 가장 많은 이익을 획득한다.

국내시장의 이러한 독점에서 최대의 이익을 끌어내는 사람들은 상인과 제조업자들이다. 외국의 가축 및 절인 식료품의 수입금지는 보통의 풍작 시에는 수입금지와 다름없는 외국 곡물에 대한 높은 비율의 과세와 함께, 이와 동일한 종류의 다른 규제들이 영국의 상인 및 제조업자들에게 유리한 것처럼, 그 나라의 목축업자와 농업경영자에게는 유리하지 않다. 제조품, 특히 비교적 정교한 종류의 것은 곡물, 또는 가축보다도 더 쉽게 일국으로부터 타국에 수송된다. 따라서 외국무역은 제조품을 가져가고, 가져오는 데 주로 종사하고 있다. 제조품의 경우 외국인들은 국내시장에서까지도 아주 적은 이익만 있더라도 우리나라의 직공들이 파는 것보다 더 싸게 팔 수 있을 것이다. 토지의 원생산물의 경우에는 그들이 그렇게 할 수 있으려면 대단히 큰 이익을 필요로 할 것이다. 만일 외국 제조품의 자유로운 수입이 허가되기라도 한다면[33] 국내 제조업의 몇몇은 아마 곤란을 당할 것이며, 그중 어떤 것은 아주 파멸해 버리고 현재 그들에게 사용되고 있는 자재와 근로의 상당한 부분은 강제적으로 어떤 다른 용도를 찾아내지 않으면 안 되게 될 것이다. 그러나 토지와 총생산물의 가장 자유로운 수입도 그 나라의 농업에 대해서 결코 그러한 영향을 미칠 수 없었을 것이다.

외국 가축의 자유로운 수입은 영국 목축업자에게 큰 영향을 미치지는 않을 것이다.
예를 들어 만일 외국 가축의 수입이 자유롭게 행해지게 된다 하더라도 그렇게 많이 수입될 수 없으므로 영국의 목축업이 그것으로 인해 그렇게 영향을 많이 받을 리는 없을 것이다. 생生가축은 아마 육로보다 해로에 의한 편이 훨씬 수송비가 많이 먹히는 유일한 상품이다. 육로로는 그들은 걸어서 시장까지 간다. 해로에서 가축뿐 아니라 그들의 식물과 물까지도 많은 비용과 불편이 따르면서 운반되지 않으면 안 된다. 실로 아일랜드와 영국 간의 해로는 짧기 때문에 아일랜드 가축의 수입은 비교적 쉽게 되어 있다. 그러나 최근까지 기한부로 허용되어 왔던 그 자유로운 수입이 영구적인 것으로 되었다 해도, 영국의 목축업자의 이익엔 그렇게 큰 영향을 미치지는 않을 것이다. 아일랜드해에 면해 있는 영국의 여러 지방은 모두 목축지방이다. 아일랜드의 가축은 이런 지방에서의 용도를 위해서 수입될 리는 없으며, 그런 가축들이 적당한 시장에 도착될 수 있기까

33 〔이 구와 6행 뒤의 구는 “if……were”라고 가정법이 되어 있는데, 초판에서 제3판까지는 모두 “if……was”라고 직설법으로 되어 있다.〕

지는 적잖은 비용과 불편을 받아 가며, 그 넓은 지방을 몰고 가지 않으면 안 된다. 살찐 가축은 그렇게 멀리 몰고 갈 수 없다. 그러므로 여윈 가축만이 수입될 수 있었고 그런 수입은 사육 또는 비육하는 여러 지방들의 여윈 가축의 가격을 떨어뜨림으로써 이런 지방의 이익이 되었으면 되었지 그 이익을 방해하지 않고 다만 종축種畜지방의 이익에만 저촉하게 될 것이다. 아일랜드 가축의 수입이 허가된 이래 아일랜드의 가축의 수입이 소수라는 사실과, 여윈 가축이 아직 계속 좋은 값으로 팔리고 있다는 사실은 영국의 종축지방까지도, 아일랜드의 가축이 자유로운 수입에 의하여 그렇게 영향을 받을 것 같지는 않다는 것을 입증하고 있는 것 같다. 사실 아일랜드의 서민은 자신들 가축의 수출에 폭력으로써 반항했던 때도 있었다고 한다. 그러나 만일 수출업자들이 그 무역을 계속하는 데에서 어떤 큰 이익을 보았으며, 게다가 법률이 그들 편인 한, 그들은 그런 폭도화된 반대를 쉽게 극복할 수 있었을 것이다.

그것은 험준한 산악지방을 희생으로 하여 경작된 평야의 이익이 되기까지 할 것이다. 뿐만 아니라 사육飼育지방과 비육肥育지방은 반드시 고도로 개량되어 있는데 종축지방은 대체로 경작되어 있지 않다. 여윈 가축의 높은 가격은 미경작지의 가치를 증가시킴으로써 마치 토지개량 방지의 장려금과 비슷하다. 고도로 개량이 이루어진 나라로서는 여윈 가축을 번식시키기보다 수입하는 편이 유리할 것이다. 그래서 네덜란드 지방은 현재 이 방식에 따르고 있다고 한다. 그런데 사실 스코틀랜드·웨일스·노섬벌랜드의 산들은 많이 개량될 수 없는 지방으로서 자연적으로 영국의 종축지방으로서 운명지어져 있는 것 같다. 외국 가축의 수입을 최대한으로 자유롭게 하는 것은 이들 종축지방으로 하여금 이 왕국의 나머지 지방에 있어서의 인구와 개량의 증진에서 얻을 수 있는 이익을 얻지 못하게 하여 가축의 가격을 엄청나게 높이지도 못하게 하고, 그 나라의 보다 개량되고 경작되는 모든 지방에 대하여 실질적인 조세를 부과하지 못하게 하는 효과 이외에는 아무것도 없는 것이다.

절인 식료품의 자유로운 수입 또한 목축업자에게는 별로 영향을 미치지 않을 것이며,

이와 마찬가지로 소금에 절인 식료품의 수입을 최대한으로 자유롭게 하더라도 생가축의 경우와 마찬가지로 영국의 목축업자의 이익에는 별로 영향을 미칠 수 없을 것이다. 절인 식료품은 대단히 부피가 큰 상품일 뿐만 아니라 생육과 비교할 때 아무래도 질이 나쁘고, 보다 많은 노동과 경비가 들기 때문에 그 가격도 더 높다. 그러므로 절인 식료품은 비록 그 나라의 절인 식료품과는 경쟁할 수 있을지라도 생육과는 결코 경쟁할 수 없게 될 것이다. 그것들은 원양항해의 선박에 대한 식품공급을 위해 사용될 수 있고, 또 그와 비슷한 용도로 쓰이기는 하지만, 인민의 식품의 중요 부분을 차지할 수는 없을 것이다. 아일랜드로부터의 수입이 자유롭게 된 이래 수입된 절인 식품의 양이 적다는 것은 우리의 목축업자가 그것을 염려할 것은 조금도 없다는 것을 증명해 주는 경험적 증거이다. 도륙의 가격이 그것 때문에 눈에 띌 만큼 영향을 받은 적은 결코 없는 것 같다.

그리고 곡물의 자유수입까지도 농업경영자에게는 큰 영향을 미치지 않을 것이다.

외국의 곡물의 자유로운 수입까지도 영국의 농업경영자의 이익에는 그렇게 영향을 미칠 수 없을 것이다. 곡물은 수육보다도 훨씬 더 부피가 큰 상품이다. 1페니의 소맥 1파운드는 4펜스의 고기 1파운드에 상당한다. 가장 심한 흉작의 시기에도 수입되는 외국의 곡물량이 적었다는 것은 우리의 농업경영자들에게 최대한의 자유로운 수입을 두려워할 필요는 없다는 것을 납득시켜 줄 것이다. 곡물무역론에 관한 아주 박식한 저자에 의하면 연간 평균수입량은 모든 곡물을 합해서 2만 3728쿼터에 지나지 않으며, 연간 소비량의 571분의 1을 넘지 않는다는 것이다.[34] 그러나 곡물에 대한 장려금은 이것이 없을 경우에 경작의 실상에서[35] 일어날 것보다 풍년엔 더 많은 수출을 일으킬 것이므로 흉년에는 훨씬 더 많은

34 〔찰스 스미스Charles Smith, 《Three Tracts on the Corn-Trade and Corn-Laws》, 144~145면, 이와 동일한 숫자가 다음의 제2권 36면에 인용되어 있다.〕

수입을 일으키는 결과를 가져오지 않으면 안 된다. 즉 장려금 때문에 어떤 연도의 풍부가 다른 연도의 부족을 메우지 못하며 그 때문에 평균수출량은 필연적으로 증가하므로 경작의 실상에 있어서는 평균수입량도 역시 증가되지 않을 수 없다. 그러므로 만일 장려금이 없다면[36] 곡물의 수출은 현재보다 적어질 것이므로 여러 해를 평균해 보면 수입도 현재보다 적어질 것 같다. 곡물 상인들, 즉 영국과 다른 나라들 사이의 곡물거래상과 운송업자는 전보다 일거리가 훨씬 적어져서 상당히 곤란을 당할 것이다. 그러나 농촌 지주와 농업경영자는 거의 손해를 입지 않을 것이다. 따라서 내가 시찰한 바에 의하면 장려금의 경신과 계속에 대하여 가장 큰 관심을 가지는 것은 농촌 지주와 농업경영자보다도 오히려 곡물 상인이라 하겠다.

농촌의 지주와 농업경영자들은 상인과 제조업자들보다 독점의 정신에 덜 지배되고 있다.

농촌의 지주와 농업경영자가 모든 시민들 가운데서 독점이라고 하는 비열한 정신에 지배됨이 가장 적다는 것은 그들의 큰 명예라 하겠다. 대大제조공장의 기업가도 동일 종류의 또 다른 공장이 자기의 것에서 20마일 이내에서 세워진다면 놀라기 마련이다. 아브빌Abbeville에서 모직물 제조업을 하는 네덜란드인 기업가[37]는 어떠한 동일 종류의 공장도 그 시에서 30리그league 이내에 세워서는 안 된다는 것을 약속했다. 이와 반대로 농업경영자와 농촌 지주들은 일반적으로 그들의 이웃 사람의 차지와 소유지가 경작되고 개량되는 것을 방해하기보

35 〔초판에는 "경작의 실상에서"라는 말이 없다.〕

36 〔이 구절은 "If there were"라고 가정법인데 초판에서 제3판까지는 "If there was"라고 직설법으로 되어 있다.〕

37 〔이 사람은 요셉 반 로바이스Joseph Van Robais이며, 1669년의 일이다. －존 스미스John Smith, 《Memoirs of Wool》, 제2권, 426~427면. 그러나 존 스미스도 찰스 킹Charles King, 《British Merchant》(1721), 제2권, 93~94면에도 여기에 언급되는 개개의 약정에 관해서는 말하고 있지 않다.〕

다 오히려 조장하고 싶어 한다. 그들은 제조업자의 대부분이 가지고 있는 것 같은 그러한 비밀을 전혀 갖고 있지 않으며, 대체로 유리하다는 것을 알게 된 어떤 새로운 방법을 그들의 이웃에 알리고 가능한 한 널리 보급하는 것을 좋아한다. 노카토老Cato는 말하기를 "정당한 이익은 가장 안전 확실한 것이어서, 질투를 일으킴이 가장 적으며, 동일한 직업에 종사하는 자는 악심을 갖는 일이 가장 적다(Pius Questus stabilissimusque, minimeque invidiosus, minimeque male cogitantes sunt, qui in eo studio occupati sunt)"[38]라고 했다. 농촌 지주들과 농업경영자들은 그 나라의 여러 지방에 분산되어 있으므로 상인과 제조업자들처럼 쉽게 단결할 수 없다. 그런데 상인과 제조업자는 도시에 집합하여 있고, 그들 사이에 보급되어 있는 배타적 동업조합 정신에 젖어 있으므로 자연히 그들 각각의 도시의 주민에 대하여 그들이 일반적으로 가지고 있는 것과 같은 배타적 특권을 모든 동국인에 대해서도 획득하려고 노력한다. 따라서 그들은 국내시장의 독점을 자신들에게 확보해 두기 위한 외국 재화의 수입에 대한 여러 규제의 최초의 발명자였던 것 같다. 영국의 농촌 지주들과 농업경영자들이 동국인들에게 곡물과 수육을 공급하는 배타적 특권을 요구할 만큼 그들의 신분에 선천적으로 따르고 있는 너그러움을 잊어버렸던 것도 아마 상인과 제조업자들을 모방했기 때문이며, 또 그들 스스로가 자기들을 억압하는 인간이라고 생각하고 있던 사람들과 동격이 되려고 했기 때문이다. 아마 그들은 자신들이 그 예를 따랐던 바로 그 사람들의 이익보다 자신들의 이익이 무역의 자유에 의하여 받을 수 있는 영향이 얼마나 적은가 하는 것을 미처 생각해 보지 못했던 것이다.

외국의 곡물과 가축의 수입금지는 인구를 억제한다.

영구적인 법률에 의하여 외국의 곡물과 가축의 수입을 금지하는 것은 사실상 그 나라의 인구 및 산업이 어떠한 시기에도 자국의 토지의 총생산물이 유지할

38 〔카토Cato, 《농촌에 관하여De re rustica》의 첫머리에 있다. 다만 이 경우 "Questus"는 "quœstus"라고 되어 있어야 한다.〕

수 있는 것을 초과하지 못하게 할 것을 법령화하는 셈이다.

다만 두 가지 예외가 있으니,

그러나 국내 산업을 장려하기 위하여 외국 산업에 약간의 부담을 과하는 것이 일반적으로 유리한 경우가 두 가지 있다고 생각된다.

(1) 해운업과 같이 특정의 산업이 국방상 필요할 경우이며, 그러한 산업은 항해조례에 의하여 적절히 장려되고 있는데,

첫째는 어떤 특정 부류의 산업이 국방상 필요할 경우이다. 예를 들면 영국의 국방은 그 선원과 선박의 수에 크게 의존한다. 따라서 항해조례(the act of navigation)[39]는 대단히 적절하게도, 외국의 선운에, 때로는 절대적인 금지를, 때로는 그것에 무거운 부담을 과함으로써 영국의 선박에 자국의 무역에 관한 독점을 부여하려고 한다. 이 법률의 요지는 다음과 같다.

첫째, 선주·선장·선원의 4분의 3이 영국의 신민이 아닌 선박은 영국의 정주지 및 식민지와 무역을 행한다거나, 또는 영국의 연안무역에 종사하는 것을 금지당하며, 이에 위반하면 선박 및 적하는 몰수된다.[40]

둘째, 다종다양한 가장 부피가 큰 수입물품을 영국에 들여오는 데는 전술한 바와 같은 선박으로나, 또는 그들 재화가 생산된 나라의 선박이며, 또한 그 선주·선장·선원의 4분의 3이 그 특정국의 출신자인 선박으로서만이 수입된다 하더라도 그 재화들에 대하여는 두 배의 외국인세(aliens duty)가 과해진다. 만일 어떤 다른 나라의 선박으로 수입된다면 그 처벌은 선박 및 재화의 몰수가 된다.[41] 이

39 〔찰스 2세 제12년 법률 제18호, 즉 "선박 및 항해를 장려 증진시키기 위한 법률(An act for the encouraging and increasing of shipping and navigation)."〕

40 〔제1조 및 제6조.〕

41 〔제8조 및 제7조. "선박 및 재화"가 초판 및 제2판에는 "선박 및 적하"라고 되어 있다. 이렇게 변경한 것은 아마 "선박 및 적하"라고 하는 같은 말을 세 개의 문단에서 지루하게 되풀이하는 것을 피하기 위함이었을 것이다.〕

법률이 제정되었던 당시 네덜란드인은, 지금도 여전히 그렇지만, 유럽의 위대한 운송업자였는데, 이 규정 때문에 그들은 영국에 대한 운송업자라는 자격과 유럽의 어떤 다른 나라의 재화를 우리나라에 수입하는 행위에서 완전히 제외되었다.

셋째, 다종다양한 가장 부피가 큰 수입물품은 비록 영국 선박을 이용한다 하더라도 그들 재화의 생산국이 아닌 다른 어떤 나라로부터 수입하는 것이 금지되어 있고, 이것을 위반하면 선박 및 적하는 몰수된다.[42] 이 규정도 또한 네덜란드에 대항하기 위하여 세워진 것이었을 것이다. 그 당시 네덜란드는 오늘날과 마찬가지로 유럽의 모든 재화의 대집산지였는데, 이 규정 때문에 영국의 선박은 네덜란드에서 유럽의 어떤 다른 나라의 재화라도 적하할 수 없게 되어 버렸다.

넷째, 영국의 배에 의하여 포획되지 않았고, 또 그 선상에서 가공되지도 않은 모든 종류의 절인 어류나 고래 지느러미, 고래 뼈, 고래 기름 등이 영국에 수입될 때는 두 배의 외국인세를 물게 되어 있다.[43] 네덜란드인은 아직도 유럽의 주요한 어업자이긴 하지만, 당시는 유럽에서 외국민에게 어류를 공급하려고 시도했던 유일한 어업자였다. 이 규정에 의하여 영국에 대한 그들의 공급에 극히 무거운 부담이 과해졌던 것이다.

그런데 이 법령은 반감에 의한 것이었지만 현명한 법률이다.

항해조례가 제정되었을 당시 잉글랜드와 네덜란드는 실제로 전쟁을 하고 있지는 않았으나, 양국 국민 사이에는 가장 격렬한 반목이 존재하고 있었다. 이러한 적의는 이 법령을 처음 만든 장기의회의 치하에 시작되어,[44] 얼마 후 드디어 호민

42 〔제4조. 그런데 이 조문은 부피가 큰 재화뿐만 아니라 잉글랜드의 선박에 의하지 아니하고는 그 수입을 금지당하고 있었던 모든 외국산 및 외국제의 재화에도 적용되는 것이었다. 앞의 문단의 첫머리에 "다종다양한 부피가 큰 수입물품"이라는 말이 나오는데 아마 잘못되어 여기에도 베껴진 것 같다.〕

43 〔제5조.〕

44 〔1651년 "이 국민의 해군을 증진하고 항해를 장려하기 위한 법률(An act for the increase of

관의 치하 및 찰스 2세의 치하에서 네덜란드 전쟁으로 폭발되었다. 그러므로 이 유명한 법령의 여러 규정 가운데 어떤 것이 국민적 적의에서 유래했을 것이라는 가능성도 없지 않다. 그런데 그런 규정들은 마치 그 모두가 가장 신중한 예지에 의해 지시되었던 것처럼 현명한 것들이기도 하다. 어떤 특수한 시기에 있어서의 국민적 반감은 가장 신중한 예지가 권고했을 것과 똑같은 목적, 즉 잉글랜드의 안전을 위태롭게 하는 유일한 해군력인 네덜란드의 해군력을 멸살시킨다는 데 목적이 두어져 있다.

그리고 외국상업에는 불리한 것이다.

항해조례는 외국상업에 불리하며 그것에서 생길 수 있는 부유의 증대에도 유리하지 못한 것이다. 국민의 외국민에 대한 상업상의 관계에 있어서의 이익은 한 상인이 자기와 거래하는 여러 사람들에 관한 그것과 마찬가지로 될 수 있는 대로 싸게 사서 비싸게 판다는 것이다. 그러나 가장 완전한 무역의 자유에 의하여 한 나라가 모든 국민을 장려하여 자국이 구매할 필요가 있는 재화를 가져오게 할 때, 싸게 구매할 가능성이 가장 많은 것이며, 이와 동일한 이유에서 이렇게 하여 그 나라의 시장이 최대다수의 구매자로 충만할 때 비로소 비싸게 팔릴 가능성이 가장 많을 것이다. 사실 항해조례는 영국의 산업 생산물을 수출하기 위하여 오는 외국 선박에 대해서는 아무런 부담도 과하고 있지 않다. 수입되는 모든 재화는 물론, 수출되는 모든 재화에 대해서도 징수하고 있었던 옛날의 외국인세까지도 그후 몇 가지 법령에 의하여 수출물품의 대부분에 관해서는 철폐되었다.[45] 그러나 만일 외국인들이 금지 또는 높은 비율의 과세에 의하여 팔러 오는 것을 저지당한다면, 그들은 반드시 사러 올 수도 없을 것이다. 왜냐하면 하

shipping and encouragement of the navigation of the nation)"에 의한 것이다. 《공화정치법령집 the collection of Commonwealth Acts》의 1449면에 있다.〕

45 〔찰스 2세 제25년 법률 제6호 제1조에 의한 것이다. 다만 석탄은 제외되어 있다. 여기에서 "몇 개의 법령"이라고 복수로 되어 있는 것은 경신된 여러 법령들을 가리키고 있는 것과 같다. 아담 앤더슨Anderson, 《Commerce》(1672).〕

물荷物 없이 온다면 그들은 그들의 나라에서 영국까지의 운임을 손해 보지 않으면 안 되기 때문이다. 따라서 우리는 판매자의 수를 줄임으로써 필연적으로 구매자의 수를 감소시키게 된다. 그리고 그렇게 하여 무역의 보다 완전한 자유가 있을 경우보다 아마 외국의 재화를 더 비싸게 살 뿐만 아니라, 자국의 재화를 보다 싸게 팔게 된다. 그렇다 하더라도 국방은 부유보다도 훨씬 더 중요하므로 항해조례는 잉글랜드의 상업상의 모든 법규 가운데서 가장 현명한 것이라 하겠다.

(2) 유사한 국내 제조업의 생산물에 대한 조세가 존재할 경우에도 그러하다.

국내 산업을 장려하기 위하여 외국 산업에 약간의 부담을 주는 것이 일반적으로 유리한 제2의 경우는 국내 산업의 생산물에 대하여 어떠한 조세가 과해져 있을 경우이다. 이 경우에는 외국 산업의 생산물과 유사한 생산물에도 같은 금액의 조세를 부과해야 한다는 것은 합리적인 것 같다. 이렇게 하는 것은 국내 산업에만 국내시장의 독점권을 부여하지도 않을 것이며, 그 나라의 자재 및 노동의 몫이 자연적으로 돌아가게 될 것보다 더 많은 것을 어떤 특정의 용도에 돌리게 되지도 않을 것이다. 단지 그것은 자연적으로 돌아가게 될 것의 어떤 부분이 조세 때문에 보다 부자연스런 방향으로 전용되는 것을 저지하고 외국 산업과 국내 산업 간의 경쟁을 조세가 과해진 뒤에도 그 이전과 될 수 있는 대로 거의 동일한 입장에 두는 데 불과하다. 그러한 조세를 부과하는 경우, 이와 동시에 외국 재화가 자신들 국내에서 염가로 판매될 것이라는 우리나라 상인과 제조업자들의 시끄러운 불평을 막기 위하여, 동일 종류의 모든 외국 재화의 수입에 대하여 훨씬 더 무거운 과세를 하는 것이 보통으로 되어 있다.

어떤 사람들은 이 원리는 국내에서의 생활필수품에 대한 과세와 평형시키기 위하여 수입에 대한 일반적 과세를 정당화하는 것이라고 하지만,

어떤 사람들에 의하면 무역의 자유에 대한 이 제2의 제한은 국내에서 과세되어

왔던 상품과 경쟁할 수 있는 바로 그 외국의 상품에만 가해질 것이 아니라, 경우에 따라서는 그보다 훨씬 넓게 확장되어야 할 것이라고 한다. 그들은 주장하기를, 어떤 나라에서 생활필수품이 과세되었을 경우 다른 나라들로부터 수입되는 유사한 필수품뿐만 아니라 국내 산업의 생산물인 어떠한 것도 경쟁이 될 수 있는 모든 부류의 외국 재화에도 과세하는 것이 온당하다고 한다. 그들은 말하기를, 그러한 조세의 결과 생활자료는 필연적으로 더 비싸게 되고 노동의 가격은 노동자의 생활자료의 가격과 더불어 반드시 상승한다고 한다. 그러므로 국내 산업의 생산적인 모든 상품은 비록 직접 과세되지는 않더라도 그것을 생산하는 노동이 더 비싸게 되므로, 그러한 조세의 결과 훨씬 더 비싸게 된다. 따라서 그러한 조세는 국내에서 생산되는 모든 개개의 상품에 대한 조세와 실질적으로 동등한 것이라고 그들은 말한다. 그러므로 국내 산업을 외국 산업과 동일한 입장에 두기 위하여 국내 상품과 경쟁이 될 수 있는 모든 외국 상품에 대하여 국내 상품의 가격의 이러한 등귀와 동등한 약간의 과세를 할 필요가 있게 된다고 그들은 생각하고 있다.

그러나 거기에는 차이가 있는 것이며,

영국에서 비누[46]·소금·가죽·양초 등과 같은 생활필수품에 대한 조세가 필연적으로 노동의 가격을 올리고, 따라서 모든 다른 상품의 가격을 올리는지 아닌지에 관해서는 나는 뒤에서 조세를 다루게 될 때 고찰하기로 한다. 그러나 한편 그러한 조세가 이러한 영향을 미치고 더구나 틀림없이 이러한 영향을 미친다고 상정하더라도, 노동의 가격의 등귀는 다음 두 가지 점에서 어떤 특정의 세가 직접 부과됨으로써 그의 가격이 등귀된 어떤 특정 상품의 가격의 등귀의 경우와는 다르다.

ⓐ 생활필수품에 미치는 조세의 영향은 정확하게 알 수 없기 때문이며,

46 〔초판에는 "비누"라는 말 앞에 "맥아"라는 말이 있다.〕

첫째, 그러한 상품의 가격이 그러한 조세에 의하여 얼마나 인상될 수 있을지는 언제나 대단히 정확하게 알 수 있으나, 노동의 가격의 일반적 등귀가 노동이 사용된 온갖 상품의 가격의 일반적인 등귀에 얼마나 영향을 미칠 수 있는가 하는 것은 상당히 정확하게는 알아낼 수 없을 것이다. 그러므로 모든 외국 상품에 대한 조세를 모든 국내 상품의 가격의 등귀에 상당히 정확하게 비례시킨다는 것은 불가능할 것이다.

또 (b) 생활필수품에 대한 조세는 메마른 토지 또는 불량한 기후와 같은 것이다. 그것은 자본에 부자연한 방향을 주려고 하는 기도를 정당화할 수 없기 때문이다.
둘째로 생활필수품에 대한 조세는 인민의 생활상태에 메마른 토지와 불량한 기후가 미치는 것과 거의 동일한 영향을 미친다. 그 때문에 식료품이 더 비싸게 되는 것은 마치 토지가 메마르고 기후가 나쁘기 때문에 식료품을 산출하는 데 비상한 노동과 경비가 요구되는 것과 같다. 토지와 기후에서 생기는 자연적인 식량부족이 있을 경우, 인민에게 그들의 자본과 근로를 어떻게 사용해야 할 것인지를 지시하는 것이 불합리하듯이,[47] 그것은 그러한 조세에서 생기는 인위적인 식량부족의 경우에도 역시 불합리할 것이다. 그들의 근로를 될 수 있는 대로 그들의 상태에 적합하도록 방임하고, 그들의 사정이 아무리 불리하더라도 국내시장과 국외시장의 어느 편에서 조금이라도 유리한 용도를 찾아내게 방임해 두는 것이 어느 경우에나 분명히 그들에게 가장 유리한 것이다. 그들은 이미 과중한 조세의 부담을 받고 있기 때문에 신세를 부과한다든가, 그리고 그들은 이미 생활필수품에 너무 비싼 값을 치르고 있기 때문에 대부분이 다른 상품에도 지나치게 비싼 값을 치르게 해야 한다든가 하는 것은 그들을 보상해 주는 방법으로서는 가장 불합리한 것임에 틀림없다.

47 〔이 이하의 문장은 "So is it likewise in the artificial scarcity arising from such taxes"인데, 초판에는 "is it"이 "it is"로 되어 있다.〕

필수품에 대한 조세는 가장 부유한 나라에서 가장 흔한데, 그 이유는 다른 어떤 나라도 그들을 감당할 수 없기 때문이다.

그러한 조세가 일정의 높이에 달하면 대지의 불임성과 천후天后의 불순과도 대등할 만한 재난이라 하겠다. 더구나 그것이 가장 일반적으로 과해지고 있는 것은 가장 부유하고 가장 근면한 나라에서이다. 다른 어떤 나라도 그렇게 심한 무질서를 지탱할 수 없을 것이다. 최강의 육체만이 좋지 않은 양생법으로서도 생활하고 건강을 향수할 수 있듯이 모든 부류의 산업에 있어서 최대의 자연적 및 획득한 이점을 가지고 있는 국민들만이 그러한 조세하에서도 존속하고 번영할 수 있다. 네덜란드는 유럽에서 그러한 조세가 가장 많은 나라이다. 가장 불합리하게 사람들이 생각하는 것처럼 그러한 조세 때문이 아니라, 그러한 조세가 있음에도 불구하고 특수한 사정이 있기 때문에 번영을 계속하고 있다.

그 일반적 원리에는 다른 두 가지의 예외가 있을 수 있는 것이며,

국내 산업의 장려를 위하여 외국 산업에 약간의 부담을 주는 것이 일반적으로 유리한 경우가 두 가지 있듯이, 때에 따라서는 신중히 고려할 문제가 되는 두 가지 경우가 있다. 그 하나는 어떤 외국 재화의 자유로운 수입을 얼마나 계속하는 것이 적당할 것인가이며, 또 하나는 그 자유로운 수입이 얼마 동안 중단된 뒤에 그것을 어디까지 또는 어떤 방법으로 회복하는 것이 적당한가 하는 경우이다.

(1) 보복은,

어떤 외국 재화의 자유로운 수입을 언제까지 계속하는 것이 적당한가 하는 것이 숙려를 요하는 문제가 될 수 있는 것은 어떤 다른 나라가 높은 비율의 과세 또는 금지에 의하여 우리의 제조품을 그들의 나라에 수입하는 것을 제한하는 경우이다. 이런 경우에는 복수심은 자연히 보복을 명한다. 우리도 또한 우리나라로 오는 그 나라의 제조품의 약간 또는 전부의 수입에 대하여 동등한 과세 또는 금지를 과해야 한다는 것이 된다. 따라서 이러한 방법으로 보복을 하지 않

는 나라는 거의 없다. 프랑스는 자국의 재화와 경쟁할 수 있을 만한 외국 재화의 수입을 제한함으로써 자국의 제조업을 장려하는 데 특히 힘써 왔다. 콜베르Colbert의 정책의 대부분이 이것에 있었으니 그는 위대한 재능이 있었음에도 불구하고 이런 경우에는 동국인에 대하여 이미 독점권을 요구하고 있는 상인들과 제조업자들의 궤변에 이용당하고 있었던 것 같다. 그의 이런 종류의 시책이 그의 나라에 이익이 되지 않았다는 것은 현재의 프랑스에 있어서 가장 총명한 사람들의 견해이다. 그 재상은 1667년의 세율표에 의하여 대단히 많은 외국 제품에 극히 높은 비율의 과세를 부과했다. 그가 네덜란드인의 이익을 위해 그것을 완화할 것을 거절했으므로 네덜란드인은 1671년에 프랑스의 포도주·브랜디·제조품의 수입을 금지했다. 1672년의 전쟁은 부분적으로는 이러한 상업상의 싸움 때문에 일어났던 것 같다. 네이메헌Nimeguen의 강화는 네덜란드인의 이익을 위하여 그러한 과세의 어떤 것을 완화함으로써, 그 결과 네덜란드인들도 그들의 금지를 철폐함으로써 1678년에는 그 싸움의 끝을 맺었다. 프랑스인과 잉글랜드인이 이와 같은 과세와 금지에 의하여 서로의 산업을 억압하기 시작했던 것도 이와 거의 동일한 시기였는데, 프랑스인이 최초의 실례를 시작했던 것 같다. 그 후 줄곧 양 국민 사이에 계속된 적대심은 이때까지 양 국민이 어느 일방에서도 과세와 금지를 완화하지 못하게 하여 왔다. 1697년에 잉글랜드인은 플랑드르의 제조품인 본레이스bonelace의 수입을 금지했다. 당시 스페인의 지배하에 있었던 그 나라의 정부는 그 보복으로 잉글랜드의 모직물의 수입을 금지했다. 1700년에는 잉글랜드에의 레이스의 수입금지는 플랑드르에의 잉글랜드 모직물의 수입이 종래와 동일한 입장에 놓여야 한다는 조건으로 철폐되었다.[48]

외국의 여러 제한의 폐지가 확보될 듯한 경우에는 현명한 정책일 것이다.

48 〔레이스의 수입은 찰스 2세 제13, 14년 법률 제13호에 의하여 금지되었고, 윌리엄 3세 제9, 10년 법률 제9호가 그 금지를 더 유효화하기 위하여 의회에서 통과되었다. 윌리엄 3세 제11, 12년 법률 제11호에 의하여 만일 잉글랜드의 모직물의 플랑드르에의 수입이 재허가되면, 그 3개월 후에는 그 금지도 해제될 것이라는 것이 규정되었다.〕

이런 종류의 여러 보복들 가운데는 불평의 대상이 되는 높은 비율의 과세 또는 금지의 폐지가 초래될 가능성이 있을 때는 좋은 정책일지도 모른다. 큰 외국시장의 회복은 대체로 단기간 동안 어떤 부류의 재화에 보다 더 비싸게 지불하는 고도의 불편을 메우고도 남을 만한 것이다. 그러한 보복에 그러한 효과를 가져올 것인지 아닌지를 판단한다는 것은, 아마 그 사려가 항상 동일한 일반적 원리에 의하여 지배되어야 하는 입법자의 학문에 속한다기보다는, 오히려 그 협의가 사태의 순간적 파동에 의하여 좌우되는, 속된 말로 정치가 또는 정객이라고 불리는 교활하고 음험한 동물의 수완에 속하는 것이다. 이러한 폐지가 초래될 가능성이 전혀 없을 경우에 우리 인민의 어떤 계급에 입혔던 손해를 메우기 위하여 우리들 자신이 그러한 계급뿐만 아니라, 인민의 다른 거의 모든 계급에[49] 또 다른 손해를 입힌다는 것은 나쁜 방법인 것 같다. 우리의 이웃 사람들이 우리나라의 약간의 제조품을 금지할 때는 우리는 대체로 그것과 동일한 제조품을 금지할 뿐만 아니라, 그것만으로써는 그들에게 상당한 영향을 미치지 못할 것이므로, 그들의 다른 약간의 제조품도 금지한다. 이렇게 하는 것은 우리들 가운데 어떤 특정 계급의 직공들을 장려해 주는 것은 틀림없으며, 그들의 경쟁자들 가운데 어떤 사람들을 배제함으로써 그들로 하여금 국내시장에서 그들의 가격을 올리게 할 수 있음은 틀림없을 것이다. 그러나 우리 이웃 사람들의 금지 때문에 손해를 입은 직공들은 우리나라의 금지에 의하여 이익을 받지 못할 것이다. 반대로 그들과 그리고 시민의 다른 여러 계급의 거의 모두가 그 때문에 어떤 재화에 대하여 이전보다 더 비싸게 지불을 하지 않을 수 없게 될 것이다. 그러므로 그러한 모든 법률은 우리 이웃 사람들의 금지에 의하여 손해를 입은 그 특정 계급의 직공들을 위해서가 아니라 어떤 다른 계급의 이익을 위하여 그 나라 전체에 대하여 하나의 실질적인 조세를 부과하는 것이다.

49 〔"그러한 계급"에서 여기까지의 두 구절이 초판에는 "그러한 계급과 인민이 다른 거의 모든 계급 쌍방에"라고 되어 있다.〕

(2) 무역의 자유는 천천히 계급을 밟아서 도입되는 것이 좋을 것이다. 그러나 그것은 갑자기 도입하더라도 그 때문에 일어나게 될 혼란은 예상되는 것보다는 적을 것인데 그 이유는,

외국 재화의 자유로운 수입이 얼마 동안 중단된 뒤에 어디까지 또는 어떤 방법으로 그것을 회복시키는 것이 적당한가 하는 것이 숙려를 요하는 문제가 될 수 있는 경우는, 어떤 특정의 제조업들이 그들과 경쟁할 수 있는 모든 외국 재화에 대한 높은 비율의 과세와 금지에 의하여 대단히 확장되어, 많은 수의 일손을 사용하게 되었을 경우이다. 이런 경우에 인류애가 요구하는 것은, 무역의 자유는 오직 서서히 단계를 밟아 가며 상당한 주의와 신중을 다하여 회복되어야 한다는 것이겠다. 만일 그러한 높은 비율의 과세와 금지가 갑자기 철폐된다면 동일 종류의 보다 싼 외국 재화가 국내시장에 너무 급속히 유입되어 수천 명의 우리 인민이 순식간에 그들의 통상의 직업과 생계의 수단을 빼앗기게 될 것이다. 이것이 일으킬 혼란은 틀림없이 대단히 중대할 것이다. 그러나 아마 그것은 다음의 두 가지 이유로서 보통 상상되고 있는 것보다 훨씬 적을 것이다.

(a) 현재 수출되고 있는 제조품은 영향을 받지 않을 것이며,

첫째, 그 일부가 장려금 없이 다른 유럽 제국에 보통 수출되고 있는 모든 제조품은 외국 재화의 최대한의 자유로운 수입에 의하여 거의 전혀 영향을 받지 않을 것이다. 그러한 제조품은 해외에서는 동질동종의 다른 어떤 외국 재화처럼 싸게 팔리고 있음이 틀림없으며, 따라서 국내에서는 더 싸게 팔리고 있음이 틀림없다. 그러므로 그러한 제품은 여전히 국내시장을 유지하고 있을 것이며, 비록 유행에 따르는 변덕스러운 사람이 다만 외국제라는 이유만으로 국내에서 만들어진 더 싸고 양질인 같은 종류의 재화보다 외국품을 더 좋아할 경우도 있겠지만 이러한 어리석음은 사물의 성질상 그렇게 널리 퍼질 수 없을 것이므로 인민의 직업 전반에는 눈에 띌 만한 영향을 전혀 미칠 수 없을 것이다. 그러나 국산품 모직물업의 모든 여러 부문의 제품, 무두질한 가죽 및 철물의 대부분은

아무런 장려금 없이 해마다 다른 유럽 제국으로 수출되고 있으며, 이런 제조업은 최대다수의 일손을 고용하고 있다. 이 무역의 자유에 의하여 가장 심히 손해를 입는 제조업은 아마 견직물업이며, 아마포 제조업이 그다음일 것이다. 그러나 후자는 전자보다는 훨씬 손해가 적을 것이다.

(b) 어떤 직업에서 해고된 사람들은 쉽게 다른 직업을 찾아낼 것이며, 만일 동업조합의 특권과 정주법이 폐지되면 특히 그렇게 될 것이기 때문이다.

둘째, 이렇게 하여 무역의 자유가 회복되면 비록 다수의 사람들이 그들의 통상의 직업과 생활의 보통 방법에서 갑자기 쫓겨난다 하더라도, 그렇다고 해서 그들이 직업과 생계의 어느 편을 빼앗기게 된다는 것은 결코 아닐 것이다. 최근의 전쟁이 끝났을 무렵 육해군의 축소에 의하여 10만 이상의 병사, 즉 최대의 제조업에 고용되고 있는 것과 동수의 육군과 해병이 그들의 통상의 직업에서 순식간에 쫓겨났다. 그러나 그들이 약간의 불편을 당했음은 틀림없으나, 그들이 그 때문에 모든 직업과 생계를 빼앗겼던 것은 아니다. 해병의 대부분은 기회 있는 대로 상선의 근무에 점차 전업했던 것 같고, 또한 그럭저럭하는 동안에 그들 육군 병사도 인민대중 속에 흡수되어 여러 가지 직업에 종사하게 되었다. 10만 이상의 사람을, 더욱이 그 모두가 무기를 쓰는 데 길들어 있고 그 가운데 많은 사람들이 강탈과 약탈에 길들어 있는 10만 이상의 사람들의 상태가 그렇게도 커다란 변화가 있었는데도 큰 동란은커녕 눈에 띌 만큼의 혼란도 일어나지 않았다. 어디에 가나 부랑자의 수가 그 때문에 눈에 띌 만큼 증가되지도 않았다. 내가 알 수 있었던 한에선 어떤 직업에서 노동의 임금까지도 상선에 근무하는 선원을 제하고는 그 때문에 감소되지는 않았다. 그러나 만일 우리가 육군 병사의 습관과 어떤 부류의 제조업자의 습관을 서로 비교해 본다면, 우리는 후자는 그 습관상 새로운 직업에 종사하기에 실격당하는 일이 별로 없는데 전자는 어떤 직업에 종사하기에 실격당하는 경향이 더 많다는 것을 발견할 것이다. 제조업자는 항상 자기의 노동에서만 자기의 생활자료를 구하는 습관이 되어 있는데,

병사는 그것을 자기의 봉급에서 기대하는 버릇이 들어 있다. 전자에는 열심과 근면이 따랐고, 후자에는 타태惰怠와 낭비가 따랐다. 그러나 근로의 방향을 어떤 부류의 노동에서 다른 부류의 노동에로 바꾼다는 것은 타태와 방탕을 어떤 노동에 전향시키는 것보다 훨씬 쉽다는 것은 확실하다. 그뿐 아니라, 이미 설명했지만 제조업의 대부분에 관해서는 성질이 비슷한 다른 부수적 제조업(collateral manufactures)이 있으므로 직공은 자기의 근로를 그 가운데 하나에서 쉽게 다른 것에 이동시킬 수 있다. 또한 그러한 직공의 대부분은 수시로 농촌의 노동에 종사한다. 종래 어떤 특정 제조업에서 그들을 사용하고 있었던 자재는 아직도 그 나라에 남아서 동수의 사람들을 어떤 다른 방법으로 사용할 것이다. 그 나라의 자본이 동일한 그대로이므로 노동에 대한 수요도 비록 노동이 여러 가지 지방에서 여러 가지 직업을 위해서 활용되겠지만 동일하거나 거의 동일할 것이다. 물론 육군과 해병은 국왕에의 봉사에서 해제되면 영국 또는 아일랜드의 어느 도시 또는 지방에서 어떠한 직업에 종사하든 자유이다.[50] 폐하의 모든 신민에게 육해군의 경우와 마찬가지로 그들이 좋아하는 어떠한 종류의 산업에도 종사할 수 있는 동일한 자연적 자유를 돌려주라. 다시 말해서 자연적 자유를 실질적으로 잠식하는 동업조합의 독점권들을 타파하고 도제조례를 폐지하라. 그리고 여기에 덧붙여 정주법도 폐지하여 가난한 직공이 어떤 사업 또는 지방에서 실직당할 때는 고발당하거나 또는 쫓겨나는 일 없이 그의 직업을 다른 사업 또는 다른 지방에서 찾을 수 있도록 하라. 그렇게 하면 사회도 개인도 육군 병사의 제대에 의하여 손해를 입는 것 이상으로 제조업자의 어떤 특정 계급의 수시의 해체에 의하여 손해를 입게 되지는 않을 것이다. 우리의 제조업자들은 우리나라에 큰 공적을 세운 것은 틀림없다. 그러나 자신들의 피를 가지고 이 나라를 방위하는 사람들보다 더한 공을 세웠을 리 없으며, 또 그 이상의 세심한 대우를 받을 만한 존재도 아니다.

50 〔찰스 2세 제12년 법률 제16호, 앤 제12년 제1의회 제정 법률 제13조, 조지 3세 제3년 법률 제8호가 각자의 전쟁을 치른 뒤에 이 자유를 주었다.〕

영국에서는 사적인 이해관계가 너무 강하기 때문에 무역의 자유의 회복을 허용치 않는다.

실로 영국에서 무역의 자유가 언젠가는 완전히 회복될 것이라고 기대하는 것은 오세아나Oceana 또는 유토피아Utopia[51] 같은 것이 그곳에 확립될 것이라고 기대하는 것과 마찬가지로 불합리하다. 사회의 편견뿐만 아니라 훨씬 더 극복하기 어려운 수많은 개인의 사적인 이해관계가 불가항력적으로 그것을 반대하기 때문이다. 만일 육군 장교들이 마스터 제조업자가 국내시장에서 그들의 경쟁자를 증가시킬 우려가 있는 모든 법률에 반대하는 것과 같은 열의와 단결로서 군대의 축소에 반대한다면, 즉 만일 후자가 자신들 직공들을 선동하는 것과 같은 방법으로 전자가 자신들 병사들을 고무하여 그러한 법규의 제안자를 폭력과 불법행위로써 공격하도록 한다면 군대를 축소시키려고 꾀한다는 것은 우리의 제조업자들이 우리들에 대하여 획득하고 있는 독점권을 어떤 점에서 감축시키려고 꾀하는 것과 마찬가지로 위험할 것이다. 이러한 독점은 제조업자들 가운데 어떤 특정된 무리의 수를 대단히 많이 증가시켰으므로 그들은 과대해진 상비군처럼 정부에 대해서 만만치 않은 존재가 되어 버렸으며, 허다한 경우 입법부를 협박할 만한 것이 되었다. 이러한 독점을 강화하기 위한 모든 제안을 지지하는 의회의 의원들에게 대단한 중요성을 가지고 있는 1계급의 사람들에게 크게 인기를 얻고 세력을 얻을 것도 확실하다. 이에 반하여, 만일 의원이 그들에게 반대하고 더구나 그들을 방해할 수 있을 만큼 충분한 권위를 가진다면, 비록 그가 가장 잘 알려져 있는 성실성을 가지고 있더라도, 최고의 신분일지라도, 사회에 대하여 최대의 공헌을 했더라도, 그는 자기를 가장 불명예스러운 욕설과 비난에서 보호할 수 없으며, 나아가서는 인신공격을 받거나 때에 따라서는 광포하고 절망적인 독점가들의 무례한 불법행위에서 생기는 현실적인 위험에서 자신을 보호할 수 없는 것이다.

51 〔"Utopia"는 초판에는 "Utopea"로 되어 있다.〕

자기의 사업에 고정자본을 가지고 있는 제조업자에게는 공평한 고려가 있어야 마땅하다는 사실은 새로운 독점의 확립에 대한 반대론인 것이다.

대제조업의 기업가는 국내시장이 갑자기 외국인의 경쟁에 개방됨으로써 자기의 사업을 단념하지 않을 수 없게 되면, 틀림없이 상당히 많은 손해를 볼 것이다. 그의 자본 가운데 항상 원료를 구매하고 직공들에게 지불을 하기 위하여 사용되어 왔던 부분은 별로 곤란 없이 아마 다른 용도를 발견할지도 모른다. 그러나 작업장과 업무상의 용구에 고정되어 있는 자본 부분은 상당한 손실 없이 처분될 수는 없을 것이다. 그러므로 그의 이해관계에 대한 공평한 고려라 함은 이런 종류의 변화가 급격히 도입되어서는 안 되며, 완만히 점진적으로, 그리고 오랜 경고가 있은 후에 받아들여져야 할 것을 필요로 하고 있다. 만일 입법부가 부분적인 이해관계에서 생기는 번거로운 강청에 의하여서가 아니고, 일반적인 행복이라고 하는 광범위한 관점에서 숙려를 행할 수 있다면 아마 바로 이 때문에 이런 종류의 어떠한 새로운 독점을 확립하지 않고, 또 이미 확립되어 있는 독점을 확장하는 일이 없도록 특히 주의해야 할 것이다. 이러한 모든 규제는 국가의 기본 제도에 어느 정도의 실질적 혼란을 가져오며, 후일에 그것을 고치려면 반드시 또 다른 혼란을 일으키게 될 것이다.

수입을 위하여 부과하는 관세는 뒤에서 고찰하기 위하여 남겨 두기로 한다.

외국 재화의 수입에 대하여, 그것을 방지하기 위해서가 아니라, 정부의 수입을 조달하기 위해 과하는 조세를 어느 정도로 하는 것이 적당한가에 관해서 나는 뒤에 가서 조세를 취급하게 될 때 고찰하기로 한다. 수입을 방지할 목적으로 과해지는 조세는, 아니 수입을 감소시킬 목적으로 과해지는 조세까지도 무역의 자유에 대해서와 마찬가지로 과세의 수입에 대하여도 파괴적인 것임은 명백하다.

제3장 무역차액이 불리하다고 생각되는 나라들로부터 오는 거의 모든 종류의 재화의 수입에 대한 특별한 제한들에 관하여

제1절 그들 제한은 상업체계의 원리에 비춰 보아도 불합리하다는 것에 관하여[52]

프랑스로부터의 수입에 대한 영국의 여러 제한들이 그 일례이다. 그러한 제한들은 중상주의체계의 원리상으로도 불합리하다.

무역차액이 불리하다고 상정되는 특정한 나라들로부터 거의 모든 종류의 재화의 수입에 대하여 비상한 여러 제한들을 부과하는 것은 상업체계가 금은의 양을 증가시키기 위하여 제안한 제2의 편법이다. 이리하여 영국에서는 일정한 세금을 지불하면 실레지아산Silesia産의 한랭사(lawns)를 국내소비를 위하여 수입할 수 있다. 그러나 프랑스의 아마포와 한랭사는 재수출하기 위하여 런던 항의 보세창고에 넣어 둘 목적 이외는 수입이 금지되어 있다.[53] 프랑스의 포도에는 포르투갈의 그것보다 아니 그 밖의 어떤 다른 나라의 그것에 대한 것보다 더 높은 비율의 과세가 부과된다. 소위 1692년의 수입세법(the impost 1692)[54]에 의하여, 모든 프랑스의 재화에 대하여 그 평가액, 즉 가치의 25퍼센트의 세가 과해졌다. 그런데 다른 나라의 재화에는 그 대부분이 그보다 훨씬 가벼운 과세가 부과되었으며, 그 비율이 5퍼센트를 넘은 적은 좀처럼 없었다. 사실은, 프랑스의 포도주·브랜디·소금·식초는 제외되어 있었는데, 이러한 상품은 다른 법률들 또는 상기한 것과 같은 법률의 특별한 조항들에 의하여 다른 중세가 과해져 있었기 때문이다. 1696년에는 첫 번째의 25퍼센트 수입을 저지하는 데는 충분하지 못하다고 생각되었으므로, 또 제2의 25퍼센트의 세가 브랜디를 제외한 모든 프랑스의 재화에 과해졌으며, 이와 아울러 프랑스의 포도주 1톤당 25파운

52 〔초판에는 이러한 절의 표제가 없고 따라서 절로 나뉘어져 있지도 않다.〕

53 〔조지 2세 제18년 법률 제36호, 조지 3세 제7년 법률 제43호.〕

54 〔윌리엄과 메리 치세 제4년 법률 제5호 제2조.〕

드의 신세新稅가, 그리고 프랑스의 식초 1톤당 15파운드의 신세가 과해지게 되었다.[55] 세율표(book of rates)에 열거되어 있는 모든 재화 또는 그 대부분에 과해지고 있는 일반적 특별세(general subsidies), 즉 5퍼센트세(duties of five percent)의 어느 것에서도 프랑스의 재화가 결코 제외된 적은 없었다. 만일 우리가 3분의 1 특별세와 3분의 2 특별세(one third and two third subsidies)를 합하여 하나의 완전한 특별세를 이룬다고 생각한다면 일반적 특별세는 다섯 개가 있었던 셈이다. 그러므로 현재의 전쟁이 개시되기까지 프랑스에서 재배·생산·제조된 재화의 대부분에 과해지고 있었던 최저의 과세는 75퍼센트였다고 생각해도 좋을 것이다. 그러나 대부분의 재화에 대하여는 이러한 세는 금지와 같은 것이다. 내가 믿는 바로는 프랑스도 그들대로 우리나라의 재화와 제조품을 이에 못지않게 가혹하게 다루어 왔다. 그러나 나는 그들이 우리 재화에 과했던 개개의 강압에 관해서는 그렇게 잘 알고 있지는 않다. 이러한 상호의 제한은 두 국민 사이에 거의 모든 공정한 상업을 종식시켰으며, 마침내 영국의 재화를 프랑스 또는 프랑스의 재화를 영국에 들여오는 데도 밀수업자가 주요한 수입업자가 되어 있을 정도이다. 내가 앞장에서 검토한 원리들은 사적 이해관계와 독점의 정신에서 유래했던 것인데, 내가 본 장에서 검토하려고 하는 원리들은 국민적 편견과 적의에서 유래하는 것이다.[56] 따라서 그것들은 앞 장에서 검토한 여러 원리들보다도 훨씬 더 불합리한 것이라고 예상하여도 좋을 것이다. 그것들은 상업체계의 원

55 〔윌리엄 3세 제7, 8년 법률 제20호. 그러나 포도주 및 식초는 25퍼센트의 일반적 세율 인상에서 제외되었으나, 그것에는 표준강도 1의 것에는 1톤당 30파운드, 표준강도 2의 것에는 1톤당 60파운드의 추가세가 과해졌다.〕

56 〔본 장의 처음에서부터 여기까지 나오는 거의 모든 문제는 〈증보 및 정정〉 및 제3판에서 처음 나온다. 초판 및 제2판에는 본 장의 최초의 일문만이 남아 있고, 그 뒤는 다음과 같이 되어 있다. "그리하여 영국에서는 포르투갈의 포도주보다도 프랑스의 포도주가 더 높은 비율의 세가 과해지고 있다. 독일의 아마포는 일정한 세금을 지불하면 수입될 수 있으나, 프랑스의 아마포는 전적으로 금지되어 있다. 내가 검토하여 온 여러 원리들은 사적인 이해관계와 독점의 정신에서 유래했던 것이고, 내가 앞으로 검토하려고 하는 원리들은 국민적 편견과 적의에서 유래한 것이다."〕

리상으로도 그러하다.

그 이유는 (1) 만일 프랑스와의 자유무역의 결과 프랑스에 대한 무역차액이 불리하게 되더라도 세계 일반에 대해서도 그렇게 된다고는 볼 수 없을 것이기 때문이다.

첫째, 이를테면 프랑스와 잉글랜드 사이에 자유무역이 행하여질 경우, 비록 그 차액이 프랑스에 유리하다는 것이 확실하다 하더라도, 그러한 무역이 잉글랜드의 전全 무역의 총차액이 그 때문에 점점 더 불리하게 되어 버린다는 결과는 결코 되지 않을 것이다. 만일 프랑스의 포도주가 포르투갈의 그것보다 질이 좋고 값이 싸다든지 또는 프랑스의 아마포가 독일의 그것보다 그렇다고 하면, 영국으로서는 그 필요로 하는 포도주 및 외국산 아마포의 쌍방을 포르투갈과 독일에서 구매하기보다는 프랑스에서 수입해 오는 편이 더 유리할 것이다. 비록 프랑스로부터의 연간 수입품의 가치가 그 때문에 크게 증가한다 하더라도 연간 총수입품의 가치는 동질의 프랑스의 재화가 다른 두 나라의 그것보다 저렴하므로 그 싼 정도에 비례하여 감소될 것이다. 이것은 수입되는 프랑스의 전 재화가 영국에서 소비된다는 가정하에서도 그러할 것이다.

(2) 프랑스에서 수입되는 물품의 일부는 재수출되어 금은을 가지고 돌아올 것이기 때문이며,

그러나 둘째, 수입되는 프랑스의 전 재화의 대부분은 다른 나라에 재수출될 것이며, 그곳에서 이윤을 올리면서 팔리므로 아마 수입된 프랑스의 전 재화의 원가와 그 가치가 같은 수익을 가지고 돌아올 것이다. 동인도무역에 관하여 종종 언급되어 온 것은[57] 아마 프랑스에 관하여서도 타당할 것이다. 즉 비록 동인도 재화의 대부분이 금은으로써 구매되었다 하더라도 그 일부분을 또 다른 나라에 재수출하는 것은 그 무역을 행한 나라에 동인도의 전 재화의 원가 이상의 금은을 가지고 돌아왔다는 것이다. 오늘날 네덜란드 무역의 가장 중요한 부문 가

57 아담 앤더슨Adam Anderson, 《Commerce》(1601).

운데 하나는 프랑스의 재화를 다른 유럽 제국에 수송하는 일이다. 영국에서 소비되고 있는 프랑스의 포도주까지도 그의 약간의 부분이[58] 네덜란드 및 질랜드 Zealand에서 몰래 수입되고 있다. 만일 프랑스와 잉글랜드 사이에 자유무역이 존재하거나 또는 프랑스의 재화가 다른 유럽 국민들의 그것과 동일한 세만 지불하면 수입될 수 있으며, 또한 그것이 수출될 때 돌려주어지도록 되어 있다면 잉글랜드는 네덜란드에게 그렇게도 유리하다고 알려져 있는 무역의 약간의 몫을 차지할 수 있을 것이다.

그리고 (3) 무역차액을 정확하게 알 수 없기 때문인데, 즉 세관의 장부는 쓸모도 없으며 외환시세표도 별로 신통하지 않다.

셋째로 그리고 마지막으로 어떤 두 나라 사이에 소위 무역차액이 어느 편에 있는지, 다시 말해서 이 양국 중 어느 편이 최대의 가치를 수출하고 있는가를 결정하려고 할 때 우리가 의거할 수 있는 확실한 규율은 없다. 항상 특정 상인들의 사적인 이해관계에 의하여 고무되는 국민적 편견과 적의가 그것에 관한 모든 문제에 대한 우리의 판단을 일반적으로 지시해 주는 원리이다. 그러나 그러한 경우에 종래 흔히 도움이 되어 온 규준이 두 가지 있는데, 세관의 장부 및 외환시세표가 그것이다. 내가 생각하기에는 지금은 일반적으로 인정받고 있지만, 세관의 장부는 대부분의 재화가 그 장부에서 과세될 때의 평가가 부정확하기 때문에 극히 불확실한 규준이다. 외환시세표도 아마 이것과 거의 마찬가지일 것이다.[59]

런던과 파리와 같은 두 장소 사이의 환시세가 평가平價인 때에는 그것은 런던에서 파리로 지불될 채무가 파리에서 런던으로 지불될 채무에 의해서 상쇄되고 있다는 신호라고 일컬어진다. 이와 반대로 파리 앞으로 발행된 환어음(a bill upon

58 〔"약간의 부분"이 초판에는 "대부분"이라고 되어 있다.〕

59 〔이 문장은 초판에서는 다음과 같이 되어 있다. "외환시세표도 적어도 이때까지 평가되어 왔던 것으로서는 아마 이것과 거의 같은 정도일 것이다."〕

Paris)에 대하여 런던에서 프리미엄이 지불되고 있을 때는 그것은 런던이 파리에 지불할 채무가 파리가 런던에 지불할 채무에 의하여 상쇄되지 못하고, 그 차액이 화폐로 런던에서 송금되어야 한다는 신호라고 한다. 그 화폐를 수출하는 위험과 곤란 및 비용에 대하여 프리미엄이 청구되고 지불된다. 그러나 그 두 도시 사이의 채무와 채권의 통상의 상태는 양 도시 상호 간에 이루어지는 거래의 통상의 경과에 의하여 필연적으로 규제됨이 틀림없다고 한다. 만약에 이러한 두 도시의 어느 쪽이나 상대편에 수출하는 것 이상으로 상대편으로부터 수입하지 않으면 두 도시 각각의 대차는 서로 상쇄될 것이다. 그러나 만일 양 도시의 일력一力이 그 상대방[60]에 수출하는 것보다 더 많은 가치를 그 상대방으로부터 수입해 올 때는, 전자는 반드시 후자가 전자에 대하여 지는 이상의 채무를, 후자에 대하여 지게 될 것이다. 이리하여 상호의 채무와 채권은 서로 상쇄하지 못하므로 채무가 채권을 초과하고 있는 장소에서, 화폐가 보내어지지 않으면 안 된다. 그러므로 통상의[61] 외환시세는 두 개의 장소 사이의 채무와 채권의 통상의 상태에 관한 지표이므로, 또한 양지兩地의 수출입의 통상의 경과에 관한 지표이기도 해야 한다. 왜냐하면 수출입은 반드시 채무와 채권의 통상의 상태를 규제하기 때문이다.

외환시세가 어떤 특정국에 대하여 유리하다는 것은 그 나라와의 무역차액이 유리하다는 것을 증명하는 것은 아니다.

그러나 비록 통상의 외환시세는 어떤 두 장소 사이의 채무와 채권의 통상상태에 관한 충분한 지표라고 하는 것은 인정되더라도, 그 때문에 채무와 채권의 통상의 상태가 유리한 장소는 무역차액도 유리하다는 결과가 되지는 않을 것이다. 어떤 두 장소 사이의 채무와 채권의 통상의 상태는 반드시 양자 상호 간의

60 〔여기와 3행 앞의 “그 상대방(that other)” 및 “그 다른 도시(that other)”는 초판 · 재판엔 “그것(it)”으로 돼 있다.〕

61 〔“통상의(ordinary)”는 초판에는 “보통의(common)”로 되어 있다.〕

거래의 통상적 경과에 의하여 완전히 규제된다고는 할 수 없으며, 양자 가운데 어느 편이 다른 많은 장소와 행하는 거래의 통상적인 경과에 의하여 영향을 받을 때가 종종 있다. 예를 들면 잉글랜드의 상인들에게는 그들이 함부르크·단치히·리가 등에서 구매하는 재화에 대하여 네덜란드 앞 어음을 지불하는 것이 보통이라면, 잉글랜드와 네덜란드 사이의 채무와 채권의 통상의 상태는 이 두 나라 사이에 이루어지는 상호 거래의 통상의 상태에 의하여 완전히 규제되지는 않고, 잉글랜드와 그러한 다른 장소 사이의 거래의 통상적인 경과에 의하여서도 영향을 받을 것이다. 비록 잉글랜드가 네덜란드에 보내는 수출의 연간 가치가 그곳으로부터의 연간 수입의 가치를 훨씬 초과하고 있더라도, 그리고 또한 소의 무역차액이 잉글랜드에 아주 유리할지라도 잉글랜드는 매년 네덜란드에 화폐를 방출하지 않으면 안 될 것이다.[62]

그나마 외환시세의 통상의 산정 방법은 오해를 일으키기 쉬운데,

그나마 지금까지 외환의 가치가 산정되어 왔던 방법에 의하면, 통상의 외환시세라고 하는 것은 이것이 유리한 것같이 보이거나 또는 그렇다고 상정되는 나라는 채무와 채권의 통상상태도 유리하다는 것을 나타낼 만한 충분한 지표를 제공할 수 없다. 다시 말하면 현실 시세(real exchange)란 산정 시세(Computed exchange)와는 대단히 다를지도 모르며, 또 사실 종종 다르기 때문에, 많은 경우 산정 시세에서 현실 시세에 관한 확실한 결론을 끌어낼 수는 없는 것이다.[63]

여러분이 잉글랜드의 조폐국의 표준에 따른 순은의 일정 수의 온스를 함유하는 화폐의 어떤 금액을 잉글랜드에서 지불하고, 그 대신에 프랑스에서 지불되어야 할 어떤 금액의 화폐의 어음을 받을 때, 그 화폐가 프랑스의 조폐국의 표준

62 〔이 문단은 초판에는 없다. 그러나 그 실질적 내용은 뒤에 나오는 문단 가운데 나와 있다. 이것도 제2판 및 그 후의 각판에서는 생략되어 있다.〕

63 〔이 문단 대신에 초판에는 다음과 같은 문단이 있다. 즉 "그러나 부분적으로는 아마도 적지 않게 의심스러운 이 학설을 비록 대단히 확실한 것이라고 상정되고 있었던 방법은 그것에서 나온 이때까지의 모든 결론을 불확실한 것으로 만든다."〕

에 따르는 순은의 동수의 온스를 함유하고 있다면, 잉글랜드와 프랑스 사이의 외환시세는 평가平價라고 일컬어진다. 만일 여러분이 그 이상을 지불하면, 프리미엄을 준다고 생각되며, 외환시세는 잉글랜드에 불리하고 프랑스에 유리하다고 일컬어진다. 그보다 더 적게 지불할 경우에는 프리미엄을 얻는다고 생각되며, 환시세는 프랑스에 불리하고 잉글랜드에 유리하다고 하겠다.

그 이유는 (1) 화폐는 그 명목상의 표준 이하로 저하될 때가 종종 있기 때문이며,

그러나 첫째, 우리는 여러 나라의 유통화폐의 가치를 반드시 그들 각각 나라의 조폐국의 표준[64]에 의하여 판단할 수 있다고는 할 수 없다. 유통화폐는 어떤 나라에서는 더 많이, 또 다른 나라에서는 더 적게 마손되고 깎여져 있고, 또 달리하여 그 표준 이하로 악화되어 있다. 그러니 각국의 유통주화의 가치가 어떤 타국의 유통주화의 가치와 비교될 때 그것은 당연히 그것에 함유되어야 하는 순은의 양에 비례하지 않고, 실제로 함유되어 있는 순은의 양에 비례한다. 국왕 윌리엄의 시대에 있었던 은화의 개주 이전에 잉글랜드와 네덜란드 사이의 환시세는 그들 각국의 조폐국의 표준에 따라 일상의 방법으로 계산하면, 잉글랜드에게 25퍼센트 불리했다. 그러나 라운즈 씨Mr. Lowndes에게 들은 바에 의하면, 잉글랜드의 유통주화의 가치는 당시, 그 표준 가치에서 25퍼센트 이상이나 떨어져 있었던 것이다. 그러므로 산정 시세는 대단히 불리했지만, 현실 시세는 당시에도 잉글랜드에 유리했던 셈이며, 잉글랜드에서 실제로 지불된 순은의 보다 적은 수의 온스로써 네덜란드에서 지불될 순은의 더 많은 수의 온스를 받을 수 있는 어음을 구매할 수 있었던 것이다. 그리고 프리미엄을 주고 있다고 생각되고 있었던 사람은 사실 그것을 받고 있었던 것인지도 모른다. 잉글랜드 금화의 최근의 개주 이전 프랑스의 주화는 잉글랜드의 그것보다 훨씬 적게 마손되어 있었으며, 잉글랜드의 그것보다 아마 2~3퍼센트 정도 그 표준에 더 가까웠다. 그러므로 프랑스에 대한 산정상의 환시세가 잉글랜드에 대하여

64 〔"표준(standard)"은 초판에는 여기와 9행 뒤에 "standards"로 되어 있다.〕

2퍼센트나 3퍼센트밖에 불리하지 않았다면, 현실 시세는 잉글랜드에 더 유리했을지도 모른다. 금화의 개주 이래 환시세는 줄곧 잉글랜드에 유리했고, 프랑스에 불리했던 것이다.

⑵ 주화는 조폐 수수료 때문에 그것에 함유되어 있는 지금의 가치 이상으로 더 올려질 때가 있기 때문이며,

둘째로, 어떤 나라에서는 주조비는 정부에 의하여 지불되고 있으나, 다른 여러 나라에서는 자신들의 지금을 조폐국에 가지고 가는 개인들에 의하여 지불되고, 정부는 주조에서 약간의 수입을 얻기까지 한다. 잉글랜드에서는 그것은 정부에 의하여 지불되고 있다. 그리고 만일 여러분이 중량 1파운드의 표준 은을 조폐국에 가지고 가면 여러분은 중량 1파운드와 같은 표준 은을 함유하는 실링화 62개를 돌려받는다. 프랑스에서는 주조에 대하여 8퍼센트의 세가 공제되는데, 이것은 그 비용을 지불할 뿐만 아니라, 정부에 소액의 수입을 제공한다. 잉글랜드에서는 주조에는 아무런 비용이 들지 않으므로, 유통주화는 그것이 실제로 함유하는 지금의 양보다 훨씬 많은 가치를 지닐 수는 없다. 프랑스에서는 여러분이 지불을 하고 있는 바의 기능이라는 것이, 세공을 한 금기와 은기의 경우와 마찬가지로, 그 가치를 더해 준다. 따라서 일정량의 순은을 함유하는 프랑스 화폐의 어떤 금액은 같은 중량의 순은을 함유하는 잉글랜드 화폐의 어떤 금액보다 더 많은 가치를 가지고, 또 그것을 구매하는 데는 더 많은 지금 또는 다른 상품들을 필요로 할 것이 틀림없다. 그러므로 비록 이 두 나라에 유통하는 주화가 그들 각국의 조폐국의 표준에 똑같이 접근하고 있더라도, 잉글랜드의 화폐의 어떤 금액은, 순은의 동수의 온스를 함유하는 프랑스 화폐의 어떤 금액을, 따라서 그러한 금액의 프랑스 앞 어음을 구매할 수는 없을 것이다. 만일 그러한 어음에 대하여 프랑스의 주조비를 보상하기에 족할 만한 것 이상의 화폐가 지불되지 않는다면 산정 시세는 프랑스에 꽤 유리한데도 그 현실 시세는 두 나라 사이에 평가平價가 될 것이며, 그들의 채무와 채권은 서로 상쇄할 수 있을 것이다.

만일 이것보다 적게 지불된다면, 산정 시세는 프랑스에 유리한데, 현실 시세는 잉글랜드에 유리할 것이다.

그리고 (3) 은행화폐에는 프리미엄(agio)이 붙기 때문이다.

셋째, 그리고 마지막으로 암스테르담·함부르크·베네치아 등과 같은 약간의 장소에서는 외국환어음이 소위 은행화폐로써 지불되는데, 런던·리스본·안트베르펜Antwerp·리보르노Leghorn 등과 같은 다른 장소에서는, 그 나라의 보통의 통화로써 지불된다. 소위 은행화폐라는 것은 동일 명목금액의 보통의 통화보다 항상 더 많은 가치를 가지고 있다. 예를 들면 암스테르담 은행에서의 1000길더는 암스테르담의 통화 1000길더보다 더 큰 가치를 가지고 있다. 그것들 사이의 차액은 그 은행의 프리미엄(agio)이라고 불리며, 이것은 암스테르담에서는 대체로 약 5퍼센트이다. 두 나라의[65] 통화가 그들 각국의 조폐국의 표준에 똑같이 접근하고 있고, 한 나라는 외국환어음을 이 보통의 통화로써 지불하는데, 다른 한 나라는 그것을 은행화폐로써 지불한다고 생각하면, 비록 현실 시세는 통화로써 지불하는 나라에게 유리하더라도 산정 시세가 은행화폐로써 지불하는 나라에게 유리하리라는 것은 명백하다. 이는 현실 시세는 보다 악질의 화폐로써 지불하는 나라에 유리하더라도, 산정 시세가 보다 양질의 화폐로써 즉 자국의 표준에 더 접근해 있는 화폐로써 지불하는 나라에게 유리하리라는 것과 동일한 이유 때문이다. 최근의 금화 개주 이전에는 산정 시세는 암스테르담·함부르크·베네치아에 대하여, 그리고 내가 믿고 있기에는 소위 은행화폐로써 지불하는 다른 모든 장소에 대하여 런던에게 불리했다. 그렇다고 해서 현실 시세도 런던에 불리했다는 결과는 결코 되지 않을 것이다. 금화의 개주 이래 그들 장소에 대해서까지도 런던에 유리하게 되어 버렸다. 산정 시세는 리스본·안트베르펜·리보르노에 대하여, 그리고 내가 믿고 있는 바로서는, 프랑스를 제외한다면 보통의 통화로써

65 〔"2개국의(of two countries)"는 제1판 및 그 후 제판에서는 잘못되어 "of the two countries"라고 되어 있다.〕

지불하는 유럽의 다른 대부분의 지방에 대하여 일반적으로 런던에 유리하게 되어 버렸으며, 현실 시세도 또한 그러했다는 것도 있음직한 것이다.

예금은행, 특히 암스테르담 예금은행에 관한 여론[66]

소국은 외국 주화를 인정하지 않으면 안 되는데, 그것은 가치가 불확실하다.
프랑스 또는 잉글랜드와 같은 대국의 통화는 대체로 거의 완전히 자국의 주화로써 되어 있다. 따라서 만일 어느 시기에 그 통화가 마손되고 닳아서 깎이고 또는 다른 방법으로 그 표준 가치 이하로 감가된다면, 그 나라는 주화를 개주함으로써 통화를 유효하게 다시 제정할 수 있다. 그러나 제노바 또는 함부르크 같은 소국의 통화는 모두가 자국의 통화로써만 이루어져 있는 일이 좀처럼 없고, 대부분 그 나라의 주민이 끊임없이 교제하고 있는 모든 이웃 나라의 주화로 구성되어 있음에 틀림없다. 그러므로 그러한 나라는 자국의 주화를 개주한다 하더라도 반드시 그의 통화를 개혁할 수 있는 것은 아닐 것이다. 만일 외국환어음이 이 통화로써 지불된다면, 그 자체의 성질상 대단히 불확실한 일정액의 불확실한 가치는, 외환시세를 항상 그러한 나라에 대단히 불리하게 만들 것이 틀림없다. 이는 그 나라의 통화는 모든 외국에서 반드시 그 가치 이하로 평가되고 있기 때문이다.

그래서 주화의 상태에 관계없이 표준 화폐로써 지불하기 위하여 은행이 설립되었으며, 이 화폐에는 프리미엄이 붙는다.
이러한 불리한 외환시세에 의하여 자국의 상인들이 당했을 것에 틀림없는 불편을 없애기 위하여, 그러한 소국들은 무역의 이익에 주의를 기울이기 시작하자 어떤 일정한 가치의 외국환어음은 보통의 통화로써 지불되어서는 아니 되고, 신용에 입각하고 국가의 보호하에서 설립된 어떤 일정한 은행 앞으로 낸 어음이

66 〔앞의 제4판에 대한 서문을 보라.〕

나 또는 그 은행의 장부상의 대체에 의하여 지불되어야 한다는 것을 규정하는 일이 흔히 있었다. 그리고 이 은행은 항상 국가의 표준에 정확하게 따르는 양질의 참다운 화폐로써 지불하게끔 되어 있다. 베네치아·제노바·암스테르담·함부르크·뉘른베르크Nuremberg의 은행들은, 비록 이들 가운데 어떤 것이 그 후 다른 목적에 공헌하게 되었다 하더라도, 그 모두가 본래는 이 목적으로 설립되었던 것 같다. 이러한 은행들의 화폐는 그 나라의 보통의 통화보다 양질이었으므로 반드시 프리미엄이 붙고, 그 프리미엄은 그 나라의 통화가 국가의 표준 이하로 다소나마 감가되어 있다고 생각되는 그 정도에 응하여 커지기도 했고 작아지기도 했다. 예를 들면 함부르크 은행의 프리미엄은 보통 약 14퍼센트라고 하는데, 그것은 그 나라의 양질의 표준 화폐와 모든 인접국가로부터 유입된, 깎이고 마손되어 감가된 통화 간에 상정된 차액이라 하겠다.

1609년 이전에는 암스테르담의 보통의 통화는 표준에 9퍼센트 미달되어 있었다.

1609년 이전에는 암스테르담의 광범위한 무역이 유럽의 모든 지방으로부터 도삭盜削되고 마손된 대량의 외국 주화를 갖고 왔으므로 그곳에서의 통화의 가치는 조폐국에서 갓 나온 양질의 화폐의 가치보다 약 9퍼센트나 감가되어 있었다. 그러한 양화는 이러한 사정하에서는 항상 그러한 것처럼, 출현하자마자 용해되거나 또는 운거되기 마련이었다. 상인들은 통화를 많이 가지고 있어도 자신들 환어음을 지불하기에 충분한 양의 양화를 찾아낼 수 있는 것은 아니었다. 그리고 그들 어음의 가치는 그것을 방지하기 위하여 몇 개의 법규가 생겼음에도 불구하고 대단히 불확실한 것이 되었다.

그리하여 질이 좋은 표준 화폐의 내성적 가치에 비추어서 주화를 수불受拂하기 위하여 은행이 설립되었다.

이러한 불편을 없애기 위하여 1609년에 그 시의 보증하에 하나의 은행이 설립되었다. 이 은행은 외국 주화와 자국의 가볍고 닳은 주화를 다 같이 그 나라의 양질의 표준 화폐에 실지로 내재하고 있는 가치에 비추어 받아들였는데, 주조비와 그 밖에 필요한 경비를 메우는 데 필요한 정도만큼은 공제되었다. 이러한 소액의 공제를 한 뒤에 남는 가치에 대하여, 이 은행은 그의 장부상으로 신용을 주었다. 이 신용은, 은행화폐라고 불리었으며, 그것은 조폐국의 표준에 정확하게 따르는 화폐를 대표하는 것이었으므로, 항상 동일한 실질적 가치를 가지고 있었으며, 내재적으로도 통화 이상의 가치가 있었다. 이와 동시에 암스테르담 앞으로 발행되었거나 또는 그곳에서 유통되는 600길더 이상의 가치를 가지는 모든 어음은 은행화폐로써 지불되어야 한다는 것이 법령화되었다. 이것은 그러한 어음의 가치에 관한 모든 불확실성을 곧 일소시켰다. 이 법규의 결과로서 모든 상인은 자신들 외국환어음을 지불하기 위하여 그 은행에 구좌를 가지지 않을 수 없게 되었으며, 이것은 은행화폐에 대한 일정의 수요를 필연적으로 일으켰던 것이다.

은행화폐는 표준 화폐에 필적했을 뿐만 아니라, 안전하고 쉽게 대체되었으므로 프리미엄이 붙었다.

은행화폐는 통화에 대한 그의 내재적 우월성과 이 수요가 필연적으로 가져다주는 부가적 가치의 두 가지 이외에도 약간의 다른 장점을 가지고 있다. 그것은 화재, 도난 및 그 밖의 사고에 대하여 안전하다는 것이다. 즉 암스테르담 시가 그 책임을 지고 있으며, 그것은 계산하는 수고도 들지 않고, 어떤 장소에서 다른 장소로 수송하는 위험도 없이, 단순한 대체에 의하여 지불되어 버릴 수 있다. 그러한 여러 가지 이점을 갖고 있는 결과 그 은행화폐에는 당초부터 프리미엄이 붙어 있었던 것 같다. 그리고 시장에서 프리미엄을 받고 팔 수 있는 채무의 지불을 청구하고자 조바심을 하는 사람은 아무도 없을 것이므로, 본래 그 은행에 예금되어 있었던 모든 화폐는 그대로 그곳에 두어지도록 허용되었다는 것이 일반적으로 사람들이 믿고 있는 것이다. 그 은행에 지불을 청구함으로써 은행신용의 소유자는 그 프리미엄을 잃게 될 것이다. 조폐국에서 갓 나온 1실링화는 우리의 닳아 버린 보통의 1실링화가 구매할 수 있는 것보다 더 많은 재화를 시장에서 살 수 없듯이, 양질의 참다운 화폐도 그 은행의 금고에 보내지면 그 나라의 보통의 통화와 두루 섞이므로 그때는 그 통화 이상으로 큰 가치도 갖지 않을 것이며, 그것과 잘 구별할 수도 없다. 그것이 그 은행의 금고에 남아 있는 한, 그의 우월성은 인식되고 확인되었다. 그것이 한 개인의 금고에 들어갔을 때 그의 우월성은 아마 그 차액의 가치보다 더 많은 수고가 들지 않는 한, 잘 확인될 수는 없게 될 것이다. 그뿐 아니라 그 은행의 금고에서 인출됨으로써 그것은 은행화폐의 다른 모든 이점을 잃어버렸다. 즉 그의 안전성, 그의 용이하고 안전한 대체 가능성, 외국환어음의 지불에 있어서의 그 효용도 잃었던 것이다. 차츰 드러나겠지만, 이 모든 것 이외에도, 그것을 은행에서 빼는 데는 먼저 보관료를 지불하지 않으면 안 되었던 것이다.

그 은행은 주화는 물론 지금地金도 받아들이며, 그것과 교환으로 그 가치의 95퍼센트에 상당하는 신용을 은행화폐로써 준다. 그 은행은 또한 수취증서를 주는데, 그 증서의 지참인은 전대된 금액을 변제하고 은일 때는 4분의 1퍼센트, 금일 때는 2분의 1퍼센트를 지불하기만 하면 지금을 반환해 받을 권리를 갖는다.

주화의 그러한 예금, 즉 그 은행이 주화로써 반환할 의무를 지고 있었던 그러한 예금[67]은 그 은행의 최초의 자본을 구성했다. 다시 말하면 소위 은행화폐에 의하여 표시되는 것의 전 가치였던 것이다. 현재에는 그러한 예금은 그 자본의 극히 작은 부분에 지나지 않는 것이라고 상정되어 있다. 지금의 거래를 쉽게 하기 위하여 그 은행은 요 몇 년 동안 금액 지금의 예금에 대하여 그 장부상의 신용을 주어 왔다. 이 신용은 대체로 그러한 지금의 주조가격보다 약 5퍼센트 적은 것이다. 그와 동시에 그 은행은 소위 영수증서(recipice) 또는 수취증서를 수여한다. 그리고 이 수취증서는 예금자, 즉 이 증서의 지참인이 예금 후 6개월 이내라

67 이 문장의 원문은 "Those deposits of coin, or those deposits, or which"로 시작되었는데 제1판에는 "These deposits of Com, or which"로 되어 있다.

면 언제든지 지금을 다시 찾아갈 수 있도록 되어 있는데, 이에는 그 지금이 예금되었을 때 은행의 장부상에 주어졌던 신용의 금액과 동등의 은행화폐를 은행에 상환하고, 그리고 그 예금이 은이었을 경우에는 4분의 1퍼센트, 금일 때는 2분의 1퍼센트의 보관료를 지불해야 한다는 조건이 따른다. 그러나 동시에 그 증서는 이러한 지불이 이행되지 않을 때, 그리고 그 기간이 만기될 때는 그 예금은 그것이 그 은행에 받아들여졌던 가격, 즉 대체장부에 부여되었던 신용가격으로 그 은행의 소유가 되어 버린다고 하는 것을 명시하고 있다. 이렇게 하여 예금의 보관에 대하여 지불되는 것은 일종의 창고세와 같다고 생각되어 좋으며, 또한 이 창고료가 왜 은보다 금이 그만큼 더 비싼가에 관해서는 몇 가지 이유가 열거되어 왔다. 즉 금의 순도는 은의 그것보다 알아 내기가 더욱 어렵다고들 해왔다. 사기는 귀금속에 관해서 더 쉽게 행할 수 있고, 또 그 손실도 더욱 크다는 것이다. 그 위에 은은 표준 금속이므로 국가는 금의 예금보다도 은의 예금을 더 장려하고 싶어 한다고 일컬어져 왔다.[68]

수취증서는 대체로 약간의 가치를 갖고 있으며 각 6개월의 말에 경신된다.

지금의 예금이 가장 흔히 이루어지는 것은 그 가격이 통상보다 약간 낮을 때이며, 그것이 다시 인출되는 것은 그 가격이 오르곤 할 때이다. 네덜란드에서는 지금의 시장가격은 대체로 그 주조가격보다 높은데, 그 이유는 최근의 금화개주 이전에 잉글랜드에서도 그러했던 것과 같다. 그 차액은 1마르크, 즉 순분 11 대 잡분 1로 구성된 은 8온스에 대해 보통 약 6스타이버stivers에서 16스타이버라고 한다. 은행가격, 즉 은행이 그러한 은의 예금(이것이 멕시코 달러Mexico dollar와 같이 순도가 널리 알려져 있고, 확인되어 있는 외국 주화로써 이루어졌을 때)에 대하여 주는 신용액은 1마르크에 22길더guilders이며, 그 주조가격은 약 23길

68 〔"국가는" 이하의 구절의 원문이 "the state, it has been said, wishes to encourage more the making of deposits of silver than those of gold"인데, 초판에서 제3판까지, 마지막 부분은 "than of those of gold"라고 되어 있다. 이것이 더 올바르지만 좀 어색하다.〕

더, 그리고 시장가격은 23길더 6스타이버에서 23길더 16스타이버, 즉 주조가격보다 2퍼센트 내지 3퍼센트 높다.[69] 금지금의 은행가격·주조가격·시장가격 사이의 비율도 거의 이상과 똑같다. 누구든지 지금의 주조가격과 시장가격의 차액을 얻기 위해 자기의 수취증서를 팔 수 있다. 지금에 대한 수취증서는 거의 언제나 약간의 가치가 나가는 것이므로, 자기의 지금을 6개월의 말기가 되기 전에 찾지 않는다든지 또는 그다음 기의 6개월에 대한 새로운 수취증서를 획득하기 위하여 4분의 1퍼센트 또는 2분의 1퍼센트를 지불하지 않음으로써 자기의 수취증서가 만기가 되어 버리도록 방치해 두는, 즉 자기의 지금이 은행이 받아들였을 때의 가격으로 은행의 수중에 몽땅 들어가도록 내버려 두는 일은 좀처럼 일어나지 않는다. 그러나 이런 일은 비록 드물기는 하지만 일어날 때도 있으며, 귀금속일 경우에는 그 보관에 대하여 지불하는 창고료가 높기 때문에 은보다 금

69 〔다음의 표는 암스테르담 은행이 현재(1775년 9월) 여러 가지 종류의 지금地金과 주화를 받아들이는 가격표이다.〕

1마르크(8온스)당			1마르크(8온스)당			
은	길더	스타이버	금	길더	스타이버	두카트
멕시코 달러화	–	–	포르투갈 주화	–	–	–
프랑스 크라운화	22	–	기니화	310	–	–
잉글랜드 은화	–	–	새 루이금화	–	–	–
멕시코 달러 새 주화	21	10	옛 루이금화	300	–	–
두카트화	3	–	새 두카트화	4	19	8
리크스 달러화	2	8				
〔순은純銀 12분의 11을 함유하는 봉은棒銀은 1마르크에 21길더, 이하 이러한 비율로 내려가서 순은 4분의 1을 함유하기에 이르면 5길더를 준다. 순봉은純棒銀은 마르크당 23길더.〕			〔봉금棒金 또는 괴금塊金은 상기한 외국 금화와의 비교에 있어서 그 순도에 비례하여 수취된다. 순봉금純棒金에 대해서는 은행은 1마르크당 340길더를 준다. 그러나 대체로 주지周知의 순도를 가지고 있는 주화에 대해서는 용해 및 시금의 과정을 밟지 않는 은 순도를 확인할 수 없는 봉금 및 봉은보다 약간 더 지불해 준다.〕			

에 관하여 더 빈번히 일어난다고 한다.

예금자는 통상 자기의 수취증서를 양도한다.

지금을 예금하여 은행신용과 수취증서의 쌍방을 취득한 사람은 자기의 환어음이 만기가 되면 자기의 은행신용으로써 그것을 지불한다. 그리고 지금의 가격이 오를 것인지 내릴 것인지를 자기가 판단하는 데 따라 팔든지 또는 보존하든지 한다. 수취증서와 은행신용이 다 같이 오랫동안 보존되는 일은 별로 없다. 또 그렇게 해야 할 필요도 없는 것이다. 수취증서를 가지고 있으면서 지금을 인출하고 싶어 하는 사람은 언제나 통상가격으로 살 수 있는 은행신용, 즉 은행화폐를 얼마든지 발견하며, 또한 은행화폐를 갖고 있는 사람이 지금을 인출하고자 원할 때는 언제든지 이와 똑같이 풍부한 수취증서를 입수할 수 있다.

은행화폐와 수취증서를 합하면 그 가치는 예금된 지금의 가치와 같다.

은행신용의 소유자와 수취증서의 소지인은 그 은행에 대하여 두 개의 다른 부류의 채권자이다. 수취증서의 소지인은 지금이 예치되었던 그때의 가격과 같은 금액의 은행화폐를 그 은행에 반환하지 않는 한, 지금과 교환으로 그 증서가 수여된 바로 그 지금을 인출할 수 없다. 그가 만일 자기의 은행화폐를 갖고 있지 않다면, 그는 그것을 갖고 있는 사람한테서 구매하지 않으면 안 된다. 은행화폐의 소유자는 자기가 원하는 분량에 대한 수취증서를 그 은행에 제출하지 않는 한 지금을 인출해 낼 수 없다. 그가 자기의 수취증서를 갖고 있지 않으면 그는 그것을 가지고 있는 사람들한테서 구입해 와야 한다. 수취증서의 소지인이 은행화폐를 구매할 때는 그의 주조가격이 은행가격보다 5퍼센트 높은 일정량의 지금을 은행에서 인출할 수 있는 권한을 구매하는 셈이다. 그러므로 그가 은행화폐를 위하여 보통 지불하는 5퍼센트의 프리미엄은 상상 속의 가치에 대한 것이 아니고, 실질적인 가치에 대하여 지불되는 것이다. 그리고 은행화폐의 소유자가 하나의 수취증서를 구매할 때는 시장가격이 주조가격보다 2퍼센트 내지 3퍼센트 높은 일정량의 지금을 은행에서 인출해 낼 수 있는 권한을 구매하는 셈이다. 그러므로 그가 수취증서에 대하여 지불하는 가격도 마찬가지로 실질적인 가격에 대하여 지불되고 있다. 수취증서의 가격과 은행화폐의 가격이 합해지거나 또는 그들이 뭉쳐서 지금의 총가치 또는 총가격이 되는 것이다.

유통주화에 대해서도 수취증서가 주어지지만 이것들은 종종 무가치한 것으로서 기한이 만료되도록 내버려 두어진다.

이 나라에 유통하는 주화의 예금에 대해서도 마찬가지로 그 은행은 신용과 함께 수취증서를 수여한다. 그러한 수취증서는 종종 무가치하며, 시장에서도 아무런 값이 나가지 않을 것이다. 예를 들면 통화로서는 각 편이 3길더 3스타이버로 통용되는 두카트화에 대하여 그 은행은 겨우 3길더의 신용, 즉 그 유통가치보다 5퍼센트 낮은 신용만을 준다. 마찬가지로 그 은행은 지참인이 보관료로서 4분의 1퍼센트를 지불하기만 하면 6개월 이내에는 언제든지 예금되어 있는 수의 두카트화를 인출할 수 있는 권리를 주고 있는 수취증서를 수여한다. 그런데 이 수취증서는 시장에서는 값이 나가지 않을 때가 흔히 있다. 3길더 은행화폐는 일반적으로 시장에서는 3길더 3스타이버로서, 즉 만일 그 두카트화가 은행에서 인출된다면 그 총가치로서 팔리는데, 그것을 은행에서 인출하기 전에 보관료로서 4분의 1퍼센트가 지불되어야 하므로, 이것은 수취증서의 소지인에게는 순전한 손실이 될 것이다. 그러나 만일 은행의 프리미엄이 언젠가 하락하여 3퍼센트가 되기라도 한다면, 그러한 수취증서도 시장에서 약간의 값이 나가게 될지 모르며, 1퍼센트 4분의 3으로 팔리게 될지 모를 것이다. 그러나 그 은행의 프리미엄은 현재로는 대체로 약 5퍼센트이므로 그러한 수취증서는 종종 그 기한이 만료되도록 내버려 둔다. 즉 그들의 표현에 의한다면 그 은행의 수중에 떨어지도록 버려둔다. 두카트 금화의 예금에 대하여 주어지는 수취증서는 더 흔히 은행의 수중에 들어가 버린다. 그 이유는 그것을 인출하려면 그 보관에 대하여 더 비싼 창고료, 즉 0.5퍼센트를 지불하지 않으면 안 되기 때문이다. 주화이든 지금이든 간에 그 예금이 은행의 손에 들어가게 방치될 때, 그 은행이 얻게 되는 5퍼센트는 그러한 예금의 영구적 보관에 대한 창고료라고 생각해도 좋을 것이다.

그러므로 수취증서가 만기가 되어 버린 은행화폐는 상당한 금액에 달해 있으나, 전체에 대한 비율은 크지 않다.

수취증서의 기한이 만료된 은행화폐액은 대단히 클 것임에 틀림없다. 그 가운데에는 이미 설명한 바 있는 이유들에 의하여 수취증서를 갱신하거나 또는 예금을 인출하는 것이 모두 손실 없이는 될 수 없으니 누구도 그렇게 하고 싶어 하지 않을 것이므로, 처음 맡겼을 때부터 은행에 줄곧 남아 있는 것이라고 일반적으로 생각되고 있는 그 은행의 최초의 자본 전액도 포함되어 있음에 틀림없다. 그러나 이 금액이 아무리 많다 하더라도, 그 은행화폐의 전량에 대하여 갖는 비율은 극히 적다고 상정되어 있다. 암스테르담 은행은 지난 여러 해 동안 유럽에서 최대 지금의 창고였으며, 이 은행의 수취증서의 기한이 만료하도록 버려지는, 즉 그들의 표현에 의하면, 그 은행의 손에 떨어지도록 방치하는 일은 좀처럼 없다. 은행화폐 또는 그 은행의 장부상의 신용의 훨씬 많은 부분은 지난 수년 간 지금상地金商이 부단히 예입하고 인출하는 예금에 의해 형성된 것으로 생각되고 있다.

이 예금은 은행에서 인출될 수 없는 것이다.

영수증서 또는 수취증서에 의하지 않고서는 그 은행에 대한 어떠한 지불청구도 이루어질 수 없다. 수취증서의 기한이 만료된 비교적 소액의 은행화폐는 수취증서가 아직도 유효한 훨씬 대량의 은행화폐와 뒤섞여 있으므로 비록 수취증서가 없는 은행화폐가 꽤 많은 금액에 달해 있더라도, 누군가가 언제나 수취증서에 의하여서는 청구할 수 없는 특별한 금액 또는 부분이 있는 것은 아니다. 은행은 동일물에 관하여 두 사람에 대한 채무자가 될 수는 없으며, 수취증서를 갖고 있지 않은 지불을 청구할 수 없다. 평상의, 그리고 조용한 시기라면 그는 시장가격으로 수령증을 구매하기는 그렇게 어렵지 않다. 그리고 그 시장가격은 그가 수취증서로써 은행에서 그에게 인출할 권리를 주고 있는 주화 또는 지금을 그가 팔 수 있는 가격과 대체로 일치한다.

그러므로 만일 모든 은행화폐의 보유자들이 그것을 주화나 또는 지금과 교환할 것을 원한다면, 수취증서는 턱없이 비싼 값을 부를 것이다. 그러나 비상상태하에서는 은행은 수취증서를 제출하지 않더라도 화폐 또는 지금을 지불해 줄 것이라는 것이 상정되어 있다.

그런데 국난에 이를테면 1672년의 프랑스의 침입과 같은 경우에는 사정이 달라질 것이다. 그럴 때는 은행화폐의 소유자는 모두 자기가 손수 보관해 두기 위하여 그것을 은행에서 인출하고자 열망하므로, 수취증서에 대한 수요가 그 가격을 엄청나게 높이 올릴지도 모른다. 그리고 수취증서의 소지인은 터무니없는 기대를 품고, 은행화폐, 즉 수취증서가 각각 수여되어 있는 예금에 대하여 신용이 주어졌던 은행화폐의 2내지 3퍼센트는커녕 그 반액을 청구할지도 모른다. 또한 적敵은 그러한 은행의 제도를 탐지하고 수취증서를 매수하여 재보의 반출을 방지할지도 모른다. 이러한 비상시에 임하여 그 은행은 수취증서의 소지인에게만 지불을 허용하는 통상의 법칙을 파기할 것이라고 상정된다. 은행화폐를 전혀 갖고 있지 않은 수취증서의 소지인은 그들의 각각의 수취증서가 수여된 바 있는 예금가치의 2내지 3퍼센트 이내의 것을 받았을 것이 틀림없다. 그러므로 이런 경우에 그 은행은, 수취증서를 획득할 수 없었던 은행화폐의 소유자에게 은행이 장부상에 부여했던 신용의 전 가치를 화폐 또는 지금으로써 지불하는 데 조금도 주저하지 않을 것이라고 한다. 이와 동시에 은행화폐를 갖고 있지 않은 수취증서의 소지인에 대해서는 2내지 3퍼센트만을 지불할 것이다. 왜냐하면 이러한 사태에서 2내지 3퍼센트는 그들에게 의당 지불되어야 하는 것이라고 당연히 생각되는 총가치이기 때문이다.

근년에는 은행은 항상 은행화폐를 5퍼센트의 프리미엄으로 팔았으며, 4퍼센트의 프리미엄으로 매입해 왔다.

평상의 조용한 때에도 수취증서의 소지인에게는 은행화폐를(따라서 그들이 갖고 있는 수취증서로써 이 경우 은행에서 인출할 수 있을 지금을) 그만큼 싸게 매입하거나 또는 은행화폐를 갖고 있으면서 지금을 인출하려고 하는 사람들에게 자신들 수취증서를 그만큼 비싸게 팔기 위해서는 프리미엄을 인하하는 것이 이익인데, 이는 수취증서의 가격은 은행화폐의 시장가격과 이와 교환으로 수취증서가 수여되었던 주화 또는 지금의 시장가격과의 차액과 대체로 같기 때문이다. 이와 반대로 은행화폐의 소유자에게는 그들의 은행화폐를 그만큼 비싸게 팔거나 또는 수취증서를 그만큼 싸게 사기 위해서는 프리미엄을 인상하는 것이 이익이다. 이러한 상반되는 이해관계 때문에 이따금 일어나게 되는 투기 은행의 사술을 방지하기 위하여 그 은행은 근년에 은행화폐를 언제든지 5퍼센트의 프리미엄을 붙여 통화를 받고 팔고, 4퍼센트의 프리미엄으로써 그것을 다시 매입할 것을 결의하게 되었다. 이러한 결의의 결과 프리미엄은 결코 5퍼센트 이상으로 오를 수도 없고, 4퍼센트 이하로 떨어질 수도 없게 되었다. 은행화폐의 시장가격과 유통화폐의 시장가격 간의 비율은 언제나 그것들의 내재적 가치 사이의 비율에 대단히 가깝게 유지되고 있다. 이러한 결의가 취해지기 전에는 은행화폐의 시장가격은 상반하는 이해관계가 시장에 영향을 미치곤 하는 데 따라서, 어떤 때는 프리미엄이 9퍼센트나 붙을 만큼 올라가기도 했고, 어떤 때는 평가가 될 만큼 떨어지기도 했다.

그 은행은 예금을 조금도 대출하지 않는다고 공언하고 있다.

암스테르담 은행은 이 은행에 예금되어 있는 것을 그 일부분도 결코 대출하지 않으나, 그 장부상으로 신용을 수여하고 있는 각 길더guilder에 대해서는 창고에 화폐 또는 지금으로 1길더의 가치를 보관하고 있다고 공언하고 있다. 그 은행이 수여한 수취증서가 아직도 유효하며, 또 어느 때고 그 은행이 지불청구에 응할 의무를 지고 있고, 더구나 실제로 끊임없이 그 은행으로부터 나가고 다시 들어오는 모든 화폐 또는 지금을 그 창고에 보관하고 있다는 것은 의심할 여지가 없다. 그러나 그 은행의 자본 가운데, 수여된 수취증서가 오래전에 만기가 되어 버리고 통상의 평온한 시기에는 그 지불을 청구할 수 없고, 사실상, 그 은행과 더불어 영구히, 즉 연합국가가 존속하는 한, 그곳에 남아 있을 것 같은 자본 부분에 관해서까지도 역시 그 은행이 그렇게 하고 있는지 아닌지는 아마 그렇게 확실한 것 같지 않다. 그러나 암스테르담에서는 은행화폐로서 유통하고 있는 매 길더에 대하여, 이에 부합하는 금 또는 은의 길더가 그 은행의 창고 속에 있다는 것은 확고부동하게 확신되어 있다. 그 시는 그렇게 만들어 주는 보증인이다. 그 은행은 매년 경질되는 4인의 통치권을 가진 시장들(burgomasters)의 감독을 받게 된다. 각각의 신조新組의 시장들은 금고를 시찰하여 그것을 장부와 대조하고 선서로써 그것을 수령한다. 그리고 이와 동일한 엄숙한 의식으로서 그 금고를 다음 조[70]에 인도한다. 그리고 그 착실하고 종교적인 나라에서는 선서가 아직도 무시되고 있지는 않다. 이런 종류의 윤번제만으로도 공언할 수 없는 행위에 대한 충분한 보증이 된다고 생각된다. 암스테르담의 통치에 있어서 당파가 일으켰던 모든 혁명의 와중에서도 우세한 정당이 그 은행의 관리상의 불성실에 관하여 그들의 전임자를 비난한 적이 없었다. 비난받는 정당의 명예와 운명에 악영향을 미치는 것은 이러한 비난이 근거가 있었던 것이라면 그 비난은 당연히 나왔을 것이라는 것쯤은 확신해도 좋을 것이다. 1672년 프랑스의 국왕이 유트레히트에 있었을 때 암스테르담 은행은 대단히 민첩하게 지불을 했기 때문에 이 은행은 그의 약속을 지킨다는 성실성에 관해서는 조금의 의심도 남기지 않았다. 그 당시 이 은행의 창고에서 인출된 화폐 조각의 어떤 것은, 이 은행이 설립된 후 얼마 되지 않아 시청에 일어났던 화재 때문에 검게 그을렸던 것 같다.[71] 그러므로

70 〔"다음 조"는 초판에는 "그다음의 조"라고 되어 있다.〕

71 〔《Lectures》, 193~194면. 이 이야기는 틀림없이 볼테르Voltaire, 《Le Siécle de Louis XIV》, 제 10장에 있는 것으로서 앤더슨Anderson, 《Commerce》(1672)는 그곳에서 인용되어 있는 것이다.〕

그러한 화폐 조각은 그 당시부터 그곳에 보관되어 있었던 것이 틀림없다.

그 은행에 있는 재보의 금액은 억측상의 문제이다.

그 은행에 있는 재보가 얼마나 되는지는 오랫동안 알고 싶어 하는 사람들이 추측하게 했던 문제이다. 그것에 관해서는 억측 이외는 아무것도 말할 수 없다. 그 은행과 거래하는 사람은 약 2000명이라고 보통 간주하고 있으며, 그리고 그들 각자가 가지고 있다고 하면 (상당히 많은 견적이지만) 은행화폐의 전량, 따라서 은행에 있는 재보의 전량은 영화 약 300만 파운드, 즉 영화 1파운드를 11길더라고 하면 3300만 길더에 달할 것이다.[72] 이것은 거액이며 대단히 광범위한 유통을 해 나가는 데 충분한 것이지만, 약간의 사람들이 이 재보에 관하여 지녀 왔던 과도한 억측에는 도저히 이르지 못하는 것이라 하겠다.

그 도시는 그 은행의 여러 가지 이윤에서 꽤 많은 수입을 끌어내고 있다.

암스테르담 시는 그 은행으로부터 상당히 많은 수입을 끌어내고 있다. 상기한 창고료라고 불릴 만한 것 이외에 각자는 그 은행과 처음 구좌를 틀 때 10길더의 수수료를 지불한다. 그리고 신거래를 할 때마다 3길더 3스타이버, 대체가 있을 때마다 2스타이버를 지불하고, 만일 대체가 300길더 이하이면 6스타이버를 지불하는데, 이것은 소액의 거래가 증가하는 것을 저지하기 위한 것이다. 1년에 두 번 하는 자기 계좌의 결산을 게을리하는 사람은 25길더를 몰수당한다. 자기의 구좌에 있는 것보다 더 많은 대체를 요구하는 사람은 그 초과 인출액의 3퍼센트를 지불하지 않으면 안 되며, 그의 대체지시는 무효가 된다. 또한 그 은행은 수취증서의 기한 만료로 인하여 이따금 자기의 수중에 떨어지고 또 유리하게 팔릴 수 있을 때까지 보관되고 있는 외국 주화 또는 지금의 매각에 의하여 상당

72 〔니콜라스 매건스Nicolas Magens, 《Universal Merchant》, 호슬리Horsley(편), 32~33면도 역시 보통 있는 과장에 반대하고, 구좌수를 최대로 평가해서도 3000재보는 최고로 평가하여 6000만 길더라고 하고 있다.〕

한 이익을 얻는다고 상상되고 있다. 마찬가지로 그 은행은 은행화폐를 5퍼센트의 프리미엄을 받고 팔고, 4퍼센트의 프리미엄을 주고 사들임으로써 이윤을 올린다. 이러한 여러 가지 이득은 행원의 봉급을 지불하고 경영비를 지출하는 데 필요한 금액을 훨씬 초과하고 있다. 수취증서가 수여되는 지금의 보관에 대하여 지불되는 것만으로도 연간 순수입이 15만 내지 20만 길더나 된다고 생각된다. 그러나 이러한 은행 제도의 본래 목적은 공익이지 수입은 아니었다. 그 목적은 불리한 환시세에서 오는 불편으로부터 상인들을 구제하는 것이었다. 그것에서 생긴 수입은 예측 외의 것이었으며, 우연한 것이라고 생각해도 좋을 것이다. 그러나 이제 나는 이 기나긴 여론에서 본론으로 돌아갈 때가 된 것이다. 나는 소위 은행화폐로써 지불을 하는 나라와 보통의 통화로써 지불을 하는 나라들 사이의 환시세는 왜 일반적으로 전자에 유리하고 후자에 불리하게 보였는지 이유를 설명하려고 노력하다 보니 어느새 이 여론에 들어간 것이다. 전자는 그 내재적 가치가 언제나 동일하고 그들 각각의 조폐국의 표준에 정확하게 일치하는 일종의 화폐로써 지불하고 있고, 후자는 그 내재적 가치가 끊임없이 변동하고 있고, 거의 언제나 그 표준보다는 다소 낮은 일종의 화폐로써 지불하고 있다.[73]

제2절 이러한 이상한 제한은 다른 원리상으로도 불합리하다고 하는 것에 관하여[74]

본 장의 앞의 절에서 내가 설명하려고 노력해 왔던 것은[75] 무역차액이 불리하다고 생각되는 나라로부터의 재화의 수입에 대하여 비상한 제한을 과하는 것이 상업체계상으로도 얼마나 불필요한 것인가 하는 것이었다.

73 〔초판에는 이 뒤에 다음과 같이 계속되어 있다. "그러나 비록 산정 시세는 대체로 전자에 유리함은 틀림없을지라도, 현실 시세는 후자에 유리할 때가 흔히 있을 것이다."〕

74 〔이 절의 표제 대신에 초판에는 각괄호에 넣어 이탤릭체로 "예금은행에 관한 여론의 종결"이라고 되어 있다.〕

75 〔이 첫 줄 대신에 초판에는 다음과 같이 되어 있다. "비록 어떤 두 개의 장소 사이의 산정 시세

무역차액에 관한 모든 학설은 불합리하다.

그러나 이러한 제한뿐만 아니라 다른 거의 모든 상업상의 규제의 기초가 되는 무역차액에 관한 이전 학설보다 더 불합리한 것은 있을 수 없다. 두 개의 장소가 서로 무역을 할 경우, 이 학설은 만일 그 차액이 고르면 양자는 어느 쪽도 손득이 없으나, 만일 그것이 어느 정도 한편으로 기울어지면 그것의 정확한 균형에서 기울어지는 그 정도에 비례하여 양자 가운데 한쪽은 손해를 보고, 다른 한쪽은 이득을 본다는 것을 상정하고 있다. 이 두 가지 상정은 모두 잘못이다. 장려금과 독점에 의하여 강제되고 있는 무역은 내가 뒤에 가서 설명하려고 노력하려는 바와 같이 그 나라에 유리하도록 그런 수단이 확립되어 있으면서도 바로 그 나라에 불리할지도 모르며, 또 실제로 보통 불리하다. 그러나 강제 또는 압박 없이 자연적, 그리고 규칙적으로 어느 두 장소 사이에 행해지고 있는 무역은 반드시 평등하게 유리하지는 않을지라도 언제나 양자에게 유리하다.

내가 알고 있는 바로는 이익 또는 이득(advantage or gain)이라는 것은 금액의 양의 증가가 아니고 그 나라의 토지 및 노동의 연간 생산물의 교환가치의 증가, 즉 그 주민의 연간 수입의 증가를 의미하고 있다.

가 모든 점에서 현실 시세와 같다 하더라도 반드시 통상의 환시세가 유리한 장소는 소위 무역차액도 유리하다는 결과가 된다고는 할 수 없을 것이다. 실로 이런 경우에 통상의 환시세는 그 두 장소 사이의 채무와 채권의 통상상태에 관한 상당한 지표가 될지도 모르며, 또 두 나라 중 어느 편이 다른 편에 항상 화폐를 보내어야 할 필요가 있었던가 하는 것을 나타내는 것일지도 모른다. 그러나 어떤 두 개의 장소 사이의 채무와 채권의 통상상태는 반드시 양자 상호 간에 있는 거래의 통상 경과에 의하여 완전히 규제된다고는 할 수 없고, 양자 중 어느 것과 다른 많은 나라들 사이에 행해지는 거래의 통상 경과에 의하여 영향을 받는다. 이를테면 만일 잉글랜드의 개인에게는 그들이 함부르크·단치히·리가 등에서 구매하는 재화에 대하여 네덜란드 앞의 어음으로 지불하는 것이 보통이었다고 하면, 잉글랜드와 네덜란드 사이의 채무와 채권의 통상상태는 이 양국 상호 간에 행해지는 거래의 통상상태에 의하여 완전히 규제되지는 않고, 잉글랜드와 그러한 다른 곳 사이의 거래에 영향을 받을 것이다. 비록 잉글랜드가 네덜란드에 연년이 수출하는 가치가 그곳으로부터 해마다 수입해 오는 가치를 초과하고 있었다 하더라도, 또한 소위 무역차액이 잉글랜드에 크게 유리했다 하더라도, 이런 경우 잉글랜드는 해마다 네덜란드에 화폐를 보내지 않을 수 없었을 것이다.〕

차액이 균등하고 교환이 전적으로 국산품으로 되어 있는 곳에서는 무역하는 두 나라는 거의 동등한 이득을 볼 것이다.

만일 차액이 동등하고, 또한 두 장소 사이의 무역이 전적으로 그들의 국산품의 교환으로 되어 있다면, 대부분의 경우, 양자는 모두 이득이 있을 뿐만 아니라 평등 또는 거의 평등하게 이득을 볼 것이다. 그리고 이 경우에 각자는 상대편의 잉여생산물의 일부에 대해 시장을 제공할 것이며, 각자는 상대편의 잉여생산물의 이 부분을 시장용으로 조달하고 조제하는 데 사용되어 왔으며,[76] 그 주민의 일정 수에게 분배되어 수입과 생활 유지 자료를 제공해 왔던 자본을 회수할 것이다. 그러므로 각자의 주민의 어떤 부분은 자신들 수입과 생활자료를 상대방으로부터 간접적으로 끌어낸다. 게다가 교환되는 상품은 동등한 가치의 것이라고 생각되듯이 그 무역에 사용되는 두 자본도 또한 대부분의 경우 등액이거나 또는 거의 등액에 가까울 것이다. 그리고 이 두 자본은 모두 양국의 국산품을 생산하는 데 사용되고 있으므로, 이들의 분배에 의하여 각각의 주민에게 제공될 수입과 생활자료도 역시 동등하든지 또는 거의 동등할 것이다. 이렇게 해서 서로 제공하는 이 수입과 생활자료는 두 나라의 상거래의 크기에 비례하여 커지기도 하고 작아지기도 할 것이다. 만일 이 거래액이 양쪽에서 모두 연년年年 10만 파운드 또는 100만 파운드에 달한다면 그들 각국은 전자의 경우엔 10만 파운드 후자의 경우에는 100만 파운드의 연간 수입을 상대국의 주민에게 제공할 것이다.

만일 한 나라가 국산품만을 수출하고, 다른 나라는 외국산품만을 수출한다면, 양자는 모두 이득을 얻게 되겠지만 전자의 이득이 더 많을 것이다.

만일 두 나라의 무역이 일방이 타방에 국산품만을 수출하는데 그 타방으로부터 돌아오는 물품이 외국 재화뿐인 그러한 성질의 것이라면 이 경우에도 상품은 상품으로 지불되기 때문에 차액은 역시 동등할 것이라고 생각될 것이다. 이

76 〔"시장을 위하여 조달하고 제조하는 데 사용되어 왔으며"는 초판에는 "조달하는 데 사용되어 왔으며"라고 되어 있다.〕

경우에도 두 나라는 모두 이득을 볼 것이지만, 그러나 동등하게 이득이 되지는 않을 것이다. 즉 국산품만을 수출하는 나라의 주민은 그 무역에서 최대의 수입을 끌어낼 것이다. 예를 들면 잉글랜드가 프랑스로부터 그 나라의 국산품만을 수입하고 더욱이 프랑스에서 수요가 있을 만한 자국(영국)의 상품을 갖고 있지 않아서, 그곳에 대량의 외국 재화, 즉 담배와 동인도의 재화를 보냄으로써 연년 지불을 한다고 하면, 이러한 무역은 쌍방의 나라의 주민에게 약간의 수입을 주겠지만 잉글랜드의 주민보다도 프랑스의 주민에게 더 많은 수입을 줄 것이다. 그 무역에 매년 사용되는 프랑스의 총자본은 프랑스의 인민들 사이에 매년 분배될 것이다. 그러나 잉글랜드의 자본은 그러한 외국 재화를 구매하기 위한 잉글랜드의 상품들을 생산하는 데 사용되는 그 부분만이 잉글랜드의 인민들 사이에 연년이 분배될 것이다. 그의 대부분은 버지니아·인도·중국에서 사용되었고, 그러한 먼 나라의 주민에게 수입과 생활자료를 주어 왔던 자본을 회수할 것이다. 그러므로 만일 자본이 등액이거나 또는 거의 등액이라면 프랑스의 자본의 이러한 사용은 잉글랜드의 자본의 이러한 사용이 잉글랜드 인민의 수입을 증가시키는 것보다 훨씬 더 많이 프랑스 인민의 수입을 증가시킬 것이다. 이런 경우 프랑스는 잉글랜드와 소비재의 직접무역을 하는 데 반해, 잉글랜드는 프랑스와 같은 종류의 우회무역을 하는 셈이 될 것이다. 소비재의 직접외국무역에 사용되는 자본과 우회외국무역에 사용되는 자본과의 상이한 효과는 이미 충분히 설명돼 있는 바이다.

혼합되어 있을 경우도 이 원리에 일치한다.

어떤 두 나라 사이에서 쌍방이 전적으로 국산품만을 교환하는 무역, 또는 한편은 국산품만을, 또 한편은 외국 재화만을 교환하는 무역이란 없을 것이다. 거의 모든 나라는 상호 간에 일부는 국산 재화, 일부는 외국 재화를 교환하고 있다. 그러나 그 적하의 최대의 부분이 국산품이고 그 최소의 부분이 외국 재화인 그러한 나라는 항상 주요 이득자가 될 것이다.

잉글랜드로서는 금은으로 지불하는 편이 담배로 지불하는 것보다 더 나쁘지는 않을 것이다.

만일 잉글랜드가 프랑스로부터 연년이 수입하는 상품들의 대가를 담배와 동인도의 재화로써 지불하지 않고 금은으로 지불한다면, 이 경우 상품은 상품으로 지불되지 않고, 금은으로 지불되므로 차액이 균등하지 못하다고 생각될 것이다. 그러나 이 경우에도 그 무역은 앞의 경우와 마찬가지로 쌍방의 나라의 주민에게 약간의 수입을 줄 것이다. 그러나 잉글랜드의 주민보다 프랑스의 주민에게 더 많은 수입을 줄 것이다. 그 무역은 잉글랜드의 주민에게도 약간의 수입을 줄 것이다. 이 금은을 구매한 잉글랜드의 일정한 주민 사이에 분배되어 그들에게 수입을 주고 있었던 자본은 이 무역에 의해 회수되고 계속 그렇게 사용될 것이다. 잉글랜드의 총자본은, 이 금은의 수출에 의하여 감소되지 않음은 다른 어떤 재화의 등액의 가치를 수출할 경우와 마찬가지일 것이다. 오히려 반대로 대부분의 경우 잉글랜드의 자본은 증가될 것이다. 국내에서보다 해외에서 더 큰 수요가 있다고 생각되는, 따라서 이 대가로서 구입되어 오는 것이 수출된 상품보다 국내에서 더 많은 가치가 있으리라고 기대되는 그러한 재화가 아니고서는 어떤 재화도 해외에 보내어지지는 않는다. 만일 잉글랜드에서 10만 파운드 가치밖에 나가지 않는 담배가 프랑스에 보내어져 잉글랜드에서 11만 파운드의 가치의 포도주를 구입한다면 이 교환도 동등하게 잉글랜드의 자본을 1만 파운드만큼 증가시킬 것이다. 마찬가지로 10만 파운드의 잉글랜드 금이 잉글랜드에서 11만 파운드의 가치가 있는 프랑스의 포도주를 구매한다면, 이런 교환은 똑같이 1만 파운드만큼 잉글랜드의 자본을 증가시킬 것이다. 자기의 주창에 11만 파운드 가치의 포도주를 갖고 있는 상인은 자기의 창고에 10만 파운드 가치밖에 되지 않는 담배를 갖고 있는 상인보다는 부자이듯이 마찬가지로 전자는 자기의 금고에 10만 파운드 가치밖에 되지 않는 금을 가진 사람보다 부자이다. 그는 다른 두 사람의 어느 쪽보다도 더 다량의 산업을 가동시켜서 더 다수의 인민에게 수입·생활자료·일터를 줄 수 있다. 그러나 그 나라의 자본은 모든 여러 주민의 자본과 동등하며, 그 나라에서 연년이 유지될 수 있는 산업의 양은 그러한 모든 여러 자본이 유지할 수 있는 양과 동등하다. 그러므로 그 나라의 자본과 그 나라에서 연년이 유지될 수 있는 산업의 양은 모두 대체로 이러한 교환에 의하여 증가됨이 틀림없다. 실로 잉글랜드로서는 버지니아의 담배라든지, 브라질과 페루의 금은으로써 프랑스의 포도주를 구매하는 것보다 자국의 철물이나 고급 모직물로 구입하는 편이 더 유리할 것이다. 소비재의 우회외국무역보다도 직접외국무역이 항상 더 유리하다. 그러나 금은으로써 행해지고 있는 소비재의 우회외국무역은 어떤 다른 동등한 우회외국무역보다도 이익이 적다고 생각되지는 않는다. 광산을 전혀 갖고 있지 않은 나라가 금은을 연년이 수출한다고 해서 그러한 금속이 전혀 고갈되어 버리지 않는 것은 담배를 재배하지 않는 나라가 그 식물을 마찬가지로 연년이 수출한다고 해서 담배가 없어지지 않는 것과 마찬가지이다. 담배를 구입할 수단을 가지고 있는 나라가 오랫동안 담배가 없어 어려움에 빠져 있지 않듯이, 금은을 구매할 수단을 가지고 있는 나라가 오랫동안 금속이 없어 어려움에 빠져 있지는 않을 것이다.

프랑스 포도주의 무역에 반대하는 논의는 잘못이다. 말단 소매상인의 비열한 술책이 정치적 원칙으로 세워짐에 따라 상업은 조화는커녕 불화의 원천이 되어 버렸다.

직공이 맥주점과 행하는 거래는 손해 보는 거래이고, 제조업 국가가 포도주 생산국과 자연적으로 행하는 무역도 이와 같은 성질의 것이라고 간주될지도 모른다. 나는 맥주점과의 거래라고 해서 반드시 손해 보는 거래는 아니라고 답한다. 그 자체의 성질상 아마 다른 거래보다는 다소 남용되기 쉬운 것이기는 하지만, 이 거래도 다른 어떠한 거래와 똑같이 유리하다. 양조가라고 하는 직업은 물론, 주류의 소매상이라는 직업까지도, 다른 어떠한 직업과 마찬가지로 필요한 분업이다. 직공은 자기가 필요로 하는 양을 손수 양조하기[77]보다는 그것을 양조가로부터 사는 것이 대체로 더 유리할 것이다. 그리고 만일 그가 가난한 직공이라면

77 〔"양조하기"는 초판에는 "만들기"라고 되어 있다.〕

그것을 양조가로부터 대량으로 사는 것보다는 소매상으로부터 조금씩 사는 편이 대체로 유리할 것이다. 이를테면 만일 그가 대식가라면 푸줏간에서, 또는 만일 그가 동료들 사이에서 멋쟁이인 체한다면 포목상에서, 그 이웃의 어떤 다른 상인에게서처럼 너무 많이 사 버릴 수도 있다. 그럼에도 불구하고 비록 직업의 자유가 모든 직업에 있어서 남용된다든지 또한 아마 다른 것보다 어떤 것에 관해서 그 자유가 더 많이 남용되기 쉽다 하더라도 이러한 모든 직업이 자유롭다는 것은 직공 전체에게는 이익이다. 뿐만 아니라 비록 개인은 주류의 과도한 소비 때문에 재산을 탕진할 수도 있지만 일국민이 그렇게 될 위험은 전혀 없는 것 같다. 어느 나라에도 자신들 자력 이상으로 그러한 주류를 소비하는 사람은 많이 있으나, 그 이하의 소비밖에 하지 않는 사람이 항상 더 많이 있다. 또한 경험에 비추어 보건대 포도주가 값싸다는 것은 과음의 원인이 아니라 절주의 원인인 것같이 생각되는 것은 주의할 만한 것이다. 포도주를 산출하는 나라의 주민은 일반적으로 유럽에서 가장 절주하는 인민이며, 스페인, 이탈리아 및 프랑스의 남부 지방의 주민이 그 증거이다. 사람들은 자신들의 매일의 음식물에 있어서는 도를 지나치는 과오를 좀처럼 저지르지 않는다. 약한 맥주같이 값싼 주류가 풍부하다고 해서 자기의 후한 성격과 친절함을 뽐내는 사람은 없다. 이와 반대로 과도한 더위나 추위 때문에[78] 포도가 생산되지 않고 그 결과 포도주가 고가이며 진품인 나라에서는 과음은 흔히 있는 악덕이다. 북방의 국민들 사이에서, 그리고 열대지방에 살고 있는 모든 인민, 이를테면 기니 해안에 있는 흑인들 사이에서 그러하다. 내가 흔히 들었던 바에 의하면 프랑스의 연대가 포도주가 약간 비싼 프랑스 북부에서 포도주가 대단히 값싼 남부 지방에 주둔하면, 병사들은 양질의 포도주가 싸고 신기하다는 것 때문에 처음에는 방탕해지는데, 2~3개월 체재하면 그들의 대부분은 다른 주민과 마찬가지로 절주하게 된다고 한다. 만일 외국의 포도주에 대한 관세와 맥아·맥주·에일에 대한 내국소비세가 즉시

78 〔이 구절의 원문은 "either from excessive heat or cold"인데 초판에는 "from either……"로 되어 있다.〕

철폐된다면, 위의 경우와 마찬가지로 영국에서도 중류계급과 하층계급의 사람들 사이에 꽤 일반적이고 일시적인 과음이 일어나겠지만 영구적이며 거의 보편적인 절주가 곧 뒤따르게 될 것이다. 현재 과음이라 함은 상류의 사람들, 즉 가장 비싼 주류라도 쉽게 살 수 있는 사람들의 악덕은 결코 아니다. 에일을 마시고 주정하는 신사는 우리들 사이에서는 좀처럼 볼 수 없다.[79] 뿐만 아니라 영국에서의 포도주 무역에 대한 제한은 말하자면 인민이 비어홀에 가는 것을 저지하기 위하여 계획되었다기보다 오히려 그들이 가장 좋고 가장 값싼 주류를 살 수 있는 곳에 가는 것을 저지하기 위하여 계획되었던 것 같다. 그러한 제한은 포르투갈의 포도주 무역을 장려하고 프랑스의 포도주 무역을 저지하고 있다. 실로 우리의 제조품에 대해서는 포르투갈인은 프랑스인보다 좋은 고객이므로 우선적으로 장려되어야 한다고 일컬어지고 있다. 그들은 우리들의 단골이므로 우리도 그들의 단골이어야 한다고 주장되고 있다. 말단 소매상인의 비열한 술책이 이렇게 해서 그 대제국의 행동에 관한 정치상의 일반적 원칙을 만들어 내었다. 왜냐하면 자신들 고객에게만 봉사하는 것을 원칙으로 하고 있는 것은 가장 하등의 소매상인뿐이기 때문이다. 대상인이란 이런 종류의 사소한 이익을 고려하지 않고 가장 값싸고 가장 질 좋은 장소에서 언제나 자기의 재화를 구매하고 있다.

그러나 각국은 이상과 같은 원칙에 따라 자국의 이익은 모든 이웃 나라를 거지로 만드는 데 있다고 배워 왔다. 각국민은 자국과 무역하는 모든 국민들의 번영을 불쾌한 눈으로 바라보도록 가르침을 받아 왔고, 그러한 모든 국민의 이득을 자국의 손실인 양 생각하게끔 되어 있었다. 개인들 사이에서 마찬가지로 국민들 사이에서도 당연히 화합과 친선의 이음줄이어야 할 상업이 불화와 적의의 가장 풍부한 원천이 되어 있다. 금세기와 전前세기를 통하여 국왕과 대신의 변덕스러운 야심도 유럽의 평정에 대하여 상인과 제조업자의 주제넘은 질투보다는 더 치명적이진 아니했다. 인류의 지배자의 폭력과 부정행위는 예부터 있는 악덕이며 인간사의 본질로 보아 거의 교정의 여지가 없지나 않은가 하고 나는 두려워

79 〔《Lectures》, 179면.〕

하고 있다. 그러나 인류의 지배자도 아니요, 또 지배자여서도 아니 되는 상인과 제조업자의 비열한 탐욕, 즉 독점의 정신은 비록 교정될 수 없는 것 같지만, 그들 자신 이외에 누구의 평온도 교란시키지 못하도록 하는 것은 대단히 쉬울 것이다.

독점의 정신에 의하여 고무된 상인의 궤변이 인간의 상식을 혼란시켰다.

본래 이 학설을 발명하고 퍼뜨렸던 것도 독점의 정신이었음은 틀림없다. 그리고 그것을 최초로 가르쳤던 사람들은 그것을 믿고 있었던 사람들처럼 결코 그렇게 어리석지는 않았다. 모든 나라에서 인민대중에게는 자신들이 필요로 하는 것은 무엇이든지 그것을 가장 싸게 파는 사람들로부터 사는 것이 이익이요 또 이익임이 틀림없다. 이 명제는 대단히 명백하여서 그것을 증명하려고 수고를 한다는 것은 우스꽝스러운 것 같다. 만일 상인들과 제조업자들의 사리에 사로잡힌 궤변이 인간의 상식을 혼란시키지 않았더라면 이것은 명제도 되지 않았을 것이다. 그들의 이해관계는 이 점에 관해서는 인민대중의 이해관계와 정반대이다. 동업조합의 조합원으로는 자신들 이외의 주민이 자신들 이외의 직공을 고용하는 것을 저지하는 것이 이익이듯이 모든 나라의 상인과 제조업자에게도 국내시장의 독점을 그들 자신이 확보하는 것이 이익이다. 영국과 대부분의 다른 유럽의 나라에서 외국상인이 수입하는 거의 모든 재화에 이상한 관세가 과해지는 것도 이 때문이다. 그리고 우리 국산품과 경쟁하게 될 수 있는 모든 외국 제품에 높은 비율의 관세와 금지가 과해지는 것도 이 때문이다. 또한 무역차액이 불리하다고 생각되는 나라들, 즉 국민적 적의가 때마침 가장 격렬하게 타오르게 된 나라들로부터의 거의 모든 부류의 재화의 수입에 대한 이상한 제한도 역시 이 때문이다.

부유한 이웃은 개인에게뿐만 아니라 국민에게도 유리한 것이다.

그러나 이웃 국민의 부는 비록 전쟁과 정치에 있어서는 위험할지 모르나, 무역에 있어서는 확실히 유리하다. 서로 적대하는 상태에서는 그것은 우리의 적으로 하여금 우리들 자신의 것보다 우월한 함대와 군대를 유지할 수 있게 해 주지만 평화적이고 통상하는 상태에서는 그것은 역시 그들로 하여금 우리들과 보다 큰 가치를 교환할 수 있게 해 주고, 또 우리나라 산업의 직접적인 생산물 또는 이 생산물로써 구매되는 모든 것에 대하여 보다 좋은 시장을 제공할 수 있게 해 줌이 틀림없다. 가난한 사람보다는 부자가 그 이웃에 있는 근면한 사람들의 보다 좋은 고객이듯이 부유한 국민도 또한 그러하다. 사실 자기 자신이 제조업자인 부자는 그와 똑같은 일에 종사하고 있는 모든 사람들에게는 대단히 위험한 이웃이다. 그러나 그 이외의 이웃하는 최대다수의 사람들은 부자의 소비가 제공해 주는 좋은 시장 덕분에 이익을 본다. 그들은 부자가 자기와 같은 일에 종사하는 더 가난한 직공들보다 더 싸게 파는 것으로써 이익을 보기까지 한다. 이와 마찬가지로 부국의 제조업자는 틀림없이 그 이웃 나라의 제조업자에게는 대단히 위험한 경쟁자일지 모른다. 그러나 바로 이 경쟁이 그 인민대중에게는 유리한 것이다. 이들은 그러한 국민의 다대한 지출이 모든 다른 방법으로 제공해 주는 좋은 시장에 의해서도 이익을 본다. 한 재산을 만들려는 개인들은 그 나라의 멀고 가난한 지방으로 인퇴引退할 생각은 결코 없으며, 수도나 대大상업도시에 나가려고 한다. 그들은 적은 부富밖에 유통하고 있지 않은 곳에서는 획득되는 것도 얼마 되지 않으나, 많은 부가 움직이고 있는 곳에서는 그 몫이 자신들에게도 떨어질지도 모른다는 것을 알고 있다. 이렇게 해서 한 명, 또는 열 명, 또는 스무 명의 상식을 지배하는 바로 같은 일반적 원칙들이 100만 명, 또는 1000만 명, 또는 2000만 명의 판단을 규정하고, 그 결과 전 국민이 그 인접국의 부를, 자국이 부를 획득하게 되는 유망한 원인이요 기회인 양 생각하게 될 것이다. 외국무역으로써 자국을 부유하게 하려는 국민은 그 이웃이 모두 부유하고 근면한 상업적인 국민일 때 틀림없이 그 목적을 달성할 가능성이 가장 많다. 방랑하는 미개인과 가난한 야만인으로 둘러싸여 있는 대大국민은 틀림없이 자국의 토지의 경작과 자국 내에서의 상업에 의하여 부를 획득할 것이고 외국무역으로는 그렇게 되지 못할 것이다. 고대 이집트인과 근대 중국인이 그들의 거부巨富를 획득했던 것은 이 방법으로 했던 것 같다. 고대 이집트인은 외국상업을 등한시했다고 하며, 또 근대 중국인은 그것을 극도로 경멸하여 그것에 법률상의 상당한 보호를 거의 제공해 주려고 하지 않았다. 외국상업에 관한 근대의 일반적 원칙은 우리의 모든 이웃을 가난하게 만든다는 것을 목적으로 하고 있으므로, 그 원칙들이 그들의 소기의 효과를 낳을 수 있는 한에 있어서는 다름 아닌 바로 그 상업을 무의미하고 경멸해야 할 것으로 만들어 버리는 경향이 있다.

프랑스와의 무역은 제한받지 않으면 아메리카와의 무역보다 영국에게는 훨씬 더 유리할 것이다.

프랑스와 잉글랜드 사이의 상업이 양국에서 수많은 방해와 제한을 받아 왔던 것은 이러한 일반원칙의 결과이다. 그러나 만일 그 두 나라가 상인적 질투나 국민적 적의를 버리고 그들의 참다운 이익을 고려하게 된다면 프랑스와의 상업은 다른 어떤 나라와의 상업보다 영국에 보다 유리할 것이며, 또한 동일한 이유로써 영국과의 상업은 프랑스에게 보다 유리할 것이다. 프랑스는 영국에게 가장 가까운 이웃나라이다. 잉글랜드의 남해안과 프랑스의 북해안 및 북서해안 사이의 무역에서는 내륙상업의 경우와 마찬가지로 1년에 4회, 5회 또는 6회의 대금회수代金回收를 기대할 수 있을 것이다. 그러므로 이 무역에 사용되는 자본은 그 두 나라의 각각에서 이와 같은 금액의 자본이 외국무역의 다른 대부분의 부문에서 할 수 있는 것보다 네 배, 다섯 배 또는 여섯 배의 양의 산업을 활동시키며 네 배, 다섯 배 또는 여섯 배의 수의 인민에게 직업과 생활자료를 제공할 것이다. 프랑스와 영국의 가장 멀리 떨어져 있는 지방 사이에는 그 대금회수는 적어도 1년에 한 번은 기대될 수 있을지 모르나, 이 무역에 있어서까지도 우리나라와 유럽과의 외국무역의 다른 부문의 대부분에 있어서와 동등하게 유리할 것이다. 그 무역은 우리의 북아메리카 식민지와의 자랑스러운 무역보다는 적어도 세 배는 유리할 것이다. 더구나 이 식민지와의 무역에서는 대금회수가 3년 이내에 이루어지는 수는 좀처럼 없으며 4~5년 이내에 회수되지 않는 수도 흔히 있다. 뿐만 아니라 프랑스는 2400만의 주민을 갖고 있다고 생각되고 있다. 우리의 북아메리카 식민지에는 300만 이상의 주민이 있다고 생각되었던 적은 없었다. 그리고 프랑스는 부의 분배가 북아메리카보다 불평등하기 때문에 프랑스에는 북아메리카보다 훨씬 더 심한 빈곤과 빈궁이 있을지라도 북아메리카보다는 훨씬 부유한 나라이다. 그러므로 프랑스는 우리의 북아메리카 식민지가 이때까지 제공하여 왔던 것보다는 적어도 여덟 배나 넓은 시장, 그리고 보다 나은 대금회수의 빈도로 인해 24배나 유리한 시장을 제공할 수 있을 것이다. 영국과의 무역은 프랑스에게도 이와 똑같이 유리할 것이다. 그리고 이 무역은 당해 국가들의 부와 인구 및 근접도에 비례하여 프랑스가 자국의 식민지와 행하고 있는 무역보다 영국의 경우와 마찬가지로 월등 나은 데가 있을 것이다. 두 국민의 지혜로 저지하는 것이 적절하다고 판단했던 무역과 가장 우대하여 왔던 무역과의 차이는 이와 같이 대단히 큰 것이라 하겠다.

그러나 프랑스와 잉글랜드의 상인은 서로 시기하고 있다.

그러나 이 두 나라 사이의 개방적이며, 자유로운 상업을 쌍방 모두에게 그렇게도 유리한 것으로 만들어 왔을 바로 그 사정이 그 상업에 대한 주요 장해가 되는 것이다. 그들은 이웃이기 때문에 필연적으로 적이 되고 각각의 부와 힘은 그 때문에 상대방에게 보다 두려운 것이 되며 국민적 친선이라는 이익을 증진시킬 것이 국민적 적의라는 폭력을 부채질하는 데만 도움이 되고 있을 뿐이다. 그들은 모두 부유하고 근면한 국민이고 각국의 상인과 제조업자는 상대방의 상인과 제조업자의 숙련과 활동에 관한 경쟁을 두려워한다. 국민적 적의라고 하는 폭력에 의하여 상인의 시기심이 자극되고 양자를 흥분시키고 자신들도 흥분해 버린다. 그리고 양국의 상인은 이해관계에 사로잡힌 허위에 관하여 아주 열정적인 확신을 갖고 불리한 무역차액의 결과 각국은 확실히 파멸한다고 공고했고, 그들은 그 불리한 무역차액은 타국과의 무제한의 상업의 불가피한 결과라고 주장하고 있다.[80]

차액이 불리하기 때문에 가난해져 버린 나라는 하나도 없으며, 최대한의 자유무역을 하는 나라들이 외국무역에 의하여 가장 부유해졌다.

유럽의 상업국에서 이 체계의 자칭 박사들로부터 무역차액이 불리하기 때문에 파멸이 가까워지고 있다는 예언을 종종 들어오지 않은 나라는 하나도 없다. 그러나 결국 그들이 이 점에 관하여 선동했던 불안에도 불구하고, 그리고 거의 모든 상업 국민이 그 차액을 자국에 유리하고 그 이웃 나라에 불리하도록 바꾸려고 헛된 계획을 했음에도 불구하고, 유럽에서는 이 원인 때문에 다소나마 가난해진 국민이란 하나도 없는 것 같다. 이와 반대로 모든 도시와 농촌은 그들의 항구를 모든 국민에게 개방하면 할수록 상업체계의 원리들이 우리들에게 예기시키려고 했던 것처럼 이 자유무역에 의하여 파멸하기는커녕 오히려 그것으로 인해 부유해졌다. 실로 유럽에는 어떤 점에서 자유항이라고 이름 붙여질 만한 두세 도시가 있기는 하지만 그러한 이름이 붙여질 만한 나라는 하나도 없다. 네덜란드는 아직도 멀었다고는 하겠으나 아마 다소나마 이 성질을 가진 나라에 가장 가까워져 있다. 그리고 네덜란드는 그 부의 전부뿐만 아니라 그 생활자료의 대부분을 외국무역에서 끌어내고 있다는 것이 시인되고 있는 바이다.

번영과 쇠퇴는 생산과 소비와의 균형에 의존하는데,

실로 이미 설명해 온 바와 같이[81] 무역차액과는 대단히 다른 또 하나의 균형이 있다. 그리고 그것이 때마침 유리하게 되느냐 불리하게 되느냐에 따라서 모든 국민의 번영 또는 쇠퇴가 필연적으로 일어난다. 연간 생산과 소비와의 균형이 곧 이것이다. 이미 설명한 바 있거니와 만일 연간 생산물의 교환가치가 연간 소비재의 그것을 초과하면 그 사회의 자본은 그 초과에 비례하여 매년 증가함이 틀림없다. 이 경우 그 사회는 그 수입의 범위 내에서 생활하고 그 수입 가운데서 해마다 저축되는 것은 자연히 그 자본에 추가되어 연간 생산물을 더 증가시키도록

80 〔이것과 이 앞의 문단은 〈증보 및 정정〉과 제3판에 처음으로 나온다.〕

81 〔《Lectures》, 207면.〕

사용된다. 이와 반대로 만일 연간 생산물의 교환가치가 연간 소비보다 모자란다면, 그 사회의 자본은 이 부족에 비례하여 해마다 감쇠함이 틀림없다. 이 경우 그 사회의 지출은 그 수입을 초과하여 필연적으로 그의 자본을 잠식한다. 그러므로 그의 자본은 필연적으로 감쇠하지 않을 수 없으며, 이와 더불어 그의 근로의 연간 생산물의 교환가치도 필연적으로 감쇠하지 않을 수 없다.

그것은 무역차액과는 전혀 다른 것이며,

생산과 소비와의 균형은 소위 무역차액과는 완전히 다른 것이다. 그것은 외국무역을 전혀 하지 않고 전 세계에서 완전히 고립되어 있었던 국민에게도 일어날 수 있었을 것이다. 그것은 지구상 어디서나 일어날 수 있는 것으로서 그의 부·인구·개선이 점진적으로 증진할 수도 있고, 또 서서히 쇠미해질 수도 있다.

이는 무역차액이 불리할 때도, 끊임없이 어떤 국민에게 유리할지도 모른다.

비록 소위 무역차액이 대체로 어떤 국민에게 불리할지라도 생산과 소비의 균형은 끊임없이 그 국민에게 유리할 수도 있다. 어떤 국민은 아마 반세기 동안 줄곧 수출한 것보다 더 많은 가치를 수입할 수도 있다. 따라서 이 모든 기간에 줄곧 그 나라에 들어가는 금은이 지체 없이 그 나라에서 내어보내지고, 여러 종류의 지폐로써 대치되어 그의 유통주화는 점차 감쇠하고 그 주요 거래국과 맺게 된 채무계약까지도 점차 증가하고 있을는지도 모른다. 그런데도 그의 실질적 부, 즉 그 토지 및 노동의 연간 생산물의 교환가치는 동일 기간에 훨씬 더 큰 비율로 증가하고 있을는지도 모른다. 현재의 동란[82]이 개시되기 전, 우리의 북아메리

82 이 문단은 1775년에 쓴 것이다. (그러나 그것은 여기에 쓰여 있는 그대로는 아니었다. 초판에는 "현재의 동란"이 아니라 "최근의 동란"이라고 되어 있기 때문이다. 오직 우리가 추측할 수 있는 것은, 스미스는 그가 집필하고 있는 동안이나 또는 그가 교정을 인쇄자에게 돌렸을 때에, 동란이 이미 끝난 것을 생각했든가, 아니면 그의 책이 출판될 때까지는 그 동란이 끝나리라고 생각하고 있었다는 것이다. "최근의"를 "현재의"로 변경한 것은 제2판에서였고, 이 각주는 제3판에서 추가된 것이다. 제2권에서는, 모든 판본이 75, 86, 115면에서는 "현재의 동란"

카 식민지의 상태와 그들이 영국과 하고 있었던 무역의 상태는 이것이 불가능한 상정은 결코 아니라는 것을 증명하는 데 도움이 될 것이다.

제4장 조세환급에 관하여

상인은 수출장려책을 요구한다.

상인과 제조업자는 국내시장을 독점하는 데에 만족하지 않고, 그들의 재화를 최대한 외국에 많이 팔려고 한다. 그들의 나라는 외국에 대한 사법권을 갖고 있지 않으므로 외국에서 그들에게 독점권을 얻어 줄 수도 없다. 그러므로 그들은 대체로 수출에 대해 일정한 장려책을 청원하는 데 만족할 수밖에 없다.

국내 생산물에 대한 조세환급은 노동의 자연적 배분을 유지하므로 합리적이다.

이러한 장려책 가운데 소위 조세환급이라는 것이 가장 합리적인 것 같다. 상인이 수출할 경우, 국내 산업에 부과된 일체의 내국소비세 또는 내국세의 전부 또는 일부를 환급한다 하더라도, 그러한 조세가 부과되지 않았을 때에 수출되었을 양보다 더 많은 양의 재화 수출을 촉진할 수는 없다. 그러한 장려책은 어떤 특정한 용도에, 그 나라 자본 중 저절로 그 용도[83]로 향하게 될 몫보다 더 큰 몫을 돌리려는 것이 아니라, 다만 그 조세가 그 몫의 일정 부분을 다른 용도로 몰아 버리는 것을 저지하는 경향이 있을 뿐이다. 그러한 장려책들은 그 사회의 다양한 사업 가운데 자연적으로 확립되는 균형을 무너뜨리는 것이 아니라, 도

이라고 되어 있고, 79면에서는 "최근의 동란"이라고 되어 있다. 두 가지 표현을 동시에 사용할 수는 없으므로 우리는 75, 86, 115면에서 "최근의"가 "현재의"로 정정된 것이라고 생각하든지, 또는 79면에서의 "현재의"가 "최근의"로 정정되었다고 상상하든지 하지 않으면 안 된다. 우리는 이 두 가지 중 어느 것이 사실이었는지에 관해서는 확언할 수 없다.〕

83 〔"용도"란 단어가 여기서는 "that employment"로 나와 있으나, 초판과 재판에서는 "it"으로 되어 있다.〕

리어 그 조세로 말미암아 그 균형이 무너지는 것을 저지하는 경향이 있다. 그것은 그 사회에 있어서의 노동의 자연적인 분할과 배분을 파괴하는 것이 아니라, 그것을 유지하는 경향을 가지고 있는데, 그것을 유지하는 것은 대부분의 경우 유리하다.

수입 재화에 대한 조세환급도 또한 합리적인 것이다. 구舊왕실보조세에 있어서는 반액의 조세환급이 허용되어 있다.

수입된 외국 재화의 재수출에 대한 조세환급에 관해서도 마찬가지라고 할 수 있다. 영국에서는 보통 수입세의 거의 전부가 조세환급으로 되어 있다. 현재 소위 구舊왕실보조세(old subsidy)라고 하는 것을 부과했던 의회법률[84]의 제2부칙에 의해서 영국인이든 외국인이든 모든 상인은, 수출할 경우 그 관세의 반액을 환급받을 수 있게 되어 있었다. 그런데 여기엔 영국 상인은 12개월 이내에, 외국 상인은 9개월 이내에 수출하도록 되어 있었다. 다만 포도주와 건포도, 가공된 견포만은 예외였는데, 그것은 그러한 재화에는 더 유리한 특전이 주어져 있었기 때문이었다. 이 의회의 법률에 의해서 부과되고 있었던 관세는 그 당시에는 외국 재화의 수입에 대한 유일한 관세였다. 이 조세환급과 그 밖의 모든 조세환급을 청구할 수 있는 기한은 그 후(조지 1세 제7년 법률 제21호 제10조에 의해서) 3년으로 연장되었다.[85]

비교적 최근의 조세는 일반적으로 전액이 환급된다.

구舊왕실보조세 이후에 부과되어 온 세는 그 대부분이 수출의 경우 전액이 환급된다. 그러나 이 일반원칙은 수많은 예외를 가져오게 됨으로써 조세환급에 관한 학설도 그것을 제정한 당시보다 훨씬 복잡한 것이 되어 버렸다.

84 〔찰스 2세 제12년 법률 제4호.〕

85 〔헨리 색스비Henry Saxby, 《The British Customs, containing an Historical and Practical Account of each branch of that part of the Revenue》(1757), 10, 308면.〕

경우에 따라서는 구舊왕실보조세까지도 그 전액이 환급된다.

어느 종류의 외국 재화에 있어서, 그 수입량이 국내소비에 필요한 양보다 훨씬 초과될 것이 예상되는 경우 그 외국 재화를 수출하는 데 있어서는 구왕실보조세일지라도 그 세의 반액이 유보됨이 없이 그 전액이 환급된다. 우리의 북아메리카 식민지의 반란 이전에는 우리는 메릴랜드와 버지니아의 담배를 독점하고 있었다. 우리는 약 9만 6000통을 수입했는데, 그중 국내소비는 겨우 1만 4000통 정도로밖에 추산되지 않았다. 그 나머지를 처분하기 위해서는 대대적인 수출이 필요했으므로 이를 촉진하기 위하여 3년 이내에 수출할 경우에는 관세 전액을 환급해 주었다.[86]

우리는 아직도 서인도 제도의 설탕에 관해서, 전부라고는 할 수 없으나 거의 전부에 가까운 독점권을 가지고 있다. 그러므로 설탕이 1년 이내에 수출되는 경우에는 일체의 수입세가 반환되고,[87] 또 3년 이내에 수출되는 경우에는 대부분의 재화의 수출에 대해서 아직도 계속 유보되고 있는 구왕실보조세의 반액만을 공제한 채, 나머지 모든 관세는 환급해 주고 있다. 설탕의 수입액이 국내소비에 필요한 정도를 훨씬 초과하고 있다 해도 그 초과분은 담배의 경우에 비하면 아주 대단하지는 않을 것이었다.

수입금지 재화의 경우에는 조세환급이 적용되지 않는다.

특히 우리의 제조업자가 질투하는 몇몇 종류의 재화는 국내소비를 위하여 수입이 금지되었다. 그러나 일정한 관세를 지불하면, 그러한 재화라도 수입하여 수출하기 위해 창고에 넣어 둘 수 있다. 그러나, 그러한 재화의 수출에서 관세는 조금도 환급되지 않는다. 그런데 우리의 제조업자는 아마도 이러한 제한된 수입까지도 장려하는 것을 좋아하지 않으며 더욱이 이러한 재화와 경쟁하게 될 것을 두려워하고 있는 것 같다. 우리가 이러한 법규에 의해서만 수입할 수 있는 재화

86 〔헨리 색스비Henry Saxby, 《The British Customs》(1757), 12면 참고.〕

87 〔헨리 색스비, 《The British Customs》(1757), 11면 참고.〕

는 가공된 견직물,[88] 프랑스제 아마포亞麻布와 한랭사lawns, 그리고 무늬가 있는 날염, 착색, 또는 염색된 캘리코 등이다.

프랑스로부터의 수입품에는 그 재수출에 있어 일반적으로 보다 적은 조세환급이 인정되어 있다.

우리는 프랑스의 재화에 관해서는 그 수송업자가 되는 것조차 꺼린다. 그리고 우리가 적이라고 생각하는 사람들이 우리의 수단을 사용하여 이윤을 올리도록 해 주느니보다는 차라리 그들 자신의 이윤을 포기하려고 했다. 그리하여 모든 프랑스 재화의 수출에 대해서는 구왕실보조세의 반액은 물론 제2의 25퍼센트의 세도 유보되고 있다.[89]

포도주는 특혜를 받아 왔다.

구왕실보조세의 제4부칙에 의해서 모든 포도주의 수출에 대해서 주어지는 조세환급은 당시 그것의 수입에 지불되었던 세금의 절반을 훨씬 초과했다. 포도주의 중계무역을 다소 보통 이상으로 장려해 주는 것이 당시 입법부의 목적이었던 것 같다. 그 위에 구왕실보조세와 동시에 또는 그 후에 부과되었던 다른 몇 가지 세금, 즉 추가 관세, 새 왕실보조세, 3분의 1 특별세, 3분의 2 특별세, 1692년의 수입세, 주조비용충당세(coinage on wine) 따위도 수출의 경우에는 전액 환급해 주었다.[90] 그러나 부가세와 1692년의 수입세[91]만을 제외한 나머지 모든 관세는 수입의 경우 현금으로 지불되기 때문에 그에 따른 엄청난 이자가 들게

88 〔조지 3세 제6년 법률 제28호. 조지 3세 제11년 법률 제49호.〕

89 〔윌리엄 3세 제7, 8년 법률 제20호. 조지 1세 제1년 법률 제12호 제3조. 헨리 색스비, 《The British Customs》, 45면. 첫 번째의 25퍼센트는 1692년에, 또 두 번째의 25퍼센트는 1696년에 부과된 세이다.

90 〔헨리 색스비, 《The British Customs》, 13, 22, 39, 46면. '부가세'는 1703년에 부과되었다. '주조비용충당세'는 찰스 2세 제18년 법률 제5호에 의거하여 징수된 세로써 화폐주조비용을 지불하기 위한 것이었다.〕

91 〔헨리 색스비, 《The British Customs》, 13, 38면.〕

되므로 아무도 이러한 물품의 중계무역을 유리하다고는 생각하지 않았다. 따라서 포도주 수입세(impost on wine)라고 불리는 세[92]의 일부만이 수출시에 환급되었을 뿐, 나머지 프랑스 포도주 1톤당 영화 25파운드의 세,[93] 또는 1745년,[94] 1763년[95] 및 1778년[96]에 부과된 여러 조세는 수출시 전혀 환급되지 않았다. 다만 종래의 모든 관세에 대해서 1779년 및 1781년에 두 차례 부과된 5퍼센트의 수입세[97]만은 다른 모든 재화의 수출의 경우에 전부 환급해 주었으므로 포도주 수출의 경우에도 마찬가지로 전부 환급해 주게 되었다. 특히 포도주에 부과되었던 마지막 관세, 즉 1780년[98]의 세는 전부 환급해 주도록 되어 있는데, 이러한 특전이 있더라도 이렇듯 많은 중세重稅가 계속 유지되고 있는 한 포도주 수출은 단 1톤도 이루어지기가 힘들 것이다. 이러한 법규들은 아메리카에 있는 영국의 식민지를 제외하고는 합법적인 수출을 할 수 있는 모든 지방에 적용되고 있다.

특히 포도주가 아메리카 식민지에 수출될 경우,

무역장려법[99]이라고 불리는 찰스 2세 제15년 법률 제7호는 유럽산 또는 유럽제

92 〔제임스 2세 제1년 법률 제3호 및 그 여러 계속법. 프랑스의 포도주는 1톤당 8파운드, 그 밖의 포도주는 12파운드.〕

93 〔윌리엄 3세 제7, 8년 법률 제20호 제3조. 조지 1세 제1년 제2의회제정 법률 제12호 제3조.〕

94 〔조지 2세 제18년 법률 제9호. 《The British Customs》, 64면. 즉 프랑스의 포도주는 1톤당 8파운드, 그 밖의 포도주는 4파운드.〕

95 〔1763년은 1762년의 잘못된 것인지도 모른다. 조지 3세 제3년 법률 제12호. 즉 프랑스의 포도주는 1톤당 8파운드, 그 밖의 포도주는 4파운드.〕

96 〔조지 3세 제18년 법률 제27호. 즉 프랑스의 포도주는 1톤당 8파운드 8실링, 그 밖의 그것은 4파운드 4실링.〕

97 〔즉 재화의 가치의 5퍼센트가 아니라 기존 세액의 5퍼센트. 조지 3세 제19년 법률 제25호 및 조지 3세 제22년 법률 제66호.〕

98 〔조지 3세 제20년 법률 제30호. 즉 프랑스의 포도주는 1톤당 8파운드, 그 밖의 포도주는 4파운드.〕

99 〔이 법률의 식민지에 관한 부분은 그 특별한 전문(제5조)에서 다음과 같이 명시되어 있다. 즉

의 모든 상품을 식민지에 공급하는 독점권을 영국에 주었으며, 그 결과 포도주의 공급에 관해서도 그렇게 되었다. 우리의 북아메리카와 서인도의 식민지와 같이 해안선이 긴 지방에서는, 더욱이 우리 국위가 극히 박약했고, 또 그곳 주민은 그들 자신의 선박으로 그들의 비非열거상품을 처음에는 유럽의 모든 지방에, 그 후에는 스페인 피니스테레곶(Cape Finisterre) 이남의 유럽의 모든 지방에 수송할 수 있도록 허용되어 있었던 그러한 지방에서는, 이러한 독점권이 그리 크게 존중되었을 리는 없다. 또한 그곳 주민은 항상 그들의 하물을 보내는 것이 허용된 나라에서, 어떤 하물이든지 가지고 돌아오는 방법을 알고 있었을 것이다. 그러나 그들은 유럽의 포도주를 그 산지로부터 수입하는 것은 다소 곤란했던 것 같고, 더욱이 그것을 영국으로부터 수입할 수도 없었다. 왜냐하면 그곳에서 수많은 관세가 포도주에 부과되어 있었으며, 그 관세의 대부분은 수출할 경우라도 환급되지 못했기 때문이었다. 그러나 마데이라Madeira 포도주는 유럽 상품이 아니므로[100] 그들의 모든 비열거상품에 관하여 마데이라섬과 자유무역을 하고 있었던 나라들, 즉 아메리카 및 서인도로 직수입될 수가 있었다. 아마 이러한 여러 사정이 마데이라 포도주에 대해 일반적으로 입맛을 들이게 했던 것 같다. 그리고 1755년에 일어난 전쟁의 개전 당시 우리의 장교들은 이러한 기호가 우리의 모든 식민지에 확립되어 있음을 발견했으며, 아직 그러한 포도주가 그렇게 많이 유행되지 않았던 모국으로 그것을 가지고 돌아왔던 것이다. 그 전쟁이 종결된 1763년에는 (조지 3세 제4년 법률 제15호 제12조에 의해서) 모든 포도주를 식민지에 수출할 경우, 3파운드 10실링의 세를 제외한 모든 관세가 환급되었다. 그러나 프랑스산 포도주만은 여기서 제외되었는데, 그것은 국민적 편견이 이 포도주의 교역과 소비에 대해서 어떠한 종류의 장려도 허용하려 하

식민지와 모국 "사이에 보다 성대한 교통과 우정을 유지하기 위해서" 그리고 식민지를 "보다 긴밀한 종속관계에" 둘 것을 목적으로 한다고 되어 있다.〕

100 〔이 법률의 입안자는 마데이라 포도주가 유럽산 포도주가 아니라는 것에 관해서는 확신이 없었던 것 같다. 그들은 마데이라 포도주와 아조레즈 포도주를 특별한 규정, 즉 찰스 2세 제15년 법률 제7호 제13조의 제7항에 의해서 제외했다.〕

지 않았기 때문이었다. 이러한 특전의 수여와 우리의 북아메리카 식민지 반란 사이의 기간은 너무나 짧아서, 그러한 나라들의 관습에 어떤 뚜렷한 변화를 가져올 수는 없었을 것이다.

이러한 식민지에 대한 다른 외국 상품의 수출은 저지되었다.

이러한 법률은 프랑스산 포도주를 제외한 모든 포도주에 대한 조세환급에 있어서는 다른 제국보다도 식민지를 훨씬 우대했지만, 다른 대부분 상품의 조세환급에 관해서는 식민지에 그만큼 호의를 베풀지 않았다. 다른 제국에 대한 대부분의 상품의 수출에 관해서는 구왕실보조세의 반액이 환급되었다. 그러나 이 법률은 포도주·백캘리코(white callicoes)·모슬린을 제외하고 유럽 또는 동인도에서 생산 내지 제조되는 상품은 어떤 것이든 그것을 식민지에 수출할 경우 그 구왕실보조세를 조금도 환급해 주어서는 안 된다고 규정하였다.[101]

조세환급은 본래 중계무역을 장려하기 위하여 고안되었는데 이것은 불합리했다. 그러나 조세환급 그 자체는 분명히 합리적인 것이다.

조세환급은 아마 처음에는 중계무역을 장려하기 위하여 고안되었을 것이다. 왜냐하면 외국인은 선박의 운임을 종종 화폐로 지불하므로 중계무역은 국내에 금은을 가져오는 데에 특히 적합하다고 생각되었기 때문이다. 그러나 이러한 중계무역이 특별히 장려를 받을 만한 가치가 없다는 것이 명백하고, 또 이 제도를 만든 동기가 아주 어리석기 짝이 없는 것이라 하더라도, 이 제도 자체는 충분히 합리적인 것 같다. 이러한 조세환급은, 수입에 대한 세가 전혀 없었을 경

101 〔본 장의 제3단락의 첫 문장 끝에 있는 "수입세"라는 말이 있는 데서부터 여기까지는 전혀 새로운 사항이며, 이것은 〈증보 및 정정판〉과 제3판에서 처음으로 나온다. 초판 및 재판에는 그 대신에 다음과 같이 되어 있다. "소위 구왕실보조세에 의해서 부과된 조세의 반액은 영국의 식민지에 수출되는 재화의 경우를 제외하고는 전반적으로 환급되어지고, 그 후의 여러 서브시디 subsidies와 수입세에 의해서 부과된 것은 종종 그 전액 그리고 거의 언제나 그 일부가 환급된다." 조세환급을 폐지한 조지 3세 제4년 법률 제15호의 규정은 뒤에 인용되어 있다.〕

우에 저절로 그곳에 갔을 몫보다 더 많은 몫의 국가자본을 이 중계무역에 강제로 끌어들일 수 있는 것은 아니다. 조세환급은 다만 그러한 관세 때문에 국가자본이 중계무역에서 완전히 배제되어 버리는 것을 방지하는 데 지나지 않는다. 중계무역이란, 우선권을 줄 만한 가치가 있는 것은 아닐지라도 배제되어서는 안 되며 다른 모든 무역과 마찬가지로 자유로 방임해 두어야만 한다. 그것은 그 나라의 농업 또는 제조업에서, 또는 그 나라의 국내상업 또는 소비품의 외국무역에서 그 용도를 찾을 수 없는 자본을 위해 필요한 방편인 것이다.

조세환급이 이미 지불된 관세의 전액에 달하지 못할 때는 관세수입은 조세환급이 있으므로 해서 득이 된다.

관세수입은 이러한 조세환급제도에 의해서 손해를 입기는커녕 그 유보분만큼 이득이 된다. 만일 관세 전액이 유보되었다면, 그 관세를 지불해야 하는 외국 재화는 시장이 없기 때문에 좀처럼 수출될 수도 없었을 것이며, 따라서 수입될 수도 없었을 것이다. 그러므로 그 일부가 유보되는 세 그 자체도 애초부터 지불되었을 리가 없을 것이다.

조세환급은 이미 지불된 세의 전액이 항상 환급될 경우에도 정당화될 것이다.

이상과 같은 이유는 조세환급을 정당화하는 데 충분하다고 생각된다. 그리고 이 이유는, 국내 산업의 생산물이든 외국 재화이든 간에 그 수출에 있어서 세금의 전액이 항상 환급되더라도, 역시 조세환급을 정당화할 것이다. 실은 이러한 경우에 내국소비세의 수입은 다소 감소할 것이며 관세의 수입은 그보다도 더 감소할 것이다. 그러나 그러한 세금 때문에 항상 다소 교란당하는 산업의 자연적 균형, 노동의 자연적 분할 및 배분은 이러한 규제에 의해서 보다 자연에 가깝게 재건될 것이다.

그것은 다만 독립국에 대해서 그럴 뿐이고, 무역에 한해 독점권이 있는 제국에 대해

서는 그렇지 않다.

그러나 이러한 이유는 독립해 있는 외국으로 재화를 수출하는 경우에 한해서만 조세환급을 정당화하는 것으로서, 우리의 상인과 제조업자들이 독점권을 누리고 있는 제국에 대한 경우는 전혀 그렇지가 않을 것이다. 예를 들면, 우리의 아메리카 식민지에 유럽의 재화를 수출할 경우의 조세환급은, 그것 없이도 수출되어 왔을 양보다 더 많은 수출을 반드시 일으킨다고는 할 수 없을 것이다. 우리의 상인과 제조업자들이 그곳에서 누리고 있는 독점권 때문에, 비록 세금의 전액을 유보해 두더라도 그곳으로 보내지는 재화의 양은 아마 이따금 동일할지도 모른다. 그러므로 조세환급은 무역의 상태를 변화시킨다거나 그것을 어떤 점에서 확장시키지도 못하면서 종종 내국소비세 수입과 관세수입의 순전한 손실만을 가져올 수도 있다. 이러한 조세환급이 우리 식민지의 산업에 대한 적절한 장려책으로서 어느 정도까지 정당화될 수 있을 것인지, 그리고 식민지가 그 밖의 모든 동포 시민에 의해서 지불되고 있는 조세를 면제받는다는 것이 모국에 대해서 어느 정도 유리한 것인지에 관해서는 뒤에서 식민지를 논할 때 밝혀질 것이다.

조세환급은 사기의 원인이 된다.

그러나 조세환급이 유용한 것은, 재화의 수출에 있어서 조세환급이 주어지는 그 재화가 실제로 어떤 외국으로 수출될 경우에 한해서만 유용하고, 그것이 자기 나라에 은밀하게 재수입될 경우에는 그렇지 않다는 것을 항상 알아 두어야 한다. 어느 조세환급, 특히 담배에 대한 조세환급이 종종 이러한 방법으로 남용되어, 그 때문에 국가의 수입에도 공정한 상인에도 모두 유해한 수많은 사기를 일으켜 왔다는 것은 주지되고 있다.

제5장 장려금에 관하여

외국인에게 우리의 재화를 사도록 강요할 수는 없으므로, 그들에게 지불을 해 주어서 그렇게 하도록 하자는 것이 제창되었다.

수출장려금은 영국에서는 국내 산업의 특정부문의 생산물에 관해서 종종 신원되고, 이따금 지급되고 있다. 우리나라의 상인과 제조업자들은 그 장려금 덕분에 외국시장에서 그들의 재화를 그들의 경쟁자와 마찬가지로 싸게, 또는 더 싸게 팔 수 있다고 주장한다. 그렇게 하면 훨씬 다량의 재화가 수출될 것이며, 따라서 무역차액도 점차 자기 나라에 유리해질 것이라고들 한다. 우리는 국내시장에서는 자기 나라 직공에게 독점권을 주고 있지만, 외국시장에서는 그렇게 할 수 없다. 우리가 동포들에게는 재화를 사도록 강요하고 있지만, 외국인에게 우리의 재화를 억지로 사게 할 수는 없다. 그리하여 차선의 방책은 외국인이 우리의 재화를 수입하면 지불을 하는 것이라고 생각해 왔다. 중상주의체계가 전국을 부유하게 만들고, 무역상 수지의 차액에 의해서 국민의 호주머니를 화폐로 불룩하게 해 준다고 제창하고 있는 것은 바로 이러한 방법이라 하겠다.

장려금은 손해를 보고 있는 상업만이 요구하도록 되어 있다.

수출장려금은 이것이 없이는 유지할 수 없는 상업부문에만 주어져야 한다는 것이 일반에게 인정되고 있다. 그러나 각 상업부문의 상인이 자기의 재화를 팔 때, 그것을 생산하고 시장에 보내는 데 사용한 전체 자본을 자본에 대한 보통의 이윤과 함께 회수할 만한 가격으로 팔 수 있다면, 그러한 각 상업부문은 장려금이 없더라도 운영되고 있는 다른 모든 상업부문과 명백히 동일한 수준에 있는 것이므로, 그러한 다른 부문이 요구하는 것 이상을 요구할 수는 없다. 상인이 자기 자본을 통상이윤과 함께 회수하지 못할 만한 가격으로 자기의 재화를 팔지 않을 수 없는 상업이라든지, 또는 재화를 시장에 보내기까지 실제로 소요된 것보다 더 낮은 가격으로 팔지 않으면 안 되는 상업만이 장려금을 필요로 하는 것이다. 장려금은 이러한 손실을 메우기 위하여 주어지는 것이고, 경비가 수익보다 더 크다고 상정되는 상업, 즉 거래할 때마다 그것에 사용된 자본의 일부를 집어삼켜 버리는, 만일 다른 모든 상업이 이와 비슷하게 되어 간다면, 마침내 그 나라 전체의 자본은 고갈되어 버리고 말 그러한 성질의 상업을, 계속하거나 시작할 수 있도록 상인을 격려하기 위해 주어지는 것이다.

그것의 효과는 상업을 억지로 불리한 방면으로 돌리는 데에 있다.

여기서 주의해야 할 것은, 장려금에 의해서 운영되는 무역은, 상당히 장기간 두 나라 사이에서 수행될 수 있고, 그 경우 어느 한 편이 언제나 그리고 규칙적으로 손해를 보고 있는 무역, 다시 말하면 그 나라의 재화를 시장에 보내는 데 실제로 사용된 것보다 더 적은 가격으로 팔아야 하는데, 그러한 방법으로 운영되는 무역에 한정되는 것이다. 그러나 장려금이, 이것이 없을 경우 상인이 자기 재화의 가격에서 보게 될 손실을 보상해 주지 못한다면, 상인은 자기의 이익을 위하여 자기의 자본을 다른 방법으로 사용하든가 또는 그 재화의 가격이 그것을 시장에 보내는 데 사용되는 자본을 통상이윤과 함께 회수해 줄 만한 다른 상업을 찾게 될 것이다. 장려금의 효과는 중상주의체계의 다른 모든 편법의 효과와 마찬가지로, 일국의 상업을 그것이 자력으로 자연히 흘러가게 될 방면보다 훨씬 이익이 적은 방면으로 흘러가게끔 하는 데 불과한 것이다.

찰스 스미스는 장려금이 지불되고 있는 곡물의 생산비를 잊어버리고 있다.

독창적이며 박식한 한 저자[102]는 그의 곡물무역에 관한 여러 논저에서 곡물의 수출장려금이 창설된 이래 수출곡물의 가격은 아주 싸게 견적한 수입곡물의 가격을 초과했으며, 더욱이 그 초과분은 그 기간 동안 지불된 장려금의 전액보다 훨씬 더 컸다는 것을 명백하게 밝힌 바 있다. 그는 중상주의의 참다운 원리들에

102 〔(이미 앞의 "대단히 박식한"이라고 쓰였던) 찰스 스미스의 《There Tracts on the Corn Trade and Corn Laws》, 제2판(1766), 132~138면.〕

입각해서, 이런 사실이야말로 이 강제적인 곡물무역이 국민에게 유익하다는 명백한 증거라고 생각하고 있다. 즉 수출의 가치가 수입의 가치를 초과하는데, 그 초과액이 그것을 수출시키기 위하여 공공사회가 부담한 특별한 비용의 전액보다 훨씬 더 크기 때문이라는 것이다. 그는 이 특별한 비용, 즉 장려금은 곡물을 수출하기 위해 사회가 실제로 부담한 비용 가운데 최소한의 부분에 지나지 않는다는 것을 고려하지 않고 있다. 이 곡물을 생산하기 위하여 농업경영자가 사용한 자본도 역시 계산에 넣지 않으면 안 된다. 곡물이 외국시장에서 팔릴 때, 그 가격이 장려금뿐만 아니라 이 자본을 자본의 통상이윤과 함께 회수하지 않는 한, 그 사회는 그 차액만큼의 손실자가 된다. 다시 말해서 국민의 자재는 그만큼 감소된다. 그러나 장려금을 수여할 필요가 있다고 생각되었던 이유는 그 곡물의 가격이 이상과 같은 회수를 하기에는 불충분하다고 생각되었던 것에 있다.

장려금이 창설된 이래 곡물가격이 하락한 것은 다른 원인들에 유래한 것이다.

곡물의 평균가격은 장려금이 창설된 이래 크게 하락했다고들 한다. 곡물의 평균가격이 앞 세기 말엽에 다소 하락하기 시작하여 금세기 초엽의 64년 동안 여전히 하락해 왔다는 것은 내가 이미 설명하려고 노력한 바 있다. 그러나 이 사건이 내가 믿는 대로 틀림이 없다고 상정해 보면, 그것은 장려금에 관계없이 일어난 것이지, 결코 이 장려금의 결과로서 일어난 것은 아니다. 그것은 잉글랜드에서는 물론 프랑스에서도 일어났다. 더욱이 프랑스에서는 장려금이 전혀 없었을 뿐 아니라 1764년까지는 곡물 수출이 일반적으로 금지되어 있었는데도 일어났던 것이다. 그러므로 곡류의 평균가격의 이러한 점차적인 하락은 결국 장려금이라든지 금지 등의 어떤 규제들 때문에 일어난 것이 아니라, 은의 실질적 가치가 점차적으로 모르는 사이에 상승한 것에 유래한 것이다. 이러한 은의 가치의 상승이 금세기를 통하여 유럽의 일반시장에서 일어났다는 것은 내가 본 논술의 제1편에서 밝히려고 노력했다. 그리고 장려금이 곡류의 가격을 떨어뜨리는 데에

이바지할 수 있으리라는 것은 전혀 불가능한 것으로 생각된다.[103]

장려금은 풍년에도 흉년에도 가격을 유지한다.

이미 설명한 바 있거니와 흉년에는 장려금이 다량의 수출을 일으킴으로써 국내시장에서 곡물의 가격을 자연히 하락할 가격보다 높게 유지해 준다. 그리고 그렇게 하는 것이 그 제도의 공인된 목적이었다. 흉년에는 장려금이 종종 중지되지만, 이 장려금이 풍년에 일으키는 다량의 수출은 어떤 연도의 풍작으로 다른 연도의 흉작을 구제하는 것을 다소나마 저지하는 수가 종종 있을 것이 틀림없다. 그러므로 풍년에도 흉년에도 장려금은 곡물의 화폐가격을, 이것이 없었을 경우 국내시장에서 실현되었을 가격보다 필연적으로 약간 높게 만드는 경향이 있다.

장려금은 경작을 장려하고, 또한 그 때문에 가격을 떨어뜨리는 것이라고 생각되었다.

사견에 의하면, 경작의 실상에 있어서 장려금이 반드시 이러한 경향을 가질 것임에 틀림없다는 것은, 사리를 아는 사람이면 누구도 그것을 논박하지 않을 것이다. 그러나 많은 사람들은 그것이 다음 두 가지 다른 방법으로 경작을 장려하는 경향이 있다고 생각한다. 즉 첫째로, 그들은 그것이 농업경영자의 곡물에 대해서 더 광범위한 외국시장을 열어 주고 그것으로써 그 상품에 대한 수요를 증가시키고, 따라서 그 상품의 생산을 증가시키는 경향이 있다고 생각한다. 둘째로, 그들은 그것이 경작의 실상에 있어서 기대할 수 있는 가격보다 더욱 높은 가격을 농업경영자에게 보증해 주고, 그로 말미암아 경작을 장려하는 경향이 있다고 생각한다. 이러한 이중의 장려는, 장기간에는 곡물의 생산을 크게 증가시켜, 그 때문에 국내시장에서 그 가격을 떨어뜨리고, 그 기간의 마지막에 이르러 나타낼 경작의 실제 상태에서 장려금으로 곡물값을 끌어올릴 수 있는 것

103 〔"이러한 사실은 잉글랜드에서는 물론 프랑스에서도 일어났다"에서 여기까지의 세 개의 문장은 〈증보 및 정정〉과 제3판에서 처음으로 나온다.〕

보다, 국내시장에서의 그 값을 훨씬 더 떨어뜨릴 것이라고 그들은 생각하고 있다.[104]

장려금에 기인된 국내 곡물 가격의 등귀는 국민에 대한 중세이며, 그것은 인구와 산업을 억제하고, 결국은 곡물의 소비를 감소시키는 경향이 있다.

나는 다음과 같이 답변하고 싶다. 즉 장려금에 의해서 외국시장이 아무리 확장될 수 있다 하더라도, 그 확장은 각 해당 연도에 있어서 국내시장의 희생으로써 전적으로 이루어지는 것이다. 왜냐하면 장려금 때문에 수출되는 곡물은 장려금이 없이는 수출되지 않았을 것이며, 그러한 곡물은 국내시장에 남아서 소비를 증가시키고 그 재화의 가격을 떨어뜨렸을 것이기 때문이다. 주의해야 할 것은 다른 모든 수출장려금과 마찬가지로, 이 곡물장려금도 국민에게 이중의 조세를 부과하게 된다는 점이다. 즉 첫째는 장려금을 지불하기 위하여 국민이 납부하지 않으면 안 되는 조세이고, 둘째는 국내시장에 있어서 그 상품가격의 등귀에 따라 생기는 조세로서 이 후자는 국민 전부가 곡물의 구매자이기 때문에 이 특수한 상품에 한해서는 국민 전체가 지불해야 되는 것이다. 그러므로 이 특수한 상품의 경우에는 이 이중의 조세 가운데에서 후자가 훨씬 더 무거운 조세이다. 여기서 해마다 평균하여, 소맥 1쿼터의 수출에 대해서 5실링의 장려금이 주어지고, 그 때문에 국내시장에 있어서 그 상품의 가격이 만일 장려금이 없었을 경우, 실제의 수확 상태에 있어서 그렇게 되어 있어야 할 값보다, 1부셸당 6펜스, 즉 1쿼터당 4실링만큼만 올라간다고 가정하자. 이렇게 아주 낮게 평가한 가정[105]

104 〔초판과 재판에서는 이 단락의 처음에서 셋째 줄의 "그러나" 이하 여기까지가 다음과 같이 되어 있다. "그러나 많은 사람들은, 장려금이 농업경영자에게 경작의 실상에 있어서 그것이 없이도 기대할 수 있을 가격보다 더 높은 가격을 보증해 줌으로써 경작을 장려하는 경향이 있고, 또한 그 결과로서 생기는 곡물의 증가는 장기간에 걸쳐 경작이 그 기간의 마지막에 이르러 나타낼 실제적 상태에 있어서 장려금이 그 가격을 올릴 수 있는 정도 이상으로 그것을 떨어뜨릴 것이라고 생각해 왔다." 〈증보 및 정정〉에는 이 변경이 나와 있다. 그다음 두 개의 단락은 〈증보 및 정정〉과 제3판에서 처음으로 나온다.〕

105 〔그것은 결코 낮게 평가한 가정은 아니다. 수출에 대해서 장려금이 제공되고 그 때문에 일어

을 토대로 한다 하더라도 많은 국민은 수출되는 소맥의 각 1쿼터에 대해서 5실링의 장려금에 해당하는 조세를 공납하고, 그 위에 그들 자신이 소비하는 각 1쿼터에 4실링이라고 하는 또 다른 조세를 지불하지 않으면 안 된다. 그런데 아주 박식한 저자의 곡물무역에 관한 여러 논문에 따르면, 국내에서 소비되는 곡물에 대한 수출곡물의 평균비율은 31 대 1에 불과하다는 것이다.[106] 그러므로 국민은 첫 번째 조세를 지불하기 위하여 5실링을 공납할 때마다 두 번째 조세를 지불하기 위하여 6파운드 4실링을 공납하지 않으면 안 되는 셈이다. 생활에 가장 으뜸이 되는 필수품에 대한 그렇게 무거운 세는 노동 빈민의 생활수단을 줄이든지 또는 그들의 생활수단의 금전상의 가격의 등귀에 비례하여 그들의 금전상의 임금을 다소나마 증가시키든지 하게 될 것이 틀림없다. 그리고 그 중세가 전자의 방법으로 작용하는 한 그것은 노동 빈민이 자녀들을 양육할 수 있는 능력을 저하시킬 것이 틀림없으며, 또한 그만큼 그 나라의 인구를 억제할 것이 틀림없다. 그리고 그 중세가 후자에서처럼 작용하는 한, 그것은 가난한 고용주의 능력을 저하시켜, 그렇지 않은 경우에 고용할 수 있을 만큼의 수를 고용할 수 없게 만들고, 나아가서 그만큼 그 나라의 산업을 억제할 것이 틀림없다. 그러므로 장려금에 의해서 일어난 곡물의 이례적인 수출은, 수출이 일어나는 해마다 외국의 시장과 소비를 확장할지라도 꼭 그만큼 국내시장을 축소시킬 뿐만 아니라, 그 나라의 인구와 산업을 억제함으로써, 그 궁극적인 경향으로서 국내시장의 점차적 확장을 방해하고 억제하여, 결국에는 곡물의 전체 시장을 확장시키고 전체 소비를 증가시키기보다는 오히려 축소시키는 것이다.

가격의 등귀가 만일 실질가격의 등귀라면 생산을 장려할 것이지만 사실은 그렇지 않다. 그런데 곡물의 화폐가격의 이러한 상승은 그 상품을 농업경영자에게 더욱더 유

난 수요의 증가가 그 상품의 가격을 장려금의 5분의 4 정도까지 끌어올릴 것이라는 것은 전혀 있을 법하지도 않은 것이다.〕

106 〔찰스 스미스, 《Three Tracts on the Corn Trade》, 제2판, 144면.〕

리한 것으로 만들어 줌으로써 필연적으로 그 생산을 장려할 것이라고 생각되어 왔다.[107]

그에 대해서 나는 이렇게 답변하고 싶다. 만일 장려금의 효과가 곡물의 실질가격을 올리는 것이라면, 그것은 사실일지도 모른다. 다시 말해서 그것이 농업경영자로 하여금 종래와 같은 양의 곡물로써 더 많은 수의 노동자들을, 그들 이웃의 다른 노동자들이 보통 유지되고 있는 것과 똑같은 방법으로, 충분하든 알맞든, 또는 불충분하든, 아무튼 유지시키도록 해 주는 것이라면, 그것은 사실일지도 모른다. 그러나 장려금은 물론, 인간이 만드는 다른 어떠한 제도도 역시 그러한 효과를 낼 수 없음은 명백하다. 장려금에 의해서 상당한 정도의 영향을 받을 수 있는 것은 곡물의 실질가격이 아니라 그 명목가격이다.[108] 그리고 그 제도가 국민 전체에게 부과하는 세금은 그것을 지불하는 사람들에게는 대단히 무거운 짐이 될지 모르지만, 그것은 받는 사람들에게는 극히 얼마 안 되는 이익밖에는 되지 않는 것이다.[109]

그것은 다만 은의 가치의 저락低落에 지나지 않는 것이다.

장려금의 참다운 효과는 곡물의 실질가치를 올린다는 것보다는 오히려 은의 실질가치를 저락시키는 것이다. 다시 말하면 같은 양의 은으로써 곡물뿐만 아니라 다른 모든 국산품에 대해서도 전보다 적은 양과 교환할 수밖에 없도록 만드는 것이라 하겠다. 왜냐하면 곡물의 화폐가격이 다른 모든 국산[110]품의 화폐가격을 규제하기 때문이다.

107 〔이 단락과 그 앞의 단락은 초판 및 재판에는 없다.〕

108 〔스미스는 곡물의 추가량을 생산하는 데는 종래의 그것과 똑같은 양을 생산하는 것보다 더 많은 곡물이 필요할지도 모른다고 하는 것에 생각이 미치지 않고 있다.〕

109 〔여기까지의 두 개의 문장 대신에 초판에는 다만 다음과 같이 되어 있다. 즉 "장려금에 의해서 조금이라도 영향을 받을 수 있는 것은 곡물의 실질가격이 아니라 그 명목가격뿐이다." 이 변경은 〈증보 및 개정〉에 나와 있다.〕

110 〔여기와 두 줄 앞에 있는 "국산"이라는 말은 초판과 재판에는 없다.〕

그 이유는 곡물이 노동의 화폐가격을 규제하기 때문이다.

곡물의 화폐가격이 노동의 화폐가격을 규제한다. 그리고 노동의 화폐가격은 항상 노동자가 자신과 자기 가족을 부양하기에 충분할 만한 양의 곡물을 구매할 수 있을 정도의 것이라야 한다. 이러한 경우 그 노동자가 자신과 자기 가족을 부양하는 정도가 넉넉한지 또는 알맞은지 또는 빈약한지는 그 사회의 상태가 전진적인지, 정체적인지, 또는 쇠퇴적인지에 따라 그의 고용주가 그를 부양할 수밖에 없는 그 정도에 맞추어지는 것이다.

또 하나의 이유는 곡물이 모든 원생산물의 화폐가격을 규제하기 때문이다.

곡물의 화폐가격은 토지의 원생산물의 다른 모든 부분의 화폐가격을 규제한다. 이러한 화폐가격들은 개량의 어느 시기를 통해서 곡물의 화폐가격과 반드시 일정한 비율을 가지는데, 그 비율은 상이한 개량의 시기마다 각각 다르다. 예를 들면, 곡물의 화폐가격은 목초·건초·수육·말과 말의 유지 따위 등의 화폐가격을, 따라서 육상운송의 화폐가격을, 다시 말하면 그 나라 내륙상업 대부분의 화폐가격을 규제하는 것이다.

또 다른 이유로서 곡물은 거의 모든 제조품의 화폐가격을 규제하기 때문이다.

곡물의 화폐가격은 토지의 다른 모든 원생산물의 화폐가격을 규제함으로써 거의[111] 모든 제조품의 원료의 화폐가격도 규제한다. 그것은 또 노동의 화폐가격을 규제함으로써 제조 기술 및 산업의 화폐가격을 규제한다. 그리고 그것은 이 양자를 규제함으로써 완제품의 화폐가격도 규제한다. 노동의 화폐가격, 그리고 토지 또는 노동의 생산물인 모든 것의 화폐가격은, 곡물의 화폐가격에 비례하여 필연적으로 상승 또는 하락하지 않을 수 없는 것이다.

그러므로 농업경영자와 지주는 장려금에 기인된 가격 등귀로써는 이익을 보지 못한다.

111 〔"거의"는 초판 및 재판에는 없다.〕

그러므로 장려금의 결과로서 농업경영자가 자기의 곡물을 1부셸에 3실링 6펜스가 아닌 4실링으로 팔 수 있게 되고, 그 생산물의 화폐가격의 이러한 상승에 비례하는 화폐지대를 지주에게 지불할 수 있게 된다 하더라도 만일 곡물의 화폐가격의 이런 상승의 결과로서, 4실링으로 구입할 수 있는 어떤 다른 종류의 국산[112] 재화가, 종전에 3실링 6펜스로 구입할 수 있었던 것보다 많지 않으면, 농업경영자의 처지도 지주의 처지도 이러한 변화에 의해서 크게[113] 호전되지는 못할 것이다. 즉 농업경영자는 종전보다 더 경작을 잘할 수도 없을 것이고, 지주도 종전보다 훨씬 더[114] 잘 살게 되지도 못할 것이다. 외국 상품을 구매할 경우에는 곡물의 이러한 등귀가 그들에게 약간의 이익을 줄 수 있을지도 모른다. 그러나 국산 상품을 구매할 경우에는 그것은 그들에게 아무런 이익도 줄 수 없다. 더욱이 농업경영자의 지출뿐만 아니라, 지출의 대부분이 국산 상품에 돌아간다.[115]

전 세계적인 은 가격의 저락은 별로 대수롭지 않은 것이다.

광산의 풍부한 생산력에 기인된 은의 가치의 저락은 상업 세계의 대부분에 걸쳐 평등하게 또는 거의 평등하게 작용하므로, 어떤 특정의 국가에 대해서도 대수로운 문제는 아니다. 그 결과로써 발생하는 모든 화폐가격의 상승은 그 등귀된 가격을 받아들이는 사람들을 실질적으로 더 부유하게 하는 것은 아니지만, 그렇다고 그들을 실질적으로 더 가난하게 하는 것도 아니다. 한 벌의 은그릇은 실제로는 보다 더 싸게 되지만, 다른 모든 것은 종전과 아주 똑같은 실질가치 그대로이다.

112 〔초판과 재판에는 "국산"이라는 말이 없다.〕

113 〔"크게"는 초판과 재판에는 "아주 조금이라도"라고 되어 있다.〕

114 〔초판 및 재판에는 "훨씬 더"가 없다.〕

115 〔"외국 상품을 구매할 경우에는……"이라는 문장에서부터 여기까지의 세 개의 문장은 〈증보 및 정정〉 여기에는 마지막의 문장인 "far greater part even of that landlord"의 "even of"가 "of even"으로 되어 있다. 제3판에서 처음으로 나온다.〕

그러나 그 저락이 어떤 일국에 국한되면 그것은 그 나라의 산업을 저해한다.

그러나 은의 가치의 그러한 저락이 어느 특정 나라의 독특한 지위 또는 정치제도의 결과로서 그 나라에만 일어난다면 그것은 극히 중대한 문제이며, 이것은 어떤 사람을 실질적으로 더 부유하게 만드는 경향이 있기는커녕 모든 사람을 실질적으로 더 가난하게 만드는 경향이 있다. 이런 경우 그 나라에만 특유한 모든 상품의 화폐가격의 상승은 그 나라 안에서 경영되고 있는 모든 부류의 산업을 다소나마 저해하고 외국인들로 하여금 이 나라의 직공들이 할 수 있는 것보다 더 소량의 은으로써 거의 모든 부류의 재화를 공급할 수 있게 해 줌으로써, 외국시장에서뿐만 아니라 국내시장에서까지도 이 나라의 직공들보다 더 싸게 팔 수 있게 해 준다.

스페인과 포르투갈에서는, 금은은 자연히 유럽의 다른 나라에서보다 더 싸다.

스페인과 포르투갈이 유럽의 다른 모든 나라에 대한 금은의 배급인이 되어 있는 것은 광산의 소유자라고 하는 독특한 지위 때문이다. 그러므로 스페인과 포르투갈에서는 그러한 금속은 당연히 유럽의 다른 어떤 지방에서보다 약간 싸지 않을 수 없다. 그러나 그 차액은 운임과 보험료 정도밖에 되지 않을 것이다. 그리고 그러한 금속은 가치는 크고 부피는 작기 때문에 운임은 큰 문제가 되지 않고, 그 보험료도 같은 가치의 다른 모든 재화와 똑같다. 그러므로 스페인과 포르투갈은 만일 정치제도들에 의해서 그들의 특수한 지위에서 오는 불이익을 가중시키지 않는다면 그러한 지위 때문에 손해를 입는 것은 거의 없을 것이다.

수출은 금지하고 있으므로 금은은 더욱더 싸게 되고, 이 때문에 농업 및 제조업이 저해되고 있다.

스페인은 금은의 수출에 과세함으로써, 포르투갈은 금은의 수출을 금지함으로써, 수출에 밀수비용까지 부담시키게 되어, 타국에서의 그런 금은의 가치를, 이 비용의 전액만큼, 자국에서의 가치보다 더 올라가게 한다.[116] 댐을 만들어 수류를 막는 경우, 댐은 만수가 되면 마치 그곳에 댐이 없었던 것처럼 많은 물이 댐을 덮어서 넘쳐흐를 수밖에 없는 것이다. 이와 마찬가지로 스페인과 포르투갈이 금은의 수출을 금지한다 하더라도 두 나라가 쓸 수 있는 양보다 더 많은 양의 금은을, 즉 그들의 토지 및 노동의 연간 생산물이 주화와 은기, 도금, 그 밖의 금은 장식품에 사용할 것을 허용하는 양 이상으로 많은 양의 금은을, 그들 나라에 억류해 둘 수는 없다. 그것들이 이러한 양에 달하면 댐은 이미 물로 가득 차게 되어 그 후에 흘러들어 온 수류는 모두 흘러넘치지 않을 수 없는 것이다. 따라서 해마다 스페인과 포르투갈로부터의 금은의 수출액은 이러한 제한에도 불구하고, 모든 보고에 따르면 연간 수입의 총액과 거의 같다. 그러나 댐 안쪽의 물이 바깥쪽의 물보다 항상 더 깊은 것과 마찬가지로, 이러한 제한에 의해서 스페인과 포르투갈의 국내에 억류되어 있는 금은의 양은 그들의 토지 및 노동의 연간 생산물에 비하여, 다른 나라에 있는 양보다 더 클 것은 틀림없다. 댐이 높고 튼튼할수록 댐 안팎에 있는 수심의 차이는 점점 더 커지지 않을 수 없다. 조세가 높으면 높을수록, 금지를 방호하는 벌금이 높으면 높을수록, 그리고 법률의 집행을 감시하는 경찰이 주도하고 준엄하면 할수록 스페인과 포르투갈의 토지 및 노동의 연간 생산물에 대한 금은의 비율과 다른 제국의 그것에 대한 금은의 비율과의 차이는 더욱더 커지지 않을 수 없다. 따라서 실제로 그 차이는 대단하다고 하며, 다른 나라에서라면 금은식기를 갖추면 그 장려함에 알맞거나 어울릴 만한 것을 필히 갖추겠지만, 이 두 나라에서는 그러한 것을 하나도 갖추지 못한 집에도 금은식기만은 수두룩하다는 것을 흔히 볼 수 있다고들 한다. 금은의 값이 싸다는 것, 같은 뜻이 되겠지만, 모든 상품이 비싸다는 것은 귀금속의 이러한 과잉의 필연적인 결과인데, 이것은 스페인과 포르투갈의 농업 및 제조업 쌍방을 저해하며, 그리고 외국인들로 하여금, 많은 종류의 원생산물과 거의

116 〔스페인이 금은의 수출금지를 폐지한 것은 겨우 최근에 와서 있었던 일이다. 조세는 1768년까지 3퍼센트, 그 후는 4퍼센트이었다. 레이날, 《Histoire Philosophique》(암스테르담, 1773), 제3권, 290~291면을 보라.〕

모든 종류의 제조품을, 두 나라 국민 자신이 국내에서 재배 또는 제조하여 교환할 수 있는 것보다 더 소량의 금은으로써 교환할 수 있게 해 준다. 조세와 금지는 두 가지의 서로 다른 방법으로 작용한다. 그것들은 스페인과 포르투갈에 있어서의 귀금속의 가치를 떨어뜨릴 뿐만 아니라, 이러한 제한이 없는 경우에 다른 나라로 흘러나갈 그러한 금속의 일정량을 그들 국내에 묶어 둠으로써, 다른 나라의 금은의 가치를, 그렇지 않은 경우보다도 약간 높게 유지할 것이다. 그리고 더 나아가서는 그런 나라에 대해 스페인과 포르투갈과의 상업 면에서 이중의 이익을 주는 것이다. 지금 그 수문을 열면 곧 댐 안의 물은 적어지고 밖의 물은 많아져서 마침내 댐 안팎의 수면은 수평이 될 것이다. 조세와 금지를 철폐하면 스페인과 포르투갈에 있어서의 금은의 양은 상당히 감소할 것이고, 그에 따라 다른 나라에 있어서 그 양은 다소 증가할 것이다. 그리고 그러한 금속의 가치, 즉 토지 및 노동의 연간 생산물에 대한 그 귀금속의 비율은 얼마 안 가서 모든 나라에서 똑같은 또는 거의 똑같은 수준이 될 것이다. 스페인과 포르투갈이 이러한 금은의 수출로서 손해를 입게 될지라도 그것은 전혀 명목적이고 상상적인 것에 지나지 않을 것이다. 이 양국의 재화의 명목가치와 토지 및 노동의 연간 생산물의 명목가치는 하락하겠고, 종전보다 소량의 은으로 표현 또는 대표될 것이다. 그러나 그러한 것의 실질가치는 종전과 같은 것이며, 종전과 같은 양의 노동을 유지·지배·고용하기에 충분할 것이다. 양국의 재화의 명목가치가 하락하게 되면 그 양국에 잔류하는 금은의 실질가치는 상승할 것이다. 그리고 보다 소량의 그러한 귀금속으로써도, 종전에는 보다 많은 양을 사용해 왔던 상업 및 유통의 목적과 똑같은 목적에 응하게 될 것이다. 해외로 나가는 금은은 아무런 대가도 없이 그냥 나가 버리는 것이 아니라, 어떤 종류든 그것과 같은 가치의 재화를 들여올 것이다. 또한 그러한 재화는 소비만 하고 그 대신으로 아무것도 생산하지 않는 게으른 사람들이 소비하는 단순한 사치품 또는 소비품에만 한정되어 있지는 않을 것이다. 게으른 사람들의 실질적 부와 수입은 금은의 이 이상한 수출에 의해서 증가하지 않는 것처럼, 그들의 소비도 그 때문에 크게 증가하지는 않을 것이다. 아마 그러한 재화는 그 대부분이, 또 어떤 부분은 확실히 자신들이 모든 가치를 이윤과 더불어 재생산하는 근면한 사람들을 고용하고 부양하기 위해 사용한 원료·용구·식료품일 것이다. 따라서 그 사회의 사장된 자재의 일부분은 이렇게 하여 활동적인 자재로 전화되고, 종전에 사용되어 왔던 것보다 더 많은 근로를 활동시킬 것이다. 양국의 토지 및 노동의 연간 생산물은 곧 조금 증가할 것이고, 아마 몇 년 내에는 크게 증가할 것이다. 왜냐하면 양국의 산업은 이리하여 현재 그 밑에서 고역을 겪고 있는 가장 억압적인 부담의 하나로부터 벗어나게 될 것이기 때문이다.

곡물장려금도 이것과 똑같은 작용을 한다.

곡물 수출에 대한 장려금은 필연적으로 스페인과 포르투갈의 이 불합리한 정책과 아주 똑같이 작용한다. 경작의 실제 상태가 어떻든 간에 이 장려금은 우리의 곡물을, 경작의 실제 상태에서 그 장려금이 없을 경우보다 국내시장에서는 약간 비싸게, 외국시장에서는 약간 싸게 만든다. 그리고 곡물의 평균 화폐가격은 다른 모든 상품의 그것을 다소나마 규제하기 때문에, 그것은 앞의 경우에는 은의 가치를 상당히 하락시키고 뒤의 경우에는 그것을 약간 등귀시키는 경향이 있다. 이 장려금은 외국인, 특히 네덜란드인들로 하여금 우리의 곡물을 장려금이 없을 경우보다도 더 싸게 먹을 수 있게 해 줄 뿐만 아니라, 때에 따라서는 똑같은 경우에 우리 국민이 자신들의 곡물을 먹을 수 있는 것보다도 더 싸게 먹을 수 있게 해 준다. 이 사실은 매튜 데커 경Sir Matthew Decker의 우수한 전거典據가 보증하고 있는 바와 같다. 이 장려금은 우리의 직공들이 장려금이 없을 경우[117]에 가능했을지도 모를 만큼의 소량의 은을 받고 그들의 재화를 제공하는 것을 방해한다. 반면에 네덜란드 직공들에게는 그들이 더 적은 양의 은으로도 그들의 재화를 제공할 수 있게 해 준다. 이 장려금이 없을 경우보다. 우리의 제조품을 모든 시

117 〔《An Essay on the Causes of the Decline of the Foreign Trade, consequently of the Value of the Lands of Britain, and on the means to restore both》, 제2판(1750), 55, 171면.〕

장에서 다소 비싸게 만들고, 네덜란드인의 제조품을 다소 싸게 만든다. 따라서 그들의 산업을 우리의 산업보다 이중으로 유리하게 해 주는 경향이 있다.

그것은 농업경영자와 농촌의 지주에게 많은 이익을 주지도 못하면서 제조업을 저해한다.

장려금은 국내시장에서는 우리 곡물의 실질가격이라기보다 명목가격을 올리는 것이므로,[118] 즉 곡물의 어떤 일정량이 부양하고 고용할 수 있는 노동의 양이 아니라, 그것과 교환될 은의 양만을 증가시키는 것에 지나지 않으므로, 그것은 우리의 농업경영자 또는 농촌의 지주(gentleman)에게 아무런 중대한 공헌[119]도 함이 없이, 우리의 제조업만을 저해하는 것이다. 물론 그것은 농업경영자와 지주의 호주머니 속에 조금일지라도 더 많은 화폐를 넣어 주기 때문에, 그들 대부분을 설득해, 이것은 그들에게 극히 중대한 공헌[120]을 할 만한 것이 못 된다는 것을 이해시키기는 아마 조금 어려울 것이다. 그러나 만일 이 화폐가 그 양이 증가하면 할수록 그 가치가 하락한다면, 즉 그것으로써 구매할 수 있는 노동과 식료품과 모든 종류의 국산품[121]의 양이 감소한다면, 그 공헌은 명목적이고 상상적인 것에 불과할 것이다.[122]

그것은 곡물 상인에게는 본질적으로 도움이 된다.

장려금은 공동체 전체에서 아마 단 한 종류의 사람들에게만 본질적으로[123] 도움이 되었으며, 또한 도움이 될 수 있을 것이다. 이러한 사람들은 곡물 상인, 즉

118 〔초판 및 재판에는 "우리의 곡물의 실질가격이 아니라, 명목가격만을 올리는 것이므로"라고 되어 있다.〕

119 〔초판 및 재판에는 "최소의 실질적 공헌도"라고 되어 있다.〕

120 〔초판 및 재판에는 "극히 실질적 공헌"이라고 되어 있다.〕

121 〔"국산"이라는 말이 초판 및 재판에는 없다.〕

122 〔초판 및 재판에는 "단지 명목적이고 상상적인 것에 지나지 않을 것이다"로 되어 있다.〕

123 〔초판 및 재판에서는 "실질적으로"라고 되어 있다.〕

곡물의 수출업자 및 수입업자였다. 장려금은, 풍년에는 이것이 없었을 경우보다 필연적으로 더 많은 수출을 조장했으며, 어떤 해의 풍작이 다른 해의 흉작을 완화하는 것을 저지함으로써, 흉년에는 그것이 없을 경우에 필요로 했을 양보다 더 많은 수입을 가져왔다. 이 장려금은 풍년이든 흉년이든, 어느 해를 막론하고 곡물 상인의 업무를 증가시켰다. 그리하여 흉년에는 어떤 해의 풍작이 다른 해의 흉작을 완화하는 것을 다소나마 방해받지 않았을 경우보다도 많은 곡물을 수입할 수 있게 했을 뿐만 아니라, 보다 나은 가격으로 그것을 팔고, 따라서 보다 많은 이윤을 올릴 수 있게 해 주었다. 그러므로 내가 본 바로는, 장려금의 단속 또는 갱신에 최대의 열을 올리는 것은 이러한 종류의 사람들이다.

농촌의 지주도 제조업자를 모방하여 곡물의 수입세 및 장려금을 설정했는데, 곡물과 다른 재화 사이에 본질적인 차이가 있다는 것은 알아차리지 못했다.

우리의 농촌 지주가 외국산 곡물 수입에 대해, 보통 풍작의 해에 수입금지와 대등한 높은 비율의 관세를 부과하고, 또 장려금을 설정했을 때에는 우리의 제조업자의 행동을 흉내 내었던 것 같다. 그들은 전자의 제도에 의해서 국내시장의 독점을 확보하고, 또 후자의 제도에 의해서 그 시장이 자신들의 상품으로 조금이라도 공급과잉이 되는 것을 방지하려고 노력한 것이었다. 그들은 이 두 제도를 통하여, 우리의 제조업자가 이와 같은 제도로 다종다양한 제조품의 실질가치를 올렸던 것과 같은 방법으로 곡물의 실질가치를 올리려고 노력했다. 그러나 그들은 아마도 곡물과 다른 부류의 거의 모든 재화 사이에, 자연이 만들어 놓은 큰 본질적인 차이를 미처 깨닫지 못했을 것이다. 국내시장의 독점에 의해서, 또는 수출장려금에 의해서 우리의 모직물업자나 아마포 제조업자로 하여금, 그것이 없었을 경우에 그들이 받을 수 있는 것보다도 약간 더 나은 가격으로 팔 수 있게 해 준다면, 그러한 재화의 명목가격뿐만 아니라 실질가격도 올리게 되는 것이다. 즉 그런 재화를 보다 많은 양의 노동과 생활수단과 등가가 되도록 해 주고, 또 이러한 제조업자들의 명목이윤뿐만 아니라 실질이윤인 그들의 실질적 부와 수입을 증가시키며, 그들로 하여금, 보다 나은 생활을 하게 하든가, 또는 보다 많은 노동을 그러한 특정한 제조업에 사용할 수 있게 해 주는 셈이다. 즉, 그러한 제조업을 실제로 장려하여, 그 나라의 근로를 저절로 향하게 될 경우에 비하여 더 많이 그러한 제조업으로 향하게 하는 셈이다. 그러나 이와 같은 제도에 의해서 곡물의 명목가격, 즉 화폐가격을 올리기는 하더라도 그 실질가격을 올리지는 못한다. 우리의 농업경영자나 농촌 지주의 실질적 부, 즉 실질적 수입을 증가시키는 것은 아니다. 또 곡물의 재배를 장려하지도 못한다. 왜냐하면 그들이 곡물을 재배하는 데 더 많은 노동자를 부양하고 고용하도록 해 줄 수는 없기 때문이다. 사물의 성질상 곡물에는 그 화폐가격을 단순히 변경하는 것만으로는 변경될 수 없는 실질가치[124]가 박혀져 있다. 어떠한 수출장려금도, 어떠한 국내시장의 독점도, 그 가치[125]를 올릴 수는 없다. 최대한의 자유경쟁도 그것을 떨어뜨릴 수는 없다. 전 세계를 통하여 일반적으로 그 가치는 곡물이 부양할 수 있는 노동의 양과 같고, 어떤 특정 장소에서도 그 가치는 노동이 그곳에서 충분하든지 알맞든지 또는 불충분하든지 간에 보통 유지되고 있는 식에 따라 그 곡물이 유지할 수 있는 노동의 양과 같다. 모직물 또는 아마포는 다른 모든 상품의 실질가치를 종국적으로 측정하고 결정하는 규제적인 상품은 아니지만, 곡물은 그러한 상품이다. 다른 모든 상품의 실질가치는 종국적으로 그 평균적 화폐가격이 곡물의 평균적 화폐가격에 대해서 가지는 비율에 따라서 측정되고 결정된다. 곡물의 실질가치는 때에 따라서는 한 세기로부터 다른 세기에 걸쳐 일어나는 그 평균적 화폐가격의 변동과 함께 변동하는 것은 아니다. 그러한 변동과 함께 변동하는 것은 은의 실질가치이다.

중상주의체계의 모든 편법은 산업을 억지로 불리한 방면으로 향하게 한다. 즉 수출

124 〔초판 및 재판에는 "사물의 성질상 곡물에는 인간이 만드는 어떠한 제도도 변경할 수 없는 실질가치"라고 되어 있다.〕

125 〔"그 가치(that value)는 초판에는 "그것(it)"이라고 되어 있다.〕

장려금은 그것을 실제로 불리한 방면으로 향하게 하고, 곡물장려금은 그 생산을 장려하지 않는다.

어떤 국산품 수출에 대한 장려금은 첫째, 중상주의체계의 모든 다양한 편법이 받게 될 일반적 반대, 즉 그 나라의 산업의 어떤 부분을 그것이 저절로 향하게 되는 것보다 훨씬 더 불리한 방면으로 억지로 향하게 한다는 반대와 직면하지 않으면 안 된다. 둘째로 훨씬 이익이 적은 방면으로 향하게 할 뿐만 아니라, 실제로 불리한 방면으로 향하게 한다는 특수한 반대에 직면하지 않으면 안 된다. 왜냐하면 장려금 없이 운영될 수 없는 사업은 반드시 손해를 보는 사업이기 때문이다. 곡물의 수출장려금은, 또 하나의 반대, 즉 그것을 통해 생산을 장려하려고 한 특정 상품의 산출을 촉진할 수는 없다고 하는 반대도 받아야 한다. 그러므로 우리의 농촌 지주들이 장려금의 설정을 요청했을 때, 그들은 우리의 상인과 제조업자를 모방하여 행동하기는 했지만, 그들은 다른 두 계급의 사람들의 행동을 보통 지배하고 있는 그들 자신의 이해관계를 완전히 이해하고서 행동하지는 않았던 것이다. 그들은 공공수입에 상당한 비용을 부담시켰고, 국민 전체에 엄청난 중세를 부과했다. 그러나 그들은 그들 자신의 상품의 실질가치를 조금도 눈에 띌 만큼[126] 증가시키지는 못했으며, 은의 실질가치를 약간 떨어뜨림으로써 이 나라의 산업 전체를 어느 정도 저해했고, 이 나라의 일반 산업에 필연적으로 의존하고 있는, 그들 자신의 토지의 개량을 촉진시키기는커녕 다소 그 속도를 느리게 했다.

생산에 대한 장려금은 수출에 대한 것보다 더 유효하고, 그 상품의 가격을 떨어뜨릴 것이다. 그러나 그러한 장려금은 아주 드물었다. 그 이유는 상인과 제조업자의 이해관계 때문이었다.

126 〔이 문장은 초판 및 재판에서는, "그들은 공공의 수입에 상당히 큰 비용을 부담시켰지만, 그들 자신의 상품의 실질가치를 조금도 증가시키지 않았다"라고 되어 있다. 이러한 변경은 〈증보 및 정정〉에 나와 있다.〕

어떤 상품의 생산을 장려하기 위하여서는 수출에 대한 장려금보다도 생산에 대한 장려금이 더 직접적인 효력이 있다고 상상하는 사람도 있을 것이다. 그뿐만 아니라 그것은 장려금을 지불하기 위해 공납하지 않으면 안 되는 한 가지 조세만을 국민에게 부과시킬 따름일 것이다. 그리고 그것은 국내시장에서 그 상품의 가격을 올리지 않고 내리게 하는 경향이 있을 것이다. 그리하여 그것은 국민에게 제2의 조세를 부과하지 않고, 그들이 제1의 조세 때문에 공납했던 것을, 적어도 부분적으로나마 그들에게 돌려줄 것이다. 그러나 생산에 대한 장려금이 주어진 것은 대단히 드문 일이었다.[127] 상업주의에 의해서 수립된 여러 편견이 우리들로 하여금, 국민의 부는 생산보다도 수출에서 더 직접적으로 생기는 것을 믿도록 가르쳐 왔다. 또 생산보다도 직접적으로 이 나라에 화폐를 들여오는 수단으로서 호의를 받아 왔던 것도 이 때문이다. 게다가 생산에 대한 장려금은 수출에 대한 장려금보다 사기에 걸려들기 쉽다는 것을 경험상으로 알게 되었다고들 말했다. 이것이 어느 정도까지 사실인지를 나는 모른다. 수출에 대한 장려금도 사기적인 목적에 많이 남용되었던 것은 아주 잘 알려져 있다. 그러나 이러한 모든 편법의 위대한 발명자인 상인과 제조업자에게는, 국내시장에 있어서 그들의 재화가 공급과잉이 되는 것이 결코 이익이 되지 않는다. 그런데 생산에 대한 이러한 장려금은 때때로 그러한 공급과잉을 일으킬지도 모르는 것이기도 하다. 수출에 대한 장려금은 그들로 하여금 그 잉여부분을 해외로 보내어 국내시장에 잔류하는 부분의 가격을 유지할 수 있도록 해 줌으로써 그러한 결과가 일어나는 것을 효과적으로 방지한다. 따라서 중상주의체계의 모든 편법 가운데 그들이 가장 좋아하는 것의 하나가 수출에 대한 장려금이다. 나는 어떤 특수한 사업의 여러 기업가들이 은밀하게 협정하여 자신들이 취급하고 있는 재화의 어떤 부분의 수출에 대해서 일정한 장려금을 그들 자신의 호주머니에서 내어 준다는 것을 알았다. 이 편법은 대단히 성공했으며, 그들의 재화의 생산이 상당히 증

127 〔이 문장과 그 앞의 두 문장, 즉 "그뿐만 아니라 그것은……" 등의 문장은 초판과 재판에는 다음과 같이 되어 있다. 즉, "그렇지만 그것이 주어진 것은 더 드물었다." 이 변경은 〈증보 및 정정〉에 나와 있다.〕

가했음에도 불구하고 국내시장에 있어서 그들의 재화의 가격을 두 배 이상으로 올렸을 정도였다. 곡물에 대한 장려금이 만일 그 상품의 화폐가격을 하락시켰다면, 지금까지의 것과는 놀랄 만큼 달라졌을 것이 틀림없다.

청어와 고래에 대한 어로장려금은 부분적으로는 그 생산에 대해서 주어지는 것이다.

그러나 어떤 특수한 경우에는 생산장려금과 비슷한 것이 주어져 왔다. 절인 청어어업과 포경어업에 주어진 톤수장려금(tonnage bounty)[128]은 아마 어느 정도 이런 성질을 가지는 것이라고 생각될 수 있을 것이다.[129] 이 장려금은 국내시장에서 그 재화의 가격을 그렇게 하지 않았을 경우의 가격보다[130] 직접적으로 더 싸게 만드는 경향이 있다고 생각될 것이다.[131] 그 밖의 점에서 이 장려금의 효과는 수출에 대한 장려금의 효과와 같다고 인정되지 않으면 안 된다.[132] 이 장려금에 의해서, 그 나라의 자본의 일부는, 그 가격이 자재의 통상이윤과 함께 그 비용을 회수할 수 없을 만한 재화를 시장에 내어보내는 데에 사용되는 것이다.

그러한 장려금은 선원과 선박의 수를 증가시킨다고 생각되고 있다.

그러나 비록 그러한 어업에 대한 톤수[133]장려금이 국민의 부에 기여하지는 않더라도, 선원과 선박의 수를 증가시킴으로써 아마[134] 국방에 기여할 것이라고 여길지도 모른다. 그 나라의 국방이 때에 따라서는[135] 그러한 장려금에 의해서, 민일

128 〔"톤수장려금"은 초판 및 재판에는 "장려"라고 되어 있다.〕

129 〔조지 3세 제11년 법률 제38호에 의한 포경어업장려금은 최초의 5년간은 1톤에 40실링, 제2의 5년간은 30실링, 제3의 5년간은 20실링이었다.〕

130 〔"그렇지 않았을 경우의 가격보다"는 초판 및 재판에는 "그렇지 않았을 경우 생산의 실상에서 되어 있었을 가격보다"라고 되어 있다.〕

131 〔"……고 생각될 것이다"는 초판 및 재판에는 없다.〕

132 〔"……것은 인정되지 않으면 안 된다"는 초판 및 재판에는 없다.〕

133 〔"톤수"는 초판 및 재판에는 없다.〕

134 〔이 이하의 한 구절은 초판 및 재판에는 "아마 국방에 공헌하는 것으로써 변호될지도 모른다"라고 되어 있다.〕

135 〔"때에 따라서는"은 초판 및 재판에는 "종종"이라고 되어 있다.〕

내가 이러한 표현을 써도 된다면, 거대한 상비해군(a great standing navy)을 상비군(a standing army)과 똑같은 식으로 유지하는 것보다 훨씬 적은 경비로써 유지될 수 있다[136]고 주장될지도 모른다.[137]

청어어업장려금을 지불하는 데에, 의회는 속았던 것이다.

이와 같은 유리한 주장이 있음에도 불구하고, 다음과 같은 여러 가지 면을 고려하면, 적어도 이러한 장려금 중 어느 하나를 지불할 경우에, 입법부는 아주 심하게 속아 왔다고 나는 믿고 싶다.

왜냐하면, (1) 청어범선장려금은 너무 많기 때문이다.

첫째, 청어범선장려금은 너무 많은 것 같다. 1771년의 겨울철 어업의 시작으로부터 1781년의 겨울철 어업의 끝까지 청어범선어업에 대한 톤수장려금은 1톤당 30실링이었다. 이 11년간에 스코틀랜드의 청어범선어업이 잡은 양은 모두 37만 8347배럴barrel에 달했다. 해상에서 어획되어 가공된 청어는 시스틱sea sticks[138]이라고 불린다. 그것들을 판매용 청어(merchantable herrings)라고 일컫는 것으로 만들기 위해서는 일정량의 소금을 첨가하여 재포장할 필요가 있다. 그리고 이럴

136 〔적은 경비로써 유지될 수 있다"는 초판 및 재판에는 "적은 경비로써 평시에 유지될 수 있다"라고 되어 있다.〕

137 〔초판 및 재판에는 다음과 같이 되어 있다. 즉, "약간의 다른 장려금도 아마 이와 같은 원리에서 변호될지도 모른다. 그 나라의 국방상 필요한 제조품에 관하여 그 왕국의 이웃 나라에 대한 의존성을 될 수 있는 대로 적게 하는 것은 중요한 것이다. 만일 국방상 필요한 제조업이 다른 방법에 의해서는 국내에서 유지되지 못한다면, 그것들을 원조하기 위하여 산업의 다른 모든 부문이 과세되어야 한다는 것은 합리적이다. 아메리카로부터의 선박 용품의 수입에 대한 장려금, 영국제 범포에 대한 장려금 및 영국제 화약에 대한 장려금 등, 이 세 가지 장려금들은 모두가 아마 이 원리에서 변호될 수 있을 것이다. 이 첫째 것은 영국이 사용하도록 하기 위해 아메리카의 생산에 대해서 주는 장려금이다. 나머지 두 가지는 수출에 대한 장려금이다." 새로운 단락은 그것에 선행하는 수정된 두 개의 단락과 함께 〈증보 및 정정〉에 나와 있다.

138 〔"시스틱sea sticks"이라고 하는 용어는 〈증보 및 정정〉에는 "시스티이익sea steeks"이라고 되어 있다. 본서의 부록에도 그렇게 되어 있다.〕

경우, 세 통의 시스틱은 두 통의 판매용 청어가 된다고 보통 산정하고 있다. 그러므로 지난 11년 동안에 어획된 판매용 청어의 양은 이 계산에 의하면, 겨우 25만 2231과 3분의 1통밖에 되지 않을 것이다. 이 11년 동안에 지불된 톤수장려금은 15만 5463파운드 11실링, 즉 시스틱 한 통당 8실링 2와 2분의 1펜스, 판매용 청어에 대해서는 한 통당 12실링 3과 4분의 3펜스에 달했다.

이러한 청어를 가공하는 데 드는 소금은 스코틀랜드산 소금을 쓸 때도 있고, 외국산 소금일 때도 있는데, 양자 모두 모든 내국소비세를 면제받고 어류 가공업자에게 넘겨진다. 스코틀랜드산 소금에 대한 내국소비세는 현재 1부셸에 1실링 6펜스, 외국산 소금에 대한 내국소비세는 10실링이다. 한 통의 청어에는 약 1부셸 4분의 1의 외국산 소금이 든다고 상정되어 있다. 스코틀랜드산 소금이라면 평균해서 2부셸이라고 상정되고 있다. 만일 청어가 수출용이라고 신고된 경우에만 그것이 외국산 소금으로 가공되었든, 스코틀랜드산 소금으로 가공되었든 간에 한 통에 겨우 1실링을 불입하도록 되어 있다. 이것이 소금 1부셸, 즉 청어 한 통을 가공하는 데 최소한 필요하다고 상정되어 온 양의 소금에 대한 과거의 스코틀랜드 세금이었다. 스코틀랜드에서는 외국산 소금은 어류를 가공하는 이외의 목적에는 별로 쓰이지 않는다. 그러나 1771년 4월 5일부터 1782년 4월 5일까지 수입된 외국산 소금의 양은 1부셸을 84파운드로 쳐서, 93만 6974부셸에 달했고, 제염소에서 어류 가공업자에게 보낸 스코틀랜드산 소금의 양은 1부셸을 56파운드로 쳐서 16만 8226부셸을 넘지 않았다. 그러므로 어업에 사용되는 소금은 주로 외국산이라고 생각된다. 그리고 수출되는 청어 한 통에 2실링 8펜스의 장려금이 있는데, 범선이 잡은 청어의 3분의 2 이상은 수출된다. 이상 모든 것을 종합하면 지난 11년 동안 범선이 잡은 청어는 스코틀랜드산 소금으로 가공되어 수출되었을 때, 정부는 17실링 11과 4분의 3펜스를 지출했고, 국내소비용으로 신고되었을 경우에는 14실링 3과 4분의 3펜스를 지출했다. 그리고 외국산 소금으로 가공되어 수출되었을 경우에는 1파운드 7실링 5와 4분의 3펜스를 지출했고, 국내소비용으로 신고되었을 경우에는 1파운드 3실링 9와 4분의 3펜스를 지출했다는 것을 알 수 있다. 양질의 판매용 청어 한 통의 가격은 대체로 17~18실링에서 24~25실링에 이르렀으며, 평균해서 약 1기니이다.

⑵ 또 장려금은 어획고에 비례하지 않기 때문이다.

둘째로, 소금에 절인 청어어업에 대한 장려금은 톤수장려금이며, 그것은 배의 적재량에 비례하고, 어획에 대한 근면과 성공에는 비례하지 않는다. 따라서 고기잡이를 위해서가 아니라, 장려금을 받을 목적으로 범선의 장비를 갖추는 일이 너무나 허다한 것은 아닌가 염려된다. 1759년, 장려금이 1톤당 50실링이었을 때, 스코틀랜드의 모든 범선이 어획한 것은 겨우 시스틱 4통에 지나지 않았다. 그해에, 시스틱 각 통은 장려금으로 113파운드 15실링의 비용을, 판매용 청어 각 한 통은 역시 장려금으로 159파운드 7실링 6펜스의 비용을 각각 정부로 하여금 지불하게 했다.

⑶ 또 장려금은 범선에 주어지는 것이지만, 실제 그 어획은 보트로 수행되어야 하기 때문이다.

셋째로, 이 톤수장려금이 주어진 절인 청어어업의 어획 방법(20톤 내지 80톤의 적재량의 범선 또는 갑판이 붙은 배에 의한)은 네덜란드로부터 받아들여 온 것처럼 생각되는데, 그 방법은 그것이 네덜란드의 위치에 적합한 것처럼 스코틀랜드의 위치에도 적합한 것 같지는 않다. 네덜란드는 청어가 주로 모이는 곳으로 알려져 있는 해역에서 대단히 멀리 떨어져 있고, 따라서 원양항해를 하는 데 충분한 물과 식료품을 가지고 갈 수 있도록 갑판이 붙은 배로써만이 그 어획을 해나갈 수 있다. 그러나 헤브리디스 제도, 즉 스코틀랜드의 서해안과 셰틀랜드제도의 섬들 그리고 스코틀랜드의 북부해안과 북서해안처럼 그 부근에서 주로 청어잡이가 이루어지고 있는 여러 지방은, 곳곳에 강과 만灣이 교차되어 그것들이 육지로 상당히 깊숙히 뻗어 있으므로 그 지방의 언어로 바다호수(Sea-lochs)라고 불리고 있다. 청어가 이 바다를 찾아오는 계절 동안 주로 모여드는 곳은 이러한 바다호수이다. 그리고 이러한 청어와 다른 많은 어류는 확실히 찾아드는 것이 아주 불규칙하고 끊임없이 찾아오지는 않는 것이다. 그러므로 보트 어업이 스코틀랜드처럼 특수한 상에는 가장 알맞은 어업 형태라고 생각된다. 즉 어부들은 청어가 잡히면 즉시 해안으로 가지고 가서 가공하든지, 생어로 소비할 수 있기 때문이다. 그러나 톤당 30실링이라고 하는 장려금이 범선 어업에 주는 커다란 장려는 필연적으로 보트 어업의 저해를 가져온다. 왜냐하면 보트 어로 작업에는 그러한 장려금이 없으므로 가공된 고기를 범선 어업과 동일한 조건으로는 시장에 낼 수가 없기 때문이다. 따라서 범선장려금이 설정되기 이전에는 대단히 왕성하여 현재 범선 어업이 고용하고 있는 것에 못지않을 만큼 많은 선원을 고용하고 있었다고 하는 보트 어업도 오늘날에는 거의 완전히 쇠퇴하였다. 그러나 지금은 몰락해 버린 이 어업의 옛 규모에 관해서는 나도 그렇게 정확하게 말할 수 없다는 것을 자인하지 않을 수 없다. 보트 어업의 장비에 대해서는 전혀 장려금이 지불되지 않았으므로 관세 또는 염鹽세를 관장하는 관리가 그것에 관하여 아무것도 기록해 두지 않았던 것이다.

⑷ 또 장려금이 청어 가격을 올렸으며 적어도 그것을 내리게 하지는 않았기 때문이다. 넷째로, 스코틀랜드의 많은 지방에서는 1년 중 어떤 계절에는 청어는 서민의 식물 가운데 결코 무시할 수 없는 부분을 차지하고 있다. 국내시장에서 청어의 가격을 내리는 경향이 있는 장려금이라면 그것은 결코 유복한 처지에 있지 않은 많은 우리의 동포를 구제하는 데 크게 기여할 것이다. 그러나 청어범선장려금은 그러한 좋은 목적에 기여하는 것은 아니다. 그것은 국내시장을 충족시키는 데 가장 적합했던 보트 어업을 몰락시켜 버렸고, 또 수출에 대한 통당 2실링 8펜스의 추가 장려금은 범선 어업의 생산물의 대부분, 즉 3분의 2 이상을 해외로 보내어 버린다. 30~40년 전, 즉 범선장려금이 설정되기 전에 통당 16실링이 절인 청어의 보통의 가격이었다고 나는 들었다. 10년 내지 15년 전, 즉 보트 어업이 완전히 몰락하기 전에는 그 가격이 통당 17실링에서 20실링에 이르렀다고 한

다. 최근 5년간 그것의 평균치는 통당 25실링이 되었다. 그러나 이러한 높은 가격은 스코틀랜드 연안에 청어가 실제로 적어졌기 때문일지도 모른다. 그리고 보통 청어와 함께 팔리고 있으며, 그 가격은 상기한 모든 가격 속에 포함되어 있는 통 종류(cask or barrel)의 가격이, 아메리카 전쟁이 시작된 이래 그 이전 가격의 약 두 배, 즉 약 3실링에서 약 6실링으로 구매했다는 것을 나는 말해 두어야겠다. 마찬가지로 나는 이전 시대의 가격에 관해서 내가 받아들인 기록류는 결코 한결같은 것도 아니며 일관된 것도 아니라는 것, 그리고 대단히 정확하고 경험이 많은 어떤 노인으로부터 확실히 들었던 것에 의하면 50여년 전에는 1기니가 양질의 판매용 청어 한 통의 보통 가격이었다고 하는 것도 설명해 두지 않으면 안 되겠다. 그리고 이것은 아직도 평균가격으로 간주하여도 무방할 것이라고 나는 생각한다.

이 사업의 이윤은 높은 것이 아니었다.

어업의 기업가들이 그렇게 넉넉한 장려금을 받게 된 뒤에도 그 이전에 그렇게 하고 있었던 것과 똑같은 가격, 아니 그보다 더 높은 가격으로 그들의 상품을 계속 팔고 있다면, 그들의 이윤은 대단히 클 것이라고 생각될지 모른다. 그리고 사실 몇몇 개인의 이윤이 그러했을 것도 전혀 불가능한 것은 아니다. 그러나 일반적으로 그들은 그렇지 않았다고 믿는 이유가 있다. 그러한 장려금의 보통의 효과는, 경솔한 기업가들을 격려하여 그들이 알지도 못하는 사업에 모험을 하게 하는 것이요, 그들 자신의 태만과 무지 때문에 그들이 잃는 것은, 정부의 최대의 관대함으로 그들이 이득을 볼 수 있는 전부로 메워도 남을 정도의 것이다. 1750년, 절인 청어어업을 장려하기 위하여 1톤당 30실링의 장려금을 처음으로 주었던 바로 그 법령(조지 2세 제23년 법률 제24호)에 의해서 하나의 주식회사가 자본금 50만 파운드로 설립되었는데, 그 주식응모자는(모든 다른 장려금, 즉 방금 언급한 톤수장려금, 1통당 2실링 8펜스의 수출장려금, 영국산 및 외국산 소금의 무세 이외에도), 14년 동안 그들이 그 회사의 주식에 응모하여 불입한 각 100파운드에 대해서 1년에 3파운드를, 반년마다 반액씩 관세의 징수장관으로부터 지불받을 권리가 주어졌다. 뿐만 아니라, 이 대大회사는 사장과 이사들의 주소가 런던에 있어야 하도록 되어 있었으므로 왕국의 각지의 모든 외항에 여러 가지 어업상회를 설립하는 것도 합법적이라고 선언되었다. 다만 각 상회의 불입자본금은 1만 파운드 이하여서는 안 되고, 경영상의 위험은 그 스스로가 부담하고, 그 손익도 자신이 처리해야 한다고 되어 있었다. 그러한 종속적인 상회의 영업에 대해서도 대회사의 영업에 주어지는 것과 같은 연금 및 모든 종류의 장려가 주어졌다. 대회사의 주식은 곧 불입이 만료되었고, 몇몇의 다른 어업상회도 왕국의 각지의 외항에 설립되었다. 이러한 모든 장려에도 불구하고, 그렇게 다양한 회사는 그 자본의 전부 또는 대부분을 잃어버렸다. 지금은 그 흔적도 거의 없어지고, 절인 청어어업은 지금은 완전히 사적인 투기가들에 의해서 운영되고 있다.

국방상 필요한 제조품에 대한 장려금은 불합리한 것은 아니다.

사실 만일 어떤 특정의 제조품이 사회의 방위상 필요하다면 그 공급에 관하여 우리의 이웃 나라에 의존하는 것이 반드시 분별 있다고는 할 수 없을 것이다. 그리고 만일 그러한 제조업이 다른 방법으로는 국내에서 유지되지 못한다면 그것을 원조하기 위하여 다른 모든 산업부문에 과세한다는 것도 불합리하지는 않을 것이다. 영국제의 범포 및 화약의 수출에 대한 장려금은 아마 쌍방 모두 이 원리에서 변호될 만한 것이다.

번영의 시기에 장려금을 주는 것은 곤궁의 시기에 그렇게 하는 것보다 불합리하지는 않다.

그러나 제조업자의 어떤 특정한 계급의 산업을 지원하기 위하여 국민 대중의 산업에 과세하는 것이 합리적이라고는 결코 할 수 없지만, 공공사회가 어떻게 처분해야 좋을지 모를 만큼 많은 수입을 향수하여 어쩔 줄 몰라하는 대번영에 취해 인기 있는 제조업에 그러한 장려금을 주는 것은 다른 어떤 쓸모없는 경비를 들이는 것보다 오히려 자연적인 것일지도 모른다. 개인의 경비에 있어서는 말할 것도 없지만, 공공사회의 지출에 있어서도 부가 크다는 것은 아마 대단한 우행에 대한 변명으로서 허용되는 수가 종종 있을 것이다. 그러나 사회 일반이 곤란과 궁지에 처해 있는 시기에도 그러한 낭비를 계속한다면 그것에는 분명히 보통의 불합리를 넘어선 무엇인가가 있는 것이 틀림없다.[139]

장려금이라고 불리고 있는 약간의 교부금은 적당히 말해서 조세환급이다.

장려금이라고 불리고 있는 것이 조세환급에 지나지 않을 경우가 있다. 따라서 이럴 경우, 그것은 본래의 장려금이 받아 마땅한 반대와 똑같은 반대를 받아야 하는 것은 아니다. 예를 들면, 수출되는 정제당에 대한 장려금은 정제당이 만들어지는 원료인 누런 설탕과 흑설탕에 대한 수입세의 조세환급라고 생각하여도 좋을 것이다. 수출되는 가공 견직물에 대한 장려금은 수입된 생사와 견사에 대한 수입세의 조세환급이고, 또 수출되는 화약에 대한 장려금은 수입된 유황과 초석에 대한 수입세의 조세환급이라고 생각할 수 있을 것이다. 세관의 용어로는 수입되었을 때와 같은 형태로서 수출되는 재화에 대해서 주어지는 교부금만이 조세환급라고 불리고 있다. 어떤 제작에 의해서 새로운 명칭이 붙여질 만큼 그 형태가 변화되면, 그 교부금을 장려금이라고 부른다.[140]

우수한 기술자와 제조업자에 대한 보상금은, 이익이 더 적은 방면으로 산업을 전향시키는 것이 아니라 일의 완성을 장려하는 것이다.

특정한 직업에서 탁월한 기술자와 제조업자에게 공공사회가 주는 보상금은 장려금이 받고 있는 것과 같은 반대를 받아야 할 것은 아니다. 그것은 비범한 기

139 〔여기까지의 열 개의 문단은 초판 및 재판에는 없다.〕

140 〔이 구절은 초판 및 재판에는 다음과 같이 되어 있다. "그 형태가 어떤 종류의 제작에 의해서 변화되었을 경우에 그 교부금은 장려금이라고 불린다."〕

교와 창의를 장려함으로써 그러한 각각의 직업에 현재 고용되고 있는 직공의 경쟁의식을 유지하는 데 도움이 되는 것이다. 그런데 그것은 그 나라의 자본 가운데서 저절로 그쪽으로 향하는 것보다 더 많은 몫을 그런 직업 가운데 어느 하나로 향하게 할 만큼 큰 액수는 아니다. 그러한 보상금이 가지는 경향은 직업 간의 자연적 균형을 깨뜨리는 것이 아니라, 각각의 직업에서 이루어지는 일을 될 수 있는 대로 완전무결하게 해 주는 것이다. 뿐만 아니라 보상금의 비용은 아주 하찮은 것이지만, 장려금의 비용은 대단히 크다. 곡물장려금만도 공공사회가 지출한 것이 1년에 30만 파운드 이상이 될 때도 있다.

조세환급이 때로는 장려금이라고 불리는 것처럼, 장려금도 때에 따라서는 보상금이라고 불리기도 한다. 그러나 우리는 그 용어에 상관할 것 없이 어떠한 경우에도 사물의 본질에 주의하여야 한다.

곡물무역 및 곡물법에 관한 여론[141]

곡물장려금과 곡물법은 칭찬받을 만한 것이 못 된다.

나는 곡물의 수출에 대한 장려금을 제정하고 있는 법률과 이것과 관계가 있는 여러 규제들의 체계에 대해서 주어지는 칭찬은 전혀 당치도 않다는 것을 말해두지 않고서는 장려금에 관한 본 장을 끝낼 수 없다. 곡물무역의 성질과 이것에 관계있는 영국의 여러 법률에 관하여 상세히 검토하면, 이런 주장이 옳다는 것은 충분히 입증될 것이다. 이 문제는 대단히 중요하므로 이 여론도 당연히 길어지지 않을 수 없다.

곡물무역에는 다음 네 가지 부문이 있다.

곡물 상인의 상업은 네 가지 부문으로 구성되어 있다. 이 모든 것을 동일 인물이 해 나갈 때도 있지만, 그 자체의 성질에 있어서는 네 가지가 분리된 별개의

141 〔이 제목은 초판에는 없다.〕

상업이다. 즉 그 가운데 첫째는 국내 상인의 상업이고, 둘째는 국내소비를 위한 수입 상인의 상업, 셋째는 외국소비를 위한 국내 생산물의 수출 상인의 상업, 넷째는 중계 상인, 즉 재수출하기 위한 곡물 수입업자의 상업이다.

(1) 국내 상인. 그의 이해는 국민의 그것과 동일한 것이다. 즉 소비는 유효한 공급과 일치하지 않으면 안 된다는 것이다.

국내 상인의 이해관계와 국민 대중의 이해관계는 얼핏 보기에 아무리 상반되는 것같이 보일지라도 완전히 같은 것이며, 가장 심한 흉년에 있어서도 완전히 똑같다. 그가 자기의 곡물의 가격을 계절의 현실적인 식량부족이 필요로 하는 바로 그 높이에까지 올리는 것은 그의 이익이지만, 그 이상 올리는 것은 그의 이익이 될 수 없다. 가격을 올리면 그는 소비를 저해하여, 모든 사람들, 특히 하층계급의 사람들을 다소 절약하게 만들고, 또 잘 꾸려 나가게 만든다. 만일 그가 가격을 너무 올림으로써 그 계절의 공급이 소비를 초과할 것 같고, 더욱이 그것이 다음의 수확이 시작된 뒤에도 얼마 동안 계속될 듯한 정도로 심하게 그 소비를 저해한다면, 그는 자기 곡물의 상당량을 자연적 원인들로 인해 잃어버리게 될 뿐만 아니라, 그 나머지를 몇 개월 전에 팔 수 있었을 가격보다 훨씬 더 싼값으로 팔 수밖에 없는 위험에 처하게 된다. 만일 그가 가격을 너무 높이지 않아서 그 계절의 공급이 소비를 따르지 못할 정도로 거의 소비를 저해하지 않는다면, 그는 그렇지 않았을 경우 올릴 수 있었을 이윤의 일부를 잃게 될 뿐만 아니라, 그 계절이 끝나기도 전에 국민을 식량부족이라는 어려움보다도 기근이라는 무서운 참사에 직면하게 한다. 국민에게는 그들의 매일·매주·매월의 소비가 그 계절에 될 수 있는 한 정확하게 비례하는 것이 이익이다. 국내 곡물 상인의 이익도 이와 마찬가지이다. 그가 자신의 판단이 미칠 수 있는 한, 이러한 비례에 맞춰서 국민에게 공급해 준다면, 그는 자신의 모든 곡물을 최고의 가격으로, 그리고 최대의 이윤을 남기고 팔 수 있기 마련이다. 그리고 그가 수확의 상태와 매일·매주·매월의 판매액에 관해서 알고 있으면, 국민이 어느 정도까지 이런 방법으로 공급받고 있는가를 다소나마 정확하게 판단할 수 있다.[142] 국민의 이익을 고려함으로써 마치 조심성 있는 선장이, 때에 따라서는 자기 선원을 다루지 않을 수 없는 것과 거의 같은 방식으로, 흉년의 경우일지라도 국민을 다루게 된다. 식량이 부족할 것 같다고 예견되면 선장은 선원에게 감식시킨다. 선장이 지나치게 주의를 기울여서 현실적으로는 그럴 필요가 조금도 없는데도 그렇게 할 경우가 있지만, 그렇다고 해도 그의 선원들이 그 때문에 당할 모든 불편이란, 이보다 조심하지 않아 이따금 직면했을지도 모르는 위험·불행·파멸에 비하면 아무것도 아니다. 이와 마찬가지로 국내 곡물 상인이 너무 지나친 욕심 때문에 그 계절의 수확이 부족한 경우에 필요로 하는 것보다 약간 더 높게 곡물의 가격을 올릴 때도 있지만, 그렇다 하더라도 국민이 그러한 행동 때문에 겪어야 할 불편은 그 계절의 마지막에 있을 기근에서 국민을 유효하게 구제해 주는 것이고, 그 불편은 그가 그 계절의 초기에 더욱 헤프게 거래했을 경우에, 국민이 직면하게 되었을지도 모르는 것에 비한다면, 대단한 것은 아니다. 이 지나친 욕심 때문에 보다 큰 타격을 받음직한 사람은 바로 곡물 상인 자신이다. 그는 이 때문에 일반 대중들의 분노를 사게 될 뿐만 아니라, 그러한 분노의 결과를 모면한다 하더라도, 그 계절의 마지막에 이르러 자기의 수중에 반드시 남게 되는 곡물량 때문에 손해 보게 되고, 더욱이 그다음 계절이 풍작이기라도 한다면, 그렇지 않았다면 팔 수 있었을지도 모르는 가격보다 훨씬 더 낮은 가격으로 반드시 팔지 않으면 안 될 것이다.

독점의 이익에서는 수확의 일부를 파괴해 버리는 것이 좋을지 모른다. 그러나 상업이 자유로운 곳에서는 곡물은 독점될 수 없다.

물론 상인의 일대조합이 광대한 나라의 수확 전체를 한 손에 넣을 수 있다면 네

142 〔"그가 수확의……판단할 수 있다"라는 문장의 원문에서 "enable"은 'enables'의 오식이 아니다. 왜냐하면, "수확의 상태"에 관한 지식과 "매일의 판매액"에 관한 지식의 두 가지가 있기 때문이다.〕

덜란드인이 몰루카 제도의 향료에 관하여 하고 있다고들 하는 것처럼 잔여의 향료 가격을 유지하기 위하여, 수확물의 상당한 부분을 못쓰게 만들든지 내버리도록 만들든지 하는 것이 그들의 이익일지도 모른다. 그러나 곡물에 관해서 그러한 광범위한 독점을 확립한다는 것은 법률의 힘에 의할지라도 거의 불가능하다. 그리고 법률이 상업을 자유롭게 방치하고 있는 곳이라면 어느 곳에서나, 모든 상품 가운데 곡물만큼, 그 대부분을 매수하는 소수의 대자본의 힘에 의해서 매점되거나 독점될 우려가 적은 것도 없다. 곡물의 가치는 소수의 개인의 자본이 구매할 수 있는 한도를 훨씬 넘는 것일 뿐만 아니라, 그들이 그것을 구매할 수 있다 하더라도, 곡물이 생산되는 방법 자체가 이러한 구매를 전적으로 불가능하게 만든다. 모든 문명국에 있어서 곡물은 그 연간 소비가 최대인 상품이므로 그 생산에는 다른 어떤 상품의 생산보다 많은 근로가 충당되고 있다. 또한 곡물이 처음으로 지면에서 나올 때도 그것은 필연적으로 다른 어떤 상품보다도 더 많은 수의 소유자들 사이에 분배된다. 그리고 이러한 소유자도 많은 독립된 제조업자처럼 결코 한곳에 모여 있을 수는 없으며, 반드시 그 나라의 모든 구석구석에 분산되어 있다. 이 최초의 소유자들은 자신의 인근에 있는 소비자에게 직접 공급하든지, 또는 그러한 소비자에게 공급하는 다른 국내 상인에게 공급하든지 한다. 그러므로 농업경영자와 빵 제조업자를 포함한 곡물의 국내 상인은, 반드시 어떤 다른 상품의 상인보다도 그 수가 많으며, 그들이 분산해 있는 위치 때문에 어떤 일반적 단결을 도모하기가 그들에게는 불가능하다. 따라서 만일 흉년에 그들 가운데 누군가가 자기는 그 계절이 끝날 때까지 시가로서 처분할 수 없을 만큼 많은 곡물을 가지고 있다는 것을 깨닫게 되면, 그는 자기 자신이 손해를 보면서 그의 적대자와 경쟁자에게만 이득이 되도록 그 가격을 유지할 생각은 결코 없을 것이다. 그렇게 하느니 차라리 새로운 계절이 시작되기 전에, 자기의 곡물을 처분해 버리기 위하여, 그 가격을 곧 떨어뜨릴 것이다. 그리하여 어떤 한 상인의 행동을 규제하는 바로 그 동기, 즉 이해관계가 다른 모든 상인의 행동을 규제하고, 일반적으로 그들 모두가 그들의 최선의 판단에 따라서 그 계절의 작황作況에 가장 적합한 가격으로 그들의 곡물을 팔게 만든다.

식량부족은 독점자의 단결에 의해서 일어나는 것이 아니라, 흉작 때문에 일어난다. 그리고 기근은 항상 식량부족에 대한 정부의 상상 속의 대책에 기인하고 있다.

현 세기 또는 과거 2세기 동안, 유럽의 어떤 지방을 괴롭혔던 식량부족과 기근에 관해서 우리는 상당히 정확한 기록을 가지고 있다. 그 역사를 주의해서 검토해 보는 사람이라면 누구나 식량부족이라는 것은 국내 곡물 상인의 단결에서 생겼던 적이 없었다는 것, 또 그것은 아마 어떤 때에 어떤 특정한 장소에서는 전쟁에 의한 황폐 때문에, 그러나 훨씬 수많은 경우는 계절의 불순 때문에 일어난 현실의 흉작 이외에는 아무런 원인도 없다는 것, 그리고 기근이란 식량부족이라는 불편을 해소하기 위하여 부적당한 대책을 강구한 정부의 폭력 이외의 어떠한 원인에서도 생기지 않았다는 것을 발견할 것이라고 나는 믿고 있다.

식량부족은 기근을 일으킬 정도는 아니다.

광대한 곡물 생산국에서 모든 지방 사이에 자유로운 교역과 교통이 있다면, 가장 불순한 계절에서 생기는 식량부족은 결코 기근을 일으킬 정도는 아니다. 최소의 수확이라도 검소하고 경제적으로 처리한다면 한 해 동안 알맞은 풍작으로 보통 더 배불리 있는 사람들과 같은 수의 국민을 부양할 것이다. 수확에 가장 좋지 못한 계절이란, 과도한 가뭄이나 지나친 비(雨)이다. 그러나 곡물은 고지에서나, 저지에서나, 토지가 너무 습하기 쉬운 토지에서나, 너무 건조하기 쉬운 토지에서나 다 같이 성장하므로, 가뭄과 지나친 비는 어떤 나라의 지방에서는 유해하지만 다른 지방에서는 유리할 수 있다. 그리고 너무 습한 계절과 너무 건조한 계절에는 어느 편이나 보다 알맞은 기후의 계절에 비한다면 수확이 훨씬 적을 것이지만, 어떤 나라의 지방에서 잃은 것은 다른 지방에서 얻는 것으로 어느 정도 메워진다. 쌀 생산국에서는 작물은 대단히 습기가 많은 토양을 필요로 할 뿐만 아니라, 그 성장의 일정 기간 중에는 그것을 물속에 두지 않으면 안 되므로 가뭄의 영향은 훨씬 더 암담하다. 그러나 그러한 나라에서까지도 만일 정부가 자유무역을 허용한다면, 가뭄이 반드시 기근을 일으킬 만큼 보편적인 경우는 거의 없다. 몇 년 전 벵골의 가뭄은 대단한 식량부족을 일으켰을 것으로 생각한다. 그리고 동인도회사의 사원들이 미곡무역에 부과한 약간의 부적당한 규제와 무분별한 제한이야말로 식량부족이 기근으로 확대되는 데 이바지했을 것이다.

정부는 곡물을 합리적인 가격으로 팔도록 명령함으로써 기근을 일으킨다.

식량부족이라는 불편을 구치하기 위하여 정부가 모든 상인에게 그들의 곡물을 정부 스스로가 합리적이라고 상정한 가격으로 팔도록 명령할 때에는 정부는 상인이 곡물을 시장에 가지고 나가는 것을 저해하며, 그 때문에 때에 따라서는 계절의 초기에 벌써 기근을 일으키게 하든가, 또는 만일 상인이 그것을 시장에 가지고 갈 경우, 정부는 국민들이 곡물을 아주 빨리 소비할 수 있도록 하고, 또 그렇게 하도록 자극하여 계절이 끝나기도 전에 필연적으로 기근을 일으킬 것이다. 곡물무역의 제한과 구속이 없는 무제한의 자유만이 기근이라는 불행에 대한 유일하고도 효과적인 예방법이며, 동시에 식량부족이라는 불편에 대한 최선의 완화제이다. 왜냐하면 현실적인 식량부족이라는 불편은 해소될 수 없는 것이고, 완화될 수 있는 것에 지나지 않기 때문이다. 어떠한 상인도 곡물무역만큼 법의 완전한 보호를 받아야 할 만한 것은 없으며, 또한 이것만큼 보호를 필요로 하고 있는 것도 없다. 왜냐하면 어떠한 상업도 이것만큼 세론의 비난을 받기 쉬운 것은 없기 때문이다.

곡물 상인은 대중의 미움을 사고 있으며, 이 때문에 존경받을 만한 사람들은 그 상업에 종사하기를 주저한다.

흉년에는 하층계급의 사람들이 그들의 고통을 곡물 상인의 욕심의 탓으로 돌리므로 곡물 상인은 그들의 증오와 분노의 대상이 된다. 따라서 곡물 상인은 그러한 기회에 이윤을 얻기는커녕 그들의 폭력에 의해서 완전히 파멸당하거나, 또 자기의 창고를 약탈당하고 파괴당하는 위험에 처하는 수가 종종 있다. 그러나 곡물 상인이 자기의 주된 이윤을 올리려고 하는 것도 가격이 높은 이러한 흉년의 해이다. 그는 대체로 몇 사람의 농업경영자와 계약을 하여 일정 연한에 일정량의 곡물을 일정한 가격으로 공급받도록 되어 있다. 이 계약가격은 온당하고 합리적이라고 상정되는 가격, 즉 통상적 또는 평균적 가격에 따라서 정해지는 것이며, 최근의 흉년 이전에는 소맥 1쿼터당 약 28실링이었고, 다른 곡류도 이것에 준하고 있다. 그러므로 흉년에는 곡물 상인은 그의 곡물 대부분을 통상가격으로 사들여서 그것을 훨씬 높은 가격으로 판다. 그러나 이 특별이윤은 그의 직업을 다른 제諸 직업과 대등한 수준에 놓아 줄 정도에 지나지 않으며, 그 상품 자체의 부패하기 쉬운 성질과 빈번하고 예측하기 어려운 가격의 파동이라는 두 가지 때문에 입는 손실을 메워 줄 만한 것에 지나지 않는다고 하는 사실은, 다른 상업과 마찬가지로, 이 상업에서도 대재산이 만들어지지 않았다는 단순한 사실만으로도 충분히 명백한 것 같다. 그러나 이 상업이 민중의 증오의 대상이 되는 것은 흉작인 해에 있는 일이고, 이 상업이 대단히 유리하게 될 수 있는 것도 흉작인 해에만 있는 일이다. 그러니 그러한 민중의 증오가 있기 때문에 인격자와 재산자는 이 상업에 종사하기를 싫어한다. 그래서 이 상업은 하층부류의 상인, 즉 방앗간과 빵 제조업자, 밀가루 소매상인 및 다수의 가련한 행상인에게 맡겨져 있으며, 이 사람들이 국내시장에서 생산자와 소비자 사이에 있는 거의 유일한 중개인이 된다.

이 민중의 증오는 입법에 의해서 장려되었다.

유럽의 정책은 공공사회에 그렇게도 유익한 직업에 대한 민중의 증오를 감쇄하기는커녕 오히려 그것을 정당화하고 장려했던 것 같다. 에드워드 6세의 제5, 6년 법률 제14호는 다음과 같이 규정하고 있다. 즉 곡물 또는 곡류(corn or grain)[143]

143 ("밭에서 성장하고 있는 곡물 또는 다른 어떤 곡류, 버터와 치즈, 생선 또는 다른 어떠한 생명

를 다시 팔 의도로 사들이는 사람은, 누구나 불법적인 매점인이라고 간주한다. 이 매점 행위의 초범은 2개월의 구금에 처하고, 그 곡물의 가치를 몰수한다. 재범은 6개월의 구금에 처하고 그 가치의 두 배를 몰수한다. 그리고 3범일 경우에는 큰 칼을 씌워 국왕의 수의隨意기간의 구금에 처하고, 그의 모든 가재도구를 몰수한다고 되어 있다. 유럽의 다른 지방의 옛 정책도 잉글랜드의 그것보다 나은 것은 아니었다.

많은 제한이 상인에게 과해졌다.

우리의 선조들은 국민이 곡물을 곡물 상인들에게 사는 것보다 농업경영자에게 사는 편이 더 싸게 산다고 생각했던 것 같으며, 곡물 상인은 자신이 농업경영자에게 지불한 가격에다 자기 자신을 위한 터무니없는 이윤을 붙여서 요구하지 않을까 두려웠기 때문이다. 그리하여 우리의 선조들은 그러한 영업을 완전히 절멸시키려고 노력했다. 그들은 생산자와 소비자 사이에 어떤 종류의 중개자도 개입시키지 않으려고 모든 노력을 했다. 그리고 그들이 곡물의 매점인(kidder) 또는 중개인이라고 불렸던 사람들의 영업에 많은 제한을 과했던 취지도 이것이었다. 그 영업은 성실하고 공정한 거래를 하는 사람으로서의 자격을 인정하는 면허장이 없이는 누구도 허락하지 않았다.[144] 에드워드 6세의 조례에 의하면 이 면허장을 수여하는 데는 3인의 치안판사의 허가가 필요했다. 그러나 그 후 이러한 제한까지도 불충분한 것이라고 생각되어 엘리자베스의 조례[145]에 의해서 그것을 수여

없는 식물"이라고 되어 있다. 그러나 곡류는 일정한 가격, 즉 소맥이라면 1쿼터에 6실링 8펜스 이하로 내렸을 때는 이 법률은 적용되지 않았다.〕

144 〔이것과 그 앞의 문장은 오해를 사기 쉽다. 앞의 단락에 인용된 규정의 효력은 무자격의 곡물 상인이 있으면 그 상인의 상업을 "완전히 절멸"하는 데 있었을 것이다. 이러한 결과를 피하기 위하여 에드워드 6세, 제5, 6년 법률 제14호 제7조는 행상인, 적하인積荷人, 매점인 또는 중개인에게는 일정한 사정하에서는 다시 팔 의도로 곡물을 사들이는 면허가 주어질 수 있다고 하는 것을 규정하고 있다. 그러므로 매점인의 면허제免許制는 제한을 상당히 완화했던 것이며, 본문이 암시하고 있는 것처럼 그것을 한결 무겁게 한 것은 아니다.〕

145 〔엘리자베스 제5년 법률 제12호 제4조.〕

하는 특권은 사계재판소四季裁判所에 한정되었다.

농업경영자를 강제적으로 소매상으로 만들려는 노력은 이루어졌으나, 제조업자가 그렇게 되는 것은 금지되었다.

유럽의 옛 정책은 이렇게 해서 도시의 큰 직업인 제조업에 관하여 설정한 원칙과는 아주 다른 원칙에 의해서 농부의 큰 직업인 농업을 규제하려고 노력했다. 즉 그 정책은 농업경영자에게는 소비자나 그 직접적인 대리인[146]인 곡물 매점인과 중개인 이외 고객을 두지 않도록 하여, 농업경영자를 강제로 농업경영자로서의 직업뿐만 아니라, 곡물 상인 또는 곡물의 소매상인의 직업에도 종사하게끔 하려고 노력했다. 반면에 그 정책은 수많은 경우, 제조업자가 소매상이라는 직업, 즉 자기 자신의 재화를 소매로 판매하는 것을 금지했다. 그 정책은 전자에 관한 법률을 통하여 그 나라의 일반적 이익을 도모하고자, 즉 곡물을 싸게 하고자 했던 것인데, 어떻게 해야 그것이 이루어질 것인지에 관해서는 잘 알지 못했던 것 같다. 그리고 후자에 관한 법률을 통하여 어떤 특정 계급의 사람들, 즉 소매상의 이익을 증진시킬 의도였으며, 만일 제조업자가 소매하도록 허용되기라도 한다면 제조업자들이 소매상보다 훨씬 싸게 팔게 되므로 소매상업의 직업이 망하게 될 것이라고 생각되었기 때문이다.

그러나 제조업자는 비록 그들이 점포를 가지고 자신의 재화를 소매로 파는 것이 허용되었다 하더라도, 보통의 소매상보다 싸게 팔 수는 없었을 것이다. 그의 자본 가운데 그 점포에 투하한 부분이 얼마나 되었든지 간에 그는 그것을 자기의 제조업에서 얻었을 것이다. 자신의 사업을 다른 사람들의 사업과 같은 수준으로 운영해 나가기 위하여 그는 한편으로는 제조업자의 이윤을 올리지 않으면 안 되듯이, 또 한편으로는 소매상으로서의 이윤을 올리지 않으면 안 되었을 것이다.

146 〔"소비자 또는 그들의 직접적인 대리인(consumers or their immediate factors)"은 초판과 재판에는 "consumer or his immediate factors"라고 되어 있다. 에드워드 6세 제5, 6년 법률 제14호 제7조에서 매점인은 소비자에게 개인적으로 팔 수 있을 뿐 아니라, "공개의 정기시定期市 또는 시장"에서 팔 수 있다라고 되어 있는 것은 주의해야 할 것이다.〕

예를 들어 그가 살고 있는 특정 도시에서 1할이라는 것이 제조업과 소매상 쌍방의 자본의 통상이윤이었다고 규정하자. 이런 경우 그는 자기의 점포에서 파는 자신의 재화 하나하나에 2할의 이윤을 매겼을 것이 틀림없다. 그가 그 재화를 자기의 일터에서 점포에 운반해 왔을 때, 그는 그 재화를 도매로 사들였을 상인, 또는 소매상인에게 팔 수 있었을 가격으로 그 재화를 평가했을 것이 틀림없다. 만일 그가 그 이하로 평가했다면, 그는 자기의 제조업 자본의 이윤의 일부를 잃은 셈이 된다. 다음에 그가 그 재화를 자신의 점포에서 소매상인이 팔았을 가격과 같은 가격으로 팔지 않는 한, 그는 소매업 자본의 이윤 일부를 잃은 셈이다. 그러므로 그는 같은 재화로 이중의 이윤을 올리는 것처럼 보일지 모르지만, 이러한 재화는 잇달아 두 별개의 자본 일부가 잇달아 형성되기 때문에, 이 재화에 쓰인 자본 총액에 대해 단일의 이윤밖에 올리지 못했으며, 그는 손해를 본 셈이 된다. 다시 말하면 그는 자신의 자본 전체를 대부분의 이웃 사람들이 올리는 것과 같은 이윤을 올리면서 사용하지 않았다는 것이 된다. 제조업자가 금지당한 것을 농업경영자는 어느 정도까지는 하도록 명령받았던 것이다. 농업경영자는 자신의 자본을 두 가지 다른 용도에 분할하여 시장의 수시의 수요에 충당하기 위하여 그 일부를 자기의 곡창과 낟가리 마당에 보관하고, 다른 일부를 자기의 토지의 경작에 사용하도록 명령받았다. 그러나 그는 후자를 농업경영 자재의 통상적인 이윤 이하로 사용할 수 없었던 것과 같이, 전자를 상업 자재의 통상이윤 이하로 사용할 수 없었을 것이다. 현실적으로 곡물 상인의 업무를 운영하는 자재가 농업경영자라고 불리는 사람의 것이든, 곡물 상인으로 불리는 사람의 것이든 간에, 어느 경우에나 모두 같은 이윤이 필요했던 셈이다. 왜냐하면, 그 자재의 소유자가 이런 방법으로 자재를 사용하는 데 대한 보상을 받기 위해서는, 그리고 그의 사업을 다른 영업과 같은 수준에 올려놓기 위해서는, 또 그가 될 수 있는 대로 빨리 어떤 다른 직업으로 바꾸는 데 관심을 가지지 못하게 하기 위해서는 그것이 반드시 필요했다. 그러므로 농업경영자는 이렇게 해서 자유경쟁의 경우에 다른 곡물 상인이 팔지 않을 수 없었을 가격보다 더 싸게 곡물을 팔 수는 없었던 것이다.

한 사업부문에 전념하는 상인은 보다 싸게 팔 수가 있다.

자신의 모든 자재를 단 하나의 사업부문에 사용할 수 있는 상인은 자기의 모든 노동을 단 한가지의 작업에만 사용할 수 있는 직공과 같은 종류의 이점을 가지고 있다. 후자가 같은 두 개의 손으로 훨씬 다량의 일을 해낼 수 있게 해 주는 기교를 획득하듯이, 전자는 자신의 재화를 매입하고 처분하는 업무를 아주 쉽고 민첩하게 처리하는 방법을 익혀서 같은 자본으로써 그 이전보다 훨씬 다량의 업무를 처리할 수 있게 된다. 그 직공이 보통 자신의 제작품을 그 이전보다 훨씬 더 싸게 제공할 수 있듯이, 그 상인은 자기의 자재와 주의가 모두 여러 가지 많은 대상에 사용되고 있는 때보다 자신의 재화를 보통 더 싸게 제공할 수가 있다. 대부분의 제조업자는, 자신의 재화를 도매로 사들여서 그것을 다시 소매로 파는 것을 유일한 업무로 삼고 있는 조심성 있고 활동적인 소매상만큼 싸게 소매할 수는 없을 것이다. 하물며 대부분의 농업경영자는 그들 자신의 곡물을 그들 대부분으로부터 아마 4~5마일이나 떨어져 있는 도시의 주민에게 공급하기 위하여 소매한다 하더라도, 곡물을 도매로 사들여서 큰 창고에 저장시켰다가 그것을 다시 소매로 파는 것을 유일한 업무로 하고 있는 조심성 있고 활동적인 곡물 상인만큼 싸게 자신이 곡물을 소매로 팔 수는 더욱더 없을 것이다.

제조업자가 소매상이 되는 것을 금지하고, 농업경영자가 곡물 상인이 되는 것을 강제하는 법률은 모두가 현책賢策이 못 되며 부당한 것인데 후자는 더욱더 유해하다.

제조업자가 소매상의 직업에 종사하는 것을 금지한 법률은 자재를 사용함에 있어서의 이 분업을, 그렇지 않은 경우보다 급속하게 진행시키려고 노력했다. 농업경영자를 곡물 상인의 직업에 종사하지 않으면 안 되게 한 법률은, 그러한 분업이 너무 급속히 진행하는 것을 저지하려고 노력했다. 이 두 법률은 모두 자연적인 자유의 명백한 침해였으며, 따라서 부당했다. 더욱이 부당하다는 것과 마찬가지로 현책이 못 되었다. 이런 종류의 사물을 결코 강제하거나 방해하지 않는 것이 어느 사회에나 이익이다. 자기의 노동 또는 자재를 자기의 입장에서 필요로 하고 있는 이상으로 아주 여러 가지 방면에 사용하는 사람은 남보다 싸게 파는 것으로써 이웃 사람에게 해를 입힐 수는 없다. 그가 해를 입힌다면 자기 자신을 해치는 것일지도 모르고, 또 사실 대체로 보아 해치고 있는 것이 보통이다. 속담에도 "무엇이든지 할 수 있는 사람은 부자가 될 수 없다(Jack of all trades will never be rich)"라고 한다. 그러나 법률은 항상 국민이 그들 자신의 이익을 고려하는 대로 맡겨 두어야 한다. 그들은 자신의 개념적 입장에 관해서는 일반적으로 입법자보다 잘 판단할 수 있기 때문이다. 그러나 농업경영자를 강제적으로 곡물 상인이 되게 했던 법률은 두 가지 법률 가운데 훨씬 더 유해한 것이었다.

그것은 토지의 개량을 방해하기 때문이다.

그 법률은 모든 사회에 그렇게도 유리한 자본 사용에 있어서의 분업을 방해했을 뿐만 아니라, 토지의 경작과 개량을 역시 방해했다. 그것은 농업경영자로 하여금 한 가지가 아닌 두 가지 직업에 종사하도록 함으로써 강제적으로 그의 자본을 두 가지 부분으로 분할시키고, 경작에는 그 일부분밖에 사용할 수 없게 했다. 그러나 만일 농업경영자가 탈곡하자마자 자신의 곡물 전부를 자유롭게 곡물 상인에게 팔 수 있었다면 그의 자본 전체는 곧 토지로 돌아왔을 것이며, 그 개량과 경작을 더 잘하기 위하여 보다 많은 가축을 사들이고, 보다 많은 사용인을 고용하는 데 사용되었을 것이다. 그러나 그는 자신의 곡물을 소매로 팔지 않을 수 없게 되어 있었으므로, 자신의 자본 대부분을 1년 내내 곡창과 낟가리 마당에 놓아 두지 않을 수 없었다. 따라서 그렇지 않았을 경우, 같은 금액의 자본으로 할 수 있었을 만큼 충분히 경작할 수 없었다. 그러므로 이 법률은 필연적으로 토지의 개량을 방해하여, 그렇지 않았을 경우의 가격보다 곡물을 더 싸게 하기는커녕 곡물을 더 부족하게 만들고, 따라서 더 비싸게 하는 데 이바지했음이 틀림없는 것이다.

곡물 상인은 도매상인이 제조업자를 지지하는 것과 마찬가지로 농업경영자를 지지한다.

농업경영자의 업무 다음으로 곡물 상인의 업무가 적절히 보호 장려되기만 한다면, 실제적으로 그것은 곡물 생산에 가장 기여할 직업일 것이다. 그것은 도매상인의 직업이 제조업자의 직업을 뒷받침해 주고 있는 것과 마찬가지로 농업경영자의 직업을 받쳐 줄 것이다.

도매상인은 제조업자로 하여금 그들의 자본 전체를 제조업에 사용할 수 있게 해 준다.

도매상인은 제조업자에게 손쉬운 시장을 제공하고, 제조업자가 재화를 제조하자마자 곧 그것을 제조업자에게서 받아 내고, 또 때에 따라서는 제조업자가 재화를 제조하기 전에 대가를 선대해 주기까지 함으로써, 제조업자가 그의 전체 자본을, 그리고 때에 따라서는 그의 전체 자본보다 더 많은 자본을 유지하고 끊임없이 제조업에 사용할 수 있게 한다. 따라서 그가 손수 그 자재를 직접적 소비자나 소매상인에게까지 팔아야 하는 경우보다 훨씬 다량의 재화를 제조할 수 있게 해 준다. 뿐만 아니라 도매상인의 자본은 많은 제조업자의 자본을 회수하는 데 충분할 만큼 많은 것이 보통이므로, 그와 그들 사이의 거래관계는 대자본 소유자로 하여금 다수의 소자본 소유자들을 지원하는 데에 관심을 갖게 하고, 그렇지 않았더라면 그들을 몰락시켜 버렸을지도 모를 손실과 불운에 대하여 그들을 원조하는 데 관심을 갖게 한다.

그러므로 곡물 상인은 농업경영자가 그들의 전체 자본을 경작에 사용할 수 있게 해 주어야 한다.

농업경영자와 곡물 상인 사이에 이와 같은 종류의 거래관계가 보편적으로 확립된다면 그것은 농업경영자에게도 제조업자의 경우와 마찬가지로 유리한 효과를 가져다줄 것이다. 그들은 그들의 전체 자본을, 또는 그 이상의 자본을 끊임없이 경작에 사용할 수 있게 될 것이다. 다른 어떤 직업보다도 농업경영자에게 일어나기 쉬운 어떤 사고가 일어났을 경우에, 그들은 자신들의 평상의 고객인 부유한 곡물 상인 중에서 자신들을 지원하는 것에 관심이 있고, 그렇게 할 능력이 있는 인물을 찾아낼 것이다. 따라서 현재처럼 지주의 관용과 토지관리인의 동정에만 전적으로 매달리는 일은 없어질 것이다. 이러한 거래관계가 보편적으로, 그리고 일거에 확립된다는 것은 아마 불가능하겠지만, 만일 가능하다면, 또 현재 다른 모든 용도로 전용되고 있는 모든 농업경영 자재를 인출하여, 이 왕국의 전체 농업경영 자재를 모두 본래의 용도인 토지의 경작으로 돌릴 수 있다면, 이 커다란 자재의 활동을 수시로 지원하고 원조하기 위하여 이것과 거의 같은 크기의 다른 자재를 그 자리에서 조달할 수 있다면, 사태의 이런 변화만으로 국토의 전면에 일으킬 개량이 얼마나 크고, 얼마나 광범위하고, 얼마나 급격한 것인지는 아마 상상조차 하기 어려울 것이다.

그러므로 에드워드 6세의 조례는 식량부족의 최량의 완화제이며 예방제이기도 한 하나의 영업을 절멸시키려고 노력했던 셈이 된다.
그러므로 에드워드 6세의 조례는 생산자와 소비자 사이에 어떠한 중개자라도 개입하는 것을 될 수 있는 한 금지함으로써, 그 영업의 자유로운 활동만이 식량부족이라는 불편에 대한 최선의 완화제가 될 뿐만 아니라, 그 재난의 최선의 예방제도 되는 하나의 영업을 절멸시키려고 노력했던 셈이다. 농업경영자의 영업 다음으로 곡물 상인의 영업만큼 곡물 생산에 기여하는 것은 없다.

그러한 규정들은 찰스 2세 제15년 법률 제7호에 이르기까지 여러 조례에 의해서 완화되었다.
이 법률의 가혹함은 그 후 몇몇의 조례에 의해서 완화되어 소맥의 가격이 1쿼터에 20, 24, 32, 40실링을 넘지 않을 때는, 곡물의 매점을 차례차례로 허용했다.[147] 마침내 찰스 2세 제15년 법률 제7호에 의해서 전매하려고 곡물을 매점 또

147 〔부지런히 찾아 보았으나 여태까지 이러한 조례를 발견하지 못했다.〕

는 구매하는 것은 소맥의 가격이 1쿼터에 48실링을 넘지 않고, 다른 곡류의 가격도 이것에 준할 동안은 매점인이 아닌 사람, 즉 3개월 이내에 같은 시장에서 전매하지 않는 사람이면,[148] 누구에게나 합법적이라고 선언되었다. 국내 곡물 상인의 상업이 이때까지 향수하여 온 모든 자유가 이 조례에 의해서 베풀어졌다. 현 국왕의 제12년의 조례는 독점자와 매점인을 단속하는 다른 모든 옛 법률들을 폐지했으나, 이 특별한 조례의 여러 제한들만은 폐지하지 않았기 때문에, 그것들은 아직도 계속 효력을 가지고 있다.[149]

이 법률도 불합리하다. 왜냐하면 그것은 다음과 같이 상정하고 있기 때문이다.
그러나 이 조례는 두 가지의 대단히 불합리하고 통속적인 편견을 어느 정도 시인하고 있다.

즉, (a) 독점은 가격이 어떤 일정한 높이에 달한 뒤에는 유해하게 될 것이라고 상정하고 있기 때문이다.
첫째, 그 조례는 소맥의 가격이 1쿼터당 48실링 정도로 상승하고, 다른 곡류의 가격도 이에 준하면, 곡물은 국민을 해를 미칠 정도로 매점당할 것이라고 상정하고 있다. 그러나 이미 설명한 바와 같이, 아무리 명백히 고가가 될지라도 국내 상인은 국민에게 해가 될 정도로 그것을 매점할 수는 없는 것 같다. 뿐만 아니라, 1쿼터당 48실링은 대단히 높은 가격이라고 생각될지도 모르지만, 흉년에는

148 〔이 법률의 제4조가 잘못 인용되어 있다. 즉 "매점인이 아닌 사람……" 이하의 말은, "그것을 3개월 이내에 같은 시장에서 매점하거나 팔지 않는다면"이다. 에드워드 6세 제5, 6년 법률 제14호에 있어서는, 곡물을 사서 "동일 장소에서 열리는 정기시 또는 시장 아니면 4마일 이내에 있는 다른 어떤 정기시에서" 그것을 파는 사람을 중매인(regrator)이라고 불렀다. 그리고 매점인이란, 시장에 가는 도중에 물건을 사거나 그것을 살 계약을 하든지 또는 그런 물건의 가격을 올리겠다는 제의를 하든지 그것을 시장에 나가지 못하게 방해하든지 하는 사람을 말한다.〕

149 〔조지 3세 제12년 법률 제71호는 에드워드 6세 제5, 6년 법률 제14호를 폐지했으나, 순수한 임의규정인 찰스 2세 제15년 법률 제7호가 이 점에 관해서 조금이라도 아직 유효했다면 그것은 다만 보통법이 매점에 대해서 불리했다는 것의 결과에 지나지 않았을 것이다.〕

수확한 직후에 종종 발생하는 가격이며, 이 시기에는 햇곡이 아직 다 팔리지 않고 있어서, 국민을 해할 정도로 그 일부가 독점될 수 있으리라고는, 아무리 무지한 사람이라도 생각할 수는 없는 시기이다.

(b) 매점은 가격이 어떤 일정한 높이에 달한 뒤에는 유해한 것이 될 것 같다고 상정하고 있기 때문이다.

둘째로, 그 조례는 곡물이 그 후 얼마 되지 않아 같은 시장에서 팔기 위해 매점되어 국민에게 손해를 주는, 어떤 가격이 있다고 상정하고 있다. 그러나 어떤 상인이 어느 특정 시장에 가는 도중이든지 또는 이미 그 특정 시장에 가 있는 곡물을 매입한 직후에 같은 시장에서 다시 팔기 위하여 매점하기라도 한다면, 그것은 그 시장에 대한 공급이 계절 전체를 걸쳐 그 특정한 시기만큼 윤택할 수 없고, 따라서 그 가격이 곧 상승할 것이 틀림없다고 판단했기 때문일 것이다. 만일 그가 이것에 관하여 잘못 판단한 것이라면, 즉 그 가격이 오르지 않는다면, 그는 이렇게 사용한 자재의 모든 이윤을 잃을 뿐만 아니라, 곡물의 저장과 보관에 반드시 따르는[150] 경비와 손실 때문에 자재 자체의 일부도 잃게 된다. 그러므로 그는 그로 말미암아 특정한 장날에 공급을 저해받는 어느 특정한 사람들을 해칠 수 있는 것보다 훨씬 본질적으로 자기 자신을 해치는 것이다. 왜냐하면, 그들은 그 후 다른 장날에 꼭 그만큼 싸게 공급받을 수 있을 것이기 때문이다. 만일 그가 옳게 판단하면 그는 국민 대중을 해하기는커녕, 그들에게 매우 중요한 봉사를 해 주는 셈이 된다. 즉, 그는 그들에게, 그렇지 않은 경우보다도 조금 빨리 식량부족이라는 불편을 느끼게 함으로써, 가격이 싼 것에 자극되어 실제 곡물 부족에 대응하는 것보다 조금 빨리 소비해 버린 뒤, 뒤에 가서 통감하게 될 불편을 미연에 방지해 준다. 식량부족이 현실로 나타날 때 국민을 위하여 할 수 있는 최선의 일은, 그 불편함을 그 해의 모든 월·주·일을 통하여 될 수 있는 대로 균등하게 나누는 것이다. 곡물 상인은 자기의 이해 때문에 될 수 있는 대로

150 〔"따르는(attend)"은 초판 및 재판에는 "attends"로 되어 있다.〕

정확하게 이런 일을 하려고 연구한다. 그리고 그처럼 정확하게 그것을 할 수 있을 만큼, 그와 같은 이해·지식·능력을 가질 수 있는 사람은 아무도 없기 때문에 상업상 이렇게 중요한 활동은 당연히 그에게 전적으로 맡겨져야 한다. 다시 말하면 곡물상업이라고 하는 것은 적어도 국내시장의 공급에 관한 한, 또 완전히 자유로 방임되어야 한다.

독점과 매점에 관한 불안은 요술에 관한 불안처럼 근거 없는 것이다.

독점과 매점에 관한 통속적인 불안은, 요술(魔法)에 관한 세속적인 공포와 의혹에 비교할 수 있다. 이 후자의 죄 때문에 비난을 받은 가련한 사람들이 그들 탓으로 돌려진 불행에 관하여 아무런 죄도 없었던 것과 같이, 전자의 죄 때문에 비난을 받은 사람들도 아무런 죄가 없었다. 요술에 대한 모든 고발을 종식시켰던 법률, 즉 그 상상 속의 죄로 이웃 사람을 고발함으로써 자신의 악의를 만족시키는 힘을 모든 사람들에게서 빼앗아 버린 법률은, 효과적으로 요술을 장려하고 지지했던 커다란 원인을 제거함으로써, 그러한 불안과 의혹을 효과적으로 종식시켰던 것 같다. 곡물의 국내상업에 완전한 자유를 회복시키는 법률이 제정된다면, 그 법률은 독점과 매점에 대한 세속적인 불안을 마찬가지로 효과적으로 종식시키게 될 것이다.

그래도 찰스 2세 제15년 법률 제7호는 곡물법 중 가장 좋은 것이다. 그것은 국내곡물상업에 이때까지 누려 왔던 모든 자유를 주고 있기 때문이다.

그러나 찰스 2세 제15년 법률 제7호는 불완전한 점이 많음에도 불구하고 법령전서에 있는 다른 어떤 법률보다도 국내시장의 윤택한 공급과 경작의 증진에 이바지했을 것이다. 국내곡물상업이 그 후 이때까지 향수해 왔던 모든 자유와 보호를 얻었던 것은 이 법률에서였다. 그리고 국내시장의 공급과 경작의 이익은 수출과 수입무역보다 국내상업에 의해서 훨씬 더 효과적으로 증진되는 것이다.

국내상업은 외국무역보다 훨씬 더 중요하다.

영국에 수입되는 모든 종류의 평균량의, 소비되는 모든 종류의 곡류에 대한 비율은, 곡물무역에 관한 논문의 저자가 추산한 바에 의하면 1 대 570을 넘지 않는다. 그러므로 국내시장에 공급하는 점에서는, 국내상업은 수입무역에 대해서 570 대 1의 중요성을 가지고 있음이 틀림없다.[151]

같은 저자에 의하면, 영국으로부터 수출되는 모든 종류 곡류의 평균량은 연간 생산물의 30분의 1을 넘지 않는다.[152] 그러므로 국내 생산물을 위하여 시장을 제공하여 경작을 장려하는 점에서 국내상업은 수출무역에 대해서 30 대 1의 중요성을 가지고 있음이 틀림없다. 나는 정치산술을 그렇게 신용하지 않으며, 이런 산정의 어느 것에 관해서도 그 정확성을 보증하려고 하는 것도 아니다. 내가 그러한 산정을 든 것은, 다만 가장 현명하고 경험이 많은 사람들의 견해에 있어서도 곡물의 국내상업보다 그 외국무역이 얼마나 하찮은 것인가를 설명하기 위해서이다. 장려금이 창설되기 직전, 수년 동안 곡물이 대단히 값쌌다는 것은, 아마 그것의 약 25년 전에 제정되어 그때까지는 그 효과를 낼 만큼의 충분한 시간적 여유가 있었던 찰스 2세의 이 조례의 작용에 어느 정도 기인하는 것이 당연할 것이다. 곡물무역의 다른 세 부문에 관하여 내가 말할 모든 것은 몇 마디로써 충분히 설명이 될 것이다.

(2) 수입 상인, 이 상업은 국민에게 이익을 주고 농업경영자와 농촌의 지주들을 실질적으로 해치지 않는다.

국내소비를 위한 외국산 곡물 수입 상인의 상업은 명백히 국내시장의 직접적 공급에 이바지하고 있고, 그리고 그런 점에 있어서 국민 대중에게 직접적으로 유

151 〔찰스 스미스Charles Smith, 《Three Tracts on the Corn Trade and Corn Laws》, 제2판(1766), 145면.〕

152 〔"수출은 소비의 겨우 32분의 1, 종자를 제한 생산고의 33분의 1, 종자를 포함한 생산고의 36분의 1에 지나지 않는다."−《Three Tracts on the Corn Trade and Corn Laws》, 제2판(1766), 144면.〕

익함이 틀림없다. 실로 그것은 곡물의 평균 화폐가격을 다소 내리는 경향이 있으나, 그 실질가치, 즉 그것이 부양할 수 있는 노동량을 감소시키는 경향은 없다. 만일 수입이 언제나 자유롭다면 우리의 농업경영자와 농촌의 지주들이 그들의 곡물의 대가로서 받는 화폐는 수입이 대부분의 경우 사실상 금지되어 있는 현재보다 연간 평균에서 아마 더 적을 것이다. 그러나 그들이 획득한 화폐는, 보다 많은 가치가 있을 것이며, 즉 다른 모든 종류의 재화를 더 많이 구매할 것이며, 더 많은 노동을 고용할 것이다. 그러므로 그들의 실질적인 부, 그들의 실질적인 수입은 비록 현재보다 적은 양의 은으로 표현될지 모르지만 현재와 같을 것이다. 그리고 그들은 곡물 경작에 있어서도, 현재 이상으로 무력해진다든지, 저해된다든지 하지도 않을 것이다. 반대로 곡물의 화폐가격이 내려가는 결과로서 은의 실질가격이 상승하는 것은 다른 모든 상품의 화폐가격을 약간 떨어뜨리므로, 그런 상승이 일어난 나라의 산업을 모든 외국시장에서 이익이 되게 하여, 나아가서는 그 산업을 장려하고 증진시키는 경향이 있다. 그러나 곡물을 위한 국내시장의 크기는 그 곡물을 생산하는 나라의 일반 산업에 비례하지 않을 수 없다. 다시 말하면 곡물과 교환으로 주어지는 뭔가 다른 것을 생산하는 사람들의 수, 따라서 뭔가 다른 것을 가지고 있는 사람들의 수, 같은 말이지만 그 뭔가 다른 것의 가격을 가지고 있는 사람들의 수에 비례할 것이 틀림없다. 그러나 어느 나라에서나 국내시장은 곡물에 대해서 가장 가깝고 또 가장 편리한 시장임과 동시에 가장 크고 가장 중요한 시장이기도 하다. 그러므로 곡물의 평균 화폐가격의 저락의 결과인 은의 실질가치의 상승은 곡물에서 가장 크고 중요한 시장을 확대여 곡물의 생산을 저해하기는커녕 도리어 장려하는 것이다.

찰스 2세 제22년 법률 제13호라는 법령은 수입에 대해서 높은 세금을 부과했다.

찰스 2세의 제22년 법률 제13호에 의해서 소맥의 수입은 국내시장의 가격이 1쿼터당 53실링 4펜스를 넘지 않을 때는 언제나 1쿼터당 16실링의 세금을 물게 했다. 그리고 그 가격이 4파운드를 넘지 않을 때는 언제나 8실링의 세금이 부과되었다.[153] 이 두 가격 가운데, 전자는 과거 1세기 이상에 걸쳐 대흉작 때에만 일어난 적이 있었고, 후자는 내가 알고 있는 한에서는 전혀 나타난 적이 없었다. 그러나 이 법령에 의해서, 소맥이 후자의 가격 이상으로 상승할 때까지는 대단히 높은 세금을 부과 받았고, 전자의 가격 이상으로 상승할 때까지는 금지와도 같을 만한 세가 부과되었다. 다른 부류의 곡류의 수입은 그[154] 곡류의 가치에 준하여 위와 거의 같은 높은 세금으로써 제한되었다.[155]

153 〔이것은 그런 종류의 법률의 최초의 것은 아니다. 에드워드 4세 제3년 법률 제2호는 "잉글랜드 왕국에서 산출되는 곡물의 가격이 낮을 때는 본 왕국 내에 있는 영농노동자 및 토지점유자는 다른 나라들과 여러 지방으로부터 본 왕국에 곡물을 들여옴으로써 나날이 심한 타격을 받게 될 것이기 때문에" 제정되었고, 소맥은 1쿼터에 6실링 8펜스, 호밀은 4실링, 보리는 3실링을 넘지 않을 때는 수입을 금지한다고 되어 있다. 이 법령은 제임스 1세 제21년 법률 제28호에 의해서 폐지되었고, 찰스 2세 제15년 법률 제7호는 수입항에서의 가격이 1쿼터에 소맥이 48실링, 보리 및 메밀이 28실링, 귀리가 13실링 4펜스, 호밀 · 완두류 · 강낭콩 등이 32실링을 넘지 않을 때, 수입되는 소맥에는 5실링 4펜스, 호밀에는 4실링, 보리에는 2실링 8펜스, 메밀에는 2실링, 귀리에는 1실링 4펜스, 완두와 강낭콩에는 4실링의 세를 부과했다.〕

154 〔초판 및 재판에는 이 이하가 "이에 준하는 세에 의해서 제한되었다"라고 되어 있다.〕

155 현재의 국왕의 치세 제13년 이전에는 여러 가지 부류의 곡류수입에 대해서 지불하여야 할 세는 다음과 같다.

곡물의 종류(1쿼터당)	가격	세액	
강낭콩	28실링까지	19실링	10펜스
	40실링까지	16실링	8펜스
	그 이상일 때	–	12펜스
보리	28실링까지	19실링	10펜스
	32실링까지	16실링	–
	그 이상일 때	–	12펜스

맥아는 매년 맥아세법에 의해서 수입금지되었다.

곡물의 종류(1쿼터당)	가격	세액	
귀리	16실링까지	5실링	10펜스
	그 이상일 때	–	9.5펜스
완두	40실링까지	16실링	–
	그 이상일 때	–	9.75펜스
호밀	36실링까지	19실링	10펜스
	40실링까지	16실링	8펜스
	그 이상일 때	–	12펜스
소맥	44실링까지	21실링	9펜스
	53실링 4펜스까지	17실링	–

소맥	그 이상 4파운드까지	8실링	–
	4파운드 이상	1실링	4펜스
메밀	32실링까지	16실링	–

이러한 여러 가지 세는 그 일부는 찰스 2세 제22년에 구왕실보조세(서브시디) 대신에 부과된 것으로, 일부는 뉴서브시디, 3분의 1서브시디 및 3분의 2서브시디 그리고 1747년의 왕실보조세에 의해서 부과된 것이다. 〔이 각주에 있는 세표는 찰스 스미스, 《Three Tracts on the Corn Trade》, 제2판(1766), 83면에 있는 표를 그대로 정확히 복사한 것이다. 그 저자는 그 숫자를 색스비의 세율표(즉, 헨리 색스비, 《The British Customs, containing an Historical and Practical Account of each branch of that Revenue》(1757), 111~114면)에서 따온 것이라고 하고 있으나, 찰스 스미스가 색스비의 페니의 분수를 소수화하는 방법은 부정확하고 일정하지 않을 뿐 아니라, 그는 보리에 대한 제2의 세, 완두에 대한 제1의 세 및 소맥에 대한 제3의 세를 잘못 옮겨 썼다. 舊왕실보조세는 5퍼센트세로 되어 있다. 즉 찰스 2세 제12년 법률 제4호에 의해서 그 법령에 첨부된 세율표에 따라 붙여진 여러 가지 재화의 가치에 대하여 부과된 1실링의 파운드세였다. 이것에 의하면 수입되는 강낭콩·보리·맥아는 수입지에서의 실제 가격이 1쿼터에 28실링을 넘지 않을 때는 26실링 8펜스로 평가되도록 되어 있다. 실제 가격이 그보다 더 높을 때 그것들은 1쿼터에 5실링으로 평가되도록 되어 있었다. 귀리와 완두는 1쿼터에 4실링으로 평가되도록 되어 있었다. 호밀은 36실링을 넘지 않을 때는 26실링 8펜스, 이것을 넘으면 5실링으로 평가되었다. 소맥은 44실링을 넘지 않을 때는 40실링으로 평가되고 그것을 넘으면 6실링 8펜스로 평가되었다. 그러므로 구왕실보조세에 의하면 다음과 같다.〕

곡물의 종류(1쿼터당)	가격	세액	
강낭콩 · 보리 · 맥아	28실링까지	1실링	4펜스
	그 이상일 때	–	3펜스
귀리 · 완두	–	–	2.4펜스
호밀	36실링까지	1실링	4펜스
	그 이상일 때	–	3펜스
소맥	44실링까지	2실링	–
	그 이상일 때	–	4펜스

〔찰스 2세 제22년 법률 제13호는 이러한 세를 철폐하고 다음 세표를 대체하였다.〕

곡물의 종류(1쿼터당)	가격	세액	
강낭콩	40실링까지	16실링	–
	그 이상일 때	–	3펜스
보리 · 맥아	32실링까지	16실링	–
	그 이상일 때	–	3펜스
귀리	16실링까지	5실링	4펜스
	그 이상일 때	–	2.4펜스
소맥	53실링 4펜스까지	16실링	–
	80실링까지	8실링	–
	그 이상일 때	–	4펜스
메밀	32실링까지	16실링	–

그 노력은 흉년에는 일시 중지되었다.

흉년에 그러한 법률의 엄격한 시행이 국민에게 가져다주었을 괴로움[156]은 굉장히 컸을 것이다. 그러나 그런 경우에는 보통 임시 조례들[157]에 의해서 그 시행이 중지되었는데, 이 조례는 기한부로 외국산 곡물의 수입을 허가하는 것이었다. 이

〔완두 및 호밀은 강낭콩과 똑같다. 그러나 윌리엄 3세 제9, 10년 법률 제23호는 구왕실보조세와 똑같은 '새 왕실보조세'를 부과했으므로, 찰스 2세 제12년 법률 제4호의 것과 같은 금액의 세가 찰스 2세 제22년 법률 제13호에 의한 세에 부과되어 과해졌다. 그리고 앤 치세 제2, 3년 법률 제9호에 의해서 구왕실보조세의 3분의 1의 부가세가, 그리고 앤 치세 제3, 4년 법률 제5호에 의해서 구왕실보조세의 3분의 2의 부가세가 각각 부과되었다. 그리고 조지 2세 제21년 법률 제2호에 의해서 구왕실보조세와 같은 금액의 또 다른 세('1747년의 수입세')가 부과되었다. 그러므로 1747년에서 1773년 사이의 세는 찰스 2세 제22년 법률 제13호에 의한 세를 합하여 찰스 2세 제12년 법률 제4호에 의한 세의 세 배나 되는 세가 부과되고 있었다. 이런 사실에 의하면 세표는 다음과 같이 된다.

곡물의 종류(1쿼터당)	가격	세액	
강낭콩	28실링까지	20실링	–
	40실링까지	16실링	9펜스
	그 이상일 때	1실링	–
보리	28실링까지	20실링	–
	32실링까지	16실링	9펜스
	그 이상일 때	1실링	–
귀리	16실링까지	5실링	11.2펜스
	그 이상일 때	–	9.6펜스
완두	40실링까지	16실링	7.2펜스
	그 이상일 때	–	9.6펜스
호밀	36실링까지	20실링	–
	40실링까지	16실링	9펜스
	그 이상일 때	1실링	–
소맥	44실링까지	22실링	–
	53실링 4펜스까지	17실링	–
	80실링까지	9실링	–
	80실링 이상	1실링	4펜스

색스비의 숫자는 상기한 것보다 약간 적다. 그것은 하나를 제하고 모든 왕실보조세에 관하여 얻을 수 있는 5퍼센트의 할인액을 계산에 넣었기 때문이다. 이 각주는 재판에 처음 나온다.〕

156 〔초판 및 재판에는 이 앞의 단락의 마지막 한 줄, 즉 "그 후의 여러 법률은 그러한 세를 더 증가시켰다"가 포함되어 있지 않고, "흉년에 이 조례의 엄격한 시행이 가져다주었을 슬픔"이라고 되어 있다.〕

157 〔이러한 조례는 많이 않았던 것 같다. 1757년 및 1766년에는 그 예가 있었다. 찰스 스미스, 《Three Tracts upon the Corn Trade and Corn Laws》, 제2판.〕

러한 임시 조례들이 필요했다는 사실 자체가 이 통칙의 부적절함을 충분히 증명하고 있다.

이러한 제한은 장려금 때문에 필요한 것이었다.

이러한 수입제한은 장려금이 창설되기 이전부터 있었던 것이기는 하지만, 나중에 그 규칙을 제정한 것과 같은 정신, 원리에 의해서 나온 것이었다. 수입에 대한 이러한 제한 또는 뭔가 다른 제한은 그 자체가 아무리 유해한 것일지라도, 그 장려금이라는 규제의 결과로 필요하게 되었던 것이다. 만일 소맥이 1쿼터당 48실링 이하든지, 또는 그보다 그렇게 비싸지 않을 때, 외국산 곡물은 무세無稅나 또는 적은 세를 지불하고 수입할 수 있다면, 소맥은 장려금이라는 혜택을 받고 재수출될 수 있을 것이며, 그렇게 되면 공공의 수입에는 큰 손실이 되고, 또 그 제도를 완전히 역용하는 것이 될 것이다. 그 제도의 목적은 외국의 산물을 위해서가 아니라, 국내의 생산을 위한 시장을 확장하는 것이었기 때문이다.

⑶ 수출 상인, 이 상업은 국내시장에 대한 공급을 윤택하게 하는 데 간접적으로 이바지한다.

외국에서의 소비를 위한 곡물의 수출 상인의 영업은 확실히 국내시장에 공급을 풍부하게 하는 데 직접적으로 기여하지는 않는다. 그러나 그것은 간접적으로 기여한다. 이 공급이 보통 어떤 원천에서 유래하든지, 즉 국산이든지 외국에서 수입된 것이든지 간에, 보통 국내에서 소비되는 것보다 더 많은 곡물이 생산되든지, 또는 수입되든지 하지 않는 한, 국내시장의 공급이 결코 크게 풍부해질 수는 없다. 그러나 통상의 경우, 그러한 잉여가 언제든지 수출될 수 없다고 하면, 생산자는 국내시장이 필요로 하는 최소한의 양 이상은 생산하지 않으려고 조심할 것이고, 수입자도 그 이상은 결코 수입하지 않으려고 조심할 것이다. 따라서 그 시장은 좀처럼 공급과잉이 되지 않을 것이다. 국내시장에 대한 공급을 업무로 하는 사람들은 대체로 그들의 재화가 자신들의 수중에 남게 되지나 않을

까 두려워하기 때문에, 일반적으로 그 시장은 도리어 공급부족이 될 것이다. 수출금지는 그 나라의 개량과 경작을 자국의 주민에 대한 공급이 필요로 하는 정도로 한정해 버린다. 그러나 수출 자유는 그 나라가 외국인에 대한 공급을 위해 경작을[158] 확장할 수 있게 해 준다.

수출의 자유는 1700년에 완전하게 이루어졌다.

찰스 2세 제12년 법률 제4호에 의해서 소맥의 가격이 1쿼터에 40실링을 넘지 않고, 또 다른 곡류도 이에 준할 때는, 언제나 곡물의 수출은 허용되었다.[159] 같은 왕의 치세 제15년의 법률[160]에 의해서 이 자유는 소맥의 가격이 1쿼터에 48실링을 넘을 때까지 확대되었으며, 같은 왕의 제22년의 법률[161]에 의해서는 그 이상의 모든 높은 가격에도 허가가 확대되었다. 실은 그러한 수출의 경우에는, 국왕에게 파운드세를 지불해야만 했다. 그러나 모든 곡류는 세율표에서 대단히 낮게 평가되어 있었기 때문에, 이 파운드세도 1쿼터에 소맥은 1실링, 귀리는 4펜스, 그 밖의 모든 곡류는 6펜스밖에 되지 않았다.[162] 윌리엄과 메리 치세 제1년의

158 〔"경작을"은 초판 및 재판에는 "그 경작을"이라고 되어 있다.〕

159 〔이 이전의 조례들은 헨리 6세 제15년 법률 제2호, 헨리 6세 제20년 법률 제6호, 헨리 6세 제23년 법률 제6호, 필리페와 메리 치세 제1, 2년 법률 제5호, 엘리자베스 제5년 법률 제5호 제26조, 엘리자베스 제13년 법률 제13호 및 제임스 제1년 법률 제25호 제26~27조이다. 이들 가운데 최초의 법률의 전문에서 말하기를, "이 법률에 의해서 어떠한 사람도 국왕의 허가 없이는 잉글랜드 왕국으로부터 곡물을 운송해 나가든지 가지고 나갈 수 없다는 것이 규정되었다. 이유는 자신의 토지를 경작하는 농업경영자 및 다른 사람들이 그들의 곡물을 너무 싸게 팔아서 왕국 전체에 큰 타격을 주는 일이 없도록 하기 위함이다"라고 되어 있다. 그러므로 곡물이 일정한 가격을 상회하고 있을 때는 수출은 허가 없이도 합법적인 것으로 되어 있었던 것이다.〕

160 〔법률 제7호.〕

161 〔법률 제13호.〕

162 〔〈세율표〉는 1쿼터에 수출되는 소맥을 20실링, 귀리를 6실링 8펜스, 그 밖의 곡류에 대해서 1파운드에 1실링이었다.〕

법률,[163] 즉 장려금을 창설한 법률에 의해서 이 소액의 세금도, 소맥의 가격이 1 쿼터에 48실링을 넘지 않을 때는 언제나 사실상 철폐되었고, 그 후 윌리엄 3세의 제11~12년의 법률 제20호로써, 그 이상의 모든 높은 가격일 때에도 완전히 철폐되어 버렸다.

수출 상인의 이해관계는 때로는 그 나라 국민의 이해관계와 다를 수도 있다.
이렇게 해서 수출 상인의 상업은 장려금에 의해서 장려되었을 뿐만 아니라, 국내 상인의 상업보다 더 자유롭게 되어 있었다. 이러한 조례 가운데 마지막 것에 의해서, 곡물은 수출을 위해서는 어떤 가격으로도 매점할 수 있게 되었다. 그러나 국내 판매를 위해서는 그 가격이 1쿼터에 48실링을 넘지 않을 경우가 아니면 매점할 수 없게 되어 있었다.[164] 이미 밝힌 바 있거니와, 국내 상인의 이해利害가 국민 대중의 이해와 상반될 수는 결코 없다. 그런데 수출 상인의 이해와는 상반될 수도 있으며, 사실상 상반되는 수가 종종 있다. 만일 그 자신의 나라가 식량부족으로 괴로워하고 있는 동안에, 이웃 나라가 기근으로 시달리고 있다면, 자국의 식량부족이라는 재난을 대단히 격화시킬 만큼의 곡물량을 그 이웃 나라에 운반해 가는 것이 그에게는 이익이 될 수 있을 것이다. 국내시장에 풍부한 공급을 한다는 것이 그러한 조례의 직접적인 목적은 아니었고, 농업을 장려한다는 것을 핑계 삼아 될 수 있는 대로 곡물의 가격을 될 수 있는 대로 올려서, 나아가서는 국내시장에 끊임없는 부족을 일으킨다는 것이 그 직접적인 목적이었다. 수입을 저지했기 때문에 국내시장에의 공급은 대단히 극심한 식량부족의 시기에 있어서도 국내산에 한정되었고, 그 가격이 1쿼터에 48실링이라고 하는 고가였을 때에도, 수출이 장려되었기 때문에 식량부족의 꽤 심한 시기에도 시장은 그 국내산의 전부를 향수하도록 허용되지 않았다. 영국은 임시적인 여러 법률을 제정

163 〔윌리엄과 메리 치세 제1년 법률 제12호. 장려금은 "세관에 어떤 것도 제출 또는 요구되지 않고" 주어지는 것이었다.〕

164 〔왜냐하면, 국내 판매에 관해서는 찰스 2세 제15년 법률 제7호가 유효했기 때문이다.〕

하여 일정 기간 동안 곡물의 수출을 금지하고, 또 일정 기간 동안 그 수입에 대한 세를 철폐하는 그러한 편법에 의존할 수밖에 없을 때가 종종 있었는데,[165] 이것이야말로 이 나라의 일반적 제도가 부적당하다는 것을 충분히 실증해 주는 셈이다. 그 제도가 좋았다면 이 나라가 이처럼 빈번히 그것을 그만두어야 할 필요에까지 떨어지지는 않았을 것이다.

몇몇 대국의 그릇된 정책은 소국들로 하여금 때로는 수출을 제한할 수밖에 없게 하는 수가 있을 것이다.

만일 모든 국민이 자유수출 및 자유수입이라는 자유로운 제도를 채용한다면, 일대 대륙이 여러 나라로 분할되어 있더라도 이러한 여러 국가들은 그만큼 일대 제국의 여러 주와 비슷한 것이 될 것이다. 일대 제국의 여러 주 사이에는 국내 산업의 자유가, 이성에서나 경험에서나 식량부족에 대한 최선의 완화제일 뿐만 아니라, 기근에 대한 가장 유효한 예방제라고 생각되듯이, 일대 대륙이 분할되어 있는 여러 국가 사이에서도 수출입무역의 자유는 그러할 것이다. 그 대륙이 크면 클수록, 그리고 모든 지방을 통하여 수륙의 교통이 쉬우면 쉬울수록 어떤 일국의 흉작이 다른 어떤 나라의 풍작에 의해서 구제될 가능성이 더 많아지므로, 어떤 특정한 일국이 이러한 재난에 직면하게 되는 일은 그만큼 적어질 것이다. 그런데 이 자유로운 제도를 전면적으로 채용해 왔던 나라는 겨우 몇몇 나라밖에 되지 않는다. 곡물무역의 자유는 그의 모든 곳에서 다소라도 제한되었으며, 많은 나라에서는 이것은 불합리한 규칙에 의해서 국한되어, 식량부족이라는 피할 수 없는 불행을, 기근이라는 무서운 재난으로 악화시키는 일이 흔히 있는 형편이다. 이러한 나라들의 곡물에 대한 수요는 이따금 대단히 크고 대단히 절박한 것이 될 것이므로, 이와 같은 시기에 약간의 식량부족으로 시달리고 있는 작은 이웃 국가가 이러한 나라들에 공급하려면 자국을 그와 같이 무서운 재난에 휘몰아 넣지 않고서는 좀처럼 할 수 없을 것이다. 이리하여 어떤 나라에서

165 〔수출을 금지하는 법령은 다른 것보다 훨씬 더 많았다.〕

최선의 것이 될 정책을 수립하는 것을 어느 정도 위험하고 분별없는 것으로 만들어 버린다. 그러나 대국들에서는 수출을 무제한으로 자유롭게 하더라도 그 위험은 훨씬 적을 것이다. 왜냐하면, 이러한 나라에서는 생산량이 대단히 많기 때문에 수출할 수 있는 곡물의 양이 얼마나 되든지 간에 그것에 의해서 공급이 크게 영향을 받을 리 없을 것이기 때문이다. 스위스의 한 주라든지 이탈리아의 몇몇 소국가에서는 때때로 곡물의 수출을 제한할 것이 필요할지도 모른다. 프랑스 또는 잉글랜드 같은 대국에서는 그럴 필요는 좀처럼 있을 수 없다. 뿐만 아니라 농업경영자가 어느 때나 가장 유리한 시장에 자기의 공익사상을 위해서, 일종의 국가 이성을 위해서 정의의 상법을 명백히 희생하는 것이다. 입법권의 발동은 가장 위급한 필요가 있을 경우에만 행해져야 되며, 이런 경우에만 용서될 수 있다. 만일 곡물의 수출을 금지해야 하더라도 그 금지되는 한도의 가격을 항상 매우 비싼 가격이 되도록 해야 한다.

곡물법은 종교에 대한 법률과 비슷하다.

곡물에 관한 여러 법률은 어느 곳에서나 종교에 관한 법률과 비교될 수 있을 것이다. 사람들은 오늘날의 생존에 관해서도, 찾아올 미래의 행복에 관해서도, 대단히 관심을 가지고 있으므로 정부도 그들의 편견을 따르지 않을 수 없고, 공공사회의 안녕을 유지하기 위하여 그들이 시인하는 제도를 확립하지 않으면 안 된다. 이 두 가지 중요 문제의 어느 것에 관해서도 합리적인 제도가 확립되었던 예를 우리가 좀처럼 볼 수 없다는 것은 아마 이 때문일 것이다.

⑷ 중계 상인, 이 상업은 국내시장의 공급을 풍부하게 하는 데 이바지한다.

중계 상인의 상업, 즉 외국산의 곡물을 재수출하기 위하여 수입하는 사람의 상업은 국내시장에 대한 공급을 풍부하게 하는 데 이바지한다. 실은 자기가 수입한 곡물을 국내시장에서 파는 것은 그의 상업의 직접적인 목적은 아니다. 그러나 그는 보통 그렇게 즐겨 하고 있으며 더욱이 외국시장에서 기대할 수 있는 것보다 훨씬 적은 화폐를 받고서까지 그렇게 한다. 왜냐하면, 이렇게 하면 그는 하적荷積·육양陸揚·보험保險의 비용을 절약할 수 있기 때문이다. 중계무역 덕분으로 여러 타국에 공급해 주기 위한 창고와 저장소 역할을 하는 나라의 주민에게는 곡물이 부족할 리가 좀처럼 없다. 이리하여 중계무역은 국내시장에서의 곡물의 평균 화폐가격을 떨어뜨리는 데 이바지할 수 있을지라도 그것 때문에 그 실질가치를 저하시키지는 않을 것이다. 그것은 다만 은의 실질가치를 약간 올릴 것에 지나지 않을 것이다.

영국의 법률은 곡물의 중계무역을 사실상 금지하고 있다.

영국에서는 보통 어떤 경우에도 외국산 곡물의 수입에 높은 세율의 관세를 부과하고, 그 대부분에 대해서 조세환급이 없었으므로[166] 중계무역은 사실상 금지되어 있었다. 그리고 특별한 경우, 즉 식량이 부족하여 그러한 높은 관세를 임시법률로써 중지할 필요가 있었을 때는 곡물의 수출은 반드시 금지되었다. 그러한 법률체계 때문에 중계무역은 사실상 모든 경우에 금지되어 있었다.

영국의 번영은 곡물장려금에 기인된 것이 아니고 노동의 과실을 향유할 수 있는 안전이 확립되어 있었기 때문이다.

그러므로 장려금의 창설과 관련되고 있는 법률체계는 이때까지 칭찬받아 왔지만, 조금도 그러한 칭찬을 받을 만한 가치는 없다고 생각된다. 그러한 법률의 덕분이라고 종종 일컬어진 영국의 개선과 번영은 다른 여러 원인 때문이었다는 것을 대단히 쉽게 알 수 있을 것이다. 영국의 여러 법률에 의해서 모든 사람들이 자기 자신의 노동의 열매를 향수할 수 있도록 보증받고 있는데, 이것만 있다면 상업상의 그러한 또는 20여 개나 되는 불합리한 여러 규제들이 있어도, 어느 나라든지 그 나라를 번영하게 하는 데 충분한 것이다. 그리고 이 보증은 장려금이 창설된 것과 거의 같은 시기에 일어났던 혁명에 의해서 완성된 것이다.

166 〔"그 대부분에 대해서 조세환급(戾稅)이 없었으므로"는 초판에는 없다.〕

자기 자신의 생활상태를 보다 낫게 하려는 각 개인의 자연적인 노력이 자유와 안전을 보장받고 그 실행을 허락받는다면 아주 강력한 원리가 되는 것이므로, 그것만 있으면 어떠한 원조 없이도 사회를 부와 번영으로 이끌어 갈 수 있을 뿐만 아니라, 어리석은 인정법人定法 때문에 너무나 자주 그 활동을 방해받아 왔던 수많은 부적절한 장해를 극복할 수가 있다. 비록 그러한 장래의 결과가 많든 적든 그 자유를 잠식하고 안전을 감소시키더라도 그것을 극복할 수 있다. 영국에서는 산업은 완전히 보장되어 있다. 비록 완전한 자유라고는 할 수 없으나, 유럽의 다른 여러 나라에 비한다면, 같은 정도로 자유롭든지 내지는 그 이상으로 자유롭다.

최대의 번영이 장려금의 뒤를 이어 일어났다는 것은 아무런 증명도 되지 않는다. 영국의 최대의 번영과 개선은 장려금과 관련되어 있는 법률체계에 뒤이어 일어나기는 했으나, 그렇다고 해서 우리는 그것을 그러한 법률의 덕분으로 보아서는 안 된다. 그것은 국채에 뒤이어 일어났던 것이다. 그러나 국채가 그 원인이 아니었다는 것도 지극히 확실하다.

스페인과 포르투갈은 영국보다 더 가난하다. 왜냐하면 그들의 그릇된 정책이 영국의 그것보다 더 유효하고, 이것이 일반적 자유와 안전에 의해 상쇄되지 않았기 때문이다. 장려금과 연결되어 있는 법률체계는 비록 스페인과 포르투갈의 정책과 똑같은 경향, 즉 그 정책이 시행되는 나라에서의 귀금속의 가치를 약간 떨어뜨리는 경향을 갖고 있지만, 그래도 영국은 유럽에서 가장 부유한 나라 가운데 하나임은 명백하다. 그런데 스페인과 포르투갈은 아마 가장 가난한 나라에 속할 것이다. 이러한 상태의 차이는 두 가지 다른 원인에서 쉽게 설명될 수 있을 것이다. 첫째, 금의 수출에 대한 스페인의 조세, 포르투갈의 금지법과 이러한 법률의 시행을 감시하는 방심하지 않는 경찰은, 해마다 영화英貨 600만 파운드 이상을 수입하는, 아주 가난한 이 두 나라에 있어서, 곡물법이 영국에서 작용할 수 있는 것보다 훨씬 직접적일 뿐만 아니라, 훨씬 강제적으로 금속의 가치를 저락시키는 작용을 할 것이 틀림없다. 그리고 둘째로, 이 그릇된 정책은, 두 나라에서는 국민의 일반적 자유 및 안전에 의해 상쇄되지 않고 있다. 그곳에서는 산업이 자유롭지도 않으며 안전하지도 않다. 그리고 스페인과 포르투갈 양국의 시민과 교회에 관한 통치는 그것만으로도 그들의 빈곤 현상을 영구화하는 데 충분할 정도이며, 그들의 상업 규제 대부분이 현재 불합리하고 어리석은 것이지만, 가령 현명한 것이었다 하더라도, 이런 상태와 다를 바 없을 것이다.

조지 3세 제13년 법률 제43호는,

현재의 국왕 치세 제13년 법률 제43호는 곡물법에 관하여 하나의 새 체계를 확립했던 것 같다. 그것은 여러 가지 많은 점에서 옛것보다 더 나은 것이지만, 한두 가지 점에서는[167] 아마 그렇게 썩 좋지는 않다.

종래의 낮은 가격으로 국내시장은 개방하도록 하고,

이 조례에 의해서 국내소비를 위한 수입에 대한 높은 관세는 중품中品인 소맥의 가격이 1쿼터에 48실링, 중품中品인 호밀과 완두, 또는 강낭콩의 가격이 32실링, 보리의 가격이 24실링, 귀리의 가격이 16실링으로 상승하면 곧 철폐되고, 그 대신에[168] 소맥 1쿼터에 겨우 6펜스, 그리고 그 밖의 곡류에는 이에 준하는 적은 세금이 부과되었다. 이런 다양한 종류의 모든 곡물에 대해서, 특히 소맥에 대해서, 국내시장은 종전보다 상당히 낮은 가격으로 들여오는 외국의 공급에 대해 개방되게 되었다.[169]

167 〔"한 두 가지 점에서는"은 초판에는 "한 가지 점에서는" 이라고 되어 있다.〕

168 〔초판에는 여기까지가 다음과 같이 되어 있을 뿐이다. "이 조례에 의해서 국내소비를 위한 수입에 대한 높은 세금은 소맥의 예에 의해서 국내소비를 위한 수입에 대한 높은 세금은 소맥의 가격이 1쿼터에 48실링으로 높아지면 그 즉시 철폐되고, 그 대신에."〕

169 〔이 문장 대신에 초판에는 다음과 같이 되어 있다. "이렇게 해서 국내시장은 종전에 그랬던 것처럼 전면적으로 외국으로부터의 공급에서 제외되지는 않게 되었다."〕

장려금도 더 빨리 정지하도록 하고,

같은 조례에 의해서 소맥의 수출에 대한 5실링의 옛 장려금은 1쿼터당 종래의 정지가격인 48실링이 아니라 44실링이 되자마자 정지되었고, 보리의 수출에 대한 2실링 6펜스의 장려금은 종래의 그 가격이 24실링으로 상승했을 때 정지되었던 것이 22실링이 되면 곧 정지되고, 귀리의 수출에 대한 2실링 6펜스의 장려금은 종래에는 그 가격이 15실링으로 상승했을 때 정지되었던 것이 이제는 14실링이 되자마자 곧 정지되도록 되었다. 호밀에 대한 장려금도 3실링 6펜스에서 3실링으로 떨어지고, 종래에는 그 가격이 32실링으로 상승했을 때 정지되었던 것이 이제는 28실링이 되자마자 곧 정지되는 것으로 되었다.[170] 만일 장려금이라는 것이 내가 증명하려고 노력해 왔던 것처럼 부당한 것이라면, 정지가 빠르면 빠를수록, 그리고 정지가격이 낮으면 낮을수록 그만큼 더 좋은 것이다.

그리고 재수출을 위한 곡물은 무세無稅로 허가되었다.

같은 조례는 최저의 가격일 때도 재수출하기 위한 곡물의 수입을 무세로 허가하는데, 단지 이 경우에는 재수출될 때까지 국왕과 수입업자의 공동의 자물쇠를 채워 그것을 창고에 넣어 두게 되어 있다.[171] 하기야 이 자유가 미치는 곳도 영국의 25개 항에 불과하다. 그러나 이런 항구들은 중요한 것들이며, 다른 대개의 항은 이 목적에 적합한 창고가 아마 없을 것이다.[172]

170 〔초판에는 이 단락의 처음부터 여기까지가 다음과 같이 되어 있다. 즉 "같은 조례에 의해서 소맥 1쿼터에 대한 5실링의 옛 장려금은 가격이 44실링으로 상승하자마자 곧 정지된다. 그리고 다른 곡류의 그것도 이에 준한다. 또한 더 거친 부류의 곡류에 대한 장려금도 어떤 가격이든 간에 종래보다도 약간 낮게 낮추어졌다."〕

171 〔초판에서는 이 문장이 다음과 같이 되어 있다. "같은 조례는 어떠한 가격에서도 재수출하기 위한 곡물의 수입을 무세로 허가하고 있으나, 단 재수출될 때까지는 그것을 국왕의 창고에 넣어 두게 되어 있다."〕

172 〔초판에는 이 뒤에 다른 문장이 추가되어 있다. "이리하여 중계무역을 확립하기 위한 약간의 대책이 강구되었다."〕

이상의 점들은 결국 개선이긴 하다.

이상에서 설명한 한에 있어서는, 이 법률은 낡은 옛 제도를 개선한 것임은 명백한 것 같다.

그러나 이 법률은 귀리의 수출에 대해서 장려금을 주고 있으며,

그러나 같은 법률에 의해 귀리의 가격이 14실링을 넘지 않으면 언제든지 1쿼터에 2실링의 장려금이 그 수출에 주어진다. 완두 또는 강낭콩의 경우와 마찬가지로 종래에는 이 곡류의 수출에 대해서 장려금이 주어진 적이 없다.[173]

곡류의 수출을 금지할 경우의 가격이 너무 지나치게 낮다.

또한 같은 법률에 의해서 소맥의 수출은 그 가격이 1쿼터에 44실링으로 상승하면 즉시 금지되고, 호밀은 28실링, 보리는 22실링, 귀리는 14실링으로 상승하면 모든 수출이 금지된다. 이들 가격은 모두 매우 낮은 것으로 생각된다. 뿐만 아니라 수출을 강제하기 위하여 주어지는 장려금이 끊어지게 되는 바로 그 가격에서 수출을 완전히 금지한다는 것은 부적절한 것으로 생각된다.[174] 장려금은 훨씬 더 낮은 가격에서 끊든지, 아니면 수출을 훨씬 더 높은 가격에서도 허용되든지 해야만 할 것이다.

이것은 현재에 기대할 수 있는 법률로서는 최선의 것이다.

그러므로 이상에서 설명한 한에 있어서는 이 법률은 옛 제도보다 못한 것 같다. 그러나 모든 불완전함을 가지고 있음에도 불구하고, 우리는 솔론Solon의 여러 법률에 관하여 일컬어졌던 것을 이 법률에 관해서 말해도 좋을 것이다. 즉, '그

173 〔이 단락은 초판에는 없다.〕

174 〔초판에는 (이 단락의 처음부터) 여기까지가 다음과 같이 되어 있다. "같은 법률에 의해서 소맥의 가격이 1쿼터에 44실링으로 상승하자마자 수출은 금지되고, 다른 곡류의 그것도 이에 준한다. 이 가격은 너무 낮은 것이라고 생각되고, 뿐만 아니라 수출을 강제하기 위하여 주어지는 장려금이 끊어지게 되는 바로 그 가격에서 수출을 전혀 정지한다는 것은 부당하다고 생각된다."〕

자체로서는 최선의 것'은 아니지만, 당대의 이해관계·편견·기질이 허용하는 범위 내에서는 최선의 것이라고 말해도 좋을 것이다. 아마 그것은 때가 오면 더 좋은 것을 위한 길을 열어 줄 것이다.[175]

제6장 통상조약에 관하여

통상조약은 수혜국에는 유리하다.

어떤 나라가 조약에 의해 다른 모든 외국에 대해서 금지하고 있는 어떤 재화의 수입을 어느 한 나라에만 허용할 것을 계약하든지, 또는 다른 모든 외국의 재화에 대해서 부과하고 있는 세금을 어느 한 나라의 재화에 대해서만 면제할 것을 계약하든지 할 때에는, 이러한 특혜가 그 상업에 주어지는 나라, 또는 적어도 그 나라의 상인과 제조업자는 반드시 이 조약에서 큰 이익을 얻을 것이 틀림없다. 그러한 상인과 제조업자들은 그들에게 그러한 특전을 베풀어 주는 나라에서 일종의 독점권을 향수하는 셈이다. 그 나라는 그들의 재화를 위해 보다 광대하고 보다 유리한 시장이 된다. 즉 더욱 광대하다는 것은 다른 제국의 재화가 배제되거나 또는 더 무거운 세금이 부과되기 때문에, 그 나라가 그들의 재화를 더욱 다량으로 흡수한다는 것이고, 그리고 더 유리하다는 것은 그 수혜국의 상인들은 그곳에서 일종의 독점권을 향수하고 있으므로 다른 모든 제국과의 자유경쟁에 처해 있는 경우보다도, 흔히 더 나은 가격으로 자신들 재화를 팔 것이라는 것이다.

그러나 특혜를 주는 나라에 대해서는 불리하다.

그러나 그런 조약은 수혜를 주는 나라의 상인과 제조업자에게는 유리하지만, 수혜국의 상인과 제조업자에게는 필연적으로 불리하다. 이리하여 그들에게 불리

175 〔"그러나" 이하 여기까지의 두 문장은 초판에는 없다.〕

한 독점권이 한 외국에 주어진다. 그리고 그들은 그들이 필요로 하는 외국 재화를 다른 국민에게도 자유경쟁이 허용되었을 경우보다, 더 비싸게 구매하지 않을 수 없을 때가 종종 있다. 그 결과로 그러한 국민의 생산물 가운데 외국 재화를 구매하는 부분은 더 싸게 팔리지 않을 수 없다. 왜냐하면 두 가지 물품이 서로 교환될 경우, 어느 하나가 싸다는 것은, 다른 것이 비싸다는 것의 필연적인 결과이며, 아니 오히려 다른 것이 비싸다는 것과 바로 같은 일이기 때문이다. 그러므로 그 국민의 연간 생산물의 교환가치는 이러한 조약이 성립될 때마다 감소되기 마련이다. 그러나 이러한 감소가 어떤 적극적인 손실이 될 수는 거의 없고, 다만 그렇지 않았을 경우 올릴 수 있었을 이득을 감소시킬 뿐이다. 그 국민은 비록 달리했을 경우 팔 수 있었을 가격보다 더 싸게 자신들 재화를 팔더라도 그 재화의 비용 이하로 팔지는 않을 것이며, 장려금의 경우에서처럼 그것을 시장에 보내기까지 사용된 자본을 자재의 통상이윤과 함께 회수하지 못할 만한 가격으로 팔려고 하지는 않을 것이다. 만일 그렇게 한다면 그 무역은 오래 계속될 수 없을 것이다. 그러므로 수혜국일지라도 자유경쟁이 있었을 경우에 비해서는 적겠지만, 역시 그 무역에서 이득을 올릴 수는 있다.

무역차액을 유리하게 할 목적으로 조약이 체결되었다. 예를 들면, 메수엔조약도 그것이다.

그러나 몇몇의 통상조약은 이상에서 설명한 것과는 매우 다른 원리에 의해 유리하다고 상정되어 왔으며, 어떤 상업국은 자국에게 불리한 이런 종류의 독점권을, 때에 따라서는 어떤 외국의 일정한 재화에 주어 왔다. 왜냐하면 양국 간의 상업 전체에서 이 상업국은 해마다 사들이는 것보다 파는 것이 더 많고 금은의 차액이 해마다 자국에 돌아올 것이라고 기대했기 때문이다.[176] 1703년에 메수엔 씨Mr. Methuen에 의해서 체결된 잉글랜드와 포르투갈 사이의 통상조약이 그렇게 칭찬을 받아 왔던 것도 이 원리 때문이다. 다음은 그 조약의 축어역逐語譯[177]이

176 〔예를 들면, 《British Merchant》(1721)(제3권에 헌정)이 그것이다.〕

다. 이것은 세 개 조항만으로 되어 있다.

제1조

신성한 포르투갈 국왕 폐하는, 폐하와 폐하의 계승자의 이름으로 법률에 의해서 금지되기 전까지 습관화되어 있었던 것처럼, 영국의 나사와 그 밖의 모직물을 포르투갈에 수입할 것을 앞으로 영구히 허가함을 약속한다. 단, 다음의 조건을 따라야 한다.

제2조

즉 신성한 영국 여황 폐하는, 폐하와 그의 계승자의 이름으로 포르투갈산의 포도주를 영국에 수입할 것을 앞으로 영구히 허가할 의무를 진다. 따라서 영국과 프랑스 왕국 간의 평시와 전시를 막론하고 어느 때나, 그리고 관세 또는 수입세 또는 그 밖의 어떤 명목으로써도, 그리고 직접적으로나 간접적으로도, 그리고 포도주가 대통이나 중통, 또는 다른 통 중 어떤 통에 담겨서 영국에 수입되든지 간에 포르투갈산의 포도주에 대해서는, 같은 양 또는 같은 부피의 프랑스산 포도주에 대해서 요구되는 것 이상으로, 조금이라도 더 많은 것이 요구되어서는 안 되며, 더욱이 그 관세 또는 수입세의 3분의 1을 공제 또는 감액하기로 한다. 그러나 만일 어떤 때라도 상기한 바와 같이 행해져야 할 그 관세의 공제 또는 감액이 어떤 방법으로든 침해당하고 손해를 입는다면 신성한 포르투갈 국왕 폐하가 영국의 나사와 그 밖의 모직물의 수입을 다시 금지하는 것은 정당하고 합법적인 것으로 한다.

177 〔세 가지 작은 예외가 있다. 즉 제1조에서 "Britons"라고 되어야 할 것이 "British"라고 되어 있고, "laws"가 "law"로 되어 있다. 그리고 제2조에도 "프랑스산의 포도주의 등량等量, 또는 등적等積(the like quantity of measure of French wine)"이란 앞에 "from"이라고 되어야 할 것이 "for"로 되어 있다. 이 역은 《A collection of all the Treaties of Peace, Alliance and Commerce between Greet Britain and other Power from the Revolution in 1688 to the Present Time》(1772), 제1권, 61~62면에 있는 역譯과 같은 것이다.〕

제3조

양국의 전권대사全權大使 각하는 상기의 국왕들이 이 조약을 비준할 것과 2개월 이내에 그 비중을 교환해야 할 것을 약속하고, 또 그에 관한 책임을 지게 한다.

이것은 분명히 포르투갈에는 유리하고, 영국에는 불리하다.

이 조약에 의해서 포르투갈의 국왕은 그 금지 이전과 같은 입장에서 잉글랜드의 모직물 수입을 허가할 의무를 지게 된다. 다시 말하면 그 이전에 지불되고 있었던 세금을 올리지 않는다는 의무를 지게 된다. 그러나 그렇다고 해서 이를테면, 프랑스 또는 네덜란드와 같은 다른 나라의 제품보다 나은 조건으로 잉글랜드의 모직물 수입을 허가하는 의무를 진다는 것은 아니다. 그와 반대로 영국의 국왕은 포르투갈의 포도주의 수입을 허가할 의무를 지게 되는데, 이 경우 포르투갈의 포도주에 대해서는 그것과 경쟁하게 될 가능성이 가장 많은 프랑스의 포도주에 부과된 세금의 겨우 3분의 2를 지불하게 하고 있다. 그러므로 이 조약은 이런 한에서는 명백히 포르투갈에 유리하므로 영국에는 불리하다.

포르투갈은 다량의 금을 잉글랜드에 수송하고,

그러나 이 조약은 잉글랜드의 상업정책의 걸작의 하나로 찬양받아 왔다. 포르투갈은 해마다 브라질로부터 화폐 또는 식기로서 국내상업을 위해 사용할 수 있는 것보다 훨씬 다량의 금을 받아들인다. 그 잉여는 창고에 넣어 둔 채 저장해 놓기에는 너무나 값진 것이다. 그리고 국내에서는 유리한 시장을 발견할 수 없으므로, 그것은 아무리 금지한다 하더라도 해외로 빠져나가, 국내에서 더욱 유리한 시장이 있는 어떤 물품과 교환될 것이 틀림없다. 그래서 그 잉여의 대부분은 잉글랜드의 재화와 교환되든지 또는 잉글랜드를 통하여 그 대금을 회수하는 잉글랜드 이외의 다른 유럽 각국의 재화와 교환되어 해마다 잉글랜드로 들어가게 된다. 바레티 씨Mr. Baretti가 들은 바에 의하면, 리스본으로부터 매주 오는 우편선郵便船은 매주 평균해서 5만 파운드 이상의 금을 잉글랜드로 가져온다는 것이다.[178] 이 금액은 아마 과장되었을 것이다. 만일 그것이 옳다면, 그것은 1년에 260만 파운드 이상에 달하게 될 것인데, 이것은 브라질이 제공할 수 있다고 생각되는 금액 이상의 것이기 때문이다.

한때 이 금의 수입의 거의 전부가 다른 유럽 제국 때문에 이루어졌다고 일컬어지기도 했으나,

우리나라 상인은 몇 년 전에 포르투갈의 국왕에 대해서 기분이 나빴던 때가 있었다. 이 국왕이 그들에게 주고 있었던 여러 특권들을 파기하거나, 폐지했기 때문이었다. 그러나 특권조약에 의해서가 아니라, 자유로운 호의로써 주어졌던 것인데, 실은 영국 국왕의 간청에 의해서 방위와 보호라고 하는, 훨씬 더 큰 혜택과 교환으로써 주어졌던 것이다. 그러므로 항상 포르투갈 무역을 칭찬하는 것에 가장 열심이었던 사람들이, 이번에는 오히려 그 무역은 보통 상정되어 왔던 것처럼 유리한 것은 아니었다고 말하고 싶었던 것이다. 그래서 그들은 금의 이러한 연간 수입은 그 대부분, 아니 거의 전부가 영국 때문이 아니라, 다른 유럽 나라들 때문이었고, 또 영국에 해마다 수입되는 포르투갈의 과실과 포도주는 그곳으로 보내지는 영국의 재화 가치를 거의 상쇄해 버리기 때문이라고 주장했다.

비록 그렇지 않다 하더라도, 이 무역은 같은 크기의 다른 무역보다 더 유리한 것은 아닐 것이다.

178 〔조지프 바레티Joseph Baretti, 《Journey from London to Genoa through England, Portugal, Spain and France》, 제3판(1770), 제1권, 95~96면. 그러나 이 책에 쓰여 있는 금액은 상기한 본문의 금액처럼 크지 않다. 즉 바레티 씨는 "종종 3만에서 5만, 심지어는 6만 파운드에 달하기까지 한다"라고 하며, "매주의 평균에서"가 아니라, "거의 매주"라고 하고 있다. 금은 모두 우편선으로 들어왔다. 그 이유는 우편선은 일종의 임검을 면제받고 있었기 때문이다. ― 레이날Raynal, 《Histoire philosophique》(암스테르담, 1773), 제3권, 413~414면.〕

그러나 이 수입된 금의 전체가 영국에 의한 것이었고, 바레티 씨가 상상하고 있는 금액보다 훨씬 더 크다고 상정하자. 그렇다고 하더라도 이 무역은 우리가 똑같은 가치를 보내어서 그 대가로 같은 가치의 소비재를 받아 들여오는 다른 어떤 무역보다도 유리한 것이라고는 할 수 없을 것이다.

대부분의 금은 다시 해외로 보내져서 재화와 교환되지 않으면 안 된다. 따라서 포르투갈에서 금을 사느니, 대신 국내 생산물로써 직접 재화를 사는 것이 더 좋을 것이다.

이 수입액 중 이 왕국의 금기 또는 주화에 해마다 추가로 사용된다고 상정할 수 있는 것은 극히 작은 부분에 지나지 않는다. 나머지는 모두 해외로 보내져서 어떤 종류의 소비재와 교환되지 않으면 안 된다. 그러나 만일 그러한 소비재가 잉글랜드 산업의 생산물로써 직접 구매된다면 오히려 먼저 그 생산물로써 포르투갈의 금을 구매하고, 그 후에 그 금으로써 그러한 소비재를 구매하는 것보다 잉글랜드에 더 유리할 것이다. 소비재의 직접외국무역은 그 우회무역보다 항상 더 유리하다. 그리고 같은 가치의 외국 재화를 국내시장에 가져오는 데 있어, 전자의 방법[179]에 의하는 편이 후자의 방법보다 훨씬 소액의 자본을 필요로 한다. 그러므로 포르투갈 시장에 적합한 재화를 생산하는 데 보다 적은 몫의 근로가 사용되었고, 보다 큰 몫이 영국에서 수요가 있는 소비재를 얻어 올 수 있을 만한, 다른 시장들에 적합한 재화를 생산하는 데 사용되었다면, 잉글랜드로서는 더 유리했을 것이다. 또 이렇게 하는 편이 잉글랜드가 손수 사용하기 위하여 필요로 하는 금과 소비재 쌍방을 조달하는 데 현재보다도 훨씬 더 적은 자본이 사용될 것이다. 따라서 다른 여러 목적에 사용될 유휴자본遊休資本이 생길 것이다. 즉 추가량의 노동을 자극하고, 보다 많은 연간 생산물을 산출하는 목적에 사용될 것이다.

영국은 포르투갈과의 무역에서 배제되더라도 금을 조달하는 데는 별로 곤란을 받지

179 〔"방법"이란 말은 초판에는 없다.〕

않을 것이다.

영국이 포르투갈과의 무역에서 완전히 배제되어 버리더라도 이 나라가 금기 또는 주화 또는 외국무역에 쓸 목적으로 필요로 하는 금의 연간 총공급량을 조달하는 데는 극히 적은 곤란밖에는 느끼지 않을 것이다. 금은 다른 모든 상품과 마찬가지로 그것과 교환으로 줄 만큼의 가치를 가지고 있는 사람이라면, 언제 어디서나 손에 넣을 수 있다. 뿐만 아니라 포르투갈에서의 금의 연간 잉여는 여전히 해외로 보내질 것이고, 비록 영국이 반출하지 않더라도, 현재 영국이 하고 있는 것과 똑같은 방법으로, 그 가격을 받고 기꺼이 그것을 다시 팔려고 하는 어떤 다른 국가가 반출할 것이다. 사실 포르투갈의 금을 살 때, 우리는 그것을 직접 사는 셈이다. 그런데 스페인 이외의 다른 어떤 나라의 금을 살 경우엔 우리는 간접적으로 그것을 사지 않으면 안 되므로, 약간 비싸게 지불할지도 모른다. 그러나 이 차이는 아주 작은 것이어서 분명히 일반 사회의 주목을 끌 만한 것은 못 될 것이다.

우리의 금은 모두 포르투갈에서 온다고 하지만, 비록 그것이 포르투갈에서 오지 않는다 하더라도 다른 제국으로부터 올 것이다.

우리 금은 거의 전부가 포르투갈에서 온다고들 한다. 다른 나라와 무역차액은 우리에게 불리하든지, 또는 그렇게 유리하지는 않다. 그러나 우리가 기억해 둬야 할 것은, 우리가 어떤 한 나라로부터 많은 금을 수입하면 할수록 다른 모든 나라로부터는 그만큼 적게 수입하지 않으면 안 된다는 것이다. 금에 대한 유효수요란 다른 모든 상품에 대한 유효수요와 마찬가지로 어느 나라에서나 일정량으로 한정되어 있다. 만일 이 양의 10분의 9가 어떤 한 나라에서 수입되고 있다면, 다른 모든 나라에서 수입될 것은 겨우 10분의 1밖에 남지 않는다. 뿐만 아니라, 어떤 특정 나라들로부터 매년 수입되는 금이 금기 또는 주화를 위해 필요한 양을 초과하면 할수록, 그만큼 많은 금을 다른 나라에 수출하지 않으면 안 된다. 그리하여 근대 정책의 그 무의미한 명목, 즉 무역의 차액이 어떤 특정된 나라들과의 관계에 있어서는 반드시 우리가 그만큼 불리한 것으로 생각하지 않으면 안 된다.

잉글랜드의 선박을 포르투갈의 항구에서 배제하려고 한 프랑스와 스페인의 기도가 성공했다면 그것은 오히려 잉글랜드에 유리했을 것이다.

그런데 잉글랜드가 포르투갈과의 무역 없이는 존속할 수 없다는 어리석은 견해에 입각하여, 최근 전쟁[180]의 마지막에 위반, 또는 도발이라는 이유도 없는데, 프랑스와 스페인이 포르투갈의 국왕에게 국왕의 여러 항구로부터 영국의 모든 선박을 배제하고, 이 배제의 보증으로 프랑스 및 스페인의 수비수를 그 항구에 받아들이도록 요구했다. 포르투갈의 국왕이, 그의 매부인 스페인 국왕이 자신에게 제안한 그 불명예스러운 조건에 복종했다면, 영국은 포르투갈과의 무역을 잃는다는 것보다 훨씬 더 큰 불편, 즉 매우 약한 동맹국을 지원한다는 부담을 벗을 수 있었을 것이다. 그런데 그러한 동맹국은 자국의 방위에 관해서 아무것도 준비된 것이 없었으므로, 비록 잉글랜드가 그 단일한 목적을 위해서 그 전력을 기울였다 하더라도 다음 전쟁 때는 아마 그 나라를 방위할 수 없었을 것이기 때문이다. 포르투갈과의 무역을 잃는다는 것은 당시 그 무역에 종사하고 있던 상인들을 틀림없이 난처하게 만들었을 것이다. 아마 그들은 1~2년 동안에 자신들의 자본을 사용하는 데 있어 그것과 똑같이 유리한 다른 투자방법을 찾아낼 수 없었을 것이다. 바로 이 점이, 이 주목할 만한 하나의 상업정책으로 잉글랜드가 겪을 수 있는 불편의 전부였을 것이다.

금은의 대량 수입은 제국무역을 위한 것이다.

금은의 연간 대량 수입은 금기와 은기를 만들거나 주화를 만들기 위해서가 아니라, 외국무역을 하기 위해서이다. 소비재의 우회무역은 이러한 금속으로써 하는 편이 다른 어떤 금속으로써 하는 것보다 더 유리하게 이루어질 수 있기 때문이

180 〔1762년.〕

다. 이 금속은 상업의 보편적인 용구이므로 그것들은 다른 어떤 재화보다도 더 쉽게 모든 상품과 교환의 대가로 받아들여진다. 더욱이 그 부피가 작고 가치가 크기 때문에 어떤 장소에서 다른 장소로 보내고 받아 오는 데 다른 어떤 종류의 상품보다도 비용이 적게 들며, 수송에 의한 가치의 손실도 적다. 그러므로 다른 어떤 나라에서 다시 팔거나 상품과 교환한다는 목적만을 위해서라면 외국에서 구매되는 모든 상품 가운데 금은만큼 편리한 것은 없다. 영국이 하고 있는 소비재의 여러 가지 우회무역을 용이하게 촉진한다는 점에 포르투갈과의 무역의 주된 이익이 있다. 그리고 비록 그것이 근본적인 이익은 아닐지라도 그것은 틀림없이 꽤 중요한 이익임은 틀림없다.

금은 그릇과 주화를 위해 필요한 양은 얼마 되지 않는다.

이 왕국의 금은 그릇 또는 주화에 대해 해마다 부가되는 양은 합리적으로 상정될 수 있는 것으로서, 오직 소량의 금은 수입으로 충분하다는 것은 아주 명백한 것같이, 우리가 포르투갈과 직접적인 무역을 하지 않더라도 이 정도의 소량이면 언제 어디서나 쉽게 얻을 수 있을 것이다.

새로운 금은 그릇은 대부분이 헌것으로 만들어진다.

영국에서는 금세공업이 중요시되고 있지만 그들이 해마다 팔고 있는 금은 그릇의 대부분은 다른 낡은 금은 그릇을 용해하여 다시 만들어지므로, 이 왕국의 금은 그릇 전체에 대한 매년 추가량은 그렇게 클 수 없으며, 연간 수입도 극히 소량밖에 필요로 하지 않을 것이다.

새 주화도 대체로 헌것으로 만들어지는데, 그 이유는 양화良貨를 용해하면 이익이 있기 때문이다.

주화에 관해서도 마찬가지 실정이다. 최근 금화의 개주 이전에는 10년간을 통하여 연간 주조액은 금이 1년에 80만 파운드 이상에 달했는데, 이 연간 주조액의 대부분까지도 그 이전에 이 왕국에서 유통하고 있었던 화폐에 대한 추가였다고 생각하는 사람은 아무도 없을 거라고 나는 믿고 있다. 주조비를 정부가 지불하는 나라에서는 비록 주화가 금은의 표준중량을 전부 함유하고 있을지라도 주화의 가치는 주조되지 않은 같은 양의 금속 가치보다도 훨씬 클 수는 없다. 왜냐하면 주화되지 않은 같은 양의 금을, 같은 양의 금속의 주화로 바꾸기 위해서는, 조폐국에 가는 수고와 몇 주 동안 기다림만이 필요할 뿐이기 때문이다. 그러나 어느 나라에서나 유통주화의 대부분은 거의 언제나 다소 마손되어 있든지, 또는 그 밖의 이유로 그 표준중량보다 모자란다. 영국에서도 최근의 개주 이전에는 그것이 꽤 심했으며, 금화는 2퍼센트 이상, 은화는 8퍼센트나 그 표준중량을 하회하고 있었다. 그러나 표준중량 전부를 함유하는 44기니 반, 즉 금 1파운드로써, 주조되지 않은 금을 구매할 경우, 중량 1파운드 남짓한 것밖에 살 수 없다면, 그 중량의 일부가 부족한 44기니 반으로는 중량 1파운드의 금을 구매할 수 없을 것이다. 그리고 그 부족분을 메우기 위해서는 무엇인가를 추가해야만 했을 것이다. 그러므로 시장에서 금 지금地金의 시가는 조폐가격, 즉 46파운드 14실링 6펜스와 동일하지 않고, 당시에 약 47파운드 14실링, 때에 따라서는 48파운드이기도 했다. 그러나 주화의 대부분이 이 악화된 상태에 있었을 때에도 조폐국에서 갓 나온 44기니 반은 시장에서는 다른 보통의 기니화보다 더 많은 재화를 구매하지는 않을 것이다. 왜냐하면 그런 새 화폐가 상인의 금고에 들어가면 다른 화폐와 섞이므로 그 뒤에는 이 신구 두 화폐의 차액 이상의 까다로운 수고를 들이지 않고서는 구별할 수가 없었기 때문이다. 그러니 그 새로운 화폐는 다른 기니화와 똑같이 46파운드 14실링 6펜스 값어치밖에 되지 않았다. 그러나 만일 그 화폐들이 도가니 속에 던져진다면, 눈에 띌 만한 손실도 없이 표준 금 1파운드가 되어 나왔으며, 이것을 팔면 언제나 47파운드 14실링과 48파운드 사이의 금화나 은화를 받을 수 있었으니, 이것은 용해되었던 주화의 모든 목적에 맞을 만한 것이었다. 그러므로 새 주화를 용해하면 이윤이 생기는 것은 명백했다. 그래서 그것은 너무나 조속히 그렇게 되곤 했기 때문에 정부의 어떠한 예방조치도 그것을 방지할 수 없었다. 이 때문에 조폐국의 활동은 페넬로페Penelope의 직물처럼 낮에 한 일이 밤에 풀려 버리고 마는 것이었다. 조폐국은 주화의 추가분을 매일 만들어 내는 일을 하고 있었다기보다 오히려 주화 가운데 최량의 부분이 매일 용해되는 것을 벌충하는 일을 맡아 하고 있었던 셈이다.

조폐 수수료는 주화의 가치를 같은 중량의 지금의 가치 이상으로 올린다.

금은을 조폐국에 가지고 가는 개인이 그 주조비용을 자신이 지불해야 한다면 금은 그릇을 만드는 기교가 그 가치를 증가시키듯이 주조비는 그러한 금속의 가치를 증가시킬 것이다. 주조된 금은은 주조되지 않은 금은보다 가치가 있을 것이다. 조폐 수수료는 엄청나게 비싸지 않는 한, 그 세금의 금액만큼의 가치를 지금에 부가할 것이다. 왜냐하면 어디에서나 정부는 조폐의 배타적 특권을 가지고 있으므로, 정부가 적당하다고 생각하여 제공하는 것보다 더 싸게 주화가 시장에 나올 수는 없을 것이기 때문이다. 즉 만일 그것이 주조에 필요한 노동 및 비용의 실질가치를 훨씬 넘는 것이라면 나라 안팎의 화폐위조자들은 지금의 가치와 주화의 가치 사이의 큰 차이에 자극받아 정부화폐의 가치를 떨어뜨릴 만큼 대량의 위조화폐를 연달아 들여올지도 모른다. 그러나 프랑스에서는 조폐 수수료가 8퍼센트인데도, 이런 종류의 눈에 띌 만한 불편은 보이지 않는다. 위조자가 주화를 위조하고, 위조자가 외국에 살고 있다면, 그의 대리인 또는 거래처가 위험에 처하게 되므로, 6퍼센트 또는 7퍼센트의 이윤으로는 그러한 위험에 직면하지는 않을 것이기 때문이다.

프랑스에서는 그러하다.

프랑스에서의 조폐 수수료는 주화의 가치를, 주화가 함유하고 있는 순금의 양에 해당한 가치 이상으로 더 높여 준다. 그리하여 1726년 1월의 칙령[181]은 24캐럿의

181 파리의 법정 재판관 고문인 par M. Abot de Bazinghen(par M. Abot de Bazinghen, Conseiller-

순금의 조폐가격은 1마르크mark를 740리브르 9수 1데니르denier 11분의 1로 정했다. 그리고 이것은 8파리 온스인 1마르크와 같은 것이다. 프랑스의 금화는 조폐국의 공차公差를 짐작하면, 순금 21캐럿 4분의 3과 잡분雜分 2캐럿 4분의 1을 함유하고 있다. 그러므로 표준 금 1마르크는 약 671리브르 10데니르의 가치밖에 없는 것이다. 그러나 프랑스에선 표준 금의 이러한 1마르크는 한 개에 24리브르의 가치가 있는 루이 금화 30개, 즉 720리브르로 주조된다. 그러니 주조는 표준 금 지금地金 1마르크의 가치를 671리브르 10데니르와 720리브르와의 차액, 즉 48리브르 19수 2데니르만큼 증가시킨다.

조폐 수수료는 주화를 용해함으로써 획득되는 이윤을 감소 또는 소멸시킨다.

조폐 수수료는 새 주화를 용해시키는 데서 생기는 이윤을 완전히 없애는 경우가 허다하고, 또 그것을 감소시키는 경우가 대부분이다. 이 이윤은 항상 보통의 통화가 당연히 함유해야 할 지금地金의 양과 그것이 실제로 함유하고 있는 양과의 차액에서 생긴다. 만일 이 차액이 조폐 수수료보다 적다면 이윤은커녕 손실이 있을 것이다. 그것이 조폐 수수료와 같다면 이윤도 손실도 없을 것이다. 만일 그것이 조폐 수수료보다 많으면 약간의 이윤이 있을 것은 사실이다. 그러나 조폐 수수료가 전혀 없을 경우에 비하면 적은 것이다. 예를 들어 최근의 금화가 개주되기 전에 주조에 대해서 5퍼센트의 조폐 수수료가 있었다면, 금화를 용해

Commissaire en la Cour des Monnoies à Paris), 《Dictionaire des Monnoies》, 제2권(tome ii.), 화폐주조세 조항(article Signeurage), 489면을 보라. 〔초판에는 잘못되어 "제1권"으로 되어 있다. 그 책은 《Traité des Monnoies et de la jurisdiction de la cour des monnies en forme de dictionnaire》(par M. Abot. de Bazinghen, Conseiller-Commissaire en la Cour des Monnoies de Paris, 1764)이고, 489면이 아니라 589면이다. 가르니에Garnier는 자기가 편집한 《Wealth of Nations》, 제5권, 234면에서 그 책은 "주의도 분별도 없이 짜인 편집물에 지나지 않는다"라고 말하고 있으며, 상기한 조폐국 가격은 극히 짧은 기간 동안 유효했다고 설명하고 있다. 이 조폐가격으로서는 지금地金을 조폐국에 가지고 가는 사람이 없었으므로 보다 높은 가격이 잇달아 제공되었다. 그리고 《Wealth of Nations》가 출판되었을 때는 조폐 수수료는 겨우 3퍼센트에 지나지 않았다. 은화의 조폐 수수료는 Bazinghen, 590면에는 6퍼센트라고 되어 있으나, 당시는 약 2퍼센트이었다.〕

하면 3퍼센트의 손실이 있었을 것이다. 만일 조폐 수수료가 2퍼센트였다면 이윤도 손실도 없었을 것이다. 만일 조폐 수수료가 1퍼센트이었다면 2퍼센트가 아닌 1퍼센트의 이윤밖에 없었을 것이다. 그러므로 화폐가 중량에 의하지 않고 개수個數로써 받아들여지는 곳이라면 어디에서나 조폐 수수료라는 것은 주화의 용해에 대한 가장 효과적인 예방책이며, 같은 이유에서 그 주화의 수출에 대해서도 예방책이 된다. 보통 용해되든지 수출되는 것은 가장 좋고 가장 무거운 주화편이다. 왜냐하면 그러한 주화에서 최대의 이윤이 생기기 때문이다.

잉글랜드에서 조폐 수수료가 폐지된 것은 아마 잉글랜드 은행 때문이었을 것이다. 조폐를 무세無稅로 함으로써 그것을 장려하는 법률은 찰스 2세의 통치 기간에 처음으로 제정되었는데,[182] 이것은 기한부였다. 그리고 그 후에 여러 번 그 기간이 연장되어 1769년에 이르러 항구적인 것으로 되었다.[183] 잉글랜드 은행은 그 창고에 화폐를 보충하기 위하여 이따금 조폐국에 지금을 보내지 않으면 안 되었다. 그래서 이 은행은 주화를 자신의 경비로 하는 것보다 정부의 비용으로 하는 편이 이익이라고 생각했다. 그리고 정부가 이 법률을 무기한의 것으로 만드는 데 동의했던 것도 아마 이 큰 회사에 대한 호의에서였을 것이다. 그러나 만일 금을 저울실하는 관습이, 그 불편 때문에 당연히 예상되던 바와 같이 폐지되고, 잉글랜드의 금화가 최근의 개주 이전처럼 개수로 받아들여지도록 된다면, 이 큰 회사는 아마 이 경우 다른 몇몇 경우와 마찬가지로 그들의 이해타산을 적지 않게 오산하고 있었음을 발견하게 될 것이다.

182 〔찰스 2세 제18년 법률 제5호 "주조를 장려하기 위한 법률". 그 전문에서, "이 왕국의 금은통화가 풍부하다는 것이 무역과 상업에 크게 유리하다는 것은 명백하다. 그러므로 그것을 증가시키기 위해서 폐하는 군주의 지혜와 배려에서 은화의 주조비 반액을 당신의 수입에서 부담할 것을 인자스럽게도 기꺼이 맡아 주셨다"라고 말하고 있다.〕

183 〔최초의 제정되었을 때는 기한이 5년이었다. 찰스 2세 제25년 법률 제8호에 의해서 7년간으로 연장되었고, 제임스 2세 제1년 법률 제7호에 의해서 7년 동안으로 갱신되었다. 그 후 여러 가지 법령에 의해서 계속되었고, 마침내 조지 3세 제9년 법률 제25호에 의해서 무기한으로 되었다.〕

그러나 이 은행은 조폐 수수료 때문에 손해를 보지는 않았을 것이다. 그 조폐 수수료가 통화 감가通貨減價와 동등할 경우든지,

최근의 개주 이전에 잉글랜드의 금화가 그 표준중량보다 2퍼센트나 모자랐을 때, 조폐 수수료가 전혀 없었으므로 금화는, 금화가 당연히 함유해야 할 표준 금 지금량의 가치보다 2퍼센트나 떨어져 있었다. 그러므로 이 큰 회사가 주조시키기 위하여 금 지금을 구매했을 때는 그 대가를 주조 후에 나가게 될 가치보다 2퍼센트나 더 많이 지불하지 않을 수 없었다. 그러나 만일 그 주조에 2퍼센트의 조폐 수수료가 있었다면, 보통의 금화는 비록 그 표준중량보다 2퍼센트나 모자랄지라도 금화가 당연히 함유해야 할 표준 금의 양과 가치에 있어서는 같았을 것이다. 왜냐하면 이 경우에는 기교의 가치가 중량의 감소를 메우기 때문이다. 실로 이 은행은 조폐 수수료를 지불해야 했을 것이며, 그것이 2퍼센트이므로 이 은행의 모든 거래상의 손실도 똑같은 2퍼센트가 되었을 것이다. 그러나 이것은 이 은행의 실제의 손실이었을 뿐이며, 결코 그 이상 많지는 않았을 것이다.

조폐 수수료가 통화 감가를 초과할 경우든지,

만일 조폐 수수료가 5퍼센트이고 금화가 그 표준중량보다 2퍼센트 모자랐다면 이 경우 이 은행은 지금地金의 가격에서 3퍼센트 득을 보았을 것이다. 그러나 주조에 대해 5퍼센트의 조폐 수수료를 지불해야만 했을 것이므로, 이 은행의 모든 거래상 손실은 앞의 경우와 마찬가지로 역시 정확하게 2퍼센트였을 것이다.

조폐 수수료가 통화 감가보다 적은 경우든지 간에 이 은행은 손실을 보지 않았을 것이다.

만일 조폐 수수료가 겨우 1퍼센트에 지나지 않았는데 금화가 그 표준중량보다 2퍼센트나 모자랐다면, 이 경우 이 은행은 지금地金의 가격에서 겨우 1퍼센트밖에 손실을 보지 않았을 것이다. 하지만 이 은행은 역시 1퍼센트의 조폐 수수료를 지불해야만 했기 때문에 이 은행의 거래 총량에 있어서의 손실은 다른 모든

경우와 마찬가지로 정확하게 2퍼센트였을 것이다.

또한 만일 감가가 없더라도 이 은행은 손실을 보지 않았을 것이다.

만일 조폐 수수료가 합리적인 것이고 동시에 주화도 최근의 개주 이래 그러했던 것처럼, 그 표준중량을 전부 함유하고 있다면, 이 은행이 조폐 수수료 때문에 보았을 손실이 얼마나 되든지 간에 이 은행은 지금의 가격에서 그만큼 벌 것이며, 이 은행이 지금의 가격에서 올렸을 이윤이 얼마나 되든지 간에 이 은행은 조폐 수수료에서 그 만큼을 잃을 것이다. 그러므로 이 은행은 거래 총량에 있어서는 손실도 이득도 없을 것이다. 그리고 이 은행은 상술한 모든 경우와 마찬가지로 이 경우에도 조폐 수수료가 전혀 없을 경우와 똑같은 상태에 있을 것이다.

조폐 수수료는 누구에 의해서도 지불되는 것은 아니다.

어떤 상품에 대한 조세가 온당하여 밀수를 자극할 정도의 것이 아닐 때는 그 상품을 취급하는 상인은 비록 그 세금을 전불한다 하더라도, 그것을 그 상품의 가격에서 회수하므로 사실은 그 세금을 지불하는 셈이 아니다. 그 조세는 결국 최종 구매자, 즉 소비자가 지불하는 것이다. 그러나 화폐는 이것에 관계하는 모든 사람이 상인이 될 수 있는 상품이다. 누구나 그것을 사는 것은 그것을 다시 팔기 위함이요, 보통의 경우 그것에 관해서는 최종 구매자, 즉 소비사라는 것이 없다. 따라서 주조에 대한 조세가 온당하여 위조를 자극할 만한 것이 아니라면, 모든 사람이 그 세금을 선불하더라도 결국 그것을 납부하는 사람은 아무도 없는 것이다. 왜냐하면 모든 사람은 그 주화의 상승한 가치에서 그 세금을 회수하기 때문이다.

그것은 이 은행의 경비를 증가시킬 수 있는 것도 아니다.

그러므로 온당한 조폐 수수료는 어떤 경우에도 이 은행의 경비나 모든 주조해 달라고 자기의 지금을 조폐국에 가지고 가는 어떠한 개인의 경비를 증가시키지는 않을 것이며, 또 온당한 조폐 수수료가 없다고 해서 그 경비가 감소되는 것도 아니다. 조폐 수수료가 있든지 없든지 간에, 통화가 그 표준중량을 전부 함유하고 있으면, 주조는 어떤 사람에게도 비용이 들지 않는다. 그리고 만일 통화가 그 중량이 되지 않는다면, 주조에는 통화가 당연히 함유해야 할 지금량地金量과 그것이 실제로 함유하고 있는 지금량과의 차액만큼의 비용이 반드시 든다.

조폐 수수료가 없으면 정부는 손실을 보지만, 그것으로써 이득을 얻는 사람은 아무도 없다.

그러므로 정부가 주조비를 지불할 때는 정부는 소액의 경비를 부담한다는 데에 그치지 않고, 타당한 세금으로써 취득할 수도 있었을 수입도 잃어버리는 셈이 된다. 그리고 정부의 이 일편의 쓸모없는 아량에 의해서, 이 은행도 다른 어떠한 개인도 조금이라도 얻는 것이라고는 전혀 없다.

주화가 다시 감가한다고 가정하면 조폐 수수료는 이 은행이 상당한 손실을 입는 것을 방지해 줄 것이다.

그러나 이 은행의 중역들은 조폐 수수료는 그들에게 아무런 이득도 약속해 주지 않고, 다만 어떠한 손실에 관해서나 그들을 보증해 주는 체하는 데 지나지 않는 공론을 근거로 하여 그 부과에 동의할 것을 아마 꺼릴 것이다. 금화의 현재 상태에 있어서는, 그리고 그것을 중량으로 계속 받아들여지는 한에 있어서는, 그 은행이 그러한 변화에 의해서 아무런 이득을 얻지 못할 것은 확실하다. 그러나 이미 충분히 예상되고 있는 바와 같이, 금화를 저울질하는 습관이 폐기되어 버린다면, 그리고 금화가 최근의 개주 이전에 그러했던 것과 똑같이 마멸된 상태에 빠진다면, 조폐 수수료를 부과하는 결과로써 이 은행의 이득, 더 적절하게 말해서, 이 은행의 절약은 아마 대단한 것이 될 것이다. 잉글랜드 은행은 상당히 거액의 지금을 조폐국에 보내는 유일한 사회이며, 연간 주조의 부담이 전액 또는 전액이 이 은행에 지워지고 있다. 만일 이 연간 주조가 주화의 불가피한 손실과 필연적인 감가 소모減價消耗[184]를 회복시키는 것에 지나지 않는다면, 그 금액은 5만 파운드 또는 많아야 10만 파운드를 넘을 수 없을 것이다. 그러나 주화가 마멸하여 그 표준중량이 되지 않을 때는, 연간 주조는 이밖에도 수출과 용해로 인해 유통주화에 끊임없이 생기고 있는 커다란 공허를 메워야만 한다. 최근의 금화 개주 직전의 10년 내지 12년간을 통하여 연간 주조가 평균 85만 파운드 이상에 달했던 것도 이 때문이었다. 그러나 만일 금화에 대해서 4퍼센트 내지 5퍼센트의 조폐 수수료가 있었다면, 당시와 같은 상태에서도 수출과 용해라는 사업을 둘 다 유효하게 정지시킬 수 있었을 것이다. 즉 이 은행은 주조하여 85만 파운드 이상이나 될 지금地金에 대해서 해마다 약 2.5퍼센트, 즉 해마다 2만 1250파운드 이상의 손해를 보는 대신 아마 그 손해의 10분의 1도 걸머지지 않았을 것이다.

이 절약은 정부로서는 너무나 사소한 것이라고 생각되겠지만, 이 은행으로서는 그 절약은 고려할 가치가 있다.

주조비를 지불하기 위하여 의회가 할당한 수입은 1년에 1만 4000파운드밖에 되지 않으며,[185] 정부가 이것 때문에 실제로 지출하고 있는 경비, 즉 조폐국 관리의 봉급은 내가 확실히 들은 바에 의하면, 통상의 경우, 그 금액의 반을 초과하지 않는다고 한다. 그렇게 적은 금액을 절약한다는 것 또는 좀처럼 이보다 많을 수 없는 많은 금액을 버는 것까지도 너무 사소한 것이어서 정부의 엄격한 주의를 받을 만한 문제는 아니라고 생각될지도 모른다. 그러나 충분히 일어날 수 있으며, 전에도 흔히 일어났으며, 다시 일어날 가능성이 대단히 많은 사건이 일어날 경우, 1년에 1만 8000파운드 또는 2만 파운드를 절약한다는 것은 잉글랜드 은행과 같은 큰 회사로도 심심한 주의를 기울일 만한 가치가 충분히 있는 문제이다.

184 〔"감가 소모(wear and tear)"는 초판에는 "소모 감가(tear and wear)로 되어 있다."〕

185 〔조지 2세 제19년 법률 제14호 제2조에 의해서 최고액은 1만 5000파운드라고 규정되어 있다.〕

상술한 추론과 관찰 가운데 어떤 것은, 제1편에서 화폐의 기원 및 사용을 취급한 장과 상품의 실질가격과 명목가격 사이의 차이를 취급한 장에 놓였다면 더 좋았을는지 모른다. 그러나 화폐의 주조를 장려하는 법률은 중상주의체계에 의해서 도입된 통속적 편견에서 기원된 것이므로, 나는 이 장을 위해서 그것을 유보해 두는 것이 더 적절하다고 판단했다. 그 체계는, 모든 국민의 부를 형성하는 것은 화폐라고 상정하고 있으므로, 바로 그 화폐의 생산에 대한 일종의 장려금만큼 그 체계의 정신에 일치할 수 있는 것은 있을 수 없을 것이다. 그것은 나라를 부유하게 하기 위한 중상주의의 여러 칭찬할 만한 정책 가운데 하나라고 하겠다.

제7장 식민지에 관하여

제1절 새 식민지 건설의 동기에 관하여

아메리카와 서인도에서의 유럽의 여러 식민지를 처음 건설했던 이해관계는 고대 그리스와 로마 식민지의 건설을 지배했던 이해관계만큼 간단명료한 것은 아니었다.

그리스의 식민단은 본국의 인구가 과잉되었을 때 보내어졌다. 그리고 모체가 되는 도시는 그 권위를 주장하지 않았다.

고대 그리스의 모든 국가는 각각 극히 작은 영토를 가지고 있는 데에 지나지 않았으며, 그들 가운데 어느 한 나라의 국민이, 그 영토가 쉽게 부양할 수 있는 정도 이상으로 증식했을 때, 국민의 일부는 새로운 주거지를 찾지 않으면 안 되게끔 되어 세계의 어느 먼 지방으로 보내어졌다. 왜냐하면 어느 국가나 그 주위에 호전적인 이웃으로 둘러싸여 있었으므로, 본국의 영토를 크게 확장시킨다는 것은 곤란했기 때문이다. 도리아인의 식민단은 주로 이탈리아와 시칠리아로 가곤 했는데, 이런 지방은 로마의 건설 이전에는 야만적이고 미개한 여러 민족이 살고 있었으며, 그리스의 다른 2대 종족인 이오니아인과 아이올리스인의 식민단은 소아시아와 에게해의 제도에 갔었는데, 이런 지방의 주민들도 당시는 시칠리아와 이탈리아의 주민과 거의 같은 상태에 있었다고 생각된다. 그 모체가 되는 시는 식민지를 자식으로 생각하여 언제나 막대한 은혜와 원조를 베풀어 주고 그 대가로 많은 감사와 존경을 받았지만 그것을 해방된 자식으로 간주하고 그 자식에 대해서 직접적인 권위와 사법권을 주장하려고 하지는 않았다. 식민지는 그 스스로가 정체를 정하고 그 자체의 여러 법률을 제정하고, 그 자체의 위정자를 선임했으며, 모도시母都市의 승인 또는 동의를 기다릴 필요가 없는 하나의 독립 국가로서 그 이웃 나라들과의 화전和戰을 정하였다. 이러한 모든 식민지의 건설을 이끌었던 바로 그 이해관계는 대단히 명백하고 단순한 것이었다.

로마의 식민은 토지에 대한 수요를 충족시키고 정복지에 수비대를 설치하기 위하여 보내어졌는데 그들은 모도시母都市에 완전히 복종했다.

로마는 대부분의 다른 고대 공화국과 마찬가지로 처음에는 토지분배법(Agrarian law)에 입각하여 건설되었던 국가로서, 그 법률은 공유지를, 그 국가를 구성하고 있는 시민들 사이에 일정한 비율로 분할했던 것이다. 그런데 인간사의 흐름은 결혼과 상속 및 양도 때문에 이 최초의 분할은 필연적으로 교란되었고 수많은 다양한 가족을 부양하기 위하여 할당되었던 토지가 일인의 소유로 넘어가 버렸던 일이 빈번히 일어나곤 했다. 이러한 것은 무질서한 것이라고 생각되었으므로, 이것을 시정하기 위하여 하나의 법률이 제정되었으니, 이것은 어떤 한 시민이 소유할 수 있는 토지의 면적을 500유게라jugera, 즉 잉글랜드의 약 350에이커로 제한했다. 그러나 이 법률은 한두 가지 경우에 실시되었다는 기록은 있지만, 무시되든지 기피되기도 하여서 재산의 불평등은 끊임없이 증대해 갔다. 시민의 대부분이 토지를 전혀 소유하지 못하고, 더욱이 토지를 가지지 못하고서는 그 당시의 풍속과 습관에서 하나의 자유민으로서 그의 독립을 유지하기가 어렵게 되어 있었다. 오늘날에 있어서는 한 사람의 빈민이 자기의 토지를 갖고 있지 않더라도 다소의 자재를 가지고 있으면, 다른 사람의 토지를 빌린다든지 조그만 소매상을 해 나간다든지 할 수 있을 것이다. 그리고 만일 자재를 전혀 갖고 있지 않더라도 농촌 노동자로서 또는 공장으로서의 직업을 찾아낼 수 있을 것이다. 그러나 고대 로마인 사이에서는 부자의 토지는 모두 노예들에 의해서 경작되었으며, 그들은 한 사람의 감독자 밑에서 일했고, 그 감독자도 역시 노예였다. 그러므로 가난한 자유민이 차지인 또는 노동자로서 고용되는 기회를 좀처럼 갖지 못했다. 뿐만 아니라 모든 사업과 제조업과 소매상까지도 부자의 노예들에 의해서 그들의 주인의 이익을 위하여 운영되었으며, 주인들의 부와 권위와 보호야말로 가난한 하나의 자유민으로 하여금 그들과의 경쟁에 견디어 내는 것을 어렵게 만들었던 것이다. 그러므로 토지를 갖고 있지 않은 시민은 매년의 선거 때 후보자들이 주는 하사품 이외에는 생활의 수단이라고는 전혀 갖고 있지 않았다. 호민관들이 부자와 고귀한 사람들에 반대해서 국민을 북돋아 줄 생각이 있을 때는 그들에게 지난날의 토지분할을 회상시켰으며 이런 종류의 사유재산을 제한했던 법률이 이 공화국의 근본법이라고 들려주었다. 국민은 토지를 달라고 외치게 되었으며, 그 반면 부자와 고귀한 사람들은 자신들의 토지를 조금도 주지 않겠다고 굳게 결심했을 것이라고 믿어진다. 그리하여 국민을 어느 정도 만족시키기 위하여 그들은 새로운 식민지로 내어 보낼 것을 종종 제안했다. 그러나 정복자 로마는 이런 경우까지도 어디에 정주시킬 것인가도 알지 못하고 시민들을 그 넓은 세계에 추방하여 그들에게 소위 보물찾기를 시킬 필요는 없었던 것이다. 로마는 보통 그들에게 이탈리아의 정복 지방의 토지를 할당했는데 그러한 지방은 이 공화국의 영토 내에 있었으므로, 그들은 독립된 국가를 형성하려고 해도 할 수 없었고, 잘되어야 일종의 자치체에 지나지 않았다. 그리고 이 자치체는 그 자체의 통치를 위한 조령을 제정하는 권력을 가지고 있었지만, 언제나 그 모도시母都市의 수정권修正權·사법권·입법권에 복종해야만 했다. 이런 종류의 식민단을 내어보낸다는 것은 국민에게 약간의 만족을 주었을 뿐만 아니라, 새로 정복한 지방에 일종의 수비대를 설치하는 꼴이 되는 일도 종종 있었다. 이 수비대 없이는 그 지방의 복종은 의심스러운 것이었을지도 모른다. 그러므로 로마의 식민지는 그 자체의 제도의 성질을 생각하더라도 또는 그것을 창설한 동기를 생각하더라도, 그리스의 식민지와는 전혀 다른 것이었다. 따라서 그러한 서로 다른 제도를 나타내는 원어도 그 뜻이 매우 다르다. 라틴어인 콜로니아Colonia라는 말은 단순히 재식지(plantation)를 의미한다. 이에 반하여 그리스어인 아포이키아αποικα라는 말은 "주민의 분리", "고향을 떠나다", "집을 떠나다"의 뜻을 가지고 있다. 그러나 로마의 식민지는 여러 가지 점에서 그리스의 식민지와는 달랐지만, 그 건설을 촉진했던 이해관계는 그리스의 식민지와 마찬가지로 명백하고 명료한 것이었다. 두 제도는 모두 불가항력적인 필요성 또는 명백하고 확실한 효용에서 그 기원이 나왔던 것이다.

아메리카의 식민지의 효용은 그렇게 명백하지는 않았다.

아메리카와 서인도에 있어서의 유럽의 식민지의 건설은 필요에서 생긴 것은 아니었고, 그 결과에서 생긴 효용은 대단히 큰 것이었으나, 그것은 그렇게 명료하고 명백한 것은 아니다. 그 효용은 그 건설의 당초에는 이해되지 않았으며, 이 효용이 그 건설의 동기도 아니었고, 그 건설을 일으켰던 발견의 동기도 아니었다. 그리고 그 효용의 성질·크기·한도는 아마 오늘날에도 아직 충분히 이해되고 있지 않은 것이다.

베네치아인은 동인도의 재화에 의해서 유리한 무역을 했다.

베네치아인은 14~15세기 동안에 향료 등의 동인도 재화를 유럽의 다른 국민들에게 분배하는 대단히 유리한 상업을 했다. 그들은 그 재화를 주로[186] 이집트에서 구매했으며, 당시의 이집트는 터키인의 적이었던 마멜루크Mameluk 계급의 지

186 〔"주로"는 초판에는 없다.〕

배하에 있었으며, 베네치아인도 또한 그 터키인의 적이었다. 그래서 이러한 이해 관계의 일치는 베네치아의 재력의 도움을 받아 베네치아인에게 거의 무역을 독점시킬 만큼 밀접한 관계를 형성했다.

이런 재화를 탐내었던 포르투갈인은 드디어 희망봉의 항로를 발견하게 되었다.
베네치아인의 큰 이윤은 포르투갈인의 탐욕심을 유발했다. 그들은 15세기를 통하여 무어인이 사하라사막을 횡단하여 상아와 사금을 그들에게 가져다준 그 나라에의 길을 해로海路로 발견하려고 노력하고 있었다. 그들은 마데이라제도·카나리아제도·아조레스제도·케이프베르데제도를 발견했고, 기니·로앙고·콩고·앙골라·벵겔라[187]의 해안들을 발견했다. 그리고 마침내 희망봉도 발견했다. 그들은 오랫동안 베네치아인의 유리한 무역에 한몫 낄 것을 바랐으며, 이 최후의 발견은 그들에게 그것을 실시할 수 있는 전망을 열어 주었다. 1497년에 바스쿠다가마는 네 척의 선대船隊를 이끌고 리스본 항을 출범하여 11개월의 항해를 한 뒤에 인도의 해안에 도착했으며, 1세기 동안 꾸준히 그리고 조금도 중단됨이 없이 추구되어 왔던 일련의 발견의 행정은 이렇게 해서 완성되었다.

한편으로 콜럼버스는 서쪽으로 항해하여 동인도에 도달하려고 노력했다.
이보다 수년 전에 포르투갈인의 그 계획의 성공이 아직 의심쩍게 여겨졌으며, 그것에 대한 유럽의 기대가 아직 어떻게 될까 불안해하는 상태에 있었을 동안, 제노바의 한 수로안내인은 서쪽으로 해서 동인도에 가려는 더욱더 대담한 항해 계획을 세웠다. 당시 동인도 제국의 위치는 유럽에서는 극히 불안전하게 알려져 있었다. 그곳에 갔던 일이 있었던 유럽의 몇몇 여행자는 그 거리를 과장했다. 그것은 아마 단순과 무지에서, 실제로 대단히 먼 거리이기는 하지만, 그것을 측정할 수 없는 사람들에게는 그것이 거의 무한대로 생각되었기 때문일 것이다. 아니면 유럽으로부터 그렇게 멀리 떨어져 있는 지역을 방문했다는 그들 자신의 모

187 〔초판에는 로앙고 이하 여기까지가 "콩고, 앙골라 및 로앙고"라고 되어 있다.〕

험의 기발했음을 어느 정도 과장하려고 했을 것이기 때문일지도 모른다. 동쪽으로 가는 길이 멀면 멀수록 서쪽으로 가는 길은 그만큼 짧아진다고 콜럼버스는 아주 올바르게 결론을 내렸다. 그리하여 그는 가장 짧고 가장 확실한 것으로서 그 길을 택할 것을 제안했으며, 그는 다행히도 카스티야 왕국의 이사벨라 여왕에게 자기의 계획의 가능성을 납득시킬 수 있었다. 그는 바스쿠다가마의 원정대가 포르투갈을 출발하기 5년이나 이전인 1492년 8월에 팔로스의 항을 출범하여 2~3개월의 항해 끝에 소小바하마, 즉 루카야제도 가운데 어떤 것을 처음으로 발견했고, 그 후 산토도밍고라는 거대한 섬을 발견했다.

콜럼버스는 자기가 발견한 지방을 인도로 잘못 알았다.

그러나 콜럼버스가 이 항해라든지, 그 후의 여러 항해에서 발견했던 지방들은 그가 찾으려고 갔던 지방과는 아주 딴판이었다. 그는 중국과 인도의 부와 경작 및 조밀한 인구를 발견하기는커녕 산토도밍고나 기타 자기가 방문했던 신세계의 다른 지방들에서, 숲으로 완전히 뒤덮이고 경작되지도 않은 채 발가벗고 비참한 몇몇의 야만 종족만이 살고 있는 것을 발견했을 뿐이었다. 그러나 콜럼버스는, 중국 또는 동인도를 이미 방문한, 또는 적어도 그런 지방에 관한 기록을 후세에 남긴 최초의 유럽인인 마르코 폴로가 기술하여 높은 지방과, 자기가 발견한 이 지방이 다르다는 것을 좀처럼 믿으려고 하지 않았다. 더욱이 산토도밍고St. Domingo에 있는 시바오Cibao라는 산의 이름과 마르코 폴로가 기록한 지팡구Cipango(일본)라는 산의 이름이 좀 비슷하다는 것을 알자, 그는 명백한 반증이 있음에도 불구하고,[188] 이것만으로도 자기가 집착하는 선입견에 되돌아가기에 충분한 것이기도 했다. 페르난도와 이사벨에게 보낸 편지에서 콜럼버스는 자기가 발견한 지방들을 인도제국이라고 불렀다. 그는 이 지방들이 마르코 폴로에 의해서 기술되었던 나라들의 말단이며, 갠지스강 또는 알렉산더에 의해서 정복된 지

188 〔P.F.X. de Charlevoix(피에르 프랑수아 사비에르 드 샤를부아Pierre François Xavier de Charlevoix), 《Histoire de l'Isle Espagnole ou de S. Domingue》(1730), 제1권, 99면.〕

방들에서 그렇게 멀지 않다는 것을 조금도 의심치 않았다. 마침내 그것들이 다른 곳이라는 것을 자각했을 때까지도 그는 그 부유한 나라들이 그렇게 멀지 않은 곳에 있다고 은근히 믿었다. 그리하여 그 뒤의 항해 때에는 그러한 나라들을 찾아서 테라 피르마Terra Firma의 해안을 따라 다리엔Darien 지협 쪽으로 갔다.

동인도와 서인도라는 명칭은 여기에서 생겼던 것이다.

콜럼버스의 이러한 잘못의 결과로서 그 후 이러한 불행한 여러 지방에 인도제국이라는 명칭이 붙여지게 되었다. 그리고 새로운 인도가 낡은 인도와는 전혀 다르다는 것이 명백히 발견되었을 때 전자는 서인도라고 불리어 후자와 구별되었고, 후자는 동인도라고 불리게 되었다.

발견된 지방들은 부유하지는 않았다.

그런데 콜럼버스에게는 자기가 발견한 지방들이 어떤 것이든, 그것이 대단히 중요한 것이라는 것을 스페인 궁정에 설명하여 이해시키는 것이 더 중요한 일이었다. 그러나 당시 그곳에는 모든 나라의 실제의 부를 구성하는 것, 즉 토양의 동물성 또는 식물성의 생산물에 대한 설명을 충분히 정당화할 만한 것이라고는 아무것도 없었던 것이다.

동물도 그리 풍부하지는 않았다.

쥐와 토끼의 중간쯤되는 동물이며, 뷔퐁Buffon이 브라질의 아페리아Aperea와 같은 것이라고 생각했던[189] 코리Cori는, 산토도밍고의 최대의 태생인 네발짐승이었다. 이 종류도 결코 그 수가 많았던 것 같지는 않다. 그리고 스페인의 개와 다른 종류의 훨씬 더 작은 동물은 물론 코리를 벌써 고양이가 오래전에 절멸시켜 버렸다고 한다.[190] 그러나 이런 것들은 이바나 또는 이구아나라고 불리는 꽤 큰 도마뱀

189 〔《Histoire naturelle》(1750), 제15권, 160, 162면.〕

190 〔샤를부아Charlevoix, 《Histoire de l'Isle Espagnole》, 제1권, 35~36면.〕

과 함께 이 국토가 제공하는 동물성 식물의 주요 부분을 이루고 있었다.[191]

식물에 관해서도 그러하다.

그 주민의 식물성 식료는 그 근로의 부족에서 그리 풍부하지는 않았으나 그렇다고 동물성 식물처럼 그렇게 빈약하지는 않았다. 그것은 옥수수·고구마·감자·바나나 등으로 되어 있었으며, 이 식물은 당시의 유럽에서는 전혀 알려져 있지 않았다. 그리고 그 후에도 그것은 유럽에서 그렇게 존중받지 못했던 것 같다. 즉 기억조차 할 수 없을 만큼 먼 옛날부터 세계의 한 지방에서 재배되어 온 보통 종류의 곡류와 콩류에서 나오는 것과 같을 만큼 영양이 있는 것이라고 생각되지도 않았다.

면화는 그 당시 별로 크게 중요시되지 않았다.

목화나무는 극히 중요한 제조업의 원료를 제공했고, 당시의 유럽인에게는 그러한 섬들의 식물성 생산물 가운데 틀림없이 가장 가치가 많은 것이었다. 그러나 15세기 말엽에는 동인도의 모슬린, 그 밖의 면제품이 유럽의 모든 지방에서 많이 존중되고 있었지만, 면직물업 그 자체는 아직 유럽의 어떤 지방에서도 개발되어 있지 않았다. 그러므로 이 생산물까지도 당시의 유럽인의 눈에는 크게 중요한 것으로 보일 수는 없었던 것이다.

그래서 콜럼버스는 광물에 기대를 가졌다.

새로 발견된 지방들의 동물에서도, 식물에서도 그것들이 대단히 유리하다고 하는 설명을 정당화할 수 있을 만한 것은 아무것도 찾을 수 없었으므로, 콜럼버스는 자기 눈을 그곳 지방들의 광물에 돌렸으며, 이 제3의 자연계의 풍부한 생산물은 다른 두 개의 자연계의 빈약한 생산물을 충분히 보충하는 것이라고 그는 생각했다. 주민이 그들의 의복에 장식했던 작은 금 조각이 산에서 흘러내리

191 〔샤를부아, 《Histoire de l'Isle Espagnole》, 제1권, 27면.〕

는 작은 시내와 급류에서 흔히 발견되는 것이라고 듣고서 그는 그런 산에는 풍부한 금광이 많이 있다고 생각하여 그것만으로도 만족하고 있었다. 따라서 산토도밍고는 금이 풍부한 나라이며, 그 때문에(현대뿐만 아니라 그 당시에도 있었던 편견에 따라서) 스페인의 왕실에게도 참다운 부의 무진장한 원천이라고 설명되었다. 콜럼버스는 그의 최초의 항해에서 돌아와서 일종의 개선식과 같은 의례로써 카스티야Castile와 아라곤Arragon의 주권자들을 알현했을 때 그가 발견한 여러 지방의 주요 생산물이 엄숙한 행렬을 이루어 그들 앞에 운반되었다. 그 가운데 가치가 있는 것이라곤 금으로 된 작은 끈, 금팔찌, 그 밖의 금의 장식품 및 몇 뭉치의 면화에 지나지 않았다. 나머지는 단순히 속인의 놀라움과 호기심의 대상물에 그치고 말았다. 즉 굉장히 큰 몇 갈대, 대단히 아름다운 털을 가진 몇 마리 새, 거대한 악어와 물소의 박제한 가죽 등이었다. 그리고 이 모든 것의 선두에는 6~7명의 가련한 토인이 행진해 왔고, 그들의 기이한 피부색과 용모가 그 구경거리의 진기함을 더욱 증가시켰다.

카스티야의 추밀원은 콜럼버스가 자기가 발견한 금은의 반을 정부에 제공하겠다고 제안했으므로 황금에 이끌렸다.

콜럼버스의 설명의 결과로써, 카스티야의 추밀원은 확실히 자위력이 없는 주민이 살고 있는 지방들을 영유할 것을 결의했다. 그들을 그리스도교로 개종시킨다는 경건한 목적이 정의에 반하여 그 부정한 계획을 신성화했던 것이다. 그러나 그곳에서 황금이라는 재보를 발견하려는 희망이야말로 그 계획의 수립을 촉진시켰던 유일한 동기였었다. 그리고 콜럼버스는 이 동기에 더 큰 무게를 주기 위하여 그곳에서 발견될 모든 금은의 반은 왕실에 귀속시킬 것을 제안했다. 이 제안은 추밀원에 의해서 승인되었다.

이것은 부담할 수 없는 무거운 세금이었으므로 얼마 되지 않아 경감되었다.

최초의 모험가들이 유럽에 수입한 금의 전부 또는 훨씬 많은 부분이 무방비의 원주민을 약탈하는 것과 같은 극히 쉬운 방법으로 획득되고 있었을 동안에는 이런 무거운 세금일지라도 지불하는 것이 크게 곤란하지는 않았을 것이다. 그러나 산토도밍고와 그 밖에 콜럼버스가 발견한 모든 지방에서는 6년 또는 8년 동안에 원주민이 가지고 있었던 모든 것이 완전히 박살당하고 말았으며, 더 찾아내기 위해서 광산을 채굴해야 할 필요가 있게 되었을 때는 그 이상 이런 무거운 세금을 지불할 가능성이 없어졌다. 따라서 그 조세가 엄격히 강제징수되었기 때문에 처음에는 산토도밍고의 광산들이 전면적으로 방기되었고, 그 후 줄곧 채굴되지 못했다고들 한다. 그리하여 곧 조세는 광산의 총생산량의 3분의 1로 떨어졌고, 이따라 5분의 1이 되고, 그 후 10분의 1이 되었고, 마침내 20분의 1로 떨어졌다. 은에 대한 조세는 오랫동안 계속 총생산량의 5분의 1이었다. 그것이 10분의 1로 떨어진 것은 겨우 금세기에 이르러서였다.[192] 그러나 초기의 모험자들은 은에는 그렇게 관심이 없었던 것 같다. 금보다 귀중하지 않은 것은 그들의 주의를 끌 만한 가치가 있는 것이라고 생각되지 않았던 것이다.

그 후의 스페인인의 모험은 모두 이와 동일한 동기에 의해서 고무되었다.
콜럼버스의 모험에 뒤이어 일어난 신세계에서의 스페인인의 다른 기획은 이와 동일한 동기에 의해서 자극되었던 것 같다. 오헤다Oieda, 니쿠에사Nicuessa 및 바스코 뉴녜스 데 발보아Vasco Nugnes de Balboa를 다리엔 지협으로 보낸 것도, 코르테스Cortez를 멕시코에 보낸 것도, 알마그로Almagro와 피사로Pizzarro를 칠레와 페루로 보낸 것도, 모두 황금에 대한 신성한 갈망이었다. 그러한 모험가들이 어떤 미지의 해안에 다다랐을 때 반드시 하는 첫 질문은 그곳에 금이 나오는 곳이 있느냐 하는 것이었다. 그리고 이 점에 관하여 그들이 받아들이는 정보에 응하여 그들은 그 지방을 떠나든지 또는 그곳에 정주하든지를 결정했다.

192 〔초판에는 여기까지의 두 문장 대신에 다음과 같이 되어 있다. "실은 은에 대한 조세는 아직 계속 총생산물의 5분의 1이다."〕

신중한 입법자는 금은광업을 장려하고 싶어 하지는 않았다.

그러나 그것에 종사하는 대부분의 사람들을 파산시켜 버릴 만큼 비용이 많이 들고 모든 불확실한 다른 기업 가운데 아마 새로운 금은 광산을 찾아 헤맨다는 것처럼 완전히 파멸적인 것도 없을 것이다. 그것은 아마 세계에서 가장 불리한 복첨일 것이다. 즉 경품을 뽑는 사람의 이득이 빈 것을 뽑는 사람의 손실에 비해 최소의 비율을 가지고 있는 복첨인 것이다. 왜냐하면 당첨권이 적고 빈 것이 많을지라도 복권 한 장의 보통 가격이 대단한 부자의 전 재산에 상당할 만한 것이기 때문이다. 광업이라는 기업은 그것에 사용되는 자본을 자재의 통상이윤과 함께 회수하기는커녕 자본과 이윤 쌍방을 흡수해 버리는 것이 보통이다. 그러므로 그 국민의 자본을 증가시킬 것을 열망하는 신중한 입법자라면 다른 모든 기업 가운데 광업이라는 어떤 기업에 특별한 장려를 준다는 것을 가장 좋아하지 않을 것이다. 다시 말해서, 그 자본 가운데 저절로 그곳으로 들어가게 되는 것보다 더 많은 자본을 그곳으로 보내려고 하지는 않을 것이다. 그런데 실제로 거의 모든 사람은 자기 자신의 행운에 관하여 불합리한 자신을 가지고 있으므로 성공에 대한 조금의 가능성만 있으면, 큰 자본이 자칫하면, 저절로 그 사업에 흘러들어가고 한다.

국민은 항상 엘도라도를 믿고 있다.

그러나 진지한 이성과 경험을 통한 판단은 이러한 계획에 대해서는 항상 매우 불친절했지만, 인간의 탐욕심에 사로잡힌 판단은 보통 이와는 아주 딴판이었다. 그렇게도 많은 사람들에게 현자의 돌(philosopher's stone)이라고 하는 불합리한 관념을 시사했던 것과 같은 정념은, 굉장히 풍부한 금은광이라고 하는, 똑같은 부조리한 관념을 또 다른 사람들에게 시사했던 것이다. 그들은 그 금속의 가치가 어떠한 시대, 어떠한 국민에게나 주로 그 희소성에서 생겼다는 것을 고려하지 않았으며, 더욱이 그 희소성은 자연이 어디든지 그 금속을 한곳에 극히 소량밖에 저장하지 않았으며, 또한 자연은 거의 어느 곳에서나 그 소량을 단단하고 손대기 힘든 물질로써 둘러싸고 있고, 따라서 어디에서나 그 금속이 있는 곳까지 뚫고 들어가서 닿으려면 노동과 경비를 필요로 한다는 것에서 생긴 것이라는 것을 고려하지 않았다. 그들은 그 금속의 광맥은 연(납)·동(구리)·석(주석)·철에 관하여 보통 발견되는 광맥과 똑같이 많은 장소에서 크고 풍부한 것이 발견될 것이라고 은근히 생각하고 있었다. 월터 롤리 경이 엘도라도[193]의 황금의 도시와 국토에 관한 꿈을 꾸었다는 것은 현명한 사람까지도 반드시 그러한 기괴한 환상에 사로잡히지 않는다고는 할 수 없다는 것을 우리에게 가르쳐 주는 것이라 하겠다. 이 위대한 사람이 죽은 후 100여 년이 지난 뒤에도, 예수회의 일원인 구밀라는 아직도 그 불가사의한 나라가 실재한다는 것을 믿고서 대단한 열의로써, 아니 대단한 성의를 다하여, 부도사의 경건한 노동에 그렇게도 후한 보수를 줄 수 있는 사람들에게 복음의 광명을 가져다주게 된다면 얼마나 행복할 것인가라고 표현했다는 것을 나는 감히 말해 두는 바이다.[194]

이런 경우 스페인인에 관한 한에 있어서는 그 기대는 어느 정도 실현되었다.

스페인인이 최초로 발견한 지방들에서 가동시킬 만한 가치가 있다고 생각되는

193 〔"그 강대하고 부유하고 아름다운 기아나 제국, 그리고……스페인인이 엘도라도라고 부르는 그 위대한 황금 도시"－월터 롤리 경Sir Walter Raleigh, 《The Works of Sir Walter Ralegh, Kt》, 토마스 버치Thomas Birch(편), 1751, 제2권, 141면.〕

194 〔조셉 구밀라P. Joseph Gumilla, 《Histoire naturelle civile et géographique de l'Orenoque, etc.》(1758), 마르쿠스 안토니우스 에이더스Marc-Antoine Eidous(역), 제2권, 46, 117, 131~132, 137~138면. 그러나 그러한 소감이 여기에서 그 책의 저자－그 제목 면에는 "예수회, 오리노코의 수도원장(de la compagnie de Jésus, supérieur des missions de l'Orenoque)"이라고 되어 있다－의 생각이라고 되어 있는 것은 프랑스어 또는 스페인어의 원전의 오역에 기인된 것인 것 같다. 만일 "신은 허하였다(Dieu permit)"가 "신이여 허하소서(God permit)"의 오역이라고 한다면 이 책의 137~138면에 있는 다음의 인용문은 상기의 본문을 확증해 줄 것이다. "사람들은 금광을 지닌 암석이 있는 계곡과 지면을 찾고 있었다. 그래서 인디언은 스페인인의 탐욕심에 아첨하기 위하여 동시에 스페인인을 그들로부터 멀리하기 위하여 이 나라에 충만해 있는 황금에 관하여 가장 생생한 색채로써 그려 보였는데 그것은 반갑잖은 손님을 쫓아 버리기 위함이었다. 스페인인이 이러한 보고를 신용했다는 것을 신은 허락해 주었다. 왜냐하면 그들은 훨씬 더 넓은 토지를 발견하고 복음의 광명이 그곳에 훨씬 더 쉽게 비치게 될 것을 바라고 있었기 때문이다."〕

금은광은 현재에도 전혀 알려져 있지 않다. 최초의 모험가들이 그곳에서 발견했다고 하는 그 금속들의 양도, 최초의 발견 직후에 가동되었던 광산들의 비옥도도 아마 대단히 과장된 것이었을 것이다. 그러나 그 모험가들이 발견했다고 일컬어졌던 것은 그들 나라의 모든 사람들의 탐욕심을 불타게 하기에는 충분한 것이었다. 아메리카로 향하여 출범했던 모든 스페인인은 모두 하나의 엘도라도를 발견할 것을 기대했다. 뿐만 아니라 운명의 여신은 극히 드물게 있는 다른 경우에 베풀었던 것과 같은 것을 이 경우에도 베풀어 주었다. 즉 그녀는 그의 신도들의 엄청난 희망을 어느 정도까지 실현시켜 주었으며, 멕시코와 페루의 발견과 정복(이 가운데 전자는 콜럼버스의 최초의 원정이 있은 지 약 30년 후에 일어났고, 후자는 약 40년 후에 일어났다)에서 그녀는 그들이 찾아 헤매었던 귀금속과 거의 비슷한 것을 그들에게 제공해 주었다.

따라서 동인도에의 통상계획通商計劃이 서인도의 최초의 발견을 가져왔던 것이다. 그리고 정복의 계획이 그 새로 발견된 지방에서 스페인인의 모든 건설을 일으켰다. 그들에게 이 정복을 일깨워 준 동기는 금은광에 관한 기획이었으며, 인간의 지혜로써는 예측할 수 없었던 여러 가지 사건이 일어나는 동안에 이 기획은 그 기업가들이 합리적인 근거에서 기대할 수 있었던 것보다 더 큰 성공을 거두게 했다.

그러나 다른 국가들은 그처럼 성공을 거두지 못했다.

아메리카에 정주지를 만들려고 계획했던 유럽의 다른 모든 국가의 최초의 모험가들도 똑같은 공상적인 견해에 고무되었으나, 그들도 마찬가지로 성공하지는 못했다. 브라질에서 금은 또는 다이아몬드가 발견되기에 이르렀던 것은 그곳에 처음으로 정주지가 이루어진지 100여 년이나 지난 이후였다. 잉글랜드·프랑스·네덜란드·덴마크의 식민지에서는 그러한 광산은 아직도 하나도 발견되어 있지 않으며, 적어도 현재 가동할 만한 가치가 있다고 생각되는 것은 전혀 없다. 그러나 북아메리카에 있어서의 잉글랜드의 최초의 식민자植民者는 국왕으로부터 특허장을 하사해 받는 조건으로써 그곳에서 발견될 모든 금은의 5분의 1을 국왕에게 제공하기로 했다. 월터 롤리 경과 런던 회사 및 플리머스 회사와 플리머스의 시의회 등에 대한 특허장 가운데서 이 5분의 1이 왕실을 위해 유보되었다. 그 최초의 식민자도 또한 금은광을 발견하리라는 기대에, 동인도에의 북서항로를 발견하리라는 기대를 결합시켰다. 그들은 지금까지도 이 두 가지 기대에 모두 실망하고 있다.

제2절 새 식민지 번영의 원인

문명국의 식민지로서, 그 지방의 황무지라든가 또는 원주민이 새 이주자에게 쉽사리 자리를 내어 줄 수 있을 만큼 주민이 희박한 지방은 다른 어떠한 인류 사회보다 신속하게 부강을 향해 전진한다.

식민자는 지식과 정규正規의 통치를 가지고 나갔으며, 토지는 풍부하고 저렴하고, 임금은 높았다. 그리고 아이들은 조심스럽게 양육되고 또 유리했다.

식민자들은 농업과 그 밖의 유용한 기술에 관한 지식을 가지고 나가는데, 그것은 미개하고 야만적인 국민들 사이에서는 몇 세기에 걸쳐 그들 자력으로 발달할 수 있는 것보다도 훨씬 월등한 것이었다. 또한 그들은 복종의 습관과 본국에서 실시되고 있는 정규의 통치, 그것을 뒷받침하고[195] 있는 법률의 체계 및 정규의 사법행정에 관한 어느 정도의 관념을 가지고 나간다. 그리고 그들은 자연히 새 정주지에 와서 이와 약간 비슷한 제도를 확립한다. 그러나 미개하고 야만적인 국민들 사이에서는, 그 법률과 통치가 기술을 보호하기 위하여 필요한 만큼 확립된 뒤에도 법률과 통치의 자연적 진보는 기술의 자연적 진보보다 훨씬 느리다. 모든 식민자는 자기가 경작할 수 없을 만큼 많은 토지를 획득한다. 그는 지대를 지불할 필요가 없으며 조세도 거의 지불할 필요가 없다. 그와 그 생산물을 나누어 가질 지주도 없으며, 주권자의 몫도 조금밖에 되지 않는 것이 보통이다. 그는 이렇게 해서 그 생산물의 거의 전부가 자기 것이 되므로 그것을 될 수 있는 대로 크게 만들기 위한 모든 자극을 받고 있는 셈이다. 그러나 그의 토지는 보통 너무 넓기 때문에 그가 자기의 근로를 다해도, 그리고 자기가 고용할 수 있는 다른 사람들의 근로의 전부를 다 들여도 그 토지가 생산할 수 있는 것의 10분의 1도 생산할 수 없는 형편이다. 그리하여 그는 모든 방면에서 노동자를 끌어모으고 그들에게 가장 후한 임금으로써 보답하려고 애쓴다. 그러나 이 넉넉한 임금은 토지가 풍부하고 싸다는 것과 연결되어 얼마 되지 않아 노동자들은 자신도 지주가 되어서 그와 동등한 너그러움으로 다른 노동자들에게 지불하고자 그의 곁을 떠나 버린다. 이 다른 노동자 역시 앞의 노동자들이 최초의 주인을 떠나갔던 것과 동일한 이유로 얼마 되지 않아 그들의 곁을 떠나간다. 노동의 보수가 넉넉하다는 것은 결혼을 장려한다. 아이들은 약한 유년기에는 아주 잘 먹여지고 적절하게 돌봐진다. 그리고 그들이 성장하면 그들의 노동의 가치는 그들의 생활유지비를 충당하고도 남을 만큼 크다. 그들이 성년이 되면 노동의 가격은 높고 토지의 가격은 낮기 때문에 그들은 그들의 부친이 전에 그렇게 했던 것과 똑같은 방법으로 자립할 수 있게 된다.

부강을 의미하는 인구와 개량이 장려된다.

다른 나라에서는 지대와 이윤이 임금을 먹어 버리고, 두 개의 상류계급이 하층계급의 사람들을 억압한다. 그러나 새 식민지에서는 두 개의 상류계급이 자신들 이익 때문에 하층계급을 다른 나라에서보다 더욱 관대하고 인도적으로 다루지 않을 수 없게 된다. 적어도 이 하층계급이 노예의 상태에 있지 않은 곳에서는 그러하다. 자연적으로 최대의 비옥도를 갖는 황무지를 그들은 얼마 되지 않은 돈으로 손에 넣을 수 있다. 항상 기업가인 토지소유자가 자기의 토지의 개량에서 기대하는 수입의 증가는 자기의 이윤이 된다. 이것은 이러한 사정하에서는 보통 대단히 큰 것이다. 그러나 이 큰 이윤을 얻는 데는 토지의 개척과 경작에 다른

195 〔"뒷받침하고 있는(supports)"은 초판에서 제4판까지에는 "support"라고 되어 있다.〕

사람들의 노동을 고용하지 않으면 안 되는데, 새 식민지에서는 보통 광대한 토지와 소수의 인구 사이에 균형이 잡히지 않으므로, 이 노동을 획득한다는 것은 용이한 것이 아니다. 그러므로 그는 임금에 관해서는 다투지 않고, 어떠한 값으로든지 기꺼이 노동을 고용한다. 높은 노동임금은 인구증가를 장려한다. 질이 좋은 토지가 값싸고 또 풍부하므로 그 개량이 장려되고, 토지소유자는 그러한 높은 임금을 지불할 수 있게 된다. 토지의 가격 거의 전체가 바로 이러한 임금이며, 그것을 노동의 임금이라고 생각하면 비싸지만, 그렇게 가치가 많은 것의 가격이라고 생각하면 싼 것이다. 인구와 개량의 증진을 장려하는 것이 참다운 부강의 증진을 장려하는 것이다.

그리스의 식민지의 진보는 대단히 신속했다.

고대 그리스의 수많은 식민지가 부강을 향하여 대단히 급속한 진보를 했던 것은 이 때문이었던 것 같다. 그 가운데 어떤 것은 1~2세기 동안에 모도시母都市와 필적했으며, 그것을 압도하기까지 했던 것 같다. 시칠리아Sicily의 시라쿠사Syracuse 및 아그리젠토Agrigentum, 이탈리아의 타란토Tarentum 및 로크리Locri, 소아시아의 에페수스Ephesus 및 밀레투스Miletus는 모든 기록에 의하면 고대 그리스의 어떤 도시에 비해서도 뒤떨어지지 않았던 것 같다. 비록 이러한 식민지는 뒤에 건설되었던 것이지만, 교양을 위한 모든 기예·철학·시학·웅변술이 본국의 어떤 지방에도 따라갈 만큼 일찍 장려되었고, 또 그와 같을 만큼 고도로 발달했던 것 같다. 그리스 철학 중 가장 오래된 두 학파인 탈레스학파와 피타고라스학파는 고대 그리스에서 세워진 것이 아니라, 전자는 아시아의 식민지, 후자는 이탈리아의 식민지[196]에서 창시되었다는 것은 주목할 만한 것이다. 그 모든 식민지가 자립한 것은 미개하고 야만적인 국민들이 살고 있었던 지방들에서였으며, 그러한 국민은 새로운 식민자에게 쉽게 자리를 내어 주었다. 그 식민지들은 질이 좋은 토지를 많이 가지고 있었고, 그들은 모도시로부터 완전히 독립되어 있

196 〔전자는 밀레투스Miletus, 후자는 크로토네Crotona 지방이다.〕

었으므로, 그들 문제를 그들 이익에 가장 적합하다고 판단되는 데 따라서 자유롭게 처리하고 있었다.

로마의 식민지의 진보는 이보다 훨씬 못했다.
로마의 식민지의 역사는 결코 그렇게 찬란한 것만은 아니다. 그 가운데 어떤 것은 피렌체와 같이 많은 세대가 거치는 동안 그 모도시가 몰락된 뒤에 발달하여 상당한 국가가 되었다. 그러나 그 어느 것 하나도 진보가 대단히 신속했던 것 같지는 않다. 그 식민지들은 모두 대부분의 경우 벌써부터 주민이 꽉 들어차 있었던 정복 지방에서 건설되었다. 각 식민자에게 할당된 토지가 좀처럼 넓지는 않았으며, 또 식민지는 독립되어 있지 않았으므로, 반드시 그들 자신의 문제를 자신들의 이익에 가장 적합하다고 판단하는 대로 자유롭게 처리한다고는 할 수 없었다.

아메리카 식민지는 많은 토지를 가지고 있었으며, 본국으로부터 그렇게 많은 간섭을 받지 않았다.
아메리카와 서인도에 건설된 유럽의 식민지는 양질의 토지가 많이 있었다는 점에서는 고대 그리스의 여러 식민지와 비슷하며, 오히려 그것을 크게 능가하고 있기까지 했다. 그리고 그 식민지는 모국에의 종속이라는 점에서는 고대 그리스의 여러 식민지와 비슷하나, 유럽에서 대단히 멀리 떨어져 있었으므로 이 독립의 효과는 식민지에서나 다소 완화되어 있었다. 그 위치상으로 그 식민지들은 모국의 감시와 권력이 로마의 경우에 있어서보다 적게 미치는 곳에 자리 잡고 있었다. 그들의 이익을 그들대로의 방법으로 추구함에 있어서, 그들의 행동은 유럽에는 알려지지도 않았으며 이해되지도 않았기 때문에, 많은 경우 간과되어 버렸다. 그리고 어떤 경우에는 너무 멀리 떨어져 억압할 수가 없었기 때문에, 그러한 행동이 완전히 용인되든지 또는 감수되든지 하곤 했다. 포학하고 전제적인 스페인 정부까지도 자국[197]의 식민지 정부에 내린 명령을 그들의 전면적인 반란을 두려워하여 최소하든지, 완화하든지 하지 않을 수 없을 때가 많았다. 부와 인구 및 개량의 진보에서 유럽의 모든 식민지가 극히 현저했던 것도 이 때문이었다고 하겠다.

스페인의 식민지, 즉 멕시코 및 페루의 진보는 대단히 컸다.

스페인의 왕실은 그 식민지의 건설 당초부터 금은의 배당에 의해서 식민지로부터 약간의 수입을 염출했다. 그리고 그러한 수입은 그 성질상 보다 더 큰 부를 얻으려는 엄청난 기대를 인간의 탐욕심에 불러일으켜 주었다. 그러므로 스페인의 식민지는 그것이 최초로 건설되었을 때부터 모국의 주의를 크게 끌었는데, 그 반면 유럽의 다른 국민의 식민지는 오랫동안 대단히 등한시되고 있었다. 그렇다고 해서 전자가 이러한 주의를 끈 결과 그만큼 더 번영했던 것도 아니며, 후자가 이러한 등한시의 결과로 그만큼 더 악화된 것도 아닐 것이다. 스페인의 식민지는 그들이 어느 정도 소유하고 있는 지역의 면적에 비해서 다른 모든 유럽의 식민지보다도 인구가 적고 번영해 있지도 않았다고 생각되고 있다. 그러나 스페인의 식민지까지도 인구와 개량의 진보는 확실히 매우 신속했으며 매우 컸다. 정복 후 건설된 리마Lima 시는 우요아에 의하면, 지금부터 거의 30년 전에 5만 명의 주민을 갖고 있었다고 한다. 보잘것없는 인디언의 소촌락에 지나지 않았던 키토Quito도 같은 저자에 의하면 그의 시대에는 리마와 같은 정도로 인구가 조밀했다고 한다.[198] 제멜리 카레리Gemelli Carreri는 자칭 여행가라고 일컬어지고 있지만, 실은 어느 곳에 관해서나 극히 좋은 자료를 기초로 하여 글을 썼던 것으로 생각되는데, 그에 의하면 멕시코 시에는 10만 명의 시민이 있다고 한다.[199] 스페인 저술가들의 모든 과장을 무시한다면 이 수는 아마 몬테수마Montezuma 황제 시대에 그곳에 있었던 수의 다섯 배 이상일 것이다. 이러한 숫자는 잉글랜드 식민지

197 〔"자국의(her)"는 초판에는 "its"로 되어 있다.〕

198 〔주앙 & 우요아Juan and Ulloa, 《Voyage historique》, 제1권, 229면.〕

199 〔Awnsham and John Churchill, 《A Collection of Voyages and Travels》(1704), 제4권, 508면.〕

의 최대의 3대 도시, 즉 보스턴·뉴욕·필라델피아의 인구를 크게 초과하고 있다. 스페인이 정복하기까지 멕시코에도, 페루에도, 마차를 끄는 데 적합한 가축이라고는 없었다. 그들의 유일한 짐 끄는 짐승은 라마였는데, 그 힘은 보통의 당나귀보다 훨씬 못했던 것 같다. 소와 말이 끄는 쟁기도 그들에게는 알려져 있지 않았다. 그들은 철의 사용에 관해서 무지했다. 그들은 주화라는 것을 전혀 갖고 있지 않았으며, 상업 용구로는 어떤 종류의 것도 정해져 있지 않았다. 그들의 상업은 물물교환으로 행하여지고 있었다. 일종의 나무로 만든 가래가 그들의 주요 농업 용구였다. 물건을 자르는 데는 예리한 돌이 칼과 도끼 역할을 했고, 깁는 바늘로서는 생선의 뼈와, 어떤 동물의 단단한 근골筋骨이 그 역할을 했다. 그리고 이러한 것들이 그들의 직업상의 주요 용구였던 것 같다. 이러한 사태에서는 그 두 제국 중 어느 것도 유럽의 모든 종류의 가축을 풍부하게 공급받고 철과 쟁기, 그리고 그 밖의 유럽의 수많은 기술의 이용법이 도입되어 있는 현재처럼 크게 개량되고 충분히 경작될 수 있다는 것은 불가능했던 것 같다. 그런데 모든 나라의 인구 조밀의 정도는 그 개량과 경작의 정도에 비례함이 틀림없다. 정복에 뒤이어 토착민의 잔혹한 박멸이 있었음에도 불구하고, 이 2대 제국은 현재에는 전에 있었던 것보다 더 인구가 조밀하고 또한 현재의 국민은 확실히 종전과는 아주 다르다. 왜냐하면 스페인계 크레올인(creoles)은 여러 가지 점에서 옛날의 인디언보다 더 우수하다는 것을 우리는 인정하지 않으면 안 된다고 생각되기 때문이다.

브라질에 있는 포르투갈의 식민지는 인구가 매우 조밀하다.

스페인인의 정주지 다음으로는, 브라질에 있는 포르투갈인의 정주지가 아메리카에서 어떤 유럽 국민의 것보다도 가장 오래된 것이다. 그러나 최초의 발견 뒤, 오랫동안 그곳에는 금광도, 은광도 발견되지 않았으며, 그 때문에 왕실에 대해서 거의 또는 전혀 수입을 제공하지 않았으므로, 그것은 오랫동안 매우 등한시되어 왔다. 이러한 한각閑却상태에 있을 동안에 강대한 식민지로 성장했다. 포르투갈이 스페인의 지배하에 있었을 동안에, 브라질은 네덜란드인의 공격을 받았으며, 네덜란드인은 14개의 속령으로 나뉘어져 있던 가운데서 7개 속령을 점령해 버렸다. 네덜란드는 나머지 7개 속령도 곧 정복해 버리려고 생각하고 있었지만, 마침 그때 포르투갈은 브라간자가Braganza家를 왕위에 올림으로써 그 독립을 회복시켰다. 당시 네덜란드인은 스페인인의 적이었으므로 역시 스페인인의 적이었던 포르투갈과 손을 잡게 되었다. 그리하여 네덜란드인은 브라질의 미정복 지방을 포르투갈의 국왕에게 넘겨주는 데 동의하고 또한 포르투갈의 국왕은 그렇게 우호적인 동맹국과 다툴 만한 가치가 없는 문제라고 생각하여 네덜란드인이 이미 정복한 지방은 그들에게 넘겨줄 것을 동의했다. 그러나 네덜란드 정부는 곧 포르투갈인의 식민지를 억압하기 시작했으므로, 포르투갈인은 불평을 털어놓는 데 그치지 않고 무기를 들어 새로운 지배자에게 반항했고, 그들 스스로의 용기와 결단에 의해서 관국의 묵인은 있었지만, 모국으로부터 공인된 원조도 없이 브라질에서 네덜란드인을 몰아냈다. 그래서 네덜란드인도 그 나라의 일부분이라도 영유한다는 것은 이미 불가능하다는 것을 알고 그것을 전부 포르투갈의 왕실에 반환했다.[200] 이 식민지에는 60만 명 이상의 인구가 있다고들 하는데,[201] 그들은 포르투갈인 또는 포르투갈인의 자손, 즉 크레올인, 흑인과 백인의 혼혈종 및 포르투갈인과 브라질인의 혼혈종이다. 아메리카에 있는 식민지로서 유럽계의 주민이 이렇게 많이 있다고 생각되는 식민지는 하나도 없었다.

스페인이 쇠퇴했을 때 여러 나라가 아메리카에서 발판을 얻었다.

15세기 말엽에서 16세기 대부분을 통하여 스페인과 포르투갈은 대양에 있어서 2대 해군국이었다. 왜냐하면 베니치아의 상업은 유럽의 모든 지방에 미치고 있었지만, 그 상선대가 지중해를 벗어나서 항해하지는 않았기 때문이다. 스페인인은 자신들이 최초의 발견자이므로 아메리카는 그들의 것이라고 주장했다. 그리

200 〔레이날Raynal, 《Histoire philosophique》, (암스테르담, 1773), 제3권, 347~352면.〕

201 〔레이날, 《Histoire philosophique》, (암스테르담, 1773), 제3권, 424면.〕

고 비록 그들이 포르투갈의 해군처럼 강대한 해군력을 가지고 있는 나라가 브라질에 정주하는 것을 저지할 수 없었다 하더라도, 당시 스페인인이라는 이름은 공포의 대상이었으며, 유럽의 다른 나라 국민들의 대부분은 이 대륙의 어디든지 다른 지방에 정주할 것을 두려워했을 정도였다. 플로리다에 정주하려고 했던 프랑스인은 스페인인에게 전부 학살당했다.[202] 그러나 16세기의 말엽에 일어났던 스페인의 소위 무적선대의 패배 또는 실패의 결과로서 이 국민의 해군력이 쇠퇴했기 때문에 그 후로는 극들은 다른 유럽 국민들의 정주를 방해하는 힘을 잃어버렸다. 그러므로 17세기를 통하여 대양에 면한 항구를 가진 모든 대국의 국민들, 즉 잉글랜드인·프랑스인·네덜란드인·덴마크인·스웨덴인은 새로운 세계에 몇 개의 정주지를 건설하려고 꾀했다.

스웨덴의 식민지 뉴저지가 뉴욕에 병합되었을 때는 번영하고 있었다.

스웨덴인은 뉴저지에 정주했으며, 아직도 그곳에서 볼 수 있는 스웨덴인의 가족 수는, 만일 모국의 보호가 있었다면 이 식민지는 번영했을 뻔했다는 것을 충분히 증명하고 있다. 그러나 스웨덴은 그것을 등한시했으므로, 곧 네덜란드의 식민지인 뉴욕에 병합되었고, 다시 1674년[203]에 잉글랜드인의 지배하에 들어갔다.

덴마크의 식민지 세인트토머스와 산타크루스는 독점 회사가 해산된 뒤에 크게 번영했다.

덴마크인이 신세계에서 이때까지 영유했던 지방은 세인트토머스 및 산타크루스라고 하는 작은 섬뿐이다. 이러한 소정주지도 하나의 독점 회사의 지배하에 있었으며, 이 회사는 식민지 주민의 잉여생산물의 구매와 그들이 필요로 하는 다른 나라의 재화의 공급에 관해서 모두 독점권을 가지고 있었으므로, 그 구매에 관해서도 그 판매에 관해서도 그들을 억압하는 힘을 가지고 있었을 뿐만 아니

202 〔레이날, 《Histoire philosophique》, (암스테르담, 1773), 제6권, 8면.〕

203 〔1664년의 잘못된 것.〕

라, 실제로 그렇게 할 만한 가장 강한 유혹을 가지고 있었다. 독점적인 상사회사商事會社의 통치라는 것은 아마 어떤 나라에 대해서도 최악의 통치이다. 그러나 그 회사의 통치는 이러한 식민지의 진보를, 비록 느리고 활발하지 않게 하기는 했지만 그것을 완전히 정지시킬 수는 없었다. 덴마크의 전前 국왕은 이 회사를 해산시켰으며 그때 이래로 이러한 식민지들의 번영은 대단히 컸었다.

네덜란드 식민지 수리남Surinam은 아직도 독점 회사 밑에 있지만 번영하고 있다.
서인도에서의 네덜란드의 정주지는 동인도에서의 그것과 마찬가지로, 처음에는 하나의 독점 회사의 지배하에 있었다. 그러므로 그들 가운데 어떤 것의 진보는 오래전부터 주민이 있었고, 또 자립하여 오랜 세월을 겪어 온 거의 모든 나라의 진보에 비하면 상당히 신속한 바 있기는 했지만, 대부분 새 식민지의 진보에 비하면 활발하지 못하고 완만했다. 수리남 식민지의 진보도 상당한 것이지만, 유럽의 다른 국민 대부분의 설탕 식민지에 비하면 역시 뒤떨어져 있다. 현재 뉴욕과 뉴저지라고 하는 두 개의 속령으로 나뉘어져 있는 노바벨기아Nova Belgia의 식민지와 같은 것은 비록 네덜란드인의 통치하에 남아 있었다 하더라도 아마 얼마 되지 않아 상당한 진보를 했을 것이다. 양질의 토지가 풍부하고 또 값이 싸다는 것은 번영의 유력한 원인이므로 최악의 통치일지라도 그 작용의 효능을 전적으로 저지해 버릴 수는 없는 것이다. 그리고 모국에서의 거리가 대단히 멀기 때문에 식민지 주민들은 그 회사가 그들에 대해서 향유했던 독점권을 밀수에 의해서 다소나마 피할 수 있었을 것이다. 현재 이 회사는 인가료로서 적하의 가치의 2.5퍼센트를 지불하기만 하면 모든 네덜란드선이 수리남과 통상할 수 있도록 허용하고 있다. 다만 아프리카에서 아메리카에의 직접무역만은 독점적으로 그 회사가 유보하고 있는데, 이것은 거의 전부가 노예무역이었다. 그 식민지가 현재 그 정도의 번영을 향수하고 있는 주요 원인은 아마 이 회사의 독점적 특권들이 이렇게 완화되었기 때문일 것이다. 네덜란드인에게 속해 있는 중요한 두 섬, 즉 퀴라소Curaçoa와 에우스타시아Eustatia는 모든 국민의 선박에 개방된 자유항이며, 이 자유야말로 단지 한 국민에게만 그 자유항이 개방되어 있는 보다 좋은 식민지들의 한가운데 있으면서 그 두 개의 불모의 섬이 번영하게 된 큰 원인이었다.

프랑스의 식민지 캐나다는 독점적인 회사가 해산된 이래 신속한 진보를 보였다.

프랑스의 식민지 캐나다는 전前세기의 대부분과 현 세기의 일부분을 통하여 하나의 독점적인 회사의 지배하에 있었다. 그렇게 불리한 관리하에 있었기 때문에 그 진보는 다른 새 식민지의 진보에 비하여 필연적으로 대단히 완만했으나, 소위 미시시피 계획의 실패 후 이 회사가 해산되자, 훨씬 더 신속해졌다. 잉글랜드인이 이 지방을 점령했을 때는 그 주민이 20~30년 전에 샤를부아 신부가 추정했던 수[204]보다 두 배 가까이 되어 있었다. 그 예수회 회원은 모든 지방을 편력했지만, 그 주민 수를 실제 이하로 표시하려는 의향은 없었던 것이다.

산토도밍고는 여러 가지 장해가 있음에도 불구하고 다른 프랑스 설탕 식민지와 함께 크게 번창하고 있다.

프랑스 식민지 산토도밍고는 해적과 해적의 모험가들에 의해서 건설되었으며, 이들은 오랫동안 프랑스의 보호를 요구하지도 않았고, 또 프랑스의 권위를 인정하지도 않았다. 그 도적의 종족이 시민화하여 이 권위를 인정하게 되었을 때도, 장기간에 걸쳐 이 권위를 아주 은근하게 실현할 필요가 있었다. 이 기간을 통하여 이 식민지의 인구와 개량은 아주 급속히 증진하였다. 이 식민지도 프랑스의 다른 모든 식민지와 함께 얼마 동안 독점 회사에 억압되어 있었으며, 그 때문에 진보의 속도는 확실히 지연되기는 했으나, 그러한 억압으로써도 그 진보

204 피에르 프랑수아 사비에르 드 샤를부아Pierre François Xavier de Charlevoix, 《Histoire et description générale de la Nouvelle France, avec le journal historique d'un voyage dans l'Amérique Septentrionnale》(1774), 제2권, 390면은 1713년에 있어서의 인구를 2만에서 2만 5000명이라 하고 있다. 레이날Raynal은 1753년 및 1758년에 군대와 인디언을 제외한 인구는 9만 1000명이었다고 한다.-《Histoire philosophique》(암스테르담, 1773), 제6권, 137면.

를 완전히 정지시킬 수는 없었던 것이다. 그 억압에서 해방되자마자 그것은 다시 번영해 갔다. 현재 이 식민지는 서인도에 있는 설탕 식민지 가운데 가장 중요한 것이다. 그리고 그 생산고는 잉글랜드의 모든 설탕 식민지의 그것을 합한 것보다 더 많다고 한다. 이 밖에 프랑스의 설탕 식민지는 모두가 크게 번영하고 있다.

그러나 잉글랜드의 식민지의 진보가 가장 신속했다.

그러나 북아메리카에 있는 잉글랜드의 식민지보다 더 신속한 진보를 한 식민지는 하나도 없다. 좋은 토지가 풍부하게 있다는 것과 그들 자신의 문제를 그들 스스로가 처리하는 자유는 모든 새 식민지의 번영의 2대 원인인 것이다.

그들은 스페인과 포르투갈의 식민지처럼 좋은 토지를 많이 갖고 있지 않으나, 그 제도는 개량을 위해서는 더 유리하다.

북아메리카에 있는 잉글랜드의 식민지는 좋은 토지가 풍부하다는 점에서는 틀림없이 상당한 자연의 혜택을 입고 있기는 하지만, 스페인인과 포르투갈인의 식민지에 비한다면 역시 뒤떨어져 있으며, 최근 전쟁의 이전 프랑스인이 영유하고 있었던 식민지 가운데 어떤 것보다도 나은 편도 아니다. 그러나 잉글랜드의 식민지의 정치상의 제도들은 다른 세 나라의 어떤 식민지의 제도보다도 이 토지의 개량과 경작에 더 유리했다.

(1) 미경작지의 독점은 다른 어떤 식민지에서보다 더 제한되어 있었다.

첫째, 잉글랜드의 식민지에서는 미경작지의 독점을 완전히 방지할 수는 결코 없었지만, 그것은 다른 어떤 식민지에서보다 더 제한되어 있었다. 식민지법은 모든 토지소유자에게 일정 기간 내에 자기 토지의 일정 부분을 개량하고 경작할 의무를 지우고 있으며 더욱이 그것이 이행되지 않을 경우에는 그 선언된 토지를 다른 어떤 사람에게 넘겨줄 수 있다고 선언하고 있다. 그리고 비록 그 법률이 아마 심히 엄격하게 시행되지는 않았을 것이라 할지라도 약간의 효과는 있었다.

⑵ 장자상속제와 한사限嗣상속제는 별로 유행하지 않고 양도가 더 흔히 행해지고 있다.

둘째, 펜실베니아에서는 장자상속권은 없고, 토지는 동산과 마찬가지로 가족의 모든 아이들에게 균분되고 있다. 뉴잉글랜드의 세 개의 속령에서는 장자는 모세의 법률에 있어서와 마찬가지로 두 사람의 몫을 가지는 데 지나지 않는다. 그러므로 그러한 지방에서는 대단히 광대한 토지가 어떤 개인에게 독점되는 일이 있을지라도 한두 세대가 경과하는 동안에 충분히 재분할되어 버릴 것이다. 실은 잉글랜드의 다른 식민지 가운데는 잉글랜드의 법률에 있어서와 마찬가지로 장자상속권이 행해지고 있는 곳도 있다. 그러나 잉글랜드의 모든 식민지에서는 모두 자유 보유지(free socage)로서 보유되는 토지는[205] 그 보유권의 성질상 쉽게 양도할 수 있으며, 넓은 면적의 토지의 피被양여자는 약간의 면역 지대(quit-rent)를 남겨 놓고 될 수 있는 대로 빨리 대부분의 토지를 양여하는 것이 일반적으로 자기에게 이익이라는 것을 알게 된다. 스페인과 포르투갈의 식민지에서는 어떤 명예의 칭호가 붙여진 모든 대소유지의 상속에는 소위 마요랏조권(the right of Majorazzo)[206]이 발생한다. 즉 그러한 소유지는 모두 한 사람에게 돌아가고 사실상 상속이 한정되며 양도가 불가능해진다. 프랑스의 식민지는 파리의 관습을 따르고 있으며, 토지의 상속에 있어서는 잉글랜드의 법률보다는 차남 이하에 대해서 훨씬 더 유리하다. 그러나 프랑스의 식민지에서는 기사제도와 신도의무臣徒義務라고 하는 귀족적인 보유권에 의해서 보유되고 있는 소유지가 그 일부분이라도 양도되면 그 토지는 일정 기간 동안 영주의 상속인 또는 그 가족의 상속인에 의한 회수권(the right of redemption)의 지배를 받지 않으면 안 되게 되어 있다. 그리고 그 지방에서는 모든 대소유지는 이러한 귀족적인 보유권에 의해서 보유되어

205 〔"토지(the lands)"는 초판에는 "their lands"라고 되어 있다.〕

206 Jus Majoratus. 〔초판의 본문중에는 "mayorazzo", 주에서는 "mayoratus"라고 되어 있다.〕

있으므로, 그것이 필연적으로 양도를 곤란하게 하고 있다. 그러나 새 식민지에서는 미경작의 대소유지는 상속에 의하기보다는 양도에 의하는 편이 더 급속히 분할되는 듯하다. 이미 설명한 바와 같이 좋은 토지가 풍부하고 그 값이 싸다는 것은 새 식민지의 번영의 주요 원인이다. 토지의 독점은 사실상 이 풍부함과 싸다는 것을 파괴해 버리는 셈이다.[207] 뿐만 아니라 미경작지의 독점은 그 개량에 대한 최대의 장해이다. 그러나 토지의 개량과 경작에 종사하는 노동은[208] 가장 많고 가장 가치 있는 생산물을 그 사회에 제공한다. 노동의[209] 생산물은 이런 경우에 그 자체의 임금 및 그것을 고용하는 자재의 이윤을 지불할 뿐만 아니라, 그것이 사용되고 있는 토지의 지대를 지불한다. 그러므로 잉글랜드 식민자의 노동은 토지가 독점되어 있기 때문에 다소 다른 직업에 전용되고 있는 다른 세 나라의 어느 식민자의 노동보다도 훨씬 더 많이 토지의 개량과 경작에 사용되고 있으므로, 훨씬 다량의 그리고 훨씬 더 가치가 큰 생산물을 제공해 주는 것 같다.

⑶ 조세는 비교적 가볍다.

셋째로, 잉글랜드의 식민지의 노동은 더 양이 많고 가치도 많은 생산물을 제공할 가망이 있을 뿐만 아니라, 그들의 조세도 온당한 것이어서 이 생산물 가운데 보다 많은 부분이 그들 자신에게 돌아가고, 그들은 그것을 저장하여, 보다 더 많은 노동을 활동시키는 데 사용할 수 있을 것이다. 잉글랜드 식민자는 아직 모국의 방위에 관해서 어떤 것도 기여한 적이 없었다. 아니 그와 반대로 그들 자신은 이때까지 거의 전부 모국의 경비부담으로 방위되어 왔다. 그러나 육해군의 경비는 시민적 통치의 필요경비보다 비교가 되지 않을 정도로 많다. 그

207 〔이것과 그 앞의 문장은 초판에는 없다.〕

208 〔초판에는 "뿐만 아니라"로 시작되는 문장에서 여기까지가 다음과 같이 되어 있다. 즉 "그러나 이미 설명한 바 있거니와 미경작지의 독점은 그 개량과 경작에 대한 최대의 장해이며, 토지의 개량과 경작에 종사하는 노동은."〕

209 〔"노동의"는 초판에는 "그것의"라고 되어 있다.〕

들 자신의 시민적 통치비는 언제나 매우 온당한 것이었다. 그것은 대체로 총독과 재판관 및 그 밖에 약간의 경찰관에게 상당 봉급을 지불하고, 소수의 가장 유용한 공공사업의 유지비를 지불하는 데 필요한 것에 한정되어 있었다. 매사추세츠만灣의 문치文治시설비는 현재의 동란이 시작되기까지는 1년에 약 1만 8000파운드에 지나지 않는 것이 보통이었다. 뉴햄프셔와 로드아일랜드Rhode Island의 그것은 각각 3500파운드, 코네티컷의 그것은 4000파운드, 뉴욕 및 펜실베니아의 그것은 각각 4500파운드, 뉴저지의 그것은 1200파운드, 버지니아 및 사우스캐롤라이나의 그것은 각각 8000파운드, 노바스코샤Nova Scotia 및 조지아의 문치시설비는 부분적으로는 의회의 연간 보조금에 의해서 유지되고 있다. 그러나 노바스코샤는 그 외에도 식민지의 공적인 경비로서 1년에 약 7000파운드를 지출하고, 조지아는 1년에 약 2500파운드를 지출하고 있다. 요컨대 정확한 기록을 얻지 못한 메릴랜드와 노스캐롤라이나의 그것을 제외한 북아메리카에 있어서의 모든 문치시설비는 현재의 동란이 시작되기 이전에는 그 주민에게 1년에 6만 4700파운드 이상을 지출시키지는 않았다. 이것은 얼마나 적은 경비로써 300만 명이 통치될 수 있는가, 그리고 얼마나 훌륭하게 통치될 수 있는가를 나타내는 영구히 기억할 만한 실례라 하겠다. 사실 정부 경비의 가장 중요한 부분, 즉 방위 및 보호의 경비는 끊임없이 모국이 부담해 왔다. 그리고 신임 총독의 환영, 신의회의 개회 등의 경우, 식민지에서의 시민적 통치의 의식도 또한 그렇게 부끄러울 정도는 아니었으나, 결코 지나친 겉치레나 행렬이 따르지는 않았다. 그들의 교회의 통치도 마찬가지로 검소하게 행해지고 있다. 10분의 1세라는 것은 그들에게는 알려져 있지 않으며, 성직자僧職者의 수도 결코 많지 않았고, 그들은 알맞은 승록僧錄 또는 국민의 자발적인 헌금에 의해서 부양되고 있다. 이와 반대로 스페인과 포르투갈의 권력은 그들의 식민지들에 부과하는 조세에서 약간의 원조를 받고 있다. 실로 프랑스는 그 식민지에 부과하는 조세를 그 식민지에서 써 버리므로, 그것에서 다액의 수입을 끌어낸 적은 없었다. 그러나 이 모든 세 나라의 식민지 통치는 잉글랜드의 그것보다 훨씬 비경제적인 방법으로 처리되고 있으며, 훨씬 더 비용이 드는 의식이 따르고 있다. 예를 들면 페루의 새로운 총독의 환영을 위하여 쓴 금액은 이따금 막대한 것이었다.[210] 이러한 의식은 그러한 특별한 경우에 부유한 식민자들에 의해서 지불되는 실질적인 조세일 뿐만 아니라, 다른 모든 경우에도 그들 사이에 허용과 낭비의 습관을 만드는 데 도움이 된다. 이러한 의식은 과중한 임시세일 뿐만 아니라, 같은 종류의 더욱더 무거운 영구세, 즉 개인의 사치와 낭비라고 하는 파멸적인 조세를 창설하는 데 기여하는 것이다. 그리고 이 모든 세 나라의 식민지에서는 교회의 통치도 심히 압제적이다. 어느 식민지에서나 10분의 1세가 있고, 스페인과 포르투갈의 식민지에서는 극도로 엄격하게 징수되고 있다. 뿐만 아니라 그 식민지는 모두 수많은 탁발 수도사들 때문에 고통을 받고 있으며, 그들의 걸식 행위는 허가되어 있을 뿐만 아니라, 종교상 신성화되어 있기 때문에 그들에게 자선을 베풀어 주는 것은 의무이며 그것을 거부하는 것은 대죄라는 것을 빈틈없이 배워 왔던 빈민에게는 그것은 가장 가혹한 조세였다. 이 모든 것 외에도 성직자는 모든 식민지에서 최대의 토지 독점자이다.

(4) 모국이 무역을 독점하더라도 그것은 그렇게 압제적인 것은 아니었다.

넷째로, 잉글랜드의 식민지는 그 잉여생산물, 즉 그들 자신이 소비하고 남은 생산물을 처분함에 있어서 유럽의 다른 어떤 나라의 식민지보다도 유리했다. 유럽의 모든 자국 식민지의 상업을 자국에서 독점하려고 다소 노력해 왔으며, 그 때문에 외국인의 선박이 자신들 식민지와 무역하는 것을 금했고, 그 식민지가 유럽의 재화를 어떤 외국인으로부터 수입하는 것을 금지해 왔다. 그러나 이러한 독점권을 행사하는 방법은 여러 나라마다 매우 달랐던 것이다.

그 이유로는 식민지의 생산물을 될 수 있는 대로 싸게 수입하는 것을 이익으로 삼고

210 〔주앙 & 우요아Juan and Ulloa, 《Voyage historique》, 제1권, 437~441면은 의식의 성대함에 관하여 야단스럽게 설명하고 있다.〕

있는 독점 회사가 없었기 때문이다.

어떤 국민은 자국 식민지의 모든 상업을 하나의 독점 회사에 맡겨서 식민지는 그들이 필요로 하는 모든 유럽의 재화를 그 회사에서 사고, 또 그들 자신의 잉여생산물은 그 전부를 그 회사에 팔지 않을 수 없게 되어 있었다. 그러므로 전자를 될 수 있는 대로 비싸게 팔고 후자를 될 수 있는 대로 싸게 살 뿐만 아니라, 이 후자에 관해서는 이런 낮은 가격으로라도, 유럽에서 대단히 비싼 가격으로 처분할 수 있을 만한 분량만을 산다는 것이 그 회사의 이익이었다. 어떠한 경우에도 식민지의 잉여생산물의 가치를 하락시킬 뿐만 아니라 그 생산물의 양의 자연적 증가를 저해하고 억제하는 것이 그 회사의 이익이었다. 새 식민지의 자연적 성장을 방해하기 위하여 고안될 수 있는 모든 편법 가운데 독점 회사라고 하는 편법이 가장 유효하다는 것은 틀림없다. 그렇지만 그들의 회사는 현 세기가 경과되는 동안, 독점권의 행사를 많은 점에서 포기하게 되었다. 덴마크의 정책도 또한 전前 국왕의 치세 때까지는 이런 것이었다. 프랑스의 정책도 경우에 따라서는 이러했으며, 포르투갈은 최근 1755년 이후, 다른 모든 나라가 불합리한 것이라고 그 정책을 방기했던 뒤에도 적어도 브라질의 중요한 두 지방, 즉 페르남부쿠Fernambuco 및 마라뇬Marannon에 관해서는 그 정책을 썼던 것이다.[211]

그리고 무역을 특정한 항구 또는 특정된 면허장을 가진 선박에 제한하지 않았고,

다른 제국은 독점 회사를 설립하는 대신에, 식민지의 전체 상업을 모국의 특정된 한 항구에 한정하였다. 그리고 그 항구에서는 선대를 만들어 특정한 계절에 출범하든가, 또는 한 척이라면 대부분의 경우 대단히 많은 금액을 지불해야 손에 넣을 수 있는 특정한 면허장을 가지고 출범하든가 하지 않는 한, 한 척의 배도 식민지에서 출범하지 못하도록 하고 있었다. 실로 이 정책은 식민지의 무역을

211 〔마라뇬에 관해서는 1755년에, 그리고 페르남부쿠에 관해선 그 4년 후에 그것이 정책이 됐다. – 레이날, 《Histoire philosophique》(Amsterdam, 1773), 제3권, 402면.〕

모든 모국인에게 개방했는데, 그 조건으로서 특정한 항구로부터 특정한 계절에 특정한 선박으로 무역한다는 것을 내세웠다. 그러나 그러한 선박을 장비하기 위해서 자재를 합했던 각종 상인들은 모두 협력하여 행동하는 것이 자신들 이익이라는 것을 깨달았을 것이므로, 이러한 방법으로 행해지는 무역은 반드시 독점 회사의 그것과 거의 같은 원리에서 행해졌을 것이다. 그러한 상인들의 이윤은 그러한 회사와 거의 마찬가지로 부당하고 압제적인 것이었을 것이다. 식민지로서는 공급은 넉넉지 못하고, 대단히 비싸게 구매하고 대단히 싸게 팔지 않을 수 없었을 것이다. 그럼에도 불구하고 이것이 수년 전까지[212] 스페인의 일관된 정책이었으며, 따라서 스페인령 서인도 제도에서 유럽 재화의 가격은 엄청난 것이었다[213]고 한다. 우요아가 말한 바에 의하면, 키토에서는 철 1파운드가 영화 약 4실링 6펜스로 팔렸으며, 강철 1파운드는 영화 6실링 7펜스로 팔렸다고[214] 한다. 그러나 식민지가 그 생산물을 팔게 되는 것은 주로 유럽의 재화를 구매하기 위함이다. 그러므로 식민지는 유럽 재화에 지불을 많이 하면 할수록 그들의 생산물에서 실제로 획득하는 것은 그만큼 적게 되는 것이다. 그리고 유럽 재화가 비싸다는 것은 그들 생산물이 싸다는 것과 같은 것이다. 포르투갈의 정책은 이러한 점에서 스페인의 옛 정책[215]과 동일하며, 모든 식민지에 관해서 그러한 정책을 취했다. 그러나 페르남부쿠와 마라뇬만은 예외였는데, 이 식민지에 관해서는 최근에 보다 더 나쁜 정책을 채용했다.

모든 신민에게는 모국의 어느 항구와도 무역을 할 수 있는 자유가 주어져 있었으며, 다른 국민들은 식민지와의 무역을 모든 신민의 자유로 방임하여, 모국의 모든 항구를 통하여 무역을 할 수 있고, 또 세관의 보통 수속 이외의 면허는 필요없

212 〔초판에는 "수년 전"까지가 없다.〕

213 〔"엄청난 것이었다"는 초판에는 "엄청난 것이다"로 되어 있다.〕

214 〔철은 때로는 1퀸틀quintal에 100에큐écus, 강철은 150에큐였다. –주앙 & 우요아Juan and Ulloa, 《Voyage hisorique》, 제1권, 252면.〕

215 〔"옛 정책"은 초판에는 "그것"이라고 되어 있다.〕

도록 하고 있다. 이런 경우에는 여러 무역상인은 수가 많고 분산되어 있으므로 단결하는 것은 불가능하다. 그리고 그들은 서로 경쟁하므로 엄청난 이윤을 보지도 못한다. 그렇게 관대한 정책 아래에서는 식민지는 그 생산물을 팔거나 유럽의 재화를 살 때 합리적인 가격으로 할 수 있게 된다. 그러나 플리머스 회사가 해산된 것은 우리의 식민지의 유년기였는데, 그때 이래 잉글랜드는 항상 이러한 정책을 가지고 있었다. 프랑스의 정책 또한 대체로 그러했고, 잉글랜드에서 보통 미시시피 회사라고 불리는 회사의 해산 이래 계속 그대로이다. 그러므로 프랑스와 잉글랜드가 그들의 식민지와 하고 있는 무역의 이윤은 비록 다른 모든 국가도 자유경쟁이 허용되고 있을 경우보다는 틀림없이 약간 높지만 결코 엄청난 것은 아니다. 그리고 이 두 국가의 대부분 식민지에서 유럽의 재화의 가격이 엄청나게 비싸지도 않은 것은 이 때문이다.

그 위에 열거상품을 제외한 모든 것을 모국母國 이외의 다른 지방들에 수출하는 것도 자유이기 때문이다.

그 위에 영국의 식민지의 잉여생산물의 수출에 관해서도 그것이 모국의 시장에 한정되어 있는 것은 다만 어떤 상품에 관해서만 그러하다. 이러한 상품은 항해조례와 그 후의 약간의 법령 가운데 열거되어 있었고, 그 때문에 열거상품이라고 불려 왔다.[216] 나머지 상품은 비열거상품이라고 불린다. 이런 것은 선주船主 및 선원의 4분의 3이 영국인이고, 선박도 영국 또는 그 식민지의 선박으로 수출한다면 다른 나라로 직접 수출할 수 있다.

몇 가장 중요한 생산물은 열거되어 있지 않고 있다.

비열거품 가운데는 아메리카와 서인도의 가장 중요한 몇 가지 생산물이 있다. 모든 종류의 곡류와 제재, 소금절인 식료품, 어류, 설탕 및 럼주가 그것이다.

216 〔찰스 2세 제12년 법률 제18호 제18조에서 처음으로 열거된 상품은 설탕·담배·원면原綿·인디고·람藍·생강·퍼스틱fustic 및 그 밖의 염료 용재였다.〕

이를테면, 곡류가 그러하고,

곡류는 당연히 모든 식민지의 경작에 있어서의 첫째가는 주요 목적물이다. 법률은 식민지의 곡류를 위해 아주 광대한 시장을 줌으로써 식민지를 장려하고, 그 경작을 인구가 희박한 지방의 소비를 훨씬 넘을 만큼 확대시키고, 그리하여 끊임없이 증가하고 있는 인구를 위하여 미리 풍부한 생활수단을 마련하도록 해 준다.

목재도 그러하고,

숲으로 뒤덮여 있고 그 때문에 목재가 거의 또는 전혀 가치가 없는 지방에서는, 땅을 개간하는 비용이 개량에 있어 주요 장해이다. 법률은 식민지의 재목에 대단히 넓은 시장을 줌으로써 그렇지 않았을 경우에는 거의 가치가 없는 상품의 가격을 올려서 개량을 촉진시키고, 따라서 그렇지 않을 경우, 단순히 경비만 드는 일에, 약간의 이윤을 올릴 수 있도록 해 주려고 노력하고 있다.

가축도 그러하며,

식민이 반도 살지 않고, 경작도 반도 되어 있지 않은 지방에서는, 가축은 자연히 그 주민의 소비를 넘을 정도로 증식하고, 그 때문에 거의 또는 전혀 가치가 없는 경우가 이따금 있다. 그러나 이미 설명한 바이지만 어떤 지방이라도 그 지방의 대부분이 개량되기까지는 가축의 가격이 곡물의 가격과 어떤 비율을 갖는 것이 필요하다. 법률은 모든 형태의 아메리카산 가축에 대해서 죽은 것이든, 산 것이든 간에 아주 광대한 시장을 줌으로써 그런 높은 가격이 개량에 있어서 극히 중요한 역할을 하는 바, 그 상품의 가격을 올리려고 한다. 그러나 생피와 피혁을 열거상품에 넣고 이 때문에 아메리카산 가축의 가격을 떨어뜨리는 경향을 가지고 있는 조지 3세의 제4년 법률 제15호는 이러한 자유의 좋은 효과를 다소 감소시켰음이 틀림없다.

어류도 그러하고,

우리의 식민지의 어업을 확장함으로써 영국의 선박과 해군력을 증대시킨다는 것은 입법부가 거의 시종일관하여 추구해 왔던 것 같다. 이 때문에 어업은 자유가 허용할 수 있는 모든 장려를 받았으며, 따라서 번영하기도 했다. 특히 뉴잉글랜드의 어업은 최근의 동란 이전에는 아마 세계에서 가장 중요한 것의 하나였다. 포경업은 엄청나게 많은 장려금을 받고 있었음에도 불구하고 영국에서는 거의 아무런 효과도 없이 행하여지고 있기 때문에, 많은 사람들의 의견에 의하면 (나는 그것을 보증하려고 하지는 않지만) 그 생산물 전부는 해마다 그것에 지불되는 장려금의 가치를 크게 초과하지 않는 형편이라는데, 뉴잉글랜드에서는 장려금도 받지 않고서도 성대하게 행해지고 있다. 어류는 북아메리카가 스페인, 포르투갈 및 지중해 연안과 무역하는 주요한 품목의 하나이다.

설탕도 그러하며,

설탕은 처음에는 영국에만 수출될 수 있는 열거상품이었다. 그러나 1731년[217]에는 설탕 재배자의 진정에 의해서 그 수출은 세계의 각 지방에 허용되었다. 그러나 이 자유가 허용될 때 붙여진 제한[218]은 영국에서 설탕 가격이 비싸다는 것과 얽혀서 이 자유의 효과를 아주 못쓰게 만들어 버렸다. 영국과 그 식민지는 아직도 영국의 재식지에서 생산되는 모든 설탕에 대한 거의 유일한 시장이다. 설탕의 소비는 너무 급속히 증가하고 있으므로 자메이카의 할양제도割讓制度[219]의 개량이 증진하고, 그 결과 이 20년 동안에 설탕의 수입이 대대적으로 증가했지만,

217 〔이것은 약간 잘못된 것 같다. 정확한 연대는 명백하게 1739년이며, 조지 2세 제12년 법률 제30호에 의한 것이다.〕

218 〔피니스테레곶의 이남의 지방들에 가지 않는 선박은 영국의 어떤 항구에 기항하도록 강제당하고 있었다.〕

219 〔가르니에는 이 사절에 대한 주(제3권, 323면)에서 다음과 같이 지적하고 있다. 1763년 파리의 평화조약에 의해서 할양된 섬들은 그레나다Grenada와 그레나디네즈Grenadines뿐인데, 여기에서 할양제도라 함은 전쟁 중에 획득된 다른 섬들, 즉 세인트 빈센트St. Vincent, 도미니카Dominica 및 토바고Tobago를 포함하고 있다.〕

외국에의 수출은 종전보다는 그렇게 많지 않다고 하고 있다.

럼주도 그러하다.
럼주는 아메리카인이 아프리카의 해안과 행하고 있는 무역의 중요한 품질이며, 아메리카인들은 이 럼주와 교환하여 흑인 노예를 데리고 돌아온다.

곡류·수육·어류가 만일 강제적으로 영국 시장에 들어왔다면, 그것은 영국의 생산물과 격심한 경쟁을 했을 것이다.
만일 아메리카의 모든 종류의 곡류, 소금에 절인 식료품 및 어류의 모든 잉여생산물이 열거상품에 들어가서 그 때문에 영국의 시장에 강제적으로 끌어들여졌다면 그것은 우리 본국의 근로의 생산물과 심하게 충돌했을 것이다. 그렇게 중요한 상품이 열거에 빠져 있었을 뿐만 아니라, 쌀을 제외한 모든 곡류와 절인 식료품에 대해 영국에 수입이 통상의 법률 상태에서 금지되었던 것은 아마 아메리카의 이해를 고려해서라기보다는 오히려 이러한 충돌을 경계했기 때문이었을 것이다.

비열거상품은 처음에는 세계의 어느 지방에도 수출될 수 있었다. 최근에는 피니스테레곶 이남의 지방들에 한정되어 버렸다
비열거상품들은 최초에는 세계의 어느 지방에도 수출될 수 있었다. 목재와 쌀은 한때는 열거상품에 들어 있었으므로, 그 후 그것에서 제외되었을 때도 유럽 시장에 관해서는 피니스테레곶 이남의 지방들에 한정되었다.[220] 조지 3세 제6년 법률 제52호에 의해서 모든 비열거상품은 이와 같은 제한에 따르게 되었다. 피니스테레곶 이남의 유럽 지방은 제조업 지대가 아니므로, 우리는 식민지의 선박

220 〔쌀은 앤 치세 제3, 4년 법률 제5호에 의해서 열거상품에 들어갔다가 조지 2세 제3년 법률 제28호에 의해서 그것에서 제외되었다. 목재는 조지 3세 제5년 법률 제45호에 의해서 그것에서 제외되었다.〕

이 그곳에서 우리의 것과 충돌할 것 같은 제조품을 본국으로 가지고 가는 것을 그렇게 경계하지 않았다.

열거상품은, 모국에서는 전혀 생산되지 않는 상품과, 그 공급의 적은 부분만이 겨우 모국에서 생산되는 상품, 두 종류이다.

열거상품은 두 종류로 되어 있다. 첫 번째는 아메리카의 생산물 또는 모국에서 생산할 수 없는 것, 또는 적어도 생산되고 있지 않은 상품이다. 이 종류에는 당밀·커피·코코넛·담배·피멘토·생강·고래수염·생사·생면·해리와 그 밖의 아메리카산의 모피·람·퍼스틱fustic 및 그 밖의 염료 용재가 있다. 두 번째는 아메리카의 특산물이 아니라, 모국에서도 생산되고 또 될 수 있는 것이지만, 그 양이 모국의 수요의 대부분을 충족시킬 만한 것이 못 되어, 주로 외국으로부터 공급받고 있는 상품이다. 이 종류에는 모든 선박용품·범주(돛대)·돛가름대·사장斜檣·타르·피치pitch·테레빈·선철·봉철·동광·생피·피혁·가성칼륨·조제탄산칼륨 등이 있다. 첫 번째 상품은 최대한으로 수입하더라도 모국의 생산물의 산출을 저지하거나, 그 어떤 부분의 판매와 충돌하거나 할 수는 없을 것이다. 이러한 상품을 본국의 국내시장에 한정함으로써 우리 상인들은 그것들을 식민지에서 보다 싸게 사게 되고, 따라서 많은 이윤을 보고 국내에서 팔 수 있게 될 뿐 아니라, 식민지와 다른 나라 사이에 유리한 중계무역을 확립하고, 더욱이 영국은 그러한 상품이 최초로 수입되는 유럽의 나라로서 필연적으로 그 중심 또는 집산지가 될 수 있다는 것이 기대되었다. 그리고 두 번째 상품의 수입은 국내에서 생산되는 같은 종류의 상품의 판매와 충돌하지 않고 외국에서 수입되는 같은 종류의 상품의 판매를 방해하도록 다스려질 수 있다고 생각되었다. 왜냐하면 적당한 수입세를 부과함으로써 두 번째 상품은 본국에서 생산되는 같은 종류의 상품보다 반드시 약간 비싸게 만들어 버릴 수 있으며, 더욱이 외국에서 수입되는 같은 종류의 상품보다는 훨씬 싸게 될 수 있을 것이기 때문이다. 그러므로 그러한 상품을 본국의 시장에 한정한다는 것은 영국의 생산물을 저해하지 않고 무역차액이 영국에게 불리할 것으로 믿어졌던 약간의 외국 생산물을 저지하려고 제안된 것이었다.

영국에 가는 선박 용품의 수입에 대해서는 장려금이 주어졌다.

돛대·돛가름대·사장·타르·피치·테레빈을 영국 이외의 어떠한 다른 나라에도 식민지 개량의 주요 장애인 토지의 개척비를 증가시키는 경향이 있다. 그러나 현 세기 초, 즉 1703년에 스웨덴의 피치와 타르의 회사는 그들 자신의 선박으로, 그들 자신이 정하는 가격으로, 그들이 적당하다고 생각하는 수량으로 하지 않는 한, 피치와 타르의 수출을 금지함으로써 영국에 대해서 자신들의 상품가격을 올리려고 노력했다.[221] 이 주목할 만한 하나의 중상주의정책을 역습하고 스웨덴뿐만 아니라, 다른 모든 북방의 나라들로부터 될 수 있는 대로 독립하기 위하여 영국은 아메리카로부터의 선박 용품에 장려금을 주었으며, 이 장려금의 효과를 아메리카에서의 목재 가격은, 그 수출이 본국의 시장에 한정되어 있으므로 해서 떨어진 값 이상으로 올리는 것이었다. 그리고 이 두 가지 규제가 동시에 법령화되었으므로, 그 복합적인 효과는 아메리카에서의 토지의 개척을 저해하는 것이었다기보다 오히려 그것을 장려하는 것이었다고 하겠다.

아메리카의 선철은 면세되었다.

선철과 봉철도 또한 열거상품 가운데 포함되어 있었으나 아메리카로부터 수입될 때는 다른 나라로부터 수입될 경우 물어야 할 상당한 세금을 면제받으므로,[222] 이 규제는 한편으로는 아메리카의 제철소의 건설을 저해하지만 또 한편으로는 그 이상으로 그 건설을 장려하는 데 기여한다. 제조업 가운데 제철소만큼 다량의 재목의 소비를 필요로 하는 것은 달리 없다. 다시 말하면 삼림이 울창한 지방의 개척에 이것처럼 많은 기여를 할 수 있는 것도 없다.

221 〔앤더슨Anderson, 《Commerce》(1703).〕

222 〔조지 2세 제23년 법률 제29호.〕

이러한 규제는 목재의 가격을 올렸고 나아가서는 그 지방의 개척을 원조했다.

이러한 규제의 어떤 것이 아메리카에 있어서의 목재의 가격을 올리고, 따라서 토지의 개척을 촉진시키는 경향을 가진다는 것은 입법부가 의도한 바도 아니요, 이해된 것도 아니었다. 그런데도 이 규제의 유익한 효과는 비록 이런 점에서는 우발적인 것이었다고 하더라도, 그렇다고 해서 그 현실성을 의심할 수는 없는 것이다.

영국령의 아메리카 식민지와 영국령의 서인도 사이에는 자유무역이 보급되어 있다.

영국령 아메리카 식민지와 영국령 서인도 식민지 사이에는 열거상품에 관해서나 비열거상품에 관해서나 가장 완전한 무역의 자유가 허용되어 있다. 현재 이러한 식민지는 인구가 대단히 많아졌고 또 번영해 왔으므로, 그들은 각각 그 자체의 생산물의 모든 부분을 위한 광대한 시장을 다른 어딘가에서 찾고 있는 형편이다. 그 모든 식민지가 한데 뭉치면 서로 그 생산물에 대한 일대 국내시장을 형성하는 것이다.

그러나 영국의 관대함은 정제품에까지는 이르지 않고 있다.

그러나 그 식민지 무역에 대한 잉글랜드의 관대함은 식민지의 생산물의 시장에 관해서는 조제 상태의 것이든지 또는 소위 제조의 아주 초기의 단계에 있는 것에 주로 한정되어 있었다. 보다 완성에 가깝고 보다 더 정제된 제조품은 비록 식민지의 생산물일지라도 영국의 상인과 제조업자들은 자신들이 보유하고 있기 위하여 입법부를 설득했고, 때로는 높은 세금을 과하거나, 때로는 절대적 금지로써 그러한 제조업이 식민지에 창설되는 것을 방지하려고 했다.

정제당에는 중세를 부과했다.

예를 들면, 영국의 식민지에서 오는 흑설탕의 수입에는 1헌드레드웨이트에 겨우 6실링 4펜스밖에 과세되지 않는데, 백설탕의 수입에는 1파운드 1실링 1펜스가 과세된다. 그리고 복제이든, 단제이든 간에 원추형의 정제당에는 4파운드 2실링 5와 20분의 8펜스가 과세되고 있다. 그러한 높은 관세가 과해졌을 당시, 영국은 영국의 식민지의 설탕이 수출될 수 있을 유일한 시장이었고, 아직도 계속 주요 시장이다. 그러므로 그러한 높은 관세는 처음에는 어떤 외국시장을 위하여 설탕을 표백 또는 정제하는 것에 대한 금지와 마찬가지였으며, 현재에는 전체 생산물의 아마 10분의 9 이상을 흡수해 주는 시장을 위하여 설탕을 표백하거나 정제하는 것에 대한 금지와 마찬가지이다. 따라서 설탕을 표백 또는 정제하는 제조업은 프랑스의 모든 설탕 식민지에서 번영해 왔지만, 잉글랜드의 식민지에서는 식민지 자체의 시장을 위한 것을 제외하고는 어디에서나 조금도 발달되지 않았다. 그레나다가 프랑스인의 수중에 있었을 동안에는 거의 모든 식민지마다 적어도 표백 작업을 하는 설탕정제소가 있었다. 그런데 그것이 잉글랜드인의 수중에 떨어진 이래 이런 종류의 공장은 거의 전부 폐지되어 버렸고, 1773년 10월 현재, 내가 확신하고 있는 바로써는 이 섬에 남아 있는 공장은 두세 군데를 넘지 않는다. 그러나 현재에는 세관의 관대한 처치에 의해서 표백 또는 정제된 설탕이라도 만일 원추형의 것을 가루로 만든 것이라면 보통 흑설탕과 같이 수입되고 있다.

식민지에는 제강소와 철재 절단 공장을 건설할 수 없다.

영국은 아메리카에서 선철과 봉철의 제조를 장려하고 이런 상품들이 다른 나라로부터 수입될 경우 물어야 하는 세금을 아메리카 제조품에 관해서는 면제하고 있는데, 그 반면 아메리카에 있는 자국의 재식지에 제강소와 철재 절단 공장을 건설하는 것을 절대적으로 금지하고 있다.[223] 즉 영국은 자국 식민자 자신의 소비를 위한 경우까지도 그들이 더 정교한 제조업에 종사하는 것을 허용하지 않으려고 하며, 그들이 필요로 하는 이런 종류의 모든 재화는 자국의 상인과 제조업자로부터 구매하도록 주장하고 있다.

223 〔조지 2세 제23년 법률 제29호. 앤더슨Anderson, 《Commerce》(1750).〕

아메리카산 모자·양모·모직물은 한 지방에서 다른 지방에 대량으로 보내질 수 없다. 영국은 아메리카산 모자·양모·모직물을 한 지방에서 다른 지방에 수로를 통해서 수출하는 것을 금지하고, 말 또는 짐마차에 실려서 육로로 수출하는 것까지 금지하고 있다.[224] 이러한 규제는 먼 지방에 판매하기 위하여 그러한 상품을 만드는 제조업을 창설하는 것을 사실상 저지하는 것이며, 더욱이 자국 식민자의 산업을 이렇게 해서 개인의 가족이 보통 자가 소비용을 위해서, 또는 같은 지방의 이웃 사람의 가족용을 위해 만드는 정도로 조잡한 가정용 제품에 국한해 버리는 것이다.

이러한 금지는 신성한 권리의 침해이기는 했지만, 아직까지 큰 피해는 없었다. 요컨대 일대 국민에 대해, 자기 자신의 온갖 생산물로써 모든 것을 만드는 것을 금지한다든지, 또는 그들이 가장 유리하다고 판단하는 방법으로 그들의 자재와 근로를 사용하는 것을 금지한다는 것은 인류의 가장 신성한 권리의 명백한 침해이다. 그러나 그러한 금지가 아무리 옳지 못한 것이라 하더라도, 그것이 아직까지는 식민지에 크게 유해한 것은 아니었다. 식민지에서는 토지는 여전히 아주 헐값이고 따라서 노동은 매우 비싸므로, 보다 정교하고, 보다 진보된 거의 모든 제조품을 손수 만드는 것보다 모국에서 수입하는 편이 더 쌌다. 그러므로 식민지가 그러한 제조업의 창설을 금지당하지 않았다 하더라도 그들의 개량의 현 상태 같아서는 그들 자신의 이익에 대한 고려에서도 그들로 하여금 그러한 건설을 하지 못하게 했을 것이다. 식민지의 개량의 현 상태에서는 그러한 금지는 아마 그들의 근로를 구속하거나 그 근로가 저절로 향하게 될 어떤 업종에 가지 못하게 제한하지 않고, 다만 아무런 충분한 이유도 없이 모국의 상인과 제조업자의 근거 없는 질투에 의해서 식민지에 과해진 노예 상태의 무례한 기장記章에 지나지 않는다. 보다 진보한 상태에서는 그러한 금지는 참으로 억압적이요 견디기 어

224 〔모자는 조지 2세 제5년 법률 제22호에 의해서, 양모는 윌리엄 3세 제10, 11년 법률 제10호에 의한 것이다. 앤더슨, 《Commerce》(1732년도 판과 1699년도 판)를 보라.〕

려운 것이 될 것이다.

식민지의 여러 가지 생산물을 영국에 수입하는 것은 감세 또는 장려금에 의해서 장려되고 있다.

뿐만 아니라 영국은 식민지의 가장 중요한 생산물 가운데 약간의 것을 본국의 시장에만 한정하고 있으므로, 그 대상으로써 그런 생산물 가운데 약간의 것에 대해서 그 시장에서 편의를 봐주고 있다. 즉 이와 유사한 생산물이 다른 나라로부터 수입될 경우에는 그것에는 식민지의 생산물보다 높은 세금을 부과하든지, 때로는 식민지로부터 수입할 때 그것에 장려금을 주기도 하다. 영국이 그 가운데 첫 번째 방법으로 본국의 시장에서 편의를 주고 있는 것은 식민지의 설탕·담배·철이다. 그리고 두 번째 방법으로 그렇게 하고 있는 것은 그 식민지의 생사·대마·아마·람·선박용품·건축용재이다. 식민지의 생산물에 수입장려금을 주어서 그 생산을 장려한다는 그 두 번째의 방법은 확실히 내가 알고 있는 한에서는 영국 특유의 것이다. 첫 번째 방법은 그렇지 않다. 포르투갈은 다른 나라로부터 오는 담배 수입에 대해서 식민지로부터 오는 것에 대한 것보다 더 높은 세금을 부과하는 것만으로써는 만족하지 않고 훨씬 가혹한 형벌로써 그것을 금지하고 있다.

유럽으로부터의 수입에 관해서는 영국의 식민지는 다른 나라들의 식민지보다는 관대한 취급을 받아 왔다.

유럽으로부터의 재화의 수입에 관해서는 잉글랜드는 다른 어떤 나라보다도 관대하게 자국의 식민지를 다루어 왔다. 영국은 외국 재화의 수입에 대해서 지불되는 세금의 일부, 거의 언제나 그 반액, 대체로는 그보다 더 큰 부분, 때로는 그 전액을 그러한 재화가 어떤 외국으로 수출될 때 돌려주도록 하고 있다. 영국에 수입되는 거의 모든 외국 재화에 중세가 과해져 있으므로 그러한 재화가 그러한 중세를 부담하고 나가게 된다면 어떠한 독립된 외국도 그것을 받아들이지는 않을 것이라는 것쯤은 쉽게 예측할 만한 것이었다. 그러므로 그러한 세의 어떤 부분이 수출의 경우에 되돌려 주어지지 않는 한 중계무역은 근절되었을 것이다. 이 무역이야말로 중상주의체계가 그렇게도 호의를 보였던 무역이었다.

조세환급이 허용되었다.

그러나 우리의 식민지는 결코 독립된 외국은 아니다. 그리고 영국은 유럽으로부터 오는 모든 재화를 자국 식민지에 공급하는 독점적 권리를 손수 쥐고 있었으므로(다른 나라들이 자신들 식민지에 대해서 했던 것과 똑같은 방법으로), 자국 식민지로 하여금 모국에서 지불된 것과 같은 금액의 세를 전부 부담시킨 채로 그러한 재화를 받아들일 것을 강제할 수 있었을 것이다. 그러나 실은 그 반대로 1763년까지 우리 식민지에 수출되는 외국 재화의 대부분에 관해서는 독립된 외국에 수출하는 경우에 대한 것과 같은 금액의 조세환급이 지불되고 있다. 사실 1763년 조지 3세 제4년 법률 제15호에 의해서 이러한 특전은 많이 감소되었으니 그것은 다음과 같이 규정되었다. 즉 "유럽 또는 동인도의 재배와 생산 또는 제조와 관련 있는 어떤 재화에 대해서도 그것이 본 왕국으로부터 아메리카에 있는 영국의 식민지 또는 재식지에 수출될 경우에는 포도주·백캘리코·모슬린을 제외하고는 구왕실보조세라고 불리는 세를 조금도 되돌려 주어서는 안 된다"는 것이다. 이 법률이 제정되기 전에는 많은 각가지 외국 재화는 모국에서보다 식민지에서 더 싸게 구매될 수 있었을 것이다. 그리고 어떤 것은 지금까지도 그러할 것이다.

이것은 이해관계를 가진 상인의 조언에 유래한 것이었다.

식민지 무역에 관한 대부분의 규제에 관해서 주의해야 할 것은 그 무역을 하고 있는 상인들이 주된 조언자였다는 것이다. 따라서 그러한 규제의 대부분의 내용이 식민지 또는 모국의 이해보다는 그들의 이해가 더 많이 고려되어 있었다고 해서 조금도 이상할 것은 없다고 하겠다. 식민지가 유럽으로부터 원하고 있는 모든 재화의 공급에 관해서, 그리고 식민지의 잉여생산물 가운데 그 상인들이 본국에서 손수 하고 있는 사업과 충돌하지 않을 만한 부분을 모두 구매한다는 것에 관하여 그들은 독점적 특권을 가지고 있었으므로, 식민지의 이익이 상인들의 이익에 희생되었다. 유럽과 동인도의 재화의 대부분을 식민지에 재수출할 경우 그것을 어떤 독립국에 재수출할 경우와 같은 금액의 조세환급을 준다는 점에서도 모국의 이익이 그들의 이익에 희생되었다. 그리고 이것은 중상주의적 견해로써 보더라도 그러하다. 상인들에게는 자신들이 식민지에 보내는 외국재화에는 될 수 있는 대로 적게 지불하고, 그 결과 자신들이 영국에 그것을 수입했을 때 선불한 세금을 될 수 있는 대로 많이 돌려받는 것이 이익이었다. 그렇게 하여 그들은 식민지에서 같은 양의 재화를 팔아 더욱더 많은 이윤을 올릴 수 있었고, 같은 금액의 이윤으로 보다 많은 양의 재화를 팔 수 있었을 것이며, 그 결과 어느 방법으로써도 약간 이득을 볼 수 있었을 것이다. 더욱이 그러한 모든 재화를 될 수 있는 대로 싸게, 될 수 있는 대로 풍부하게 획득한다는 것은 역시 식민지로서도 이익이었다. 그러나 이것은 반드시 모국의 이익이 되었다고 할 수 없을 것이다. 모국은 그러한 재화의 수입에 대해서 지불받았던 세금의 대부분이 되돌려 주어지므로 수입에서 손해를 보고, 또 그러한 조세환급 때문에 식민지에 외국 제품이 수송될 수 있는 조건이 좋아지므로 그 결과 모국의 제조품이 식민지 시장에서 싸게 팔리기 때문에 제조품에서도 손해를 보게 되는 수가 흔히 있을 수 있기 때문이다. 영국의 아마포 제조업은 독일의 아마포를 아메리카 식민지에 재수출할 경우의 조세환급 때문에 그 진보의 속도가 상당히 지연되어 왔다고 일반적으로 일컬어지고 있다. 그러나 식민지 무역에 관한 영국의 정책이 다른 여러 나라의 그것과 마찬가지로 중상주의 정신에 의해서 명령받아 왔지만, 전체로 봐서는 다른 어떤 나라의 그것보다 편협하지 않았고, 또 압제적인 것도 아니었다.

외국무역 이외의 점에서는 잉글랜드의 식민지는 완전한 자유를 가지고 있다.

잉글랜드의 식민지는 외국무역을 제외한 모든 사항에 있어서 그들 자신의 문제를 그들대로의 방법으로 처리하는 완전한 자유를 가지고 있다. 이 자유는 모든 점에서 본국에 있는 그들의 동포 시민의 그것과 동등하며, 그것이 식민지 정부를 유지하기 위한 유일한 과세권을 주장하는 국민대표의 의회에 의해서 보증되어 있는 것도 본국과 같다고 하겠다. 이 의회의 권위는 행정권을 위압하고 있으며, 가장 초라한 식민이거나 가장 밉살스러운 식민이거나 간에 그가 법률을 따르는 한 그 속령의 장관 또는 문무관사의 분원憤怨을 두려워할 것은 조금도 없는 것이다. 식민지 의회는 잉글랜드의 하원과 마찬가지로 반드시 국민을 아주 평등하게 대표하고 있다고는 할 수 없으나 잉글랜드의 하원보다도 그러한 성질에 더 가까이 접근해 있으며,[225] 더욱이 그 행정권은 의회를 부패시키는 수단을 갖고 있지 않고, 모국으로부터 재정적 원조를 받고 있으므로 그렇게 할 필요도 없기 때문에 아마 이 의회는 잉글랜드보다도 대체로 그 선거인의 의향에 의해서 더 많이 영향을 받고 있을 것이다. 식민지의 입법부에 있어서 영국의 상원에 상당하는 입법위원회는 세습귀족으로 구성된 것은 아니다. 약간의 식민지, 이를테면 뉴잉글랜드의 정부 중 세 개의 속령에 있어서는, 이 입법위원회는 국왕에 의해서 임명되는 것이 아니라, 국민의 대표에 의해서 선출되는 것이다. 잉글랜드의 어느 식민지에도 세습귀족은 한 사람도 없다. 물론 그러한 모든 식민지에는 다른 모든 자유로운 나라에서와 마찬가지로 오래된 식민자의 가족의 자손이 동등한 공로와 재산을 가진 벼락부자보다는 더 존경받고 있지만, 그는 다만 더 존경받는 데 그칠 뿐이며, 그 이웃 사람들에게 말썽을 부릴 수 있는 특권을 가지고 있는 것은 아니다. 현재의 동란이 시작되기 전에는 식민지 의회는 입법권뿐만 아니라, 행정권의 일부를 가지고 있었다. 코네티컷과 로드아일랜드에서는 그 의회가 총독을 선출했다.[226] 다른 식민지에서는 의회가 수입 관사를 임명했으며,

225 〔"잉글랜드의 하원보다도 그런 성질에 더 접근해 있으며"는 초판에는 없다.〕

226 〔상무·척무성(Board of Trade and Plantations)은 하원에 대한 1732년의 한 보고서 가운데서 약간의 식민지 정부가 이러한 민주적 성질을 가지고 있다고 주장했고, 코네티컷과 로드아일랜드에

이 수입관리는 각각의 의회에 의해서 부과되었던 조세를 징수하고, 또 그 의회에 대해서 직접적인 책임을 지고 있었다. 그러므로 잉글랜드의 식민자들 사이에서는 모국의 주민들 사이에서보다 더 많은 평등이 존재한다. 그들의 풍습은 모국의 주민의 그것보다 더 공화주의적이고, 그들의 정부도 특히 뉴잉글랜드의 세 곳 속령의 정부는 여태까지 훨씬 더 공화주의적이었다.

스페인과 포르투갈의 전제정치는 본국에서보다 식민지에서 더 난폭했다. 프랑스도 정도는 덜하지만 역시 그러하다.

이와는 반대로 스페인·포르투갈·프랑스의 전제정치는 그들의 식민지에서 시행되고 있으며, 그러한 정부가 모든 하급관리에게 보통 위임하는 자유재량권은 본국에서 너무 멀리 떨어져 있었기 때문에 식민지에서는 보통 이상으로 폭력적으로 행사된다. 모든 전제정치 아래에서는 그 나라의 어느 지방에서보다 수도에 더 많은 자유가 존재한다. 주권자 자신이 정의의 질서를 그르치거나 국민 대중을 억압하여서 이익을 본다든지, 또는 그런 의향을 가질 수도 없는 것이기 때문이다. 수도에서는 주권자의 존재 그 자체가 다소 모든 하급관리를 위압하는데, 국민의 불평이 주권자에게 미칠 것 같지도 않은 먼 지방에서는 하급관리들은 훨씬 더 안전하게 폭정을 실시할 수 있다. 그런데 아메리카에 있는 유럽의 식민지는 이때까지 알려져 있는 가운데 가장 큰 제국의 가장 먼 지방보다도 훨씬 더 멀리 떨어져 있다. 잉글랜드의 식민지 정부는 세계가 시작된 이래 그렇게도 멀리 떨어져 있는 속령의 주민에게 완전한 안전을 보장해 줄 수 있었던 유일한 정부일 것이다. 그러나 프랑스의 식민지 행정은 스페인과 포르투갈의 그것에 비하면 언제나 훨씬 더 부드럽고 온당하게 처리되어 왔다. 이러한 뛰어난 행정처리는 프랑스의 국민성에도, 그리고 각국의 국민성을 형성하고 있는 그 통치의 성질에도 알맞은 것이다. 그것은 영국에 비한다면 자의적이고 폭력적일지라도 스페인과 포르투갈에 비한다면 합법적이요 자유로운 것이다.

서의 총독의 선거에 언급했다. 그 보고서는 앤더슨, 《Commerce》(1732)에 인용되어 있다.)

프랑스의 설탕 식민지가 잉글랜드의 식민지보다 번영하고 있는 것은 전자가 설탕의 정제를 저해하지 않고, 또 노예를 잘 다루고 있기 때문이다.

그러나 잉글랜드의 정부의 우월성이 주로 나타나 있는 것은 북아메리카의 식민지의 진보에서 볼 수 있다. 프랑스의 설탕 식민지의 진보는 잉글랜드의 설탕 식민지 대부분의 진보에 적어도 필적하고, 아마 그것을 능가하기도 했다. 그래도 잉글랜드의 설탕 식민지는 북아메리카에 있는 잉글랜드의 식민지에서 행해지고 있는 것과 거의 같은 종류의 자유로운 통치를 향수하고 있다. 그러나 프랑스의 설탕 식민지는 잉글랜드의 설탕 식민지처럼 그 설탕의 정제를 저해당하고 있지 않으며, 더욱더 중요한 것은 그 통치의 특성에서 자연히 흑인 노예를 보다 잘 다루게 되어 있다는 것이다.

전제정치는 공화정치보다도 노예에게는 더 유리하다.

유럽의 모든 식민지에서 사탕수수의 재배는 흑인 노예에 의해서 행해지고 있다. 유럽의 온대에서 태어난 사람의 체질은 서인도의 타는 듯한 태양 아래서 토지를 파는 노동에는 견딜 수 없으리라고 생각되고 있다. 사탕수수의 재배는 많은 사람들의 의견에 의하면, 파종 쟁기를 채용하면 대단히 유리하다고 하지만, 현재에는 모두가 손으로 하는 노동으로써 이루어지고 있다. 그러나 가축을 사용하여 행하는 경작의 이윤과 성공은 그러한 가축을 잘 다루느냐 못 다루느냐에 달려 있다. 이와 마찬가지로 노예로써 하여지고 있는 경작의 이윤과 성공도 노예를 잘 다루느냐 못 다루느냐에 의존함이 틀림없다 하겠다. 그리고 노예를 잘 다룬다는 점에서는 프랑스의 식민들이 잉글랜드의 그들보다 뛰어나 있다고 하는 것은 일반적으로 인정되어 있는 것이라고 생각된다. 노예를 그 주인의 폭력에서 불충분하지만 보호해 준다는 한에 있어서의 법률은 정부가 그 식민지에 대해서 아주 전제적인 편이 전적으로 자유로운 편보다 더 충실하게 실시되는 것 같다. 불행한 노예법이 제정되어 있는 모든 나라에서는 위정자가 노예를 보호해 주려면 그는 어느 정도 노예의 주인의 사유재산의 관리에 개입하게 된다. 그래서 그 주인이 식민지 의회의 의원이든지, 또는 그러한 의원의 선거인이든지 한 자유국에서는 위정자는 최대한의 주의를 기울여 신중을 기하지 않는 한 감히 이런 일을 하려고 들지 않는다. 즉, 그는 주인을 존경하지 않을 수 없으므로 그만큼 노예를 보호한다는 것이 그에게는 어려워진다. 그러나 정부가 대단히 전제적이고 위정자가 개인의 사유재산의 관리에까지 개입하며, 더욱이 개인이 위정자가 좋아하게끔 그것을 관리하지 않을 때는 구금영장拘禁令狀을 보내는 것이 보통으로 되어 있는 나라에서는 위정자가 노예에 약간의 보호를 베풀어 주는 것은 훨씬 더 쉬우며 보통의 인류애로써도 그는 그렇게 하고 싶어진다는 것이다. 위정자의 보호가 있으면 노예는 주인의 눈에 그렇게 비열하게 비치지 않을 것이며, 이 때문에 주인도 노예를 좀 더 중시하게 되고, 보다 더 부드럽게 대우하지 않을 수 없게 된다. 부드럽게 취급되면 노예는 한층 더 충실해질 뿐만 아니라 영리해지므로 이중의 이유 때문에 노예는 더 유용한 존재가 된다. 노예는 자유로운 하인의 상태에 점점 더 가까워지고 어느 정도 정직해지고, 또 자기의 주인의 이익에 애착을 느끼게 된다. 이러한 덕은 자유로운 하인에게는 흔히 볼 수 있는 것이지만 주인이 완전히 자유롭고 안전한 나라에서는 노예가 보통 노예로서 취급되고 있는 한, 그러한 노예에서는 결코 찾아볼 수 없는 것이다.

이러한 예는 로마의 역사에서 볼 수 있는 것과 같다.

노예의 상태는 자유로운 정치 아래에서보다 전제적인 정치 아래에서 더 좋다는 것은 모든 시대, 모든 국민의 역사에 의해서 입증되는 것이라고 나는 믿는다. 로마의 역사를 읽어 보더라도 주인의 폭력에서 노예를 보호하기 위하여 위정자가 최초로 간섭했던 것은 제정 시대의 일이다. 베디우스 폴리오는 아우구스투스의 면전에서 사소한 과실을 범한 자기의 노예 한 사람에 대해서 몸을 동강 내어 연못에 던져 고기밥이 되도록 하라고 명령했을 때, 그 황제는 크게 분격하여 그 노예뿐만 아니라 그가 가지고 있는 다른 모든 노예를 즉시 해산시키라고 그에게 명했다.[227] 그러나 공화주의 시대에는 노예를 보호하기에 충분할 만한 권한을 가질 수 있었던 위정자는 한 사람도 없었으며, 주인을 처벌할 만한 권한을 가질 수 있었던 위정자는 더욱더 없었다.

프랑스의 설탕 식민지의 우월성이 더욱 주목을 끄는 것은 그 식민지가 그들 자신이 자재를 축적했기 때문이다.

프랑스의 설탕 식민지, 특히 산토도밍고의 큰 식민지를 개량하여 왔던 자재가 거의 전부 그러한 식민지의 점차적인 개량과 경작에 의해서 조달되었다는 것은 주의할 만하다. 그 자본은 거의 전부가 그 토질과 식민자의 근로의 생산물이며,[228] 같은 의미가 되겠지만, 그 생산물의 가격은 관리가 좋았기 때문에 점차 축적되었고, 보다 많은 생산물을 산출하는 데 사용되었다. 그러나 잉글랜드의 설탕 식민지를 개량하고 경작하여 온 자재의 한 큰 부분은 잉글랜드로부터 보내져 왔으며, 그 전부가 토질과 식민자의 근로의 생산물은 결코 아니었다.[229] 잉글랜드의 설탕 식민지의 번영은 잉글랜드의 커다란 부에 크게 유래하고 있는 것으로, 그 한 부분이 그러한 식민지에 넘쳐흘러 들어갔던 것이다. 그러나 프랑스의 설탕 식민지의 번영은 오로지 식민자의 훌륭한 경영에 유래하는 것으로 잉글랜드의 식민자의 그것보다는 약간 우수했을 것이 틀림없다. 그리고 이 우월성이 무엇보다 현저하게 나타났던 것은 그들의 노예의 훌륭한 관리에서라고 하겠다.

227 〔이 이야기는 《Lectures》, 97면에서도 이와 똑같이 되어 있으나 세네카Seneca, 《화에 대하여De Ira》 제3권, 제40장 및 디오 카시우스Dio Cassius, 《로마사Roman History》, 제54권, 제23장에서는, 아우구스투스는 모든 노예를 해산시키라는 명령을 했던 것이 아니라, 테이블 위에 있는 술잔을 전부 깨어 버리라고 명령했던 것이라고 되어 있다. 세네카는 죄를 범한 노예는 해방되었다고 하고 있다. 디오는 해방에 관해서는 기술하지 않고 있다.〕

228 〔이 구의 원문은 "produce of the soil and of the industry of the colonists"인데, 초판에는 "and" 뒤의 "of the"가 없다.〕

229 〔1775년에 서인도의 상인 및 재식자는 설탕 식민지에는 6000만 파운드 값어치의 자본이 있었으며, 그 반은 영국의 거주자에 속하고 있었다고 확언했다. —앤더슨Anderson의 《Commerce》(1775)에 뒤이어 나온 것을 보라.〕

유럽의 정책은 식민지의 번영을 위해서 아무것도 하지 않았다.

유럽의 여러 국민이 그들의 식민지에 대해서 베풀었던 정책의 개요가 이상과 같았던 것이다. 그러므로 유럽의 정책은 아메리카 식민지의 최초의 건설에 관해서나 그 내정[230]에 관한 한에서는 그 후의 번영에 관해서도 자랑할 만한 것이 거의 없다고 하겠다.

최초의 계획을 지배했던 것은 우열과 부정不正이었다.

그러나 식민지의 건설의 최초의 계획을 지배하고 지도했던 근본 원칙은 어리석음과 부정이었던 것 같다. 즉 금은 광산을 찾아 헤매던 어리석음과 유럽 사람을 해하기는커녕 후의厚意와 친절을 다하여 최초의 모험자들을 받아들였던 순진한 원주민의 국토를 점유할 것을 턱없이 탐내는 부정이 그것이다.

그 후의 비교적 존경할 만한 모험자들은 유럽의 여러 정부의 무질서와 부정에 의해서 보내졌다.

실로 그 후의 식민지의 어떤 것을 건설했던 모험자들은 금은 광산의 발견이라고 하는 망상적 계획을 더 합리적이고 칭찬할 만한 다른 동기와 연결시켰으나, 이러한 동기까지도 유럽의 정책의 명예가 될 만한 것은 아니다. 잉글랜드의 청교도들은 본국에서 억압당했기[231] 때문에 자유를 찾아 아메리카로 도피하여 뉴잉글랜드에 네 개의 정부를 수립하였다. 잉글랜드의 구교도는 이보다 더 부당하게[232] 취급되었으므로 메릴랜드에 정부를 수립했고 퀘이커 교도는 펜실베니아에 그것을 수립했다. 포르투갈의 유태인은 종교재판소에 의해서 박해받고 재산도 빼앗겨서 브라질로 추방되었는데, 그들은 솔선수범함으로써 그 식민지의 최초의 식민자였던 유형중죄인流刑重罪人과 매춘부 사이에 어떤 종류의 질서와 근

230 〔초판과 재판에는 "그 내정에 관한 한에서는"이란 말이 없다.〕

231 〔"억압"은 초판에는 "박해"라고 되어 있다.〕

232 〔"이보다 더 부당하게"는 초판에는 "이와 마찬가지로 부당하게"라고 되어 있다.〕

면을 도입했으며, 사탕수수 재배법을 가르쳐 줬다.[233] 이처럼 여러 경우를 따져 보면, 아메리카에 식민을 시키고 경작시켰던 것은 유럽의 여러 정부의 영지英知와 정책이 아니었고 그들의 무질서와 부정이었던 셈이 된다.

식민지를 실제로 건설하는 데 있어 유럽의 여러 정부는 거의 공헌한 바가 없다. 유럽의 여러 정부는 이러한 건설에서 가장 중요한 어떤 것을 달성함에 있어서도 그것을 계획할 경우와 마찬가지로 거의 아무런 공적을 가지지 못했다. 멕시코의 정복은 스페인의 추밀원의 계획이 아니었고 쿠바의 한 총독[234]의 계획이었으며, 그것은 총독의 위임을 받았던 그 대담한 모험자[235]의 열의에 의해서 달성되었다. 얼마 되지 않아 그 총독은 그러한 인물에게 위임한 것을 후회하여 모든 방해를 다했지만, 그런데도 불구하고 그 정복은 달성되었던 것이다. 칠레와 페루 그 밖의 아메리카 대륙에 있어서의 스페인의 거의 모든 정주지의 정복자들은 스페인 국왕의 이름으로 정주지를 만들고 정복하는 일반적 허가를 받았을 뿐이며, 그 이외에는 공적인 장려를 조금도 받지 않았다. 그러한 모험은 모두 모험자들의 개인적인 위험과 비용으로 이루어졌다. 스페인 정부는 그들의 누구에게도 거의 아무것도 해 주지 않았다. 잉글랜드 정부도 이와 똑같이 북아메리카에 있는 가장 중요한 식민지를 몇 군데 건설하는 데 아무런 공헌도 하지 않았다.

정부는 식민지가 건설된 뒤에도 그들을 조성하느니보다는 오히려 저해했다. 그러한 건설이 이루어져서 모국의 주의를 끌 만큼 중요한 것이 되었을 때, 모국이 그들에게 관하여 만들었던 최초의 규제는 그들의 상업의 독점을 확보하

233 〔레이날, 《Histoire philosophique》(암스테르담, 1773), 제3권, 323~324, 326~327면, 존 오바디아 저스타몬드John Obadiah Justamond, 영역본, 제2권, 442면.〕

234 〔벨라스케즈Velasquez.〕

235 〔코트레즈Cortez.〕

는 것, 즉 그들의 시장을 한정하고 그들을 희생하여 자신의 시장을 확대하는 것이고, 따라서 그 번영의 진행을 자극하고 촉진시키기보다는 오히려 그것을 둔화시키고 저해하는 것을 목적으로 하고 있었다. 그리고 이 독점의 실시 방법이 각가지였다는 점이야말로 유럽의 여러 나라의 식민정책에 있어서 가장 본질적인 차이의 하나라 하겠다. 그 모든 것 중 가장 좋은 것, 즉 잉글랜드의 방법도 다른 어느 나라의 것보다는 좀 덜 옹졸하고 덜 압제적일 따름이었다.

유럽은 식민지의 건설자를 공급했다는 것 이외는 아무것도 하지 않았다.

그러면 유럽의 정책이 아메리카 식민지의 최초의 건설에 대해서나 또는 그 식민지의 현재의 장관에 대해서 어떠한 방법으로 기여했겠는가? 그것은 한 가지 방법으로, 오직 이 방법으로 크게 기여했다. 즉 "인류의 위대한 어머니(magna viûm Mater)"[236]이다. 유럽의 정책은 그렇게도 위대한 사업을 성취할 수 있고, 그렇게도 위대한 제국의 기초를 쌓을 수 있었던 인재들을 낳고 양성했으며, 실로 그 정책이 그러한 인재를 양성할 수 있었고, 현실적으로 양성해 왔던 곳은 세계에서 유럽 이외에는 어느 곳에도 없다. 식민지들은 그 활동적이고 기업심에 불타는 건설자의 교육과 위대한 식견을 유럽의 정책에 힘입은 바 있으며, 이 점을 제외하면 그 식민지들 가운데 가장 크고 가장 중요한 몇몇 식민지에서조차 그 내정에 관한 한에서는, 그 정책에 은혜를 입고 있는 것이라곤 아무것도 없다.

제3절 아메리카 발견 및 희망봉 경유의 동인도 항로의 발견에서 유럽이 얻은 이익에 관하여

아메리카 식민지가 유럽의 정책에서 얻은 이익은 이상과 같은 것이다. 그렇다면

236 ["-이탈리아의 토지여, 곡물의 위대한 어머니, 인류의 위대한 어머니여(Salve magna parens frugum, Saturnia tellus, Magna virum)." -베르길리우스Virgil, 《Georgics》, 제2권, 173~174행.]

아메리카의 발견과 그곳에 식민한 것에서 유럽이 얻은 이익은 어떤 것인가?

유럽이 아메리카로부터 얻은 이익은, (1) 유럽 일반에 대한 이익과 (2) 식민지를 가진 특정국에 대한 이익이다.

이러한 이익은 첫째로, 유럽을 한 큰 나라로 간주할 경우, 이것이 그러한 큰 사건에서 끌어낸 일반적 이익과, 둘째로 각 식민국이 그 식민지에 대해서 권력, 즉 지배권을 행사하는 결과로써 그것에 소속하는 각각의 식민지에서 끌어낸 개별적 이익으로 나뉘어질 수 있다.

(1) 유럽에 대한 일반적 이익은 다음과 같다.

유럽을 한 큰 나라라고 생각할 때, 그것이 아메리카의 발견과 그 식민지화에서 얻은 일반적 이익은 첫째, 그 향락의 증가이며, 둘째, 그 산업의 발달이다.

(a) 향락의 증가를 촉진했다.

유럽에 수입되는 아메리카의 잉여생산물은 이 광대한 대륙의 주민에게 그렇지 않을 경우엔 소유할 수 없었을 여러 가지 상품을 공급한다. 어떤 것은 편의와 실용에, 어떤 것은 쾌락에, 또한 어떤 것은 장식에 쓰이고 나아가서는 주민의 향락의 증가에 기여한다.

(b) 또 산업의 발달을 촉진했다.

이것은 아메리카와 직접무역을 하고 있는 나라뿐만이 아니라, 아메리카의 발견과 그 식민지화는, 누구나가 쉽게 인정하는 바이지만, 첫째, 그곳과 직접무역을 하고 있는 모든 나라, 이를테면 스페인·포르투갈·프랑스·잉글랜드와 같은 나라들의 산업의 발달에 기여했으며, 둘째, 그곳과 직접무역을 하고 있지 않으나 다른 나라를 매개로 하여 그곳에 자국 생산물인 재화를 보내고 있는 나라, 이를테면 오스트리아령 플랑드르와 독일의 몇몇 영역처럼 전술한 나라들을 매개로 하여 그곳에 상당량의 아마포와 그 밖의 재화를 보내고 있는 나라들의 산업의 발달에도 기여했다. 이러한 모든 나라는 그들의 잉여생산물에 대한 더욱더 광대한 시장을 획득했음은 명백하며, 따라서 그 생산량을 증가시키도록 자극받아 왔음이 틀림없다.

또한 아메리카에 자국의 생산물을 보내지 않는 나라들의 산업마저 발달시켰다.

그러나 그러한 큰 사건이 자국의 생산물인 상품을 단 하나도 아메리카에 보낸 적이 없는 나라, 이를테면, 헝가리, 네덜란드와 같은 나라의 산업의 발달에도 역시 기여했는지 어떤지는 아마 그렇게 명백하지는 않다. 그러나 그러한 사건이 역시 그렇게 기여했다는 것은 의심할 여지가 없다. 아메리카 생산물 중 일부는 헝가리와 네덜란드에서 소비되고 있다. 즉 그곳에는 세계의 이 새 지역의 설탕·초콜릿·담배에 대한 약간의 수요가 있다. 그러나 이러한 상품은 헝가리와 네덜란드의 산업의 생산물, 또는 그의 그러한 상품은 헝가리와 네덜란드의 잉여생산물과 교환되기 위하여 그곳에 도입된 새로운 가치이며 새로운 등가물이다. 그 상품들은 그곳에 보내지므로 해서 그 잉여생산물에 대한 훨씬 광대한 시장을 창조한다. 그러한 상품들은 그 잉여생산물의 가치를 올리고 나아가서는 그 증산의 장려에 기여한다. 그 잉여생산물은 비록 아메리카에 전혀 보내어지지 않더라도 다른 나라에 보내어질 것이고, 이 다른 나라들은 아메리카의 잉여생산물 가운데 그들이 차지하는 몫으로써 그것을 구매한다. 그러니 헝가리와 네덜란드의 잉여생산물은 본래 아메리카의 잉여생산물에 의해서 활동을 개시한 무역의 순환을 통하여 시장을 발견하는 셈이다.

아메리카로부터 생산물을 전혀 받지 않는 나라의 산업마저 발달시켰다.

이러한 큰 사건은 아메리카에 상품을 전혀 보내지 않았던 나라뿐만 아니라, 아메리카로부터 상품을 전혀 받지 않았던 나라에 관해서도 그 향락을 증가시키고 산업을 발달시키는 데 기여했을 것이다. 이러한 나라들까지도 아메리카와 무역을 통하여 자국의 잉여생산물을 증가시켜 왔던 나라로부터 다른 상품을 많이 받아들였을 것이다. 이 윤택한 상품은 그러한 나라의 향락을 반드시 증가시켰으며, 따라서 그들의 산업을 역시 발달시켰을 것이 틀림없다. 어떤 종류의 보다 다수인 새로운 등가물이 그 산업의 잉여생산물과 교환되기 위하여 그들에게 제공되었을 것이다. 그 잉여생산물을 위하여 보다 더 광대한 시장이 창설되었을 것이며, 그 결과 그 가치가 올라서 그 잉여생산물의 증산을 자극하게 되었을 것이 틀림없다. 유럽의 커다란 상업권에 해마다 투입되고, 또 그 각가지 회전을 통하여 그 권내에 포괄되는 모든 국민들 사이에 해마다 분배되는 다량의 상품은 아메리카의 전체 잉여생산물만큼은 증가되었을 것이다. 그러므로 이 대량의 상품 가운데 더욱더 큰 몫이 그러한 국민의 각각의 수중에 들어가고, 그로 말미암아 그들의 향락을 증가시키고, 또 그들의 산업을 발달시켰던 것 같다.

모국의 독점적 무역은 전 유럽 및 아메리카 특히 후자의 향락과 산업을 감퇴시킨다.

모국의 독점적 무역은 일반적으로 그러한 모든 나라, 특히 아메리카 식민지의 향락과 산업을 감퇴시키는 경향을 가지고 있든지 또는 적어도 그렇지 않을 경우 증진할 정도 이하로 그것을 눌러 두는 경향을 가지고 있다. 그것은 인류의 산업의 한 큰 부분을 활동시키는 위대한 도약운동에 대한 무거운 압력을 가하는 것이다. 그것은 식민지의 생산물을 다른 모든 나라에서 더욱더 비싸게 함으로써 그 소비를 감소시키고 그것에 의해서 식민지의 산업을 구속하고 다른 모든 나라의 향락과 산업을 구속한다. 모든 다른 나라는 향락에 대해서 보다 많이 지불하면 그만큼 향락을 줄이고, 그들의 생산물의 대가로써 적게 획득하면 할수록 그만큼 생산을 줄이기 때문이다. 또한 그것은 모든 다른 나라의 생산물을 식민지에서 더 비싸게 만듦으로써 마찬가지로 모든 다른 나라의 산업을 구속하고 식민지의 향락과 산업을 구속한다. 그것은 어떤 특정국들의 상상 속의 이익을 위하여 다른 모든 나라의 쾌락을 방해하고, 산업을 방해하는 장해물이다. 그리고 다른 어떤 나라보다도 식민지에 대해서 더욱더 그러하다. 그것은 다른 모든 나라를 될 수 있는 대로 하나의 특정 시장에서 배제할 뿐만 아니라, 식민지를 될 수 있는 대로 하나의 특정 시장에 한정하는 것이다.[237] 다른 모든 시장이 개방되어 있을 때 어떤 한 특정 시장에서 배제된다는 것과 다른 모든 시장이 폐쇄되어 있을 때 어떤 한 특정 시장에 한정된다는 것 사이에는 대단히 큰 차이가 있다. 그러나 식민지의 잉여생산물은 유럽이 아메리카의 발견과 식민에서 얻었던 향락과 산업의 모든 증진의 본원적인 원천인데, 모국의 독점적 무역은 이 원천을 그렇지 않았을 경우에 비하여 고갈시켜 버리는 경향을 가지고 있다.

⑵ 식민지의 개별적 이익은, ⒜ 속령들에서 얻는 공통된 이익과 ⒝ 아메리카의 속령들에서 얻는 특수한 이익이다.

각 식민국이 특히 자국에 소속해 있는 식민지에서 끌어내는 특수한 이익은 두 가지 다른 종류의 것이다. 첫째는 모든 제국이 그 지배하에 있는 속령들에서 끌어내는 공통의 이익이며, 둘째는 아메리카의 유럽 식민지와 같은 극히 특수한 성질을 가진 속령들에서 나온다고 생각되고 있는 특수한 이익이다.

⒜ 공통의 이익이란 병력과 수입을 공출하는 것인데,

모든 제국이 자신들 지배하에 있는 속령들에서 끌어내는 공통의 이익은, 첫째는 그러한 속령이 제국의 방위를 위하여 제공하는 병력이고, 둘째는 그 속령들이 제국의 시민 정부를 유지하기 위하여 제공하는 수입에 있다. 로마의 식민지는 수시로 이 두 가지를 제공하는 수입에 있다. 로마의 식민지는 수시로 이 두 가지를 제공했다. 그리스의 식민지는 때로는 병력을 제공했지만, 수입을 제공한 적은 좀처럼 없었다.[238] 그리스의 식민지는 모도시母都市의 지배하에 있다는 것

237 〔"It not only……, but"이라는 구문의 "not"은 제3판에서 처음 나오는데, 잘못되어 삽입되었던 것 같다. 다른 나라들은 어떤 특정 시장에서 배제되는 데 지나지 않으나 식민지는 특정 시장에 한정된다.〕

238 〔크세노폰Xenophon, 《아나바시스Anabasis》, 제5권, 제5장, 7, 10행에는 수입을 제공했다는 하나의 사례가 있다.〕

을 좀처럼 자인하지 않았다. 그들은 대체로 전시에는 모도시의 동맹국이었지만, 평시에 있어서는 그 신하가 되는 일은 극히 드물었다.

병력을 제공한 아메리카에 있는 식민지는 하나도 없었으며,

아메리카에 있는 유럽 식민지는 모국의 방위를 위하여 병력을 제공한 적이 없었다. 식민지의 병력은 아직도 그들 자신의 방위에도 충분치 못한 형편이다. 그리고 모국이 종사한 여러 가지 전쟁 시에는 식민지의 방위라는 것이 모국의 병력을 심히 분산시키는 결과를 가져왔다. 그러므로 이런 점이 해당 모국의 부강의 원인이라기보다 약체의 원인이었던 것이다.

수입을 제공했던 것은 스페인과 포르투갈의 식민지뿐이다.

스페인과 포르투갈의 식민지만이 모국의 방위 또는 그 시민 정부의 유지를 위하여 어떤 수입을 제공했다. 유럽의 다른 제국, 특히 잉글랜드의 식민지에 부과된 조세는 평화시에 있어서 그러한 식민지에 지출된 경비에도 필적하지 못했다. 따라서 그러한 식민지는 해당 모국의 지출의 원인이지 수입의 원천은 아니었던 것이다.

(b) 독점무역만이 유일한 특수 이익이다.

그러한 식민지가 모국에 대해서 주는 이익은 유럽 아메리카의 식민지와 같이 아주 특수한 성질을 가진 속령들에서 유래한 것이라고 생각되는 특수한 이익에만 있는 것이다. 그리고 독점무역이야말로 그러한 모든 특수 이익의 유일한 원천이라는 것은 시인되고 있다.

각국의 독점무역은 다른 나라에게는 불이익이다.

이 독점무역의 결과로서 잉글랜드 식민지의 잉여생산물, 이를테면 소위 열거상품에 속하는 모든 부분은 잉글랜드 이외의 다른 제국에는 수송될 수가 없다.

다른 제국은 그 후에 그것을 잉글랜드로부터 사지 않으면 안 된다. 그러므로 그 부분에 속하는 것은 다른 어떤 나라에서보다 잉글랜드에서 더 쌀 것이 틀림없다. 그리고 다른 어떤 나라의 향락을 증가시키기보다 잉글랜드의 향락을 증가시키는 데 더 많이 기여할 것도 틀림없다. 또한 그것은 잉글랜드 산업의 장려에도 보다 많이 기여함이 틀림없다. 잉글랜드는 자국의 잉여생산물 중 그러한 열거상품과 교환하는 모든 부분에 대해 타국이 자국의 잉여생산물을 위의 열거상품과 교환하는 경우보다도 더 비싼 가격으로 팔 것이 틀림없다. 예를 들면 잉글랜드의 제조품은 자국 식민지의 설탕과 담배를, 다른 나라의 같은 제조품이 그 설탕과 담배를 구매하는 것보다 훨씬 더 많이 구매할 것이다. 그러므로 잉글랜드의 제조품과 다른 나라의 제조품이 둘 다 잉글랜드 식민지의 설탕과 담배와 교환되는 한에 있어서는 이 가격의 우월함은 다른 나라들의 제조품이 이러한 사정 안에서 향수할 수 있는 것보다 더 많은 장려를 잉글랜드의 제조품에 주는 셈이다. 따라서 식민지와의 독점무역은 이것을 갖고 있지 않은 나라의 향락과 산업을 감퇴시키든지 아니면 적어도 그렇지 않을 경우 증진했을 정도 이하로 그것을 내려두든지 하듯이, 그것은 독점무역을 소유하고 있는 나라에 대해서는 명백한 이익을 가져다준다.

그러한 이익은 해당 국가에게도 상대적인 것이다.

그러나 이러한 이익은 아마 말하자면, 절대적 이익이라기보다 오히려 소위 상대적 이익이라는 것, 즉 그 이익을 향수하는 나라의 우월성은 자유무역 상에서 그 특정국의 산업과 생산물이 자연적으로 증진할 수준 이상으로 그것들을 끌어올림으로써 얻어진 것이라기보다는 오히려 다른 나라들의 그것들을 억압함으로써 얻어진 것이라는 것을 알게 될 것이다.

식민지 무역에서 이러한 상대적 이익을 획득하기 위하여,

즉 다른 나라들이 그것에 한몫 끼는 것을 될 수 있는 대로 배제하려는 불공평

하고 악의 있는 계획을 실행하기 위하여, 잉글랜드는 다른 모든 나라는 물론 자국도 이 무역에서 끌어낼 수 있었을 절대적 이익의 일부를 희생했을 뿐만 아니라, 거의 모든 다른 무역부문에 있어서 절대적 및 상대적 불이익을 같이 초래했을 것이다. 이것은 믿어도 좋을 만한 충분한 이유가 있다.

식민지 무역에서 외국자본을 철수했기 때문에 이 무역의 이윤은 높아졌고, 영국의 다른 무역에서 자본을 끌어들여서 그 때문에 그 다른 무역의 이윤도 높아지게 되었다.
항해조례에 의해서 잉글랜드가 식민지 무역의 독점권을 장악했을 때, 종래 그것에 사용되고 있었던 외국자본은 필연적으로 그것에서 철수당했다. 종래 그 무역의 일부분밖에 운영하고 있지 않았던 잉글랜드의 자본이 현재 그 전부를 운영하게 되었다. 즉 종래에 식민지가 현재 그 전부를 운영하게 되었다. 즉 종래에 식민지가 유럽으로부터 필요로 했던 재화의 일부분만을 그곳에 공급하고 있었던 자본이 현재에는 필요로 하는 모든 재화를 그곳에 공급하는 데 사용되는 전부가 되었다. 그러나 이 자본은 필요로 하고 있는 모든 재화를 공급할 수 없었으므로, 그것이 실제로 공급할 재화는 필연적으로 대단히 비싸게 팔렸다. 종래에는 식민지의 잉여생산물의 일부분만을 구매하고 있었던 자본이 이제는 그 전부를 구매하는 데 사용되게 되었다. 그러나 이 자본은 옛날 가격에 가까운 가격으로 그 전부를 살 수 없었으므로, 그것이 실제로 구매한 재화는 무엇이든지 필연적으로 대단히 싸게 구매했을 것이다. 그런데 상인이 자본을 사용할 경우에 대단히 비싸게 팔고 대단히 싸게 산다면 그 이윤은 대단히 커서 무역의 다른 부문들에서의 이윤의 적정한 수준을 훨씬 넘었을 것은 틀림없다. 그리고 식민지 무역에 있어서 이 탁월한 이윤은 종래 다른 무역부문에 사용되고 있었던 자본의 일부를 그곳에서 틀림없이 끌어내어 올 수 있었을 것이다. 그러나 자본의 이러한 전환은 식민지 무역에 있어서 자본의 경쟁을 점차 증가시켰던 것과 마찬가지로 다른 무역부문에 있어서 그 경쟁을 점차 완화시켰음이 틀림없다. 그리고 전자에 있어서의 이윤을 점차 저하시켰던 것과 같이 후자에 있어서의 이윤을 점차 상승시켰을 것임이 틀림없다. 그리하여 무역부문 전체의 이윤은 종래와는 다른 약간 그보다 높은 하나의 새로운 수준에 달하기에 이르렀다.

그리고 이러한 경향은 그 후에도 계속 그러하고 있다.

다른 모든 무역부문에서의 자본을 끌어오고 또 모든 무역부문에서의 이윤율을 그렇지 않았을 경우보다 약간 높인다는 이중의 효과는 그 독점이 처음으로 확립되었을 때, 그것에 의해서 생겼던 것일 뿐만 아니라, 그때 이래 계속 생기고 있다.

식민지 무역은 영국의 전체 자본보다 급속히 증진했다.

첫째, 이 독점은 자본을 식민지 무역에 사용하기 위하여 다른 모든 무역부문에서 식민지 무역으로 계속 끌어들이고 있다. 영국의 부는 항해조례의 제정 이래 대단히 증가했지만, 식민지의 그것과 동일한 비율로 증가하지 않았다는 것은 확실하다. 그러나 모든 나라의 외국무역은 그 부에 비례하여 자연적으로 증진하고 그 잉여생산물은 전체 생산물에 비례하여 증가한다. 그리고 영국은 식민지의 외국무역이라고 불릴 만한 것은 거의 전부 그 수중에 독점하여 버렸는데, 그 자본은 그 무역의 크기와 같은 비율로 증가하지 않았으므로 무역의 다른 부문들로부터 종래 그곳에서 사용되고 있었던 자본의 약간 부분을 계속 철수시킬 뿐만 아니라, 독점이 없었다면 다른 여러 부분에 향했을 대단히 많은 자본을 그렇게 하지 못하게 억제하지 않고서는 그 무역을 해나갈 수 없었던 것이다. 따라서 항해조례의 제정 이래 식민지 무역은 계속 증진하고 있는데, 외국무역의 다른 부문들, 특히 유럽의 다른 지방들과의 무역이 끊임없이 쇠퇴해 가고 있다. 외국에 팔기 위한 우리의 제조품은 항해조례 이전처럼 유럽의 인접 시장, 또는 비교적 멀다 하더라도 지중해 주변에 있는 나라의 시장에 적합한 것이라기보다는 그 대부분이 식민지라고 하는 훨씬 더 먼 시장에, 즉 그 제조품이 다수의 경쟁자를 갖는 시장이라기보다 오히려 독점권을 가진 시장에 적합한 것이 되어 버렸다. 매튜 데커 경[239]과 그 밖의 저술가들은 외국무역의 다른 부문들의 쇠미의 원인들을 과세가 너무 과중했고 그 방법이 부적당하다는 것, 또 노동이 너무 비싸다는 것과 사치가 증가했다는 것 등에서 찾고 있었으나, 그 원인은 모두 식민지 무역의 과대한 성장에서 찾을 수 있을 것이다. 영국의 상업자본은 거대하기는 하지만 무한대는 아니며, 또 그것은 항해조례 이래 크게 증가했지만 식민지 무역과 같은 비율로 증가하지는 않았으므로, 그 무역은 무역의 다른 부문들에서 그 자본의 일부분을 끌어오지 않고서는, 즉 그러한 다른 부문을 다소나마 쇠퇴시키지 않고서는 아무래도 이루어질 수 없었을 것이다.

더욱이 식민지 무역의 독점은 영국의 무역의 방향을 변화시켰을 뿐이다.

주의해야 할 것은 항해조례가 식민지 무역의 독점을 확립했던 이전은 물론 그 무역이 그렇게 대단한 것이 아니었을 때도 잉글랜드는 1대 상업국이었고, 그 상업자본은 대단히 컸으며, 또한 나날이 점점 커갈 것 같았다. 크롬웰Cromwell의 치세 동안에 일어났던 네덜란드와의 전쟁에서는 이 나라의 해군은 네덜란드의 해군을 능가했으며, 찰스 2세의 초기에 발발했던 네덜란드 전쟁에서도 이 나라의 해군은 프랑스와 네덜란드의 연합 해군과 적어도 동등 내지는 아마 그것을 능가하고 있었다. 그런데 적어도 네덜란드의 해군이 현재에도 자기 나라 상업에 대해서 당시와 같은 비례를 가지고 있다면, 이 우월성은 아마 현재에도 그 당시 이상으로 커진 것 같지는 않을 것이다. 그러나 이 대大해군력은 그런 전쟁의 어느 쪽에서도 항해조례에 기인된 것이라고는 할 수 없다. 첫 번째 전쟁 동안에는 그 조례의 초안이 겨우 작성되었을 뿐이며, 두 번째 전쟁의 발발 이전에 이미 입법당국에 의해서 완전히 법제화되어 있었기는 하지만, 역시 그 조례의 어떤 부분도 어떤 대단한 효과를 낳을 만큼 시간적 여유를 가질 수 없었으며, 적어도 식민지에 대한 독점무역을 확립했던 부분은 모두 더욱더 그러했다. 식민지도 그

239 〔《Essay on the Causes of the Decline of the Foreign Trade, consequently of the Value of the Lands of Britain and on the means to restore both》, 제2판(1750), 28~36면 등.〕

무역도 현재에 비한다면 그 당시에는 대단한 것은 아니었다. 자메이카 섬은 건강에 좋지 못한 황무지였으며, 주민도 적었고 잘 경작되어 있지도 않았다. 뉴욕과 뉴저지는 네덜란드인이 영유하고 있었으며, 세인트크리스토퍼의 반은 프랑스인이 영유하고 있었다. 안티구아 섬, 두 캐롤라이나, 펜실베니아, 조지아 및 노바스코샤는 아직 식민지가 되기 전이었다. 버지니아·메릴랜드·뉴잉글랜드는 이미 식민지화되었으며, 그들은 번영하고 있는 식민지이기도 했으나, 역시 그 당시 그 식민지들이 그 이후 부와 인구와 개량에 있어서 신속한 진보를 하리라고 예견하거나 의심해 보기라도 한 사람이라고는 유럽에도 아메리카에도 아마 한 사람도 없었을 것이다. 요컨대 다소라도 중요성을 가지고 당시의 상태가 현재의 그것과 다소나마 비슷한 점을 가지고 있는 영국의 식민지라고는 바베이도스 섬뿐이었다. 항해조례의 제정 후 얼마 동안까지도 잉글랜드는 식민지 무역의 일부분밖에 향수하지 않았으므로(항해조례는 그 제정 후 수년 동안 그렇게 엄격하게 실시되지 않았으므로), 식민지 무역은 당시에도 잉글랜드의 성대한 무역의 원인일 수는 없었고, 또한 그 무역에 의해서 뒷받침되었던 대大해군력의 원인일 수도 없었다. 당시 그 대해군력을 유지하고 있었던 무역은 유럽 무역과 지중해 주변에 있는 나라들과의 무역이었다. 그러나 영국이 그 무역에서 현재 누리고 있는 몫으로는 그렇게 큰 해군력을 유지할 수가 없을 것이다. 증대해 가는 식민지 무역이 만일 모든 국민에게 자유롭게 방임되어 있었다면, 영국의 수중에 떨어졌을지도 모르는 몫은 아마 대단히 컸을 것이며, 그것이 얼마나 되었든지 간에 그 전부는 영국이 이전에 소유하고 있었던 그 성대한 무역에 대한 추가분이 되어 있었을 것임이 틀림없다. 그런데 독점의 결과로서 식민지 무역의 증진은 영국이 이전에 가지고 있었던 무역에 대한 추가분을 이룩했다기보다는 오히려 그 무역의 방향을 전면적으로 변화시켜 버렸던 것이다.

독점은 영국의 이윤율을 그것이 저절로 도달했을 정도 이상으로 높였다.

둘째, 이러한 독점은 영국 무역의 모든 각가지 부문의 이윤율을 식민지와의 자유무역이 모든 국민에게 허용되어 있었을 경우, 자연적으로 도달했을 수준 이상으로 높게 유지하는 데 필연적으로 기여했다. 식민지 무역의 독점은 자연히 이 무역에 향했을 것보다 더 큰 영국의 자본을 필연적으로 이곳에 끌어들였는데, 그와 마찬가지로 모든 외국자본을 구축함으로써 그 무역에 사용되는 자본의 전량을 필연적으로 감소시켜 자유무역의 경우 자연히 사용되었을 양 이하로 줄여 버렸다. 그러나 독점 때문에 그 무역부문에 있어서 자본의 경쟁이 감소했으므로, 그것은 그 부문에 있어서의 이윤율을 필연적으로 끌어올렸다. 그리고 다른 모든 무역부문에 있어서도 영국의 자본의 경쟁을 감소시켰으므로, 그것은 그러한 다른 모든 무역부문에 있어서 영국의 이윤율[240]을 필연적으로 올렸다. 항해조례의 제정 이래 어떤 특정 시기에 영국의 상업자본의 상태 또는 크기가 얼마가 되었든지 간에 식민지 무역의 독점은 그런 상태가 계속되는 동안 영국의 이윤의 통상률을 영국의 무역의 이 부문에 있어서나 다른 모든 부문에 있어서나 독점이 없었을 경우 이상으로 끌어올렸을 것은 틀림없다. 항해조례의 제정 이래 영국의 이윤의 통상률은 상당히 떨어졌는데, 그것이 확실히 떨어졌다 하지만, 그 조례에 의해서 확립된 독점이 이 이윤율을 유지하는 데 기여하지 않았다면 그것은 훨씬 더 떨어졌을 것이 틀림없다.

그 때문에 이 나라는 독점권을 갖지 않는 무역에 있어서 불리한 입장에 놓이게 되고,
그러나 어떤 나라에서나 이윤의 통상률을 그렇지 않을 때보다 높게 끌어올리는 것은 무엇이든지 독점권을 갖고 있지 않은 모든 부문의 무역에 있어서, 반드시 그 나라를 절대적으로도 상대적으로도 불리한 입장에 놓이게 한다.

즉 보다 적게 사들이게 하고, 보다 적게 팔게 한다.
그것은 이 나라를 절대적으로 불리한 입장에 놓이게 한다. 왜냐하면 그러한 무역부문에 있어서는 그 나라의 상인은 자신들이 자국에 수입해 오는 외국의 재

240 〔"이윤율(rate of profit)"은 초판에는 "rate of the profit"이라고 되어 있다.〕

화와 외국에 수출하는 자국의 재화를 그렇지 않을 경우에 비하여 더 비싸게 팔지 않는 한, 보다 큰 이윤을 획득할 수 없기 때문이다. 즉 그들 자신의 나라는 그렇지 않을 경우보다 비싸게 사서 비싸게 팔지 않으면 안 되고, 보다 적게 사고 보다 적게 팔지 않으면 안 되며, 보다 적게 향락하고 보다 적게 생산하지 않으면 안 되는 것이다.

더욱이 다른 나라로 하여금 외국시장에서 이 나라보다 더 싸게 팔 수 있게 해 준다.
그것은 그 나라를 상대적으로 불리한 입장에 놓이게 한다. 왜냐하면 그러한 무역부문에 있어서는 그것은 그 나라의 똑같은 절대적으로 불리한 입장에 놓여 있지 않은 다른 나라들을, 그렇지 않을 경우에 비하여 그 나라보다 더 우위에 놓이게 하든지, 또는 이 나라보다 열위에 놓더라도 조금밖에 그렇게 하지 않기 때문이다. 즉 그것은 그런 나라들이 이 나라보다 더 향락하고 생산할 수 있게 해 준다. 그것은 그렇지 않을 경우에 비하여 그러한 나라들의 우월을 크게 만들든지 열세를 줄이든지 한다. 그것은 이 나라의 생산물의 가격을 그렇지 않았을 경우보다도 더 올리므로 다른 나라의 상인이 외국시장에서 이 나라보다 더 싸게 팔 수 있게 해 주며, 그 때문에 이 나라가 독점권을 갖고 있지 않은 거의 모든 무역부문에서 이 나라를 구축해 버린다.

높은 이윤은 고임금보다 제조품의 가격을 더 많이 올린다.
우리의 상인들은 영국의 노동의 고임금이 그들의 제조품이 외국시장의 경쟁에서 지게 되는 원인이라고 종종 불평한다. 그러나 그들은 자재의 높은 이윤에 관해서는 침묵을 지킨다. 그들은 다른 사람들의 지나친 이득에 관해서는 불평을 털어놓지만, 자신들의 이득에 관해서는 한 마디도 하지 않는다. 그러나 영국 자재의 높은 이윤은 영국의 제조품의 가격을 올리는 데 기여하고 있다는 점에서는, 많은 경우, 영국의 노동의 높은 임금이 기여하는 마찬가지이며, 때에 따라서는 아마도 그 이상일지도 모른다.[241]

그리하여 영국의 자본은 유럽 및 지중해 무역에서 제외되었다.

영국의 자본이 그 독점권을 갖지 않은 여러 가지 무역부문 가운데 훨씬 많은 부분에서, 특히 유럽 무역과 지중해 주변에 있는 나라와의 무역에서 일부분은 철거되었고 일부분은 구축되었던 것도 이렇게 해서였다고 해도 좋을 것이다.

그 일부는 식민지 무역의 높은 이윤에 끌려 들어갔다.

그 일부가 그러한 무역에서 빠져나왔던 것은 식민지 무역의 탁월한 이윤에 끌렸기 때문이며, 이런 이윤은 그 무역이 끊임없이 증진하는데 그것을 운영하는 자본은 끊임없이 부족해 있었던 결과이며, 어떤 해의 자본은 그 이듬해에는 벌써 부족해지는 형편이었다.

또 일부는 외국과의 경쟁에 의해서 구축되었다.

그 일부가 그러한 무역부문에서 구축된 것은 영국에서 확립되어 있었던 높은 이윤율이 그 나라가 독점권을 갖고 있지 않은 모든 무역부문에서 다른 나라에 이익을 주었기 때문이다.

독점은 영국의 이윤을 올리는 반면 외국의 이윤을 떨어뜨렸다.

식민지 무역의 독점은 그렇지 않았을 경우 다른 부문에 사용되었을 영국의 자본의 일부를 그곳에서 끌어왔듯이, 만일 그것이 식민지 무역에서 구축되지 않았다면, 결코 다른 부문에는 투입되지 않았을 외국자본을 강제로 다른 부문에 돌리게 했을 것이다. 독점은 그러한 다른 무역부문에 있어서 영국의 자본의 경쟁을 감소시키고 나아가서는 영국의 이윤율을 그렇지 않았을 경우 이상으로 올렸다. 이와 반대로 그 강점은 외국자본의 경쟁을 증대시키고 외국의 이윤율을 그렇지 않았을 경우보다 더 그 이하로 떨어뜨렸다. 즉 독점은 전자의 경우나 후

241 〔이 한 절은 앞의 제1권 제1편 제9장을 결론짓고 있는 한 절과 거의 같지만, 그것은 초판에는 없었으므로 이 한 절이 본래의 것이다.〕

자의 경우나 다 마찬가지로 그러한 다른 모든 무역부문에서 명백히 영국을 상대적으로 불리한 입장에 놓이게 했던 것은 틀림없는 것이다.

식민지 무역은 다른 무역보다는 더 유리하다고 생각되고 있지만,

그럼에도 불구하고 식민지 무역은 다른 어떤 종류의 무역보다도 영국에 대해서는 더 유리하다. 그리고 그 독점은 그렇지 않았을 경우, 식민지 무역에 향했을 자본보다 더 많은 영국의 자본부문을 억지고 그 무역으로 들어가게 함으로써, 그 자본이 찾을 수 있었을 다른 어떠한 용도보다도 더 그 나라에 유리한 용도로 그것을 돌렸던 것이라고 말하는 사람도 있을 것이다.

인접국과의 무역은 원방국과의 무역보다도 유리하고, 또 직접무역은 우회무역보다 유리하다.

일국이 가지고 있는 어떤 자본이 그 나라에 가장 유리하게 사용되는 용도는 그곳에서 최대량의 생산적 노동을 유지하고, 그 나라의 토지 및 노동의 연간 생산물을 최대한으로 증가시키는 것이라고 하겠다. 그러나 소비품의 외국무역에 사용되는 어떤 자본이 유지할 수 있는 생산적 노동의 양은 이미 제2편에서 밝힌 바 있거니와 그 대금회수의 횟수에 정확하게 비례한다. 예를 들면, 소비재의 외국무역에 사용되고, 그 대금이 연 1회 규칙적으로 회수되는 1000파운드의 사본은 그 소속국에서 1000파운드가 1년간 그곳에서 유지할 수 있는 것과 똑같은 양의 생산적 노동량을 상시 고용하고 있을 수 있다. 만일 그 대금회수가 1년에 2회 또는 3회로 이루어진다면 그 자본은 2000파운드 또는 3000파운드가 1년간 그곳에서 유지할 수 있는 것과 등량의 생산적 노동량을 상시 고용하고 있을 수 있다. 이런 이유에서 이웃[242]과 행해지는 소비재의 외국무역은 먼 나라와 행해지는 것보다는 대체로 더 유리하며, 또한 같은 이유에서 소비재의 직접외국무역은 이것도 이미 제2편에서 설명한 것이지만, 소비재의 우회적 무역보다도 대체로 유

242 〔"이웃"은 초판에는 "이웃 나라"라고 되어 있다.〕

리하다.

그런데 독점은 자본을, (1) 먼 곳과의 무역과 (2) 우회무역으로 강제로 돌리게끔 했다. 그러나 식민지 무역의 독점은 그것이 영국의 자본의 용도에 영향을 미친 한에 있어서는, 모든 경우에 그 일부를 이웃[243]과 행해지는 소비재의 외국무역에서 더욱 먼 나라와 행해지는 무역에 향하게 했고, 또 많은 경우에 소비재의 직접외국무역에서 우회외국무역으로 강제로 돌리게끔 했다.

(1) 아메리카 및 서인도와의 무역은 원거리무역이며 그 대금회수 횟수도 특히 느리다. 첫째, 식민지 무역의 독점은 모든 경우 영국의 자본 가운데 일부를 이웃과 행해지는 소비재의 외국무역으로부터 더 먼 나라와 행해지는 무역으로 억지로 돌리게끔 했다. 식민지 무역의 독점은 모든 경우에 그 자본의 일부를 유럽 무역과 지중해 주변의 나라들과 하는 무역에서 아메리카 및 서인도라고 하는 더 먼 지방들과의 무역으로 억지로 돌렸지만, 이러한 무역은 그 거리가 멀 뿐만 아니라 그러한 지방의 특유한 사정 때문에 그 대금회수의 빈도는 아무래도 내려가게 된다. 이미 언급한 바 있거니와 새 식민지는 항상 자본이 부족하다. 자본만 사용하면 다수의 이윤과 이익을 올리면서 그들의 토지를 개량하고 경작할 수 있으나, 그곳에서는 항상 그러할 만큼의 자본이 없는 것이다. 그러므로 새 식민지에는 그 자체가 갖고 있는 것보다 더 다수의 자본에 대한 끊임없는 수요가 있다. 더욱이 그 부족을 충족하기 우하여 새 식민지는 될 수 있는 대로 많이 모국에서 차금하려고 노력하기 때문에 항상 채무를 지고 있다. 식민지 주민들이 이러한 차금을 하는 가장 보통의 방법은 차용증서에 의해서 모국의 부자에게 빌리는 것이 아니라, 물론 그런 방법도 하지 않는 것은 아니나, 그보다는 도리어 그들이 유럽에서 재화를 공급받고 있는 거래처에 대한 지불을, 거래처가 허용하는 한에서 연기시키는 방법에 의한다. 그들의 연간 회수대금은 그들의 차금의 3

243 〔“이웃”은 초판에는 “이웃 나라”라고 되어 있다.〕

분의 1 이상이 되지 않을 때가 종종 있으며, 어떤 때는 그만큼도 되지 않을 때도 있다. 그러므로 그들의 거래처가 그들에게 선대한 자본의 금액이 3년 이내에 영국에 회수되는 일은 좀처럼 없으며, 때로는 4~5년 이상이나 걸릴 때도 있다. 그러나 예를 들어 5년 동안 단 한 번밖에 영국에 회수되지 않는 1000파운드의 영국의 자본은 1년에 한 번 그 금액이 회수된다면, 부양할 수 있는 영국의 근로의 5분의 1밖에 계속적으로 고용할 수 없다. 즉 1000파운드가 1년간 유지할 수 있는 양밖에 계속 고용할 수 없는 것이다. 틀림없이 재식자는 유럽으로부터 오는 재화에 대해서 지불하는 높은 가격과 그가 발행하는 장기어음에 대한 이자에 의해서, 그리고 그가 발행하는 단기어음의 경신에 지불하는 수수료에 의해서 자기의 거래처가 이러한 지체 때문에 받을 손실을 전부 보상해 주는 셈이며, 아마 보상해 주고도 남음이 있을 것이다. 그러나 그가 자기의 거래처의 손실을 보상해 준다 하더라도, 그는 영국의 손실을 보상해 줄 수는 없는 것이다. 상인의 이윤은 대금회수가 대단히 느린 무역에서도 대금회수가 빈번하고 단기적으로 이루어지는 무역에서와 마찬가지든가 또는 더 클 때도 있다. 그러나 그 상인이 살고 있는 나라의 이익, 그곳에서 계속적으로 고용되는 생산적 노동량, 그 토지와 노동의 연간 생산물은 전자의 무역에서 훨씬 적을 것은 틀림없다. 아메리카와의 무역, 그리고 서인도와의 무역의 대금회수는 유럽의 어느 지방과의 무역에 비해서도, 또 지중해 주변에 있는 나라들과의 무역에 비해서까지 일반적으로 시간이 더 오래 걸릴 뿐만 아니라, 더욱 불규칙이고 더욱 불확실하다는 것은 그러한 여러 무역부문에 관하여 다소의 경험이 있는 사람이라면 누구나 쉽게 인정할 사실이라고 나는 생각하고 있다.

⑵ 또한 그것은 주로 우회무역이다.

둘째로, 식민지 무역의 독점은 많은 경우 영국의 자본의 일부분을 소비재의 직접외국무역에서 우회외국무역으로 억지로 돌리게끔 했다. 영국 이외의 어떠한 다른 시장에도 보내어질 수 없는 열거상품 가운데는 그 양이 영국의 소비를 훨씬 넘어서 그 일부를 다른 나라에 수출하지 않으면 안 되는 것이 몇 가지 있다. 그러나 이것은 영국 자본의 일부분을 억지로 소비재의 우회무역으로 돌리지 않고서는 불가능하다. 예를 들면, 메릴랜드와 버지니아는 영국의 매년 9만 6000통 이상의 담배를 보내고 있는데, 영국의 소비는 1만 4000통을 넘지 않는다고 한다. 따라서 8만 2000통 이상이 다른 나라, 즉 프랑스, 네덜란드 및 발트해와 지중해 주변의 나라에 수출되지 않으면 안 된다. 그러나 영국의 자본 중에서 이 8만 2000통을 영국에 들여오고, 또 그곳에서 다른 나라로 재수출하여, 그것과 교환으로 그 나라에서 영국으로 재화든지 화폐를 가지고 돌아오는 부분은 소비재의 우회무역에 사용되고 있는 셈이다. 그러니 이 많은 잉여를 처분하기 위하여 아무래도 억지로 이 용도에 들어오게 되는 셈이다. 만일 이 자본의 전부가 영국에 돌아오려면 몇 년이 걸릴 것인지를 계산하려면 우리는 아메리카로부터의 대금회수의 시간에다 이러한 타국으로부터 오는 대금회수의 시간을 가산하지 않으면 안 된다. 만일 우리가 아메리카와 하고 있는 소비재의 직접무역에 사용되는 전체 자본이 3~4년 내에 돌아오지 않는 일이 종종 있다고 하면, 이러한 우회무역에 사용되는 자본 전체는 4~5년 내에도 돌아올 것 같지 않다. 만일 전자가 1년에 1회 회수되는 자본이 부양할 수 있는 국내 근로의 3분의 1 또는 4분의 1만을 계속적으로 고용할 수 있다면, 후자는 그 근로의 4분의 1 또는 5분의 1밖에 계속적으로 고용할 수 없을 것이다. 런던 항 이외의 약간의 수출항에서는[244] 담배가 수출되는 외국의 거래처에 외상으로 주어지는 일이 흔히 있다. 그러나 런던 항에서는 그것은 현금으로 판매되는 것이 보통이다. 즉 "저울에 달면 지불하라(Weigh and pay)"는 것이 원칙이 되어 있다. 그러므로 런던 항에서는 우회무역의 최후의 대금회수는 아메리카로부터의 대금회수보다도 재화가 팔리지 않고 창고에 들어 있는 시기만큼 늦어지는 셈이다. 그러나 그런 재화가 꽤 오랫동안 창고에 들어 있을 때도 있다. 그러나 만일 식민지의 담배의 판로가 영국의 시장에만 한정되어 있지 않았다면 아마 국내소비에 필요한 것 이상으로 그렇게 많이 들어오

244 〔"런던 항 이외의 약간의 수출항에서는"에서 여기까지의 네 개의 문장은 초판에는 없다.〕

지는 않았을 것이다. 현재 영국이 자국의 소비를 위해 다른 나라에 수출하는 많은 양의 잉여 담배로 구매하고 있는 재화는, 이런 경우엔 자국 산업의 직접 생산물, 즉 자국의 제조품 가운데 어느 부분으로 구매했을 것이다. 그 생산물, 즉 그러한 제조품은 현재처럼 거의 전부가 일대 시장에 맞도록 되어 있는 대신에 아마 다수의 소시장에 맞는 것으로 되었을 것이다. 영국은 대규모 소비재의 우회무역을 한 가지만 하는 대신에 아마 이와 같은 종류의 소규모의 수많은 직접외국무역을 했을 것이다. 대금회수는 빈번히 이루어지므로 현재 이 소규모의 우회무역을 하고 있는 자본의 일부, 아마 극히 적은 부분, 대개는 그 3분의 1 또는 4분의 1을 넘지 않을 만큼의 부분만 있으면 그러한 모든 소규모의 직접무역을 해 가는 데 충분했을 것이며, 영국의 등량의 근로를 계속적으로 고용할 수 있었을 것이다. 그리고 영국의 토지 및 노동의 연간 생산물을 같은 정도로 유지할 수 있었을 것이다. 이렇게 해서 훨씬 적은 자본으로도 이 무역의 모든 목적이 이루어질 것이므로 다른 목적, 즉 영국의 토지의 개량, 제조업의 증진, 상업의 신장에 충당할 일대 유휴자본이 생겼을 것이다. 더욱이 그 자본은 적어도 그러한 모든 방면에 사용되고 있는 영국의 다른 자본과 경쟁하게 되고, 그러한 모든 방면에 있어서 이윤율을 떨어뜨리고, 영국이 그러한 모든 방면에서 현재 향수하고 있는[245] 것보다 더 큰 우위를 타국에 대해서 가지게 해 주었을 것이다.

독점은 또한 영국 자본의 일부를 중계무역으로 강제로 돌렸다.

그 위에 식민지 무역의 독점은 영국의 자본의 일부를 모든 소비재의 외국무역에서 중계무역으로 강제로 향하게 했고, 더욱이 그 결과 적든지 많든지 간에 영국의 산업을 유지해야 할 자본을 일부는 식민지의 산업을 유지하기 위하여, 일부는 다른 어떤 나라의 산업을 유지하기 위하여 전적으로 사용되게끔 했다. 예를 들면, 영국에서 해마다 재수출되는 담배 8만 2000통이라는 막대한 잉여로써 해마다 구매되는 재화는 그 전부가 영국에서 소비되지는 않는다. 그 일부, 예를

245 "향수하고 있는"은 초판에는 "유지하고 있는"으로 되어 있다.

들어 독일과 네덜란드에서 오는 아마포는 식민지에 되돌려져서 거기에서 소비된다. 그러나 영국의 자재 가운데 담배를 구매하고, 그 후 담배로써 아마포가 구매되는 그 부분은 필연적으로 영국의 사업을 유지하는 일에서 철수되어, 그 일부는 식민지의 산업을 유지하기 위하여, 또 일부는 그 담배와 교환으로 자국의 산업의 생산물을 지불해 주는 각국의 산업을 유지하기 위하여 전적으로 사용되게 된다.

더욱이 자본을 하나의 수로에 몰아넣음으로써 이 나라의 산업과 상업 전체를 불확실한 것으로 만든다.

뿐만 아니라 식민지 무역의 독점은, 자연히 식민지 무역에 향했을 몫보다 더 큰 영국의 자본 일부를 억지로 그곳에 향하게 하므로, 그렇지 않았다면 영국의 모든 사업부문에 성립되었을 자연적 균형을 전면적으로 파괴해 버린 것 같다. 영국의 산업은 수많은 작은 시장에 적응하는 대신에 주로 하나의 큰 시장에 알맞게끔 정비되어 왔다. 즉 이 나라의 상업은 수많은 작은 수로가 아닌 주로 하나의 거대한 수로에 흘러 들어가도록 교육받아 왔던 것이다. 그러나 그 때문에 이 나라의 산업과 상업의 전체 체계는 그렇지 않았을 경우보다 훨씬 더 불확실한 것이 되어 버렸으며, 그 정치체의 모든 사태는 훨씬 더 불건전한 것이 되어 버렸다. 현 상태에서 영국은 그 중요한 기관 가운데 어떤 것이 발육과대를 일으킨 건강하지 않은 인체의 하나와 닮아 있으며, 그 때문에 모든 기관이 보다 적당히 균형 잡혀 있을 땐 좀처럼 생기지 않을 많은 위험한 병에 걸리기 쉽게 되어 있다. 그 대혈관은 자연스러운 크기 이상으로 인위적으로 팽창되어 왔으며, 이 나라의 산업과 상업은 부자연한 비율로 억지로 그곳을 순환당해 왔으며, 그곳에 조금의 정지라도 일어난다면 전체의 정치체政治體는 가장 위험한 무질서를 가져오게 될 것 같다. 따라서 식민지와의 단교가 예상되었을 때에 영국의 국민은 스페인의 무적함대와 프랑스인의 침입 때에 느꼈던 것보다도 더 심한 공포에 억눌렸다. 그 공포의 당부는 고사하고 인지조례의 폐지라는 조치가 적어도 상인들 사이에 널리 호평을 받았던 것도 이 공포 때문이었다.[246] 식민지 시장으로부터의 전면적인 배제란, 비록 이것이 수년 동안밖에 계속되지 않더라도, 우리의 상인 대부분은 어쩐지 그들 상업의 완전한 정지가, 그리고 우리의 마스터 제조업자 대부분은 그들 사업의 완전한 파멸이, 그리고 우리의 직공 대부분은 그들 직업의 종말이 예견되는 것이라고 공상하곤 했다. 그러나 대륙에 있는 우리 이웃의 어떤 나라와의 단교는, 비록 이러한 모든 각가지 계급의 어떤 사람들의 일을 어느 정도 정지시키든지 중단시킬 것 같다 하더라도, 그런 일이 예견된다고 해서 그러한 일반적인 동요는 없을 것이다. 비교적 가느다란 혈관에서 그 순환이 정지하더라도 혈액은 아무런 병도 일으키지 않고 더 굵은 혈관으로 쉽게 흘러 들어간다. 그러나 보다 굵은 어떤 혈관에서 순환이 정지되면 경련, 졸도 또는 죽음이 그 직접적이고 불가피한 결과로 나타난다. 장려금과 본국 및 식민지시장의 독점에 의해서 인위적으로 부자연스러운 높이에까지 올려져 왔던 그러한 발육과대한 제조업의 하나가 그 일에 조금의 정지 또는 중단이라도 일으킨다면 그것만으로도 벌써 정부를 놀라게 하고 입법부의 심의를 곤란하게 할 만한 폭동과 무질서를 일으키는 일이 흔히 있다. 그러므로 사람들은 우리의 주요 제조업자의 그렇게도 많은 부분이 갑자기 그 일을 완전히 정지하기라도 한다면, 얼마나 심한 무질서와 혼란이 일어날 것인지 모른다고 생각했다.

독점은 점차적으로 완화될 것이 요망된다.

영국에게 식민지에 대한 독점무역을 허용하고 있는 여러 법률을 알맞게, 그리고 점차적으로 완화하여 마침내 그것을 아주 자유롭게 만든다는 것은 장래 언제까지나[247] 이 나라를 이러한 위험에서 해방시킬 수 있는 유일한 편법이며, 또

246 〔이 구는 초판에는, "인지조례의 폐지라고 조치가 호평을 받았으며 적어도 상인들 사이에서는 그러했다"라고 되어 있다.〕

247 〔초판에는, "장래 언제까지나"라는 말이 없다.〕

한 이 나라로 하여금 이 나라의 자본의 일부를 과대하게 성장한 이 사업에서 철수하여, 비록 이윤은 적더라도 다른 사업에 돌릴 수 있게 하고, 또한 강제적으로 그렇게 하게 할 수 있는 유일한 편법이다. 그리고 이 나라의 산업의 어떤 한 부문을 점차적으로 축소시키면서 나머지 모든 부문을 점차적으로 확장시킴으로써 완전한 자유만이 필연적으로 확립되고 또 완전한 자유만이 보존될 수 있는, 그 자연스럽고 건전하며 또 알맞은 균형으로 모든 산업부문을 회복시킬 수 있는, 유일한 편법인 것 같다. 식민지 무역을 갑자기 모든 국민에게 개방한다는 것은 약간의 과도적인 불편을 일으킬 뿐만 아니라, 현재 그것에 근로나 자본을 투하하고 있는 대부분의 사람들에게는 영구적인 큰 손해를 입히게 될지도 모른다. 영국의 소비를 넘는 8만 2000통의 담배를 수입하는 선박이 갑자기 그 일을 잃는다는 것만으로도 대단히 현저하게 느껴질 수 있다. 이러한 것이야말로 중상주의체계의 모든 규칙의 불행한 효과가 아니겠는가! 그러한 규제는 정치체政治體의 사태에 극히 위험한 무질서를 도입할 뿐만 아니라, 적어도 일시적이나마 더욱더 심한 무질서를 일으키지 않고서는 구치할 수 없을 만한 무질서를 도입한다. 그러므로 어떻게 해서 식민지 무역을 점차적으로 개방할 것인지, 또한 첫 번째로는 어떠한 제한을 철폐할 것이며, 마지막으로는 어떠한 제한을 철폐할 것인지, 그리고 완전한 자유 및 정의의 자연적 체계는 어떻게 해서 점차적으로 회복되어야 할 것인지 우리는 이러한 문제들의 해결을 장래의 정치가와 입법자의 지혜에 일임해 두지 않으면 안 된다.

영국은 현재 12개 속령과의 무역에서 배제되어 있는데, 만일 다섯 가지의 일시적인 사정이 없었다면 이것은 훨씬 더 극심하게 느껴졌을 것이다.

현재 영국은 (1774년 12월 1일 이래)[248] 1년 넘는 동안 식민지 무역의 극히 중요한 부문, 즉 북아메리카의 12개의 연합된 속령과의 무역에서 완전히 배제되어 왔는데, 매우 다행하게도, 예견도 하지 않았던 다섯 가지 사건이 동시에 일어나

248 〔이 날짜는 불수입협정이 발효하는 날이다.〕

서, 그 배제는 일반적으로 예기되었던 것처럼 그렇게 통절하게 느껴지지는 않았다. 즉 첫째는, 그러한 식민지들은 그들의 불수입협정(non-importation agreement)을 위한 준비로서 자신들 시장에 적합한 모든 상품을 영국으로부터 완전히 긁어모아 왔다. 둘째, 스페인의 함대(Flota)[249]의 이상한 수요가 있었기 때문에 이 해에는 독일과 북유럽의 많은 상품, 특히 아마포가 다 매진되었으며, 이러한 상품은 영국의 시장에서까지 상품과 경쟁하게 되는 것이 보통이었다. 셋째, 러시아와 터키 사이의 강화[250]가 터키 시장에서의 이상한 수요를 일으켰으며, 그 시장에 대한 공급은 터키가 국난기國難期에 있었을 때, 러시아의 함대가 다도해를 순항하고 있었을 동안은 아주 조금밖에 되지 않았다. 넷째, 영국의 제조품에 대한 북유럽의 수요는 얼마 전부터 해마다 증가해 왔으며, 다섯째, 네덜란드의 최근의 분할[251]과 그 결과로서의 평화의 도래는 이 대국의 시장을 개방하고, 이 연도에는 북유럽의 증가하는 수요에다 이 나라로부터의 이상한 수요가 추가되었던 것이다. 이러한 사건들은 넷째의 것을 제외하고는, 그 성질상 모두 일시적이며 우연적인 것이므로, 식민지 무역의 그렇게도 중요한 부문으로부터의 배제는 만일 이것이 불행히도 훨씬 더 오랫동안 계속된다면, 역시 어느 정도의 재난을 일으킬 것이다. 그러나 이러한 재난은 서서히 올 것이므로 갑자기 닥쳐왔을 경우보다는 그렇게 심하게 느껴지지는 않을 것이다. 그리고 그렇게 하는 동안에 이 나라의 근로와 자본은 새로운 직업과 방향을 찾을 수 있을 것이므로 이 재난[252]은

249 〔"사기의 방지를 보다 쉽게 하기 위해서뿐만 아니라 아메리카에 보내는 귀중한 적하를 보다 안전하게 하기 위하여 스페인의 대식민지 무역은 강력한 호위함이 따른 함대로써 행해지고 있었다. 이 함대는 두 개의 전수로 되어 있고, 그 하나는 갈레온Galeons, 또 하나는 플로타Flota라는 이름으로 구별되며 매년 장비되고 있었다. 그 전수는 이전에는 세빌랴Seville에서 출범하고 있었으나, 카디스 항이 더 편리하다는 것을 알고 1720년부터는 그곳에서 출범하게 되었다."-윌리엄 로버트슨William Robertson, 《History of America》, 제8권 ; 《The Works of William Robertson, D.D. : History of America》(1825), 제7권, 372면.〕

250 〔1774년의 카이나르디 조약(treaty of Kainardji)에 의한 것이다.〕

251 〔1773년의 분할.〕

252 〔"이 재난"은 초판에는 "그것"이라고 되어 있다.〕

그렇게 심한 정도에까지 이르지 못하게 될 것이다.

독점은 나쁘지만,

따라서 식민지 무역의 독점은 이것이 그렇지 않았을 경우보다도 영국의 더 많은 양의 자본을 이 무역으로 돌렸으며, 이러한 한에 있어서는 모든 경우 그것을 이웃 나라와 행하던 소비재의 외국무역에서 더 먼 나라와의 그것으로, 또 허다한 경우 그것을 소비재의 직접외국무역에서 우회외국무역으로 돌려 버렸다. 그리고 어떤 경우엔 모든 소비재의 외국무역에서 중계무역으로 돌렸던 것이다. 그러므로 그것은 모든 경우 그 자본 부분을, 보다 다량의 생산적 노동을 유지했을 방향으로부터, 훨씬 소량의 그것밖에 유지할 수 없는 방향으로 돌렸던 것이다. 뿐만 아니라 그것은 영국의 산업과 무역의 대단히 큰 부분을, 하나의 특정 시장에만 적합하도록 함으로써, 그 산업과 무역의 전체 상태를 그들의 생산물이 보다 더 수많은 시장에 적합하도록 되어 있었을 경우에 비하여 훨씬 불안정하고 불안전한 것으로 만들었다.

그러나 무역 그 자체는 좋다.

우리는 식민지 무역의 효과와 그 무역의 독점의 효과를 조심스럽게 구별하지 않으면 안 된다. 전자는 항상 그리고 반드시 유익하지만, 후자는 항상 그리고 반드시 유해하다. 그러나 전자는 대단히 유익하므로, 비록 식민지 무역이 독점되고, 또 그 독점이 유해한 효과를 미칠지라도 역시 전체로서는 유익하며, 또한 대단히 유익할 정도이다. 그렇지만 독점이 없을 경우보다는 훨씬 덜 유익하다.

자연적 상태에 있어서의 무역은 영국의 생산적 노동을 증가시킨다.

자연적이고 자유로운 상태에 있어서의 식민지 무역의 효과는 유럽이라든지, 지중해 주변에 있는 나라들, 즉 본국에 훨씬 가까운 나라들의 시장의 수요를 초과하는 영국 산업의 생산물 부분에 대해서 멀기는 하지만 큰 시장을 열어 주는 데에 있다고 하겠다. 자연스럽고 자유로운 상태에 있어서의 식민지 무역은 종래 그런 시장에 보내지고 있었던 생산물의 어떤 부분도 감소시키지 않은 채, 영국에 그 잉여물과 교환될 새로운 등가물을 꾸준히 제공함으로써 이 나라로 하여금 그러한 잉여물을 계속 증산하도록 장려한다. 자연스럽고 자유로운 상태 밑에서의 식민지 무역은 영국의 생산적 노동의 양을 증가시키는 경향이 있다. 그러나 그 이전에 그곳에서 고용되고 있었던 생산적 노동의 방향을 어떤 점에서도 변경시키지 않는다. 식민지 무역의 자연스럽고 자유로운 사태에서는 모든 다른 나라와의 경쟁이 새로운 시장에 있어서나 새로운 용도에 있어서나 이윤율을 그 보통의 수준을 넘지 못하게 만들 것이다. 그 새 시장은 옛 시장에서 아무것도 끌어오지 않고서 그 자체에 공급할 새로운 생산물을 말하자면 창조하고, 또한 그 새 생산물은 신용도를 운영하기 위한 새로운 자본이 될 것이며, 그 새 용도는 마찬가지로 옛 용도에서는 아무것도 빼내어 오지 않을 것이다.

독점은 그것을 감소시킨다.

이에 반하여 식민지 무역의 독점은 다른 여러 국민과의 경쟁을 배제하고 새로운 시장에 있어서나 새 용도에 있어서나 이윤율을 올림으로써, 옛 시장에서는 생산물을, 옛 용도에서는 자본을 끌어내어 온다. 식민지 무역에 있어서 우리의 몫을 그렇지 않을 경우에 비하여 더 증가시킨다는 것은 독점의 공인된 목적인 것이다. 만일 그 무역에 있어서의 우리의 몫이 독점이 없었을 경우보다 조금도 더 많지 않은 것이라면 독점을 설정할 아무런 이유도 없었을 것이다. 그러나 그 대금회수가 다른 대부분의 무역보다 더 느리고 장기적인 무역의 부문에, 저절로 그 부문으로 향할 만한 것보다 더 많은 그 나라의 자본 부분을 억지로 투입하는 것은 무엇이든지 반드시 그 나라에서 해마다 유지되는 생산적 노동의 총량, 즉 그 나라의 토지 및 노동의 연간 생산물의 총량을 그렇지 않았을 경우보다 감소시킨다. 그것은 그 나라 주민의 수입을 자연히 상승하는 것보다 낮게 억제하여, 그 때문에 그들의 저축력을 감소시킨다. 그것은 어느 때나 그들의 자본이,

그렇지 않았을 경우 유지했을 만큼 다량의 생산적 노동을 유지하지 못하게 만들 뿐만 아니라, 그렇지 않았을 경우 증가했을 정도로 급속히 증가하는 것을 저지한다. 따라서 그것이 훨씬 더 많은 양의 생산적 노동을 유지하지 못하게 한다.

그 무역의 자연적인 좋은 영향은 악영향을 상쇄하고도 남음이 있다.

그러나 식민지 무역의 자연적인 좋은 영향은 영국에게는 독점의 악영향을 상쇄하고도 남음이 있다. 그러므로 독점과 통틀어서 그 무역은 현재에 행해지고 있는 그대로일지라도 유리할 뿐만 아니라, 대단히 유리하다. 식민지 무역에 의해서 개방되는 새로운 시장과 신용도[253]는 독점에 의해서 잃게 되는 옛 시장과 옛 용도의 그 부분보다 훨씬 광범하다. 식민지 무역이 창조한 소위 신생산물과 신자본은 영국에서는 그 대금회수의 빈도가 더 잦은 다른 무역으로부터 자본을 철수함으로써 일에서 쫓겨나게 될 양보다 훨씬 다량의 생산적 노동을 유지한다. 그러나 만일 현재에 행해지고 있는 식민지 무역이 이 현상 그대로라도 영국에 유리하다면, 그것은 독점 때문에 그런 것이 아니고 독점이 있음에도 불구하고 그런 것이다.

식민지는 유럽의 원생산물보다도 제조품에 시장을 제공하고 있다.

식민지 무역이 새로운 시장을 개방하는 것은 유럽의 원생산물이라기보다 오히려 제조품에 대한 시장이다. 농업은 모든 새 식민지에 적당한 사업이요, 그곳에서는 토지가 싸기 때문에 이 사업은 다른 어떤 사업보다 더 유리한 사업이다. 그러므로 그들은 토지의 원생산물이 풍부하며 그것을 다른 나라로부터 수입하기는커녕 그들은 대체로 수출할 막대한 잉여물을 가지고 있다. 새 식민지에서는 농업은 다른 모든 직업에서 일손을 끌어오든지 또는 다른 어떤 직업에도 그들이 가지 못하게 붙잡아 둔다. 그곳에는 필수품을 위해서 할당해야 할 일손은 거의 없으며, 더욱이 장식품을 위한 일손이라고는 하나도 없다. 그들은 이 두 가

253 〔"신용도"라는 말은 초판 및 재판에서는 "용도"라고 되어 있다.〕

지 제조품의 대부분을 그들 자신이 만들기보다는 다른 나라에서 구입하는 편이 더 싸다는 것을 알고 있다. 식민지 무역이 간접적으로 유럽의 농업을 장려한다는 것은 주로 유럽의 제조업을 장려하기 때문이다. 즉 그 무역에서 일을 제공받고 있는 유럽의 제조업자들은 그 토지의 생산물을 위한 새로운 시장이 되고 모든 시장 가운데 가장 유리한 시장, 즉 유럽의 곡물·가축·빵·도육을 위한 국내시장은 이렇게 해서 아메리카와의 무역 때문에 크게 확장되는 셈이다.

그러나 독점 때문에 스페인과 포르투갈의 제조업은 유지될 수 없었다.

그러나 인구가 많고 번영하고 있는 식민지와의 무역을 독점하여도 그것만으로써는 일국에 있어서의 제조업의 확립은 고사하고 그것을 유지하는 데조차 충분하지 못하다는 것은 스페인과 포르투갈의 실례가 충분히 증명해 주고 있다. 스페인과 포르투갈은 꽤 쓸 만한 식민지를 갖고 있지 않았을 때는 제조업국이었다. 그러나 그들 양국이 세계에서 가장 풍부하고 다산적인 식민지를 가지게 된 뒤로는 양국은 모두 그렇지 못하게 되어 버렸다.

이곳에서는 독점의 악영향이 무역의 좋은 영향을 거의 없애 버렸다.

스페인과 포르투갈에서는 독점의 악영향은 다른 원인들에 의해서 더욱더 악화되어 아마 식민지 무역의 자연적인 좋은 영향을 거의 없애 버렸다.[254] 이 기타의 원인들이란 이것과는 다른 여러 종류의 독점인 것 같다. 즉 금은의 가치가 다른 대부분의 나라에서의 가치보다 저락된 것, 수출에 부당한 과세를 하여 외국시장에서 쫓겨난 것, 국내의 한 지방에서 타지방에의 재화의 수송에 더욱더 부당한 과세를 함으로써 국내시장을 좁혔던 것 등이 그것이다. 그러나 이보다 더 심한 것은 불규칙하고 불공평한 사법행정이며, 이것은 부유하고 권세 있는 채무자를 그 피해자인 채권자의 소추에서 종종 보호해 주고, 국민 가운데 가장 근면

254 〔"아마"에서 여기까지의 구는 초판에서는, "식민지 무역의 자연적인 호영향好影響을 완전히 극복했다"로 되어 있다.〕

한 사람들로 하여금 그렇게 거만하고 권세 있는 사람들의 소비를 위해서 재화를 만들기를 두려워하도록 했다. 왜냐하면 이들은 그들에게 외상으로 판매할 것을 감히 거절할 수 없으며, 게다가 대금의 지불마저 전혀 불확실했기 때문이다.

잉글랜드에서는 무역의 좋은 영향이 독점의 악영향을 크게 멸살했다.

이와 반대로 잉글랜드에서는 식민지 무역의 자연적인 좋은 영향이 다른 원인들에 의해서 도움을 받아 독점의 악영향을 대대적으로 극복했다. 이 원인이란 무역의 일반적인 자유라고 생각된다. 이것은 약간의 제한이 있음에도 불구하고 다른 어떤 나라에서의 그것에 비하여 적어도 동등하든지 더 능가하고 있다. 즉 국내 산업의 생산물인 거의 모든 종류의 재화를 거의 어떠한 외국에도 무세로 수출하는 자유가 그것이다. 그리고 아마 더욱더 중요한 것은 어떤 관청에 계출屆出해야 할 의무도 없이 어떤 종류의 검문 또는 검사를 받아야 할 의무도 없이, 자국 내의 한 지방에서 타지방으로 그러한 재화들을 수송하는 무제한의 자유이다. 그러나 무엇보다도 중요한 것은 평등하고 공평한 사법행정이며, 이것은 영국의 가장 비천한 신민의 권리가 가장 고귀한 사람들에게도 존중받도록 해 주고, 모든 사람들에게 자기 자신의 근로의 열매를 확보해 줌으로써 모든 종류의 근로에 가장 크고 가장 효과적인 장려를 해 주고 있다.

무역은 독점에 의해서가 아니라, 독점에도 불구하고 영국의 제조업에 이익을 주었다.

그러나 비록 영국의 제조업이 식민지 무역에 의해서 진보되었다 하더라도, 또한 확실히 그러하기도 하지만, 그것은 그 무역의 독점 때문에 그랬던 것은 아니며, 독점이 있었음에도 불구하고 그렇게 되었던 것이다. 그 독점의 효과는 영국의 제조품의 양을 증가시키지는 않았으며, 그 일부의 질과 형태를 바꾸는 것이었다. 그리고 그렇지 않았을 경우, 그 대금회수가 빈번하고 단기간에 이루어지는 시장에 적합하도록 되어 있었을 것을 그 대금회수가 완만하고 장기간 걸리는 시장에 적합하도록 만드는 것이었다. 따라서 그 효과는 영국의 자본의 일부를,

제조업에 있어서 더욱더 다량의 근로를 유지해 왔던 용도로부터 훨씬 소량의 근로밖에 유지하지 못하는 용도로 돌렸고, 그 때문에 영국에서 유지되고 있는 제조업의 근로의 전량을 증가시키기는커녕 감소시키는 것이었다. 그러므로 식민지 무역의 독점은 중상주의체계의 다른 모든 비열하고 악의에 찬 편법과 마찬가지로, 바로 그 이익을 위하여 독점이 설정되어 있는 나라의 산업을 조금이라도 증진시키기는커녕 축소시키면서 다른 모든 나라의 산업, 특히 주로 식민지의 산업을 부진하게 만드는 것이다.

독점은 모국에서의 임금을 떨어뜨린다.

독점은 어떤 특정 시기에 그 자본의 크기가 얼마나 되든지 간에 그 나라의 자본이 그렇지 않을 경우 유지할 만큼의 생산적 노동을 유지하지 못하게 한다. 그리고 그렇지 않을 경우 그것이 제공할 만한 양의 수입을 근면한 주민에게 제공하지 못하게 한다. 그러나 자본은 수입에서 나오는 저축에 의해서만 증가될 수 있는 것이므로, 독점은 그 자본이 그렇지 않을 경우 제공했을 만큼의 수입을 제공하지 못하게 함으로써, 그렇지 않을 경우 그것이 증가할 정도의 증가를 불가능하게 저지한다. 따라서 그것은 또한 그 나라의 더욱더 다량의 생산적 노동을 유지하고 근면한 주민에게 더욱더 다량의 수입을 제공하는 것을 저지한다. 그러므로 독점은 수입의 본원적인 대원천의 하나인 노동의 임금을, 그렇지 않을 경우에 비하여 언제나 필연적으로 넉넉하지 못하게 했을 것이다.

그것은 이윤을 높이고, 나아가서는 토지의 지대와 가격을 떨어뜨리는 경향이 있다.

독점은 상업이윤의 비율을 올리므로 토지의 개량을 저해한다. 토지개량의 이윤은 그 토지가 현재 생산하고 있는 것과 그것에 일정한 자본이 충당됨으로써 그 토지가 생산가능하게 되는 것과의 차액에 의존한다. 만일 이 차이가 상업상의 어떤 용도에서 같은 금액의 자본이 올릴 수 있는 것보다 많은 이윤을 제공해 준다면 토지의 개량은 상업상의 모든 용도에서 자본을 끌어올 것이다. 만일 그 이윤이 이보다 적으면 상업상의 용도가 토지의 개량에서 자본을 끌어갈 것이다. 그러므로 상업이윤의 비율을 올리는 것은 무엇이든지 토지개량의 이윤을 보다 높던 것을 낮게 하든가 또는 그것이 낮은 것을 더욱더 낮게 하든가 한다. 그리고 전자의 경우에는 자본이 토지개량에 향하는 것을 저지하고 후자의 경우에는 자본을 그곳에서 끌어내어 간다. 그러나 독점은 토지개량을 저해하므로 수입의 또 다른 본원적인 대원천인 토지의 지대地代의 자연적 증가의 속도를 필연적으로 느리게 한다. 또한 독점은 이윤율을 높이므로 시장이윤율을 그렇지 않을 경우보다 더 높게 유지한다. 그러나 토지가 제공하는 지대에 비례하는 토지의 가격, 즉 토지에 대해서 보통 지불되고 있는 구매 연수年數는 이윤율이 내리면 반드시 오른다. 그러므로 독점은 지주의 이익을 두 가지 다른 방법으로 해친다. 첫째는 지대의 자연적 증가를 지연시키거나, 둘째는 토지가 제공하는 지대地代에 비례하여 획득할 수 있는 토지값의 자연적 증가를 지연시킴으로써 그렇게 한다.

그것은 이윤의 절대액을 감소시킨다.

실로 독점은 통상이윤의 비율을 올리고, 따라서 우리의 상인들의 이득을 약간 증가시킨다. 그러나 그것은 자본의 자연적 증가를 방해하므로, 그 나라의 주민이 자재의 이윤에서 끌어내는 수입의 총액을 증가시킨다기보다 오히려 감소시키는 경향이 있다. 왜냐하면 대자본에 대한 적은 이윤이 작은 자본에 대한 큰 이윤보다 대체로 더 많은 수입을 제공하기 때문이다. 독점은 이윤율을 끌어올리지만, 이윤 총액이 독점이 없는 경우의 수준으로 오르는 것을 방해한다.

그리하여 수입의 모든 본원적인 원천을 풍부하지 못하게 한다.

독점은 수입의 모든 본원적인 원천, 즉 노동의 임금과 토지의 지대와 자재의 이윤을 독점이 없을 경우보다도 훨씬 덜 풍족하게 만든다. 일국에 있는 어떤 낮은 계급의 사람들의 작은 이익을 증진시키기 위하여, 그것은 그 나라의 다른 모든 계급의 사람들의 이익과 다른 모든 나라의 모든 사람들의 이익을 해친다.

더욱더 치명적인 것은 독점이 절약이라는 도덕을 파괴한다는 것이다.

독점이 어떤 한 특수 계급의 사람들에게 유리하다고 입증되었든가 또는 입증될 수 있었던 것은 단지 이윤의 통상률을 올리는 점에서만이 그러하다. 그러나 높은 이윤율에서 나오는 필연적인 결과로서, 이미 상술한 바 있는 그 나라 일반에 대한 모든 악영향 이외에도 아마 이 모든 것을 모두 합한 것보다 더 치명적인, 더욱이 우리의 경험에서 판단한다면, 그것과 불가분으로 연결된 또 하나의 악영향이 있다. 높은 이윤율은 다른 상황에서는 상인의 성격에 자연적으로 들어 있는 절약이라는 정신을 어디에서나 파괴하는 것 같다. 이윤이 높을 때는 그 근실한 덕은 불필요한 것이라고 생각되어 비용이 많이 드는 사치가 상인의 유복한 지위에 훨씬 더 어울린다고 생각된다. 그러나 큰 상업자본의 소유자는 반드시 각국의 산업 전체의 지도자이며 지휘자이다. 그들의 실례는 어떠한 다른 계급의 그것보다도 훨씬 큰 영향을 그 나라의 모든 근면한 사람들의 태도에 미친다. 만일 고용주가 주의 깊고 절약하는 사람이라면 직공도 역시 그렇게 되기 쉽다. 그러나 주인이 방탕하고 난잡하면 자기 주인이 명령하는 본보기에 따라 자기의 일을 해 나가는 고용인은 주인이 보여 주는 실례에 따라 자기의 생활까지도 꾸밀 것이다. 이렇게 해서 축적은 자연적으로는 축적하고 싶어 하는 모든 사람들의 손으로 제지되고, 생산적 노동을 유지하기 위하여 예정된 기금은 자연적으로 그것을 가장 열심히 증가시켜야 할 사람들의 수입에 의해서 조금도 증가되지 않는다. 그 나라의 자본은 증가하기는커녕 점점 줄어든다. 그리고 그곳에서 유지될 생산적 노동의 양은 나날이 적어져 갈 따름이다. 카디스와 리스본 상인들의 엄청난 이윤이 스페인과 포르투갈의 자본을 증가시켰는가? 그들이 그렇게 거지 같은 두 나라의 빈곤을 완화하고 산업을 증진시켰던가? 그 두 무역도시에서 상인의 낭비의 풍조가 이러하므로, 그러한 엄청난 이윤도 그 나라의 총자본을 증가시킨다는 것과는 거리가 멀고, 그 이윤을 낳아 주었던 자본을 유지하기에도 좀처럼 충분하지는 못했던 것 같다. 외국자본이 날로 더 많이 카디스와 리스본의 무역에 끼어들어 가고 있다. 스페인과 포르투갈인이 그들의 불합리한 독점이라고 하는 지긋지긋한 올가미를 점점 세게 졸라매려고 노력하고 있는 것은 그들 자신의 것[255]으로써는 나날이 그 운영이 불충분해져 가고 있는 무역에서 그러한 외국자본을 구축하기 위함이다. 카디스와 리스본 상인들의 태도와 암스테르담의 상인들의 태도와 비교하여 보라. 그러면 상인의 행동과 성격이 자재의 이윤의 고저에서 얼마나 상이한 영향을 받는지를 느끼게 될 것이다. 실로 런던의 상인은 아직도 대체로 카디스와 리스본의 상인처럼 그렇게 어마어마한 거상이 되어 있지는 않지만, 그들은 대개 암스테르담의 상인처럼 그렇게 주의 깊고 절약하는 시민도 아니다. 그러나 그들은 꽤 많은 사람들이 전자의 대부분보다 훨씬 더 부유하지만, 후자의 많은 사람들만큼 부유하지는 않다고 생각되고 있다. 그런데 그들의 이윤율은 보통 전자의 그것보다 훨씬 낮고 후자의 그것보다는 상당히 높다. 격언에도, "얻기 쉬운 것은 잃기도 쉽다(Light come light go)"라고 한다. 그러니 보통 낭비하는 풍조는 어떠한 곳에서나 돈을 쓰는 실력에 의한다기보다 오히려 쓸 돈이란 쉽게 획득되는 것이라고 생각하느냐 않느냐에 의해서 정해지는 것 같다.

독점에 의해서 다만 단일계급의 사람들에게 주어지는 단 하나의 이익이, 여러 가지 다른 방법으로, 그 나라의 전반적 이익을 해치는 것은 이상과 같이해서 되는 것이다.

독점이라는 정책은 상인의 정책이다.

고객이 되어 주는 국민을 육성한다고 하는 유일한 목적을 위하여 하나의 대제국을 건설한다는 것은 일견 상인 국민에게만 알맞은 계획인 것같이 생각될지 모른다. 그러나 그것은 상점주商店主(a nation of shopkeeper) 국민에게 알맞은 계획은 전혀 아니고, 정부가 상인의 영향 아래에 있는 국민에게는 지극히 적합한 계획이다. 그러한 정치가들은 그리고 그러한 정치가들만[256]이 그러한 제국을 건설

255 〔"그들 자신의 것"은 초판에는 "그들 자신의 자본"이라고 되어 있다.〕

256 〔초판에는 여기까지가 다음과 같이 되어 있다. "상점주들에 의해서 지배되고 있는 국민에게

하고 유지하기 위해서라면, 그들의 시민 동포[257]의 피와 재보를 써도 아깝지 않다고 공상할 수 있다. 어떤 상인에게 이렇게 말해 보라. "나의 좋은 소유지를 사 주시오. 그러면 나는 다른 가게에서 사는 것보다 다소 비싸더라도 나의 의복을 언제나 당신의 가게에서 사기로 하겠습니다"라고. 그러면 그가 당신의 제안을 기꺼이 받아들이려고 나서는 것을 보지 못할 것이다. 그러나 만일 어떤 다른 사람이 당신의 그러한 소유지를 사 주고, 또한 의복은 모두 이 상인의 가게에서 사라고 명령한다면, 그 상인은 당신의 은인을 대단히 고맙게 생각할 것이다. 잉글랜드는 국내에 안주하지 못한 약간의 신민을 위하여 먼 지방에 하나의 커다란 토지재산을 구매했다. 실은 그 가격은 얼마 되지 않았으며 그 구매년도가 30년이나 되는 현재의 토지의 통상가격과는 달라서 처음으로 그곳을 발견하고, 그 연안을 답사하고, 그 지방을 의제적으로 영유하려고 선박을 여러 번 장비한 비용 정도였다. 그 토지는 질이 좋고 광대했고, 경작자는 경작을 하기에 좋은 땅을 풍부하게 가지고 있었다. 더욱이 얼마 동안은 그들의 생산물을 어디에서 팔든지 자유였으므로 겨우 30~40년 남짓한 세월이 지나는 동안에(1620년에서 1660년 사이) 그들은 잉글랜드의 상인과 그 밖의 무역상이 그들을 고객으로 자기들이 독점하고 싶어졌을 정도로 인구도 많아지고 유복한 국민이 되었다. 그리하여 잉글랜드의 상인과 그 밖의 무역상은 최초의 구입대금과 그 후의 개량비의 일부를 지불했다고 주장하지는 않았지만, 의회에 청원하여 아메리카의 경작자들은 첫째, 그들이 유럽으로부터 필요로 하는 모든 재화의 매입에 대해서도, 둘째, 경작자 자신의 생산물 가운데 그러한 상인들이 구매하는 편이 적당하다고 인정하는 모든 부분의 판매에 대해서도 앞으로는 반드시 자신들 가게에 한정하려고 했다. 그들이 이 두 번째 점을 청원했던 이유는 경작자의 생산물의 모든 부분을 구매한다는 것은 적당하지 않다고 생각했기 때문이다. 그 생산물의 어떤 부분이 잉글랜드에 수입되었다면 그들 자신이 본국에서 하고 있는 상업과 충

는 지극히 적합한 것이다. 그러한 주권자는 그리고 그러한 주권자만이"라고.〕

257 〔"시민 동포"는 초판에는 "신민"이라고 되어 있다.〕

돌했을 것이다. 그리하여 그들은 식민지 주민이 그러한 특정한 부분은 팔 수 있는 곳에 팔고 그곳은 멀수록 더 좋았다. 그리하여 그들의 시장을 피니스테레곶 이남의 여러 지방에 한정시킬 것이 제안된 것도 그 때문이었다. 그 유명한 항해조례 중의 어떤 조항은 참으로 이러한 상점주다운 제안을 법률로서 성문화했다.

식민지에 대한 영국의 경비는 모두 독점을 유지하기 위하여 지출되었으며, 그 금액은 거액이었다.

이 독점을 유지한다는 것은 이때까지 영국이 식민지에 대한 지배권을 장악해 왔던 주요 목표, 아니 더 적당히 말한다면 아마 유일한 목표였다. 모국의 시민 정부 또는 방위를 유지하기 위하여 이때까지 수입도 병력도 전혀 제공하지 않았던 속령들에서 나오는 커다란 이익이란 독점적 무역에 있다고 생각되고 있다. 독점은 그 속령들의 종속에서 채취되어 온 유일한 과실이다. 이 종속을 유지하기 위하여 이때까지 영국이 지출한 경비가 얼마였든지 간에 그것은 전부 실로 이 독점을 유지하기 위하여 지출되었던 것이다. 현재의 동란 개시 이전 식민지의 통상의 평시편제비平時編制費는 보병 20개 연대의 급여, 포병대의 경비, 군수품 및 그들에게 지급할 필요가 있었던[258] 임시 식료품의 경비, 그리고 북아메리카와 우리의 서인도 제도의 장대한 해안선을 다른 나라의 밀수선에서 방호하기 위하여 상비되어 있었던 대단히 강대한 해군의 경비였다. 이러한 평시편제비의 전액은 영국의 수입으로 충당되었으며, 동시에 식민지 지배를 위하여 모국이 지출했던 경비의 최소 부분이었다. 만일 그 전액을 알고자 한다면, 이 연간 평시편제비에, 식민지를 지배하의 속령들이라고 생각한 결과, 영국이 그 방위를 위해 각가지 기회에 지출했던 금액의 이자를 가산하지 않으면 안 된다. 또한 우리는 그것에다 특히 최근의 모든 전쟁 경비와 이에 선행한 전쟁의 경비[259]의 대부분을 가

258 〔"필요가 있었던"것과 이 두 줄 밑의 "상비되어 있었던"은 초판에는 "필요가 있는", "상비되어 있는"이라고 되어 있다.〕

259 〔"전쟁의 경비"는 초판에는 "그 경비"라고 되어 있다.〕

산해야 한다. 최근의 전쟁은 전적으로 식민지에 관한 싸움이었다. 그 전체 경비는 이것이 세계의 어느 지방에 지출되었든지 간에, 즉 독일이건 동인도이건 간에 당연히 식민지의 계정에 넣어져야만 한다. 그것은 신규의 기적뿐만 아니라 1파운드에 2실링이라는 지조부가세와, 감채기금에서 해마다 차용한 금액을 합하면 영화 9000만 파운드 이상이나 되었다. 1739년에 시작된 스페인 전쟁도 주로 식민지에 관한 싸움이었다. 그 주요 목적은 스페인 본토와 밀수무역을 하고 있었던 식민지 선박이 임검당하는 것을 방지하기 위함이었다. 이러한 모든 경비는 사실상으로는 독점을 유지하기 위하여 주어진 장려금이다. 겉치레만의 목적은 영국의 제조업을 장려하고 그 통상을 증진한다는 것이었다. 그러나 그 현실적 효과는 상업이윤의 비율을 올리는 것이었고, 우리의 상인들이 다른 대부분의 무역부문보다 대금회수가 느리고 드문 무역부문으로, 그렇지 않았을 경우에 비하여 더 많은 자본을 돌릴 수 있게 하는 것이었다. 장려금으로써 이 두 가지 사건을 방지할 수 있었다면, 그러한 장려금을 주는 편이 차라리 더 좋았을 것인지도 모른다.

따라서 현재의 관리제도하에서는 영국이 그 식민지를 지배하여 얻는 것은 손실 이외에는 아무것도 없다는 것이 되겠다.

식민지를 자발적으로 분리하는 것은 대단히 유리할 것이다.

영국은 그 식민지에 대한 모든 권위를 포기해야 하고, 식민지로 하여금 그들 자신의 장관을 선임하고, 그들 자신의 법률을 제정하고, 자신이 적당하다고 생각하는 데에 따라서 화전和戰을 정하도록 버려 두어야 할 것을 제안한다는 것은 세계의 어떤 국민에 의해서도 아직 채택되지 않았던 것이며, 결코 채택되지도 않을 방책을 제안하는 것이 될 것이다. 어떤 속령의 지배권을 자발적으로 포기한 국민은 아직 없으며 그 속령을 통치하는 것이 아무리 성가신 일이라 하더라도, 그리고 그것에 드는 경비에 비하여 그곳에서 나오는 수입이 아무리 적다 하더라도, 그렇게 포기하는 국민은 결코 없는 것이다. 이러한 희생은 비록 그 국민의 이익에 합치하는 수가 흔히 있기는 하더라도 항상 그 자존심을 상하게 하는 것이요, 또한 더욱더 중요한 것은 반드시 그 일부의 지배자의 사적인 이익에 반하는 것이다. 왜냐하면 이 때문에 그들은 신뢰와 이득이 따르는 많은 지위의 처분권과, 부와 영예를 획득하는 기회를 빼앗길 것이기 때문이다. 더욱이 이러한 처분권과 기회는 가장 난폭하고 국민 대중에게는 가장 불리한 속령일지라도 그것을 영유하기만 하면 거의 실패없이 주어지는 것이다. 그러므로 가장 몽상적인 열광가라도 적어도 언젠가는 채용되리라는 대단한 희망을 걸고 이러한 방책을 제안할 수는 좀처럼 없을 것이다. 그러나 만일 그것이 채용된다면 영국은 식민지에서 해마다 모든 평시편제비에서 즉시 해방될 뿐만 아니라, 그러한 식민지와 통상조약을 체결하여 이 나라가 현재 누리고 있는 독점보다 상인에게는 불리하더라도, 국민 대중에게 유리한 자유무역을 유효하게 확보할 수 있을 것이다. 그리고 이와 같이 사이좋게 작별하면 최근의 불화 때문에 거의 소멸해 버린 모국에 대한 식민지의 자연적 애정도 아마 급속히 부활할 것이다. 그리고 이 애정은 그들이 분리할 때 맺었던 통상조약을 몇 세기 동안이나 존중하고 또 그들이 무역에 있어서는 물론, 전시에 있어서도 우리들의 편이 되고, 불온하고 당파적인 신민이 아닌 가장 성실하고 친애하는 그리고 관대한 동맹국이 되고자 하는 마음이 나게 할 수 있을 것이다. 또한 그렇게 되면 고대 그리스의 모도시母都市와 그 자손으로서의 식민지 사이에 보통 있었던 것과 같은 종류의, 한편에서는 어버이로서의 애정과 다른 한편에서는 자식으로서의 존경이 영국과 그 식민지 사이에 부활할 것이다.

식민지는 그 영유의 가치가 있을 만큼 충분한 수입을 제공해 주지 않는다.

어떤 속령이 그것이 소속하는 제국에 유리한 것이 되기 위해서는 그 속령은 평시에는 그 자체의 모든 평시편제비를 지불하기 위해서뿐만 아니라, 그 제국의 일반적 통치를 유지하기 위한 분담액을 공납하기 위해서도 충분한 수입을 그 사회에 제공하지 않으면 안 된다. 모든 속령은 반드시 그 소속국의 일반적 통치비를 다소나마 증가시키는 원인이 되기 때문이다. 그러므로 만일 어떤 특정 속령이 이러한 경비를 지불하기 위한 할당액을 공납하지 않는다면, 불평등한 부담이 그 제국의 어떤 다른 속령에 전가될 것은 틀림없다. 전시에 모든 속령이 공공사회에 제공하는 임시수입도 제국의 임시수입에 대해, 유추상 그 경상수입이 평시에 가지는 것과 같은 비례를 유지하지 않으면 안 된다. 영국이 그 식민지에서 끌어내는 경상수입도 임시수입도 영국 제국의 모든 수입에 대해서 이러한 비례를 갖고 있지 않다는 것은 이미 인정되고 있는 바라 할 것이다. 사실로 독점은 영국의 국민의 개인적인 수입을 증가시키고 그리하여 그들이 보다 다액의 조세를 지불할 수 있게 함으로써 식민지의 공공적 수입의 부족을 메우는 것이라고 생각되어 왔다. 그러나 이 독점은 내가 밝히려고 노력해 왔던 것과 같이 식민지에 대해서는 대단히 가혹한 조세이며, 또한 영국에 있는 어떤 특정 계급의 사람들의 수입을 증가시킬 것이지만, 국민 대중의 수입을 증가시키기는커녕 감소시키고 따라서 또한 국민 대중의 담세력擔稅力(조세부담 능력)을 증가시키기는커녕 감소시키는 것이다. 뿐만 아니라 독점에 의해서 그 수입이 증가하는 사람들은 하나의 특수 계급을 구성하고 있으며, 내가 다음 편에서 밝히려고 노력할 것이지만, 이 계급에 대해서 다른 계급 이상의 비율로 과세한다는 것은 절대 불가능하고, 또한 그 비율 이상으로 과세하려고 꾀하는 것마저 극히 지각없는 짓이다. 따라서 이 특수 계급에서 특정 재원을 끌어낸다는 것은 도저히 있을 수 없는 것이다.

식민지 의회는 결코 충분한 협찬을 하려고 하지 않을 것이다.

언제나 식민지 자신의 문치, 군사상의 상설편제를 충분히 유지할 뿐만 아니라, 영국 제국의 일반 통치비 가운데 식민지의 적당한 할당분을 지불하기에 족할 만한 공공적 수입을 그 선거민에게 징수시키도록 식민지 의회가 관리될 수 있으리라는 것은 좀처럼 가능할 것 같지 않다. 잉글랜드의 의회까지도 주권자의 직접적인 감시하에 있으면서 이러한 관리제도하에 놓일 수 있고, 자국의 문치와 군사상의 상설편제비常設編制費를 충분히 관대하게 승인하도록 될 수 있기까지는 오랜 세월을 요했다. 잉글랜드의 의회에 관해서까지 이러한 관리제도가 확립될 수 있었던 것은 의회의 특정 의원들 사이에 문치와 군사상의 상설편제에서 생기는 관직 또는 그 임면권의 일부분을 분배해 주었기 때문에 가능했을 따름이다. 그러나 식민지 의회는 주권자의 눈에서 멀리 떨어져 있고, 그들의 수는 많고, 각지에 분산되어 있고, 더욱이 그 구성도 가지각색이므로, 주권자가 본국에서와 같은 수단을 가지고 있더라도 본국과 똑같은 방법으로 그들을 관리한다는 것은 대단히 어려울 것이다. 게다가 그러한 수단이란 아직은 결여되어 있다. 전 식민지 의회의 모든 지도적 의원들 사이에 영국의 일반행정에서 생기는 관직이라든지 또는 그 임면권의 몫을 충분히 분배해 주어서, 그들로 하여금 국내에서의 인기를 희생하고 그 이득의 거의 전부가 그들에게는 알지도 못하는 사람들 사이에 분배되는 일반행정을 지원하기 위하여, 자신들의 선거민에게 과세할 마음이 나게 한다는 것은 절대로 불가능할 것이다. 뿐만 아니라 그러한 여러 가지 의회의 가지각색 의원의 상대적인 중요성에 관한 본국 정부의 무지는 피할 수 없는 것이며, 또 그 때문에 종종 그들의 감정을 상하게 하지 않을 수 없으며, 그 나라가 그들을 이렇게 관리하려고 해도 어김없이 실패하므로 식민지 의회에 관한 그러한 관리제도는 전혀 불가능한 것이라고 생각된다.[260]

더욱이 식민지 의회는 무엇이 필요한 것인지를 알지 못하고 있다.

그뿐 아니라 식민지 의회는 제국 전체의 방위 및 유지를 위하여 무엇이 필요한 것인지에 관해서는 적절한 심판관이라고는 생각될 수 없다. 그 방위 및 유지에 관한 배려는 그들에게 맡겨져 있지 않다. 그것은 그들의 일도 아니며, 그들은 그것에 관한 정보를 획득하는 정규의 수단을 갖고 있지 않다. 한 속령의 의회는 한 교구의 교구회와 마찬가지로 자신의 특정 지역의 문제들에 관해서는 대단히 적절한 판단을 내릴 수 있지만, 제국 전체의 문제들에 관해서는 판단을 내릴 만한 적당한 수단을 가질 수 없다. 그것은 그 속령 자체가 제국 전체에 대해서 얼마

260 〔"생각된다(seems)"는 초판에는 "seem"이라고 되어 있다.〕

만 한 비중을 차지하고 있는지, 즉 다른 속령들과 비교해서 그 부와 중요성은 상대적으로 어느 정도가 될 것인가에 관해서 적절히 판단하는 것마저 할 수 없다. 왜냐하면 그러한 다른 여러 속령들은 이 특정 속령의 의회의 검사와 감독하에 있지 않기 때문이다. 제국 전체의 방위와 유지를 위하여 무엇이 필요한가, 그리고 각 부분은 어떤 비율로써 기여해야 하는가 하는 문제는 제국 전체의 문제들을 검사하고 감독하는 집회만이 판단할 수 있다.

의회는 징발령에 의해서 식민지에 과세해야 한다는 것이 제안되었다.

따라서 식민지는 징발령에 의해서 과세되어야 하며, 영국의 의회는 각 식민지가 지불해야 할 금액을 결정하고 각 속령의 의회는 그것을 해당 속령의 여러 사정에 가장 적합한 방법으로 부과하고 징수해야 한다는 것이 제안되어 왔다. 즉 이렇게 함으로써 제국 전체에 관한 것은 제국 전체의 문제들을 검사하고 감독하는 집회에 의해서 결정되고, 각 식민지의 속령으로서의 문제들은 역시 그 자체의 의회에 의해서 규정될 수 있다는 것이다. 이 경우 식민지는 영국의 의회에 대표자를 전혀 가질 수 없을지라도 우리의 경험에서 판단한다면 의회의 징발령이 그 때문에 불합리한 것이 되리라는 가능성은 전혀 없다. 잉글랜드의 의회는 어떤 경우에도 의회의 대표자를 보내고 있지는 않은 제국의 속령들에 과중한 부담을 과하려는 의향은 조금도 보이지 않았다. 건지섬(the island of Guernsey)과 전지섬(the island of Jersey)은 의회의 권위에 저항할 만한 아무런 수단도 갖고 있지 않으나, 영국의 다른 어떤 지방보다도 조세가 가볍다. 의회는 그 근거의 옳고 그름은 고사하고 식민지에 대한 상상 속의 과세권을 가지고 있는데, 그것을 행사하려고 꾀할 때에 본국의 동포 시민의 납입액에 대한 정당한 비율에 가까워진 금액마저 식민지에 요구한 적이 이때까지는 없었다. 뿐만 아니라 만일 식민지의 분담금을 지조의 등락에 비례하여 증감하도록 한다면, 의회는 그 자신의 선거민에게 동시에 과세하지 않고는 식민지에 과세할 수 없게 될 것이다. 그러므로 식민지는 이런 경우, 사실상 의회에 대표를 보내고 있는 것으로 간주될 수 있을 것이다.

프랑스 국왕은 그의 몇몇 속주 가운데 어떤 것에 과세하는 것도 이런 방법으로 했다.
이런 표현이 허용될는지 모르겠지만, 모든 각가지 식민지를 하나로 통틀어 과세하지 않고, 주권자는 각 속령의 납세액만을 규정하고 약간의 속령에 관해서는 주권자가 적당하다고 생각하는 대로 그것을 부과하고 징수하는 반면, 다른 속령들에 관해서는 각 속령의 신분 의회가 결정하는 대로 그것을 부과하고 징수하도록 방임해 두는 그러한 제국의 실례도 없는 것은 아니다. 프랑스의 몇몇 주에서는 국왕은 자기가 적당하다고 생각하는 조세들을 과할 뿐만 아니라, 자기가 적당하다고 생각하는 방법으로 그러한 세금을 부과하고 징수하고 있다. 다른 주에 관해서는 그는 일정한 금액을 요구하지만, 그 금액을 부과하고 징수하는 것은 각 속주의 의회가 적당하다고 생각하는 대로 하도록 방임해 둔다. 징발령에 의한 과세안에 따르면 영국 의회의 식민지 의회에 대한 관계는 프랑스 국왕의 신분 의회, 즉 아직도 그들 자신의 신분 의회를 가질 수 있는 특권을 향수하고 있는 각 속주, 즉 프랑스에서는 가장 잘 통치되어 있다고 생각되고 있는 각 속주의 신분 의회에 대한 관계와 거의 동일한 것이 될 것이다.

영국의 의회는 충분한 권위를 갖고 있지 않다.
그러나 이러한 과세안에 따르면, 식민지로서는 자신들의 공공적 부담의 분담액이 본국에 있는 동포 시민의 분담액에 대한 적당한 비율을 넘을지도 모른다는 것을 두려워할 만한 정당한 이유 같은 것은 전혀 있을 리가 없겠지만, 영국으로서는 식민지의 분담액이 적당한 비율에 달하지 않을 것이라고 걱정할 만한 적당한 이유는 있을지도 모른다. 영국 의회는 과거 얼마 동안, 프랑스 국왕이 아직도 역시 자체의 신분 의회를 가지는 특권을 향수하고 있는 프랑스의 여러 속주에 대해서 가지고 있는 것과 같은 확립된 권위를 식민지에 대해서 가지고 있지 않다. 식민지 의회는 대단한 호의를 가지고 있지 않는 한(그리고 그들이 종래 계속 다루어지고 있었던 것보다 더 교묘하게 관리되지 않는다면 그들도 좀처럼 호의를 가질 것 같지 않다) 본국 의회의 가장 합리적인 징발령이라도 그것을 회피하든지 거부할 만한 수많은 구실을 찾아낼 수 있을 것이다. 프랑스와의 전쟁이 발발하여 이 제국의 자리를 방위하기 위하여 즉시 1000만 파운드가 조달되지 않으면 안 된다고 상정하자. 그러면 이 금액은 이자지불이 보증되고 의회의 승인을 얻은 어떤 기금의 신용을 기초로 하여 차입되지 않으면 안 된다. 그래서 의회는 이 기금의 일부를 영국에서 징수되는 조세로써 조달하고 또 일부를 아메리카 및 서인도의 모든 식민지 의회에 대한 징발령에 의하여 조달할 것을 제안한다. 사람들이 이 기금을 신용하여 쉽게 자신들의 화폐를 선대해 줄 것인지? 이러한 기금은 어느 정도는 그 모든 식민지의 기분에 의존하고 있으며, 더욱이 그러한 의회는 전장에서 멀리 떨어져 있으므로 아마 전쟁이라는 사건에는 그들은 아무런 관계가 없다고 생각하고 있을 때도 있을 것이기 때문이다. 이러한 기금에 대하여 선대될 화폐는 아마 영국에서 징수될 조세로써 상환이 보증된다고 생각될 수 있는 금액 이상은 되지 않을 것이다. 그 전쟁 때문에 생긴 채무의 모든 부담은 이렇게 해서 종래에도 항상 그러했듯이 영국에 떨어진다. 즉 제국의 전부가 아닌 그 일부에 돌아가게 될 것이다. 세계가 시작된 이래 그 제국이 확대함에 따라 그 재원을 한 번도 증가시키지 않고서 그 지출만을 증가시켜 온 국가는 아마 영국뿐일 것이다. 다른 국가는 대체로 그 제국의 국방비의 거의 전부를 그 신민과 속령에 부담시켜 자신은 그 부담을 덜어 왔다. 영국은 여태까지 그 신민과 속령이 이 경비의 거의 전부를 영국에 부담시키고 그들은 그 짐을 지지 않도록 해 왔다. 종래는 법률상 영국의 신민이며 종속물이라고 생각되어 온 자국의 식민지와 영국을 평등한 입장에 놓기 위해서는, 본국 의회의 징발령에 의한 과세안에 관해서, 만일 식민지 의회가 그 징발령을 회피하거나 거부할 경우엔 본국 의회가 즉시 그것을 유효한 것으로 만드는 어떤 수단을 갖도록 할 필요가 있다고 생각된다. 그런데 그러한 수단이란 어떤 것인가 하는 것은 그 구상을 세우는 것도 아주 용이한 것이 아니며, 그것은 아직 설명된 적도 없는 것이다.

그리하여 이 제안에는 저항이 일어난다.

만일 영국의 의회가 식민지 의회의 동의와는 관계없이 식민지에 대한 과세권을 완전히 확립한다면, 식민지 의회의 중요성은 그 순간부터 종말을 고하고, 따라서 영국령 아메리카에 있어서의 모든 지도적 인물의 중요성도 끝을 맺을 것이다. 사람들이 공공의 일을 처리하는 데에 관여하고 싶어 하는 것은 주로 그것을 통해 중요한 지위를 얻을 수 있기 때문이다. 모든 자유로운 정치제도의 안정과 지속은 지도적 인물의 대부분, 즉 각국의 자연적 귀족이 자신의 앞앞의 중요한 지위를 유지 또는 옹호함에 있어서 갖는 힘에 의존하고 있다. 국내의 당파와 야망이 연출하는 모든 장난은 이러한 지도적 인물이 끊임없이 타인의 중요한 지위를 공격하기도 하고, 자신의 사회적 지위를 옹호하기도 하는 것에 지나지 않은 것이다. 아메리카의 지도적 인물도 다른 모든 나라의 그들과 마찬가지로 그들 자신의 중요한 위치를 보존하려고 한다. 그들은 그들의 식민지 의회를 의회(parliament)라고 부르기를 좋아하고, 그 권위는 영국의 의회와 동등하다고 생각하기를 좋아한다. 그러므로 만일 그 식민지 의회가 영국의 의회의 겸손한 종신과 행정관이 될 만큼 하락된다면, 그들은 그들 자신의 중요한 위치의 대부분이 끝나 버리게 될 것이라고 느끼며 상상한다. 그러므로 그들은 영국의 의회의 징발령에 의한 과세안을 거부했으며, 야심과 원기 있는 다른 사람들과 마찬가지로 그들 자신의 중요한 지위를 옹호하기 위해서 오히려 칼을 뽑아 들기로 했다.

과세에 비례하는 대의제가 제안되어야 한다. 그렇지 않는 한 그들을 복종시킨다는 것은 가망이 없는 것 같다.

로마 공화국이 기울어지고 있었을 무렵, 그 국가를 방위하고 그 제국을 확장하는 데 주요 부담을 지고 있었던 로마의 동맹국들은 로마 시민의 모든 특권을 달라고 요구했다. 그것이 거절되자 그 동맹국 간의 전쟁이 일어났다. 로마는 그 전쟁의 경과 중에 동맹국의 대부분에게 차례차례로 그러한 특권을 수여했으며, 그것은 동맹국이 총연합에서 이탈하는 정도에 따라서 주어졌다. 영국의 의회는 식민지에 대한 과세를 고집하고 있으며, 식민지는 자신들의 대표자가 없는 의회에 의해서 과세당하는 것을 거부하고 있다. 만일 영국이 그 총연합에서 이탈하려는 각 식민지에 대해서 각 식민지가 본국과 동일한 조세를 부담하는 결과로써 그리고 각 식민지가 본국에 있는 동포 시민과 동일한 무역의 자유를 얻는 대상으로써 이 제국의 공공적 수입에 기여하고, 이 기여하는 정도에 맞을 만한 수의 대표자를 낼 것을 허용한다면, 그리고 그 대표자 수가 그 후의 기여의 증가에 비례하여 증가될 수 있도록 한다면 중요한 지위를 획득하기 위한 새로운 방법, 즉 야심을 만족시키는 새롭고 더욱더 현혹적인 목적물이 각 식민지의 지도적 인물에게 주어지는 것이 될 것이다. 식민지의 소위 보잘것없는 경품부판매景品附販賣에서 뽑게 될 조그만 경품을 위해서 시시한 노력을 하기보다는 인간이 자신의 능력과 행운에 대해서 자연적으로 가지고 있는 억측에서, 영국의 정치라고 하는 대국이 하는 복첨의 바퀴에서 이따금 튀어나오는 고액의 경품을 뽑을 것을 희망할 것이다. 아메리카의 지도적 인물의 중요한 지위를 유지하고 그 야심을 만족시키는 데 이 이상 더 자명한 방법은 전혀 없는 것 같다. 그런데 이런 방법 또는 어떤 다른 방법이 발견되지 않는 한, 장래 그들이 자발적으로 우리들에게 복종해 올 가능성은 없다. 그리고 그들을 강제적으로 복종시키려고 할 때 흘리지 않으면 안 될 피는 그 한 방울이라도 우리의 시민 동포의 피라든가 아니면 우리가 우리의 시민 동포들을 위하여 가지기를 바라고 있는 사람들의 피라는 것을 우리는 고려하지 않으면 안 된다. 사태가 이쯤 되면 우리의 식민지가 무력만으로써 쉽게 복종되리라고 은근히 생각하고 있는 사람들은 아주 우둔한 사람이라고 할 수밖에 없다. 현재 대륙 의회라고 자칭하고 있는 것의 결의를 지배하고 있는 사람들은, 유럽의 가장 위대한 신민들조차 좀처럼 느끼지 않고 있는 중요한 지위에 있다는 것을, 이 순식간에 자각하고 있는 사람들이다. 그들은 상점주·직공·변호사에서 정치가와 입법자가 되었으며, 광대한 제국을 위한 하나의 새로운 정치 형태를 안출하는 데 종사하고 있으며, 그들은 이 제국은 이때까지 세계에 존재했던 것들 가운데서 가장 위대하고 가장 만만치 않은 제국이 될 것이라고 은근히 생각하고 있으며, 사실 그렇게 될 가능성도 대단히 많은 것 같다. 그 대륙 의회 밑에서 여러 가지 방면으로 활동하고 있는 사람들은 아마 500명에 이를 것이며, 또한 이 500명 밑에서 활동하고 있는 사람들은 아마 50만 명에 달할 것이다. 이들은 모두가 한결같이 자기 자신의 지위의 중요성이 균형 있게 증대한 것이라고 느끼고 있다. 아메리카의 지배적 정당에 속하는 거의 모든 개인은 현재 자기 자신의 머릿속에는 이때까지 차지했던 어떠한 지위보다 뛰어날 뿐만 아니라, 이때까지 차지하리라고 기대했던 어떤 지위보다 나은 지위를 차지하고 있다. 그러니 야심의 어떤 새로운 목적물이 그에게나 그 지도자에게 주어지지 않는 한, 만일 그가 인간으로서 보통의 기력을 갖는다면 그는 목숨을 걸고 이 지위를 옹호할 것이다.

그리고 그 저항은 파리의 그것처럼 완강한 것이 될 것이다.

고등법원장 에노는 다음처럼 말하고 있다. 즉 우리는 지금에 와서는 가톨릭 교도의 동맹(Ligue)의 수많은 작은 사건에 관한 기록을 즐겨 읽고 있는데, 그런 사건이 일어나고 있었던 당시에는 그렇게 중요한 뉴스라고 생각되지는 않았을 것이다. '그러나' 하고 그는 말하기를, 당시의 모든 사람들은 자기 자신이야말로 꽤 중요한 인물이라고 은근히 생각하고 있었으며, 그 당시부터 우리들에게 전해지고 있는 무수한 실록은 그 대부분이 자신들이 그 중요한 연기자였다고 자부하여 그 사건을 기록하고 과장하는 것을 즐겨하고 있었던 사람들에 의해서 쓰였던 것이다[261]라고 한다. 그 경우에 파리 시민이 얼마만큼 완강히 그 도

261 ["종래 어떠한 치세도 그렇게 많은 책과 일화와 도판과 즉흥시를 내지는 않았다. 그 가운데는 쓸데없는 것도 많지만 앙리3세는 자기의 백성들에게 둘러싸여서 살았기 때문에 그의 생활의 일거일동은 호기심에 걸리지 않는 것이 없었으며, 파리는 그 동맹의 중요한 사건의 무대였으므로 그것에 중요한 역할을 한 시민들은 눈앞에 지나갈 사소한 일까지도 공들여서 기록에 남겼다. 시민들에게는 자신들이 보았던 모든 것은 자신들이 그것에 관계했기 때문에 중대

시를 방위했으며, 또 그 시가 프랑스의 모든 국왕 가운데서 가장 훌륭했고 후에는 가장 사랑을 받았던 국왕에게 복종[262]하는 것을 거부하면서까지 얼마만큼 그 무서운 기근을 참아 왔던가 하는 것은 잘 알려져 있다. 시민의 대부분, 다시 말해서 그 대부분을 지배하고 있었던 사람들은 그들 자신의 중요한 지위를 옹호하기 위하여 싸웠으며, 만일 옛 정치가 재건될 때는 언제든지 그 지위를 잃게 되리라는 것을 예견하고 있었던 것이다. 우리의 식민지도 그들을 권유하여 본국과의 합방에 동의시키지 않는 한, 파리 시가 가장 훌륭한 국왕에 대해서 항거했던 것과 같이, 완강하게 모든 모국 가운데서 가장 좋은 모국에 대해서 자신들을 방위할 것이다.

대의제가 등장하여 로마 및 이탈리아의 경우와 사정이 달라지게 되었다.

대의제라는 관념은 옛날에는 알려져 있지 않았다. 어떤 국가의 국민이 다른 국가의 시민권을 인정받았을 때 그들은 단체를 이루어 와서 그 다른 국가의 국민과 함께 투표하고 심의하는 이외에는 그 권리를 행사할 다른 방법이 없었다. 이탈리아의 주민의 대부분에게 로마 시민의 여러 특권이 주어졌기 때문에 로마 공화국은 완전히 멸망했다. 즉 그렇게 되면 로마 시민과 로마 시민이 아닌 사람과의 구별이 불가능해졌다. 어떠한 부족도 자신의 성원을 알 수 없게 되었다. 모든 종류의 천민이 국민의 집회에 들어갈 수 있게 되었고, 참된 시민을 몰아낼 수 있었으며, 마치 그들 자신이 참된 시민을 몰아낼 수 있었으며, 마치 그들 자신이 참된 시민이었던 것처럼 그 공화국의 문제들을 결정할 수도 있었다. 그러나 아메리카가 50명 또는 60명의 새 대의원을 본국의 의회에 보내게 되더

하다고 생각되었고, 우리들로서는 당시 아마 그 대부분이 세상의 큰 화제도 되지 않았던 사실에 실은 흥미를 가지는 것이다."—샤를-장-프랑수아 에노Charles-Jean-François Hénault, 《Nouvel Abrégé chronologique de l'histoire de France》(nouvelle, 1768), 473면, ad. 1589.〕

262 〔여기까지 두 줄의 문장 원문은 "rather than submit to the best and afterwards the most beloved of……"인데, 제4판 및 제5판에는 잘못되어 "to"가 "afterwards" 다음에 와 있다.〕

라도[263] 하원의 수위가 의원과 그렇지 않은 사람을 구별하는 데 그렇게 어렵지는 않을 것이다. 그러므로 로마의 국가의 기본 제도는 로마가 이탈리아의 동맹국가들과 합방했기 때문에 필연적으로 파괴되었지만, 영국의 국가의 기본 제도가 영국과 그 식민지들과의 합방 때문에 해를 입을 것 같은 가능성은 조금도 없다. 반대로 영국의 국가의 기본 제도는 그 때문에 오히려 완성될 것이며, 또한 그것 없이는 불완전한 것같이 생각된다. 이 제국의 각 지방에 관한 문제들을 심의하고 결정하는 의회가 적절한 정보를 얻기 위해서는 그 각 지방에서 대표자가 그곳에 보내어져야 할 것은 확실하다. 그러나 나는 이 합방이 쉽게 달성될 수 있으리라고 하는 것이라든가 그것을 실행한 경우 여러 가지 곤란과 대곤란은 일어나지 않을 것이라고 하는 주장을 하려는 것은 아니다. 그렇다고 해서 나는 극복할 수 없을 것 같은 곤란에 관해서도 아직 아무것도 들은 적이 없다. 곤란이 있다면 그 주요한 것은 아마 사물의 성질에서 생기는 것이 아니라, 대서양을 사이에 두고 그 양안에 있는 사람들의 편견과 견해에서 생기는 것이리라.

아메리카의 대의원은 다스려질 수 있을 것이다.

대양의 이쪽 편에 있는 우리는 아메리카의 대의원이 많아지면 국가의 기본 제도에 균형을 무너뜨리고, 한편으로는 군주의 위력을 또 한편으로는 민주주의의 세력을 너무 지나치게 키우지 않을까 두려워하고 있다. 그러나 만일 아메리카의 대의원수를 아메리카가 내어놓는 조세고에 비례하도록 해 둔다면,[264] 다스려질 사람의 수는 이를 다스리는 수단에, 그리고 다스리는 수단은 다스려질 사람의 수에 정확하게 비례하여 증가할 것이다. 따라서 국가의 기본 제도에 있어서의 군주제적 요소와 민주제적 요소는 합방 후에도 서로 그 이전과 정확하게 같은 정도

263 〔이 구의 원문은 "But though America were to send……"라고 가정법인데, 초판에서 제3판까지는 "were"가 "was"로 직설법으로 되어 있다.〕

264 〔이 구의 원문은 "if the number……were……"라고 가정법인데, 초판에서 제3판까지는 "were"가 "was"로 직설법으로 되어 있다.〕

의 상대적인 힘의 관계에 있을 것이다.

아메리카인은 압제받지 않을 것이다.

대양의 저쪽 편에 있는 사람들은 정치의 중심지에서 멀리 떨어져 있으므로 수많은 압제를 받지나 않을까 염려하고 있다. 그러나 의회에 보내어진 그들의 대의원들은 그 수도 처음부터 꽤 많아야 할 것이므로 모든 압제에서 쉽게 그들을 보호할 수 있을 것이다. 멀리 떨어져 있다 하더라도 선거민에 대한 대의원의 의존관계가 그 때문에 많이 약화될 수는 없을 것이며, 대의원은 역시 의회에 있어서의 자기의 의석과 그것에서 끌어내는 모든 결과는 선거민의 호의에 힘입은 바 크다고 생각할 것이다. 따라서 대의원은 제국의 그러한 먼 지방에서 문무의 관리가 불법행위를 범하기라도 한다면 일일이 입법부의 일원으로서의 모든 권한을 다하여 그것을 고소함으로써 선거민의 호의를 두텁게 하는 것이 이익이 될 것이다. 뿐만 아니라 아메리카의 원주민[265]은 아메리카가 정치의 중심지에서 멀리 떨어져 있다는 사태는 그렇게 언제까지나 영속하지는 않을 것이라고 은근히 생각하고 있을 것이다. 그리고 이것에는 다소의 이유가 없는 것도 아니다. 부와 인구 및 개량에 있어서 이 나라의 종래의 신속한 진보는 대단한 것이었으니, 아마 1세기를 넘지 않아 아메리카의 납세고는 영국의 그것을 넘을지도 모른다. 그렇게 되면 제국의 중심지도 제국 전체의 일반적 방위 및 유지에 가장 많이 이바지하는 지방으로 자연적으로 이동하게 될 것이다.

아메리카와 희망봉 항로의 발견은 사상 최대의 사건이며, 동인도 및 서인도의 원주민의 불행은 일시적인 것에 지나지 않을 것이므로 그 결과는 모두에 유익할 것이다.

아메리카의 발견과 희망봉을 경유하는 동인도에의 선로의 발견은 인류의 역사에 기록된 사건 가운데서 가장 위대하고 가장 중요한 두 개의 사건이다.[266] 그 결

265 〔"원주민"은 초판에는 "국민"이라고 되어 있다.〕

266 〔레이날은 그의 저서 《Histoire philosophique》를 이와 같이 시작하고 있다. 즉 "일반적으로

과는 지금까지만 하더라도 이미 너무나 큰 것이었다. 그러나 이러한 발견이 이룩된 지 불과 2~3세기라는 짧은 기간밖에 지나지 않았으니, 그 결과의 크기가 전체로서 어느 정도의 것이 되는지를 알아낸다는 것은 불가능하다고 하겠다. 그러한 대사건에서 앞으로 어떤 은혜 또는 불행이 인류에게 닥쳐올 것인지는 인간의 지혜로써는 예견할 수 없는 것이다. 이 대사건은 세계의 가장 멀리 있는 지방들을 어느 정도 결합시키고 그들로 하여금 서로의 결핍을 완화할 수 있게 하고, 서로의 향락을 증가시킬 수 있게 하고, 서로의 산업을 장려할 수 있게 해 준다면, 그 일반적 경향은 유익할 것이라고 생각될 것이다. 그러나 동인도 및 서인도의 원주민에게는 그러한 사건에서 생길 수 있었던 상업상의 모든 이익은 이러한 사건에 의해서 일어난 무서운 불행 속에 가라앉아서 없어져 버렸다. 그러나 이러한 불행은 그러한 사건 자체의 본성에서 생긴 것이라기보다는 오히려 우연에서 생겼던 것 같다. 이러한 발견이 이룩된 특정 시기에는 유럽인 측의 힘이 대단히 우월하기 마련이었기 때문에, 그들은 그렇게 먼 나라에서 태연히 모든 종류의 부정행위를 할 수 있었던 것이다. 그러나 앞으로 이러한 나라의 원주민이 점점 강해지든가, 아니면 유럽인이 더 약해지든가 할지도 모른다. 그리고 세계의 구석구석에 있는 모든 지역주민은 그 용기와 힘에 있어서 대등하게 될 것이며, 그렇게 되면 상호의 공포심이 고취될 것이므로 이것만으로써도 독립국민의 부정행위에 대한 위압이 되어서 서로 타국민의 권리를 어느 정도 존중하게 할 수 있을 것이다. 그러나 광범위한 상업이 모든 나라로부터 모든 나라에 자연적으로 또는 오히려 필연적으로 가져다줄 지식과 모든 종류의 개량의 상호 전달이야말로 이 대등한 실력 관계를 확립할 가능성을 그 무엇보다도 더 많이 가지고 있다.

그 반면, 이 발견은 중상주의체계를 강화했다.

는 인류에게, 특히 유럽의 제諸국민에게 신세계와 희망봉을 경유하는 동인도에의 선로의 발견만큼 관심을 끈 사건은 없었다. 그때 상업에, 제국의 세력에, 그리고 각국민의 습속習俗·산업·정치에 혁명이 개시되었다."〕

그동안에 그러한 발견의 주요 결과의 하나로서 중상주의체계가 그렇지 않았더라면 결코 달성될 수 없었을 정도의 광휘光輝와 영예를 획득하게 되었다. 토지의 개량과 경작에 의해서라기보다 오히려 상업과 제조업에 의해서, 즉 농촌의 산업에 의해서라기보다 오히려 도시의 상업에 의해서 일대 국민을 부유하게 한다는 것이 이 주의의 목적이다. 그런데 그러한 발견의 결과로서 유럽의 상업도시는 세계의 극히 작은 일부분(즉 대서양에 의해서 씻겨지고 있는 유럽의 지방들과 발트해 및 지중해 연안의 제국)만을 위한 제조업자와 중계업자인 대신에 지금은 아메리카의 수많은 유복한 경작자를 위한 제조업자가 되었으며, 또한 아시아·아프리카·아메리카의 거의 모든 국민 모두를 위한 중계업자가 되며, 어떤 점에서는 제조업자로 되어 있다. 두 개의 신세계가 그들의 산업에 개방되었던 것이며, 그들의 하나하나는 옛 세계보다 훨씬 더 크며 훨씬 더 넓다. 그리고 새로운 세계 가운데 하나의 시장은 나날이 더욱더 커져 가고 있다.

아메리카를 영유하고 동인도와 무역하고 있는 나라들은 모든 이익을 획득하고 있는 것 같다. 그러나 사실은 그렇지 않다.

아메리카의 식민지를 영유하고 동인도와 직접무역을 하고 있는 나라들은 실로 이 큰 상업의 외관과 광휘의 전부를 향수하고 있다. 그러나 다른 나라들도 불쾌한 제한에 의해서 배척받아 가면서도 이 상업의 실질적 이익 가운데서 꽤 많은 몫을 향수하는 수가 이따금 있다. 예를 들면 스페인과 포르투갈의 식민지는 스페인과 포르투갈의 산업보다도 오히려 다른 나라들의 산업을 더 많이 장려하고 있다. 아마포라는 단 하나의 품목에 관해서도 그러한 식민지의 1년의 소비액은 영화 300만 파운드 이상에 달한다고 하지만, 이 금액을 굳이 보증하려는 것은 아니다. 그러나 이러한 거액의 소비는 거의 전부 프랑스·플랑드르·네덜란드·독일에 의해서 공급되고 있다. 스페인과 포르투갈은 그 가운데 겨우 작은 부분밖에 제공하고 있지 않다. 이렇게 거액의 아마포를 식민지에 공급하고 있는 자본은 그러한 다른 제국의 주민들 사이에 매년 분배되어 그들에게 수입을 제공하고 있다. 그 이윤만이 스페인과 포르투갈에서 소비되는 셈이다. 그곳에서도 그 이윤은 카디스와 리스본의 상인의 호사스러운 낭비를 지탱하는 데 도움이 되고 있다.

독점의 여러 규제들은 다른 나라 이상으로 그것을 설정하는 해당 국가를 해롭게 할 때가 있다.

각국민이 그것으로써 자국 식민지의 독점적 무역을 확보하려고 노력하는 여러 규제들까지도 그러한 규정이 이롭지 못하도록 설정되어 있는 나라보다도 이익을 보려고 그것이 설정되어 있는 해당 국가에 더 해로울 때가 종종 있다. 즉, 다른 나라들의 산업에 대한 부당한 억압은 다름 아닌 억압자의 머리 위에 떨어져 내려오는 셈이다. 그리고 다른 나라들의 산업보다 해당 국가의 산업을 더 압착한다고 하겠다. 예를 들면 그러한 규제에 의해서 함부르크의 상인은 아메리카의 시장에 갈 아마포를 런던에 보내지 않으면 안 되고, 독일 시장에 갈 담배를 런던에서 가지고 돌아오지 않으면 안 된다. 그는 아마포를 직접 아메리카에 보낼 수도 없으며, 담배를 직접 아메리카에서 가지고 올 수도 없기 때문이다. 이러한 제한 때문에 그는 아마 전자를 약간 싸게 팔고, 후자를 약간 비싸게 사지 않으면 안 될 것이다. 그리고 그 때문에 그의 이윤은 아마 약간 줄어들 것이다. 그러나 함부르크와 런던 사이의 이러한 무역에서 그는 아메리카의 직접무역에서 할 수 있었던 것보다 훨씬 신속하게 자신의 자본 수익을 받아들일 것은 확실하다. 실제로는 결코 그렇지 않지만, 아메리카의 지불이 런던의 지불처럼 정확하다고 상정하고서라도 역시 그러하다. 그러므로 함부르크의 상인의 자본은, 그러한 여러 규제들 때문에 그들의 활동이 국한되어 있는 무역에 있어서, 오히려 그가 배척되어 있는 무역에서 그렇게 할 수 있었던 것보다 훨씬 다량의 독일의 근로를 계속적으로 고용할 수가 있다. 따라서 전자의 용도가 아마 후자의 용도보다 그에게는 이윤이 적을지라도, 그의 나라에는 이익이 더 적을 수는 없을 것이다. 그러나 독점이 런던의 상인의 자본을, 말하자면, 자연적으로 끌어들이는 그러한 용도의 경우에는 사정이 전혀 달라진다. 그러한 용도는 아마 다른 대부분의 용도보다도 그에게는 이윤이 클 것이지만, 그 대금회수에 시간이 걸리므로 그의 나라에는 더 유리할 리가 없는 것이다.

모국은 식민지를 영유하기 위한 경비와 불편만을 혼자서 도맡아 왔을 뿐이다.

그러므로 유럽 각국은 자국의 식민지와의 무역의 모든 이익을 한 손에 잡으려고 온갖 부정한 계획을 다 세웠지만, 어느 국가도 자국의 식민지에 대해서 장악하는 압제적 권력을 평시에는 유지하고 전시에는 방위하는 경비 이외에는 아무것도 도맡을 수 없었다. 즉 유럽 각국은 식민지의 영유에서 생기는 불편만을 완전히 도맡아 버렸고, 그 무역에서 생기는 이익을 많은 다른 나라들과 나누어 갖지 않으면 안 되었다.

아메리카 무역의 독점은 현혹적 목적물이다.

얼핏 보아 틀림없이 아메리카의 큰 상업의 독점은 당연히 최고의 가치가 있는 획득물인 것 같다. 경솔한 야심가의 어두운 눈에는 이 독점이야말로 책략과 전쟁의 혼란한 극한 쟁탈 속에서도 싸워 볼 만한 현혹적인 목적물로 보이는 것은 당연하다. 그러나 이 목적물의 눈부신 광휘, 즉 그 상업의 무한한 크기는 그 독점을 유해한 것으로 만드는 성질에 지나지 않는 것이다. 다시 말하면, 이러한 성질이 있음으로써, 본래 그 나라에는 다른 대부분의 용도보다 필연적으로 이익이 적은 용도에, 그렇지 않을 경우 이상으로 큰 자본을 흡수시키는 것이다.

일국의 자재는 그 나라에 가장 유리한 용도를 자연히 찾으며, 보다 먼 곳의 용도보다도 가까운 용도를 더 좋아한다.

제2편에서 설명했거니와 모든 나라의 상업 자재는 그 나라에 가장 유리한 용도를, 말하자면 자연적으로 찾게 되는 것이다. 만일 그것이 중계무역에 사용되면 그것이 소속하는 나라는 그 자재에 의해서 무역이 행해지고 있는 모든 나라의

재화의 집산지가 된다. 그러나 그 자재의 소유자는 반드시 그 재화의 될 수 있는 한 많은 부분을 국내에서 처분하려고 한다. 그렇게 하면 수출의 번로煩勞·위험·비용이 절약되고, 그는 그 때문에 해외에 보낼 경우 기대할 수 있는 것보다 가격이 훨씬 낮을 뿐만 아니라, 이윤도 훨씬 더 적더라도 그 재화들을 즐겨 국내에서 팔려고 할 것이다. 그리하여 그는 자기의 중계무역을 소비재의 외국무역으로 될 수 있는 한 돌리려고 자연히 노력한다. 그리고 만일 그의 자재가 소비재의 외국무역에 사용되고 있을 경우에도 같은 이유에서 그는 어느 외국시장에 수출하기 위하여 집하하는 국내 재화의 될 수 있는 한 큰 부분을 즐겨 국내에서 처분할 것이다. 그렇게 함으로써 그는 자기의 소비재의 외국무역을 국내상업에 될 수 있는 한 돌리려고 노력할 것이다. 이렇게 해서 모든 나라의 상업상의 자재는 자연히 가까운 용도를 구하고 먼 용도를 멀리한다. 또 자연히 대금회수의 빈도가 많은 용도를 구하고, 대금회수가 길고 느린 용도를 피한다. 그것이 소속하는 나라 또는 그 소유자가 거주하는 나라에서 최대량의 생산물 노동을 유지할 수 있는 용도를 구하고, 가장 적은 양의 생산적 노동밖에 유지할 수 없는 용도를 자연히 피하게 된다. 요컨대 그것은 통상적인 경우에 그 나라에 가장 이익이 적은 용도를 자연히 피하는 것이다.

먼 곳에서는 이윤이 더 높다면 별문제別問題이다. 이윤이 높다는 것은 원방遠方의 용도가 더 필요하다는 것을 나타내는 것이다.

그러나 만일 통상의 경우, 그 나라에 이익이 적은 원방의 용도의 어느 곳에서, 만일 이윤이 오르기라도 하여, 보다 가까운 용도에 자연적으로 주어지는 편애를 상쇄하기에 족할 정도를 약간이라도 넘는다면, 이윤의 이 우월성은 모든 용도의 이윤이 그 적당한 수준에 복귀할 때까지 보다 가까운 용도에서 자재를 끌어올 것이다. 그러나 이윤의 이 우월성은 사회의 실상에서 그러한 원방의 용도가 다른 여러 용도에 비하여 약간 자재 부족 상태에 있다는 것, 그리고 그 사회의 자재가 그곳에서 행해지고 있는 모든 직업들 사이에 가장 적당하게 분배되어 있지 않다는 것의 증거이다. 또한 이윤의 이 우월성은 어떤 것이 당연한 가격보다 싸게 구입되든가 또는 그보다 더 비싸게 판매되고 있다는 것, 그리고 시민의 특정 계급이 모든 계급 사이에 당연히 일어나야 하며 자연적으로 일어나는 평등 상태에 알맞은 금액보다 더 많이 지불하든가 또는 더 적게 획득하든가 함으로써 다소 어떤 압제를 당하고 있다는 것의 증거라 하겠다. 같은 금액의 자본은 원방의 용도에서는 가까운 용도에서와 같은 생산적 노동을 결코 유지하지 않을 것이지만, 사회의 복지를 위해서는 원방의 용도도 가까운 그것과 마찬가지로 필요할 것이다. 왜냐하면 원방의 용도에서 거래되고 있는 재화는 더 가까운 수많은 용도를 운영하는 데 필요할 것이기 때문이다. 그러나 그러한 재화를 취급하고 있는 사람들의 이윤이 그 적당한 수준을 넘는다면, 그러한 재화는 당연히 팔릴 가격보다 더 비싸게 팔릴 것이다. 즉 그 자연가격보다 약간 더 비싸게 팔릴 것이다. 그리고 보다 가까운 직업에 종사하고 있는 사람들은 이 높은 가격 때문에 다소 억압당할 것이다. 그러므로 이런 경우 그들의 이익을 위해서는 약간의 자재를 그러한 가까운 용도에서 철수하여 원방의 그것에[267] 돌려야 할 필요가 생긴다. 그렇게 하는 것은 그 이윤을 적정한 수준으로 내리고 그러한 가까운 용도가 다루고 있는 재화의 가격을 그 자연가격에까지 떨어뜨리기 위해서이다. 이러한 특별한 경우에는 공공의 이익을 위해서도 약간의 자재를 통상의 경우 공공사회에 더 유리한 용도에서 철수하여 그것을 통상의 경우에는 보다 불리한 용도로 돌릴 필요가 생긴다. 이런 특별한 경우에도 사람들의 자연적 이익과 성향은 다른 모든 통상의 경우와 마찬가지로 공공의 이익과 정확하게 일치하고, 그들로 하여금 가까운 용도에서 자재를 철수하여 원방의 용도로 돌리도록 인도해 준다.

어떤 용도에 너무 많은 자재가 쏠리면, 그 용도에서 이윤이 저하하고 적절한 배분이 곧 회복된다.

267 〔"그것"은 초판에는 "용도"라고 되어 있다.〕

이리하여 개인의 사적인 이해관계와 정념은 자연히 그들을 움직여서 통상의 경우 그 사회에 가장 유리한 용도에 그들의 자재를 돌리고 싶어지게 한다는 것이다. 그러나 만일 이러한 자연적 선택 때문에 그들이 너무 많은 자재를 그러한 용도에 돌린다면 그곳에서의 이윤은 저하하고 다른 모든 용도에서의 이윤은 상승하므로 그들은 즉시 이 잘못된 배분을 변경하고 싶어진다. 그러므로 법률의 간섭이 전혀 없더라도 사적인 이해관계와 정념에 이끌려서 사람들은 모든 사회의 자재를 사회 전체의 이익에 가장 일치하는 비율에 될 수 있는 대로 가깝게 그 사회에 행해지고 있는 온갖 직업 사이에 분할하고 배분하게 된다.

중상주의체계는, 특히 아메리카와 인도 무역에서 이러한 배분을 교란한다.

중상주의체계의 모든 각가지 규제는 자재의 이러한 자연적이며 가장 유리한 배분을 필연적으로 다소 교란한다. 그런데 아메리카와 동인도에의 무역에 관한 여러 규제들은 아마 다른 어떤 규제보다도 더 심하게 그 배분을 교란한다. 왜냐하면 이 두 대륙과의 무역은 무역의 다른 어떠한 두 부문보다도 다량의 자재를 흡수하고 있기 때문이다. 그러나 무역의 그러한 두 부문에서 이러한 교란을 일으키고 있는 여러 규제들은 전적으로 동일한 것은 아니다. 독점은 어느 경우에나 그 두 부문의 거대한 도구이다. 그러나 그 종류는 다르다. 독점은 이런 종류도 있고 저런 종류도 있지만, 독점은 참으로 중상주의체계의 유일한 도구인 것 같다.

포르투갈인은 최초로 다른 모든 국민을 인도양 방면의 무역에서 배제하려고 꾀했으며, 네덜란드인은 아직도 모든 타국민을 향료제도와의 무역에서 배제하려고 하고 있다.

아메리카와의 무역에 있어서는 모든 국민은 자국 식민지와의 직접무역에서 모든 타국민을 완전히 배제함으로써 식민지의 전시장을 될 수 있는 대로 독점하려고 노력하고 있다. 16세기의 대부분을 통하여 포르투갈인은 동인도에의 선로를 최초로 발견한 공적을 이유로 하여 인도양 방면에 이어서의 독점적 항해권을 주장하고 위에서와 같은 방법으로 동인도와의 무역을 운영하려고 노력했다. 네덜란드인은 아직도 다른 모든 유럽 국민을 자국령의 향료제도와의 모든 직접무역에서 배제하고 있다. 이런 종류의 독점이 다른 모든 유럽 국민에 대해서 설정되어 있음은 명백하며, 이러한 타국민은 그 때문에 자신들 자재의 일부를 그곳으로 돌리는 것이 편리할지도 모르는 무역에서 배제되고 있을 뿐만 아니라, 그 무역이 다루는 재화를 그 생산국에서 자신들이 직접 수입할 수 있을 경우보다도 약간 더 비싸게 사지 않을 수 없다.

현재 주요 항은 개방되어 있지만, 각국은 독점적인 회사를 설립했다.

그러나 포르투갈의 국방이 쇠퇴해진 이래 유럽 국민 가운데 인도양 방면에서 독점적 항해권을 주장하는 나라는 없으며, 이 방면의 주요 항은 현재 모든 유럽 국민의 선박에 개방되어 있다. 그러나 포르투갈과 요 몇 년 프랑스[268]를 제외하면 동인도무역은 유럽의 어느 나라에서나 하나의 독점적인 회사의 지배를 받아 왔다. 이런 종류의 독점은 실은 그것을 설립한 바로 그 국민에 불리하도록 설정되어 있다고 함이 옳겠다. 그 국민의 대부분은 이 때문에 자신들의 자재 일부를 그곳에 돌리는 편이 편리하다고 생각되는 무역에서 배제될 뿐만 아니라, 그 무역에서 다루어지고 있는 재화를 그 무역이 그들의 모든 동국인에게 개방되어 자유로울 경우보다도 약간 더 비싸게 사지 않을 수 없다. 예를 들면 잉글랜드의 동인도회사가 설립된 이래, 잉글랜드의 다른 여러 주민은 그 무역에서 배제되었고, 게다가 그들이 소비했던 동인도의 재화의 가격에 있어서, 그 회사가 독점의 결과로서 그러한 재화에서 올렸을 모든 특별이윤에 대해서뿐만 아니라, 그렇게 큰 회사의 사무관리와 불가분한 것인 사기와 남용에서 반드시 일어나지 않을 수 없었던 이상한 낭비에 대해서도 그 값을 치렀을 것이 틀림없다. 그러므로 이 두 번째 종류의 독점이 불합리하다는 것은 첫 번째 종류의 독점의 경우보다도 더욱 더 명백하다.

268 〔프랑스의 동인도회사의 독점은 1769년에 폐지되었다―앤더슨Anderson의 《Commerce》에 뒤이어 나온, 1801년도 판, 제4권, 128면을 보라.〕

이러한 두 종류의 독점은 그 사회의 자재의 자연적 배분을 다소 교란하지만, 반드시 똑같은 모양으로 교란시킨다고는 할 수 없다.

아메리카류流의 독점은 항상 자재를 끌어들이지만, 독점적 회사의 독점은 자재를 끌어들일 때도 있고 그것을 끌어들이지 않을 때도 있다.

첫 번째 종류의 독점은, 사회의 자재 가운데 저절로 향하는 것보다 큰 부분을, 독점이 설정되어 있는 특정 무역으로 항상 끌어다 준다.

두 번째 종류의 독점은 사정이 달라짐에 따라, 독점이 설정되어 있는 무역에 자재를 끌어다 줄 때도 있고, 그 무역에서 자재를 쫓아 버릴 때도 있다. 가난한 나라에서는, 독점은 독점이 아닌 경우에 그곳으로 향하는 것보다 더 많은 자재를, 자연히 그 무역에 끌어다 준다. 부국에서는, 독점은 독점이 아닌 경우 그곳으로 향하는 것보다 훨씬 더 많은 자재를 자연히 그 무역에서 쫓아 버린다.

독점은 빈곤국에서는 자재를 끌어온다.

스웨덴과 덴마크 같은 빈곤국은 만일 동인도무역이 하나의 독점적 회사에 의해서 지배되고 있지 않았다면, 아마 동인도에 단 한 척의 배도 보내지 않았을 것이다. 그러한 회사의 설립은 필연적으로 모험자들을 장려한다. 그들의 독점은 국내시장에서 모든 경쟁자로부터 그들을 보호해 주고, 더욱이 그들은 외국시장에 대해서는 다른 나라의 상인과 동일한 기회를 가질 수 있다. 즉 그들의 독점은 꽤 많은 양의 재화에 관하여 이윤을 올릴 것이라는 확신과 대량의 재화에 관해서 꽤 많은 이윤을 올릴 기회가 있다는 것을 그들에게 가르쳐 준다. 이렇게 이상한 장려가 아니고서는 그러한 빈곤국의 가난한 상인들은 동인도무역이라는, 당연히도 그렇게도 멀고 불확실하다고 생각되었을 모험에 그들의 소자본을 위험을 무릅쓰고 던져 보겠다고 생각하는 일은 없었을 것이다.

부유국에서는 독점은 자재를 쫓아 버린다.

이에 반하여 네덜란드와 같은 부유국은 자유무역일 경우라면, 아마 현재 그렇게 하고 있는 것보다 더 많은 수의 선박을 동인도에 보낼 것이다. 네덜란드의 동인도회사의 제한된 자본[269]은 독점이 없으면 그것으로 향할 다량의 상업자본을 아마 그 무역에서 쫓아 버릴 것이다. 네덜란드의 상업자본은 매우 크기 때문에, 어떤 때는 외국의 공채로, 때로는 외국의 개인 상인 및 모험가에 대한 대부금으로, 어떤 때는 우회적인 소비재의 가장 먼 외국무역으로, 때로는 중계무역으로, 말하자면 끊임없이 넘쳐흘러 간다. 가까운 용도는 모두 완전히 충만해 있는 데다 꽤 많은 이윤을 보고 투하될 수 있을 만한 자본은 전부 그러한 용도에 투하되어 버렸으므로, 네덜란드의 자본은 필연적으로 가장 먼 용도에 흘러간다. 동인도무역은 만일 이것이 완전히 자유라면,[270] 이러한 과잉자본의 대부분을 흡수할 것이다. 동인도는 유럽의 제조품과 아메리카의 금은 기타 몇 가지 생산물 쌍방에 대해서 유럽과 아메리카를 한데 합한 것보다 더 넓은 시장을 제공하고 있다.

결과는 둘 다 유해하다.

자재의 자연적 배분을 교란한다는 것은 어떠한 경우에도 그 교란이 일어나고 있는 사회에 필연적으로 유해하다. 그리고 그 교란이, 어떤 개별적인 상업에서, 그렇지 않을 경우 어떤 특정 무역으로 향할 자재를 그 무역에 가지 못하게 하는 것 때문에 일어난 것이든, 아니면 경우가 달랐다면 특정 무역에 가지 않을 자재를 끌어다 주는 것 때문에 일어난 것이든 간에 유해하다. 만일 네덜란드의 동인도무역이 독점적인 회사가 전혀 없는데 현재보다 더 번성한다면, 그 나라는 그 자본의 일부가 그 부분에서 가장 편리한 사업에서 배제되어 있기 때문에 상당한 손실을 보고 있음이 틀림없을 것이다. 그리고 이와 마찬가지로 만일 스웨덴

269 〔레이날, 《Histoire philosophique》(암스테르담, 1773), 제1권, 203면은 최초의 자본을 '645만 9840플로린'이라고 하고 있다.〕

270 〔이 구절의 원문은 "if it were……"라고 가정법인데, 초판에서 제3판까지는 "if it was……"라고 직설법으로 되어 있다.〕

과 덴마크의 동인도무역이, 독점적인 회사가 없는데, 현재보다 쇠퇴하게 될 것이라면, 또는 더 가능성이 많을지도 모르듯이 전혀 존속하지 못하게 될 것이라면, 이 두 나라도 역시 그 자본의 일부가, 양국의 현 상황에는 다소 적합하지 않을 것이 틀림없는 사업에 돌리고 있음으로써, 상당한 손실을 보고 있을 것이 틀림없다. 그러므로 양국의 현 상황에서는 소자본 가운데 대단히 큰 부분을 그렇게도 먼 지방과의 무역에 돌리기보다는 오히려 약간 비싸게 지불하게 되더라도 동인도의 재화를 다른 나라로부터 구매하는 편이 그들에게는 더 나을 것이다. 왜냐하면 위의 자본을 동인도에 돌리면 대금회수가 대단히 느리고, 생산적 노동이 매우 부족해야 할 일이 그렇게도 많은 본국에서 극히 소량의 생산물 노동밖에 유지할 수 없을 것이기 때문이다.

독점 회사가 없이는, 동인도와 무역할 수 없는 나라는 동인도와 무역하지 않는 것이 좋다.

그러므로 비록 어떤 특정국이 독점 회사 없이는 동인도와의 직접무역을 해 나갈 수 없다 하더라도 그 때문에 그곳에 그러한 회사를 설립해야 한다는 결론은 나오지 않을 것이며, 다만 그러한 나라는 이러한 상황에서는 동인도와 직접무역을 해서는 안 된다는 결론이 나올 수밖에 없다. 동인도무역을 운영해 가는 데 있어 독점 회사가 대체로 불필요하다는 것은 포르투갈인의 경험이 충분히 보여주고 있다. 그들은 그러한 회사 없이도 1세기 이상이나 되는 동안 그 무역의 거의 전부를 향수하고 있었던 것이다.

회사의 대자본이 필요하다는 생각은 그릇된 것이다.

개인 상인으로서는 동인도에 수시로 보내는 선박에 실을 재화를 마련하기 위하여 동인도의 여러 항구에 대리점과 특약점을 유지하기에 충분한 자본을 가질 수가 없다. 더욱이 이것이 되지 않는 한 적하를 찾아내는 것이 곤란하므로 배는 빈번히 귀항하기에 좋은 계절을 놓쳐 버리게 되고, 그렇게 오랫동안 늦어지는 기간에 드는 비용은 그 투기의 모든 이윤을 먹어 버릴 뿐만 아니라, 대단한 손실을 가져올 경우가 흔히 있을 것이라고 일컬어지고 있다. 그러나 이러한 논의는, 만일 그것이 어떤 것을 증명하는 것이라면, 독점 회사 없이는 큰 무역부문은 도저히 운영될 수 없다는 것을 증명하는 셈이 될 것이지만, 그것은 모든 국민의 경험에 반하는 것이기도 하다. 어떤 개인 상인의 자본은 그 주요 부문[271]을 해 나가기 위하여 이루어져야 하는 모든 종속 부문까지 운영할 수 있을 만큼 충분하지는 않으며 그렇게 하고 있는 큰 무역부문은 결코 없다. 그러나 어떤 국민이 성숙하여 큰 무역부문을 해 나갈 만큼 되면 어떤 상인은 자연히 자기의 자본을 그 주요 부문에 돌리며 어떤 상인은 그것의 종속 부문에 돌린다. 그 모든 부문이 이렇게 해서 운영되고 있지만, 그 모든 부문이 한 개인 상인의 자본으로 운영된다는 것은 좀처럼 없다. 그러므로 만일 어떤 국민이 성숙하여 동인도무역을 감당할 수 있게 된다면, 그 나라의 자본의 일정 부분은 자연적으로 그 무역의 모든 각가지 부문으로 분할되어 갈 것이다. 그 나라의 상인들 가운데 어떤 사람은, 동인도에 거주하면서 그곳에서 유럽에 거주하는 다른 상인이 보내게 되어 있는 선박에 실을 재화를 마련하는 데 자신들의 자본을 사용하는 것이 유리하다는 것을 깨달을 것이다. 유럽의 국민이 동인도에서 획득한 정주지는, 만일 그것이 현재 소속된 독점 회사에서 빼앗아 내어 주권자의 직접적인 보호하에 둔다면, 적어도 그러한 정주지를 가지고 있는 특정국의 상인에게는 안전하고 안락한 거주지가 될 것이다. 만일 어떤 특정 시기에 동인도무역에, 말하자면 저절로 향하든가 기울어지는 어떤 나라의 자본 부분이 그 무역의 모든 부문을 운영해 나가기에는 충분하지 못하다면, 그것은 그 특정 시기에 그 나라가 아직 그러한 무역을 감당할 만큼 성숙하지 않았다는 것과, 따라서 얼마 동안은 비록 가격이 더 비쌀지라도 그 나라가 필요로 하는 동인도의 재화를 다른 유럽 국민들로부터 사는 편이 그 자신이 직접 동인도에서 수입하는 것보다 나을 것이라고 하는 증거일 것이다. 그러한 재화를 비싼 가격으로 사는 데서 생기는 손실은 동인도

271 〔"주요 부문(principal one)"은 초판에는 "principal branch"로 되어 있다.〕

와의 직접무역보다도 더 필요하고 더 유익하고 그 나라의 여러 사정과 위치에 더 적합한 그 밖의 다른 용도로 그 나라의 자본의 대부분을 돌림으로써 입는 손실과 같은 일은 거의 있을 수 없을 것이다.

아프리카와 동인도에는 아메리카에서처럼 수많은 유복한 식민지는 없다.

유럽인은 아프리카의 해안과 동인도에 다수의 중요한 정주지를 영유하고 있지만, 그러한 지방의 어느 곳에서도 아메리카의 제도와 대륙에서처럼 다수의 유복한 식민지를 아직 건설하지는 못했다. 그러나 동인도라고 하는 일반적 명칭 아래 포괄되는 몇몇의 지방은 물론이고, 아프리카에도 야만적인 여러 민족들이 살고 있다. 하지만 그러한 민족은 비참하고 무력한 아메리카인만큼 약하고 무방비한 것이 아닐뿐더러 그들이 살고 있는 지방의 자연적인 비옥도에 비해서 훨씬 인구가 조밀한 편이었다. 아프리카에서나 동인도에서나 가장 야만적인 국민은 목축 구민이었고, 호텐토트인(Hottentots)까지도 그러했다.[272] 그러나 아메리카의 모든 지방의 원주민은 멕시코와 페루를 제외하면 수렵민에 지나지 않았으며, 동등하게 비옥한 동일 면적의 토지가 부양할 수 있는 목축민과 수렵민의 수에는 대단히 큰 차이가 있다. 그러므로 아프리카와 동인도에서는 원주민을 옮겨 놓고 본래의 주민이 갖고 있던 토지의 대부분에 유럽인의 재식지를 넓혀 간다는 것은 아메리카의 경우보다 더 어려웠다. 뿐만 아니라 이미 설명한 바와 같이 독점 회사의 정신은 새 식민지의 성장에는 불리한 것이며, 아마 그것이 동인도의 식민지가 조금밖에 진보하지 않았던 주요 원인이었던 것 같다. 포르투갈은 독점 회사 없이 아프리카와 동인도에의 무역을 해 나갔으며 아프리카 해안의 콩고·앙골라·벵겔라의 정주지와 동인도의 고아의 정주지는 미신과 모든 종류의 악정惡政에 의해서 몹시 시달렸지만 어딘지 아메리카의 식민지와 비슷한 데가 있으며, 그 일부에는 몇 세대를 걸쳐 정착하여 온 포르투갈인이 살고 있다. 희망봉(the Cape of Good Hope)과 바타비아Batavia의 네덜란드 정착지는 현재 유럽인

272 〔레이날, 《Histoire philosophique》(1773), 제1권, 178면.〕

이 아프리카 또는 동인도에 건설했던 식민지 가운데 가장 중요한 것이다. 그리고 이러한[273] 정착지는 모두 그 위치상으로 특히 운이 좋은 것이다. 희망봉에 살고 있었던 종족은 아메리카의 원주민과 거의 마찬가지로 야만적이고 자위력이 없었다. 그 위에 그곳은 유럽과 동인도와의 사이에 있는 소위 중간숙中間宿이어서, 거의 모든 유럽선은 왕복 모두 얼마 동안 그곳에 머무른다. 그러한 선박에 모든 종류의 신선한 식료품과 과실과 때에 따라서는 포도주를 공급하는 것만도 식민자들의 잉여생산물에 대한 극히 광대한 시장을 제공한다. 유럽과 동인도 사이에서 희망봉이 차지하고 있는 위치를 바타비아는 동인도의 주요 제국 사이에서 차지하고 있다. 그곳은 인도에서 중국 및 일본으로 가장 많이 지나다니는 통로가 되는 곳이며, 그 통로의 거의 중앙이 되는 셈이다. 그 위에 유럽과 중국 사이를 항행하는 거의 모든 배도 바타비아에 기항한다. 그리고 이보다 더 중요한 것은 이곳이 동인도의 지방무역의 중심 시장으로 그 무역 중, 유럽인에 의해서 행해지고 있는 부분뿐만 아니라 토착 인도인에 의해서 행해지고 있는 부분에 관해서도 그러하다. 중국·일본·통킹Tonquin·말라카Malacca·코친차이나Cochin-China·셀레베스섬(the island of Celebes)의 주민에 의해서 항행되고 있는 선박들이 그 항구에서 흔히 눈에 뜨인다. 그 두 식민지는 이러한 유리한 위치에 있었기 때문에 하나의 독점 회사의 압제적인 정신이 수시로 그 성장을 방해했을 모든 장해를 극복할 수 있었다. 그리고 바타비아는 그 위치 때문에 아마 세계에서 가장 좋지 않은 기후라고 하는 추가적 불이익을 극복할 수 있었던 것이다.

네덜란드인의 독점 회사는 향료와 육두구나무를 전멸시키고, 몰루카 제도의 인구를 감소시켰다. 잉글랜드의 회사도 이와 같은 경향을 가지고 있다.

잉글랜드와 네덜란드의 회사는 상술한 두 가지를 제외하면 중요한 식민지를 건설하지 않았지만, 동인도에서는 모두가 상당히 대규모적인 정복을 해 왔다. 그러나 이 두 회사가 그들의 새로운 신민을 통치하는 방법에 있어서는 독점 회사

273 ("이러한(these)"은 초판에는 "those"라고 되어 있다.)

의 본래의 정신을 가장 명료하게 나타내었다. 향료제도에서 네덜란드인은 계절이 순조롭기 때문에 자신들이 충분하다고 생각할 만한 이윤을 올리면서 유럽에서 팔 수 있으리라고 생각되는 양보다 더 많은 향료가 생산되면 그것을 전부 불태워 버린다고 한다.[274] 그들이 정주지를 갖고 있지 않은 섬에서는 그들은 그곳에 자생하는 정향나무(clove trees)와 육두구나무(nutmeg trees)의 꽃봉오리와 푸른 잎을 수집해 오는 사람들에게 상금을 준다. 그러나 이렇게 잔혹한[275] 정책 때문에 이 나무들은 이제는 거의 완전히 근절되어 버렸다고 한다. 그들의 정주지가 있는 섬에서도 그들은 그러한 나무의 수를 상당히 많이 감소시켰다고 한다. 그들 자신의 섬의 생산물이 그들의 시장에 알맞은 양보다 훨씬 많으면, 그들은 원주민이 그 일부를 다른 나라 국민에게 가지고 갈 수단을 발견하지나 않을까 의심한다. 그리고 그들 자신의 독점을 확보하는 최선의 방법은 그들이 손수 시장에 가지고 갈 수 있는 양量만을 육성시키도록 주의하는 것이라고 그들은 생각한다. 그들의 각가지 묘한 억압에 의해, 그들은 몰루카 제도의 몇몇 섬의 인구를 감소시켜, 얼마 되지 않는 그들의 수비대와 향료를 싣기 위하여 가끔 오는 자국선에 신선한 식료품과 그 밖의 생활필수품을 공급하는 데 적당한 정도의 수로 줄였다. 한 섬에는 인구가 꽤 많았다고 한다. 잉글랜드의 회사는 벵골에서 이렇게 완전히 파괴적인 제도를 확립할 만큼 시간적 여유가 없었다. 그러나 그들의 통치 방식은 이와 똑같은 경향을 가지고 있었다. 내가 확실히 들은 바에 의하면 주임, 즉 대리점의 수석 서기가 농부에게 명하여, 양귀비가 재배되고 있는 비옥한 밭을 괭이로 뒤집어서 그곳에 쌀이나 다른 곡류를 심게 하는 것은 결코 드문 일이 아니었다. 그 구실은 식량부족을 예방한다는 것이었으나, 그 참된 이유는 그 주임에게 그가 그 당시 손에 쥐고 있었던 다량의 아편을 보다 비싼 가격으로 팔 수 있는 기회를 주기 위함이었다. 다른 경우에는 이와 반대의 명령이 내려지기도 했다. 즉 양귀비를 재배할 여지를 만들기 위하여 쌀과 그 밖의 곡류가 재

274 〔초판에는 "다고 한다"가 없다.〕

275 〔"잔혹한"은 초판에는 "야만적인"으로 되어 있다.〕

배되고 있었던 비옥한 들이 쟁기로 갈렸다. 그때 그 주임은 아편으로 엄청난 이윤이 오를 것이라는 것을 미리 알아차렸던 것이다. 그 회사의 사용인들은, 여러 가지 경우에 그 나라의 외국무역뿐만 아니라 국내상업에 대해서도, 가장 중요한 어떤 부문에 자신들의 이익이 되는 독점을 수립하려고 꾀하곤 했다. 만일 이러한 것들이 허용되어 있었다면, 그들은 반드시 언젠가는 자기가 독점권을 강탈했던 특정 물품의 생산을 그들이 구매할 수 있는 양으로 제한할 뿐만 아니라, 자신들이 충분하다고 생각할 만한 이윤을 보고 팔릴 것이라고 기대할 수 있는 양으로 제한하려고 꾀했을 것이 틀림없다. 한두 세기가 지나는 동안에 잉글랜드 회사의 정책도 이렇게 해서 아마 네덜란드 회사의 정책과 마찬가지로 완전히 파괴적이라는 것이 입증됐을 것이다.

이러한 파괴적인 제도는 주권자로서의 그들의 이익에 반하는 것이다.

그러나 이러한 파괴적인 방식처럼 피정복제국의 주권자로서의 그러한 회사의 참다운 이익과 정반대되는 것은 달리 있을 수 없다. 거의 모든 나라에서 주권자의 수입은 국민의 수입에서 나온다. 그러므로 국민의 수입이 크면 클수록, 즉 그들의 토지 및 노동의 연간 생산물이 많으면 많을수록 그들은 주권자에게 그만큼 많이 제공할 수 있다. 따라서 그 연간 생산물을 될 수 있는 대로 증가시키는 것이야말로 주권자에게는 이익이다. 그러나 만일 이것이 모든 주권자의 이익이라면, 벵골의 주권자처럼, 그 수입이 주로 토지의 지대에서 나오는 주권자의 경우는 특히 더 그러하다. 그 지대는 반드시 생산물의 양과 가치에 비례하며, 또한 이 전자와 후자는 모두 반드시 시장의 크기에 의존한다. 즉 그 양은 그것에 대해서 지불할 수 있는 사람들의 소비에 항상 다소나마 정확하게 맞추어질 것이며, 그들이 지불할 가격은 그들의 경쟁의 심함에 비례할 것이다. 그러므로 그러한 주권자에게는 구매자의 수와 경쟁을 될 수 있는 대로 증가시키기 위하여 자국 생산물에 가장 광대한 시장을 개방해 주고, 상업의 가장 완전한 자유를 허용하는 것이 이익이며, 따라서 모든 독점을 폐지할 뿐만 아니라, 국내 생산물을 그 나라의 한 지방에서 다른 곳으로 수송하고 또 외국에 수출하거나 그것과 교환될 수 있는 모든 종류의 재화를 수입하는 것에 대한 모든 제한을 폐지하는 것이 이익이다. 이렇게 하면 그는 그 생산물의 양과 가치를 모두 증가시킬 가능성이 가장 많을 것이다.

그러나 이 회사들은 주권자의 영구적인 수입보다도 독점 상인의 일시적인 이윤을 더 좋아한다.

그러나 상인의 회사라는 것은 자신이 주권자가 되어 버린 뒤에도 주권자로서의 자각을 할 수 없는 것이라고 생각된다. 그들은 상업, 즉 다시 팔기 위하여 산다는 것을 아직도 그들의[276] 주요 업무라고 생각하고 있다. 더욱이 이상한 부조리에 의해서 주권자의 성격에 봉사해야 하는 것이라고 생각한다. 다시 말하면 이러한 성격 덕분에, 그들은 인도에서는 보다 더 싸게 사고, 유럽에서는 보다 더 이윤을 보며 팔 수 있다고 생각하고 있다. 이 목적을 위하여 그들은 자신들의 지배하에 있는 나라의 시장에 모든 경쟁자를 될 수 있는 대로 못 들어가게 하려고 노력하고, 따라서 적어도 그러한 나라들의 잉여생산물의 어떤 부분을 그들 자신의 수요를 충족시키는 데 겨우 자랄 정도까지, 즉 그들이 타당하다고 생각하는 이윤을 붙여서 유럽에서 팔릴 것이라고 기대할 수 있을 정도까지 감소시켜 버리려고 노력한다. 이렇게 해서 그들은 그들의 상인적인 습관에 끌려서 아마 모르는 사이에 거의 필연적으로, 보통 어떤 경우에나 주권자의 크고 영구적인 수입보다도 독점자의 작고 일시적인 이윤을 더 좋아하게 된다. 그리고 점차로 그들 지배하에 있는 나라들을 네덜란드인이 몰루카 제도를 다루는 것과 거의 같이 다루게 될 것이다. 주권자로서의 동인도회사의 이익은, 그들의 영주인 인도에 보내어지는 유럽의 재화가 그곳에서 될 수 있는 대로 싸게 팔리고, 그곳에서 반출되는 인도의 재화가 유럽에서 될 수 있는 대로 좋은 가격을 가져다주는 것, 즉 될 수 있는 대로 비싸게 팔리는 것이다. 그러나 이것의 반대는 상인

276 〔"그들의"는 초판에는 "그"라고 되어 있다.〕

으로서의 그들의 이익이다. 주권자로서의 그들의 이익은 그들이 다스리는 나라의 이익과 정확하게 동일하다. 그러나 상인으로서의 그들의 이익은 그 나라의 이익과 정반대된다.[277]

인도에 있는 행정부는 싸게 사서 비싸게 파는 것밖에 생각하지 않는다. 그러나 만일 그러한 정부의 특성이, 유럽에서의 지휘에 관계하는 것에 대해서까지, 이렇게 본질적으로, 그리고 아마 고칠 수 없을 만큼 그릇된 것이라면, 인도에서 그것을 실시하는 그 행정부의 정신은 더 말할 것도 없다. 그 행정부는 반드시 상인들의 협의회로서 구성되어 있고, 상인이라는 직업은 틀림없이 존경받을 만한 것이기는 하지만, 세계의 어느 나라에서도 국민을 자연적으로 위압하고 강제함이 없이 그들을 자발적으로 복종시키는 그러한 권위를 지니고 있지는 않다. 그러한 협의회가 복종을 명하기 위해서는, 그것에 수반하는 군사력을 이용할 수밖에 없다. 그러므로 그들의 통치는 반드시 군정적이며 전제적이다. 그러나 그 본래의 업무는 계산에 의거하여 그들에게 위탁된 유럽의 재화를 팔고 그 대신 유럽의 시장에 필요한 인도의 재화를 사는 것이라 하겠다. 그것은 전자를 될 수 있는 대로 비싸게 팔고 후자를 될 수 있는 대로 싸게 사서, 그 결과 그들이 점포를 가지고 있는 특정 시장에서 모든 경쟁자를 될 수 있는 대로 물리치는 것이다. 그러므로 그 행정부의 정신은 그 회사의 무역에 관한 한에 있어서는 지휘의 정신과 동일한 것이다. 그것은 통치를 독점의 이익에 도움이 되는 것으로 만들고, 따라서 그 나라의 잉여생산물 가운데 적어도 어떤 부분의 자연적 증가를 방해하여 그 사회의 수요를 충족시킬 수 있을 정도로 억제해 버리는 경향을 가지고 있다.

행정부의 성원成員이 자신의 계산대로 무역을 해도 그것을 제지할 수 없다. 이 사적 무역은 회사의 공적 무역보다 더 널리 행해지고 있으며 더 유해하다.

277 〔초판에는 "주권자로서의 동인도회사" 이하 여기까지의 네 개의 절이 없다.〕

뿐만 아니라 그 행정부의 모든 성원은 다소 그들 자신의 계산대로 무역을 하고 있으며, 그들에게 그렇게 하지 못하도록 금지해도 허사이다. 1만 마일이나 먼 곳에, 따라서 거의 감시의 눈이 미치지 않는 곳에 있는 한 대규모 영업소의 사무원이 주인의 명령 하나로써, 자기의 계산대로 하고 있는 사업을 즉시 그만두고, 재산을 이루는 수단이 수중에 쥐어져 있는 것을 영구히 단념하고, 주인으로부터 받는 온당한 봉급으로 만족할 것이라는 기대를 가지는 것처럼 어리석은 것은 있을 수 없다. 더욱이 그 봉급은 온당한 것이지만, 그 회사의 현실의 이윤이 제공할 수 있는 한도의 높은 것임이 보통이므로 좀처럼 증가될 수는 없다. 그러한 상황하에서는 그 회사의 고용인이 자기의 계정으로(계산대로) 거래하는 것을 금지한다는 것은, 다만 상급 고용인이 주인의 명령을 실행한다는 구실 아래, 불행히도 그들의 비위를 거스른 하급 고용인을 억압하는 것 이외에는 아무런 효과도 없다. 사용인들은 자연히 그들 자신의 사적 무역을 위하여, 회사의 공적 무역을 위하는 것과 똑같은 독점을 확립하려고 노력한다. 만일 그들이 마음대로 할 수 있도록 허용된다면, 그들은 자신들이 거래하고자 하는 품목을 다른 모든 사람들이 매매하는 것을 완전히 금지함으로써 이 독점을 공공연히, 또는 직접적으로 확립할 것이다. 그리고 이것은 아마 독점을 설정하는 최선의 방법이요, 가장 억압적이 아닌 방법일 것이다. 그러나 만일 유럽으로부터의 명령으로 그들이 이렇게 하는 것을 금지한다면, 그럼에도 불구하고 그들은 그 나라에게는 훨씬 더 파괴적인 방법으로 은밀하게 간접적으로 이와 같은 종류의 독점을 확립하려고 노력할 것이다. 즉 그들은 대리인을 사용하여 숨어서든, 아니면 적어도 공공연히 털어놓지 않고 자신들이 영위하려고 하는 무역부문의 어떤 것에서든, 그들에게 간섭하는 사람들을 못살게 굴고 파멸시키기 위해서, 정부의 모든 권위를 행사하고 사법권을 악용할 것이다. 그러나 사용인들의 사적 무역은 회사의 공적 무역보다 자연히 더 다종다양한 품목으로 확대될 것이다. 회사의 공적 무역은 유럽과의 무역 정도로 그치고, 그 나라의 외국무역의 겨우 일부분을 포함하고 있을 뿐이다. 그러나 사용인들의 사적 무역은 그 나라의 국내 및 외국무역 쌍방의 모든 부문에 미칠 수 있을 것이다. 그리하여 회사의 독점은 자유무역이 이루어지는 경우에 유럽에 수출될 잉여생산물 부분의 자연적 증가를 방해하는 경향을 가질 수 있는 데 지나지 않는다. 그러나 고용인들의 독점은 수출을 위해 할당된 것은 물론 국내소비를 위한 것에 관해서도 그들이 거래하려고 하는 생산물의 모든 부분의 자연적 증가를 방해하는 경향을 가지고 있다. 따라서 전국의 경작을 쇠퇴하게 하고, 그 주민의 수를 감소시키는 경향을 가지고 있다. 그것은 모든 종류의 생산물의 양을, 즉 생활필수품의 양까지 감소시키며, 그 회사의 사용인들이 거래하려고 마음먹기만 하면 언제든지 그러한 사용인들이 살 수 있으며, 또한 그들이 좋아할 만한 이윤을 붙여서 팔릴 것이라고 기대되는 정도의 양으로까지 감소시키려는 경향이 있다.[278]

고용인의 이익은 그 회사의 참다운 이익과는 같지 않으며, 그 나라의 이익과 동일한 것도 아니다.

또한 고용인들은 그들 지위의 성질상으로도 그들이 지배하는 나라의 이익에 반해서 그들 자신의 이익을 엄격히 옹호하려고 하며, 그 정도는 그들 주인 이상으로 자신들의 이익을 옹호하려고 하는 것이 더 심함이 틀림없다. 그 나라는 그들의 주인들 것이고, 주인들은 자신들에게 속해 있는 나라의 이익에 관해서 다소나마 관심을 갖지 않을 수 없다. 그러나 그 나라는 고용인들에게 속한 것은 아니다. 만일 주인들이 그것을 이해할 수 있는 능력을 가졌다면 주인들의 참다운 이익은 그 나라의 이익과 동일한 것이다.[279] 만일 주인들이 그 나라의 이익을 억

278 〔스미스는 자기의 문고文庫 가운데 (제임스 보너James Bonar, 《A Catalogue of the Library of Adam Smith》, 15면을 보라) 윌리엄 볼트William Bolts, 《Considerations on India Affairs, particularly respecting the present state of Bengal and its Dependencies》(1722)를 가지고 있었다. 이 책의 제1부 제14장은 〈벵골에 있어서 잉글랜드인의 근대적 무역 일반에 관하여, 벵골에 있어서의 무역의 쇠퇴, 수입의 감소 및 파멸적 현상의 원인이었던 압제와 독점에 관하여〉이다.〕

279 그러나 인도회사印度會社의 주주는 투표권에 의해 그 나라의 통치에 대해서 약간의 영향력을 가지고 있으므로 그들 각자의 이익은 그 나라의 이익과 결코 동일한 것은 아니다. 제5편 제1

압한다면, 그것은 주로[280] 무지에서 나온 행동이며 상인적 편견의 야비에서 나온 것이다. 그러나 고용인들의 참다운 이익은 나라의 이익과 결코 동일한 것이 아니며, 아무리 완전한 지식으로써도 그들의 압제를 종식시키지는 못할 것이다. 따라서 유럽으로부터 내보내졌던 여러 규제들은 비록 무력하기가 일쑤였으나 대부분의 경우[281] 선의의 것이었다. 이에 비한다면 인도에서 고용인들이 설정했던 여러 규제들은 그 이상의 지성이 나타나 있을 때도 있었으나, 아마 그 이하의 호의만이 나타나 있을 때도 있었다. 실로 기괴한 정부도 있거니와 그 행정부의 모든 성원이, 될 수 있는 대로 빨리 그 나라에서 나가 버리려고 하고, 따라서 될 수 있는 대로 빨리 정무에서 벗어나기를 바라고 있으며, 더욱이 각 성원의 이익으로 보아서는 자기가 모든 재산을 가지고 그 나라를 떠나 버린 뒤에는

장 제3절을 보라. 〔이 주는 제3판에서 처음으로 나온 것이며, 제2판에서는 다음과 같은 주가 나와 있다. "이것은 만일 그러한 주인들이 인도회사의 주주로서의 그것 이외에는 아무런 이해관계도 갖고 있지 않다면 정확하게 사실이겠다. 그러나 그들은 이와는 다른, 그리고 그보다도 더 중요한 이해관계를 가지고 있다. 흔히 대재산가가, 아니 때로는 재산을 많이 가지지 않은 사람까지도 주주총회에서의 투표권을 획득하면 미치게 되리라고 생각되는 영향력 그것만을 위하여 1300파운드 내지 1400파운드(이것은 인도회사의 1000파운드 주의 시가이다)를 기꺼이 지불하는 수가 흔히 있다. 그 투표권을 획득하면 그는 인도 약탈에 참여하는 것은 아니나 그 약탈자의 임명에 참여할 수 있으며, 그러한 임명은 이사들이 하는 것이지만 이사들은 아무래도 다소는 주주총회의 세력하에 놓여 있으며, 또한 주주총회는 이사를 선임할 뿐만 아니라, 그들의 임명을 지배할 때도 있다. 만일 대재산가가, 아니 그렇게 재산을 많이 가지지 않은 사람까지도 수년 동안 이러한 세력을 가지고, 또 그 때문에 몇 사람의 자기 친구를 인도에서의 직책을 맡아 볼 수 있게 해 줄 수 있다면, 그렇게 적은 자본에서 기대할 수 있는 배당은 물론 자기의 투표권 그 자체의 기초를 이루고 있는 자본의 손익까지도 거의 관심을 두지 않는 수가 흔히 있다. 그 투표권을 가짐으로써 통치에 참여할 수 있는데, 그 대제국의 번영이나 몰락에 관해서는 전혀 관심을 두지 않는다. 그러한 상사회사商事會社의 주주의 대부분은 불가항적인 도덕적 원인에서 그 신민의 행불행에 관하여, 그 영주의 개량과 황폐에 관하여, 그리고 그 행정의 영욕에 관하여 전혀 무관심하고 또한 그렇게 될 수밖에 없겠지만 이들보다 더 무관심한 주권자도 달리 없었으며, 주권자라면 사물의 성질상 그렇게 무관심할 수는 없을 것이다"라고 되어 있다. 이상의 논술은 약간의 변경을 하여 제5편 제1장 제3절 제1항에 다시 나온다.〕

280 〔"주로"는 초판에는 "다만"이라고 되어 있다.〕

281 〔"대부분의 경우"는 초판에는 "보통"이라고 되어 있다.〕

비록[282] 그다음 날 전국이 지진으로 괴멸된다 하더라도 상관할 바 아니라는 것이다.

폐해는 제도에서 유래하는 것으로, 그 제도를 운영하는 사람들의 인격에서 유래하는 것은 아니다.

그러나 나는 이상과 같이 말해 왔다고 해서 동인도회사의 고용인들의 일반적 인격에 어떤 밉살스러운 비난을 하려는 뜻은 조금도 없다. 그리고 어떤 특정 인물들의 인격에 관해서는 더욱 그럴 생각이 없다. 내가 비난하려는 것은 그 통치제도, 즉 그들이 놓여 있는[283] 지위이지, 그곳에서 행동한 사람들의 인격은 아니다. 그들은 자신들의 지위가 자연히 시키는 대로 행동했으며, 그들을 가장 시끄럽게 비난했던 사람들도 그 지위에 놓인다면, 아마 그들보다 더 낫게 행동하지는 않았을 것이다. 전쟁에 있어서나 교섭에 있어서나 마드라스와 캘커타의 협의회는 로마 공화국의 전성시대에 그 원로원의 명예가 되었을 만한 결의와 명석한 지혜를 가지고 행동했다. 그러나 그러한 협의회의 성원들은 전쟁과 정치와는 대단히 다른 직업을 위해 육성되어 온 사람들이었다. 단지 그들의 지위만이, 교육도 경험도 선례도 없는 가운데 그 지위에 필요로 하는 중요한 자격을 단번에 그들에게 주었으며, 그들 자신도 미처 깨닫지 못했던 능력과 덕성을 그들에게 불어넣어 주었던 것 같다. 그러므로 만일 어떤 경우에, 그 지위가 그들을 자극하여 그들에게는 결코 기대할 수 없는 관대한 행위를 하면서, 다른 경우에는, 그 지위에 자극받아 그것과는 약간 성질이 다른 공적을 세웠다 하더라도 우리는 별로 이상하게 여길 수는 없을 것이다.

독점 회사는 성가신 존재이다.

따라서 독점 회사는 어떠한 점에서나 성가신 것이며, 이것이 설립되어 있는 나

282 〔"비록"은 초판에는 "만일"이라고 되어 있다.〕

283 〔"놓여 있는"은 초판 및 제2판에는 "놓여 있었던"으로 되어 있다.〕

라에서는 항상 다소 불편한 존재이다. 그리고 불행히도 그 통치하에 있는 나라들에는 파괴적인 것이다.

제8장 중상주의체계에 관한 결론[284]

중상주의체계는 제조업의 원료와 영업 용구의 수출을 저지한다. 이 체계는 영업 용구의 수입은 장려하지 않으나, 원료의 수입은 장려한다.

수출의 장려와 수입의 저지는 중상주의체계가 각국을 부유하게 만들려고 제안한 2대 도구이다. 그러나 어떤 특수한 상품에 관해서는 그 체계가 이와 반대되는 방책에 따르고 있는 것 같다. 즉 수출을 저지하고 수입을 장려하고 있다. 그러나 그 궁극의 목적은 항상 동일하다. 즉 유리한 무역차액에 의해서 그 나라를 부유하게 만드는 데 있다고 그 체계는 주장하고 있다. 그것은 제조업의 원료와 영업 용구의 수출을 저지하고 있는데, 우리나라의 직공들에게 유리하게 해 주고 그들이 모든 외국시장에서 다른 나라의 직공들보다 경쟁에서 싸게 팔 수 있게 해 주기 위함이요, 또한 이렇게 해서 그렇게 비싸지 않은 소수의 상품의 수출을 제한함으로써 다른 여러 상품을 훨씬 많이 그리고 더 큰 가치로 수출하려고 기도한다. 그 체계는 제조업의 원료의 수입을 장려하고 있는데, 그 이유는 우리 국민이 보다 싸게 그 원료를 가공할 수 있게 하고, 그 때문에 제조품이 보다 다량으로, 보다 큰 가치로 수입되는 것을 방지하기 위함이다. 나는 적어도 우리의 법령전서 중 영업 용구의 수입에 대해서 어떤 장려가 주어져 있는 것을 본 적이 없다. 제조업이 어떤 일정한 규모로 발달하면 영업 용구의 제작 그 자체가 대단히 중요한 제조업의 목적이 된다. 그러한 용구의 수입에 어떤 특별한 장려를 해 준다는 것은 그러한 제조업의 이익에 너무 심하게 저촉될 것이다. 그러므로 그러한 수입은 장려되기는커녕 종종 금지되어 왔다. 그리하여 양모 소모구梳

284 〔본 장은 〈증보 및 정정〉과 제3판에 처음 나온다.〕

毛具의 수입은 아일랜드에서 수입될 경우, 또는 표착품이나 포획품으로 들여올 경우를 제외하고는, 에드워드 4세 제3년의 법률[285]에 의해서 금지되었다. 그리고 이 금지는 엘리자베스 제39년의 법률[286]에 의해서 갱신되고, 그 후의 여러 법률[287]에 의해서 계속되어 영구화된 규정으로 되었다.

제조업의 원료와 수입은 때로는 다른 재화에 부과하는 세금을 면제함으로써 또 때로는 장려금을 줌으로써 장려되어 왔다.

여러 가지 원료는 관세를 면제받고,

제조업의 몇 가지 다른 원료와 함께 몇 개국으로부터의 양모의 수입,[288] 모든 나라로부터의 원면原綿[289]의 수입, 아일랜드 또는 영국의 식민지로부터의 생아마生亞麻[290]와 염료의[291] 대부분과 생수피生獸皮[292]의 대부분의 수입, 영국령 그린랜드의 어장으로부터의 물개모피[293]의 수입, 영국령 식민지들로부터의 선철銑鐵 및 봉철棒鐵의 수입은 세관에 정식으로 신고하면 모든 세금을 면제하여 줌으로써 장려되어 왔다. 우리 상인과 제조업자는 그들의 사적인 이해관계에서 아마 우리 상업상의 다른 여러 규제들의 대부분은 물론, 이러한 면제를 입법부에서 강제로 획득했을 것이다. 그러나 그러한 면제는 아주 정당하며 합리적인 것이다. 그리고 만일 국가의 필요와 일치하면서 제조업의 다른 모든 원료에까지 확장될 수

285 〔법률 제4호.〕

286 〔법률 제14호.〕

287 〔찰스 1세 제3년 법률 제4호, 찰스 2세 제13, 14년 법률 제19호.〕

288 〔아일랜드로부터의 수입에 대해서는 조지 2세 제12년 법률 제21호, 조지 2세 제26년 법률 제8호. 양복지용洋服地用의 스페인산 양모 및 스페인산 펠트용 양모에 관하여서는 헨리 색스비 Henry Saxby, 《The British Customs》, 263면을 참조.〕

289 〔조지 3세 제6년 법률 제52호 제20조.〕

290 〔조지 2세 제4년 법률 제27호.〕

291 〔조지 1세 제8년 법률 제15호 제10조. 다음의 155면을 보라.〕

292 〔조지 3세 제9년 법률 제39호 제1조, 조지 3세 제14년 법률 제86호 제11조 및 조지 3세 제21년 법률 제29호 제3조에 의해서 계속.〕

293 〔조지 3세 제15년 법률 제31호 제10조.〕

있다면 공공사회는 확실히 이득을 볼 것이다.

직사는 제조품이지만 무세이다. 왜냐하면 방적공은 가난하고 보호를 받고 있지 않은 사람들인데, 마스터 제조업자는 부유하고 권력을 가지고 있기 때문이다.

그러나 우리 대형 제조업자의 탐욕은 어떤 경우에는 이러한 면세를 그들의 제품의 미가공 원료라고 정당히 간주될 수 있는 범위를 넘어서 널리 확장시켰다. 조지 2세 제24년 법률 제46호에 의해서 외국의 갈색 아마포 직사의 수입에는 1파운드에서 겨우 1페니라는 소액의 세금밖에 과해지지 않게 되었다. 그 이전에 과해지고 있었던 것은 이보다 훨씬 높은 비율인 범포용 마직사에는 1파운드에 6펜스, 모든 프랑스 및 네덜란드의 직사에는 1파운드에 1실링, 모든 프로이센 및 모스크바의 직사에는 1헌드레드웨이트에 2파운드 13실링 4펜스가 과세되고 있었다.[294] 그러나 우리 같은 제조업자들은 이 정도의 감세로써 언제까지나 만족하지 않았다. 같은 국왕의 치세 제29년 법률 제15호, 즉 가격이 1야드에 18펜스를 넘지 않는 영국 및 아일랜드의 아마포의 수출에 장려금을 주었던 바로 그 법률에 의해서 갈색 아마포 직사의 수입에 대한 이러한 소액의 세마저 철폐되었다. 그러나 아마 직사를 조제하는 데 필요한 여러 가지 작업에는 그 뒤의 아마 직사로써 아마포를 조제하는 작업에 비하면 훨씬 더 많은 근로가 사용된다. 아마 재배인 및 아마 끝손질공의 근로를 넣지 않더라도 한 사람의 직조공을 계속 취업시켜 두기 위해서는 적어도 3~4인의 방적공이 필요하다. 즉 아마포의 조제에 필요한 전체 노동량의 5분의 4 이상이 아마 직사의 생산에 사용되는 셈이다. 그러나 우리나라 방적공은 원조도 보호도 없이 이 나라의 모든 지방에 분산되어 있는 빈민들이요, 보통은 여자들이다. 우리나라의 큰 마스터 제조업자가 자신들의 이윤을 올리고 있는 것은 이러한 방적공의 제품의 판매에 의해서 올리는 것이 아니고 직조공의 완제품의 판매에 의해서 올린다. 그 완제품을 될

294 〔스미스는 여기에서 관세를 들지 않고 무심결에 찰스 2세 제12년 법률 제4호의 세율표에서 평가된 물품의 평가액을 들고 있다. 관세는 그 2할이 될 것이다.〕

수 있는 대로 비싸게 파는 것이 그들의 이익이듯이 그 원료를 될 수 있는 대로 싸게 사는 것도 그들의 이익이다. 그들 자신의 아마포의 수출에 대한 장려금과 모든 외국산 아마포의 수입에 대한 높은 세금과 프랑스의 아마포의 어떤 부류의 국내소비의 전면적인 금지를 입법부에서 강제로 획득함으로써, 그들은 그들의 재화를 될 수 있는 대로 비싸게 팔려고 노력하고 있다. 외국의 아마 직사의 수입을 장려하여 그것을 우리나라 국민이 만드는 것과 경쟁시킴으로써 그들은 가난한 방적공의 제품을 될 수 있는 대로 싸게 사려고 노력한다. 그들은 가난한 방적공의 가득을 낮게 해 두는 데 여념이 없듯이 그들 자신의 직조공의 임금도 낮게 해 두겠다는 데 여념이 없다. 그리고 그들이 완제품의 가격을 올리려고 하는 것이라든지, 미가공 원료의 그것을 내리려고 하는 것은 직공의 이익을 위함은 결코 아니다. 우리들의 중상주의체계에 의해서 주로 장려되고 있는 것은 부자 및 권력자의 이익을 위하여 영위되고 있는 산업이다. 빈자 및 극빈자의 이익을 위해서 영위되고 있는 산업은 너무나 자주 무시되거나 억압받고 있다.

이 면세와 아마포의 수출장려금은 일시적 법률에 의한 것이다.

아마포의 수출장려금도 외국제 직사에 대한 수입세의 면세도 모두 겨우 15년 동안밖에 허가되지 않았던 것이지만, 그 후 2회의 연기에 의해서 계속되어[295] 1786년 6월 24일 직후의 의회 회기 종료와 함께 그 기한이 만료되게 되어 있다.

수입 원료에 대한 장려금은 주로 아메리카의 생산물에 주어지고 있었다.

제조업 원료 수입의 장려금에 의한 장려는 주로, 우리의 아메리카 식민지로부터 수입되는 것에 한정되어 있다.

이를테면 선박 용품,

이런 종류의 최초의 장려금은 현 세기 초기에 아메리카로부터의 선박 용품의 수

295 〔조지 3세 제10년 법률 제38호 및 조지 3세 제19년 법률 제27호.〕

입에 대해서 주어졌다.[296] 이 종목에는 돛대와 범형帆桁, 사장斜檣의 용재, 대마大麻, 타르, 피치 및 테레빈이 포함되어 있었다. 그러나 돛대 용재 1톤에 1파운드의 장려금과 대마 1톤에 6파운드의 장려금은 스코틀랜드에서 잉글랜드에 수입되는 것에까지 확장되었다.[297] 이러한 장려금은 모두 아무런 변경 없이 같은 비율로 각각의 기한이 만료될 때까지 계속되었으며, 대마의 그것은 1741년 1월 1일에, 그리고 돛대 용재의 그것은 1781년 6월 24일 직후에 의회의 회기 종료와 더불어 각각의 기한이 만료되었다. 타르·피치·테레빈의 수입장려금은 계속되는 기간 중 몇 번 변경되었다. 처음에는 타르의 수입장려금은 1톤에 4파운드, 피치의 수입장려금은 타르와 같고, 테레빈의 수입장려금은 1톤에 3파운드였다. 타르에 대한 1톤에 4파운드라는 장려금은 그 후 특별한 방법으로 조제된 것에 한정되고, 그 밖의 양질로서 잡물이 섞이지 않은 양질의 판매용 타르의 그것은 1톤에 2파운드 4실링으로 떨어졌다. 피치에 대한 장려금도 마찬가지로 1톤에 1파운드, 테레빈의 그것은 1톤에 1파운드 10실링으로 떨어졌다.[298]

식민지산의 인디고.

시기적 순서에 따르면 제조업의 어떤 원료의 수입에 대한 두 번째의 장려금은 조지 2세 제21년 법률 제30호에 의해서 영국 식민지에서 인디고의 수입에 대해 주어졌다. 재식지산의 인디고 가격이 프랑스산의 인디고 가격의 4분의 3의 값어치가 나갈 때는 이 법령에 의해서 그것은 1파운드에 6펜스의 장려금을 받을 자격이 주어졌다. 이 장려금은 다른 대부분의 장려금과 마찬가지로 기한부로 주어졌을 뿐이며, 몇 차례 연기로 지속되었으나 그 금액은 1파운드에 4펜스로 줄어

296 〔앤 치세 제3, 4년 법률 제10호 – 앤더슨Anderson, 《Commerce》(1703).〕

297 〔돛대 용재(타르·피치·로진rosin을 포함)에 관해서는 앤 치세 제12년 제1의회 제정 법률 제9호에, 그리고 돛대 용재만에 관해서는 조지 2세 제2년 법률 제35호 제12조에 의한 것이다. 스코틀랜드에서의 대마재배의 장려는 조지 1세 제8년 법률 제12호의 전문에 언급되어 있으며, 입법화된 부분에서도 그 취의趣意는 알려져 있을 것이다.〕

298 〔조지 1세 제8년 법률 제12호와 조지 2세 제2년 법률 제35호 제3조 및 제11조.〕

들었다.[299] 그것은 1781년 3월 25일 이후의 의회 회기 종료와 함께 그 기한이 만료되었다.

식민지산의 대마 또는 생아마,

이런 종류의 세 번째 장려금은 (때마침 우리가 때로는 우리의 아메리카 식민지의 비위를 맞추기도 하고, 때로는 그들과 다투기도 하기 시작했을 무렵) 조지 3세 제4년 법률 제26호에 의해서, 영국령 재식지로부터의 대마 또는 생아마의 수입에 대해서 주어졌던 것이다. 이 장려금은 1764년 6월 24일부터 1785년 6월 24일까지의 21년간 주어졌다. 그것은 최초의 7년간은 1톤에 8파운드의 비율이고, 다음 7년간은 6파운드의 비율, 그리고 나머지 7년간은 4파운드의 비율로 되어 있었다. 그것은 스코틀랜드에까지 확장되지는 않았다. 왜냐하면 그곳에서의 기후가 그 생산물에는 그렇게 알맞지 않았기 때문이었다(비록 대마가 그곳의 기후에서 재배는 된다고 하나, 그것은 양도 적고 품질도 나쁘다). 잉글랜드의 스코틀랜드 아마 수입에 대한 이러한 장려금을 주었다면, 이 연합왕국의 남부 지방의 토산품에 대해서는 너무나 큰 장해를 주었을 것이다.

아메리카의 목재,

이런 종류의 네 번째 장려금은, 조지 3세 제5년 법률 제45호에 의해서 아메리카로부터의 목재 수입에 대해서 주어졌던 것이다. 그것은 1766년 1월 1일부터 1775년 1월 1일까지의 9년간 주어졌다. 그리고 최초의 2년간은 양질의 전나무 널빤지 120매마다 1파운드라는 비율로, 그 밖의 각재 50평방피트의 적하마다 12실링이라는 비율로 되어 있었다. 다음의 3년간은 전나무 널빤지에는 15실링의 비율로 그 밖의 각재에는 8실링의 비율로, 그리고 나머지 3년간은 전나무 널빤지에는 10실링, 그 밖의 용재에는 5실링의 비율로 되어 있었다.

299 〔조지 3세 제3년 법률 제25호.〕

식민지산의 생사.

이런 종류의 다섯 번째 장려금은, 조지 3세 제9년 법률 제38호에 의해서 영국의 재식지로부터의 생사 수입에 대해서 주어졌던 것이다. 그것은 1770년 1월 1일부터 1791년 1월 1일까지의 21년간 주어졌다. 최초의 7년간은 100파운드의 가치마다 25파운드의 비율로, 다음의 7년간은 20파운드, 나머지 7년간은 15파운드의 비율로 되어 있었다. 양잠과 제사製絲는 대단히 많은 도움을 필요로 하고, 더욱이 아메리카에서는 노임이 극히 고가이므로 내가 들은 바로서는 이렇게 다액의 장려금까지도 그렇게 효과를 올리지 못했던 것 같다.

식민지산의 통판.

이런 종류의 여섯 번째 장려금은, 조지 3세 제11년 법률 제50호에 의해서 영국의 재식지로부터의 포도주용 통과 큰 통, 통판 및 통 바닥 판재의 수입에 대해서 주어졌던 것이다. 그것은 1772년 1월 1일부터 1781년 1월 1일까지 9년간 주어졌다. 그리고 최초의 3년간은 각각의 일정량에 대해서 6파운드의 비율로, 다음의 3년간은 4파운드, 나머지 3년간은 2파운드로 되어 있었다.

아일랜드산의 대마.

이런 종류의 일곱 번째 마지막 장려금은, 조지3세 제19년 법률 제37호에 의해서 아일랜드로부터의 대마수입에 대해서 주어졌던 것이다.[300] 그것은 아메리카로부터의 대마 및 생아마 수입에 대한 것[301]과 동일한 방법으로 1779년 6월 24일부터 1800년 6월 24일까지 21년간 주어졌다. 이 기간도 역시 7년간씩 3기로 분할되고 그 각기에 있어서 아일랜드산에 대한 장려금의 비율은 아메리카산에 대한 장려금과 같았다. 그러나 그것은 아메리카산에 대한 장려금처럼 생아마 수입에까지

300 〔이 문장의 전반의 원문은 "The seventh and last bounty of this kind, was that granted by……"인데 〈증보 및 정정〉에는 이 가운데의 "that"이 없다.〕

301 〔세 번째 장려금.〕

확장되어 있지는 않다. 만일 확장되어 있었다면 영국에 있어서의 그 식물의 재배에 너무 큰 방해가 되었을 것이다. 이 마지막 장려금이 수여되었을 때 영국과 아일랜드의 입법부는 영국과 아메리카의 입법부가 전에 그러했던 것보다 서로가 더 우호적이었던 것도 아니다. 그러나 아일랜드에 베풀어진 이러한 은혜가 아메리카에 베풀어진 은혜보다도 전도前途에 더 많은 행운을 가져왔으면 하는 것은 바람직한 것이라 하겠다.

이러한 상품이라도 외국으로부터 올 때는 과세되었다. 식민지와 모국의 이해관계는 동일하다는 것이 주장되었다.

동일한 상품이라도 아메리카로부터 수입될 때는 이렇게 장려금이 주어졌지만, 어떤 다른 나라로부터 수입될 때는 상당한 세금이 과해졌다. 우리의 아메리카 식민지의 이해관계는 모국의 이해와 동일하다고 간주되었다. 그들의 부는 곧 우리의 부라고 생각되었다. 그곳으로 얼마나 많은 돈이 보내지든 간에 무역차액에 의해 모두 우리에게 되돌아오는 것이고, 그들에게 어떠한 경비를 들인다 하더라도 그 때문에 우리가 한 푼이라도 더 가난해질 리는 없을 것이라고 일컬어졌다. 그 식민지들은 어떤 점에서나 우리 자신의 것이므로, 그들에게 쓰인 경비는 우리 자신의 재산을 개량하기 위해서 투하된 경비요, 우리 자신의 국민의 유리한 직업을 위해서 쓰인 경비이다. 나는 이제는 치명적인 경험으로 충분히 명백해진 그 체계의 우둔함을 폭로하기 위하여, 현재 이 이상 더 언급할 필요는 없다고 생각한다. 우리의 아메리카 식민지가 실제로 영국의 일부이었다면, 그러한 장려금은 생산에 대한 장려금이라고 생각될 수 있었을 것이다. 그리고 다름 아닌 이러한 의미의 장려금이기 때문에 받기 쉬운 모든 반대를 역시 면할 수 없었을 것이다. 제조업의 원료 수출은 어떤 때는 절대적인 금지에 의해, 또 어떤 때는 높은 세금에 의해 저지된다.

양모와 생양生羊의 수출은 중형으로써 금지되어 있다.

우리의 모직물 제조업자는 이 국민의 번영이 자신들의 특수한 사업의 성공과 확대에 의존한다고 입법부를 설득하는 점에서는 다른 어떤 계급의 직공들보다 성공했다. 그들은 어떤 외국으로부터의 나사羅紗의 수입도 절대적으로 금지함으로써 소비자에 대한 독점을 획득했을 뿐만 아니라 생양과 양모의 수출에 이와 비슷한 금지를 과함으로써 목양 농업경영자와 양모 생산자에 대한 또 하나의 독점을 획득했다. 수입을 확보하기 위하여 제정되었던 법률은 가혹한 것이 많으며, 이 때문에 이것들을 여러 조례가 범죄라고 선고하기 전까지는 항상 무죄라고 생각되었던 행위에 중형을 과하는 것이라고 비난받아 마땅한 것이다. 그러나 우리의 상인과 제조업자가 그들 자신의 불합리하고 억압적인 독점을 옹호하기 위하여 시끄럽게 떠들어서 입법부로부터 강제로 획득한 여러 법률 가운데 어떤 것에 비한다면 우리나라의 수입에 관한 여러 법률 가운데 가장 잔혹한 것일지라도 관대하고 온화한 것이라고 나는 감히 단언한다. 드라콘(Draco)의 여러 법률처럼 이러한 법률들은 모두 피로써 쓰였다고 해도 좋을 것이다.

모족의 절단과 사형에 처해졌을 때도 있었다.

엘리자베스 제8년 법률 제3호에 의해서 양, 즉 새끼 양 또는 숫양을 수출하는 사람은 초범일 때는 그의 모든 재산을 영구히 몰수당하고 1년간의 구금에 처해지고, 그러고 난 뒤에 장이 서는 날에 저잣거리에서 왼손을 절단시켜 그곳에 못 박아 두도록 되어 있다. 그리고 재범일 때는 중죄인이라는 판결을 받고, 따라서 사형에 처해지도록 되어 있었다. 우리의 양 품종이 다른 나라에서 번식하는 것을 방지한다는 것이 이 법률의 목적이었던 것 같다. 찰스 2세 제13, 14년 법률 제18호에 의해서 양모의 수출은 중죄로 되었으며 그 수출자는 중죄인과 동일한 형벌과 몰수를 당하게 되었다.

그러나 현재에는 양 한 마리에 20실링의 벌금이 과해지고, 그 양과 그 선박에 대한 양의 소유자의 몫이 몰수된다.

우리 인류애의 명예를 위하여 이러한 조례는 결코 실시되지 않았기를 바라고 싶을 뿐이다. 그런데 내가 알고 있는 한에서는 그 가운데 첫째 것은 아직 직접적으로 폐지된 적이 없으며, 고등 변호사 호킨스는 아직도 그것은 유효한 것이라고 생각하고 있는 것 같다.[302] 그러나 아마 그것은 찰스 2세 제12년 법률 제32호 제3조에 의해서 실질적으로는 폐지된 것이라고 생각되어도 좋다. 이 법률은 그 이전의 조례들에 의해 과해지고 있었던 형벌을 명시하여 폐지하지는 않고[303] 새 형벌을 과하고 있다. 즉 수출된 또는 수출하려고 했던 양 한 마리에 20실링의 벌금이 과해지고, 동시에 그 양과 선박에 대한 양의 소유자의 몫은 몰수당한다는 것이다. 그 가운데 두 번째 것은 윌리엄 3세 제7, 8년 법률 제28호 제4조에 의해서 명시적으로 폐지되었다. 그것에 의하면 다음과 같이 선언되어 있다. "양모의 수출에 대해서 제정된 국왕 찰스 2세 제13, 14년의 조례는 같은 법령에 규정되어 있는 다른 모든 사항과 더불어 양모의 수출을 중죄라고 규정한 것은 같으나 그 형벌이 가혹하기 때문에 범인의 소추가 유효하게 실시되지 않았다. 그러므로 본법에 의해서 당해 법령에서 당해 범죄를 중죄라고 한 부분을 폐지하고 그것을 무효로 한다"라고 했다.

그리고 다른 형벌과 함께 양모 1파운드마다 3실링의 벌금이 부과된다.

그렇지만 이 비교적 관대한 조례에 의해서 과해지는 형벌도 역시 종래의 조례들에 의해서 과해진 채 아직 본 조례에 의해서 폐지되지 않은 형벌도 역시 대단히 가혹하다. 즉 수출자는 재화를 몰수당할 뿐만 아니라 수출된 또는 수출하려고 한 양모의 중량 1파운드마다 3실링, 즉 그 가치의 약 4~5배의 벌금에 처해진다. 이 범죄로써 유죄판결을 받은 상인 또는 그 밖의 사람은 누구든지 어떤 대리상

302 〔윌리엄 호킨스William Hawkins, 《A Treatise of the Pleas of the Crown》, 제4판(1762), 제1권, 제52장.〕

303 〔폐지하기는 고사하고 그 법률은 기존의 조례에 규정되어 있는 형벌 가운데 본법에 의한 것보다 조금이라도 더 무거운 벌은 아직도 유효하다고 명시적으로 규정하고 있다.〕

代理商 또는 타인에게 자기의 채권 또는 계산서를 청구할 수 없게 된다.[304] 그의 재산이 얼마가 되든지, 그리고 그가 그러한 무거운 벌금을 지불할 수 있든 없든 간에 이 법률은 그를 완전히 파산시키려는 것이 그 목적이다. 그러나 국민 대중의 도의는 이 조례의 입안자의 그것처럼 그렇게 부패해 있지 않으므로 나는 이 조항이 활용되었다는 것을 아직 듣지 못했다. 만일 이런 범죄로 유죄판결을 받는 사람이 판결 후 3개월 이내에 벌금을 지불할 수 없으면 그는 7년간의 유형에 처해지게 되어 있으며, 또한 만일 그가 이 기간의 만료 이전에 돌아온다면, 그 성직聖職재판권(benefit of clergy) 없이 중죄의 형에 처해진다.[305] 그리고 이 범죄를 알고 있었던 선주는 그 선박 및 장비 용구에 관한 일체의 권리를 몰수당한다. 이 범죄를 알고 있었던 선장 및 선원은 그들의 모든 재화와 일체의 동산을 몰수당하고, 3개월간의 구금에 처해진다. 그 후의 조례에 의해서 선장은 6개월의 구금에 처해지게 되었다.[306]

양모의 내륙상업도 밀수출을 방지하기 위한 제한들에 의해서 심히 방해되고 있다. 수출을 방지하기 위하여 양모의 내륙상업 전체가 대단히 성가시고 억압적인 제한들을 받고 있다. 양모를 포장하는 데는 상자, 통, 큰 통, 함, 큰 궤짝, 또는 그 밖의 어떤 것으로도 포장해서는 안 되고, 반드시 가죽 또는 포장용 포布로만 포장하여 그 겉면에 양모 또는 직사라는 말을, 3인치 이상의 대문자로 새겨 두어야 하고, 이것을 위반하면 양모와 그 포하包荷는 몰수되고, 양모의 소유자 또는 하조인荷造人은 그 중량 1파운드당 3실링의 벌금을 지불하지 않으면 안 된다.[307] 양모는 말 또는 짐마차에 실릴 수 없으며, 또한 일출에서 일몰까지를 제

304 〔찰스 2세 제12년 제32호.〕

305 〔조지 1세 제4년 법률 제11호 제6조.〕

306 〔아마 윌리엄 3세 제10, 11년 법률 제10호 제18조를 가리키고 있는 것 같으나 이 조항은 범죄를 묵인하는 군함의 함장에 적용되고 있는 것이고, 범죄를 범하는 선박의 선장에 적용되는 것은 아니다.〕

307 〔조지 2세 제12년 법률 제21호 제10조.〕

외하고는 해안에서 5마일 이내의 육로로 수송해서는 안 된다. 이것을 위반하면 양모를 실은 말과 짐마차는 몰수된다.[308] 해안에 인접한 촌락으로써 양모가 그곳에서 또는 그곳을 경유하여 수송 또는 수출될 경우, 그 촌락은 그 양모의 가치가 10파운드 이하이면 20파운드의 벌금을 물고, 그 이상일 때는 그 가치의 세 배의 벌금을 물고 비용의 세 배의 벌금까지 문다. 이것은 1년 내에 기소되도록 되어 있다. 그 벌금형의 집행은 그 주민의 누구든지 두 사람에 대해서 행해지고, 그 뒤에 치안판사 재판소는 그것을 다른 주민에게 부과하여 그 두 사람에게 배상해 준다. 이 점은 절도의 경우와 마찬가지이다. 그리고 만일 어떤 사람이 이 벌금 이하의 금액으로 그 촌락과 타협한다면, 그는 5년간의 구금에 처해지고 누구든지 이를 고발할 수 있다. 이러한 규정은 왕국 전체를 통하여 현재 시행되고 있다.[309]

켄트와 서식스에서는 특히 그러하다.

그러나 켄트Kent 및 서식스Sussex라고 하는 특정한 지방에서는 그 제한들은 훨씬 더 까다롭다. 해안에서 10마일 이내에 있는 모든 양모 소유자는 양모를 깎은 후 3일 이내에 자기의 깎은 양모의 수량과 보관 장소에 관하여 서면에 의한 보고를 세관의 차장에게 제출하지 않으면 안 된다. 그리고 그 일부라도 이동시키려면 그 이전에 양모의 수량과 중량, 이것이 팔려 가는 사람의 성명 및 주소, 그리고 그것이 운반될 예정으로 되어 있는 장소에 관하여 위와 같은 통지를 제출하지 않으면 안 된다. 상기한 두 지방에서는, 해안에서 15마일 이내의 곳에 있는 모든 주민이 양모를 사는 데는, 그 이전에 자기가 사려고 하는 양모

308 〔찰스 2세 제13, 14년 법률 제18호 제9조는 3월부터 9월까지는 오후 8시부터 오전 4시까지, 10월부터 11월까지는 오후 5시부터 오전 7시까지 이 나라의 어떤 지방에서도 양모의 이동을 금지했다. 윌리엄 3세 제7, 8년 법률 제28호 제8조는 이 규정을 고려하지 않고 본문에 인용되어 있는 여러 규정을 제정했다. 찰스 2세 제13, 14년 법률 제18호에 있는 조지 3세 제20년 법률 제55호에 의해서 폐지되었는데, 이 경우에는 후자는 윌리엄 3세 제7, 8년 법률 제28호를 전혀 고려하지 않은 것이다.〕

309 〔이상의 모든 규정은 윌리엄 3세 제7, 8년 법률 제28호에서 나온 것이다.〕

를 해안에서 15마일 이내에 있는 누구에게도 절대로 팔지 않겠다는 것을 국왕에게 서약하지 않으면 안 된다. 상기 두 지방에서 만일 해안으로 향하여 조금이라도 양모를 운반해 가는 것이 발각되면 이상의 약속과 그것에 대한 보증이 없는 한, 그 양모는 몰수되고 범인도 또한 양모의 중량 1파운드에 3실링의 벌금에 처해진다. 만일 어떤 사람이 해안에서 15마일 이내의 곳에 상기 계출屆出을 하지 않은 양모를 조금이라도 놓아 두면 그 양모는 차압되어 몰수된다. 또한 어떤 사람이 그러한 차압을 당한 뒤에 그것을 반환할 것을 요구하려면, 재무 재판소(Exchequer)에 대해 만일 자신이 패소할 경우, 소송비용의 세 배와 다른 모든 벌금을 지불하겠다는 것을 보증하지 않으면 안 된다.[310]

연안무역도 또한 그러하다.

이러한 제한이 내륙상업에 과해지고 있을 때, 연안무역이 자유로 방임되어 있을 리 없다고 믿어도 좋을 것이다. 양모의 소유자는 누구든지 해안의 어떤 항구 또는 장소에 양모를 수송하거나, 또는 수송시키고, 그곳에서 해안의 다른 장소 또는 항구로, 해로를 통해 운송하려고 하면, 양모를 발송하고자 하는 항에서 5마일 이내의 장소에 양모를 가지고 오기 전에 먼저 그 항구에서 하물의 중량·기호·개수를 기재하여 신고해 두지 않으면 안 된다. 이것을 위반하면, 그 양모는 말과 짐마차 및 그 밖의 짐마차류는 몰수되고, 그 위에 양모의 수송에 대한 다른 현행법이 규정하고 있는 형벌을 받게 되며 몰수 처분을 당한다. 그러나 이 법률(윌리엄 3세 제1년 법률 제32호)은 대단히 관대해서 다음과 같이 명시하고 있다. 즉 "이 법률은 비록 양모를 깎은 장소가 해안에서 5마일 이내에 있다 하더라도, 그것을 자기 집에 운반해 가는 것을 저지하지는 않을 것이다. 다만 양모를 깎은 후와 그 이동 전 10일 이내에 깎은 양모의 실질적인 수량과 그 장소를 자필로써 세관의 차장에게 증명하지 않으면 안 된다. 그리고 양모를 이동시키는 데는 그 3일 전에 이동의 의도를 자필로 같은 차장에게 증명하지 않

310 〔윌리엄 3세 제9, 10년 법률 제40호.〕

으면 안 된다."[311] 해안을 따라 운반하는 양모의 형식상 신고되어 있는 특정 항에 내려놓는다는 보증이 주어져야 한다. 그리고 만일 관사의 입회 없이 그 일부라도 내려놓는다면 다른 재화의 경우와 마찬가지로 양모는 몰수될 뿐만 아니라, 그 중량 1파운드마다 3실링이라는 통상의 벌금이 추징된다.

모직물 제조업자는 잉글랜드의 양모는 다른 모든 나라의 양모보다 우량하다고 주장했으나, 그것은 전혀 그릇된 생각이다.

우리의 모직물 제조업자는 그러한 이상한 제한과 규제에 관한 그들의 요구를 정당화하기 위하여 확신을 가지고 다음과 같이 단언했다. 즉 잉글랜드의 양모는 독특한 품질의 것으로서 다른 어떤 나라의 양모보다 우량하다. 다른 나라들의 양모는 다소나마 이것과 혼모하지 않으면 상당한 제품으로 완성될 수 없다. 좋은 복지는 그것 없이는 만들어질 수 없다. 그러므로 만일 그것의 수출이 완전히 저지될 수 있다면 잉글랜드는 세계의 모직물 무역의 거의 전부를 자국이 독점할 수 있다. 그리하여 경쟁자가 없게 되면 잉글랜드는 원하는 가격으로 팔 수 있고, 가장 유리한 무역차액에 의해서 단기간에 도저히 믿을 수 없을 정도의 부를 획득할 수 있다는 것이다. 이러한 교의는 상당히 많은 사람들에 의해서 확신적으로 단언되어 있는 대부분의 다른 교의와 마찬가지로 훨씬 더 많은 사람들에 의해서 맹목적으로 믿어지고 있었으며, 그리고 아직도 계속 믿어지고 있다. 그런데 이러한 사람들의 거의 대부분은 모직물 무역에 관해서는 모르거나, 아니면 특별한 연구를 하지 않은 것이다. 그러나 잉글랜드의 양모가 좋은 복지를 만드는 데는 아무래도 필요하다는 것은 완전히 잘못된 것으로, 좋은 복지에는 전혀 적합하지 않은 것이다. 좋은 복지는 스페인의 양모로써 전적으로 만들어진다. 잉글랜드의 양모는 스페인의 양모와 혼모하면 아무래도 복지의 조직을 어느 정도 조악한 것으로 만들고 질이 못한 것으로 만들어지기 마련이다.[312]

311 〔이 인용은 축어적인 것은 아니다.〕

312 〔참으로 최상급의 복지는 어디서나 스페인 양모만으로 만들어져야 한다는 것은 잘 알려져 있

이러한 규제는 소망했던 바와 같이 양모의 가격을 떨어뜨렸다.

본서의 전편 부분에서 밝힌 바 있거니와, 이러한 규제의 결과로써 잉글랜드의 양모의 가격은 현재 그것이 자연적으로 그렇게 되어 있을 가격보다 더 낮게 되었을 뿐 아니라 에드워드 3세 시대의 실제 가격보다도 더 내려갔다. 스코틀랜드의 양모의 가격은 합병의 결과로 그것이 잉글랜드와 동일한 규제들을 따르게 되었을 때 약 반값으로 하락했다고 한다. 《양모 회상록》의 저자로서 대단히 정확하고 총명한 저자인 존 스미스 씨Mr. John Smith가 진술한 바에 의하면 잉글랜드에 있어서의 최량의 잉글랜드 양모의 격은 암스테르담 시장에서 보통 팔리고 있는 가장 질이 나쁜 양모의 가격보다 싸다는 것이다.[313] 이 상품의 가격을 그 자연적이고 적절한 가격이라고 할 수 있을 만한 가격 이하로 내리는 것이 그러한 여러 규제들의 공인된 목적이었다. 그리고 그것이 소기의 결과를 낳았다는 것에 관해서는 의심할 여지가 없는 것 같다.

그러나 이것은 양모의 생산량을 크게 감소시키지는 않았다.

가격의 이러한 저락低落은 양모의 생산을 저지함으로써 그 상품의 연간 생산액을 크게 감소시켰을 것이 틀림없다고 생각할지 모른다. 즉 비록 종전 이하로 감소시키지는 않았을지라도, 만일 공개자유시장을 통하여 자연적이고 알맞은 가격에까지 오르도록 허용되어 있었다면, 사물의 현 상태에서 이르렀을 것보다는 생산액 이하로 감소시켰을 것이 틀림없다고 생각할지 모른다. 그런 나는 연간 생산량은 아마 다소의 영향을 받기는 했을지라도 이러한 규제에 의해서 크게 영향을 받았을 리는 없다는 것을 믿고 싶어진다. 양모의 생산은 목양 농업경영자가 자기의 근로와 자재를 충당하는 주된 목적이 아니기 때문이다. 그는 자기의 이윤을 깎은 양모의 가격에서 올릴 것을 기대하기보다는 오히려 양모의 체구

다. – 앤더슨Anderson, 《Commerce》(1669).〕

313 〔《Chronicon Rusticum – Commerciale, or memoirs of Wool, etc.》(1767), 제2권, 418면, 주註.〕

體軀의 가격에서 올릴 것을 기대한다. 그리고 후자의 평균적인 또는 통상적인 가격은 전자의 평균적인 또는 통상적인 가격에 어떠한 부족이 있다 하더라도 대부분의 경우 그것을 메워 주기 마련이다. 본서에는 다음과 같이 진술되어 있다. 즉 "양모나 생피의 가격을 자연적인 값 이하로 떨어뜨리는 경향이 있는 모든 규제는, 개량되고 경작된 나라에서는 반드시 도육의 가격을 올리는 경향을 가지고 있음이 틀림없다. 개량되고 경작된 토지에서 사육되고 있는 크고 작은 가축의 가격은 개량되고 경작된 토지에서 지주가 당연히 기대할 지대를, 그리고 농업경영자가 당연히 기대할 이윤을 지불하는 데 대등할 만한 것이어야 한다. 그렇지 않는 한, 그들은 곧 가축의 사육을 그만둘 것이다. 그러므로 이 가격 가운데 양모와 수피로써 지불되지 않는 부분이 얼마든지 간에 그것은 체구로써 지불되지 않으면 안 된다. 전자에 대해서 지불되는 것이 적으면 적을수록 그만큼 많이 후자에 대해서 지불되지 않을 수 없다. 지주와 농업경영자에게는 그 가격이 모두 지불되기만 한다면 그것이 그 짐승의 여러 부분에 어떻게 배분되든지 상관없다. 그러므로 개량되고 경작된 나라에서는 지주와 농업경영자로서의 이해는 그러한 규제에 의해서 크게 영향을 받을 리 없다. 그러나 소비자로서의 그들의 이해는 식료품 가격의 상승에 의해서 영향을 받을 것이다." 따라서 이러한 추론에 의하면 양모의 가격의 이러한 저락은 개량되고 경작된 나라에서는 그 상품의 연간 생산고의 감소를 전혀 일으킬 것 같지 않다. 다만 예외로서 양육의 가격을 올림으로써 그것은 특정된 종류의 도육에 대한 수요를, 따라서 그 생산도 다소 감소시킬 수는 있을 것이다. 그러나 이렇게 미치는 영향일지라도 그렇게 대단한 것은 아닐 것이다.

그 품질에 관해서도 그러하다.

그러나 비록 연간 생산량에 대한 그것의 영향은 그렇게 대단한 것이 아니었지만, 품질에 대한 영향은 반드시 대단히 컸을 것이 틀림없다고 생각될지도 모른다. 즉 잉글랜드의 양모의 품질은, 비록 이전의 시대에 있었던 정도 이하로는 아닐지라도 개량과 경작의 현 상태에서 자연히 그렇게 될 것이라는 것보다는 저하하고, 그 저하는 가격의 저하와 거의 근사적으로 비례하고 있었을 것이 틀림없다고 생각될지도 모른다. 품질은 품종과 목초에도 의존하고 한 마리분의 양모가 성장하는 기간 전체에 걸쳐 양의 관리 및 정결에도 의존하므로, 이러한 여러 사정에 대한 주의는 이 주의가 필요로 하는 노동 및 비용을 메울 만한 한 마리분의 깎아 놓은 양모의 가격에 비례하는 정도에 지나지 않고, 그 이상으로 주의를 열심히 할 리는 없는 것이라고 상상되는 것은 당연하다 하겠다. 그러나 깎아 놓은 양모의 품질은 그 동물의 건강·발육·체격에 의존하고 있다. 그 체구의 개량에 필요한 주의를 해 두면 몇 가지 점에서 깎아 놓은 양모의 품질도 충분히 개량될 것이다. 가격의 저하에도 불구하고 잉글랜드의 양모는 현 세기를 통해서도 꽤 개량되었다고 한다. 만일 가격이 더 좋았다면 아마 품질은 더 개량되었을 것이다. 그러나 낮은 값은 그 개량에 방해가 되기는 했을지라도 그것을 전적으로 저지하지는 않았다.

그러므로 양모 생산자의 손해는 예상되었던 것보다는 적었다.

그러므로 이러한 규제는 맹위를 떨치기는 했으나, 그것이 양모의 연간 생산에 미친 영향은 양에 있어서나 질에 있어서나 예상되고 있었던 것처럼 그렇게 많지는 않았던 것 같다(그러나 나는 양보다 질이 더 많은 영향을 받았다고 생각하고 있다). 양모 생산자의 이익도 어느 정도 해를 입었음은 틀림없으나 전체로서는 상상될 수 있었던 것보다는 훨씬 적었던 것 같다.

양모의 수출금지는 정당화될 수 없었지만 양모의 수출에 대한 세금은 그렇게 불편없이 수입을 제공할 수 있을 것이다.

그러나 이상과 같이 생각한다고 해서 그것이 양모의 수출[314]을 절대적으로 금지

314 〔"양모의 수출(the exportation of wool)"은 〈증보 및 정정〉 판에는 "the exportation of the wool"이라고 되어 있다.〕

해도 좋다는 것은 아닐 것이다. 그렇다고 해도 이상과 같은 생각은 그 수출에 대해서 상당히 무거운 조세를 부과해도 좋다는 것이 될 것이다. 시민의 어떤 계급의 이익을 촉진한다는, 단지 그 목적만으로 다른 어떤 계급의 이익을 해친다는 것은 주권자가 자기 신민의 각가지 계급 모두에 대해서 의무로서 지고 있는 그 처우에 관한 정의 및 공평에 명백히 위반하는 것이다. 그러나 그 금지는 제조업자의 이익을 촉진한다는 명복 이외에 다른 어떤 목적도 없이 이것만을 위해서라면 양모 생산자의 이익을 반드시 어느 정도 해롭게 한다. 시장의 모든 계급은 주권자 또는 국가를 유지하기 위하여 공납할 의무를 지고 있다. 양모 1토드tod를 수출할 때마다 부과되는 5실링의 조세라도, 아니 10실링의 조세라면 더욱더 주권자에게는 무시할 수 없을 만한 수입을 낳을 것이다. 그것은 금지보다는 생산자의 이익을 덜 해칠 것이다. 왜냐하면 그것은 아마 금지禁止처럼 그렇게 심하게 양모의 가격을 떨어뜨리지 않을 것이기 때문이다. 또한 그것은 제조업자에게 충분한 이익을 제공할 것이다. 왜냐하면 비록 그는 금지의 경우처럼 그렇게 싸게 자기의 양모를 사지는 못할지라도 그는 역시 어떤 외국의 제조업자가 할 수 있는 것보다 적어도 5실링이나 10실링 더 싸게 그것을 살 것이며, 그 위에 외국의 제조업자가 지불하지 않을 수 없을 운임과 보험료만큼을 절약할 것이기 때문이다. 주권자에게 상당한 수입을 낳아 줄 수 있고 그와 동시에 누구에게나 대단히 적은 불편밖에 주지 않는 조세를 고안한다는 것은 거의 불가능한 것이다. 금지라고 하는 것은, 그것을 감시하기 위하여 온갖 형벌을 다 만들었음에도 불구하고, 양모의 수출을 막지는 못한다. 양모는 지금도 대량으로 수출되고 있다는 것은 주지의 사실이다. 국내시장에서의 가격과 외국시장에서의 가격 사이에 있는 커다란 차이가 밀수에 대한 유혹이 되어 있으며, 아무리 법률이 엄격하다 하더라도 그것을 방지할 수 없는 것이다. 이러한 비합법적인 수출은 다름 아닌 밀수업자에게만 유리하다. 그러나 조세를 부과하는 합법적인 수출은 주권자에게 수입을 제공하고 그 때문에 약간의 다른 과세를, 더욱이 훨씬 견디기 어려운 불편한 조세를 면할 수 있게 해 주므로 국가의 여러 신민 모두에 유리하게 될 수 있을 것이다.

표포토漂布土(산성백토)의 수출에는 양모의 수출과 동일한 형벌이 내려지고 있다.

모직물의 제조 및 세정洗淨에 필요한 것이라고 생각되는 표포토 또는 표포점토漂布粘土의 수출에는 양모의 수출과 거의 동일한 형벌이 따르고 있다.[315] 담배 파이프용 점토까지도 표포점토와는 다르다고 인정되어 있으나 그것과 비슷하기 때문에, 그리고 표포토가 담배 파이프용의 점토로서 수출될지도 모른다는 이유 때문에 동일한 금지와 형벌이 규정되어 있다.[316]

생피의 수출은 금지되고 있으며, 가축의 뿔도 그러하다.

찰스 2세 제13, 14년 법률 제7호에 의해서 생피는 물론 무두질한 가죽도 장화 및 단화 또는 슬리퍼의 모양으로 되어 있는 것을 제외하고는 그 수출이 금지되어 있었다.[317] 이 법률은 우리의 장화 및 단화 제조인에게 목축업자에 대한 독점뿐만 아니라 무두질하는 사람들에 대한 독점을 주고 있다. 그 후의 조례들에 의해서 우리의 무두질공은 중량 112파운드인 무두질한 가죽 1헌드레드웨이트에 겨우 1실링이라는 소액의 조세를 지불하고 이 독점에서 제외되었다.[318] 그들은 또한 자신들의 상품이 그 이상 가공되지 않고 수출될 경우에도 그 상품에 부과되는 내국소비세의 3분의 2를 돌려받을 수 있게 되었다. 모든 가죽 제품은 무세로

315 〔찰스 2세 제12년 법률 제32호, 찰스 2세 13, 14년 법률 제18호.〕

316 〔찰스 2세 제13, 14년 법률 제18호 제8조. 이 조항의 전문은 다음과 같이 단언하고 있다. 즉, "대량의 표포토 또는 표포점토가 담배 파이프용의 점토라는 구실로 매일 수출되고 있다."〕

317 〔이 법률의 전문은 다음과 같이 되어 있다. 즉 "종래부터 가죽의 수출을 금지하는 많은 훌륭한 법률이 제정되어 아직도 유효함에도 불구하고……몇 사람의 교활함과 교묘함 때문에, 그리고 당연히 그것에 주의해야 할 다른 사람들의 태만 때문에 매일 외국 지방들에 수출되는 가죽은 대단히 그 양이 많으므로 가죽의 가격은 엄청나게 상승하여 가죽을 사용하여 일을 하는 많은 공장은 그 직업을 운영해 나가는 데 충분한 가죽의 공급을 받을 수 없고, 또한 빈민은 필요해서 사용해야 할 피혁 제품을 살 수 없다."〕

318 〔찰스 2세 제20년 법률 제5호, 앤 치세 제9년 법률 제6호 제4조.〕

서 수출할 수 있고, 게다가 수출업자는 내국소비세의 전액을 돌려받을 수 있는 권리를 획득하게 되었다.[319] 그러나 우리의 목축업자는 아직도 계속 옛 독점에 매여 있다. 목축업자들은 서로 떨어져서 농촌 각지의 구석구석에 분산되어 있으므로 자신들의 시민 동포에게 독점을 과한다든지 또는 다른 사람이 그들에게 과한 독점에서 벗어나려는 목적 때문에 단결한다 하더라도 큰 어려움이 뒤따르지 않을 수 없다. 모든 종류의 제조업자는 모든 대도시의 수많은 단체로 집합하여 있으므로 쉽게 단결될 수 있다. 가축의 뿔까지도 그 수출이 금지되어 있고,[320] 뿔 세공인과 빗 제조인이라고 하는 보잘것없는 두 가지 직업도 이런 점에서 목축업자에 대해서는 독점을 누리고 있는 셈이다.

그리고 방모사紡毛絲, 소모사梳毛絲, 백나사白羅紗, 그리고 회중시계의 케이스 등의 수출도 금지되어 있다.

부분적으로는 만들어져 있으나 완성되지 않은 재화의 수출을 금지 또는 과세에 의해서 제한한다는 것은 가죽의 제조인에만 특유한 것은 아니다. 우리의 제조업자는 어떤 상품이라도 그것을 곧 사용 또는 소비하기에 알맞게 하기 위하여 아직 어떤 할 일이 남겨져 있는 한, 그것은 그들 자신이 당연히 해야 할 일이라고 생각하고 있다. 방모사와 소모사의 수출은 양모와 동일한 형벌로써 금지되어 있다.[321] 백나사의 수출까지도 수출에는 세금이 부과되고 있으며, 우리의 염색업자는 그런 한에 있어서는 나사점羅紗店에 대해서 독점을 획득하고 있다. 우리의 나사점은 아마 그 독점에 대해서 자신들을 방위할 수 있었을 것이지만, 우리나라 주요 나사점의 대부분은 염색업자이기도 하다. 회중시계와 벽시계의 케이스 및 자판은 수출금지되어 왔다.[322] 우리의 벽시계와 회중시계 제조인은 이런 종류의

319 〔앤 치세 제9년 법률 제11호 제39호. 이것은 앤 제10년 법률 제26호 제6조 및 앤 제12년 제2의회 제정 법률 제9호 제64조에 의해서 해석되어 있다.〕

320 〔에드워드 4세 제4년 법률 제8호에 의해서 일정 조건하에 예외가 있었고, 제임스 1세 제7년 제14호 제4조에 의해서 전적으로 금지되었다.〕

321 〔찰스 2세 제13, 14년 법률 제 18호 및 윌리엄 3세 제7, 8년 법률 제28호에 의해서 금지되었다.〕

제품가격이 외국인의 경쟁에 의해 인상되는 것을 바라지 않은 것 같다.

약간의 금속도 수출이 금지되어 있다.

에드워드 3세, 헨리 8세 및 에드워드 6세의 몇 가지 낡은 조례에 의해서[323] 모든 금속의 수출은 금지되었다. 이 중 연과 석만은 제외되어 있었다. 아마 그러한 금속은 대단히 풍부했기 때문이라 하겠다. 당시의 왕국의 무역 가운데 꽤 많은 부분은 이러한 금속의 수출에 의존하고 있었다. 광업을 장려하기 위하여 윌리엄과 메리의 치세 제5년 법률 제17호는 영국의 광석에서 만들어지는 철·동·황철광黃鐵鑛 금속을 이러한 금지에서 제외했다. 모든 종류의 봉동棒銅의 수출은 영국의 것은 물론 외국의 것이라도 그 후 윌리엄 3세 제9, 10년 법률 제26호[324]에 의해서 허가되었다. 조제의 놋쇠, 즉 소위 말하는 포금속砲金屬과 종금속鐘金屬 및 부엌 도구용 금속의 수출은 아직도 계속 금지되어 있다. 모든 종류의 놋쇠 제품은 무세로 수출될 수 있다.[325]

제조업의 다른 여러 가지 원료에 꽤 많은 수출세가 과해지고 있다.

제조업의 원료의 수출은 전혀 금지되어 있지는 않으나, 상당한 세금을 물어야 할 경우가 많다. 조지 1세 제8년 법률 제15호에 의해 모든 재화의 수출, 즉 그 이전의 조례들에 의해서 어떤 세금이 부과되어 왔던 영국의 생산물 또는 제조품의 수출은 무세로 되었다. 그러나 다음 재화들은 제외되었다. 백반과 연, 연

322 〔윌리엄 3세 제9, 10년 법률 제28호. 표면상으로는 사기를 방지하기 위하여 수출이 금지된 것이라고 되어 있다.〕

323 〔본문에 인용되어 있는 법률에 이어 제정된 법률의 전문은 에드워드 3세 제28년 법률 제5호(철), 헨리 8세 제33년 법률 제7호(놋쇠와 동 등) 및 에드워드 6세 제2, 3년 제37호(종금속)를 언급하고 있다.〕

324 〔이 법률은 보통의 법령집에는 인쇄되어 있지 않으나, 여기에 나와 있는 규정에 속하는 것은 픽커링Pickering의 색인 가운데 "동銅"이라는 항에 있으며, 그 조항은 그 후 변신된 법률, 즉 앤 치세 제12년 제1의회 제정 법률 제18호 가운데에서 설명되어 있다.〕

325 〔일반법, 즉 조지 1세 제8년 법률 제15호에 의한 것이다. 바로 뒤에 기술되어 있다.〕

광, 석, 무두질한 가죽, 녹반, 석탄, 소모구, 백나사, 이극석, 모든 종류의 수피, 아교, 토끼털의 직물 또는 털, 산토끼털, 모든 종류의 모발, 말, 산화아연 등이 그것이다. 말을 제외하면 이것들은 모두 제조업의 원료이든가, 또는 미완성품(이것은 아직 더 가공될 원료라고 생각될 수 있다)이든가 또는 영업 용구 같은 것이다. 이 조례는 종래 과해지고 있었던 옛 세금, 즉 구왕실보조세 및 수출 1퍼센트세를 그대로 이 재화에 부과하고 있다.[326] 바로 같은 조례에 의해서, 염색업자용의 수많은 외국 염료가 모든 수입세를 면제받고 있다. 그러나 그 후에 각 염료는 실은 대단한 중세라고는 할 수 없으나 일정한 수출세가 부과되어 있다.[327] 우리의 염색업자는 한편으로는 모든 세금을 면제받음으로써 그러한 염료의 수입을 장려하는 것이 그들의 이익이라고 생각하면서 그러한 염료의 수출을 약간 저지해 두는 것도 역시 그들의 이익이라고 생각하고 있었던 것 같다. 그렇지만 이 주목할 만한 중상주의적 묘안의 일례를 시사한 탐욕심은 그 목적이 전혀 어긋나 버린 것 같다. 그것은 그렇지 않았을 경우보다 더 주의해서 수입량을 국내시장을 충족시키는 데 필요한 정도를 초과시켜서는 안 된다는 것을 필연적으로 수입업자에게 가르쳤다. 국내시장은 종래에 비하여 언제나 훨씬 공급부족이 되기 쉬웠으며, 그러한 상품은 수출이 수입처럼 자유로운 경우보다 항상 조금 더 비싸지기 쉬웠다.

세네갈 고무는 특별한 역사를 가지고 있으며 다액의 수출세가 과해지고 있다.

상술의 조례에 의해서 세네갈 고무 또는 아랍 고무는 열거염료 가운데 들어 있으므로 무세로 수입을 해도 좋다. 실은 그 재수출의 경우에는 1헌드레드웨이트에 겨우 3펜스라는 소액의 파운드세가 과해지고 있었다. 프랑스는 그 당시 그

326 〔찰스 2세 제12년 법률 제4호 제2조 및 찰스 2세 제14년 법률 제11호 제35조. 이 1퍼센트세는 말라가Malaga 너머에 있는 지중해의 항에 수출되는 재화에 부과되었던 것이다. 그 배가 포 16문 및 그 밖의 다른 전비를 갖추고 있지 않을 때 한한다. 헨리 색스비Henry Saxby, 《The British Customs》, 48, 51면을 보라.〕

327 관세법상의 평가액의 1파운드당 6펜스이다.

러한 염료를 가장 많이 산출하는 세네갈의 인근 지방에 대해서 독점적인 무역을 누리고 있었다. 그리고 영국의 시장은 원산지로부터 직수입한 것을 쉽게 공급받을 수는 없었다. 그리하여 조지 2세 제25년[328]에 이르러 세네갈 고무는 (항해조례의 일반적 경향에 반하여) 유럽의 어느 지방에서 수입해 와도 좋도록 되었다. 그러나 그 법률은 잉글랜드의 중상주의정책의 일반적 원리들에 심히 반하는 이런 종류의 무역을 장려할 의도는 아니었으므로 그러한 수입에 대해서 1헌드레드웨이트당 10실링이라는 세를 부과했고, 더욱이 이 세는 후에 그것을 수출할 경우에는 조금도 돌려주지 않도록 되어 있었다. 그런데 1755년에 시작된 전쟁의 승리로 말미암아 영국은 프랑스가 전에 누리고 있었던 것과 동일한 독점적인 무역을 그러한 지방들과 행할 수 있게 되었다.[329] 강화가 성립되자마자 우리의 제조업자들은 이러한 유리한 기회를 이용하여 그들 자신의 이익이 될 만한 독점을 그 상품의 생산자와 그 수입업자 쌍방에 대해서 확립하려고 노력했다. 그리하여 조지 3세 제5년에는 그 법률 제37호에 의해서 아프리카에 있는 폐하의 영토로부터의 세네갈 고무의 수출은 영국에만 한정되어 버렸다. 또한 그 수출은 아메리카와 서인도 제도에 있는 영국 식민지의 열거상품과 아주 동일한 제한·규제·몰수·형벌을 과하게 되어 있었다. 실은 그 수입에는 1헌드레드웨이트에 6펜스라는 소액의 세금밖에 과해지지 않았으나, 그것의 재수출에는 1헌드레드웨이트에 1파운드 10실링이라는 거액의 세금이 과해졌다. 우리의 제조업자들의 의도는 그러한 지방의 전체 생산물을 영국에 수입시켜 그것을 그들 마음대로의 가격으로 살 수 있게 되고, 그 수출을 충분히 저지할 만큼의 경비를 들이지 않고서는 재수출을 하지 못하게 하려는 것이었다. 그러나 그들의 탐욕심은 다른 많은 경우와 마찬가지로 이 경우에도 그 목적에 어긋나 버렸던 것이다. 이러한 거액의 세금은 밀수에 대한 대단한 유혹이 되었으므로 이런 상품은 대량으로 영국은 물론 아프리카로부터도 유럽의 모든 제조업국, 특히 네덜란

328 〔법률 제32호.〕

329 〔앤더슨, 《Commerce》(1758).〕

드에 밀수출되었다. 이러한 이유에서[330] 조지 3세 제14년 법률 제10호에 의해서 이 수출세는 1헌드레드웨이트에 5실링으로 경감되었다.

수출되는 비버beaver(海狸) 가죽에는 7펜스가 과세된다.

구왕실보조세는 세율표에 따라서 부과됐는데, 이 세율표에는 비버 가죽 한 장에 6실링 8펜스라고 평가되어 있었고, 1722년 이전에 비버 가죽 수입에 과해지고 있었던 여러 가지 서브시디(왕실보조세) 및 수입세는 이 평가액의 5분의 1, 즉 한 장에 16펜스에 달했으며,[331] 구왕실보조세 반액, 즉 겨우 2펜스를 제외하고는 이 모든 세금은 수출의 경우 돌려주도록 되어 있었다. 대단히 중요한 제조업의 원료의 수입에 대한 이러한 세는 너무 높다고 생각되었으므로, 1722년에 그 평가액은 2실링 6펜스로 인하되었고, 따라서 수입세도 6펜스로 인하되었으며, 수출할 경우에는 이 가운데서 반액만이 환급되었다.[332] 앞에 말한 바와 같은 전쟁의 승리에 의해서 비버가 가장 많이 잡히는 지방이 영국의 지배하에 놓이게 되었으며, 또한 비버 가죽은 열거상품 가운데 들어 있는 것이므로 그것의 아메리카로부터의 수출은 영국의 시장에만 한정되어 있었다. 우리의 제조업자는[333] 곧 이러한 사정을 이용할 수 있다는 것을 생각해 내었으며, 1764년에[334] 비버 가죽의 수입세는 1페니로 인하되었으나, 그 수출세는 한 장에 7펜스로 인상되었고, 그 수입세에는 환급이 전혀 없었다. 이와 같은 법률에 의해서 비버의 털 또는 복피腹皮의 수출에는 1파운드당 18펜스의 세금이 과해졌고, 그 상품에 대한 수입세는 아무런 변경도 없었다. 즉 그 당시 영국인에 의해서 영국의 선박으로 수입될 때는 한 개에 4펜스 내지 5펜스였던 것이 그대로였다.

330 〔이 법률의 전문에도 "이러한 이유에서"라고 되어 있다.〕

331 〔이 사실은 조지 1세 제8년 법률 제15호 제13조의 전문에 나와 있다. 구왕실보조세, 새 서브시디, 3분의 1 서브시디 및 3분의 2 서브시디는 1실링, 그리고 부가세는 4펜스가 된다.〕

332 〔조지 1세 제8년 법률 제15호. 연도는 1721년이 되어야 할 것이다.〕

333 〔즉 모자 제조인.〕

334 〔조지 3세 제4년 법률 제9호.〕

그리고 석탄에는 1톤에 5실링의 수출세가 과세된다.

석탄은 제조업의 원료라고 생각하여도 좋으며 영업 용구라고 생각될 수도 있다. 따라서 그 수출에는 종래 중세가 과해지고 있었으며, 현재(1783년)에는 1톤에 5실링 이상, 즉 뉴캐슬의 도량으로 1촐드론Chaldron에 15실링 이상에 달하고 있다. 그리고 이것은 대부분의 경우, 탄갱에 있어서 또는 수출 적출항에 있어서의 이 상품의 원가보다 더 많은 것이다.

영업 용구의 수출은 보통 금지되어 있다.

그러나 본래 영업 용구라고 불리는 것의 수출은 보통 높은 세금에 의해서가 아니라 절대적인 금지에 의해서 제한되어 있다. 즉 윌리엄 3세의 제7, 8년 법률 제20호 제8조에 의해서 장갑 또는 긴 양말을 뜨는 데에 필요한 틀 또는 기계의 수출은 형벌로써 금지되어 있으며, 이 형벌은 수출한 또는 수출하려고 하는 틀 또는 기계를 몰수할 뿐만 아니라 40파운드의 벌금을 과하는데, 이 벌금의 반액은 국왕에게 들어가고 나머지 반액은 그 범죄를 통보 또는 고발하는 사람에게 주어진다. 이와 마찬가지로 조지 3세 제14년 법률 제71호에 의해서 면포·아마포·모직물·견직물의 제조업에 사용되는 모든 용구의 외부에 대한 수출은 형벌로써 금지되어 있으며, 이 형벌은 위반자에 대해서 그러한 용구를 몰수할 뿐만 아니라, 200파운드의 벌금을 과하고, 또한 알면서 그러한 용구를 자기의 배에 싣도록 방임해 두는 선장에게도 200파운드의 벌금을 물게 한다.

공장을 해외에 꾀어내는 것도 마찬가지로 중죄이다.

죽어 있는 영업 용구의 수출에도 그러한 중형이 과해지고 있었으니 살아 있는 용구, 즉 공장이 자유롭게 외국에 가도록 내버려 두리라고는 좀처럼 기대할 수 없을 것이다. 그리하여 조지 1세 제5년 법률 제27호에 의해서 영국의 어떠한 수공업자, 또는 어떤 제조업의 어떤 수공업자를 유혹하여, 자신의 직업을 영위하게 하든지, 또는 가르치기 위하여 외국에 보내어 유죄판결을 받은 사람은, 초범일 때는 100파운드 이하의 벌금과 3개월간의 구금 및 벌금이 납부될 때까지의 구금에 처하고, 재범일 때는 벌금액은 재판소의 자유재량에 맡기고 12개월간의 구금 및 벌금의 납부가 끝날 때까지의 구금에 처하게 되었다. 조지 2세 제23년 법률 제13호에 의해서 이 형벌은 더 무거워져서 초범이면 그렇게 해서 유인되는 공장 한 사람에게 500파운드의 벌금과 12개월간의 구금 및 벌금이 납부될 때까지의 구금에 처해지고, 재범이면 1000파운드의 벌금과 2개년간의 구금 및 벌금의 납부를 끝낼 때까지의 구금에 처해지게 되었다. 이 두 가지 조례 가운데 전자에 의해서 누군가가 수공업자를 부추겨 외국으로 보내려고 하든지, 또는 어떤 수공업자가 전술한 목적을 위하여 외국 지방에 갈 것을 약속하든지, 또는 계약을 맺었다고 하는 증거가 있으면, 그 수공업자는 재판소의 자유재량에 의해서 그가 결코 해외에 가지 않겠다는 보증을 해야만 되며, 그러한 보증을 할 때까지 구금에 처해지게 되어 있다.

그리고 해외에서 자기의 사업을 영위하거나 가르치는 수공업자에 대해서는 귀국을 명할 수 있다.

만일 어떤 수공업자가 해외에 나가 어떠한 다른 나라에서 자기의 사업을 영위하거나 또는 가르치고 있다면, 영국의 재외공사 또는 영사 또는 그 당시 국내 대신 가운데 누군가가 그 공장에 경고를 발할 경우, 만일 그가 그러한 경고 후 6개월 이내에 이 왕국에 귀환하여 그 후 계속 이곳에 주소를 가지고 거주하지 않을 때는 그때부터 그는 이 왕국 내에서 그에게 주어지는 어떤 유증을 받거나, 또는 누군가의 유언집행인 또는 재산관리인이 되거나, 또는 상속과 유증 또는 구입에 의해서 이 왕국 내에 토지를 소유하거나 할 수 없다는 선고를 받는다. 그는 또한 자기의 모든 토지·가재·가구를 국왕에게 몰수당하고 모든 점에서 외국인이라고 선고를 받고, 국왕의 보호에서 벗어나게 된다.[335] 이러한 규제가 신민의 자랑스러운 자유에 얼마나 반하는 것인가를 더 설명할 필요는 없다고 나는 생각

335 〔위와 동일한 조례, 즉 조지 1세 제5년 법률 제27호에 의한다.〕

한다. 더욱이 우리들은 그 자유를 그렇게도 열심히 옹호하고 있는 체하고 있지만, 이상과 같은 경우에는 바로 이 자유야말로 우리의 상인과 제조업자의 쓸데없는 이해관계 때문에 그렇게도 명백하게 희생되고 있는 것이다.

그 목적은 우리의 이웃 나라의 제조업을 억압하는 데 있다.

이러한 모든 규제의 갸륵한 목적은 우리의 제조업을 그 자체의 개선에 의해서가 아니라 우리의 모든 이웃 나라의 제조업을 억압하는 것에 의해서, 그리고 그러한 밉살스럽고 불유쾌한 적대자와의 경쟁을 될 수 있는 대로 종결시킴으로써 확장시키려는 데에 있다. 우리의 마스트 제조업자는 자기의 모든 동국인의 창의를 손수 독점하는 것이 정당하다고 생각하고 있다. 그들은 모두가 어떤 직업에 있어서는 한 번에 고용될 수 있는 도제徒弟 수를 제한하고, 모든 직업에 있어서는 장기의 도제 수업의 필요를 강요함으로써 그들 각각의 직업상의 지식을 될 수 있는 대로 소수의 사람들에게 한정해 두려고 노력하는 반면, 이 소수의 일부라도 해외에 나가서 외국인을 가르치게 하는 것을 좋아하지 않는다.

중상주의체계는 불합리하게도 소비가 아니고 생산이 공업과 상업의 목적이라고 생각하고 있다.

소비는 모든 생산의 유일한 목표이며 목적이다. 그리고 생산자의 이익은 이것이 소비자의 이익을 촉진하는 데 필요한 한에서만 고려되어야 하는 것이다. 이 명제는 완전히 자명한 것이어서 그것을 증명하려고 꾀한다는 것은 우스꽝스러운 것이라 하겠다. 그러나 중상주의체계에 있어서의 소비자의 이익은 거의 시종일관하여 생산자의 이익에 희생되어 있다. 그리고 그것은 소비가 아니라 생산이 모든 공업과 상업의 궁극의 목표요 대상이라고 생각하고 있는 것 같다.

경쟁품의 수입제한은 소비자의 이익을 생산자를 위해서 희생시킨다.

우리의 생산물 또는 제조품과 경쟁할 수 있는 모든 외국 제품의 수입에 대한 제한들에 있어서는 국내소비자의 이익이 명백하게 생산자의 이익에 희생되고 있다. 이 독점에 의해서 거의 반드시 일어나는 가격 등귀에 대해 국내 소비자가 지불하지 않을 수 없도록 되어 있는 것은 전적으로 생산자에게 이익을 주기 위한 것이다.

수출장려금도 그러하다.
어떤 생산물의 수출에 대해서 장려금이 수여되는 것은 전적으로 생산자의 이익 때문이다. 국내소비자는 첫째, 그 장려금을 지불하기 위하여 필요한 조세를 납입하지 않으면 안 되고, 둘째로 국내시장에 있어서 상품가격의 등귀에서 필연적으로 생기는 훨씬 더 무거운 조세를 물지 않으면 안 된다.

메수엔 조약의 규정도 그렇다.
포르투갈과의 유명한 통상조약에 의해서 소비자는 우리나라의 기후에서는 생산되지 못하는 상품을 이웃 나라에서 구매할 것을 높은 세금에 의해서 저지하고 있고, 그것을 먼 나라에서 더욱이 그 먼 나라의 상품이 가까운 나라의 상품보다 품질이 나쁘다는 것을 인정하면서도 구매하지 않을 수 없게 되어 있다. 국내소비자는 이러한 불편을 감수하지 않을 수 없게 되어 있는데, 그것은 생산자가 자기의 생산물의 어떤 것을, 그런 조약이 없는 경우보다 유리한 조건으로 그 먼 나라에 수입할 수 있도록 하기 위한 것이다. 또한 소비자는 이러한 강제적인 수출 때문에 바로 그러한 생산물의 가격이 국내시장에서 아무리 등귀하더라도 그것을 지불하지 않으면 안 되는 것이다.

그러나 가장 지나친 사례는 아메리카 및 서인도 식민지의 경영의 경우이다.
그러나 우리의 아메리카 및 서인도 식민지의 경영을 위하여 확립된 법률체계에 있어서는 우리의 상업상의 다른 여러 규제들의 어떤 것보다 더 엄청나게 많이 국내소비자의 이익이 생산자의 이의 때문에 희생되어 있다. 한 대제국이 건설되었지만, 이것은 고객국민顧客國民을 육성하는 것을 유일한 목적으로 하고 있으며, 그 고객은 우리의 각가지 생산자의 가게에서 그들이 공급할 수 있는 모든 재화를 사지 않을 수 없게 되어 있다. 그리고 이러한 독점이 우리의 생산자에게 제공할 수 있을지도 모르는 약간의 가격 등귀를 위하여 국내소비자는 그 제국을 유지하고 방위하는 데 드는 모든 경비를 부담해 왔다. 이 목적을 위하여, 그리고 이 목적만을 위하여 최근의 2회의 전쟁에서 2억 파운드 이상이나 소비되었고, 종래의 전쟁에서 같은 목적을 위해서 지출되었던 모든 것을 합쳐서 1억 7000만 파운드 이상의 신규 국채가 기채되었다. 이 부채의 이자만도 식민지 무역의 독점을 통해 얻을 수 있었다고 주장할 수 있을 만한 특별이윤의 총액보다 더 클 뿐만 아니라, 그 무역의 가치 총액 또는 해마다 식민지에 수출되는 재화의 평균적인 가치 총액보다 더 크다.

모든 중상주의체계의 고안자는 생산자이며, 특히 상인과 제조업자이다.

이러한 모든 중상주의체계의 고안자가 누구였는가를 결정하는 것은 그렇게 곤란하지는 않다. 우리는 그 고안자가 소비자가 아니라 생산자였다고 믿어도 좋을 것이다. 왜냐하면 소비자의 이익은 전혀 무시되어 왔는데 생산자의 이익에는 대단히 신중한 주의가 기울어져 있었기 때문이다. 그리고 후자의 계급 가운데는 우리의 상인과 제조업자야말로 누구보다도 더 중요한 설계자였다. 본 장에서 주목을 끌어 왔던 중상주의적 여러 규제들에 있어서는 무엇보다도 우리의 제조업자의 이익에 특별한 주의가 따랐던 것이며, 소비자의 이익은 어느 다른 부류의 생산자의 이익처럼 그렇게 많이, 제조업자의 이익 때문에 희생되어 왔던 것은 아니다.[336]

336 [본 장은 〈증보 및 정정〉과 제3판에서 처음 나온 것이다. 그리고 이것이 1778년에 스미스의 관세위원에 임명된 것에 기인한 바 크다는 것은 틀림없다(래Rae, 《애덤 스미스의 삶The Life of Adam Smith》, 320면). 그는 자기의 문고 가운데 윌리엄 심스William Sims와 리차드 프레인

제9장 중농주의 여러 체계, 즉 토지 생산물을 모든 나라의 수입과 부의 유일한 또는 주요한 원천이라고 주장하는 경제학의 여러 체계에 관하여

중농주의의 여러 체계는 중상주의체계만큼 긴 설명을 필요로 하지 않을 것이다.

경제학에 있어서 중농주의의 여러 체계는 내가 중상주의, 즉 상업의 체계에 해야 할 필요가 있다고 생각했던 것처럼 그렇게 긴 설명을 필요로 하지 않을 것이다. 토지 생산물을 모든 나라의 수입 및 부의 유일한 원천으로 하는 체계는 내가 알고 있는 한에서 아직 어떤 국민에 의해서도 채용된 적이 없는 것이며, 현재에는 프랑스의 박식하고 창의력이 있는 몇몇 사람들[337]의 사색 가운데 있을 뿐이다. 세계의 어떠한 지방에서도 해를 입힌 적이 없으며, 아마 앞으로도 결국 해를 끼치지 아니할 한 체계의 오류를 길게 검토할 가치는 확실히 없을 것 같다. 그러나 나는 될 수 있는 대로 명확하게 이 지극히 독창적인 체계의 중요한 윤곽을 설명하려고 노력할 것이다.

콜베르는 중상주의체계를 채용했으며, 도시의 산업을 우대했다.

루이 14세의 유명한 대신 콜베르 씨는 성실하고 대단히 근면하고, 세밀한 사무에 정통하고 공공회계의 검사에 관한 풍부한 경험과 예지를 가진 대단히 유능한 사람으로서 요컨대 정부수입의 징후 및 지출 방법과 정연한 질서를 도입하는데 가장 적합한 인물이었다. 그 대신은 불행히도 중상주의체계의 모든 편견을 품고 있었으며,[338] 이 체계는 그 성질에 있어서나 본질에 있어서나 제한과 규제의

Richard Frewin의 공저 《The Rates of Merchandise》(1782)(보너Bonar, 《Catalogue》, 27면을 보라)를 가지고 있었고, 아마 헨리 색스비, 《The British Customs》(1757)와 같은 그 이전의 저서에까지 손을 미칠 수 있었던 것 같다. 이 저서에는 의회의 제법규는 물론 그 이전의 시대의 세액 같은 것도 기재되어 있다.〕

337 〔이코노미스트Économistes 또는 피지오크라트Physiocrats(중농주의자)를 말한다. 케네Quesnay, 미라보Mirabeau, 그리고 피에르 폴 르메르시에 드 라 리비에르 드 세인트 메다르Pierre–Paul Lemercier de La Riviére de Saint–Médard 등이 다음에 기술되어 있다.〕

338 〔이 한 문장은 초판에는 두 개의 문장으로 나뉘어 있다.〕

체계로서 공공의 직무의 여러 가지 부처를 규제하고, 각 부처를 앞앞의 적당한 활동 범위 내에 한정해 두기 위하여 필요한 억제와 통제를 확립하는 데 습관이 들어 있었던 근면하고 노력형인 사무가에게는 거의 틀림없이 마음에 들 만한 체계였을 것이다. 그는 한 대국의 산업과 상업을 공공의 직무의 여러 부처와 동일한 모형에 입각해서 규제하려고 노력했다. 그리고 평등·자유·정의라고 하는 관대한 원칙 위에서 모든 사람들이 자기 자신의 이익을 자신들 마음대로 추구하도록 허용하기는커녕, 산업의 어떤 부문에는 이상한 특권을 주는 반면, 다른 부문에는 이와 마찬가지로 이상한 제한을 가했다. 그는 유럽의 다른 대신들과 마찬가지로 도시의 산업을 농촌의 산업보다 더 장려하려고 했을 뿐만 아니라 도시의 산업을 더 지원하기 위해서는 기꺼이 농촌의 산업을 억압하고 눌러 두기까지 했다. 도시의 주민의 식료품을 저렴하게 해 주기 위하여, 그리하여 제조업과 외국상업을 장려하기 위하여 그는 곡물의 수출을 전적으로 금지했으며, 그렇게 함으로써 농촌 주민을 그들의 근로의 생산물 가운데 가장 중요한 부분을 필요로 하는 외국시장에서 배제해 버렸다. 이러한 금지는 프랑스의 낡은 속주법이 어떤 주에서 다른 주로 가는 곡물의 수송에 대해서 과하고 있었던 제한들과 합세하여, 그리고 거의 모든 주의 경작자에게 과해지고 있었던 자의적이며 굴욕적인 조세와 결합하여 그 나라의 농업을 저해하고 자연적으로 향상했을 상태 이하로 낮추어 버렸다. 이러한 저해沮害와 부진不振의 상태는 그 나라의 모든 지방에서 다소 느껴졌으며, 그 원인에 관한 다종다양한 조사가 개시되었다. 그러한 원인의 하나는 콜베르 씨의 제도들 때문에 도시의 산업이 농촌의 산업보다 우선권이 있었다는 것에 있는 것이라고 생각되었다.

그 결과, 중농주의체계를 지지하는 프랑스의 사상가들은 도시의 산업을 과소평가한다.

만일 지나치게 휘어진 막대기를 똑바로 하기 위해서는 그 반대쪽으로 같은 정도로 굽혀야 한다는 금언이 있다. 농업은 모든 나라의 수입과 부의 유일한 원천이라고 하는 체계를 제안했던 프랑스의 철학자들은 이 금언의 명제를 채용했던 것 같다. 콜베르 씨의 방책이 확실히 도시의 산업을 농촌의 산업에 비하여 과대평가했듯이, 이러한 철학자의 체계에는 확실히 도시의 산업이 과소평가되어 있는 것 같다.

그들의 체계에는 세 가지 계급이 있는데, (1) 토지소유자 (2) 경작자 (3) 공장·제조업자·상인이다.

그 나라의 토지 및 노동의 연간 생산물에 대해서 어떤 점에서나 이바지한다고 생각되어 온 사람들의 각가지 계급을 그들은 세 계급으로 분할한다. 첫째는 토지소유자의 계급이다. 둘째는 경작자, 즉 농업경영자 및 농촌의 노동자 계급이며, 그들은 이 계급에 경의를 표하고 생산적 계급이라고 하는 특수한 명칭을 붙이고 있다. 셋째는 공장·제조업자·상인의 계급으로서 그들은 불임적 또는 비생산적 계급이라고 하는 굴욕적인 명칭[339]에 의해서 이 계급의 지위를 떨어뜨리려고 노력한다.

토지소유자는 토지개량에 의하여 생산에 기여한다.

토지소유자 계급은 토지의 개량에, 그리고 그 토지 위에 건조建造 또는 유지하는 건물, 배수구, 울타리 및 그 밖의 개량에 수시로 비용을 지출함으로써 연간 생산물에 기여한다. 그리고 이 때문에 경작자는 동일한 자본으로 보다 많은 생산물을 생산할 수 있고, 따라서 보다 많은 지대地代를 지불할 수 있게 된다. 이 증가 지대增加地代는 토지소유자가 자기의 토지의 개량에 그렇게 사용하는 비용

339 〔중농학파의 학설을 설명함에 있어서 스미스는 어떤 특별한 저자에 엄밀하게 따랐던 것 같지는 않다. 그의 문고에는 듀폰Du Pont, 《Physiocratie, ou consitution naturelle du gouvernment le plus avantageux au genre humain》(1768)(보너, 《Catalogue》, 92면을 보라)이 있으며, 또한 그는 후단에서 라 리비에르La Riviére, 《L'ordre naturel et essentiel des sociétés politiques》(1767)에 대해서 언급하고 있으나, 아마 그는 대부분은 파리에서의 회담에 관한 자기의 기억에 크게 의존하고 있었던 것 같다.－래Rae, 《애덤 스미스의 삶》, 215~222를 보라.〕

또는 자본에 대하여 당연히 그 소유자에게 지불되어야 할 이자 또는 이윤이라고 생각해도 좋을 것이다. 그러한 비용은 이 체계에서는 토지 지출土地支出이라고 불리고 있다.

경작자는 경작의 원지출原支出 및 연年 지출에 의하여 생산에 기여한다.

경작자, 즉 농업자는 이들이 토지 경작에 지출하는 바의 이 체계에서 원지출 및 연지출이라고 불리고 있는 것에 의하여 매년 생산에 기여한다. 원지출은 영농 용구, 가축 및 종자種子로 되어 있고, 또한 농업자가 적어도 차지借地 제1년째의 대부분의 기간, 즉 그 토지에서 약간의 수확을 얻을 수 있을 때까지 그의 가족과 사용인 및 가축을 유지하는 비용이라 하겠다. 연지출은 종자와 영농 용구의 감가 소모減價消耗[340]와 농업자의 사용인 및 가축, 또 그의 가족의 일부분으로서 경작에 사용되는 사용인이라고 생각될 수 있는 가족의 연간 유지비에 있는 것이다. 그가 지대地代를 지불한 뒤에 그의 수중에 남는 토지 생산물의 부분은 첫째, 상당기간 내, 즉 적어도 그의 차지借地기한 내에 그의 원지출의 전부를 자재의 통상이윤과 함께 그에게 해마다 회수해 주기에 족할 만한 것이어야 하고, 둘째는 그의 연지출의 전부를 마찬가지로 자재의 통상이윤과 함께 그에게 해마다 회수해 주기에 족할 만한 것이어야 한다. 이 두 가지 부류의 지출은 농업자가 경작에 사용하는 두 가지 자본이다. 그리고 이 자본이 정당한 이윤과 함께 그에게 규칙적으로 반환되지 않는 한 그는 다른 직업과 동일한 수준으로 자기의 직업을 영위해 나갈 수 없으며, 자기 자신의 이익을 고려하여 될 수 있는 대로 빨리 그것을 버리고 어떤 다른 것[341]을 찾지 않으면 안 된다. 토지 생산물 가운데 이렇게 해서 농업자가 자신의 업무를 계속할 수 있게 되는 데 필요한 부분은 경작에 대해서는 신성한 원자元資라고 간주되어야 한다. 만일 지주가 그것을 침해한다

340 〔"가감소모(wear and tear)"는 초판에는 "소모감가(tear and wear)"로 되어 있다.〕

341 〔"어떤 다른 것"은 초판에는 "어떤 다른 직업"이라고 되어 있다.〕

면 그는 필연적으로 자신의 토지 생산물을 감소시켜서[342] 몇 년 되지 않아 농업자로 하여금 이 착취적인 지대地代를 지불할 수 없게 만들어 버릴 뿐만 아니라, 그렇지 않았을 경우 자기의 토지에서 획득했을 정당한 지대마저 지불할 수 없게 만든다. 본래 지주에게 귀속하는 지대는 총생산물 또는 전체 생산물을 생산하기 위하여 미리 지출된 모든 필요경비를 가장 완전한 방법으로 지불한 뒤에 남는 순생산물에 지나지 않는다. 이 체계에서 이 계급의 사람들이 생산적 계급이라는 명예스러운 명칭에 의하여 특히 구별되고 있는 것은 경작자의 노동이 이러한 모든 필요경비를 완전하게 지불하고 그 위에 이런 종류의 순생산물을 제공하기 때문이다. 또한 이 체계에서는 그들의 원지출 및 연지출은 이와 동일한 이유에서 생산적 지출이라고 불리고 있다. 왜냐하면 그 지출이 그 자체의 가치를 회수하고 그 위에 이러한 순생산물의 연간 재생산을 일으키기 때문이다.

이러한 지출에는 모든 조세를 면제해야 한다.

소위 토지 지출, 즉 지주가 자신의 토지개량에 지출하는 비용도 또한 이 체계에 있어서는 생산적 지출이라고 하는 명칭에 의하여 존경받고 있다. 그러한 지출의 전부가 자재의 통상이윤과 함께 지주가 자기의 토지에서 획득하는 증가 지대增加地代로써 완전히 갚아질 때까지는 이 증가 지대는 교회에 의해서나 국왕에 의해서나 신성불가침의 것이라고 생각되어야 하는 것이고, 그것에는 10분의 1세도 과해서는 안 된다. 만일 그렇지 않는 한 그것은 토지의 개량을 저지하므로 교회는 그 10분의 1세의 장래의 증가增加를 저지하고 국왕은 조세의 장래의 증가를 저지한다. 그러므로 사물의 질서가 정연한 상태에서는 그 토지 지출은 그 자체의 가치를 가장 완전하게 재생산하고, 그 위에 어떤 일정기간이 지난 뒤에는 순생산물의 재생산까지 일으키므로 이 체계에서는 생산적 지출이라고 간주되고 있다.

342 〔"감소시켜"는 초판에는 "쇠퇴시켜"라고 되어 있다.〕

그 밖에 모든 지출 및 계급의 사람들은 비생산적이다.

그러나 이 체계에서 생산적이라고 생각되는 지출은 토지 지출과 농업자의 원지출 및 연지출의 세 종류뿐이다. 그 밖의 모든 지출 및 그 밖의 모든 계급의 사람들은 보통의 이해로써는 가장 생산적이라고 생각되고 있는 사람들까지도 사물의 이러한 평가에서는 전혀 불임적不姙的이고 비생산적이라고 간주되고 있다.

특히 공장 및 제조업자는 비생산적이며, 그들을 고용하는 데 드는 지출도 그러하다.

특히 공장 및 제조업자는 사람들의 보통의 이해에서는 그 근로가 토지의 원생산물의 가치를 대단히 증가시키는 것으로 되어 있으나, 이 체계에서는 전혀 불임적이고 비생산적인 계급의 사람들이라고 생각되고 있다. 그들의 노동은, 그들을 고용하는 자산을 그 통상이윤과 함께 회수하기만 하는 것으로 알려져 있다. 그 자산은 그들의 고용주에 의하여 그들에게 선불되는 원료·용구·임금이다. 그리고 그것은 그들을 고용하고 부양하기 위해 예정된 원자元資이다. 그 이윤은 그들의 고용주의 생활 유지에 충당되는 원자이다. 그들의 고용주는 그들을 고용하기 위해 필요한 원료·용구·임금인 자산을 그들에게 선불하는 것과 마찬가지로, 자신의 생활을 유지하는 데 필요한 것을 자기 자신에게도 선불해 준다. 그리고 이 생활 유지비를 그는 그들의 제품 가격에 의해 얻을 수 있을 것으로 그가 기대하는 이윤에 대체로 비례시킨다. 그 제품의 가격이 그가 자기의 직공들에게 선불하는 원료·용구·임금은 물론 자기 자신에게도 선불하는 생활 유지비까지 회수해 주지 않는 한, 그것은 명백히 그가 투입한 모든 경비를 그에게 갚지는 못하게[343] 되는 셈이다. 그러므로 제조업의 자산의 이윤은 토지의 지대와는 달리 이윤을 얻기 위하여 지출되지 않으면 안 되는 모든 비용을 완전히 회수한 뒤에 남는 순생산물은 아니다. 농업경영자의 자재는 마스터 제조업자의 자산과 마찬가지로 그에게 이윤을 낳아 줄 뿐만 아니라, 그것은 다른 사람에게도 지대를 낳

343 "그에게 갚지 못하게(does not repay to him)"는 초판에는 "does not repay him"이라고 되어 있다.

아 주는데, 마스터 제조업자의 이윤은 그렇지 않다. 그러므로 공장과 제조업자를 고용하고 부양하는 데 투하된 지출은, 말하자면 그 자체의 가치의 존재를 계속시키는 것에 지나지 않는 것이며, 새로운 가치를 조금도 생산하지 않는다. 따라서 그것은 전혀 불임적이며 비생산적인 지출이다. 이에 반하여 농업경영자와 농촌 노동자를 고용하는 데 투하된 지출은 그 자체의 가치의 존재를 존속시키고, 뒤에 새로운 가치, 즉 지주의 지대를 생산한다. 따라서 그것은 생산적 지출이다.

상업의 자산도 그러하다.

상업의 자산은 제조업의 자산과 마찬가지로 불임적이요 비생산적이다. 그것은 새로운 가치를 전혀 생산하지 않고, 그 자체의 가치의 존재를 존속시킬 뿐이다. 그 이윤은 그것의 사용자가 그것을 사용하는 동안, 또는 회수가 이루어질 때까지, 자기 자신에게 선불하는 생활 유지비의 상환에 지나지 않는다. 그것은 그 자산을 사용하는 데 투입되지 않으면 안 되는 지출의 일부 상환에 지나지 않는다.

공장과 제조업자의 노동은 연간 생산물의 가치에 아무것도 더해 주지 않는다.

공장과 제조업자의 노동은 토지의 원생산물의 연간 총액의 가치에 아무것도 더해 주지 않는다. 물론 그것은 그 원생산물의 어떤 특정 부분의 가치를 크게 증가시키기는 한다. 그러나 그동안에 그 노동이 다른 부분에서 일으키는 소비는 그것이 이 특정 부분에 부가하는 가치와 정확하게 같으므로 그 총액의 가치는 그 기간 중의 어느 한 순식간에 있어서도 그 노동에 의해서 조금도 증가되지 않는다. 예를 들면 아름다운 주름이 잡힌 한 쌍의 레이스를 만드는 사람은 아마 1페니의 값어치가 있는 아마의 가치를 영화 30파운드로 올릴 때도 있을 것이다. 그러나 일견해서 그는 이렇게 함으로써 원생산물의 일부분의 가치를 약 7200배로 만든 것 같지만, 실제로는 원생산물의 연간 총량의 가치에는 아무것도 더해 주지 않는 것이다. 그 레이스를 만드는 데 그는 아마 2년의 노동을 해야 할 것이다. 그 레이스가 완성되었을 때 그것의 대가로 그가 받는 30파운드는 그가 그것을 만드는 데 종사하고 있었던 2년간, 자기 자신에게 선불한 생활 유지비의 환불에 지나지 않는다. 그가 매일·매월·매년의 노동에 의해서 아마에 부가하는 가치는 그날, 그달, 또는 그해 동안 자기가 소비한 가치를 회수하는 것에 지나지 않는다. 그러므로 그 기간 중의 어떤 때에도, 그는 토지 원생산물의 연간 총량의 가치에는 아무것도 부가하지 않는다. 그가 끊임없이 소비하고 있는 그 생산물 부분은 그가 끊임없이 생산하고 있는 가치와 항상 동일하기 때문이다. 쓸데없으면서 비용만 많이 드는 이 제조업에 종사하고 있는 사람들의 대부분이 지극히 가난하다는 것은 그들의 제품 가격은 통상의 경우 그들의 생활수단의 가치를 넘지 않는다는 것을 우리들에게 납득시켜 주는 셈이다. 농업경영자와 농촌 노동자의 노동의 경우는 그렇지 않다. 지주의 지대는 통상의 경우, 공장과 그들의 고용주 쌍방의 모든 소비, 즉 쌍방의 고용 및 부양에 투하된 모든 비용을 가장 완전하게 회수하고, 그 위에 쌍방의 노동이 끊임없이 생산해 가고 있는 하나의 가치이다.

공장·제조업자·상인이 수입을 증가시키는 것은 오직 절약에 의할 수밖에 없다.

공장·제조업자·상인이 그들의 사회의 수입 및 부를 증가시키려면 절약에 의존할 수밖에 없다. 즉 이 체계의 표현에 의하면 궁핍, 즉 그들 자신의 생활자료生活資料를 위해 예정된 원자原資의 일부를 그들 자신에게서 빼앗아 버리는 길밖에 없다는 것이다. 그들은 그러한 원자 이외에는 해마다 아무것도 재생산하지 않는다. 그러므로 그들이 해마다 원자의 일부를 절약하지 않는 한, 즉 그 일부를 누리는 혜택을 해마다 자기 자신으로부터 빼앗지 않는 한, 그들 사회의 수입 및 부는, 그들의 근로에 의해 최소한도로 증가될 수 없다. 이와 반대로 농업경영자 및 농촌의 노동자는 자신들의 생활자료를 위하여 예정된 원자를 완전히 누리면서도, 동시에 그들 사회의 수입 및 부를 증가시킬 수 있다. 그들 자신의 생활자료를 위해 예정된 것[344] 이외에도 그들의 근로는 연간 순생산물을 제공하고 더욱이 그 증가는 필연적으로 그들의 사회의 수입 및 부를 증가시킨다. 그러므로 프랑스 또는 잉글랜드와 같이 토지소유자와 경작자가 많이 있는 국민은 근로와 향수에 의해서 부유하게 될 수 있다. 이에 반하여 네덜란드와 함부르크와 같이 주로 상인·공장·제조업자로써 구성되어 있는 국민은 절약과 궁핍을 통해서만이 부유하게 될 수밖에 없다. 국민의 경우가 여러 가지로 다르면 이해관계도 대단히 달라지듯이 국민의 일반적 성격도 역시 달라진다. 전자와 같은 종류의 국민에 있어서는 관대·솔직·우애가 자연히 그 일반적 성격의 일부분을 이룬다. 후자의 그것에 있어서는 모든 사회적 쾌락과 향락을 싫어하는 편협·비열·이기가 그 일부분을 이루고 있다.

비생산적 계급은 다른 두 계급의 경비부담으로 부양된다.

비생산적 계급, 즉 상인·공장·제조업자의 계급은 전적으로 다른 두 계급, 즉 토지소유자 계급 및 경작자 계급의 경비부담으로 부양되고 고용된다. 이 두 계급은 비생산적 계급에 그 제작의 원료를 공급하고 그 계급의 생활자료의 원자, 즉 그 계급이 그 제작에 종사하고 있는 동안 소비하는 곡물과 가축을 공급한다. 결국 토지소유자 및 경작자는 비생산적 계급의 모든 직공의 임금과 그들의 모든 고용주들의 이윤 쌍방을 지불한다. 이러한 직공들과 그들의 고용주는, 정확하게 말하면 토지소유자 및 경작자의 하인이다. 단지 하인은 문 안에서 일하는데 그들은 문밖에서 일하는 하인일 뿐이다. 그러나 전자도 후자도 같은 주인의 경비부담으로 동등하게 부양되고 있다. 양자의 노동은 똑같이 비생산적이다. 그것은 토지의 원생산물의 총액의 가치에 아무것도 부가하지 않는다. 그것은 그 총액의 가치를 증가시키기는커녕 그 가치에서 지불되어야 하는 부담이며 비용이다.

그러나 두 계급에게도 유용한 것이므로,

344 〔"예정된 것"은 초판에는 "예정된 원자"라고 되어 있다.〕

그러나 비생산적 계급도 다른 두 계급에게 그냥 유용한 것이 아니라 크게 유용하다. 토지소유자와 경작자는 상인·공장·제조업자의 근로에 의해, 그들이 필요로 하는 외국의 재화와 자국의 제조품을 구매할 수 있으며, 더욱이 이런 경우 그들이 사용하기 위해 서툴고 미숙한 방법으로 손수 그것을 수입하든지 제조하려면, 사용하지 않을 수 없는 자신들 노동량보다 훨씬 적은 노동량의 생산물로써 그것들을 구매할 수 있다. 비생산적 계급 덕분에 경작자는, 그렇지 않으면 토지 경작에서 그들의 주의를 돌리게 했을 많은 배려에서 해방된다. 이렇게 산만하지 않은 주의력 집중의 결과 그들이 생산할 수 있게 되는 탁월한 생산물은 비생산적 계급의 유지와 고용을 위해 토지소유자 또는 경작자 자신에게 드는 지출의 전액을 충분히 충당할 수 있다. 상인·공장·제조업자의 근로는 비록 그 자체의 성질에 있어서는 완전히 비생산적이라 하더라도, 이렇게 해서 토지 생산물의 증가에 간접적으로 기여하고 있다. 그것은 생산적 노동을 토지의 경작이라고 하는 그 본래의 일에 전념할 수 있게 해 줌으로써 생산적 노동의 생산력을 증가시키고, 그 결과 농작은, 이것과는 가장 거리가 먼 사람들의 노동에 의해서 종종 더 쉽게 더 훌륭하게 되어 가는 것이다.

비생산적 계급의 노동을 저지한다는 것은 다른 두 계급의 이익은 아니다.

상인·공장·제조업자의 근로를 어떤 점에서든 제한하든가 저해하는 것은 토지소유자 및 경작자의 이익이 될 리는 없다. 이 비생산적 계급이 누리는 자유가 크면 클수록 그 계급을 구성하는 각가지 모든 직업에 있어서의 경쟁은 그만큼 심해질 것이다. 그리고 다른 두 계급은 외국의 재화와 자국의 제조품을 그만큼 싸게 공급받게 될 것이다.

또한 다른 두 계급을 억압하는 것도 비생산적 계급의 이익이 아니다.

다른 두 계급을 억압하는 것은 비생산적 계급의 이익이 될 리가 없다. 비생산적 계급을 부양하고 고용하는 것은 토지의 잉여생산물, 즉 첫째는 경작자, 그다음에는 토지소유자의 생활 유지비를 제하고 남는 것이다. 이 잉여가 많으면 많을수록 그 계급[345]도 그만큼 많이 부양되고 고용될 것은 틀림없다. 완전한 정의·자유·평등의 확립이야말로 이 세 계급 모두에 최고도의 번영을 가장 유효하게 보증하는 극히 단순한 비결이다.

이와 마찬가지로 상업국은 농업국의 경비부담으로 유지되고 있다.

네덜란드와 함부르크와 같이 주로 비생산적 계급으로 구성되어 있는 상업국의 상인·공장·제조업자는 마찬가지로 전적으로 토지소유자 및 경작자의 경비부담으로 부양되고 고용되고 있다. 다만 다른 것은, 그러한 토지소유자 및 경작자의 대부분이, 그들의 직업의 원료와 생활자료生活資料의 원자를 공급하는 상인·공장·제조업자로부터 먼 곳에 놓여 있어, 매우 불편한 다른 나라의 국민이며 다른 정부의 신민이라는 점뿐이다.

그러나 상업국은 농업국에게 대단히 유용하다.

그렇지만 그러한 상업국은 그러한 다른 나라들의 국민에게는 그냥 유용한 것이 아니라 크게 유용하다. 상업국은 어느 정도 다른 나라들의 대단히 중요한 결원을 보충하고, 그러한 나라의 주민 가운데 당연히 존재해야 할 것이지만 정책상의 약간의 결함에서 국내에는 존재하지 않는 상인·공장·제조업자를 채워 준다.

높은 세금에 의해서 그런 나라의 산업을 저지하는 것은 농업 국민의 이익은 아니다.

이러한 상업국의 무역, 즉 상업국이 공급하는 상품에 높은 세금을 부과하여 그 산업을 저해하든가 괴롭히는 것은, 말하자면 농업 국민의 이익이 될 수 없다. 그러한 세금은 그러한 상품을 더 비싸게 만듦으로써 그들 자신의 토지의 잉여생산물의 실질가치를 떨어뜨리는 데 도움이 될 뿐이다. 그리고 그 잉여생산물로써, 또는 같은 뜻이 되겠지만, 그 잉여생산물의 값을 올림으로써, 그러한 상품

345 〔"그 계급"는 초판에는 "그것"이라고 되어 있다.〕

들이 구매되는 것이다. 그러한 세금은 그 잉여생산물의 증가를 저해하고 그 결과 그들 자신의 토지의 개량과 경작을 저해하는 데 도움이 될 뿐이다. 이에 반하여 그 잉여생산물의 가치를 올려서 그 증가를 장려하고, 나아가서는 그들 자신의 개량과 경작을 장려하는 데 가장 효과적인 편법은, 그러한 모든 상업 국민의 무역에 가장 완전한 자유를 허용하는 것이라 하겠다.

무역의 자유는 때가 되면 국내에서 공장 등을 공급할 것이다.

이 무역의 완전한 자유는 그러한 국민이 국내에서 필요로 하고 있는 모든 공장·상인·제조업자를 머지않아 그들에게 공급하고, 그들이 그곳에서 느끼는 대단히 중요한 결원을 가장 적절하고 가장 유리하게 메우는 데 가장 유효한 방책이 되기까지 할 것이다.

그것은 그들의 자본이 증가하는 결과이며 그 자본은 첫째, 제조업자를 고용한다.

그러한 국민의 토지의 잉여생산물이 끊임없이 증가하면 머지않아 토지의 개량과 경작에 사용하여 통상이윤을 올리고도 남을 만큼 많은 자본이 창조될 것이고, 그 잉여부분은 자연히 국내에서 공장과 제조업자의 고용으로 향하게 될 것이다. 그러나 그러한 공장과 제조업자는 그들의 작업의 원료와 생활자료生活資料의 원자元資 양자가 국내에 있기 때문에, 비록 기술과 숙련은 못하다 하더라도, 그 양자를 대단히 먼 곳에서[346] 가지고 와야 하는 상업국의 공장과 제조업자와 마찬가지로 곧 싸게 만들 수 있게 될 수 있을 것이다. 기술과 숙련이 결여되어, 비록 그들은 얼마 동안은 그렇게 싸게 만들 수 없더라도, 시장은 국내에 있으므로 그들은 자신의 제작품을 그 시장에서, 그것을 대단히 먼 곳으로부터 그 시장에 가져갈 수밖에 없는 상업국의 공장과 제조업자와 마찬가지로 싸게 팔 수 있게 될 것이며, 그들의 기술과 숙련이 진보함에 따라, 그들은 곧 더 싸게 팔 수 있게 될 것이다. 그러므로 그러한 상업국의 공장과 제조업자는 그러한 농업 국

346 〔"대단히 먼 곳에서(from a great distance)"의 "great"는 제5판에는 "greater"라고 오식되어 있다.〕

민의 시장에서 곧 경쟁하게 될 것이다. 그리고 그 후 곧 헐값으로 팔리게 되고 그곳에서 완전히 밀려나게 될 것이다. 기술과 숙련이 점차적으로 진보하는 결과로서 그러한 농업 국민의 제조품이 싸게 되면 머지않아 그러한 제조품의 판로는 국내시장을 넘어 확장되고 많은 외국시장으로 진출하게 된다. 외국시장에서도 같은 방법으로, 차츰 그러한 상업 국가의 많은 제조품을 점차 몰아낼 것이다.

그 후에는 외국무역으로 흘러들어갈 것이다.
그러한 농업 국민의 원생산물과 제조품 쌍방을 끊임없이 증가시키면 머지않아 통상의 이윤율로써 농업 또는 제조업에 사용되고도 남을 만큼의 대자본이 창조될 것이다. 이 자본의 잉여는 자연히 외국무역으로 향하게 될 것이고, 자국의 원생산물과 제조품 가운데 국내시장의 수요를 초과하는 부분을 외국에 수출하는 데 사용되게 될 것이다. 자국의 생산물을 수출할 경우 농업 국민의 상인들은 상업 국민의 상인보다 유리할 것이다. 그리고 이것은 농업 국가의 공장과 제조업자가 상업 국가의 공장과 제조업자보다 유리한 점을 가지고 있는 것과 같은 것이다. 즉 상대편이 먼 곳에서 찾지 않으면 안 되는 적하積荷·저장품·식료품이 자국 내에 있다는 점이다. 그러므로 항해의 기술과 숙련은 뒤떨어져 있지만 그들은 상업 국민의 상인들과 마찬가지로 싸게 그 적하를 외국시장에서 팔 수 있게 될 것이고, 기술과 숙련이 동등하다면 더 싸게 팔 수 있게 될 것이다. 따라서 그들은 곧 외국무역의 이 부문[347]에서 그러한 상업 국민과 경쟁하게 되고 머지않아 상업 국민을 그곳에서 완전히 몰아내 버릴 것이다.

그러므로 무역의 자유는 제조업과 외국무역을 도입하는 최선의 방법이다.
그러므로 이 자유롭고 막대한 체계에 의하면 농업 국민이 자국의 공장·제조업자·상인을 육성할 수 있는 가장 유리한 방법은 모든 다른 나라의 공장·제조업자·상인에게 무역의 가장 완전한 자유를 주는 것이다. 농업 국민은 그렇게 함으

347 〔"외국무역의 이 부문"은 초판에는 "그들의 외국무역의 이 부문"이라고 되어 있다.〕

로써 자국의 잉여생산물의 가치를 올리고, 이 잉여생산물이 끊임없이 증가하면 머지않아 이 국민이 필요로 하는 모든 공장·제조업자·상인을 필연적으로 육성하는 원자元資가 점차 확립될 것이다.

높은 세금과 금지는 농산물의 가치를 떨어뜨리고, 상업과 제조업의 이윤을 올린다.
이에 반하여 농업 국민이 높은 세금 또는 금지에 의해서 외국무역을 억압하면 그 국민은 반드시 두 가지 다른 방법으로 자기 자신의 이익을 해친다. 첫째, 그 국민은 모든 외국 재화 및 모든 부류의 제조품의 가격을 올림으로써 자국 토지의 잉여생산물의 실질가치를 필연적으로 떨어뜨린다. 그 잉여생산물로써, 또는 같은 말이겠지만 그 값으로써 외국 재화와 제조품을 구매하는 것이다. 둘째, 그 국민은 자국의 상인·공장·제조업자에게 국내시장에 관한 일종의 독점권을 줌으로써 농업 이윤율에 비해서 상업이윤율 및 제조업 이윤율을 올리고, 따라서 종래 농업에 사용되고 있었던 자본의 일부를 그곳에서 끌어내어 오든가 또는 그렇지 않았을 경우라면 농업으로 갔을 자본의 일부를 가지 못하게 저지하든가 한다. 그러므로 이 정책은 두 가지 다른 방법으로 농업을 저해한다. 첫 번째는 그 나라의 생산물의 실질가치를 떨어뜨림으로써 그 이윤율을 저하시키는 것이고, 두 번째는 다른 모든 직업에 있어서의 이윤율을 올리는 것이다. 농업은 그렇지 않을 경우보다도 불리하게 되고, 상업과 제조업은 유리하게 된다. 모든 사람은 자기 자신의 이해관계에 따라 자기의 자본과 근로를 될 수 있는 대로 농업에서 상업과 제조업으로 대체하려고 한다.

더욱이 제조업자와 상인을 조숙하게 할 수 있을 뿐이다.
이 억압적인 정책에 의해서 비록 농업 국민이 무역의 자유에 의하기보다 약간 더 빨리 자국의 공장·제조업자·상인을 육성할 수 있게 된다 하더라도, 그것은 적지 않게 의심스러운 문제이며, 역시 그것은 소위 조숙적으로, 즉 완전히 그들의 기회가 무르익기 전에 육성시켜 버리는 셈이 될 것이다. 그 국민은 일종의 산업을 너무 성급하게 육성시킴으로써 더 가치 있는 별종의 산업을 억압하게 될 것이다. 그 국민은 그 산업에 사용되는 재화를 통상이윤과 함께 회수하는 데 지나지 않는 종류의 산업을 너무 성급하게 육성함으로써 그 자재를 이윤과 함께 회수하고 그 위에 지주에게 순생산물, 즉 자유지대를 제공하는 종류의 산업을 억압하는 셈이 될 것이다. 그 국민은 전혀 불임적이며 비생산적인 노동을 너무 성급하게 장려함으로써 생산적 노동을 억압하게 될 것이다.

토지 생산물의 분배는 경제표에 표시되어 있다.

이 체계에 따르면 토지의 연간 생산물의 총액이 어떻게 해서 상술한 세 계급 사이에 분배되는지, 그리고 비생산적 계급의 노동이 그 총액의 가치를 어떤 점에서도 증가시키지 않으면서 자신이 소비한 것의 가치를 회수하는 데 지나지 않은 것은 어떻게 해서 그런지를, 이 체계에 관한 독창적이고 학식 있는 창시자 케네Quesnay 씨가 약간의 산술적 공식으로 표시했다. 이러한 공식 가운데 첫째는 그 중요성 때문에 그가 특히 《경제표Œconomical Table》"[348]라고 불러 다른 것과 구별하고 있으며, 가장 완전한 자유의 상태, 따라서 최고도의 번영의 상태에서, 즉 연간 생산물이 가능한 최대한으로 순생산물을 제공하고 각 계급이 연간 생산물의 전부에 관해 앞앞의 적당한 몫을 누리는 상태에서 이 분배가 어떻게 행해지는가에 관하여 그가 생각하는 것을 나타내고 있다. 그다음에 오는 약간의 공식은 제한과 규제가 있는 여러 가지 상태에서, 즉 토지소유자의 계급이든 또는 불임적이고 비생산적 계급이든 간에 어느 한쪽이 경작자의 계급보다 더 우대되고, 앞의 둘 중 어느 쪽이든 본래 생산적 계급에 귀속해야 할 몫을 다소나마 잠식하는 상태에서, 이 분배가 어떻게 이루어지는가에 관하여 그가 생각하고 있는 것을 나타내고 있다. 이 체계에 의하면 이러한 모든 잠식, 즉 가장 완전한 자유가 확립할 자연적 분배의 모든 침해는 필연적으로 연간 생산물의 가치와 총액

348 〔영국경제학협회 1894년에 복사에 의하여 번각飜刻한 프랑수아 케네François Quesnay의 《경제표Tableau œonomique》(1758)를 보라.〕

을, 해가 거듭됨에 따라 다소 쇠퇴하게 할 것이 틀림없으며, 사회의 실질적 수입과 부의 점차적인 감퇴를 반드시 일으킬 것이다. 이 감퇴가 급속한지 완만한지는 이 잠식의 정도에 응한다. 즉 가장 완전한 자유가 확립할 자연적 배분이 많든 적든 침해되는 그 정도에 응할 것이 틀림없다. 그러한 후속後續 표식은 그 감퇴의 여러 가지 정도를 나타내는 것으로, 이 체계에 의하면, 그것은 사물의 자연적 분배가 침해되는 다양한 정도에 대응하는 것이다.

국민은 유해한 여러 규제들이 있음에도 불구하고 번영할 수 있다.

어떤 추론적인 의사들은 인체의 건강은 식사와 운동에 관한 어떤 엄격한 양생법養生法에 의해서만이 유지될 수 있으며, 그것에 조금이라도 위반하면 그때마다 그 위반의 정도에 비례하여 반드시 어떤 정도의 질병 또는 건강하지 않은 상태가 일어난다고 생각하고 있었던 것 같다. 그러나 경험을 통해 본다면, 인체는 아주 다양한 양생법을 지키고 있어도, 그리고 일반적으로 아주 건강하다고 믿어지기에는 거리가 먼 양생법을 지니고 있으면서도, 적어도 외견상으로는[349] 가장 완전한 건강상태를 유지하는 수가 흔히 있다. 인체의 건강상태 가운데는 대단히 잘못된 양생법의 나쁜 결과를 여러 가지 점에서 예방하고 교정할 수 있는 불가지不可知한 건강유지의 원리가 내재해 있는 것같이 생각된다. 케네 씨는 자신이 의사이며, 더욱이 대단히 사변적思辨的인 의사로서 정치체에 관해서도 이와 같은 종류의 견해를 지니고 정치체라는 것도 어떤 엄격한 양생법, 즉 완전한 자유 및 완전한 정의라고 하는 엄중한 양생법을 지킴으로써만이 성대하게 되고 번영할 것이라고 상상하고 있었던 것 같다. 그는 정치체에 있어서는 자기 자신의 생활상태를 보다 낫게 하기 위하여 모든 사람이 끊임없이 하고 있는 자연적인 노력은 어느 정도 불공평하고 억압적인 경제정책의 나쁜 결과를 많은 점에서 예방하고 교정할 수 있는 건강유지의 원리라는 것을 생각하지 않았던 것 같다. 그

349 〔"적어도 외견상으로는(to all appearance at least)"는 초판에는 "at least to all appearance"라고 되어 있다.〕

러한 경제정책은 비록 어떤 국민이 부와 번영으로 향하는 자연적 진보의 속도를 다소 느리게 하는 것은 틀림없을지라도, 반드시 그 진보를 전혀 정지시켜 버릴 수는 없으며, 또한 그것을 후퇴시킨다고도 할 수 없다. 만일 일국민이 완전한 자유와 완전한 정의를 향수하지 않는 한 번영할 수 없다면, 번영할 수 있었던 국민은 이 세계에서 하나도 없을 것이다. 그러나 정치체에 있어서는 자연의 예지가 다행히도 인간의 우열과 부정의 많은 나쁜 결과를 구제하는 데 충분한 준비를 갖추고 있다. 이것은 마치 자연적인 인체에 있어서 그것이 인간의 태타怠惰와 부절제不節制의 많은 나쁜 결과를 구치하기 위해 충분한 준비를 갖추고 있는 것과 같은 것이다.

이 체계가 공장 등을 비생산적이라고 하는 것은 잘못된 것이다. 왜냐하면,

그러나 이 체계의 주요 오류는 공장·제조업자·상인의 계급을 전혀 불임적이며 비생산적이라고 하는 데 있는 것 같다. 이하의 설명은 이러한 주장이 부당하다는 것을 밝히는 데 도움이 될 것이다.

(1) 그들은 적어도 자신들의 연간 소비재를 재생산하고, 그들을 고용하는 자본을 존속시키기 때문이며,

첫째, 이 계급이 그 자신의 연간 소비의 가치를 해마다 재생산하고 이 계급을 부양하고 고용하는 자재 또는 자본의 존재를 적어도 존속시킨다는 것은 시인되어 있다. 그런데 이 이유만으로써도 불임적이라든지 비생산적이라고 하는 명칭이 그 계급에 적용된다는 것은 대단히 부적당하다고 생각되어야 할 것이다. 우리는 어떤 결혼이 아버지 어머니를 대신할 일남일녀만을 낳아, 인류의 수를 증가시키지 않고, 다만 종래에 있었던 그대로를 존속시킨다 하더라도, 그 결혼을 불임적이라든가 비생산적이라고 불러서는 안 될 것이다. 실로 농업경영자와 농촌의 노동자는 자신들을 유지하고 고용하는 자산 외에도 순생산물, 즉 지주에 대한 자유지대自由地代를 해마다 재생산한다. 어린애 셋을 낳은 결혼이 둘밖에 낳지 않은 결혼보다 확실히 생산적이듯이 농업경영자와 농촌 노동자의 노동이 상인·공장·제조업자의 노동보다는 확실히 더 비생산적이다. 그렇지만 아무리 한쪽 계급이 생산물이 탁월하다 하더라도 그 때문에 다른 쪽 계급이 불임적 또는 비생산적이 된다는 것은 아니다.

⑵ 그들은 하인과는 다르기 때문이며,

둘째, 이상의 이유에서 공장·제조업자·상인을 하인과 동일시하는 것은 전혀 부적당하다고 생각된다. 하인의 노동은 그들을 부양하고 고용하는 원자의 존재를 존속시키지 않는다. 그들을 유지하고 고용하는 것은 전적으로 그들의 주인들의 경제부담으로 되는 것이며, 그들이 하는 일은 그러한 비용을 회수하는 성질의 것이 아니다. 그 일은 대체로 그들이 그 일을 해 버리는 순간에 소멸하는 노무勞務로 되어 있다. 그리고 그들의 임금과 생활자료의 가치를 회수할 수 있고 팔 수 있는 어떤 상품으로 고정되거나 실현되는 것이 아니다. 이에 반하여 공장·제조업자·상인의 노동은, 당연히 그러한, 판매할 수 있는 상품으로 고정되고 실현될 수 있다. 내가 생산적 및 비생산적 노동을 다루었던 장에서 공장·제조업자·상인을 생산적 노동자의 부류에 넣고, 하인을 불임적 또는 비생산적 노동자의 부류에 넣었던 것도 이 때문인 것이다.

⑶ 그들의 노동이 사회의 실질적 수입을 증가시키기 때문이며,

셋째, 어떻게 생각하여도 공장·제조업자·상인의 노동이 그 사회의 실질적 수입을 증가시키지 않는다고 하는 것은 부적당한 것 같다. 비록 우리들이 이 체계에서 상정되어 있다고 생각되는 대로, 이를테면 이 계급의 매일·매월·매년의 소비재의 가치가 그 매일·매월·매년의 생산물의 가치와 정확하게 같다고 생각한다 하더라도, 그 계급의 노동이 그 사회의 실질적 수입, 즉 토지 및 노동의 연간 생산물의 실질적 가치에 아무것도 더해 주지 않는다는 결과가 되지는 않을 것이다. 예를 들어 수확 후 최초의 6개월간에 10파운드의 값어치가 있는 일

을 해내는 한 사람의 공장이 있는데, 비록 그가 동일기간 내에 10파운드의 값어치가 있는 곡물과 그 밖의 생활필수품을 소비한다 하더라도, 역시 그는 그 사회의 토지 및 노동의 연간 생산물에 10파운드의 가치를 실제로 더해 준다. 그가 곡물과 그 밖의 생활필수품이라고 하는 10파운드 값어치가 있는 반년분의 수입을 소비하고 있었던 동안에 그는 그 자신 또는 어떤 다른 사람을 위하여 똑같은 반년분의 수입을 구매할 수 있는 같은 가치의 재화를 생산했던 것이다. 그러므로 이 6개월 동안에 소비되고 생산되었던 것의 가치는 10파운드가 아니라 20파운드와 같다. 물론 이 기간 중의 어떤 순간에도 실제로는 이 가치의 10파운드 값어치밖에 존재하지 않았으리라는 것은 사실일 수 있다. 그러나 만일 공장이 소비한 10파운드의 값어치가 있는 곡물과 그 밖의 생활필수품을 병사 또는 하인이 소비했다면, 연간 생산물 가운데 6개월의 끝에 존재한 부분의 가치는, 이 수공업자의 노동의 결과로서 실제로 존재했을 것보다 10파운드나 적었을 것이다. 그러므로 비록 그 공장이 생산하는 것의 가치는 이 기간의 어느 시점에서도, 그가 소비하는 가치보다 크다고는 생각되지 않을지라도, 시장에 실제로 존재하는 재화의 가치는 이 기간의 어느 시점에서도, 그가 재화를 생산하는 결과로서 그렇지 않았을 경우보다 더 크다.

이 체계의 옹호자들이 공장·제조업자·상인의 소비는 그들이 생산하는 것의 가치와 같다고 단언할 때, 아마 그 뜻은 그들의 수입, 즉 그들의 소비를 위하여 예정된 원자元資는 그들이 만드는 것의 가치와 같다는 뜻일 것이다. 그러나 만일 그들이 좀더 정확하게 표현하여, 이 계급의 수입은 그들이 생산하는 것의 가치와 같다고만 단언했다면, 독자들은 이내 곧 이 수입에서 자연히 저축될 부분은, 반드시 그 사회의 실질적 부를 다소나마 증가시킬 것이 틀림없다는 생각이 떠올랐을 것이다. 그러므로 좀 더 논의다운 것을 다듬어 내기 위하여 그들로서는 그렇게 표현해야 할 필요가 있었던 셈이다. 그리고 실제로 사태도 그들이 가정하고 있는 듯한 것과 같다고 생각하더라도, 이 논의는 대단히 요령부득要領不得의 것으로 되어 버린다.

⑷ 연간 생산물을 증가시키기 위하여 절약이 필요하다는 것은 그들에게나 농업경영자에게나 마찬가지이기 때문이며,

넷째, 농업경영자나 농촌 노동자나 절약하지 않는 한 실질적 수입, 즉 그들의 사회의 토지 및 노동의 연간 생산물을 증가시킬 수 없다는 것은 공장·제조업자·상인의 경우와 마찬가지이다. 어떤 사회의 토지 및 노동의 연간 생산물은 다음 두 가지 방법에 의해서만이 증가될 수 있다. 즉 첫째, 그 사회에서 실제로 부양되고 있는 유용노동流用勞動의 생산력을 다소나마 개선하든가, 또는 둘째, 그 노동의 양을 다소 증가시키든가 하는 것이다.

유용노동의 생산력의 개선은 첫째, 직공의 능력에 의존하고, 둘째, 직공이 사용하여 일하는 기계류의 개선에 의존한다. 그러나 농업경영자와 농촌 노동자의 노동에 비하면 공장과 제조업자의 노동은 더 세분화할 수 있으며, 또한 각 직공의 노동은 더 크게 단순화한 작업으로 환원될 수 있는 것이므로, 이 노동에는 이러한 두 가지 종류의 개선을 훨씬 더 고도로 할 수 있다. 그러므로 이 점에 있어서는 경작자의 계급은 공장과 제조업자의 계급에 대해서 어떤 종류의 장점도 가질 수 없는 것이다.

어떤 사회에서 고용되고 있는 유용노동의 양의 증가는 그것을 고용하는 자본의 증가에 전적으로 의존하지 않으면 안 된다. 또한 그 자본의 증가는 그 자본의 사용을 관리하고 지휘하는 특정된 사람들이나 또는 그들에게 그것을 빌려주는 다른 사람들의 수입에서 저축하는 금액과 정확하게 같을 것이 틀림없다. 만일 상인·공장·제조업자가, 이 체계가 상정하고 있는 것처럼, 토지소유자 및 경작자보다도 자연히 더 절약하고 저축하는 성향을 가지고 있다면, 그들이 자신들의 사회 속에서 고용되는 유용노동의 양을 증가시키고, 따라서 그 사회의 실질적 수입, 즉 그 토지 및 노동의 연간 생산물을 증가시킬 가능성도 더 커진다.

⑸ 무역과 제조업은 이 체계가 유일한 수입이라고 생각하는 생활자료를 조달할 수 있기 때문이다.

다섯째로, 그리고 마지막으로, 비록 이 체계가 상정하고 있다고 생각되는 것처럼 모든 나라의 주민의 수입이 전적으로 그들의 근로가 그들에게 조달해 줄 수 있는 생활자료의 양에 존재한다고 상정되더라도, 또한 이런 상정에 입각하더라도 무역국 및 제조업국의 수입은 다른 사정이 같은 한, 무역 또는 제조업이 없는 나라보다 항상 더 크다는 것은 틀림없다. 어떤 특정국은 무역과 제조업에 의해서 그 나라의 토지가 경작의 실정에서 제공할 수 있는 것보다 더 많은 양의 생활자료를 매년 수입할 수 있다. 도시의 주민은 비록 자신의 토지를 전혀 갖고 있지 않는 때가 흔히 있더라도, 자신들 근로에 의해서 그들의 작업의 원료뿐만 아니라, 생활자료의 원자까지 공급할 수 있을 만한 양의 다른 사람들의 토지의 원생산물을 자기들에게 끌어들인다. 도시가 그 이웃에 있는 농촌에 대해서 항상 가지는 관계는, 흔히 하나의 독립국가 또는 지방이 다른 독립국가 또는 지방들에 대해서 가지는 체계와 같을 수 있을 때가 흔히 있다. 네덜란드가 생활자료의 대부분을 다른 나라들로부터 수입하고 있는 것도 바로 이런 방법을 통해서이며, 즉 생가축은 홀스타인과 유틀란트에서, 곡물은 유럽의 거의 모든 다른 나라에서 들여온다. 소량의 제조품은 다량의 원생산물을 수입한다. 그러므로 무역국과 제조업국은 당연히 그 제조품의 한 작은 부분으로써 다른 나라의 원생산물의 대부분을 수입하는데, 그와 반대로 무역과 제조업이 없는 나라는 대체로 자신들 원생산물의 대부분을 들여서 다른 나라의 제조품의 극히 작은 부분을 수입하지 않을 수 없다. 한쪽은 극소수의 사람을 생존하게 하고 그 편의를 도모해주는 것을 수출하며, 다수의 사람의 생활자료와 편의의 설비를 수입한다. 다른 쪽은 다수인의 생활자료와 편의의 설비를 수출하며, 극소수의 사람들의 생활자료와 편의의 설비를 수입하는 데 지나지 않는다. 한쪽의 주민은 항상 자신들의 토지가 경작의 실정에서 제공할 수 있는 것보다 훨씬 다량의 생활자료를 누릴 것이 틀림없고, 다른 쪽 주민은 항상 훨씬 소량밖에 누리지 못할 것이 틀림없다.

이 체계는 오류가 있음에도 불구하고 가치 있는 것이다.

그러나 이 체계는 극히 불완전함에도 불구하고, 경제학의 문제에 관하여 이때까지 공표된 어떤 것보다도 아마 진리에 가장 가깝게 접근한 것이라 하겠다. 또한 그 때문에 대단히 중요한 당면의 원리를 주의해서 검토하려고 하는 모든 사람들이 고찰해 볼 만한 가치가 충분히 있다. 비록 토지에 충당되는 노동만이 생산적 노동이라고 표현한 점에 있어서는, 그 체계가 주장하는 여러 견해는 아마 너무 좁고 한정되어 있다 하더라도, 여러 국민의 부는 화폐라고 하는 소비 불가능한 것에 있는 것이 아니라, 그 사회의 노동에 의해서 매년 재생산되는 소비 가능의 재화에 있다고 하고, 완전한 자유만이 그 연간 재생산을 최대한의 것으로 만드는 데 유일한 효과적인 편법이라고 한 점에 있어서는 이 체계의 교의는 모든 점에서 정당하기도 하고, 또한 관대하고 자유롭다고 생각된다. 이 체계의 신봉자는 대단히 많으며, 더욱이 인간이란, 역설을 좋아하고 또한 보통 사람들의 이해가 미치지 못하는 것을 이해하는 체하는 것을 좋아하므로, 이 체계가 제조업의 노동의 비생산적 성질에 관하여 주장하는 역설은 아마 그 체계의 숭배자의 수를 증가시키는 데 적지 않게 이바지해 왔을 것이다. 그들은 지난 몇 년 동안 꽤 중요한 한 학파를 이룩했으며, 프랑스의 학계에서는 이코노미스트라는 이름으로 유명하다. 그들의 저술들이 종래에는 충분히 검토되지 않았던 많은 문제를 일반의 논의에 올려놓았을 뿐만 아니라 농업에 유리할 만한 공공의 행정에 어느 정도의 영향을 미침으로써 그들의 나라에 다소나마 도움이 되었던 것은 확실하다. 따라서 프랑스의 농업이 종래 시달리고 있었던 압제들 가운데 몇 가지에서 해방된 것도 그들의 주장의 결과이다. 토지의 장래의 모든 구매자 또는 소유자에 대해서 유효할 만한 차지계약借地契約이 허용될 수 있는 기간은 9년에서 27년으로 연장되었다. 이 왕국의 어떤 속주에서 다른 속주로 가는 곡물을 수송하는 것에 대한 속주의 옛날부터의 억제는 완전히 철폐되었고, 그것을 모든 외국으로 수출할 수 있는 자유가, 모든 통상의 경우에 대한 이 왕국의 보통법으로 확립되었다. 이 학파의 모든 사람은 대단히 많은 수에 달하는 그들의 저술, 더욱이 본래 경제학이라고 불리는 것, 즉 여러 국민의 부의 성질 및 다른 모든 부문을 다루었던 저술에서 암암리에 눈에 띌 만한 변경도 없이 케네 씨의 교의에 따르고 있다. 그들 저술의 대부분이 대동소이한 것도 이 때문이다. 이 교의의 가장 명확하고 가장 정연한 설명은, 한때 마르티니크 섬의 지사였던 메르시에 드 라 리비에르 씨의 《정치사회의 자연적 및 본질적 질서The natural and essential Order of Political Societies》[350]라고 하는 소저小著에 들어 있다. 극히 겸손하고 고지식한 사람이었던 그 스승에 대한 학파 전체의 칭찬은, 고대의 철학자들이 각각 체계의 시조에 대한 그 어떤 것보다 못하지 않은 것이다. 대단히 근면하고 존경할 만한 저자 미라보 후작Marquis de Mirabeau은 말하기를, "세계가 시작된 이래 정치사회를 풍요롭게 장식했던 다른 많은 발명과는 달리, 정치사회에 주로 안정성을 주었던 3대 발명이 있었다. 그 첫째는 문자로서 쓰는 것을 발명한 것인데, 이것이야말로 인간의 본성에 법률·계약·역사·발견을 틀림없이 전달시키는 힘을 부여하는 유일한 것이다. 그 둘째는 화폐의 발명인데, 이것은 제문명사회 사이의 모든 관계를 함께 결부시켜 준다. 셋째는 《경제표》로서, 이것은 위의 다른 두 가지 것의 결과이며, 위의 양자의 목적을 달성시킴으로써 양자를 완성하는 것인데, 이것은 그 혜택을 우리의 자손이 거두어들이게 될 우리 시대의 대발명인 것이다"[351]라고 했다.

350 〔《L'ordre naturel et essentiel des sociétés politiques》(1767). 이것은 4절판 511면의 책이며, 구스타브 쉘레Gustav Schelle(《Du Pont de Nemours et l'école physiocratique》(1888), 46면 주註)가 말하듯이 소저小著라고 불려서는 안 될 만한 것인 듯하다. 그러나 스미스는 "à Londres chez Jean Nourse, libraire"라는 명의로 인쇄된 1767년 판의 12절판 두 권본을 생각하고 있었는지도 모른다.〕

351 〔'Trois grandes inventions principales ont fondé stablement les sociétés, indépendamment de tant d'autres qui les ont ensuite dotées et décorées. Ces trois sont, 1. L'invention de l'écriture, qui seule donne á l'humanité le pouvoir de transmettre, sans altération, ses lois, ses pactes, ses annales et ses découvertes. 2. Celle de la monnaie, qui lie tous les rapports entre les socéités policées. La troisième enfin, qui est due à notre âge, et dont nos neveux profiteront, est un dérivé des deux autres, et les complette également en perfectionnant leur objet : c'est la découverte du Tableau économique, qui devenant désormais le truchement universel, embrasse,

어떤 국민은 농업을 더 우대해 주었다.

근대 유럽 국민의 경제정책은 농업, 즉 농촌의 산업보다도 제조업과 외국무역, 즉 도시의 산업을 더 우대해 주었듯이, 다른 여러 국민의 경제정책은 다른 방책을 따라, 제조업과 외국무역보다도 농업을 더 우대했다.

중국이 그 일례이다.

중국의 정책은 다른 모든 직업보다도 농업을 더 우대해 주고 있다.[352] 중국에서는 노동자의 상태가 공장의 상태보다 더 낫다고 하는데, 그 정도는 유럽의 대부분의 지방에서 공장의 상태가 노동자의 상태를 능가하고 있는 것과 같다고 한다. 중국에서 모든 사람이 품고 있는 큰 야심은 재산으로써든지 임차로써든지 약간의 토지를 소유하는 것이고, 또한 그곳에서는 토지임차계약은 극히 온당한 조건으로 이루어지고 임차인의 권리는 충분히 보증되어 있다고 한다. 중국인은 외국무역을 그렇게 존중하지 않는다. 북경의 관리가 러시아 공사 드 랑즈 씨Mr. de Lange[353]에게 상업에 관하여 항상 했던 말은, "너희들의 구걸적인 상업!"이라는 것이었다.[354] 중국인은 일본을 제외하고는 손수 그리고 자국의 선박으로서는 거의 또는 전혀 외국무역을 하고 있지 않으며, 비록 외국인의 선박의 입항을 허용하는 경우도 이 왕국의 겨우 한두 개 항에 지나지 않는다. 그러므로 중국에

et accorde toutes les portions ou quotités correlatives, qui doivent entrer dans tous les calculs généraux de l'ordre économique.'—《Philosophie Ruraleou économie générale et politique de l'agriculture, pour servir de suite à l'Ami des Hommes》(암스테르담, 1766), 제1권, 52~53면.〕

352 〔장 바티스트 뒤알드Jean Baptiste Du Halde, 《중국지Description, Géographique, etc., de la Chine》, 제2권, 64면.〕

353 〔초판에는 "Mr. langlet"이라고 되어 있다.〕

354 존 벨John Bell, 《Travels》, 제2권, 258, 276, 293면에서의 드 랑즈 씨의 〈일기〉를 보라. 〔앙테르모니생Antermony生 존 벨John Bell, 《Travels from St. Petersburg in Russia to Diverse Parts of Asia》(글래스고Glasgow, 1763). 북경의 관리들은 러시아인들에게, "당신네의 구걸적인 상업에 관하여 정부기관에 성가시게 부탁하는" 것을 그만두라고 요청했다(같은 책 293면). 스미스는 이 책의 예약구독자였다. 이 주는 초판에는 없다.〕

서는 아무래도 외국무역은 자국선에 의하든지 외국선에 의하든지 간에 더 자유가 허용되었던들 자연히 확장되었을 것보다도 훨씬 더 좁은 범위에 국한되어 있다.

중국은 그 자체만도 대단히 광대한 나라이지만, 더 많은 외국무역을 하는 것이 그에게 유리할 것이다.

제조품은 작은 부피라도 흔히 큰 가치를 갖는 수가 있으며, 또한 그 때문에 대부분[355]의 원생산물보다도 적은 비용으로 일국에서 타국으로 수송될 수 있으므로, 거의 모든 나라에서 외국무역의 지주로 되어 있다. 뿐만 아니라, 중국만큼 넓지도 않고 내륙상업에도 그렇게 유리한 입장에 있지 않는 나라에서는 제조업은 대체로 외국무역이라는 지주를 필요로 한다. 그렇게 광대하지 못하기 때문에 협애狹隘한 국내시장밖에 제공할 수 없는 나라에서나, 또는 한 지방과 타지방과의 교통이 대단히 곤란하기 때문에 어떤 특정 지방의 재화를 위하여 그 나라가 제공할 수 있는 모든 국내시장을 누리지 못하는 나라에서는 제조업은 광대한 외국시장 없이는 훌륭하게 번영할 수 없을 것이다. 기억해 두어야 할 것은 제조공업의 완성은 전적으로 분업에 의존한다는 것이며, 더욱이 이미 밝혀 둔 바이지만, 어떤 제조업에 분업이 도입될 수 있는 정도는 시장의 넓이에 의해서 필연적으로 규정된다는 것이다. 그러나 중국 제국의 면적은 광대하고, 그 주민은 대단히 많으며, 기후는 변화무상하고, 따라서 여러 지방의 산물도 여러 가지이고, 또한 대부분의 지방 사이의 수운水運에 의한 교통은 용이하므로, 이러한 여러 사정은 이 나라의 국내시장을 대단히 광대한 것으로 만들며, 그것만으로도 대단히 큰 제조업을 유지하고 분업을 아주 상당히 세분화하기에 충분한 것이다. 중국의 국내시장은 아마 그 크기에 있어서는 유럽의 모든 나라들의 시장을 합한 것보다 그리 못하지 않을 것이다.[356] 그러나 이 커다란 국내시장에 세계의 나

355 〔"대부분의"는 초판에는 "대부분의 부류의"라고 되어 있다.〕

356 〔케네는 더 나아가 "역사가는 중국의 내륙에서 행해지고 있는 상업은 유럽의 그것과도 비교

머지 모든 외국무역시장을 합한 더 광대한 외국무역은, 특히 이 무역의 상당한 부분이 중국의 선박으로 이루어진다면, 중국의 제조업을 대단히 발달시키고 그 제조공업의 생산력을 크게 개선할 것은 거의 틀림없을 것이다. 선로가 더 확대되면 중국인은 세계의 온갖 지방에서 실시되고 있는 기술과 산업의 다른 제諸 개선은[357] 물론, 다른 나라에서 사용되고 있는 모든 기계류를 그들 자신이 사용하고 제작하는 기술을 당연히 배우게 될 것이다. 그들의 현재의 방법으로써는 일본인의 실례에 의해서 그들 스스로를 개선하는 이외에는 그들은 다른 어떤 국민의 실례에 의해서도 그렇게 할 기회를 거의 갖고 있지 않다.

이집트와 인도스탄의 젠토우 정부도 농업을 우대했다.

또한 고대 이집트의 정책과 인도스탄의 젠토우 정부(the Gentoo government)의 정책도 다른 모든 직업보다 농업을 우대해 주었던 것 같다.

이러한 나라에서는 국민은 세습적 계급으로 나뉘어져 있었다.

고대 이집트와 인도 양국에서는[358] 국민 대중이 여러 가지 세습적 계급 또는 부족으로 나뉘어져서 그 각각은 아버지로부터 아들에게로 어떤 특정 직업 또는 어떤 부류의 직업에 한해서 종사하고 있었다. 즉 승려의 아들은 반드시 승려가 되었으며, 군인의 아들은 군인, 노동자의 아들은 노동자, 직공의 아들은 직공, 재봉사의 아들은 재봉사 등으로 되었다. 양국에서는 승려의 계급이 최고의 위치를 차지하고 있었으며, 군인의 계급이 그다음, 농업경영자와 노동자의 계급은 상인과 제조업자의 계급보다 상위에 있었다.

안 될 만큼 크다고 말한다"라고 말했다. －온켄Oncken, 《Oeuvres》(1888), 603면.〕

357 〔"다른 제 개선은" 초판에는 "다른 모든 개선"이라고 되어 있다.〕

358 〔이곳의 원문은 "Both in ancient Egypt and Indostan"인데, 초판에는 "and" 다음에도 "in"이 들어 있다.〕

그곳에서는 관개灌漑에 주의를 기울였다.

양국의 정부는 특히 농업의 이익에 주의를 기울였다. 나일강의 물을 적당히 배수하기 위하여 고대 이집트의 주권자들이 건설한 토목공사는 고대에 있어서 유명한 것이었다. 그 가운데 몇몇 황폐한 유적은 아직도 여행자들의 감탄의 대상이 되고 있다. 갠지스강과 그 밖의 많은 하천의 물을 적당히 배수하기 위하여 고대 인도의 주권자들이 건설한 같은 종류의 공사는 이집트만큼 유명하지는 못하나 마찬가지로 위대했던 것 같다. 따라서 양국은 수시로 식량난에 시달리기는 했지만 대단히 다산적이라는 것으로 유명했다. 양국은 극도로 인구가 조밀했지만 알맞은 풍년에는 이웃 나라에 대량의 곡물을 수출할 수 있었다.

이집트와 인도는 외국무역에 관해서는 다른 나라에 의존하고 있었다.

고대 이집트인은 미신적으로 대단히 바다를 싫어했으며, 젠토우의 종교는 그 신자들이 물 위에서 불을 켜는 것을 허용하지 않고, 따라서 물 위에서 어떤 식물을 조리하는 것을 허용하지 않으므로, 사실상 이 종교는 그들의 원양항해를 일체 금지하고 있는 셈이다. 이집트인도 인도인도 자신들 잉여생산물의 수출에 관해서는 거의 전적으로 다른 나라 해운에 의존했을 것이 틀림없으며, 그리고 그 의존성은 시장을 한정했음이 틀림없으므로 잉여생산물의 증가를 저해했을 것이 틀림없다고 하겠다. 또한 그것은 원생산물의 증가보다도 제조품의 증가를 더 많이 저해했을 것이다. 제조업이 토지의 원생산물의 가장 중요한 부분보다는 더 광대한 시장을 필요로 하기 때문이다. 한 명의 제화공製靴工은 1년 동안 300켤레 이상이나 되는 구두를 만들 것이지만, 자기 가족은 아마 6켤레를 해뜨리지 못할 것이다. 그러므로 그는 적어도 자기 가족과 같은 가족 50호의 고객이 없는 한, 자기 노동의 전체 생산물을 처분할 수 없다. 대국에서는 최대다수의 사람으로 되어 있는 공장의 계급일지라도 그 전체 가족 수의 50분의 1, 또는 100분의 1 이상은 좀처럼 되지 않을 것이다. 그러나 프랑스와 잉글랜드 같은 대국에서도 농업에 종사하는 사람의 수는 어떤 저자들에 의하면 그 나라 전체 주민의 반이라고 산정되어 있었으며, 다른 저자들은 3분의 1이라고 하고 있으나, 내가 알고 있는 어떠한 저자도 5분의 1 이하라고는 하지 않았다. 그런데 프랑스에서도 잉글랜드에서도 농업 생산물의 훨씬 많은 부분은 국내에서 소비되므로, 농업에 종사하는 각 개인은 이러한 산정에 의하면 자기 노동의 전체 생산물을 처분하기 위해서는 자기 가족과 같은 1~2호 내지는 아무리 많아도 4호 이상의 고객[359]을 필요로 하지 않음은 틀림없다. 그러므로 시장이 국한되어 있어 저해된 상태에서도 농업은 제조업보다는 훨씬 더 잘 자립할 수 있다. 실로 고대 이집트와 인도스탄 양국에서는 내륙항해의 편의가 많았고, 그것이 외국시장의 한정되어 있는 상태를 어느 정도 보충해 주고 있었으며, 그 내륙항해는 이들 나라의 온갖 지역의 생산물의 모든 부분에 대해서 가장 유리하게 국내시장의 전역을 개방해 주었던 것이다. 뿐만 아니라, 인도스탄의 광대한 면적은 그 나라의 국내시장을 극히 광대하게 하고 각가지 제조업을 유지하는데 충분한 것으로 만들어 주었다. 그러나 고대 이집트의 면적은 잉글랜드의 면적만큼도 되지 않을 정도로 좁았으므로, 어떤 시대에도 그 나라의 국내시장은 여러 가지 많은 제조업을 유지하기에는 너무 좁았던 것이 틀림없다. 따라서 보통 최대량의 쌀을 수출하고 있는 인도스탄의 한 속주인 벵골은, 그 곡류의 수출 때문이라기보다 여러 가지 수많은 제조품의 수출로 항상 더 두드러져 있었다. 이에 반하여 고대 이집트는 약간의 제조품, 특히 양질의 아마포와 그 밖의 재화를 수출하고 있었으나, 그 나라의 곡류를 대량으로 수출한다는 것으로서 항상 가장 명성을 떨치고 있었다.

지조地租가 동방의 주권자들로 하여금 농업에 특별한 관심을 갖게 했다.

중국과 고대 이집트 및 여러 시대에 여러 가지로 분할되어 있었던 인도스탄의 각 왕국의 주권자들은 항상 그 수입의 전부 또는 그 훨씬 많은 부분을 어떤 부

359 〔이 구의 원문은 "The custom of one, two, or, at most, of four such families"인데, 초판에는 "four" 바로 앞의 "of"가 없다.〕

류의 지조 또는 지대地代에서 갹출하고 있었다. 이 지조 또는 지대는 유럽에서의 10분의 1세와 같이 토지 생산물의 5분의 1이라고 하고 있는데, 그 일정한 비율의 것으로서 일정한 평가에 따라서 현물로써 내어지든가 화폐로써 지불되고 있었으므로, 생산고의 모든 변동에 따라서 해마다 변동했다. 그러므로 그러한 나라의 주권자는 농업의 이해에 특별한 주의를 기울인다는 것은 당연하며, 그들 자신의 수입의 연간 증가 또는 감소는 농업의 번영 또는 쇠퇴에 직접 의존하고 있었다.

고대 그리스 및 로마는 제조업과 외국무역을 저해했고, 제조업을 비싸게 먹히는 노예의 노동만으로써 하고 있었다.

고대 그리스 공화국과 로마 공화국의 정책은 비록 제조업과 외국무역보다도 농업을 존중했지만, 후자를 직접 또는 고의로 장려하고 있었다. 그보다는 오히려 전자의 직업을 저해하고 있었던 것 같다. 고대 그리스의 몇몇 국가에서는 외국무역은 완전히 금지되어 있었다. 그리고 다른 몇몇 국가에서는, 공장 및 제조업자라고 하는 직업은 군사상 및 체육상의 훈련에 의해서 형성하려고 노력하고 있었던 습성을 형성 불가능하게 하고, 그 때문에 다소나마 피로에 견디고 전쟁의 위험에 부닥치는 자격을 잃게 하므로[360] 인체의 힘과 민첩에 유해한 것이라고 생각되고 있었다. 그러한 직업은 노예들에게만 적합한 것이라고 생각되었으며, 국가의 자유시민은 그것에 종사하는 것이 금지되었다.[361] 로마와 아테네에서처럼 이러한 금지가 전혀 없었던 국가들에서까지도 국민의 대부분이 오늘날에는 도시의 비교적 하층민이 보통 종사하고 있는 모든 직업에서 사실상 배제되어 있었다. 아테네와 로마에서는 그러한 직업은 모두 부자의 노예에게 맡겨져 있었으며, 노예는 자신들 주인의 이익 때문에 그러한 직업에 종사했는데, 그 주인의 부·권력·보호가 있었기 때문에 가난한 자유민自由民의 제조품이 노예의

360 〔이곳의 원문은 “disqualifying it more or less forfor”인데, 초판에는 “from”이라고 되어 있다.〕
361 〔몽테스키외Montesquieu, 《법의 정신Esprit de lois》, 제4권, 제8장.〕

제조품과 경쟁하게 되었을 때 자유민은 자신의 제조품을 위한 시장을 찾는다는 것은 거의 불가능했다. 그러나 노예에게는 발명의 재능이란 좀처럼 없었으며, 노동을 촉진하고 단축하는 기계류에 있어서나, 작업의 배치와[362] 배분에 있어서나, 가장 중요한 개선은 자유민이 발명했던 것이다. 만일 노예가 이러한 종류의 개선을 제안하기라도 한다면 그의 주인은 그 제안을 노예가 게으름을 피우기 위해서 생각해 낸 것이고 그 주인의 경제부담으로 자기 자신의 노동을 아끼려는 욕망 때문에 생각해 낸 것이라고 생각하기 마련이었을 것이다. 가련한 노예는 보상은커녕 심히 학대되어 아마 어떤 벌을 받았을 것이다. 그러므로 노예에 의해서 이루어지는 제조업에 있어서는, 같은 양의 일을 하는 데 자유민에 의해서 이루어지는 일에 있어서보다 대체로 더 많은 노동이 충당되었을 것이 틀림없다. 그 때문에 전자의 제조품은 후자의 것보다 대체로 더 비쌌을 것이 틀림없다. 몽테스키외 씨가 말한 바에 의하면, 헝가리의 광산은 그 이웃에 있는 터키의 광산보다 풍광豊鑛[363]은 아니지만 항상 보다 적은 비용으로 가동되고 있었으며, 따라서 보다 많은 이윤을 올려 왔다. 터키의 광산은 노예에 의해서 가동되고 있으며, 노예의 팔은 터키인이 이때까지 사용할 것을 생각해 내었던 유일한 기계이다. 헝가리의 광산은 자유민에 의해서 가동되고 있으며, 그들은 많은 기계를 사용하여 자신들의 노동을 촉진하고 단축시키고 있다.[364] 그리스인과 로마인 시대의 제조품의 가격에 관해서 알려져 있는 것은 얼마 되지 않았다는 것에서 미루어 보아 비교적 우량한 제조품의 가격은 대단히 비쌌던 것 같다. 견직물은 그 중량에 상당하는 금으로써 팔리고 있었다. 물론 그 당시의 견직물은 유럽의 제품은 아니었으며, 또한 그것은 모두 동인도에서 보내졌던 것이므로, 그 수송의 거리가 멀다는 것이 어느 정도 그 가격이 엄청났던 것에 대한 설명이 될 수 있을 것이다. 그러나 귀부인이 아주 좋은 아마포 한 필에 지

362 〔"작업의 배치(in the arrangement……)"의 "the"는 초판에는 "that"이라고 되어 있다.〕

363 〔"보다 풍광(richer)"은 초판에는 "more rich"라고 되어 있다.〕

364 〔《Lectures》, 231면과 몽테스키외, 《법의 정신》, 제15권, 제8장.〕

불하고 있었다는 가격도 이와 마찬가지로 엄청난 것이었던 것 같으며, 더욱이 아마포는 항상 유럽의 제품이거나, 아무리 멀어도 이집트의 제품이었으므로, 이 높은 가격은 그것에 충당되었음이 틀림없는 노동의 비용이 컸다는 것 이외에는 아무런 설명도 붙여질 수 없으며, 또한 이 노동의 비용 역시 그것이 이용한 기계가 불편한 것이었다는 것 이외의 어떠한 것에도 기인될 수 없었을 것이다. 뿐만 아니라 양질의 모직물 가격도 그렇게 심히 엄청난 것은 아니었으나, 현재의 그것보다는 훨씬 높은 것이었던 것 같다. 플리니우스의 말을 들으면 특수한 방법으로 염색한 어떤 양복지洋服地는 중량 1파운드에 100데나리우스denarii, 즉 3파운드 6실링 8펜스씩 먹혔다는 것이다.[365] 다른 방법으로 염색한 다른 복지는 중량 1파운드에 1000데나리우스, 즉 33파운드 6실링 8펜스였다는 것이다. 기억해 두어야 할 것은 로마의 파운드는 우리의 상형常衡으로 겨우 12온스에 지나지 않는다는 것이다. 실은 이 높은 가격은 주로 염색에 기인했던 것 같다. 그러나 그 양복지 자체가 현재 만들어지고 있는 어떤 것보다 훨씬 더 비싸지 않았다면 그렇게도 비싼 염색을 하지 않았을 것이다. 종물의 가치와 주물의 가치 사이에 불균형이 너무 지나치게 컸기 때문이었을 것이다. 같은[366] 저자가 기술한 트리클리나리아Triclinaria, 즉 식탁 옆의 눕는 의자에 기댈 때 사용되었던 모직물로 된 일종의 베개 또는 쿠션의 가격은 도저히 믿을 수 없을 만한 것으로써, 그 가운데 어떤 것은 3만 파운드 이상 나갔다고 하며, 또 다른 것은 30만 파운드 이상이나 나갔다고 했다. 이 높은 가격도 그 염색에 기인했던 것이라고 일컬어지고 있는 것은 아니다. 아버스낫 박사Dr. Arbuthnot가 설명하고 있는 것에 의하면 상류층 남녀의 의복은 고대는 근대보다도 훨씬 변화가 적었던 것 같고, 또한 우리가 실지 고대의 조상을 보더라도 그 변화가 대단히 적으므로 그의 관찰이 확실하다는 것을 알 수 있다. 그는 이 사실에서 그들의 의복은[367] 우

365 플리니우스Plin. 《박물지H.N.》 1. ix. c. 39.

366 플리니우스Plin. 〔박물지H.N.〕 1. viii. c. 48. 〔이 주석이나 바로 앞의 주석은 초판에는 없다.〕

367 〔존 아버스낫John Arbuthnot, 《Tables of Ancient Coins, Weights and Measures》, 제2판

리들의 것보다 전체적으로는 값이 쌌을 것이 틀림없다고 추론하고 있으나, 그러한 결론은 나오지 않는 것 같다. 유행의 의복이 대단히 비싸게 먹힐 때는 그 종류는 대단히 적지 않을 수 없다. 그러나 제조 기술과 근로의 생산력의 개선에 의해서 의복 한 벌의 비용이 그렇게 비싸지 않은 것이 되면, 그 종류도 자연히 아주 많아질 것이다. 부자는 의복 한 벌 값으로는 남의 눈에 띄게 할 수 없으므로, 자연히 그들의 의복의 수를 늘려 변화를 많게 함으로써 그렇게 과시하려고 노력할 것이다.

제조품의 가격을 올리는 것은 모두 농업을 저해한다.

이미 설명한 바이지만 모든 국민의 상업 가운데 가장 중요한 부문은 도시의 주민과 농촌의 주민 간에 이루어지는 것이다. 도시의 주민은 농촌에서 그들 작업의 원료와 생활자료의 원자元資가 되는 원생산물을 흡수하며, 그리고 즉시 사용할 수 있도록 그 원생산물의 일부를 가공 및 조제하여 농촌에 보내 줌으로써 그 대가를 지불한다. 이 두 가지 다른 부류의 주민 사이에 행해지는 상업은 결국 원생산물의 일정량과 제조품의 일정량과의 교환에 있다. 그러므로 후자가 비싸면 비쌀수록 전자는 점점 싸진다. 그리고 어떤 나라에서나 제조품의 값을 올리는 경향이 있는 것은 무엇이든지 토지의 원생산물의 값을 떨어뜨리는 경향을 가지고 있으며, 그 때문에 농업을 저해하는 경향을 가진다. 원생산물의 어떤 주어진 양이 또한 같은 것이겠지만 원생산물의 어떤 주어진 양이, 가격이 구매할 수 있는 제조품의 양이 적으면 적을수록 그 소여所與의 원생산물의 교환가치[368]는 적어지며, 지주가 토지를 개량하든지 또는 농업경영자가 그것을 경작하든지 하여서 원생산물의 양을 증가시키려고 하는 자극도 적어진다. 뿐만 아니라, 어떤 나라에서나 공장과 제조업자의 수를 감소시키는 경향을 갖는 것은 무엇이든지 토지의 원생산물을 위한 시장 가운데 가장 중요한 국내시장을 축소시키며

(1754), 142~145면.〕

368 〔"교환가치"는 초판에는 "실질가치"라고 되어 있다.〕

그 때문에 더욱더 농업을 저해하는 경향을 갖는다.

이 저해는 제조업과 외국무역을 제한하는 체계에 의해서 이루어진다.

그러므로 농업을 촉진하기 위하여 다른 모든 직업보다 농업을 우선시하고 제조업과 외국무역에 제한을 과하고 있는 그러한 체계는 그것이 설정하고 있는 바로 그 목적에 반하는 작용을 하고, 간접적으로는 그것이 촉진시키려고 기도하는 바로 그 부류의 산업을 저해한다. 이러한 한에 있어서는 그 체계는 아마 중상주의체계에 비해서까지도 더 모순이 많을 것 같다. 중상주의체계는 농업보다도 제조업과 외국무역을 장려함으로써 사회의 자본의 일정 부분을 보다 유리한 부류의 산업을 유지하는 일에서 더 불리한 부류의 산업을 유지하는 일로 돌린다. 그러나 역시 그 체계는 현실에 있어서나 결과에 있어서나 그것이 촉진시키려고 기도하는 부류의 산업을 장려하고 있다. 이에 반하여 이들 중상주의체계는 현실에 있어서나 결과에 있어서나 그 자신이 좋아하는 부류의 산업을 저해하고 있다.

그러므로 장려한다든가 제한하는 모든 체계는 사회의 진보의 속도를 느리게 한다.

이상과 같이 어떤 이상한 장려를 해 줌으로써 사회의 자본이 어떤 특정 산업 쪽으로 자연히 향하게 될 몫보다 더 많은 몫을 끌어들인다든가, 또는 이상한 제한을 함으로써 그렇지 않을 경우 특정 산업에 사용될 자본을 그 산업에서 억지로 끌어내려고 노력하는 체계는 실제에는 어느 것이나 다 그 자체가 기도하는 큰 목적을 전복시켜 버리는 것이다. 그것은 실질적 부富와 강대强大로 향하는 사회의 진보를 가속하기는커녕 감속시키는 것이며, 그 사회의 토지 및 노동의 연간 생산물의 실질적 가치를 증가시키기는커녕 감소시키는 것이다.

자연적 자유의 체계는 주권자에게 다음 세 가지 의무를 맡겨 둘 뿐이다. 즉 (1) 국방 (2) 사법행정 (3) 어떤 종류의 공공 토목사업의 유지가 그것이다.

그러므로 우선하게 한다든지 제한한다든지 하는 모든 체계가 이렇게 하여 완전히 철폐된다면, 자연적 자유라고 하는 자명하고 단순한 체계가 저절로 확립된다. 모든 사람은 정의의 법을 범하지 않는 한, 각자 자기 나름의 방법으로 자기의 이익을 추구하고 자기의 근로 및 자본을 다른 어떤 사람 또는 다른 어떤 계급의 사람들의 근로 및 자본과 경쟁하도록 완전히 자유로 방임된다. 주권자는 그것을 수행하려고 하면 반드시 수많은 기만에 빠지지 않을 수 없고, 그것을 적절히 수행하는 데는 인간의 영지와 지식으로써는 불충분할 정도밖에 해내지 못하는 의무, 즉 개인의 근로를 감독하고 또는 그것을 사회의 이익에 가장 적합한 직무에 향하게 하는 의무에서 완전히 벗어나게 된다. 자연적 자유의 체계에 의하면 주권자가 주의해야 할 의무는 단지 세 가지에 지나지 않으며, 이 세 가지 의무는 실로 대단히 중요한 것이지만, 누구에게나 이해되고 평범하고 알기 쉬운 것이다. 즉, 첫째는 그 사회를 다른 독립된 사회의 폭력과 침략에서 보호하는 의무요, 둘째는 그 사회의 각 성원을 다른 모든 성원의 부정 또는 압제에서 될 수 있는 대로 보호해 주는 의무, 즉 엄정한 사법행정을 확립하는 의무이며, 셋째는 어떤 공공 토목사업 및 공공시설을 건설하고 유지하는 의무이다. 더욱이 그것을 건설하고 유지하는 것은 결코 한 개인 또는 소수의 개인의 이익이 될 수는 없다. 왜냐하면 비록 그 이윤은 하나의 큰 사회에서는 그 비용을 보상하고도 크게 남는 수가 흔히 있지만, 어떤 개인 또는 소수의 개인에게는 이윤이 도저히 그 비용을 보상할 수가 없을 것이기 때문이다.

다음 편에서는 주권자의 필요경비, 사회 전체의 경비를 위한 공납의 여러 방법 및 공채의 원인들과 효과들이 다루어질 것이다.

주권자의 그러한 몇 가지 의무가 적당히 수행되기 위하여서는 반드시 일정한 경비를 전제하고 있다. 그리고 이 경비는 다시 필연적으로 그것을 뒷받침해 주는 일정 수입을 필요로 한다. 그러므로 다음 편에서 나는 다음의 것을 설명하려고 노력할 것이다. 즉 첫 번째, 주권자 또는 국가의 필요경비란 어떤 것인가, 그리고 그 가운데 어떤 것이 사회 전체의 일반적 공납에 의해서 지출되어야 하고, 그 가운데에 어떤 것이 사회 전체의 어떤 특정 부분, 즉 그 사회의 어떤 특정 성원만의 공납에 의해서 지불되어야 하는 것인지, 두 번째, 사회 전체의 의무로 지워져 있는 경비들을 지불하기 위하여 사회 전체가 공납하게 되는 여러 가지 방법은 어떤 것이고, 또 그러한 방법의 각각의 주요 이점과 결점은 무엇인지, 그리고 세 번째는, 거의 모든 근대 정부가 이 수입의 어떤 부분을 담보로서 저당잡히거나, 즉 채무계약을 맺게 된 여러 이유와 원인들은 무엇이고, 또 그러한 채무가 그 사회의 실질적 부, 즉 그 토지 및 노동의 연간 생산물에 미친 효과는 어떤 것이었는가 하는 문제들이라 하겠다. 그러므로 다음 편은 당연히 세 개의 장으로 나뉠 것이다.

제 5 편

주권자 또는 국가의 수입에 관하여

제1장 주권자 또는 국가의 지출

제1절 국방비에 관하여

군사비는 시대에 따라 다르다.

주권자의 첫 번째 의무, 즉 그 사회를 다른 독립된 사회의 폭력과 침략으로부터 보호하는 의무는 군사력에 의해서만이 수행될 수 있다. 그러나 이 군사력을 평시에 준비하고 전시에 사용하는 데 드는 경비는 사회의 상태에 따라, 또한 사회 발전의 시기에 따라 매우 다르다.

수렵민족 사이에는 군사비가 필요 없다.

이를테면 북아메리카의 토착민에게서 볼 수 있듯이, 가장 낮은 야만적인 상태에 놓여 있는 수렵민족 사이에서는 모든 사람이 수렵자인 동시에 전사(warrior)이다. 그가 자기의 사회를 방위하기 위하여, 또는 다른 사회로부터 받은 침략의 상처에 대한 복수를 하기 위하여 전쟁에 참여하면 그가 집에서 생활할 때와 마찬가지로 자기 자신을 자기 자신의 노동으로 부양한다. 이러한 상태의 사회에서는 주권자도 국가도 없다고 함이 적절하므로 그의 사회는 그가 전쟁을 준비하거나, 전쟁터에 있는 동안 그를 부양하기 위해 아무런 경비도 지출하지 않는다.[1]

유목민이 출정할 때는 전체 민족이 재산을 가지고 함께 이동한다.

우리가 타타르인과 아랍인 사이에서 볼 수 있는 것처럼, 사회의 상태가 더욱 진보한 유목민족에서도 모든 사람은 마찬가지로 전사이다. 이들 민족은 보통 일정한 주거지를 갖고 있지 않고 천막이나 또는 이곳저곳으로 쉽게 이동할 수 있는 포장 수레 안에 살고 있다. 모든 종족이나 민족은 각 계절의 추이에 따라, 그리고 그 밖의 여러 사태에 따라 그 거주지를 옮긴다. 그들의 소 떼와 양 떼가 한

1 〔《Lectures》, 14면.〕

지방의 목초를 다 먹어 버리면, 다른 곳으로 옮겨 가고 또 그곳에서 제3의 장소로 옮겨 간다. 건조한 계절에는 강변으로 내려오고 우기에는 높은 지방으로 올라간다. 이들 민족이 전쟁을 하게 되면, 전사들은 그들의 소 떼와 양 떼를 연약한 노인·여자·아이들에게 맡겨 둘 수 없을 것이며, 노인·여자·아이들을 생활수단도 없이 무방비 상태로 남겨 두려고 하지 않을 것이다. 뿐만 아니라, 이들 민족은 평시에도 방랑 생활에 익숙해져 있으므로 전시에도 쉽게 출전할 수 있다. 군대로서 진군하든지 또는 유목민으로 무리지어 이동하든지 간에 비록 목적은 대단히 다르지만[2] 생활방식은 거의 동일하다. 그러므로 그들은 모두 함께 전쟁에 나가고 모든 사람이 최선을 다한다. 타타르인들 사이에는 부녀자까지도 전쟁에 참가하는 일이 흔하다고 한다. 그들이 승리하면 정복당한 상대 종족에 속하는 것은 무엇이든지 모두 승리의 대가로 그들 차지가 된다. 그러나 그들이 패하면 모든 것을 잃게 되고 그들의 소 떼와 양 떼뿐만 아니라, 그들의 부녀자와 어린아이들까지도 정복자의 전리품이 된다. 그 전투에서 살아남은 사람의 대부분은 목전의 생존을 위해 정복자에게 복종하지 않을 수 없다. 나머지는 대개 황야로 흩어져 버린다.

주권자는 경비를 부담하지 않는다.

타타르인과 아랍인에게는 그 일상의 생활이나 운동이 전쟁 준비로서 충분한 셈이다. 달리기·레슬링·곤봉시합·창던지기·활쏘기 등은 야외에서 생활하는 그들의 일상의 오락이며 이들 모두가 전쟁을 본뜬 것이다. 타타르인 또는 아랍인이 실제로 출정할 때는 평시와 마찬가지로 그들이 데리고 다니는 자기의 가축에 의지해서 생활한다. 그러한 민족들은 모두 그들의 족장 또는 주권자를 가지고 있는데, 그 족장 또는 주권자는 그를 전쟁터에 보내기 위한 준비를 하는 데 조금도 경비를 쓰지 않으며, 전쟁터에서의 약탈의 기회야말로 그가 기대 또는 필요

2 [“그 민족이 추구하는 목적은”의 원문은 “the object proposed by it be”인데, 초판에는 “be”가 “is”로 되어 있다.]

로 하는 유일한 보수인 셈이다.

유목민은 수렵민족보다 훨씬 더 만만치 않다.

수렵민족의 군대는 200~300명을 넘을 경우가 좀처럼 있을 수 없다. 수렵이 제공해 주는 생활수단은 불확실하므로 그 이상의 사람을 꽤 오랜 기간 동안 유지해 나갈 수가 없었기 때문이다. 이에 반하여 목축민의 군대는 20~30만에 달할 때도 있다. 그들의 진군을 중지시키는 것이 없는 한, 그들이 한 지방의 꼴을 모두 처치하고 목초가 아직 그대로 있는 다른 지방으로 나갈 수 있는 한, 집단이 되어 나갈 수 있는 사람의 수에는 한도가 없는 것 같다. 수렵민족과 이웃한다는 것은 문명국민에게는 그렇게 무서울 것이 없다. 그러나 유목민은 그렇지 않다. 북아메리카에 있어서의 인디언 전쟁처럼 싱거운 것도 없을 것이다. 유럽과 아시아 쌍방은 단결된 스키타이인(Scythians)을 감당할 수 없었다고 하는 투키디데스 Thucydides[3]의 판단은 모든 시대의 경험에 의해서 옳았다는 것이 증명되었다. 스키타이 또는 타타르의 광막하고 방어할 수 없는 평야의 주민들은 약간의 정복 유목민단 또는 씨족의 족장의 분배하에 단결하는 수가 흔히 있었다. 그리고 아시아를 때려 부수고 약탈해 간 자취는 그들의 단결을 항상 유명하게 했다. 또 하나의 대목축민인 아랍의 불모의 사막의 주민이 단결했던 것은 단 한 번밖에 없었다. 즉 그것은 마호메트 및 그 직계 상속자[4]의 시대였다. 그들의 단결은 정복을 위한 것이라기보다는 종교적 열성의 결과였으며, 유명했던 것은 앞의 경우와 마찬가지였다. 아메리카의 수렵민족이 유목민이 되기라도 한다면 그들과 이웃하고 있다는 것은 유럽 식민지로서는 현재보다도 더 위험해질 것이다.

상업도 거의 하지 않고, 가내용 제조품을 가지고 있는 데 지나지 않는 농민은 쉽게 전

3 〔투키디데스가 말한 것은(ii, 97), "만일 스키타아인人이 단결되어 있었다면 유럽 국민이나 또는 아시아 국민도 저항할 수 없었을 것이다"라고 한 것이다. 초판에는 여기와 다음 면에 "Thucidides"라고 되어 있다.〕

4 〔《Lectures》, 20~21면.〕

사가 된다. 그리고 주권자는 그들을 출정시키기 위해 경비를 별로 부담하지 않는다.
보다 진보된 사회 상태에서는, 즉 외국무역도 거의 갖고 있지 않고, 거의 모든 개개의 가족이 그들 스스로의 용도를 위해 제조하는 조잡한 가내용의 제조품 이외에는 어떠한 다른 제조품도 갖고 있지 않는 영농 국민 사이에서도 마찬가지로 모든 사람은 전사이거나 또는 쉽게 전사로 된다. 농업으로 생활하는 사람들은 종일 야외에서 지내며 사계절의 모든 어려움을 겪고 있다. 그들의 일상생활의 어려움이 그들에게는 전쟁의 피로에 대한 준비가 되며, 그들의 필수적인 업무는 전쟁의 어떤 것과 대단히[5] 비슷한 것이다. 도랑을 파는 사람의 필요한 일은 참호를 파고 진지를 강화하고 싸움터를 포위하는 준비가 되는 셈이다. 그러한 농민의 통상의 오락도 유목민의 오락과 마찬가지로 전쟁을 상징하는 것이다. 그러나 농민은 목축민보다는 덜 한가하므로, 그들은 그러한 오락을 그렇게 자주 즐기지 못한다. 그들은 군인이지만 군인의 훈련을 그렇게 완전하게 받은 사람들은 아니다. 그렇다 하더라도 그들을 싸움터로 보내기 위한 준비에는, 주권자나 또는 국가도 별로 경비를 들이지 않는다.

그들이 출정했을 때, 그들을 유지하는 데에도 그렇게 경비가 들지 않는다.
농업은 가장 원시적이고 가장 저열한 상태에서까지도 정주, 즉 버리게 되면 큰 손해를 입게 되는 일종의 고정된 거주지를 전제로 하고 있다. 그러므로 농민에 불과한 국민이 전쟁을 할 때에는 국민 전체가 다 같이 출정할 수는 없다. 노인·부녀자·아이들은 집에 남아서 그 거주지를 돌보지 않으면 안 된다. 그러나 군의 적령자는 전체 인구의 약 4분의 1 또는 5분의 1[6]에 달한다고 생각되고 있다. 만일 종군이 파종이 끝난 뒤에 시작되어 수확 전에 끝난다면 농민과 그의 주요 노동자들 쌍방은 농장에서 빠져나가더라도 그렇게 큰 손해는 없을 것이다. 그동안에 이루어지지 않으면 안 되는 일은 노인·여자·아이들에 의해서도 충분히 이루

5 〔초판에는 "a great analogy" 대신에 "a good deal of analogy"라고 되어 있다.〕

6 〔초판에는 "fifth" 앞에 "a"가 없다.〕

어질 수 있다고 그들은 믿고 있다. 그러므로 그들은 단기[7]의 복무라면 보수 없이도 종군할 것을 꺼리지 않는다. 그리고 주권자 또는 국가로서도 그러한 사람을 전쟁터에서 유지하는 비용도 마찬가지로 별로 들지 않는 수가 많다. 고대 그리스 제국의 모든 시민은 제2차 페르시아 전쟁 후에 이르기까지 이렇게 종군했던 것 같다. 그리고 펠로폰네소스Peloponesus의 국민들은 펠로폰네소스 전쟁 후까지도 그렇게 했다. 투키디데스가 말하고 있는 것은 펠로폰네소스인들은 대체로 여름에는 전쟁터를 떠나 수확[8]을 위하여 귀향했다는 것이다. 로마인도 그 제정 시대와 공화정치의 초기에는 이와 마찬가지로[9] 종군하고 있었다. 집에 남아 있는 사람들이 전쟁에 나간 사람들을 부양하기 위해 다소의 공납을 하기 시작했던 것은 베이Veii의 포위 이후의 일이었다.[10] 로마제국의 폐허 위에 세워진 유럽의 여러 왕국에서는 본래 봉건법이라고 불리는 것이 확립되기 전과 그 후 얼마 동안 대영주들은 자신들의 모든 하인들로 그들 자신의 경비를 들여 군주에게 봉사하고 있었다. 그들은 집에서 하는 것과 마찬가지로 싸움터에서도 그들 자신의 수입으로써 스스로를 부양했으며, 그 특수한 경우에도 국왕으로부터 받은 봉급이나 또는 급여로써 부양하지는 않았다.

그 후에 전쟁터에 나가는 사람들에게 급료를 지불해 줄 것이 필요하게 되었다.
사회의 상태가 더 진보하면 전쟁터에 나가는 사람들이 그들 자신의 비용으로 스스로를 부양한다는 것이 두 가지의 원인에 의해서 전혀 불가능하게 된다. 그러한 두 가지의 원인은 제조업의 진보와 전쟁 기술의 개선이다.

그 이유는 공장과 제조업자들이 일단 그들의 일터를 떠나면 공공사회에 의해서 부

7 〔초판에는 "대단히 짧은"이라고 되어 있다.〕

8 〔VII., 27.〕

9 〔리비우스Livy, v., 2.〕

10 〔리비우스, iv., 59 이하 끝까지.〕

양되지 않으면 안 되기 때문이다.

농민은 원정에 소집되더라도 단지 파종 후에 시작되어 수확 전에 끝나기만 한다면, 자기의 일이 중단된다고 해서 자기의 수입이 크게 감소되지는 않을 것이다. 자기의 노동을 개입하지 않더라도 자연은 남겨져 있는 대부분의 일을 손수 해 준다. 그러나 예를 들어 공장·대장장이·목공·직공이 자기의 직장을 떠난다면 그 순간부터 자기 수입의 유일한 원천은 완전히 없어져 버린다. 자연은 그를 위하여 아무것도 해 주지 않으며, 그는 모든 것을 스스로 해야 하는 것이다. 그러므로 그가 공공사회의 방위를 위하여 전쟁터에 나간다면 그는 자기 자신을 부양할 수입을 가지지 못하게 되므로, 그는 필연적으로 공공사회에 의해서 부양되지 않으면 안 된다. 그러나 국민의 대부분이 공장과 제조업자인 나라에서는 전쟁에 나가는 국민의 대부분이 그러한 계급에서 나오기 마련이며, 따라서 그들이 군무에 종사하는 한, 공공사회에 의해서 부양되지 않으면 안 된다.

종군의 기간이 길면 무급으로 복무한다는 것이 농민에게 너무 과중한 부담이 된다.

전쟁의 기술도 또한 점차 발전되어 착잡하고 복잡한 학문이 되고 전쟁이라는 사건이 사회의 초기에 있어서와 같이 한 번의 불규칙한 소접전 또는 전투만으로써 결말이 지워지지 않고, 그 승패는 대체로 몇 번의 전투에 걸쳐 질질 끌게 되고, 한 번의 전투는 그해의 대부분에 걸쳐 계속되게 되었으므로, 공공사회는 전쟁 중 공공사회를 위해 복무하는 사람들을 적어도 군무에 종사하고 있는 동안은 부양해야 할 것이 일반적으로 필요하게 된다. 종군하는 사람들의 평시의 직업이 무엇이든지 간에 그렇게 지루하고 비용이 많이 드는 근로는 그렇게 해 주지 않고서는 그들에게는 너무 과중한 부담이 될 것이기 때문이다. 따라서 제2차 페르시아 전쟁 후에 아테네의 군대는 대체로 용병으로 구성되어 있었던 것 같고, 사실 그 일부는 시민으로 구성되어 있었으나, 일부는 외국인으로 구성되어 있었으며, 더욱이 그들은 모두가 동등하게 국가의 경비로써 고용되었고 지불받고 있었다. 베이의 포위 후에는 로마의 군대도 전쟁터에 남아 있는 동안은 그들의 복무에 대해서 봉급을 받았다. 봉건적 통치하에서는 어느 시기가 지난 뒤에는 대영주들과 그들의 직계 신하들의 군복무는 모두 화폐를 지불하면 면할 수 있게 되었으며, 그 화폐는 그들 대신에 종군한 사람들을 유지하는 데 사용되었다.

잔여 인구에 대한 군인 수의 개연적 비율은 문명화될수록 더 작아진다.

전쟁에 나갈 수 있는 사람들의 총인구에 대한 비율은 미개한 상태의 사회보다도 문명한 상태의 사회에서 반드시 더 작다. 문명사회에는 군인은 전적으로 군인이 아닌 사람들의 노동에 의해서 유지되므로, 전자의 수는 후자가 부양할 수 있는 수를 결코 초과할 수 없다. 다시 말하면 후자는 자기 자신과 자기가 부양할 의무를 지고 있는 행정 및 사법의 다른 관리들을 각각 그들의 지위에 맞을 만한 정도로 유지하고 그 위에 전자를 부양하는 것이다.[11] 고대 그리스의 작은 농업국에서는 국민 전체의 4분의 1 또는 5분의 1이 자신들을 군인이라고 생각했으며, 때에 따라 출정하곤 했다고 한다. 근대 유럽의 문명국들 사이에는 어느 나라도 국민의 100분의 1 이상을 군인으로서 고용할 수 없으며, 그 이상이 되면 그들의 근무에 드는 경비를 지불하는 나라[12]는 파멸을 면치 못한다고 일반적으로 추정되고 있다.

군비는 오랫동안 그렇게 많지 않았다.

전쟁터에 보낼 군대를 준비하는 데 드는 경비가 어떤 국민에 있어서 상당히 커진 것은 전쟁터에서 군대를 유지하는 경비를 전부 주권자나 또는 국가가 부담하게 된 지 오랜 후의 일이었던 것 같다. 고대 그리스의 모든 여러 공화국에서는 군사훈련은 국가가 모든 자유시민에게 과한 의무교육의 일부였다. 어느 시에도 공공의 운동장이 있고, 그곳에서는 행정장관의 보호 아래 젊은 사람들이 여러 스승으로부터 여러 가지 운동을 배웠다. 그리스의 어떤 국가가 그 시민에게 전

11 〔이 구절의 원문은 "can never"인데, 초판에는 "never can"이라고 되어 있다.〕

12 〔초판에는 "모든 경비로써 그들이 고용되고 있는 나라는"이라고 되어 있다.〕

쟁 준비를 시키기 위하여 지출했다고 생각되는 경비는 바로 이렇게 간단한 시설에 드는 비용이었다. 고대 로마에서는 연병장(Campus Martius)에서의 훈련이 고대 그리스의 체육관(Gymnasium)에서의 훈련과 같은 구실을 했다. 봉건통치하에서도 각 지구의 시민은 몇 가지 다른 군사훈련과 함께 활쏘기를 연습해야 한다는 위정자의 명령을 받고 있었으며, 이것은 위의 것과 같은 목적을 촉진하려고 의도되었던 것인데, 그렇게 효과를 보지 못했던 것 같다. 그러한 명령의 집행을 맡고 있는 관리의 관심을 끌지 못한다든지 또는 그 밖의 원인 때문에 그러한 명령은 예외 없이 무시되었던 것 같다. 그리고 그들 모든 통치체들이 진화함에 따라 군사훈련은 국민 대중들 사이에는 점차 행해지지 않게 되었던 것이라고 생각된다.

그리스와 로마에서는 군인들이 특별한 계급도 아니었으며, 봉건시대의 초기에도 그러했다.

고대 그리스와 로마 공화국에서는 그들이 존속한 전全 시대를 통하여, 그리고 봉건통치하에서는 그 최초의 확립 이후 꽤 오랫동안 군인이라는 직업은 특수한 계급의 시민의 유일 또는 주된 직업을 이룩하고 있었던 별개의 독립된 직업은 아니었다. 국가의 모든 신민은 자기가 벌어먹고 사는 일상의 생업 또는 직업이 무엇이든 간에 모든 평상시에는 자기는 군인이라는 직업에 적응하며, 수많은 비상시에는 그것에 종사할 의무가 있다고 생각하고 있었다.

그러나 전쟁이 복잡해짐에 따라 그 기술을 완전하게 하기 위하여 분업이 필요하게 된다.

그러나 전쟁의 기술은 확실히 모든 기술 가운데 가장 고상한 것이므로 개선이 진행됨에 따라 그것은 필연적으로 그 가운데서 가장 복잡한 것의 하나가 된다. 그것과 필연적으로 연결되어 있는 약간의 다른 기술의 상태와 함께 기계 기술의 상태는 어떤 특정 시대에 전쟁 기술이 도달할 수 있는 성숙의 정도를 결정한다. 그러나 그것을 이러한 성숙의 정도에 올려놓기 위해서는 아무래도 그것은 어떤 특수 계급의 시민의 유일, 또는 주요 직업이 되어야 할 것이 필요하다. 그리고 모든 기술의 경우와 마찬가지로 이러한 개선을 위해서도 분업이 필요하다. 다른 기술의 경우에는 분업은 개인의 사려 분별에 의해서 자연적으로 도입된다. 즉 모든 사람은 자신들 이익을 증진하기 위해서는 많은 직업에 종사하는 것보다는 한 가지 직업에 한정하는 것이 더 좋다는 것을 알게 된다. 그러나 군인이라는 직업을 모든 다른 직업과는 별개의 독립된 특수 직업이 될 수 있게 하는 것은 국가의 예지뿐이라 하겠다. 개인적 시민이 태평시절에 공공사회로부터의 특별한 장려도 없는데 자기의 시간의 대부분을 군사훈련에 소비하기라도 한다면, 그는 틀림없이 그 훈련에 관해서는 대단히 향상할 것이며, 충분히 재미를 느낄 수도 있을 것이다. 그러나 그는 자기 자신이 이익을 증진시키지는 못할 것이다. 그의 시간의 대부분을 이 특수 직업에 쓰는 것이 그의 이익이 되도록 해줄 수 있는 것은 오직 국가의 예지뿐이다. 그러나 여러 국가들은 그들의 정세가 그들의 존속을 유지하기 위해서는 그러한 예지를 가지고 있어야 할 만한 필요에 놓이게 되었을 때까지도 반드시 이런 예지叡智를 가지고 있었던 것은 아니었다.

사회가 진보하면 국민은 전쟁을 좋아하지 않게 된다.

목축자는 한가한 시간을 많이 가지고 있으며, 농업 상태가 미개할 경우의 농부는 약간의 여가를 가지고 있다. 그러나 공장 또는 제조업자에게는 전혀 여가가 없다. 첫 번째 인물은 그의 시간을 군사훈련에 많이 사용해도 아무런 손실이 없다. 두 번째 인물도 자기 시간의 일부를 그것에 사용할 수 있다. 그러나 마지막 인물은 단 한 시간이라도 그것에 사용하면 그만큼 손실을 보지 않을 수 없으며, 자기 자신의 이익을 고려하여 그는 자연적으로 그것을 전적으로 무시해 버리게 된다. 기술과 제조업의 진보에 의해서 필연적으로 일어나는 농업상의 진보는 농부에게도 직공과 마찬가지로 여가를 조금도 남겨 주지 않는다. 이리하여 군사교련이 농촌의 주민에게도 등한시되는 것은 도시의 주민과 마찬가지 정도로 되어 버리고 국민은 그 대다수가 아주 비호전적이 된다. 동시에 농업과 제조업의 개량에 항상 따르는 부, 그리고 실제로는 그러한 개량의 축적된 생산물에 지나지 않는 그 부는 그들의 모든 이웃의 침입을 도발한다. 근면한, 그리고 그 때문에 부유한 국민은, 모든 국민들 가운데 가장 공격을 받기 쉬운 국민이다. 그러니 그 국가는 공공적 방위를 위하여 어떤 새로운 방법을 강구하지 않는 한, 국민의 자연적 습관에 의해서 그들은 그들 자신을 전혀 방어할 수 없게 되어 있다.

방위의 방법은 두 가지뿐이다.
사정이 이렇게 되면 국가가 공공방위를 위해 상당한 정도의 준비를 할 수 있는 것으로는 두 가지 방법밖에 없는 것 같다.

(1) 군사훈련 및 군무軍務를 강요하는 것이다.
첫째는 대단히 엄격한 정책에 의해서 국민의 이해·재능·기질의 경향을 무시하고 군사훈련의 실시를 강제하고 병역 적령의 시민 전부 또는 일정 수를 그들이 마침 다른 생업 또는 직업을 영위하고 있더라도 얼마만큼은 군인이라는 직업에 참가하도록 강요하는 것이다.

(2) 또는 군인이라는 직업을 독립된 것으로 만드는 것이다.
또는 둘째로, 군사훈련의 항구적인 실습에 일정 수의 시민을 고용함으로써 군인이라는 직업을 모든 다른 직업과는 별개의 독립된 특별한 직업으로 만드는 것이다.

다시 말하면, 민병 또는 상비군의 창설이라고 하겠다.
만일 국가가 그 두 가지 편법 가운데 첫 번째 것에 의지한다면 그 군사력은 민병에 있다고 하겠고, 두 번째 것에 의지한다면 그것은 상비군에 있다고 하겠다. 상비군의 유일 또는 주된 직업은 군사훈련의 실습이며, 국가가 그들에게 제공하는 부양료와 또는 봉급이 그들의 생활자료의 주된 통상의 재원財源이 된다. 민병인 병사에게는 군사훈련의 실습은 임시적인 직업에 지나지 않으며 그들은 자신들의 생활자료의 주된 일상 재원을 어떤 다른 직업에서 얻는다. 민병에 있어서는 군인의 성격보다도 노동자·공장·상인이라는 성격이 우세하다. 상비군에 있어서는 군인의 성격이 다른 모든 성격보다 우세하다. 그리고 이 두 가지 다른 종류의 군사력 간의 본질적인 차이는 이 구별에 있는 것 같다.

민병은 옛날에는 군사훈련을 받았을 뿐이며, 편대되지는 않았다.

민병에는 몇 가지 다른 종류가 있었다. 어떤 나라에서는 국가방위의 책임을 지고 있는 시민은 말하자면 편대됨이 없고 다만 훈련만을 받았던 것 같다. 즉 별개의 독립된 부대로 나뉘어져서 그 각 부대가 그 자체의 정식의 그리고 상임의 장교에 의해서 훈련을 받도록 되어 있지 않았던 것 같다. 고대 그리스와 로마 공화국에서는 시민 각자는 집에 있는 동안은 따로 떨어져 독립하여 자기의 훈련을 실시하거나 또는 자기가 가장 좋아하는 동년배와 함께 훈련실습을 했던 것 같다. 그리고 그가 실제로 출정 명령을 받을 때까지는 어떤 특정된 군대에 소속되어 있지 않다. 그 밖의 제국에서는 민병은 훈련을 받았을 뿐만 아니라, 편대로 되어 있었다. 잉글랜드와 스위스에서는, 그리고 내가 믿고 있는 바로는 근대 유럽의 다른 모든 나라, 즉 이런 종류의 어떤 불완전한 군사력이 창설되어 있었던 나라에서는 모든 민병은 평시에도 특정된 부대에 소속되어 있으며, 이 부대는 자체의 정식의 상임 장교에 의해서 훈련을 실시했다.

화기는 개별적 기교를 덜 중요하게 만드는 변화를 초래했다.

화기火器의 발명 이전에는 군인들이 개별적으로 그들의 무기의 사용에 관하여 최대의 숙련과 기교를 가지고 있는 군대가 우수한 군대였다. 육체의 힘과 민첩함이 가장 중요한 것이며, 보통 이것이 전투의 운명을 결정했다. 그러나 그들의 무기 사용에 관한 이 숙련과 기교는 현재에 검도가 그러한 것처럼 대집단으로 하는 것이 아니고 각자가 개별적으로 특수한 도장에서 특별한 선생 밑에서 또는 자기 자신의 특별한 동년배 및 친우와 함께 연습을 함으로써만이 획득될 수[13] 있을 것이다. 화기가 발명된 이래 육체의 힘과 민첩, 또는 무기 사용에 관한 비상한 기교와 숙련까지도 비록 전혀 중요하지 않은 것이라고는 할 수 없으나, 그렇게 중요하지 않게 되어 버렸다. 무기의 성질은 비록 그것이 서투른 사람을 날쌘 사람과 같은 수준에 올려놓는 것은 틀림없이 아니지만, 전자를 종전에 비해서는 후자에게 더 가깝게 올려 주는 것이라 하겠다. 더욱이 무기를 사용하는 데 필요한 모든 숙련과 기교는 대집단에서의 실습에 의해서도 충분히 획득될 수 있는 것이라고 생각된다.

따라서 규율이 훨씬 더 중요하게 되었다.

규율·질서·명령에 대한 신속한 복종은 근대의 군대에 있어서는 무기 사용에 관한 군인의 숙련과 기교보다도 전투의 운명을 결정하는 데 더 중요한 것으로 된다. 그러나 대포 소리, 초연硝煙 그리고 모든 사람이 착탄거리着彈距離에 들어가면 곧 따라서 전투가 시작되었다고 하기에는 아직도 상당한 시간이 있는데도 시시각각으로 임박했다고 저절로 느껴지는 보이지 않는 죽음 때문에, 이러한 규율과 질서 및 신속한 복종을 상당한 정도로 유지한다는 것은 근대적 전투의 개시 당초에 있어서까지도 대단히 곤란하게 되지 않을 수 없었다. 옛날의 전투에서는 인간의 목소리에서 나오는 것 이외에는 아무런 소음도 없었으며, 초연도 없었고, 부상 또는 죽음에 대한 보이지 않는 원인도 없었다. 모든 사람은 어떤 흉기가 실제로 자기에게 가까워질 때까지는 자기 주위에 그러한 흉기는 없다는 것을 명백히 알고 있었다. 이러한 사정 속에서 더욱이 무기 사용에 관한 숙련과 기교에 관해서 약간의 자신을 가지고 있는 군대 사이에서는 옛날의 전투에서는 그 개시에 있어서뿐만 아니라, 그 진군 내내, 아니 양군 중의 한편이 완전히 패했을 때까지도 규율과 질서와 신속한 복종을 어느 정도 유지한다는 것은 오늘날에 있

13 〔초판에는 "된다"라고 되어 있다.〕

어서보다도 훨씬 덜 곤란했음이 틀림없다. 그러나 규율·질서·명령에 대한 신속한 복종의 습관은 대부대로서 훈련받는 부대들만이 가질 수 있다.

민병은 항상 상비군보다는 열등하다.

그러나 민병은 어떠한 방법으로 교육을 받고 훈련을 받더라도 그것은 반드시 잘 훈련되어 있고 교련된 상비군보다는 훨씬 뒤떨어지기 마련이다.

왜냐하면 민병은 노련하지 않기 때문이며,

한 주에 한 번 또는 한 달에 한 번만 훈련을 받는 군인은, 무기 사용에 있어서 매일 또는 하루건너 훈련을 받는 군인들처럼 그렇게 노련할 수는 없다. 그리고 비록 이러한 사정이 근대에 있어서는 옛날에 비해서 그렇게 중요하지 않은 것인지 모르지만, 프로이센의 군대가 우수하다고 인정되어 있는 것이 그들의 훈련에 있어서의 뛰어난 노련에 크게 의존하고 있다는 것을 들었을 때, 우리는 오늘날까지 그것은 대단히 중요한 것이라고 하는 것에 납득이 간다.

그리고 규율에 있어서도 열등하기 때문이다.

한 주에 한 번 또는 한 달에 한 번만을 그들의 장교에게 복종하는 군인들, 그리고 모든 다른 시간에는 어떤 점에서도 그 장교와 관계없이 그들 자신의 일을 그들 마음대로 처리하는 자유를 가지고 있는 군인들은, 모든 생활과 행동에 관하여 매일 장교의 지휘를 받는 군인, 그리고 매일 그 기상과 취침 또는 적어도 그들의 숙사宿舍로 물러가는 것까지 장교의 명령에 따라서 하는 군인들에 비해서, 그 장교의 면전에서 그렇게 훈련된 군인과 동이하게 외경할 리도 없으며, 신속한 복종 정신을 가질 리도 없다. 소위 규율, 즉 신속한 복종의 습관이라는 점에 있어서 민병은 상비군에 비해 훨씬 더 못한데, 그 사용하는 점에서 민병이 상비군에게 뒤떨어져 있는 정도보다 더 심하다고 하겠다. 그러나 근대 전쟁에 있어서는 신속하고 즉각적인 복종이 무기의 조작에 있어서 다소 우수한 것보다 더 중요한 것이다.

평시에 지휘를 받고 있는 족장을 따라 전쟁에 임하는 민병이 최량의 민병이다.

타타르인 및 아랍인 민병처럼 평시에 복종하는 습관이 되어 있는 바로 그 족장 밑에서 출정하는 민병이 단연 최량의 민병이다. 그들의 장교에 대한 존경에 있어서나 신속한 복종이라는 점에 있어서나 그들은 상비군에 가장 가깝다. 고지방의 민병도 그 지방 자체의 족장 밑에서 복무했을 때는 이와 같은 종류의 이점을 가지고 있었다. 그러나 고지방민은 유목민이 아니고 정주민이었으며 그들은 모두 고정된 주소를 가지고 있었고 그 족장을 따라 이곳저곳으로 이동하는 습관을 갖고 있지 않았으므로, 전시에도 그를 따라 어떤 꽤 먼 곳에 간다든지 오랫동안 전쟁터에 머물러 있는 것은 그렇게 좋아하지 않았다. 그들은 어떤 전리품이라도 얻었을 때는 귀향할 것을 열망했으며, 지휘관의 권위만으로써는 그들을 억류해 두기가 좀처럼 충분하지 못했다. 복종이라는 점에서는 그들은 타타르 및 아랍 민병에 관해서 전해지고 있는 것보다 훨씬 더 못했다. 고지방민은 또한 그들의 정착적인 생활 때문에 타타르인과 아랍인보다는 야외에서 시간을 보내는 일이 더 적었으며, 군사훈련에도 적게 습관화되어 있었고, 그들의 무기 사용에 관해서도 그렇게 노련하지 못했다.

민병도 오랫동안 전지에 주둔하면 상비군이 된다.

그러나 주의하지 않으면 안 될 것은 어떤 종류의 민병도 수차례 전역을 전쟁터에서 치르면 모든 점에서 상비군이 되어 버린다는 것이다. 군인들은 매일 무기 사용에 관한 실습을 하고, 계속적으로 그들의 장교의 지휘하에 있으므로 상비군에서 행해지고 있는 것과 같은 신속한 복종의 습관이 이루어진다. 그들이 출정하기 전에 그들이 무엇을 하고 있었든지 간에 그것은 조금도 중요한 일은 아니다. 그들은 전쟁터에서 몇 번의 전투를 치르고 나면 필연적으로 어떠한 점에서도 상비군이 된다. 아메리카의 전쟁도 또 한 번의 전투를 통하여 질질 끌게 된다면,[14] 아메리카의 민병은 최근의 전쟁에서[15] 그 사기가 적어도 프랑스와 스페인의 가장 강한 고참병에 못지않다고 여겨졌던 우리의 상비군에 대해서 어떠한 점에서도 호적수가 될 것이다.

역사는 상비군의 우월함을 설명해 준다.

이 구별을 잘 이해하면 모든 시대의 역사는 잘 다스려진 상비군이 민병에 대해서 가지고 있는 불가항력적 우월성을 입증하고 있다는 것을 알 수 있게 될 것이다.

마케도니아의 상비군은 그리스의 민병을 무찔렀다.

충분히 확실한 어떤 역사에 명확하게 설명이 되어 있는 최초 상비군의 하나는 마케도니아의 필리포스(Philip of Macedon)의 상비군이다. 그는 트라키아인(Thracians), 일리리아인(Illyrians), 테살리아인(Thessalians), 그리고 마케도니아와 이웃하고 있는 그리스의 몇몇 도시와 번번이 전쟁을 했는데, 이 전쟁이 그 시초에는 아마 민병이었던 그의 군대에게 점차 상비군으로서의 정확한 규율을 갖추게 해 주었다. 그는 좀처럼 평화를 누리지 못했고 누렸더라도 결코 오래지 아니했는데, 그 평화시대에도 그는 주의해서 그 군대를 해방시키지 않았다. 실로 그 군대는 장기의 고투 끝에 고대 그리스의 주요 공화국들의 용감하고 잘 훈련된 민병을 격파하고 정복했다. 그리고 난 뒤에 대페르시아 제국의 나약하고 훈련이 잘되어 있지 않은 민병을 정복할 때는 별로 큰 전투도 없었다. 그리스의 공화국과 페르시아 제국의 멸망은 상비군이 각종 민병에 대해서 가지고 있는 불가항력적 우월의 결과였다. 그것은 역사가 명백하

14 〔본서의 초판은 1776년 3월초에 출판되었으며, 이것은 독립전쟁의 발발 후 1년 이내에 쓰였음이 틀림없는데, 그 전쟁은 8년간 계속되었다.〕

15 〔7년전쟁(The Seven Years' War), 1756~1763년. 이 구절은 "of which the valour appeared, in the last war,"라고 되어 있는데, 초판에는 "of which in the last war the valour appeared"라고 되어 있다.〕

고 상세한 기록을 보존하게 된 이래 인류의 사건 가운데 최초의 대혁명이다.

카르타고와 로마의 전쟁에서도 상비군이 민병을 무찔렀다.

카르타고의 몰락과 그에 따르는 로마의 발흥은 제2의 혁명이다. 그 두 유명한 공화국의 각가지 운명도 위와 똑같은 원인에서 충분히 설명될 수 있을 것이다.

카르타고의 상비군은 이탈리아에서 로마의 민병을 무찔렀다.

제1차 카르타고 전쟁의 종말에서 제2차 카르타고 전쟁의 초기까지 카르타고의 군대는 계속 전쟁터에 있었으며, 서로 이어받으면서 지휘를 맡아 왔던 3대 명장 하밀카Hamilcar, 그의 사위 하스드루발Hasdrubal 및 그의 아들 한니발Hannibal의 지배하에 있었다. 그리고 그 군대는 처음에는 그들 자신의 반항적인 노예를 징벌하고 그다음에는 아프리카의 반란민을 진압했고 마지막으로 스페인 왕국을 정복했다. 한니발이 인솔하여 스페인으로부터 이탈리아로 침입한 군대에는 필연적으로 그러한 여러 번의 전쟁에서 점차 상비군으로서의 엄격한 기율이 점차 이루어졌음이 틀림없다. 그러는 동안 로마인은 비록 전국적인 평화에 젖어 있지는 않았으나 그들은 이 기간 동안 대단히 중요한 어떤 전쟁에도 참여했던 적이 없다. 그리고 그들의 군대의 기율紀律도 대단히 해이되어 있었다고 일반적으로 일컬어지고 있다. 한니발을 트레비아Trebia·트라시메누스Thrasymenus·칸나에Cannæ에서 맞아 싸운 로마 군대는 상비군에 대항하는 민병이었다. 아마 이 사정이 그러한 전투의 운명을 결정하는 데 다른 어떤 사정보다도 더 이바지했던 것 같다.

스페인의 민병도 무찔렀다.

한니발이 스페인에 남겨 놓은 상비군은 로마인이 그것에 대항하도록 하기 위해 보낸 민병보다 역시 더 우월했다. 그리고 상비군은 몇 년 되지 않아 그의 동생인 젊은 하스드루발의 지휘하에서 그 민병들을 그 나라에서 완전히 몰아냈다.

로마의 민병이 상비군이 되었을 때, 그들은 이탈리아에서 카르타고의 상비군을 격파했고,

한니발은 본국으로부터 보급을 충분히 받지 못했다. 로마 민병은 계속 전쟁터에 있었으므로 전쟁이 진행됨에 따라 기율이 바르고 훈련이 잘된 상비군이 되어 버렸다. 그래서 한니발 군의 우월함은 나날이 감소했다. 하스드루발은 이탈리아에 있는 형을 돕기 위해서는 스페인에서 자기가 지휘하고 있는 상비군의 전부 또는 거의 전부를 보내야 할 필요가 있다고 생각했다. 이 진군에서 그는 안내자의 잘못된 인도 때문에 길을 잃었다고 한다. 그리하여 그는 전혀 알지도 못했던 지방에서, 어떤 점에서도 자기 자신의 군대와 똑같은, 아니 오히려 더 우세한 상비군의 습격을 받아 완전히 패배했다.

또 스페인에 있는 카르타고의 민병도, 아프리카에 있는 상비군 및 민병도 함께 격파했다.

하스드루발이 스페인을 떠났을 때, 대스키피오大Scipio는 자기 자신의 민병보다도 열등한 민병 이외에 자기에게 대항하는 민병은 발견하지 못했다. 그는 그 민병을 정복했으며, 그 전쟁이 경과되고 있는 동안에 그 자신의 민병은 필연적으로 기율이 바르고 훈련이 잘된 상비군이 되었다. 이 상비군은 그 후에 아프리카에 보내졌는데 그곳에서 이에 대항하는 것으로는 민병밖에 없었다. 카르타고를 방위하기 위해서는 한니발의 상비군을 소환할 것이 필요하게 되었다. 사기가 떨어지고 여러 번 패전한 아프리카 민병이 그것에 합류했고, 자마Zama의 전투에서는 이들이 한니발 군의 대부분을 구성했다. 그날의 사건이 그 상대적인 이 두 공화국의 운명을 결정했다.

그 이후 로마 공화국은 상비군을 두었으며, 마케도니아의 상비군 이외에는 별다른 저항을 받지 않았다.

제2차 카르타고 전쟁의 종말 이후 로마 공화국의 몰락에 이르기까지 로마의 군

대는 모든 점에서 상비군이었다. 마케도니아의 상비군은 로마 군대의 무기에 약간 저항했다. 로마 군대의 위세가 절정에 달해 있었음에도 불구하고 그 소왕국을 굴복시키는 데는 두 번의 전쟁과 세 번의 전투를 요했다. 그리고 마케도니아의 최후의 왕이 그렇게 겁쟁이가 아니었다면 아마 그 정복은 더욱더 곤란했을 것이다. 고대 세계의 모든 문명국, 즉 그리스·시리아·이집트의 민병은 로마의 상비군에게 미약한 저항밖에 하지 못했다. 이에 비한다면 약간의 미개국민의 민병이 훨씬 더 자신들 방위를 잘했다. 미트리다테스Mithridates가 흑해 및 카스피해의 북쪽 지방들로부터 데리고 온 스키타이 민병 또는 타타르 민병은 제2차 카르타고 전쟁 이후에 로마인이 대항해야만 했던[16] 가장 무서운 적이었다. 파르티아Parthia와 게르만의 민병 또한 항상 훌륭했으며, 로마군을 능가했던 경우도 여러 번 있었다. 그러나 대체로는 로마군이 잘 다스려지고 있었을 때는 그들보다 훨씬 더 우월했던 것 같다. 그리고 또한 로마인이 파르티아 또는 게르만의 민병을 철저하게 정복하지 않은 이유는 로마가 이미 너무 광대해진 제국이 되었고, 거기에 그러한 야만적인 두 나라를 합병할 필요가 없다고 판단했기 때문일 것이다. 옛날의 파르티아인은 스키타이 또는 타타르에서 나온 민족이었던 것 같으며, 그들의 선조의 풍속 습관 중 상당히 많은 것을 보존하고 있었던 것 같다. 옛날의 게르만인은 스키타이인 또는 타타르인처럼 유목민이었다. 그들은 평시에 종속되어 있었던 족장을 따라 출정했다. 그들의 민병도 역시 그들의 선조이었던 스키타이인 또는 타타르인의 민병과 똑같은 종류의 것이었다.

황제의 치하에서 이들 군대는 민병으로 타락해 버렸다.

로마 군대의 기율이 해이해진 데에는 여러 가지 원인이 많았다. 그 군기가 너무 엄했다는 것도 그 원인 중 하나였다. 그들의 위세가 대단했던 날, 즉 어떤 적도 그들에게 대항할 수 없게 되었을 때, 그들의 무거운 갑옷은 불필요한 부담이 된다고 벗어 버리고, 그들의 고된 훈련은 쓸데없는 노고라고 등한시되었다. 뿐만

16 〔원문 중 이에 대한 관계대명사는 "whom"으로 되어 있는데, 초판에서는 "which"로 되어 있다.〕

아니라 로마의 황제 시대에는 로마의 상비군, 특히 게르만과 판노니아(Pannonian)의 국경 지방을 수비하고 있었던 군대는 그들의 군주에 대항하여 그들 자신의 장군을 내세우기가 일쑤여서 그들의 원수에게는 그들이 위험한 존재가 되어 버렸다. 그리하여 그들의 위험성을 덜기 위하여, 어떤 저자에 의하면 디오클레티아누스(Dioclesian)가, 또 다른 저자들에 의하면 콘스탄티누스(Constantine)가 처음으로 보통 2, 3군단이라는 단체로서 주둔하고 있었던 국경 지방에서 그들을 철퇴시켜 소부대로 나누어 각지의 도시에 분산시켜 침략자를 격퇴하는 데 필요하지 않는 한, 그곳에서 움직이지 못하게 했다. 소부대로서 상업도시 및 제조업도시에 숙영하고 그 영사를 좀처럼 떠나지 않는 군인은 그들 스스로가 상인·공장·제조업자가 되어 버렸다. 그리하여 시민성이 군사성을 지배하게 되었고, 로마의 상비군은 점차 타락하여 부패하고 태만하고 무기율한 민병이 되어 버렸으며, 게르만과 스키타이의 민병의 공격을 막을 수 없게 되었고, 그 후 얼마 되지 않아 그 두 민병은 서로마제국에 침입했다. 얼마 동안 황제들이 자기 방위를 할 수 있었던 것은 오직 그 두 나라의 민병 가운데 약간을 고용하여 다른 민병에 대항하도록 했기 때문이다. 서로마제국의 몰락은 고대사가 명백하고 상세한 기록을 보존하고 있는 인류의 제반사건 가운데에서 세 번째의 대혁명이었다. 그것은 곧 야만인의 민병이 문명인의 민병에 대해서 갖는, 그리고 유목민의 민병이 농민·공장·제조업자로 되어 있는 국민의 민병에 대해서 가지고 있는 불가항력적인 우월에 의해서 이루어졌던 것이다. 민병이 거두었던 승리는 대체로 상비군을 이겼던 것은 아니고 훈련과 기율에 있어서 더 못한 다른 민병을 무찔러 이겼던 것이다. 그리스의 민병이 페르시아 제국의 민병에 승리했던 것도 그러한 것이었고, 그 뒤에 스위스 민병이 오스트리아인 및 부르고뉴인의 민병에 승리를 거두었던 것도 또한 그러한 것이었다.

서유럽에서는 민병이 점차 상비병으로 대체되었다.

서로마제국의 폐허 위에 수립한 게르만 민족과 스키타이 민족의 병력은 새 정착지에서도 얼마 동안은 그들의 본국에 있었던 것 같은 정도로 계속 유지되었다. 그것은 목축민과 농민의 민병이었으며, 전시에는 평시에 복종하고 있었던 바로 그 족장의 지휘하에 출정했다. 그러므로 그것은 상당히 잘 훈련되어 있었으며 기율도 꽤 정연했었다. 그러나 기술과 산업이 진보함에 따라 그 족장의 권위는 점차 쇠미해졌고 대부분의 국민은 군사훈련을 위해 바칠 시간이 적어졌다. 그리하여 봉건적 민병의 기율과 훈련은 모두 점차로 타락해 갔다. 그리고 상비군이 점차 도입되어 민병을 대신했다. 뿐만 아니라, 상비군이라는 편법이 한 명문국에 의해서 일단 채용되었을 때는 그 이웃 나라들은 그 예를 따라야 할 것이 필요하게 되었다. 즉 그들의 안전이 그렇게 하는 것에 의존하고 있음을 쉽게 알게 되고, 그들 자신의 민병은 그러한 군대의 공격에 대항할 수 없다는 것을 알게 되었던 것이다.

상비군은 평화시에도 그 사기를 잃지 않으며,

상비군의 병사들은 한 번도 적과 만나지 않았을지라도 노련한 군대의 용기를 모두 가지고 있고, 또한 일단 전쟁터에 서면 그 순간 가장 강하고 가장 경험이 많은 노병에도 능히 대항했던 경우가 흔히 있었던 것 같다. 1756년에 러시아의 군대가 네덜란드에 침입했을 때, 러시아 병사의 사기는, 그 당시 유럽에서 가장 강하고 가장 경험이 많은 것으로 생각되었던 프로이센의 노병의 용기에 못지않았던 것 같다. 그 당시 러시아 제국은 평화를 누리게 된 지 거의 20년이 되었으므로 병사들 가운데는 적과 만난 적이 있었던 사람은 대단히 드물었던 셈이다. 1739년에 스페인 전쟁이 발발했을 때, 잉글랜드는 약 28년 동안 평화를 누리고 있었다. 그러나 그 나라 병사들의 사기는 그 오랜 평화 때문에 부패하기는커녕, 그 불행한 전쟁의 최초의 불행한 전과戰果인 카르타헤나Carthagena의 공격에서는 유례없이 두드러져 있었다. 평화가 오래 계속되면 장군들은 그 숙련을 잊어버릴 수도 있다. 그러나 기율이 바른 상비군이 유지되어 있는 곳에서는 사병은 결코 그들의 사기를 잃어버리지 않는 것 같다.

또한 문명국의 유일한 방위 수단이기도 하다.

문명국이 그 국방을 민병에 의존하고 있었을 때는 그 국민은 항상 그 이웃에 나타나는 야만국에 의해서 정복될 위험에 처해진다. 아시아에 있어서의 모든 문명국이 타타르인의 침략을 빈번히 받았다는 것은 야만인의 민병이 문명국의 민병에 대해서 가지고 있는 자연적인 우월을 충분히 증명해 주고[17] 있다. 잘 다스려진 상비군은 어떠한 민병보다도 뛰어났다. 그러한 군대는 넉넉하고 문명한 국민에 의해서만이 가장 잘 유지될 수 있듯이 그러한 군대만이 가난하고 야만적인 이웃 나라의 침입에 대해서 그들 국민을 방위할 수 있다. 그러므로 어떤 나라의 문명을 영속시킨다든가 또는 꽤 오랫동안 보존시킬 수 있다든가 하는 것은 상비군이라는 수단에 의할 수밖에 없는 것이다.

그것은 야만국을 개화시키는 유일한 수단이기도 하다.

문명국을 방위할 수 있는 것은 잘 다스려진 상비군에 의해서만이 가능하듯이 야만국이 갑자기, 그리고 상당히 개화될 수 있는 것도 그러한 수단뿐이다. 상비군은 불가항력적인 힘으로써 제국의 가장 먼 지방까지도 두루 주권자의 법률을 확립하고, 그렇지 않고서는 도저히 받아들여질 수 없는 지방에 어느 정도 질서 있는 정부를 유지한다. 러시아 제국에 표트르 대제(Peter the Great)가 도입했던 개량을 주의해서 검토해 보는 사람은 누구나 그러한 개량이 모두 잘 다스려진 상비군의 설치에 의해서 이루어졌다는 것을 알게 될 것이다. 그의 다른 모든 규칙을 실행하고 유지하는 수단도 그것이었다. 그 제국이 그 후 줄곧 누렸던 그 정도의 질서와 내면적인 평화는 전적으로 그 군대에 힘입은 바 큰 것이라 하겠다.

상비군은 자유를 위해서도 불리한 것은 아니다.

공화주의자들은 상비군을 자유를 누리는 데는 위험한 존재라고 경계해 왔다.

17 〔본 원문은 "demonstrates"로 되어 있으나, "demonstrate"의 오식임이 확실하다. 초판에는 그렇게 되어 있다.〕

장군의 이해와 주요 장교의 이해가 그 국가의 기본적 기구의 유지와 필연적으로 결부되어 있지 않을 경우에는 확실히 그러하다. 카이사르의 상비군은 로마 공화국을 멸망시켰다. 크롬웰Cromwel의 상비군은 장기의회를 몰아내었다.[18] 그러나 주권자 자신이 장군이고, 또한 그 나라의 주된 귀족과 젠트리gentry가 고급장교인 경우에는, 그리고 군사력이 민사적 통치권(civil authority)의 최대 부분을 그들 자신이 갖고 있기 때문에 군사력이 그 권력의 유지에 최대의 이익관계를 가지고 있는 사람들의 지배하에 놓여 있을 경우에는 상비군은 자유를 누리는 데 결코 위험한 존재일 수는 없다. 오히려 어떤 경우에는 반대로 그것은 자유에 대해서 유리하기도 하다.[19] 그것은 주권자에게 안전성을 주기 때문에 근대의 약간의 공화국에서는, 각 시민의 극히 사소한 행동까지 감시하며, 그들의 평화를 교란시킬 준비가 항상 갖추어져 있는 듯 생각되는 성가신 경계심도 불필요하게 된다. 비록 그 나라의 주요한 국민들의 지지를 받고 있더라도 위정자의 안전이 민중의 온갖 불평에 의해서 위태롭게 된다든지 작은 소란이 몇 시간 내에 대혁명을 일으킬 수 있는 곳에서는 정부는 전 권력을 정부에 대한 불만과 불평을 진압하고 징벌하는 데 사용하지 않으면 안 된다. 이와 반대로 자기는 그 나라의 날 때부터의 귀족의 지지를 받고 있을 뿐만 아니라, 잘 다스려져 있는 상비군의 지지도 받고 있다고 생각하고 있는 주권자에게는 가장 조잡하고 가장 근거 없고 가장 방자한 항의일지라도 조금도 소동을 일으킬 수는 없다. 그는 그들을 용서해 주고 그대로 방치해 두더라도 안전하며 그 자신의 자기 우월감이 자연히 그렇게 하도록 해 준다. 방자에 가까울 정도의 자유는 주권자가 잘 다스려져 있는 상비군에 의해서 안전이 보장되어 있는 곳에서 허용될 수 있다. 그리고 공공사회의 안전상 이러한 방자한 자유의 무례한 장난을 억누르기 위하여 주권자에게 어떤 자

18 〔《Lectures》, 29면. 여기에서 크롬웰을 "Cromwel"이라고 하고 있는데, 이것은 흄의 스펠링으로서 제4판의 이 부분에서 처음으로 나왔으나, 앞의 99면에도 나와 있고, 그것은 전 판全版을 통하여 그렇게 적혀 있다.〕

19 〔《Lectures》, 263면.〕

유재량권을 맡겨 두어야 할 필요는 그러한 나라에 관한 한, 필요 없는 것이다.

이리하여 국방비는 증가해 간다.

그리하여 주권자의 첫 번째 의무, 즉 그 사회를 다른 독립된 사회의 폭력과 부정에서 그 사회를 방위하는 의무는 사회의 개화가 진행됨에 따라 점점 그 경비를 많이 필요하게 된다. 본래 평시에나 전시에나 주권자에겐 아무런 경비도 들지 않았던 그 사회의 군사력은 사회의 개량이 진행됨에 따라 처음에는 전시에 주권자에 의해서 유지되어야 하고, 그 후에 이르러서는 평시에 있어서도 주권자에 의해서 유지되지 않으면 안 되게 된다.

화기가 이 경비를 더 증가시킨다.

화기의 발명으로 전쟁 기술에 일어났던 대변혁은 일정 수의 사병들을 평시에 훈련시키는 데 드는 경비, 그리고 전시에 그들을 고용하는 데 드는 경비를 더욱더 증가시켰다. 그들의 무기와 탄약은 모두 더 비싸게 되었다. 소총은 창던지기 또는 활과 화살보다 더 비용이 많이 들고, 대포나 박격포는 노포弩砲(balista) 또는 석궁石弓(cataqulta)보다 더 비용이 많이 든다. 근대의 어떤 열병식 때 소비되는 화약은 재생될 수 없이 없어져 버리고, 게다가 대단히 많은 비용이 든다. 옛날의 열병 때에 던지고 쏘았던 창과 화살은 쉽게 주워 올 수 있었고, 뿐만 아니라 그 가치도 얼마 되지 않았다. 대포와 박격포는 노포 또는 석궁보다 훨씬 비쌀 뿐만 아니라, 더 무거운 기계이며 전쟁을 위해서 그것들을 준비하는 데에도, 그것을 전쟁터에 운반하는 데에도, 훨씬 더 많은 경비를 필요로 한다. 근대의 포병도 또한 옛날의 포병에 비하여 그 힘의 우수성이 대단하므로, 그 강한 포병의 공격에 단 몇 주간이라도 저항할 수 있도록, 한 도시를 방비한다는 것은 훨씬 더 곤란하게 되었고, 따라서 더 많은 비용이 들게 되었다. 근대에 있어서는 여러 가지 이유 때문에 그 사회의 방위에는 보다 많은 비용이 들게 된다. 이 점에서 개량의 자연적 진보의 불가피한 결과는 전쟁 기술의 일대 혁명을 대대적으로 촉진한 셈인데, 이 혁명은 우연한 사건인 화약의 발명에 의해서 일어났다고 생각된다.

따라서 이것은 부유한 국민에게 유리한 것이며, 문명을 위해서도 유리하다.
근대의 전쟁에서는 화기의 경비가 너무 크기 때문에 그 경비를 가장 잘 감당할 수 있는 국민이 명백히 유리한 지위를 차지하게 된다. 그 결과 풍부하고 개화된 국민이 가난하고 야만적인 국민보다 더 유리하다. 고대에는 풍부하고 개화된 국민이 가난하고 야만적인 국민에 대해서 자위自慰한다는 것이 곤란하다는 것을 알고 있었다. 그러나 근대에 있어서는 가난하고 야만적인 국민이 풍부하고 개화한 국민에 대항하여 자위한다는 것이 곤란하게 되었다. 처음 얼른 보기에는 유해한 것처럼 생각되는 화기의 발명이 문명의 영속과 확장을 위해 확실히 유리한 것이었다.[20]

제2절 사법비에 관하여

사법비는 시대에 따라 다르다.
주권자의 두 번째 의무, 즉 사회의 모든 성원을 다른 각 성원의 부정 또는 압제에서 될 수 있는 대로 보호하는 의무, 또는 엄정한 사법행정을 시행하는 의무도 또한 사회의 시대가 달라짐에 따라 정도를 크게 달리하는 경비를 필요로 한다.

시민 정부는 재산제도가 생김으로써 처음으로 필요하게 되었다.
수렵민족들 사이에는 재산이란 것은 거의 없으며, 있더라도 이삼일의 노동의 가치를 넘지 않는 것이므로, 상설의 행정장관 또는 정규의 사법행정은 좀처럼 없

20 〔흄은 《History》(1773), 제2권, 432면에서, "'맹렬한 기계'인 포에 관하여, 비록 그것은 인류의 파멸과 제국의 전복을 위하여 고안된 것이지만, 결국 전쟁의 유혈을 적게 하고 시민사회에 보다 큰 안정을 가져다주었다"라고 말했으나, 그의 이유는 본문의 이유와는 약간 다르다. 본 장의 이 부분은 명백히 《Lectures》, 260~264면의 제4편 〈무기에 관하여〉와 같은 책 제1편 26~34면에 있는 군국주의의 발흥 · 진보 · 몰락에 관한 논문에서 옮겨 온 것이다.〕

다. 재산을 갖고 있지 않은 사람들은 그들의 육체 아니면 명예에 관해서만이 서로를 해칠 수 있을 뿐이다. 그런데 어떤 사람이 타인을 살상·구타·명예훼손을 할 때, 피해자는 고통을 받을 뿐이며, 가해자는 어떤 이익도 보지 않는다. 그러나 재산에 대한 침해는 그렇지 않다. 가해자의 이익은 피해자의 손실과 동일할 때가 종종 있다. 한 사람이 다른 사람의 육체 또는 명예에 가해하도록 자극할 수 있는 것은 질투·악의·분노라는 격정에 지나지 않는다. 그러나 인간의 대부분은 그러한 감정에 좌우되는 수가 그렇게 흔히 있지 않으며, 극악의 인간만이 시시로 그렇게 될 뿐이다. 그리고 그들의 만족도 어떤 특수한 사람에게는 아무리 통쾌한 것이라 하더라도, 아무런 실질적인 또는 영구적인 이익이 따르는 것이 아니므로, 보통은 대부분의 사람들이 신중한 생각에서 그것을 억제한다. 비록 그러한 감정에서 생기는 부정에 대해서 보호해 주는 행정장관이 없을지라도 인간은 어느 정도 안전하게 함께 사회생활을 할 수 있을 것이다. 그러나 부자의 탐욕 및 야심과 가난한 사람들의 노동에 대한 혐오심 및 목전의 안락을 좋아하는 마음은 재산을 침해하도록 하는 감정이며, 이것은 앞에 말한 감정보다 훨씬 그 작용이 강하고 그 영향도 보다 보편적인 감정이다. 큰 재산이 있는 곳에는 반드시 대불평등이 따른다. 한 사람의 부자가 있기 위해서는 적어도 500명의 가난한 사람들이 있어야만 한다. 그리고 소수의 부유는 다수의 빈곤을 전제로 하고 있다. 부자의 부유는 빈자의 분노를 사게 되고, 빈자는 결핍 때문에 충동되기도 하고 질투에 좌우되기도 하여 부자의 소유물을 침해하게 된다. 다년간의 노동으로 획득된, 또는 아마 몇 대에 걸친 노동으로 얻어진 그 귀중한 재산의 소유자가 단 하룻밤이라도 안전하게 잠잘 수 있는 것은 오직 행정장관의 보호하에서만이 가능하다. 그는 언제나 알지 못하는 적에게 둘러싸여 있으며, 그가 그 적의 비위를 거스르지 않더라도 달랠 수 없는 적이므로, 그들의 가해로부터 그가 보호받을 수 있는 것은 오직 그것을 징벌하기 위하여 계속 지지되고 있는 행정장관의 강한 권력에 의할 수밖에 없다. 그러므로 가치 있고[21] 광범위한 재산의

21 〔초판에는 "가치 있거나"라고 되어 있다.〕

획득은 반드시 시민 정부의 확립을 필요로 한다. 재산도 없고, 있더라도 이삼일의 노동가치를 초과할 만한 것이라곤 하나도 없는 곳에서는 시민 정부가 그렇게 필요한 것은 아니다.

재산은 복종의 원인들을 강화한다.

시민 정부는 어느 정도의 복종을 전제한다. 그러나 시민 정부의 필요는 값비싼 재산의 획득과 더불어 점차 증가하기 때문에 복종을 자연적으로 도입하는 주된 원인도 그 값비싼 재산의 성장과 더불어 점차 증가한다.

복종에는 네 가지 원인이 있다.

복종을 자연적으로 도입하는 원인 또는 사정, 다시 말하면 자연적으로 어떠한 시민적 제도도 생기기 전부터 약간의 사람들에게 다수의 동포보다 더 우위의 어떤 지위를 부여하는 원인 또는 사정은 네 가지로 헤아릴 수 있는 것 같다.

(1) 사람의 자질이 뛰어나다는 것,

이들 원인 또는 사정 가운데 첫째 것은 사람의 자질이 뛰어나다는 것이다. 즉 육체의 힘, 아름다움과 민첩, 그리고 슬기로움과 도덕, 정신의 신중, 견인堅忍 및 중용에 관한 우월이라 하겠다. 육체상의 자질은 정신상의 자질에 의해서 뒷받침되지 않는 한, 어떤 시대의 사회에 있어서도 조금도 권위를 줄 수 없다. 육체의 힘만으로써 두 사람의 약자를 복종시킬 수 있는 사람은 대단히 강한 사람이다. 정신적인 자질이야말로 대단히 큰 권위를 부여할 수 있다. 그러나 그것들은 보이지 않는 자질이므로 항상 논쟁의 여지가 있는 것이며, 일반적으로 논쟁이 이루어지고 있다. 야만적 사회이든 개화된 사회이든 간에, 어떠한 사회도 그러한 보이지 않는 자질에 따라 계급과 복종의 우선순위에 관한 기준을 정하는 것은 편리하다고 보지는 아니했으며, 더 명백하고 감화될 수 있는 계급과 복종의 서열에 대한 규칙에 따라 정하려고 했다.

⑵ 연령이 많다는 것.

이들 원인 또는 사정 가운데 둘째 것은 연령이 많다는 것이다. 노인은 어디에서나 자기의 연령이 너무 많아 망령을 부릴 정도가 되지 않는 한, 같은 계급·재산·능력의 젊은 사람보다 더 존경을 받는다. 북아메리카의 토착민과 같은 수렵민족들 사이에는 연령이 계급과 더불어 석차 순위의 유일한 기초이다. 그들 사이에는 아버지는 손위의 어른, 형제는 동배同輩, 그리고 아들은 손아랫사람을 가리키는 명칭이다. 가장 넉넉하고 개화된 국민들에게 있어서는 다른 모든 점에서 동등하고, 따라서 그들에겐 계급의 상하를 정할 만한 것이 아무것도 없는 경우에만, 연령은 그 순위를 결정한다. 형제자매 간에는 연령자가 상석을 차지한다. 그리고 부모의 재산상속에 있어서는 이를테면 명예의 칭호와 같이 분할할 수 없고, 단 한 사람에게 주어져야 하는 것은 대부분의 경우 장자에게 주어진다. 연령은 시비를 허용하지 않는 명백하고 감지할 수 있는 자격이다.

⑶ 재산이 많다는 것.

이들 원인 또는 사정 가운데 셋째 것은 재산이 많다는 것이다. 그러나 부의 위력은 사회의 여하한 시대를 막론하고 컸던 것은 틀림없으나, 재산에 관한 상당한 불평등을 인정하는 가장 미개한 시대에 있어서 가장 크다 하겠다. 타타르인의 족장은 자기의 양 떼와 소 떼의 증가가 1000명을 부양할 만큼 되면, 그는 1000을 부양하는 이외에는 그것을 사용할 다른 방법을 몰랐다. 왜냐하면 사회가 미개한 상태에 있으면, 그에게 자기의 원생산물 가운데 자기가 소비하고 남는 부분과 교환할 수 있는 어떤 종류의 제조품이나 작은 장식구 또는 다른 값싼 물건 따위를 제공해 주지 않기 때문이다. 그리하여 그가 부양하고 있는 1000명의 사람들은 그들의 생활자료를 전적으로 그에게 의존하고 있으므로, 전시에는 그의 명령에 복종하고 평시에는 그의 지배에 복종하지 않으면 안 된다. 그는 당연히 그들의 대장이요 재판관이다. 그리고 그의 족장권은 그의 재산이 많기 때문에 생기는 당연한 결과이다. 풍부하고 개화한 사회에서는 한 사람이 그

보다 훨씬 더 많은 재산을 소유할 수 있으나, 그가 단 여남은 사람조차 지배할 수 없다. 자기의 재산의 생산물은 1000명 이상을 부양하기 충분하고, 아마 실제로 부양하고 있더라도, 부양되는 사람들은 모두 그에게서 받는 모든 것의 대가를 지불하는 것이며, 그도 또한 등가물과의 교환 이외에는 누구에게도 아무것도 주지 않으므로, 결국 그 한 사람에게 전적으로 의존하고 있다고 생각하는 사람은 좀처럼 없으며, 따라서 그의 권위도 몇몇의 하인들에게만 미칠 뿐이다. 그러나 재산의 위력은 부유한 문명사회에서도 대단히 크다. 그것이 연령이나 인물의 위력보다도 훨씬 더 크다는 것은 재산에 상당한 불평등을 허용했던 모든 시대의 변함없는 불평이 되어 왔다. 제1단계의 사회, 즉 수렵민족의 사회는 그러한 불평등을 허용하지 않았다. 그곳에서는[22] 일반적인 궁핍이 일반적인 평등을 확립하고 있으며, 연령 또는 인물의 우월이 미약하기는 하지만 권위와 복종의 유일한 기초였다. 그러므로 그러한 시대의 사회에서는 권위라든가 복종이라고 할 만한 것은 거의 또는 전혀 없었던 것이다. 제2단계의 사회, 즉 목축민의 사회는 재산에 대단히 심한 불평등이 허용됐다. 더욱이 재산의 우월이 그 소유자들에게 그렇게도 큰 위력을 주었던 시대는 이 시대 외에는 없다고 하겠다. 따라서 권위와 복종이 이토록 완전하게 확립되었던 시대는 없었다. 그러므로 아랍 추장의 권위는 대단히 컸으며, 타타르의 칸(汗)의 권력은 완전히 전제적이었다.

(4) 가문이 좋다는 것.

이들 원인 또는 사정의 넷째 것은 가문의 우월이다. 가문이 좋다는 것은 그것을 주장하는 사람의 가족이 옛날부터 재산가임을 먼저 필요로 하고 있다. 가족은 모두가 동등하게 오래된 셈이다. 그리고 왕가의 선조는 더 잘 알려져 있기는 하지만, 거지의 선조보다 더 그 수효가 많은 것도 아니다. 그러므로 가문이 오래되었다 함은 어디서나 그 부가 오래되었다는 것 내지는 부에 기초를 두든가 아니면 부에 수반되는 권세가 오래되었다는 것을 뜻하는 셈이다. 벼락 거부는 어디

22 〔"그곳에서는(there)"이 제4판과 제5판에서는 "their"라고 오식되어 있다.〕

서나 오래된 거부보다는 존경을 받지 못한다.[23] 강탈자를 싫어하고 옛 왕가를 좋아하는 것은 인간이 자연적으로 전자에 대해서 가지는 경멸과 후자에 대한 존경을 그 근거로 하고 있음이 크다. 군대의 장교는 자기가 항상 명령을 받고 있는 상관의 권위에는 거리낌 없이 복종하지만, 자기의 부하가 자기 위에 오르게 되는 것에는 견디지 못하는 것처럼, 보통 사람들도 자신과 자신의 선조들이 항상 복종해 왔던 가족에게는 쉽게 복종하지만, 그러한 우월을 한 번도 인정한 적이 없는 다른 가족이 그들을 지배하려고 할 때는 분노에 불타게 된다.

가문에 의한 차별은 수렵민족들 사이에는 없다.

가문의 차별은 재산의 불평등에 뒤따라 생긴 것이므로 수렵민족에는 있을 수 없다. 그들 사이에는 모든 사람이 재산상 평등하므로 그 가문도 역시 거의 동등하다. 물론 그들에게도, 현명하고 용감한 사람의 자손으로 태어난, 같은 재능의 사람보다는 다소나마 더 존경을 받는다. 그러나 그 차이는 그렇게 크지는 않다. 내가 믿고 있는 한에서는, 총명과 도덕만을 물려받았다고 해서 명문이 되었다는 가족은 이 세계의 어느 곳에도 결코 없었다.

유목민 사이에는 항상 이 차별이 있다.

가문에 의한 차별은 유목민 사이에는 있을 수 있을 뿐 아니라, 항상 생긴다. 그러한 민족은 어떤 부류의 사치도 알지 못했고, 그 커다란 부가 거의 준비성 없는 낭비에 의해서 그들 사이에 소진될 수도 없었다. 따라서 이 민족만큼 위대하고 유명한 선조로부터 오랫동안 계승되어 온 가계 때문에 존경과 명예를 얻고 있는 가족이 많은 민족도 없다. 왜냐하면 부가 오랫동안 같은 가족의 수중에 계속 남아 있는 민족이란 이들 이외엔 없기 때문이다.

가문과 재산에 의한 차별은 유목민 사이에서 가장 유력한 것이다.

23 〔《Lectures》, 10면.〕

가문과 재산은 한 사람의 인간을 다른 인간의 위에 올려놓는 두 가지 주된 사정임이 명백하다. 이 두 가지는 인간 차별에 대한 최대의 원인이며, 따라서 인간들 사이에 권위와 복종을 자연적으로 확립하는 주요한 원인이기도 하다. 유목민 사이에는 이 두 가지의 원인이 전적으로 작용한다. 대규모의 양치기나 목우자는 자기의 부가 거대하고, 또 그에게 생활을 의존하고 있는 사람들의 수가 많기 때문에 존경을 받고 있으며, 자기의 가문이 높고 자기의 저명한 가문이 기억할 수도 없을 만큼 오래되었기 때문에 숭앙을 받고 있으므로, 그는 자기의 군족 또는 씨족에 속하는 모든 손아래 양치기나 목우자에 대해서 생득의 권위를 가지고 있다. 그는 손아래 사람의 누구보다도 많은 사람의 결합된 힘을 지배할 수 있다. 그의 군사력은 그들 가운데 누구의 군사력보다 더 크다. 전시에는 그들은 모두가 어떤 다른 사람의 깃발 아래 모이기보다는 그의 깃발 아래 모이고 싶어함은 당연한 것이다. 더욱이 그렇게 해서 그의 명문과 재산이 자연히 그에게 어떤 종류의 행정권을 제공해 준다. 또한 그들 가운데 누가 할 수 있는 것보다 더 많은 사람들의 뭉친 힘을 지휘함으로써 그들 가운데 누군가가 타인에게 해를 끼칠 경우 그 잘못을 보상할 것을 누구보다도 잘 강요할 수 있다. 따라서 너무 무력하여 자기 방위를 하지 못하는 모든 사람들이 자연히 보호를 구하는 것도 그 사람이다. 그들이 자신들에게 가했다고 생각하는 그 피해를 자연히 그에게 호소한다. 그리고 그의 조정은 어떤 다른 사람의 중재보다도 쉽게 승복되며 불평을 호소해 온 사람까지도 그것에 복종하게 된다. 그리하여 그의 가문과 재산은 그에게 자연적으로 일종의 사법권을 부여하는 것이다.

유목민 사이에서는 재산의 불평등이 일어나서 시민 정부를 도입한다.

재산의 불평등이 최초로 일어나기 시작하여 인간들 사이에 그 이전에는 있을 수 없었던 권위와 복종의 계급제를 도입하게 된 것은 사회발달의 제2의 시기인 목축시대이다. 그리하여 그것은 자기보존에 필요불가결한 어느 정도의 시민 정부를 도입한다. 또한 그 불평등은 자연히 그 필요에 대한 고려와는 상관도 없이 국내 통치를 도입하는 것 같다. 뒤에 이르러서는 그 필요에 대한 고려라고 하는 것이 그 권위와 복종을 유지하고 확보하는 데 이바지하게 됨은 틀림없다. 특히 부자는 반드시 그러한 사태의 질서를 유지하는 데 관심을 갖는다. 이것이야말로 그들에게 유리한 지위를 갖게 해 줄 수 있기 때문이다. 그보다 못한 부자들도 협력하여 자신들보다 나은 부자들의 재산의 소지를 방어하는 것은 그 부자들이 결속하여 그들이 소지하고 있는 재산을 방어해 줄 수 있도록 하기 위함이다. 하급의 양치기나 목우자들은 모두 그들 자신이 양 떼와 소 떼의 안전은 반드시 대규모의 양치기나 목우자의 양과 소 떼의 안전에 의존하고 있으며, 작으나마 그들의 권위의 유지는 대규모 양치기의 보다 큰 권위의 유지에 의존하고, 자신들보다도 손아랫사람들을 자신들에게 복종시키는 대규모 양치기의 힘은, 자신들의 그에 대한 종속에 의존하고 있다는 것을 느끼고 있다. 그리하여 그들은 일종의 소귀족을 구성하고, 그들 자신의 소小주권자가 그들의 재산을 방어하고 그들의 구성을 유지할 수 있도록 하기 위하여 그의 재산을 방어해 주고 그의 권위를 유지하는 것을 자신들의 이익으로 생각한다. 시민 정부는 이것이 재산의 보전을 위해서 설립된 한에 있어서는, 빈자에 대한 부자를 방어하기 위하여, 즉 아무것도 갖고 있지 않은 사람들에 대한 약간의 재산을 가진 사람들의 방어를 위해서 세워진 것이라 하겠다.[24]

그러나 사법권은 오랫동안 수입의 원천이었으며, 경비 지출의 원인은 아니었다.

그러나 그러한 주권자의 사법권은 오랫동안 그에게는 경비지출의 원인이었다기보다는 수입의 원천이었다. 그에게 재판을 청원하는 사람들은 항상 서슴지 않고 그 대가를 지불하려고 했으며, 청원에는 선물이 반드시 따랐다. 뿐만 아니라

24 〔《Lectures》, 15면에는 "재산이 생기기까진 정부는 있을 수 없다. 정부수립의 목적은 부의 안전을 확보하고 가난한 사람들에 대해서 부자들을 방어하는 것이다." 존 로크John Locke의 《통치론An Essay Concerning the True Original, Extent, and End, of Civil Government》, 제94항에서 "정부는 재산의 보호를 제외하고는 아무런 목적도 갖고 있지 않다"라고 한 것과 비교하여 보라.〕

주권자의 권위가 완전히 확립된 뒤에도 유죄로 판정된 사람은 상대방에 대한 변상 이외에 주권자에 대해서도 역시 벌금을 지불하여야만 했다. 그는 그의 국왕의 평화를 범하고 그것을 어지럽히고 깨뜨렸으므로, 그러한 죄에 대한 벌금은 마땅한 것이라는 뜻이었다. 아시아에 있어서의 타타르인의 정부와 로마제국을 전복시켰던 게르만과 스키타이 민족에 의해서 수립된 유럽의 정부에서는 사법행정은 주권자에게도, 그리고 주권자 밑에 있는 어떤 특정된 종족 또는 민족, 또는 특정 영역 내지 한 지방에 대해서 특정된 재판권을 행사하는 모든 하급의 족장이나 영주에게도 다 같이 수입의 중대한 원천이었다. 본래는 주권자와 보다 하급의 족장들이 다 같이 이 재판권을 손수 행사하고 있었다. 그 후에 그들은 그것을 어떤 대리인인 집행관 또는 재판관에게 맡기는 것이 편리하다는 것을 대체로 알게 되었다. 그러나 이 대리인은 그의 본인, 즉 대리권 의뢰인을 위하여 사법권의 수익을 회계할 의무를 지고 있었다. 헨리 2세의 시대에 그 순회재판관에게 주어졌던 지령서[25]를 읽어 보면 누구나 그러한 재판관들은 일종의 순회대리인으로서 국왕의 수입의 어떤 부문을 징수할 목적으로 그 나라를 두루 순회하도록 파견되었다는 것을 명백히 알 수 있을 것이다. 그러한 시대에는 사법행정은 주권자에게 일정한 수입을 제공할 뿐만 아니라, 이 수입을 마련하는 것이야말로 주권자가 사법행정에 의해서 획득하려고 했던 주요 이익의 하나였던 것 같다.

그 때문에 많은 폐해가 생긴 것이다.

사법행정을 수입의 목적에 종속시키는 이 계획은 몇 가지 대단히 큰 폐해를 가져오지 않을 수 없었다. 큼직한 선물을 가지고 가서 재판을 신청한 사람은 정의 이상의 어떤 것을 얻기 쉬웠으며, 그 반면 적은 선물을 들고서 그것을 신청한 사

25 〔그러한 지령서는 Tyrrell이 쓴 《History of England》에 있다. 제임스 티렐James Tyrrell, 《General History of England, both Ecclesiastical and Civil》(1700), 제2권, 576~579면. 그 국왕은 리처드 1세이지 헨리 2세는 아니다.〕

람은 그 이하의 어떤 것을 얻는 것이 일쑤였다. 또한 재판도 이 선물이 거듭될 수 있도록 하기 위하여 연기되는 수가 있었다. 뿐만 아니라 피고인의 벌금은 실은 그가 잘못하지 않았을 때까지도 그의 잘못을 찾아내려는 대단히 강력한 이유를 생각나게 했을지 모른다. 그러한 폐해가 흔히 있었다는 것은 유럽에 있는 모든 나라의 고대사가 입증하고 있다.

이 폐해는 주권자가 손수 사법권을 행사하거나 또는 대리인을 시켜 하거나 간에 마찬가지였다.

주권자나 또는 족장이 스스로 자기의 사법상의 권위를 행사할 경우에는, 그가 아무리 그것을 악용한다 하더라도 그것에 대해서 어떤 구제를 받는다는 것은 거의 불가능했을 것이 틀림없다. 왜냐하면 그의 책임을 추궁할 만큼 충분한 힘을 가지고 있는 사람은 좀처럼 있을 수 없었기 때문이다. 사실 그가 집행리를 시켜 그것을 행사했을 때는 구제가 이루어질 수도 있었다. 만일 집행리가 자기 자신의 이익만을 위하여 어떤 부정행위를 범했다면, 주권자 자신도 그를 처벌한다든지 또는 그 부당행위에 대한 배상을 시킬 것을 반드시 꺼려만 했으리라고는 할 수 없다. 그러나 그가 범한 압제 행위가 그의 주권자의 이익을 위한 것이었다면, 즉 그를 임명했고 그를 승진시킬지도 모르는 사람의 비위를 맞추기 위한 행위였다면, 대부분의 경우 그것에 대한 구제는 주권자 자신이 그것을 범했던 것과 마찬가지로 불가능할 것이다. 따라서 모든 야만적인 정부, 특히 로마제국의 폐허 위에 건설되었던 유럽의 모든 고대 정부에서는 사법행정은 오랫동안 심히 부패하고 있었던 것 같으며, 최선의 군주 아래에서까지도 아주 평등하고 공평한 것과는 거리가 멀었다. 더욱이 최악의 군주 아래에서는 완전히 방탕했다.

이러한 폐해는 주권자가 토지의 수입과 법정 수수료에만 의존하고 있는 동안은 교정될 수 없었다.

유목민에는 주권자 또는 족장이 그 집단 또는 민족 가운데서 최대의 양치기나 목우자에 지나지 않으므로, 그는 자기의 가신 또는 신민의 어떤 사람과도 마찬가지로 자기 자신의 소 떼나 양 떼의 증식에 의해서 부양된다. 목축민의 상태를 겨우 벗어났을 뿐, 그 상태에서 크게 진보하지 못한 영농국민, 이를테면 트로이 전쟁 무렵의 그리스의 종족과 서로마제국의 폐허 위에 최초로 정주했을 때의 우리의 게르만인과 스키타이인의 선조가 그러했던 것으로 생각되는바, 그 영농 국민 사이에서는 주권자 또는 족장은 마찬가지로 그 나라의 최대의 지주에 지나지 않으며, 어떤 다른 지주와도 마찬가지로 자기 자신의 사적인 소유지, 즉 근대 유럽에서는 국왕의 직영지라고 불렀던 것에서 나오는 수입으로 부양된다. 그의 신민들은 통상의 경우에는, 그를 유지하기 위하여 아무것도 공납하지 않으나, 다만 그들의 동포 시민 가운데 어떤 사람의 압제에서 보호받기 위하여 그들이 그의 권위를 필요로 할[26] 때는 예외이다. 그러한 경우에 그들이 그에게 바치는 선물이 경상수입의 전부, 즉 그가 그들을 지배하는 것에서 꺼내는 이득의 전부이며, 다만 어떤 특별한 비상사태의 경우에는 아마 예외일 것이다. 호머Homer 가운데는 아가멤논Agamemnon이 아킬레스Achilles의 우정에 대해서 그리스의 7개 도시의 주권을 제공할 때, 그 주권에서 얻어질 듯한 유일한 이익으로서 그가 언급한 것은 국민은 선물로써 그를 받들 것이라고 한 것이다.[27] 이렇게 해서 그러한 선물, 즉 재판상의 이득, 다시 말하면 소위 법정 수수료라는 것이 주권자가 자기의 주권에서 끌어내는 경상수입의 전부를 이루고 있는 한에 있어서는, 그가 그런 것을 전부 포기하도록 한다는 것은 좀처럼 기대할 수 없거니와 점잖게 제안될 수 없기조차 했다. 그가 그런 것들을 규제하고 확립해야 한다는 것이라면 제안될 수도 있었으며 사실 번번이 제안되기도 했다. 그러나 일단 규제되고 확립된 뒤에는 전능한 사람이 그러한 규제 이상으로 만들려는 것을 못 하게 저

26 〔"권위를 필요로 할"은 초판에는 "권위에 의한 중재를 필요로 하는"이라고 되어 있다.〕

27 〔《일리아드Iliad》, 제9권, 149~156행, 그러나 그 선물이 "유일한 이익"이라고 기재되어 있지는 않다.〕

지한다는 것은 비록 불가능했다고는 할 수 없으나, 역시 대단히 곤란한 것이었다. 그러므로 이러한 사태가 계속되는 동안에는 그러한 선물의 독단적이며 불확실한 성질에서 자연히 생기는 재판의 부패에는 어떠한 유효한 교정책矯正策도 받아들여질 여지가 없었던 것이다.

그러나 조세가 필요하게 되었을 때, 국민은 재판관이 선물을 받아서는 안 된다는 것을 약정의 조건으로서 요구했다.

그러나 여러 가지 원인에서, 특히 다른 민족의 침략에서 그 국민을 방위하는 경비가 끊임없이 증대함으로써 주권자의 사적인 소유지는 주권에 따르는 경비를 지출하기에는 전혀 불충분하게 되었을 때, 그리고 국민이 그들 자신의 안전을 위하여 여러 가지 종류의 조세로서 이 경비를 공납해야 할 것이 필요했을 때, 주권자이든 그의 집행리이며 대리인인 재판관이든 사법행정에 대해서는 어떠한 구실 밑의 선물도 받아서는 안 된다는 것이 아주 일반적인 조건으로서 요구되었던 것 같다. 그러한 선물을 유효하게 규제하거나 확정하기보다는 오히려 전부 폐지해 버리는 것이 더 쉽게 될 수 있다고 생각되었던 것 같다. 재판관에게는 정액定額의 봉급이 정해졌으며, 그것은 구식의 재판상의 이득에서 그들의 몫이 될 수 있었던 것을 대신해 주는 것이라고 생각되었으니, 그것은 조세가 주권자의 손실을 보상하고도 남음이 있었기 때문이었다. 당시 재판은 무상으로 시행되어야 한다고 일컬어지고 있었다.

재판이 무상으로 시행된 적은 없다.

그러나 재판이 무상으로 행해진 것은 실은 어느 나라에서도 없었다. 적어도 법률가와 변호사는 항상 소송 당사자로부터 대가가 지불되어야 하고, 만일 지불되지 않았다면 그들은 그들의 의무를 실제로 다하고 있는 것보다 훨씬 더 불충분하게 이행할 것이다. 법률가와 변호사에게 해마다 지불되는 수수료는 어떤 법정에서도 재판관의 봉급보다 훨씬 많은 금액에 달하고 있다. 재판관의 봉급이 국왕으로부터 지불된다는 사정이 있을지라도, 그 때문에 소송의 필요경비가 많이 감소될 수는 어떤 곳에서도 없는 것이다. 그러나 재판관이 소송 당사자로부터 선물 또는 수수료를 받지 못하게 되었다는 것은 경비를 줄이기 위해서라기보다 오히려 재판의 부패를 방지하기 위해서였던 것이다.

재판관의 봉급은 문명국에서는 정부경비의 작은 부분이다.

재판관이라고 하는 관직은 그 자체가 대단히 명예스러운 것이므로 이득이 대단히 적게 따르더라도 사람들은 기꺼이 그것을 맡고 싶어 한다. 치안판사라는 이보다 하급의 관직은 비록 많은 노고가 들고 대부분의 경우 전혀 아무런 이득도 없는 것이지만, 우리의 농촌 지주들 대부분에게는 야심의 대상인 것이다. 상하의 모든 각가지 재판관의 봉급은, 이것에다 사법행정과 재판집행의 모든 경비를 가산하더라도 어떤 문명국에서도 정부의 모든 경비의 극소 부분에 지나지 않는다. 그리고 그 경비가 아주 경제적으로 쓰이지 않는 국가에서까지도 그러하다.

그것은 법정 수수료로서 지불될 수 있을 것이다.

또한 전체 사법비는 법정 수수료로써 쉽게 지불될 수 있을 것이며, 따라서 사법행정을 부패시키는 실제적인 위험도 없이 공공수입은 비록 약간이지만 일정한 부담에서 완전히 벗어날 수 있을 것이다. 주권자와 같이 대단히 유력한 인물이 법정 수수료의 몫을 차지하고 자기의 수입 가운데 상당한 부분을 그것에서 끌어내고 있는 곳에서는 그 법정 수수료를 규제한다는 것은 곤란하다. 법정 수수료에서 어떤 이익을 획득할 수 있는 주요 인물이 재판관일 경우에는 그것은 대단히 쉽다. 법률이 주권자로 하여금 그 규제를 존중하도록 하는 것은 용이하지 않으나, 재판관으로 하여금 그것을 존중하게 하는 것은 대단히 쉽다. 법정 수수료가 엄격히 규제되고 확립되어 있고, 그것이 각 소송의 일정기간에 전부 일시불로 회계관 또는 출납관에게 지불되고, 또 이 사람에 의해서 소송 결정 후에 여러 재판관 사이에 일정한 기지의 비율로 분배되며, 소송 결정까지는 분배되지 못하도록 되어 있는 곳에서는 그러한 수수료가 전적으로 금지되어 있는 곳에서보다 부패의 위험이 더 많은 것 같지는 않은 것 같다. 그러한 수수료는 소송경비를 크게 증가시키지 않고 전체 사법비를 완전히 지불하는 데 충분하게끔 할 수 있을 것이다. 상당히 많은 수의 재판관으로 구성되는 법정에서는 각 재판관의 몫을 각 개인이 법정 또는 법정의 명령에 의한 위원회에서 당해 소송의 심리에 소비한 시간과 횟수에 비례시키면 그 수수료는 재판관 각 개인의 근면에 약간의 격려가 될 수 있을 것이다. 그 보수가 오직 그 실적에 맞추어져서 생기고, 그것들을 수행하는 데 쓰인 근면에 비례할 때, 공무란 비로소 가장 잘 수행되는 것이다. 프랑스의 여러 고등법원에서 법정 수수료(재판관의 사례금[28]과 특별수당이라고 불리는 것)는 재판관의 이득의 대부분을 이루고 있다. 그 순위나 위신에서 그 왕국의 제2의 고등법원인 툴루즈Toulouse의 고등법원에서 참사관 또는 재판관에게 국왕으로부터 지불되는 순 봉급은 모든 공제를 하고 나면 겨우 연액 150리브르, 즉 영화 약 6파운드 11실링밖에 되지 않는다. 약 7년 전[29]에는 이 금액이 동지에서의 일반보병의 통상의 연임금이었다. 그러한 사례금의 분배도 또한 재판관의 근면에 따라 이루어진다. 즉 부지런한 재판관은 자기의 관직을 통하여 이전대로 충분한 수입을 얻는다. 반면에 게으른 재판관은 좀처럼 자기의 봉급 이상으로는 받지를 못한다. 그러한 고등법원들은 아마 여러 가지 점에서 대단히 적절한 재판소는 아닌 듯하다. 그러나 비난을 받았던 적은 없으며, 부패의 혐의를 받은 일도 없었던 것 같다.

잉글랜드의 재판소는 본래는 수수료로써 유지되고 있었으며, 이 때문에 다른 재판소에 대한 침해가 되었다.

28 〔"사례금(Epicès)"은 여기와 그다음 7행 밑에서도 나오는데 이 특별한 용어는 제2판에서 처음 나온다.〕

29 〔스미스는 1764년의 2월 또는 3월부터 1765년 8월까지 툴루즈에 있었다. －래, 《애덤 스미스의 삶》, 174~175, 188면.〕

본래 법정 수수료는 잉글랜드에 있는 여러 재판소의 주요 유지비였던 것 같다. 모든 법정은 될 수 있는 대로 많은 소송사무를 자신에게 끌어오려고 노력했으며, 그 때문에 본래는 자신들 관할에 들어오리라고는 예기하지도 않았던 많은 소송을 기꺼이 심리하고자 했다. 형사사건만을 재판하기 위하여 설치된 고등재판소가 민사소송도 심리했는데, 이는 원고가 피고는 자기를 정당하게 취급하지 않았으므로 어떤 불법행위 또는 경죄를 범했다고 주장하기 때문이었다. 국왕의 수입을 징수하고 국왕에게 지불되어야 할 채무의 지불만을 강제하기 위하여 설치된 재무재판소는 다른 모든 계약채무도 심리했는데, 그것은 원고가 피고는 자기에게 지불하려고 하지 않기 때문에 자기도 국왕에게 지불할 수 없다고 주장하기 때문이었다. 이러한 의제의 결과로써 어느 법정에서 사건을 재판하게 할 것인가 하는 것은 전적으로 당사자에게 의존하게 되었다. 그리고 각 법정은 뛰어난 신속함과 공평함에 의해서 될 수 있는 대로 많은 소송사건을 끌어오려고 노력했다. 현재의 잉글랜드에 있어서 재판소의 칭찬할 만한 제도가 형성된 것은 아마 본래 각 재판소의 재판관들 사이에 예부터 있었던 이러한 경쟁에 크게 의존했다. 각 재판관은 자기 자신의 법정에서, 모든 종류의 부정에 대해서 법률이 허용하는 한에 있어서 가장 급속하고 유효한 구제를 해 주려고 노력했다. 본래 보통재판소는 계약의 불이행에 대해서만이 손해배상을 부과했다. 대법관재판소는 소액채권 취급법정으로서 처음에는 합의계약의 특정이행을 강제하는 것을 맡고 있었다. 계약의 불이행이 금전지불을 하지 않았다는 것일 경우에는 피해를 배상하는 방법은 금전지불을 명령하는 것 이외에는 없으며, 이것은 그 합의계약의 특정이행과 같은 것이었다. 그러므로 이러한 경우에는 보통재판소의 구제로서 충분했다. 다른 경우에는 그렇지 않았다. 차지인이 자기의 차지에서 부당하게 쫓겨난 데 대해서 지주를 고소했을 때, 그가 회복하는 피해는 결코 그 토지의 소유와 같은 것은 아니었다. 따라서 이러한 소송사건은 얼마 동안은 모두 대법관재판소에 갔으며, 그 때문에 보통재판소의 손실이 적지 않았다. 보통재판소가 인위적이며 꾸며 낸 차지점유 회복영장이라고 하는 것을 발명하여 토지로부터의 부당한 축출 또는 불법점유에 대한 가장 유효한 구제책으로 삼았다고 하는 것은 그러한 소송사건을 자신들에게 돌려 오려고 한 때문이었다.[30]

법정은 소송수속에 대한 인지세에 의해서 유지될 수 있으나, 이것은 법정으로 하여금 그러한 소송수속을 복잡하게 만드는 폐단을 일으키게 한다.

각개의 법정의 법률 수속에 대해서 당해 법정에서 징수하고, 그 소속 재판관과 그 밖의 판사를 부양하는 데 충당되는 인지세는 마찬가지로, 그 사회의 일반적 수입에는 아무런 부담도 주지 않고 사법행정비를 지불하는 데 충분한 수입을 제공해 줄 수 있을 것이다. 실로 이러한 경우에 재판관은 그러한 인지세수입을 될 수 있는 한 증가시키려는 유혹에 빠질지도 모른다. 변호사와 법정 서기의 보수는 대부분의 경우, 그들이 써야 하는 면수面數에 응하는 것이 근대 유럽의 관습이었다. 그러나 법정은 각 면은 몇 줄, 각 줄은 몇 단어로 하지 않으면 안 된다는 것을 요구하고 있었다. 변호사와 서기는 자신들 보수를 증대시키기 위하여 전혀 필요 이상으로 단어 수를 늘릴 것을 고안해 왔으며, 내가 믿고 있는 바로서는 바로 이 때문에 유럽의 모든 재판소의 법률용어가 부패했던 것이다. 이와 같은 유혹이 아마 법률 수속의 형식에 있어서도 이와 동일한 부패를 일으켰을 것이다.

재판관의 독립을 유지하는 또 하나의 방법은 법정에다 재산수입을 부여하는 것이라 하겠다.

그러나 사법행정이 그 자체의 경비를 지불하도록 획책되거나 또는 재판관이 다른 어떤 재원에서 지불되는 고정 급료에 의해서 부양되고 있거나 간에 행정권을 위임받은 사람 또는 사람들이 그 재원의 관리 내지 그러한 봉급의 지불에 관하여 책임을 져야 할 필요는 없는 것 같다. 그 재원은 소유지의 지대에서 나올 수도 있을 것이다. 즉 소유지의 관리는 이것으로 유지되는 당해 법정에 위탁되어

30 〔《Lectures》, 49면.〕

있기 때문이다. 또한 그 재원은 일정액의 화폐이자에서 생길 수도 있다. 이런 경우, 그 대부는 위에서와 마찬가지로 그것으로 유지되기로 되어 있는 법정에 위탁될 것이다. 스코틀랜드의 고등민사재판관의 봉급의 일부분은 실로 그 작은 부분에 지나지 않지만 정액의 화폐이자에서 나온다. 그러나 이러한 재원은 어떻든 불안정한 것이므로 당연히 영속해야 할 제도를 유지하기 위한 것으로서는 부적당한 것이라고 생각된다.

사법권이 행정에서 분리된 것은 행정사무의 증가에 기인하고 있다.

사법권이 행정권에서 분리된 것은 본래는 사회의 개선이 증대된 결과로서, 그 사무의 증가에서 생겼던 것 같다. 사법행정은 대단히 힘이 들고 복잡한 의무가 되어, 그것을 위임받은 사람은 사적인 소송의 결정에 손수 관여할 여유가 없기 때문에 그를 대신해서 결정하는 대리인이 임명되었다. 로마가 강대 일로에 있었을 때, 집행관은 국가의 행정문제에 사로잡혀 있었으므로, 사법행정에 참가할 수는 없었다. 그리하여 그를 대신하여 그것을 다스리는 대법관이 임명되었다. 로마제국의 폐허 위에 건설된 유럽의 여러 왕국이 발전하는 과정에서, 주권자와 대영주는 예외 없이 사법행정을 손수 행하기에는 너무나 힘이 들고, 너무 하등의 직무라고 생각하기에 이르렀다. 그러므로 그들은 일반적으로 대리인, 즉 집행리 또는 재판관을 임명함으로써 그들 자신을 그 일에서 해방시켰던 것이다.

사법권은 행정권에서 분리되어야 할 뿐만 아니라, 그것과는 독립되어야 한다.

사법권이 행정권과 합쳐져 있을 때는 재판이 흔히 속된 말로 정치의 희생이 되지 않게 한다는 것은 좀처럼 가능하지 않았다. 국가의 중대한 이익을 맡고 있는 사람들은 부패한 견해라곤 전혀 없더라도 때로는 국가의 이해를 위하여 개인의 권리를 희생할 필요가 있다고 생각할지 모른다. 그러나 각 개인의 자유, 즉 각 개인의 안전감은 공평한 사법행정에 의존하고 있다. 각 개인으로 하여금 자기는 자기에게 속한 모든 권리를 보유함에 있어서 완전히 안전하다고 느끼게 하기 위해서는 사법권을 행정권에서 분리해야 할 뿐만 아니라, 될 수 있는 대로 그것을 행정권에서 독립된 것으로 만들어야 할 것이 필요하다. 행정권의 변덕에 따라 자칫하면 재판관이 자기의 직무에서 해임되는 일은 없어야 한다. 그의 봉급의 규칙적인 지불은 행정권의 호의에 의존해서는 안 되며, 행정권의 경비절약에 의존해서도 안 된다.

제3절 공공 토목사업 및 공공시설의 경비에 관하여

주권자의 제3의 의무는, 유용하기는 하지만 개인에게는 이윤을 가져다줄 수 없는 공공 토목사업과 공공시설을 건설하고 유지하는 데에 있다.

주권자 또는 국가의 제3의, 그리고 마지막 의무는 공공시설 또는 공공 토목사업을 건설하고 유지하는 의무인데, 이것들은 비록 하나의 큰 사회를 위해서는 최고도로 유리하겠지만, 그 성질상 그 이윤은 어떤 개인 또는 소수의 개인에게도 그 경비를 보상할 수 없고, 따라서 어떠한 개인 또는 소수의 개인에게도 그 건설과 유지는 기득될 수 없을 만한 것이다. 이 의무의 수행도 역시, 사회의 다양한 시대에 따라, 그 정도를 매우 달리하는 경비를 필요로 한다.

이런 것은 주로 상업을 조장하고 교육을 진흥하기 위한 시설이다.

사회의 방위 및 사법행정을 위하여 필요한 공공시설과 공공 토목사업에 관해서는 이미 진술한 바 있거니와 그 다음가는 이런 종류의 다른 사업 및 시설은 주로 사회의 상업을 조장하고 국민의 교육을 증진시키기 위한 것이다. 교육을 위한 시설은 두 종류가 있다. 청소년의 교육을 위한 것과 모든 연령의 국민의 교화를 위한 것이다. 그러한 여러 가지 부류의 공공 토목사업 및 공공시설의 경비는 어떻게 하면 가장 적절하게 지불될 수 있을는지 그 방법에 관하여 고찰하려고 하며, 본 장의 이 제3절은 3항으로 나뉜다.

제1항 사회의 상업을 조장하기 위한 공공 토목사업 및 공공시설에 관하여

1. 상업을 일반적으로 조장하는 데 필요한 것에 관하여[31]

이러한 시설의 경비는 증가한다.

좋은 도로와 교량, 항행 가능한 운하, 항구 등과 같은 한 나라의 상업을 조장하는 공공 토목사업의 건설과 유지가 사회의 시대를 달리함에 따라, 대단히 다른 정도의 경비를 필요로 함이 틀림없다는 것은 증명할 것도 없이 명백한 것이다. 일국의 공로를 만들고 유지하는 경비는 명백히 그 나라의 토지 및 노동의 연간 생산물과 함께, 즉 그러한 도로 위를 왕복할 필요가 있게 된 재화의 양과 무게와 더불어 증가함이 틀림없다. 교량의 강도는 그 위를 통과할 차량의 수와 무게에 알맞은 것이어야 한다. 항행이 가능한 운하의 수심과 급수량은 그 위로 재화를 운반할 거룻배의 수와 톤수에 비례되어야 한다. 항구의 넓이도 그곳에 정박할 선박의 수에 비례되지 않으면 안 된다.

이 경비를 일반적 공공수입에서 지불할 필요는 없다.

그러한 공공 토목사업의 경비가 보통 불리는바, 소위 공공수입에서, 즉 대부분의 나라에서는 그 징수와 충용充用이 행정권에 맡겨져 있는[32] 수입에서 지불되어야 할 필요가 있다고 생각되지는 않는다. 그러한 공공 토목사업의 대부분은 그 사회의 일반적 수입에는 아무런 부담을 주지 않고, 그 자체의 경비를 지불하기에 족할 만한 제각기의 수입을 올리도록 운영되는 것은 쉬운 일이다.

통행세와 그 밖의 특별한 요금으로 조달될 수 있다.

31 〔이 2행은 초판 및 재판에는 없다.〕

32 〔"그 징수와 충용이……맡겨져 있는"의 원문은 "the collection and application are……assigned to……"인데 이 "are"은 초판에서 제4판까지 "is"로 되어 있다.〕

예를 들면 공로公路와 교량, 항행 가능한 운하는 대부분의 경우, 이들을 이용하는 선박과 차량에 부과되는 소액의 통행세로 건설되기도 하고 유지될 수 있다. 항구라면 그곳에서 짐을 싣고 푸는 선박의 톤수에 부과되는 적당한 입항세로 그렇게 할 수 있다. 상업을 조장하는 또 하나의 시설인 화폐주조는 수많은 나라에서 그 자체의 경비를 메워 나갈 뿐만 아니라, 주권자에게 소액의 수입, 즉 조폐 수수료를 제공해 준다. 이와 동일한 목적을 위한 또 하나의 시설인 우체국은 그 자체의 경비를 꾸려 나가고 그 위에 거의 모든 나라에서 상당히 많은 수입을 주권자에게 가져다주고 있다.

차량의 중량과 선박의 적재량에 따른 통행료는 대단히 공평하다.

공로 또는 교량을 통과하는 차량과 항행 가능한 운하를 항행하는 거룻배가 그 중량, 즉 톤수에 비례하여 통행료를 지불할 경우에는, 그들은 그러한 공공 토목사업을 유지하기 위하여, 차량들이 그 사업에 대해서 일으키는 감가 소모[33]에 정확한 비례로 지불하는 셈이다. 그러한 사업을 유지하는 데 이 이상 공평한 방법을 발명한다는 것은 거의 불가능한 것 같다. 뿐만 아니라 이 조세, 즉 통행료는 운송사업자에 의하여 선지급되기는 하지만 최종적으로 소비자가 지불하는 것이니, 그것은 항상 재화의 가격으로서 소비자에게 지워질 것이 틀림없다. 그러한 공공 토목사업의 덕분으로 운송비가 대대적으로 줄어들게 되므로 재화는 통행료가 있더라도 그렇지 않았을 경우에 비해 훨씬 싸게 소비자에게 간다. 즉 재화의 가격은 값싼 운송으로 인해 내려는 만큼 통행료에 의해서 올려지지는 않는 것이다. 그러므로 최종적으로 조세를 지불하는 사람은 그로써 이득을 보게 된다. 그의 지불은 그 이득에 정확하게 비례한다. 그것은 실은 그 이득의 일부분에 지나지 않는 것이며, 그는 그 나머지 이득을 획득하기 위하여 그 일부를 방기하지 않으면 안 된다. 조세의 징수 방법으로서는 이 이상 공평한 것을 상상한다는 것은 불가능하다.

33 〔"감가 소모(wear and tear)"는 초판에는 "소모 감가(tear and wear)"로 되어 있다.〕

사치스러운 차량에 더 높은 비율의 통행료가 가해지면 부자는 쉬운 방법으로 빈자의 구제에 기여하게 된다.

사치스러운 차량, 즉 사륜마차와 역마차 등에 대한 통행료를 이륜마차와 대형사륜 짐마차 등과 같은 필수 용도의 차량에 대한 것보다 그 중량과의 비에 있어서 약간 더 높인다면 그 나라의 온갖 지방에 가는 무거운 재화의 수송을 더 싸게 해 줌으로써 부자의 게으름과 허영이 아주 쉬운 방법으로 빈자의 구제에 이바지하게 되는 것이다.

도로와 운하 같은 것은, 이렇게 대금을 징수하게 되면, 실제로 꼭 필요로 하는 곳 이외에는 만들어지지 않을 것이다.

공로·교량·운하 등이 이것들 때문에 행해지고 있는 상업에 의해서 이러한 방법으로 이루어지고 유지되면, 이들은 그 상업이 필요로 하는 곳에서만이 이루어질 수 있고, 따라서 그런 것을 만드는 것이 적당한 곳에서만이 이루어질 수 있다. 그 경비, 즉 그 장대함과 화려함도 역시 그 상업이 지불할 수 있는 정도에 맞추어져야 한다. 따라서 그것은 알맞게 설치될 수밖에 없다. 장대한 공로는 상업이 거의 또는 전혀 행해지고 있지 않는 황폐한 지방을 관통하지 않을 것이며, 또는 단순히 그것이 때마침 주지사의 시골 별장이라든가 또는 그 지사가 비위를 맞추어 두는 것이 좋겠다고 생각하는 대영주의 별장으로 통한다는 이유만으로 그것을 만들 수도 없는 것이다. 아무도 지나다니지 않는 곳의 강 위에 큰 다리를 놓을 수도 없거니와 또는 단순히 이웃 궁전의 창문에서의 조망을 아름답게 하기 위해서 그렇게 할 수도 없는 것이다. 그런데 이런 종류의 대토목사업이 자력으로 제공할 수 있는 이외의 어떤 수입으로 운영되고 있는 나라에서는 때로는 그런 일이 이루어진다.

운하는 정부위원의 수중에 있는 것보다 개인의 손에 들어 있는 편이 낫다.

유럽의 수많은 여러 지방에서는 운하의 통행료, 즉 수문세는 개인들의 재산이며 그들은 사적인 이해관계에서 운하를 유지하지 않으면 안 되게 되어 있다. 운하를 상당히 잘 정비해 두지 않으면 항행은 반드시 완전히 중지될 것이며, 그들이 통행료에서 얻을 수 있는 이윤도 그와 함께 없어진다. 만일 그러한 통행료가 아무런 이해관계도 가지지 않는 정부위원들의 관리하에 두어진다면, 그들은 그러한 요금을 만들어 내는 토목사업의 유지에 대한 그들의 주의를 적게 기울일 것이다. 랑그도크Languedoc의 운하는 프랑스 국왕과 그 속주가 1300만 리브르 이상의 경비를 들였는데 그 금액은 (전前세기 말엽 프랑스 화폐의 가치로서 은 1마르크를 28리브르라고 하면) 영화 90만 파운드 이상이나 되었다. 그 대사업이 완성되었을 때 그것을 항상 개수해 둘 가능성이 가장 많은 방법으로서 그 사업을 계획하고 감독한 기사 리케Riquet에게 그 통행료를 주는 것이라는 것을 알게 되었다. 현재 그 통행료는 그 지주의 일족의 여러 사람들에게는 큰 재산을 이루고 있으며, 따라서 그들은 그 토목사업을 항상 개수해 두는 데 대단히 큰 관심을 가지고 있다. 그러나 만일 그 통행료가 그러한 관심을 갖고 있지 않은 정부위원의 관리하에 맡겨졌다면 아마 그것은 장식적이며 불필요한 경비로 다 쓰였을 것이며, 한편 그동안에 그 토목사업의 가장 중요한 부분은 망가지도록 버려졌을 것이다.

그러나 공로의 통행료는 안전하게 개인의 재산으로 해 둘 수는 없으며, 수탁자에게 위탁되어야 한다.

공로를 유지하기 위한 통행료는 안전하게 개인들의 재산으로 해 둘 수는 없는 것이다. 운하는 완전히 방치되면 전혀 통행이 불가능해지지만 공로는 그렇지 않다. 그러므로 공로의 통행료 소유권자는 그 도로의 개수를 전혀 게을리하면서도 종래와 거의 같은 금액의 통행료를 계속 징수할 수 있다. 따라서 그러한 사업을 유지하기 위한 통행료는 정부위원 또는 수탁자의 관리하에 두는 것이 적당하다.

영국의 유료도로의 통행료에 대한 불평은 널리 퍼져 있으나, 그것은 그렇게 대단한 것은 아니다.

영국에서는 그러한 통행료의 수탁자가 그 관리상 저지른 폐해가 불평거리가 되어 왔는데, 이러한 불평은 정당했을 경우가 많았다. 수많은 유료도로에서 징수되는 화폐는 그러한 사업을 가장 완전한 방법으로 수행하는 데 필요한 금액의 두 배 이상이나 되며, 더욱이 이 사업은 대단히 소홀한 방법으로 수행되고 있는 경우가 많았고, 전혀 수행되지 않을 때도 있다고들 한다. 주의해야 할 것은 이런 종류의 통행료로 공로를 개수한다는 제도는 그렇게 오래된 제도가 아니다. 그러므로 그것이 가능하다고 생각되는 가장 안전한 정도에 아직 달해 있지 않다고 하여 걱정해서는 안 될 것이다.[34] 비록 천하고 부적당한 인물이 종종 수탁자로 임명되고, 또 비록 그들의 행동을 강제하고 그들이 해야 하는 그 사업의 수행에 최저한으로 필요한 통행료를 줄이는 감독과 회계의 적절한 심판소가 아직 확립되지 않았다 하더라도, 그 제도가 생긴 지 얼마 되지 않았다는 것이 그러한 결함에 대한 설명과 핑계가 될 수 있다. 그리고 그러한 결함의 대부분은 의회의 지혜로 머지않아 점차 시정될 수 있을 것이다.

정부는 유료도로를 관리하고 그것에서 수입을 얻어야 한다는 것이 제안되었다.

영국의 다양한 유료도로에서 징수되는 화폐는 도로를 개수하는 데 필요한 금액을 훨씬 넘는 것이라고 생각되므로 몇몇 대신들까지도 생각하기를, 적절한 절약을 통해 올릴 수 있을 그 잉여금은 먼 훗날 국가의 긴급한 필요에 충당될 수 있는 대단히 큰 재원이라고 생각하게 되었다. 정부는 유료도로의 관리를 수중에 넣고 그의 급료에다 아주 조금만 추가해 주면 일해 줄 병사를 활용함으로써, 전체 생활비를 임금에서 얻는 직공밖에 고용할 수 없는 수탁자보다 훨씬 적은 경비로 도로를 충분히 정비할 수 있을 것이라고 일컬어져 왔다. 그리하여 국민에게는 어떠한 부담을 주지 않고서도 아마 50만 파운드[35]라는 상당히 큰 수입을

34 〔이 구의 원문은 "that degree of perfection of which it seems capable"인데, 초판에는 "……it seems to be capable"이라고 되어 있다.〕

35 본서의 최초의 두 개 판을 출간한 이래, 나는 영국에서 징수되는 유료도로의 통행료가 전부

얻을 수 있을 것이고, 더욱이 유료도로는 우체국이 현재 하고 있는 것과 똑같이 국가의 일반적 경비에 보탬이 되도록 이바지하게 될 것이라고 주장되어 왔다.

이 계획은 다음과 같은 반대를 받기 쉽다

이렇게 하면 아마 이 계획의 기획자가 상정했던 정도까지는 안 되더라도 꽤 많은 수입을 올릴 수 있으리라는 것은 나도 의심하지 않는다. 그러나 그 계획 자체는 몇 가지 대단히 중요한 반대를 받기 마련이라고 생각된다.

(1) 즉 통행료가 인상되어 상업에 대한 큰 방해물이 될 것이라는 것,

첫째, 유료도로에서 징수되는 통행료가 국가의 긴급한 필요를 충족하기 위한 재원의 하나라고 생각되기라도 한다면, 그러한 긴급한 사태가 필요로 하고 있다고 생각되는 데 따라 그것은 틀림없이 급속히 증액될 것이다. 그러므로 영국의 정책에 따라서 그것은 대단히 급속히 증액될 것이다. 상당히 큰 수입이 그러한 요금에서 나올 수 있다면, 정부는 그 용이함에 자극되어 너무나 흔히 이 방책에 의존할 것이다. 비록 아무리 경리를 잘 한다 하더라도 현행의 통행료에서 50만 파운드가 저축될 수 있을 것인지 아닌지는 대단히 의심스럽지만, 만일 그것을 두 배로 한다면 100만 파운드, 세 배로 한다면 아마 200만 파운드가 저축될 수 있으리라는 것은 의심할 바 없다.[36] 뿐만 아니라, 이러한 큰 수입은 그것을 징수하고 받아들이는 단 한 사람의 새로운 관리를 임명하지 않더라도 징수될 수 있을 것이다. 그러나 이렇게 해서 유료도로의 통행료가 부단히 증액되면 그것은 현재처럼 그 나라의 국내상업을 조장하기는커녕 얼마 되지 않아 그것에 대한 일대 장애물이 될 것이다. 모든 무거운 재화를 그 나라의 한 지방에서 다른 지방으로 수송하는 데 드는 경비는 대단히 증가되고, 따라서 그러한 모든 재화를 위

50만 파운드에 달하는 순수입을 올리지 못한다는 것을 믿을 만한 좋은 근거를 잡았다. 그런데 이 전액은 정부의 관리하에서는 이 왕국 내의 5개 간선도로를 개수해 두는 데도 충분하지 못할 것이다. 〔이것과 다음 각주는 제3판에서 처음 나온다.〕

36 지금 나는 이들 모든 추정액이 과대하다는 것을 믿을 만한 충분한 이유를 가지고 있다.

한 시장도 곧 좁아지므로, 그러한 재화의 생산은 크게 저해되고 그 나라의 국내 산업의 가장 중요한 부문들은 전면적으로 근절되어 버릴 것이다.

⑵ 차량의 무게에 비례하는 조세는 주로 빈자의 부담이 된다는 것.

둘째, 차량의 무게에 비례하는 조세는 그것이 도로의 개수改修라는 목적에만 충용될 때는 극히 공평한 조세이지만, 그것이 어떤 다른 목적에 충용될 때는, 즉 국가의 일반적 긴급사태의 필요를 충족할 경우에는 대단히 불공평한 것이다. 상술한 목적에만 충용된다면 각 차량은 각기 도로의 감가 소모[37]에 대한 정확한 지불이 된다고 생각된다. 그러나 그것이 그 밖의 어떤 목적에 충용된다면 각 차량은 그 감가 소모 이상의 지불을 하고 국가의 어떤 다른 긴급사태의 필요에 이바지하는 것으로 생각된다. 그러나 유료도로의 통행료는 재화의 가격을 그 가치가 아닌 무게에 비례하여 올리는 것이므로, 그것은 고가이며 가벼운 상품이 아닌 조악하고 부피가 큰 상품의 소비자에 의해 주로 지불된다. 그러므로 이 조세가 감당하려고 의도하고 있는 국가의 긴급한 필요가 어떻든 간에 그 긴급사태의 필요는 부자가 아닌 가난한 사람의 지출로써 주로 충족될 것이다. 즉 그것을 충족할 능력이 가장 많은 사람이 아닌, 그 능력이 가장 적은 사람의 지출로써 충족되는 것이다.

⑶ 도로가 소홀히 다루어질 것이라는 것.

셋째, 정부가 일단 공로公路의 개수를 등한하게 하려고 한다면 정부로 하여금 유료도로의 통행료 가운데서 얼마만큼을 적절하게 충용하도록 강제한다는 것은 현재보다도 더 곤란하게 될 것이다. 그리하여 이렇게 해서 큰 수입이 당연히 충용되어야 할 유일한 목적에는 조금도 충용되지 않은 채 국민으로부터 징수되는 셈이 될지도 모른다. 유료도로의 수탁자들이 비열하고 가난하기 때문에, 현

37 〔여기와 두 줄 뒤에 있는 "감가 소모(wear and tear)"는 초판에는 "소모 감가(tear and wear)"라고 되어 있다.〕

재 그들의 잘못을 고치도록 강요한다는 것이 곤란할 때가 있다면, 부와 세력을 가진 관리인을 개선시키는 것은, 여기에서 상정되어 있는 경우라면 열 배나 곤란한 것이다.

프랑스에서는 공로는 행정권력 안에 들어 있다.

프랑스에서는 공로의 개수를 위해 상정된 기금이 행정권의 직접적인 감독하에 놓여 있다. 그 기금의 일부는 유럽의 대부분의 지방의 농촌 주민이 공로를 개수하기 위해 제공할 의무를 지고 있는 일정 일수의 노동[38]이며, 일부는 국가의 일반적 수입 가운데서 국왕이 자기의 다른 경비를 아껴서 절약하려는 부분이다.

대大역마차 도로는 대체로 좋으나, 그 밖의 것은 모두 완전히 등한시되어 있다.

프랑스의 옛 법률에 의하면, 유럽의 다른 대부분의 지방의 옛 법률과 마찬가지로 시골 주민의 노동[39]은 추밀원에 직속되어 있지 않는 지방 또는 주장관의 감독하에 놓여 있었다. 그러나 현재의 관행에 의하면, 시골 주민의 노동과 국왕이 어떤 특정된 주 또는 징세구의 공로의 징수에 충당하려고 하는 어떠한 기금은 다 같이 완전한 지사의 관리하에 놓여 있으며, 이 지사는 추밀원이 임면하는 관리로서 추밀원으로부터 명령을 받고 추밀원과 계속 연락을 하고 있다. 전제정치가 진전하는 과정에서 행정권의 권한은 점차로 국가의 다른 모든 권한을 흡수하고 공공의 목적을 위해 상정된 모든 부문의 수입의 관리권을 수중에 장악해 버린다. 그러나 프랑스에서는, 이 왕국의 주요 도시를 연결하는 대역마차 도로는 일반적으로 잘 정비되어 있으며, 어떤 주에 있는 것은 잉글랜드의 유료도로의 대부분의 것보다 훨씬 훌륭하다. 그러나 우리들이 지선도로라고 부르는, 즉 시골 도로의 거의 대부분은 아주 소홀히 되고 있으며, 많은 장소에서는 무거운 차량은 도저히 지나갈 수 없게 되어 있다. 장소에 따라서는 말타고 여행하는 것마저

38 〔"일정 일수의 노동"은 초판에는 "6일간의 노동"이라고 되어 있다.〕

39 〔여기와 다음 문장에 있는 "시골 주민의 노동"은 초판에는 "6일간의 노동"이라고 되어 있다.〕

위험하며, 안심하고 믿고 탈 수 있는 것이란 노새(騾馬)뿐이었다. 화려한 궁정의 고만한 대신은 일대 공로라고 하는 화려한 토목사업을 완수하여, 이것이 중요 귀족의 눈에 띄는 것을 좋아하곤 했지만, 그것은 그러한 귀족의 칭찬이 자기의 허영심을 만족시켜 줄 뿐만 아니라, 궁정에 있어서의 자기의 이익을 유지하는 데 도움이 되기까지도 했기 때문이었다. 그러나 수많은 소小토목사업은 그것을 완수한다 하더라도 훌륭한 외관을 꾸밀 수 있는 것은 하나도 없으며, 어떤 여행자마저도 조금도 칭찬해 주지 않고, 요컨대 그것들이 지극히 실용적이라는 것 이외에는 호감이 갈 만한 어떠한 점도 갖고 있지 않는 일이므로, 이러한 사업을 완수하다는 것은 그렇게도 위대한 장관의 주의를 끌기에는 너무 평범하고 빈약한 일이라 하겠다. 그러므로 이러한 행정하에서는 이러한 토목사업은 거의 언제나 완전히 등한시된다.

중국과 아시아의 다른 지방들에서는 행정권력이 공로와 운하를 다 같이 유지하고 있으며, 그 상태도 좋다고 일컬어지고 있지만, 유럽에서는 사정이 다를 것이다.

중국과 아시아의 다른 몇몇 정부에서는 행정권력이 공로의 개수와 항행 가능한 운하의 유지에 대한 책임을 둘 다 맡고 있다. 각 주의 장관에게 주어지는 지령에는 항상 그러한 목적이 추장推奬되어 있으며, 관정官廷이 장관의 행동을 판단할 경우에는 그가 지령의 이 부분에 얼마만 한 주의를 기울였는가 하는 것이 중시된다고 한다. 따라서 그러한 모든 나라에서는 공공정책이 이 부문에 대단한 주의를 기울이고 있다고 하며, 특히 중국에서 그러하다고 하는데, 그곳에서는 공로와 더욱이 항행 가능한 운하는 유럽에서 알려져 있는 그 같은 종류의 모든 것을 훨씬 능가하고 있다고 주장하고 있다. 그러나 종래 유럽에 전달되어 왔던 그러한 토목사업에 대한 설명은, 보통은 우둔하고 호기심을 갖는 여행자나, 때로는 어리석고 거짓말 잘하는 선교사가 쓴 것이다. 만일 그러한 사업이 더욱더 지성 있는 눈으로 검토되었더라면, 그리고 그것들에 관한 설명이 조금 더 충실한 목격자에 의해서 보고되었더라면, 아마 그렇게까지 놀라운 것이라고 생각되지는 않았을 것이다. 베르니에Bernier가 인도스탄에 있어서의 이런 종류의 토목사업에 관하여 행한 보고는 그보다 기이한 것을 더 좋아하는 다른 여행자들이 종래 그런 것에 관하여 보고해 왔던 것에 비하면 훨씬 못하다.[40] 그러한 나라에서도 아마 프랑스에서와 마찬가지로 관정과 도시에서 화제의 대상이 되기 쉬운 대도로와 대교통기관에는 주의를 기울이고, 다른 것은 모두 소홀히 다루었을 것이다. 뿐만 아니라, 중국·인도·아시아의 다른 몇몇 정부에서는 주권자의 수입은 거의 전부가 지조地租, 즉 지대에서 생기며, 그 지대는 토지의 연간 생산물의 증감[41]에 따라 증감한다. 그러므로 주권자의 큰 관심사, 즉 그의 수입은 이러한 나라에서는 필연적으로 그리고 직접적으로 토지 경작, 토지 생산물의 양, 그 생산물의 가치와 연결되어 있다. 그러나 그 생산물을 될 수 있는 한 크고 가치 있게 하기 위해서도, 광대한 시장을 획득할 것이 필요하다. 따라서 그 나라의 모든 지방 사이를 가장 자유롭고 가장 용이하고 가장 싸게 먹히는 교통기관을 확립하는 것이 필요하다. 이것은 곧 최량의 도로와 최량의 운하에 의해서만이 이루어질 수 있다. 그러나 유럽에 있어서는 어떤 지방에서나 주권자의 수입이 주로 지조, 즉 지대에서 생기는 것은 아니다. 유럽의 대왕국에서는 아마 주권자의 수입이 대부분을 궁극적으로는 토지의 생산물에 의존하고 있을지 모르지만, 그러나 그 의존성은 위의 경우처럼 그렇게 직접적인 것도 아니며, 그렇게 명백하지도 않다. 그러므로 유럽에서는 주권자는 양에 있어서나 가치에 있어서나 토지 생산물의 증가를 촉진시킨다거나, 좋은 도로와 운하를 유지함으로써 그 생산물을 위한 가장 광대한 시장을 제공한다거나 할 필요를 그렇게 직접적으로 자각하지는 않는다. 따라서 내 사견으로서는 적지 않게 의심스럽지만, 비록 아시아의 약

40 〔《Voyages de François Bernier》(암스테르담, 1710)은 인도의 도로와 운하에 관한 보통 있는 찬사를, 어떤 특정 토목사업을 설명함에 있어서도 의심하고 있다고는 할 수 없으나, 그 토목사업이 존재했거나 또는 두드러져 있었다면 당연히 그렇게 했을 그런 장소에서도 그것에 관해 언급하고 있지 않으므로 역시 의심하고 있다. 그 책의 제2권 249면에, "이 지방의 큰 강에는 보통 다리가 없다"라는 것을 보라.〕

41 〔"증감(rise and fall)은 초판에는 "증 또는 감(rise or fall)"이라고 되어 있다.〕

간의 지방에서 공공정책의 이 부문이 행정권력에 의해서 대단히 적절히 다스려지고 있다는 것이 사실이라 하더라도, 유럽에 있어서는 어떤 지방에서나 그것이 그 권력에 의해서 꽤 잘 다스려질 수 있으리라는 가능성은 사물의 현 상태로서는 거의 없는 것이다.

지방적 성질을 가진 공공 토목사업은 지방적인 수입으로 유지되어야 한다.

그 성질상 그 자체를 유지하기 위한 수입을 제공할 수 없는 공공 토목사업일지라도 그 편익이 어떤 특정 장소 또는 지역에만 한정되어 있는 것은, 그 관리를 항상 행정권이 갖고 있지 않으면 안 되는 국가의 일반적 수입에 의하기보다는 지방과 주州의 행정의 관리하에 있는 지방 또는 주의 수입에 의해서 유지되는 편이 항상 더 좋다. 만일 런던의 가로街路가 국고의 부담으로 조명이 되고 포장되도록 된다면, 현재처럼 이렇게 훌륭하게 그리고 이처럼 적은 경비로써 조명이 되고 포장될 가능성이 있을 것인가? 뿐만 아니라 이런 경우, 런던의 각개의 가로와 교구 또는 구역의 주민에 대한 지방세에 의해서 조달되지 않고 국가의 일반적 수입에서 지불되고, 따라서 이 왕국의 전체 주민에 대한 조세에 의해서 조달될 것이다. 그리고 이들 주민의 대부분은 런던의 가로의 점등과 포장에서 어떤 부류의 혜택을 조금도 받지 못하는 것이다.

지방수입의 관리에 관한 폐해는 일반적 수입의 관리에 관한 것에 비하면 적은 것이다.

지방 및 주의 수입을 지방 및 주가 관리할 경우, 때때로 모르는 사이에 생기는 폐해는, 비록 그것이 아무리 거대하게 보일지라도, 실제로는 대제국의 수입의 관리와 지출에서 보통 일어나고 있는 폐해에 비하면, 거의 언제나 극히 작은 것에 지나지 않는다. 더욱이 그것은 훨씬 더 쉽게 교정된다. 영국의 치안판사의 지방 또는 주의 관리하에서 농촌 주민이 공로의 개수를 위해 제공하지 않으면 안 되는 6일간의 노동은 아마 반드시 현명하게 충용되고 있지는 않을 것이지만, 다소나마 잔혹 또는 압제적인 상황에서 강요되는 일은 좀처럼 없다. 프랑스에서는 지사들의 관리하에서의 그 충용은 언제나 영국보다 현명하다고는 할 수 없으며, 그 강요도 가장 잔혹하고 압제적일 경우가 흔히 있다. 소위 강제부역(corvées)은 그러한[42] 관리들이 불행히도 자신들 비위를 거스른 적이 있는 교구 또는 공동체(communeauté)를 혼내 주는 데 쓰이는 폭정의 주요 수단의 하나가 되어 있다.

2. 상업의 특수 부문을 조장하는 데 필요한 공공 토목사업 및 공공시설에 관하여

상업의 특수 부문을 조장하기 위해 약간의 특수한 시설이 필요하다. 이를테면, 야만적인 국민과의 무역에는 보루가 필요하며, 그 밖에 국민과의 무역에는 대사가 필요하다.

상술한 공공 토목사업과 공공시설의 목적은 상업을 조장하기 위한 것이다. 그러나 상업의 특수 부문을 조장하기 위해서는 특수한 시설이 소요되고, 이것에는 또한 독특하고 특별한 경비를 필요로 한다. 야만적이며 미개한 국민과 행해지는 상업의 약간의 특수 부문은 특별한 보호를 필요로 한다. 아프리카의 서해안과 무역하는 상인들의 재화에 대해서는 보통의 창고나 사무소만으로서는 거의 안정을 보증할 수 없을 것이다. 그러한 재화를 야만적인 원주민으로부터 방위하기 위해서는 그 보관 장소는 어느 정도 요새화되어 있어야 할 필요가 있다. 인도스탄의 통치가 무질서했기 때문에 그 온순하고 순한 국민들 사이에서까지 이와 비슷한 경계가 필요하다고 생각되었다. 잉글랜드 및 프랑스의 두 동인도회사가 인도스탄에서 자신들이 영유하는 최초의 보루堡壘 건설을 허용받았던 것도 자신들의 생명과 재산을 폭력에서 보호한다는 구실 아래에서였던 것이다. 강력한 정부가 그 영토 내의 이국인에게 보루의 영유를 전혀 허용하지 않는 다른 국민 사이에서는 대사라든지 공사 또는 영사를 두어서 자국민들 사이에 일어나는 불화

42 〔이 이하의 구는 초판에는 다음과 같이 되어 있다. 즉 "지사가 불행히도 자기의 비위를 거스른 적이 있는 어떤 교구 또는 공동체를 혼내 주기 위한 폭정의 주요 수단의 하나를 이루고 있다."〕

를 자국의 관습에 따라 매듭짓게 하고, 또 원주민과의 논쟁이 있을 때는 자기의 공적인 성격으로써 어떤 개인으로부터 기득할 수 있는 것보다도 큰 권한을 가지고 간섭하고 더 유력한 보호를 자국민에게 해 주도록 할 필요가 있을 것이다. 전쟁과 동맹의 목적에서는 아무런 필요도 없을 외국에도 상업상의 이익을 위해서는 공사를 둘 필요가 흔히 있었다. 터키 회사의 사업이 처음으로 콘스탄티노플 Constantinople에 주재 대사를 두었다.[43] 러시아에 대한 최초의 잉글랜드 대사는 전적으로 상업상의 이익을 위해 생겼다.[44] 그러한 이익관계에서 유럽의 여러 국가의 신민들 사이에 반드시 일어났던 부단한 충돌이, 평시에도 주재하는 대사 또는 공사를 모든 이웃 나라에 둔다는 관습을 도입했던 것 같다. 고대에는 알려져 있지 않았던 이런 관습은 15세기 말엽, 아니면 16세기 초두보다 더 오래된 것은 아닌 것 같다. 즉 상업이 처음으로 유럽의 제 국민의 대부분으로 확대되어 그들이 처음으로 그 이해관계에 주의하기 시작했을 때보다 더 오래되지는 않은 것 같다.

그들의 보호를 위해 특별한 경비를 필요로 하는 상업부문이 특별한 조세를 부담하는 것은 합리적일 것이다.

어떠한 특수 부문의 상업을 보호하기 위하여 필요한 특별한 경비가 그 특수 부문에 대한 온당한 조세로서 지불되어야 한다는 것은 불합리하지는 않은 것 같다. 이를테면 처음으로 그 부문의 상업에 종사하는 상인들에 의해서 지불되는 온당한 요금 또는 더 공평한 것으로는 그들이 거래하고 있는 특정 상대국에서 수입하거나 또는 그곳에 수출하는 재화에 대해서 지불되는 몇 퍼센트의 특별한 관세 같은 것이 그것이다. 무역을 해적과 약탈자로부터 보호한다는 것이 관세를 제정한 최초의 동기였다고 한다. 그러나 무역 일반을 보호하는 비용을 충당하기 위해 그 무역에 대해서 일반적인 조세를 부과하는 것이 합리적이라고 생각되었

43 〔앤더슨, 《Commerce》(1606).〕

44 〔앤더슨, 《Commerce》(1620). 그리고 1623년도 판과 비교하라.〕

다면, 특정한 무역 부문을 보호하는 비용을 충당하기 위해 그 무역 부문에 특별한 세금을 부과하는 것도 마찬가지로 합리적이라고 생각되어야 할 것이다.

이러한 조세의 수익은 행정권력의 처분에 맡겨 있어야 하지만, 종종 상사에 주어져 왔다.

무역 일반의 보호는 국가의 방위상 없어서는 안 될 것이며, 그 때문에 그것은 행정권력의 의무의 불가결한 부분이라고 종래는 항상 생각되어 왔다. 그러므로 관세 일반의 징수와 충용은 이때까지 줄곧 이 권력에 맡겨져 왔다. 그러나 어떤 특수 부문의 무역의 보호는 무역의 일반적 보호의 일부이며, 따라서 그 행정권력의 의무의 일부이기도 하다. 그리고 만일 국민이 항상 일관된 행동을 했다면, 그러한 특수한 보호를 목적으로 징수되는 특수한 세금도 항상 마찬가지로 그 권력의 처분에 맡겨 두었어야 할 것이다. 그러나 다른 많은 점에 관해서는 물론, 이 점에 관해서도 국민은 항상 일관된 행동을 하지 않았으며, 유럽의 대부분의 상업국가에서는 특수한 상사가 입법부를 설득하여 주권자의 의무의 이 부분의 수행을 이것과 필연적으로 연결되어 있는 모든 권력과 함께 자신들에게 맡기도록 했다.

이러한 회사는 결국 성가신 것, 또는 쓸모없는 것임이 항상 밝혀졌다.

이러한 회사들은 비록 국가가 신중을 기하여 해 보려고 하지 않는 하나의 실험을 자비로 함으로써 상업의 일부를 처음으로 도입했다는 점에서는 아마 유용했는지 모르지만, 결국에는 성가신 것, 또는 쓸모없는 것이라는 것이 밝혀졌으며, 무역의 운영을 그르쳤거나 또는 그것을 국한했던 것이다.

이 회사들은 규제회사規制會社가 아니면 주식회사다.

그러한 회사가 주식 조직組織으로 영업하지 않고 적당한 자격을 가진 사람이면 어떠한 사람이라도, 즉 일정한 요금을 지불하고 그 회사의 규약에 따른다는 것에 동의하는 사람이라면 누구나, 그의 입사를 허용하지 않으면 안 되고, 그 각 성원이 자기의 자본과 자기의 위험부담으로 영업을 할 때, 그러한 회사는 규제회사(regulated company)라고 불린다. 그 회사가 주식 조직으로 영업하고, 각 성원이 이 주식자본에 있어서의 자기의 몫에 비례하여 공동의 손익을 나눌 때, 그들은 주식회사(joint stock company)라고 불린다.[45] 이러한 회사는 규제회사이든 주식회사이든 간에 독점적 여러 특권을 가질 때도 있고, 그렇지 않을 때도 있다.

규제회사는 동업조합同業組合과 비슷하며, 그와 비슷하게 행동하고 있다.

규제회사는 모든 점에서 유럽의 모든 나라의 대도시와 도회지에 대단히 흔한 직업의 동업조합(corporations of trades)과 비슷하다. 그리고 그것과 같은 종류의, 확대된 독점체이기도 하다. 도회지의 어떤 주민도 처음에 동업조합의 특권(freedom)을 획득하지 않는 한, 조합화된 직업에 종사할 수 없듯이, 대부분의 경우 국가의 어떠한 신민도 먼저 규제회사의 성원이 되지 않는 한, 이 회사가 설립되어 있는 부문의 외국무역을 합법적으로 할 수 없다. 그 독점이 어느 정도 엄격한 것인지는 가입 조건의 난이難易에 비례한다. 그리고 이 회사의 이사들이 어느 정도의 권위를 갖고 있는지, 즉 그들이 이 무역의 대부분을 그들 자신이나 그들의 특정 친구에게만 국한하는 방법으로 운영하는 실력을 어느 정도 갖고 있는가에 비례한다. 가장 오래된 규제회사에 있어서는 도제의 특권은 다른 동업조합의 경우와 마찬가지였다. 그리고 그 회사의 어떤 성원에게 봉사한 적이 있는 사람에게는 요금을 전혀 지불하지 않거나, 다른 사람들로부터 억지로 받아들인 것보다 훨씬 적은 요금만 지불하면, 그 성원이 되는 자격이 주어졌다. 모든 규제회사에는 법률이 억제하지 않는 한, 일반적으로 흔히 있는 동업조합 정신이 보급되어 있다. 그러한 회사가 그의 자연의 특성에 따라 활동하도록 허용되어 있었을

45 〔조시아 차일드 경Sir Josiah Child, 《A New Discourse of Trade, etc.》, 제3장은 여러 사회를 주식 조직株式組織의 것과 "주식 조직으로 영업하지 않지만, 단 하나의 지배와 규제 아래 놓여 있는 것"으로 나누고 있다.〕

때는 경쟁을 될 수 있는 대로 소수의 사람들에게 한정해 버리기 위하여 무역을 수많은 번잡한 규제에 따르도록 하려고 노력했다. 법률이 그들로 하여금 이렇게 하지 못하게 막았을 때, 그 회사들은 전혀 쓸모없고 무의미한 것으로 되어 버렸다.

현존하는 규제회사는 다섯 개가 있다.

영국에 현존하는 외국상업을 위한 규제회사는, 현재에 함부르크 회사(Hamburgh Company)라고 불리는 옛 모임상인 회사(the ancient merchant adventurers company)[46], 러시아 회사(Russia Company)[47], 이스트랜드 회사(Eastland Company), 터키 회사(Turkey Company) 및 아프리카 회사(African Company) 등이다.

이들 가운데 함부르크 회사, 러시아 회사 및 이스트랜드 회사는 전혀 쓸모없는 것이다.

함부르크 회사에의 입사조건은 현재에는 아주 쉽다고 한다. 그리고 이사들도 무역에 어떤 번잡한 제한[48] 또는 여러 규제들을 과하는 권한을 갖고 있지 않거나 또는 적어도 요즘에는 그 권한을 행사하지 않는다. 종래 줄곧 그러했던 것은 아니다. 전 세기의 중엽에는 가입금은 50파운드였는데, 한때는 100파운드[49]이기도 했으며, 그 회사의 운영도 극히 압제적이었다고 일컬어지고 있었다. 1643년, 1645년, 그리고 1661년에 잉글랜드 서부의 직물업자와 자유무역상들은 그 회사들이 무역을 국한하고 그 나라의 제조업을 억압하는 독점업자라고 의회에 불평을 털어놓았다.[50] 그러한 불평이 의회의 법령을 만들어 내지는 못했지만, 그것은

46 〔'The company or society of the Merchant Adventurers of England'를 말한다.〕

47 〔〈증보 및 정정〉에는 "Russian"이라고 되어 있는데, 아마 그것은 오식일 것이다. 그리고 다음 면에도 "Russian"이라고 나와 있는데, 이것도 틀린 것이다.〕

48 〔"제한"은 초판에서 제3판까지 "제한들"이라고 되어 있다.〕

49 〔앤더슨, 《Commerce》(1643). 가입금은 이 연도에 배가되었다. 런던인에 대해서는 100파운드, 다른 사람들에 대해서는 50파운드로 올려졌다.〕

50 〔앤더슨, 《Commerce》(1643). 여기에는 그 밖에 다른 2년도 기술되어 있다.〕

그 회사를 위협하여 그 운영을 개선하지 않을 수 없게 했다.[51] 그 후 적어도 그 회사에 대한 불평은 전혀 없어져 버렸다. 윌리엄 3세의 제10, 11년 법률 제6호[52]에 의해서 러시아 회사에의 가입금은 5파운드로 감축되었다. 그리고 찰스 2세 제25년 법률 제7호에 의해서 이스트랜드 회사의 가입금도 40실링으로 줄어들고, 동시에 스웨덴·덴마크·노르웨이, 즉 발트해 북안에 있는 모든 나라는 그 회사의 독점적 특허장에서 제외되었다.[53] 그러한 회사의 운영이 아마 의회의 그 두 법령을 만들게 한 원인이었을 것이다. 그보다 이전에 조시아 차일드 경Sir Josiah Child은 이러한 회사와 함부르크 회사는 모두 극히 압제적이라고 주장했으며, 이러한 회사의 각개의 특허장에 포함되어 있는 나라들과 우리들이 행하고 있었던 무역의 부진을 그들의 나쁜 경영의 탓으로 돌렸던 것이다.[54] 그러나 현재로서는 그러한 회사들이 대단히 압제적이 아닐지는 모르지만, 아주 쓸모없는 것임은 확실하다. 실제로 전혀 무용지물이라는 것은 규제회사에 대해서 정당하게 주어질 수 있는 아마 최고의 찬사일 것이다. 그리고 상술한 세 회사는, 현재의 상황에서는 모두 이 찬사를 받을 만한 가치가 있다고 생각된다.

터키 회사는 압제적인 독점체이다.

터키 회사의 가입금은 이전에는 26세 미만의 사람들이라면 25파운드, 그 이상의 사람이면 누구나 50파운드였다. 순전한 무역상 이외에는 입사하지 못한다는 제한은 모든 상점주와 소매상인을 제외하는 것이었다.[55] 부칙에 의해서, 영국의

51 〔"불평은 전혀 없어져 버렸다(there have been no complaints)"의 "have"는 〈증보 및 정정〉과 제3판 및 제4판에는 "has"로 되어 있다. 스미스는 아마 "there has been no complaint"라고 썼을 것이다.〕

52 〔전문에는 그 회사의 역사가 기술되어 있다.〕

53 〔앤더슨, 《Commerce》(1672).〕

54 《A New Discourse of Trade》, 제3장, 이것은 앤더슨, 《Commerce》(1672)에 인용되어 있다. 차일드의 책 가운데 이 부분은 1672년이나 오랜 뒤에 출간되었으나, 이것이 집필되었던 것은 이 연도의 재무성이 폐쇄되기 전이었던 것 같다.

55 〔앤더슨, 《Commerce》(1605, 1643, 1753).〕

제조품은 이 회사의 공용선에 싣지 않고서는 터키에 수출될 수 없게 되어 있었다. 그리고 그러한 배들은 항상 런던 항에서 출항하고 있었으므로, 이러한 제한은 그 무역을 경비가 많이 드는[56] 이 항구와 이 항구의 이웃에 살고 있는 상인들에게 한정하였다. 또 하나의 부칙에 의해서, 런던에서 20마일 이내에 살고 있더라도 이 시의 공민公民이 아닌 한 입사할 수 없게 되어 있었다. 이 제한은 전술한 제한과 합하면 런던 시의 공민 이외는 필연적으로 모두 제외되어 있었던 셈이다.[57] 그러한 공용선의 적하와 출항의 시간은 이사들이 마음대로 하는 것이었으므로, 그들은 그들 자신과 그들의 특정한 친구들의 재화로 그 배를 쉽게 채울 수 있었으며, 이 때문에 다른 사람들의 재화는 그 신입申込이 너무 늦었다는 구실로 배제되어 버렸다. 그러므로 이러한 사태에서는 이 회사는 어떤 점에서도 엄격하고 압제적인 독점체였다. 그러한 폐해가 조지 2세 제26년 법률 제18호를 제정하도록 했으며, 이것은 가입금을 연령의 차별이라든가, 순전한 상인이라든가, 런던 시의 공민이라든가 하는 따위의 제한을 두지 않고 모든 사람에게 20파운드로 줄어들게 했으며, 이러한 모든 사람들에게는 수출이 금지되어 있지 않은 영국의 모든 재화를 영국의 모든 항구로부터 터키의 모든 항구에 수출할 수 있는 자유와, 수입이 금지되어 있지 않은 터키의 모든 재화를 그곳으로부터 수입하는 자유가 주어졌는데, 단지 이런 경우에 세관의 일반세와 이 회사의 경비를 지출하기 위해 부과되는 특별세를 지불할 것과 이와 동시에 터키에 주재하는 영국의 대사와 영사領事의 법률상의 권한과 정당하게 제정된 이 회사의 부칙에 복종할 것 등을 조건으로 하고 있다. 그러한 부칙에 의한 압제를 방지하기 위하여 그 법령은 다음과 같이 규정하고 있다. 즉, 만일 이 회사의 어느 7인의 성원이 이 법령의 통과 후에 제정될 어떤 부칙 때문에 권리를 침해당했다고 생각한다면, 그들은 상무성商務省과 척무성拓務省(Board of Trade and Plantations)(이 들

56 〔"경비가 많이 드는(expensive)"은 〈증보 및 정정〉에는 "경비가 광대한(extensive)"이라고 되어 있다.〕

57 〔조지 2세 제26년 법률 제 18호의 전문을 보라. ―앤더슨, 《Commerce》(1753).〕

의 권한은 현재 추밀원의 한 위원회가 계승하고 있다)에 호소할 수 있다. 단 이러한 호소는 당해 부칙의 제정 후 12개월 이내에 제출되어야 한다. 그리고 또한 만일 어떤 7인의 성원이 이 법령의 통과 전에 제정된 어떤 부칙 때문에 자신들 권리를 침해당했다고 생각하면 그들도 역시 위와 마찬가지로 호소할 수 있는데, 단지 그것은 이 법령의 발효일에서 12개월 이내이어야 했다. 그러나 1년간의 경험으로는 큰 회사의 구성원 전체에 있어서 특정 부칙의 유해한 경향을 발견해 내는 데 반드시 충분하다고 할 수는 없을 것이며, 수인數人의 성원이 그 후에 그것을 발견한다 하더라도 상무성도 추밀원의 위원회도 그들에게 아무런 구제를 해 줄 수 없는 것이다. 뿐만 아니라, 다른 모든 동업조합은 물론 모든 규제회사의 대부분의 부칙의 목적은 기존의 성원들을 억압한다기보다는 오히려 다른 사람들이 성원이 되는 것을 저지하는 데 있다. 그런데 이런 일은 가입금을 높여서 행해질 뿐만 아니라, 그 밖에 다른 계략에 의해서 이루어질 것이다. 이러한 회사가 항상 염두에 두고 있는 것은 그들 자신의 이윤율을 될 수 있는 대로 올리고, 그들이 수출하는 재화와 수입하는 재화를 위한 시장을 될 수 있는 대로 공급부족의 상태로 유지해 두는 것이다. 그리고 이런 일은 경쟁을 제한한다든가 또는 새로운 모험자가 이 무역에 들어오는 것을 저지함으로써만이 이루어질 수 있다. 그 외에도 20파운드의 가입금이라면, 어떤 사람이 계속 머무르고 있을 생각으로 터키 무역에 들어오는 것을 저지하기에는 불충분할지 모르지만, 투기적인 상인이 이곳에서 한 번만의 모험을 해 보려는 것을 저지하기에는 충분할 것이다. 어떠한 상업에 있어서도 기반이 잡힐 정규의 상인이라면, 비록 조합화되어 있지 않더라도 자연히 결속하여 이윤을 올리려고 할 것이다. 그 이윤을 그의 본래의 수준에 있게 하는 데 가장 도움이 되는 것은, 언제나 투기적 모험자에 의한 수시의 경쟁밖에는 없다. 터키 무역은 의회의 이 법령에 의해서 어느 정도 개방되었으나, 역시 완전히 자유로워지기에는 아직 요원하다고 많은 사람들이 생각하고 있다. 터키 회사는 한 사람의 대사와 2~3인의 영사를 두기 위하여 출자를 하고 있으며, 이들은 다른 공적인 사신들과 마찬가지로 국가에 의해서 유지되어야 하고, 이 무역은 폐하의 모든 신민에게 개방되어야 한다. 이 회사가 법인으로서의 이러저러한 목적을 위해 징수하고 있는 여러 가지 조세는 국가가 그러한 사신을 부양할 수 있을 정도 이상의 수입을 제공해 줄 수 있을지도 모른다.

규제회사는 주식회사에 비하여 보루를 유지하기에는 더 부적당하다.

조시아 차일드 경이 고찰한 바에 의하면, 규제회사가 그 무역의 상대국에 자국의 사신을 두는 일은 흔히 있었지만, 그곳에 자국의 보루를 만든다든가 수비대를 두었던 적은 없었는데, 주식회사는 흔히 그렇게 했다는 것이다.[58] 그리고 실제에 있어서는 전자는 후자보다도 이러한 부류의 봉사를 하기에는 훨씬 더 부적당하다고 생각된다. 첫째, 규제회사의 이사들은 그것 때문에 그러한 보루와 수비대를 두고 있는 그 회사의 번영에 특별한 관심을 갖고 있지 않다. 이 회사의 총무역이 쇠미하는 것이 자신의 개인적 무역의 이익에 도움이 되기까지 하는 경우가 흔히 있을 수 있다. 즉 그들의 경쟁자의 수가 감소하므로 그들은 더 싸게 사서 더 비싸게 팔 수 있을지도 모르는 것이다. 이와 반대로 주식회사의 이사들은 자신들 관리하에 놓여 있는 공동의 자본에서 생기는 이윤 가운데서 자신들 몫을 차지할 뿐이며, 이 회사의 총무역에서 그 이익을 분리할 수 있을 만한 그들 자신의 사적인 무역은 전혀 하고 있지 않다. 그들의 사적인 이해관계는 이 회사의 총무역의 번영과 연결되어 있으며, 또한 그것의 방위에 필요한 보루와 수비대의 유지와 연결되어 있다. 따라서 그들은 그것들의 유지가 필연적으로 필요로 하는 계속적이며 주도한 주의를 기울일 가능성이 더욱 많은 셈이다. 둘째, 주식회사의 이사들은 항상 대자본, 즉 이 회사의 공동자본을 관리하고 있으므로, 그 일부를 그와 같이 소요되는 보루 및 수비대의 건설·수리·유지에 적당하게 사용할 수 있다. 그러나 규제회사의 이사들은 공동의 자본이라는 것을 전혀 관리하고 있지 않으므로, 가입금이라든지 회사의 무역에 대해서 부과되는 동업조합세에서 생기는 임시수입 이외에는 이 방면에 사용할 다른 자금을 갖고 있지

58 〔《New Discourse of Trade》, 제3장.〕

않다. 그러므로 비록 그러한 보루와 수비대의 유지를 뒷받침하는 데 동일한 관심을 가지고 있다 하더라도 그들은 그 주의를 유효한 것으로 하는 데 동일한 능력을 가질 수는 좀처럼 없는 것이다. 그런데 공적인 사신을 두면 아무런 주의를 할 필요가 없으며, 더욱이 온당하고 한정된 경비로써 충분하므로, 이것이 규제회사의 성격과 능력에도 훨씬 더 적합한 일이라 하겠다.

그러나 아프리카 회사는 이 의무를 지고 있다.

그러나 조시아 차일드 경의 시대보다 훨씬 뒤인 1750년에 하나의 규제회사, 즉 아프리카와 무역하는 상인들의 현재의 회사가 설립되었으며, 이 회사는 처음에는 블랑곶(Cape Blanc)과 희망봉 사이에 있는 영국의 모든 보루와 수비대를, 그 후에는 루즈곶(Cape Rouge)과 희망봉 사이에 있는 그것들만을 유지한다는 임무를 특별히 지고 있었다. 이 회사를 설립한 법령(조지 2세 제23년 법률 제31호)은 두 가지 별개의 목적을 추구하고 있었던 것 같다. 그 하나는 규제회사의 이사들의 타고난 압제적인 독점적 정신을 유효하게 억제하는 것이며, 또 하나는 그들에게는 원래 없었던 주의를 보루와 수비대의 유지에 돌리도록 그들을 강제하는 것이다.

이 회사를 설립한 조례는 독점 정신을 억제하려고 노력했으나, 효과는 없었다.

이러한 목적들 가운데서 첫 번째를 위하여 가입금은 40실링으로 제한되어 있다. 이 회사는 그들의 조합으로서의 자격으로, 또는 합자合資(joint stock)로 무역하는 것이 금지되어 있다. 그리고 사인社印을 써서 차금借金을 하는 것도 금지되었으며, 영국의 국민으로서 가입금을 지불하는 모든 사람들이 어느 곳에서나 자유롭게 할 수 있는 무역에 어떤 제한을 가하는 것은 금지되어 있다. 이 회사의 관리는 런던에서 회의를 갖는 9인의 위원회의 손에 들어 있으나, 그 위원은 런던·브리스틀·리버풀에 있는 회사의 정사원에 의해서 해마다 3인씩 선출된다. 어떤 위원도 연달아 3년 이상 그 직에 있을 수 없다. 어떠한 위원일지라도 상무성과 척무성에 의해서 해임될 수 있고, 현재에는 그의 항변을 들은 뒤에 추밀원의 한 위원회에 의해서 해임될 수 있다. 위원회는 아프리카로부터 흑인을 수출한다거나 또는 아프리카의 어떤 재화를 영국에 수입하는 것을 금지당하고 있다. 그러나 그들은 보루와 수비대를 유지하는 의무를 지고 있으므로, 그 목적을 위해서라면은 영국에서 아프리카에 여러 가지 종류의 재화와 군수품을 수출해도 좋다. 그들이 회사에서 받는 화폐에서 800파운드를 넘지 않는 금액을 런던·브리스틀·리버풀에 있는 그들의 서기와 대리인의 봉급, 런던에 있는 사무실의 집세, 잉글랜드에서의 경영·위탁·대리에 관한 다른 모든 경비[59]에 할당하도록 되어 있다. 이러한 여러 가지 경비를 지불한 뒤의 잔액은 그들의 번로에 대한 보상으로서 그들이 적당하다고 생각하는 방법으로 나누어 쓸 수 있게 되어 있다. 이 제도에 의해서 독점 정신은 유효하게 억제되고, 따라서 이러한 목적 가운데 첫째 것은 충분히 달성되는 것으로 기대되고 있었을 것이다. 그러나 실제로는 그렇게 되지 않았던 것 같다. 조지 3세 제4년 법률 제20호에 의해서 세네갈의 보루는 그의 모든 속령과 함께 아프리카와 무역하는 상인의 회사에 귀속되었다. 그러나 그다음 해에는 (조지 3세 제5년 법률 제44호에 의해서) 세네갈과 그 속령뿐 아니라, 남바아바리南Barbary의 살레 항(port of Sallee)에서 루즈곶까지의 전 해안은 그 회사의 관할구역에서 제외되어 왕실에 귀속되었으며, 그곳과의 무역은 폐하의 모든 신민에게 자유라고 선언되었다. 그것은 이 회사가 무역을 제한하고 부당한 독점을 설정할 것이라고 의심을 받았기 때문이다. 그러나 조지 2세 제23년의 규정이 있는데, 어떻게 회사가 그렇게 할 수 있었을 것인지는 이해하기가 곤란하다. 그러나 하원의 인쇄된 의사록은 반드시 가장 믿을 만한 진실의 기록이라고는 할 수 없으나, 나는 그 가운데서 회사가 어떤 점에 관해서 비난받고 있었다는 것을 읽었다. 9인의 위원은 모두 상인이며 여러 가지 보루와 정주지의 장관과 대리인은 모두 이들에게 의존하고 있으므로, 후자가 전자로부터의 위탁화

59 〔"다른 모든 경비(all other expences)"는 〈증보 및 정정〉에는 "all the other expences"라고 되어 있다.〕

물委託貨物과 위임사무委任事務에 특별한 주의를 할 수 있다는 것은 있을 법한 일이며, 그리고 그것이 실질적인 독점을 설정하는 것이기도 할 것이다.

의회는 보루를 위하여 1만 3000파운드를 이 회사에 할당하고 있는데, 이 회사는 이것을 악용하고 있다.

이러한 목적 가운데 둘째 것인 보루와 수비대의 유지를 위하여 보통 연액 1만 3000파운드가 의회에 의해서 그들에게 할당되어 왔다. 이 금액을 적절히 충용하기 위하여 위원회는 재무 재판소 서기에게 해마다 보고할 의무를 지게 했으며, 이 보고는 뒤에 의회에 제출되도록 했다. 그러나 수백만 파운드의 충용에 관해서까지 거의 주의를 하지 않는 한 주의를 기울였을 것 같지는 않으며, 재무 재판소 서기도 그의 직업과 교육으로 미루어 보아 보루와 수비대의 적절한 경비에 관해서 충분히 숙달해 있을 리 없을 것이다. 물론 해군본부위원회에서 임명된 제국 해군의 함장 또는 그 밖의 사관들은 보루와 수비대의 상태를 조사하여 그 소견을 그 위원에 보고할 수 있을 것이다. 그러나 해군본부위원회는 회사의 위원회에 대해서 직접적인 관할권을 갖고 있지 않으며, 이렇게 해서 그들의 행동을 조사할 수 있는 사람들의 잘못을 고쳐 줄 아무런 권한도 갖고 있지 않는 것 같다. 뿐만 아니라 제국 해군의 함장들이 반드시 축성학築城學에 깊은 학식을 갖고 있다고도 생각되지 않는다. 공금 또는 회사의 공급에 관한 직접적인 배임행위 또는 횡령의 경우를 제외하고는, 어떤 위원의 어떤 과실에 따른 최고의 벌은 해임이라고 생각되는데, 그 직위의 임기는 겨우 3년에 지나지 않으며, 그 합법적인 보수는 임기 중일지라도 극히 적은 것이다. 따라서 그 처벌에 대한 두려움이 위원으로 하여금 달리 아무런 이해관계도 없는 사업에 계속적으로 조심성 있는 주의를 기울이게 하는 데 충분한 무게를 갖는 동기가 될 수는 없는 것이다. 기니 해안에 있는 케이프코스트 성(Cape Coast Castle)의 개수改修를 위하여 잉글랜드에서 벽돌과 돌을 보냈다고 비난받고 있으나, 이것은 의회가 몇 번이나 거액의 화폐를 수여한 바 있는 사업이다. 뿐만 아니라, 이렇게 해서 원로로 보내졌던 벽돌과 돌은 너무 질이 나빠 그것을 써서 개수한 성벽은 그 기초공사부터 다시 하지 않을 수 없었다고 일컬어지고 있었다. 루즈곶의 북쪽에 있는 보루와 수비대는 국가의 경비로써 유지되고 있을 뿐만 아니라, 행정권력의 직접적인 관리하에 놓여 있다. 그리고 이 곶의 남쪽에 있는 것은 적어도 그 유지비의 일부는 역시 국가가 부담하고 있는데, 왜 이와는 다른 관리하에 두어야 하는 것인지는 그 적절한 이유를 생각해 내는 것마저 쉬운 일이 아닌 것 같다. 지중해의 무역을 보호한다는 것이 지브롤터Gibraltar와 미노르카Minorca에 수비대를 두는 본래의 목적 내지는 구실이었으며, 그러한 수비대의 유지 및 관리는 아주 적절하게도 항상 터키 회사가 아닌 행정권력에 위탁되어 왔다. 행정권력의 긍지와 위엄은 그 영주의 크기에 의존함이 크다. 그러므로 그것이 그 영주의 방위를 위하여 필요한 모든 사항에 대해서 주의를 게으르게 할 것 같지는 않다. 따라서 지브롤터와 미노르카의 수비대가 등한시된 적은 없었다. 그리고 비록 미노르카는 두 번이나 탈취당했으며, 현재는 아마 영구히 잃게 되었지만, 그 재액이 행정권력의 태만의 탓만은 결코 아니었다. 그러나 나는 그러한 비싼 경비가 드는 수비대의 어느 것이든 처음에 이 지방들을 스페인 국왕으로부터 분할했던 그 목적을 위해서 최소한도로나마 필요했다는 것을 넌지시 말하고자 하는 것은 물론 아니다. 아마 그 분할은 잉글랜드로부터 그의 자연적인 동맹자인 스페인 국왕을 이간하고 부르봉 가(The house of Bourbon)의 주요한 두 개의 분가(스페인과 프랑스)를 혈연보다 더 긴밀하고 영구적인 동맹으로 결합시키는 것 이외에는 아마 아무런 다른 실질적인 목적에도 도움이 되지 못했다.

주식회사는 다음 두 가지 점에서 합명회사合名會社와 다르다.

주식회사는 국왕의 특허장에 의해서 설정되었거나, 의회의 법령에 의해서 설정되었거나 간에, 몇 가지 점에서 규제회사와 다를 뿐만 아니라, 합명회사(private copartneries)와도 다르다.

(1) 즉 퇴사退社는 주식의 매각에 의한다는 점이다.

첫째, 합명회사에서는 어떠한 사원도 회사의 동의 없이는 자기의 주를 다른 사람에게 양도하는 것, 즉 새로운 사원을 입사시킬 수 없다. 그러나 각 사원은 적당한 예고를 한 뒤에 퇴사할 수 있고, 공동의 자본 가운데 자기의 소유주를 지불받을 것을 청구할 수 있다. 이에 반하여 주식회사에서는 어떠한 사원도 자기의 주를 돌려받을 것을 회사에 청구할 수는 없으나, 각 사원은 회사의 동의 없이도 자기의 주를 다른 사람에게 양도하고 그렇게 함으로써 새로운 사원을 입사시킬 수 있다. 주식자본의 경우 한 주의 가치는 항상 이것이 시장에서 정해지는 가격이며, 이 가격은 주주가 그 회사의 자본에 대해서 가지는 채권의 금액보다 어떤 비율에 있어서나 약간 더 클 수도 있고 적을 수도 있다.

(2) 책임이 소유주식所有株式에 한정되어 있다는 점이다.

둘째, 합명회사에선 각 사원은 회사가 계약한 채무에 관해서 자기 자산의 금액까지의 의무를 진다. 이에 반하여 주식회사에서는 각 사원은 자기의 소유주식의 크기를 한도로 책임을 질 뿐이다.[60]

이러한 회사는 이사에 의해서 경영되는데, 그들은 태만하고 헤프다.

주식회사의 사업은 항상 이사에 의해서 운영되고 있다. 실은 이사회는 여러 가지 점에서 주주총회의 지배를 받는 수가 흔히 있다. 그러나 주주의 대부분은 회사의 업무에 관해서 좀처럼 어떤 것을 알려고 하지는 않는다. 그리고 그들 사이에 당파심이라도 생기지 않는 한, 회사의 업무에 관해서는 아무런 수고도 하지 않으며, 이사가 적당하다고 생각하여 행하는 반년 또는 1년마다의 배당을 받고 그것으로 만족하고 있다. 일정 한도의 금액을 넘어서는 어떠한 수고도 위험도 없다는 것이, 자신들 재산을 합명회사에 투하하려 들지 않는 많은 사람들을 주

60 〔여기에서 주식회사라 함은 법인조직의 회사 또는 특허회사를 말한다. 이 용어가 다른 회사에도 일반적으로 쓰이게 된 것은 그 후의 일이다.〕

식회사에 대한 모험자가 되도록 촉구하는 것이다. 그러므로 그러한 회사는 어떠한 합명회사도 따를 수 없을 만큼 많은 자본을 끌어오는 것이 보통이다. 남해회사(South Sea Company)의 영업자본은 한때는 3380만 파운드 이상에 달했던 적이 있다.[61] 잉글랜드 은행의 주식으로 분할된 자본은 현재 1078만 파운드에 달해 있다.[62] 그러나 이러한 회사의 이사들은 자기 자신의 화폐라기보다 오히려 다른 사람들의 화폐의 관리자이므로 합명회사의 사원이 흔히 자기 자신의 화폐를 감시하는 것과 같은 알뜰한 조심으로써 그것을 감시할 것을 그들에 기대할 수는 없는 것이다. 부자의 집사처럼 그들은 적은 일에 주의한다는 것은 주인의 명예를 위한 것이라고 생각하지 않는 것이 보통이며, 주의를 게을리하는 것을 예사로 여긴다. 그러므로 그러한 회사의 업무의 운영에는 태만과 낭비가 다소나마 따르기 마련이다. 외국무역을 하는 주식회사가 개인적인 모험자(개인 투기가)와의 경쟁을 결코 계속할 수 없었던 것도 이 때문인 것이다. 따라서 이러한 회사가 독점적 특권 없이 성공한 예가 없었으며 그것이 있더라도 성공하지 못하는 수가 흔히 있었다. 독점적 특권이 없으면, 그들은 보통 무역의 운영을 잘못해 왔다. 그리고 독점적 특권을 가지고도 무역의 운영을 그르치기도 하고 국한하기도 했다.

어떤 회사는 독점적 여러 특권들을 가지고 있고, 어떤 회사는 갖고 있지 않다.

현재의 아프리카 회사의 전신인 왕립 아프리카 회사(Royal African Company)는 특허장에 의한 독점적 특권을 가지고 있었다. 그러나 그 특허장은 의회의 법령에 의해 확인되어 있지 않았으므로, 그 무역은 권리선언의 결과, 혁명 후 얼마 되지 않아 폐하의 모든 신민에게 개방되었다.[63] 허드슨 베이 회사(Hudson's Bay Company)는 그들의 법률상의 권리에 관해서는 왕립 아프리카 회사와 그 지위가

61 〔앤더슨, 《Commerce》(1723).〕

62 〔그것은 1746년부터 1781년의 마지막까지 이 금액이었으나, 그 후 8퍼센트의 불입청구에 의해서 증액되었다. —앤더슨, 《Commerce》(1746), 그리고 뒤이어 나온 1781년도 판.〕

63 〔앤더슨, 《Commerce》(1672, 1698).〕

동일했다.[64] 이 회사의 독점적 특허장도 의회의 법령에 확인되어 있지 않았다. 남해회사는 무역회사로서 존속하고 있었을 동안은 의회의 법령에 의해서 확인된 독점적 특권을 가지고 있었으며, 이 점은 현재의 동인도무역 합동상사 회사(United Company of Merchants trading to the East Indies)도 마찬가지다.

왕립 아프리카 회사는 독점적 특권들을 잃어버렸으므로 실패했다.

왕립 아프리카 회사는 권리선언이 있었음에도 불구하고 얼마 동안은 개인 모험자(개인 투기가)를 침입자라고 부르고 그런 사람으로서 박해를 계속해 왔으나, 얼마 되지 않아 그들과의 경쟁을 계속할 수 없다는 것을 알게 되었다. 그러나 1698년에 개인 모험자들은 그들이 하고 있는 무역의 거의 모든 부문에 10퍼센트의 세금을 물게 되었으며, 이 세금은 그 회사가 보루 및 수비대를 유지하기 위해 사용하게 되어 있었다. 그러나 이러한 중세에도 불구하고 이 회사는 역시 경쟁을 계속할 수 없었다.[65] 회사의 자본과 신용은 점차 감쇠되었다. 1712년에는 회사의 채무가 너무 커졌으므로 회사와 그 채권자 쌍방의 안전을 위하여, 의회의 어떤 특별법이 필요하다고 생각되었던 것이다. 그리하여 그 회사에게 허용되어야 할 채무지불의 기간과 그러한 채무에 관하여 회사와 체결하는 것이 적당하다고 생각되는 다른 어떤 계약에 관해서 채권자 수와 채권액의 3분의 2가 행사한 결의는 나머지 사람들을 구속한다는 것이 법령화되었다.[66] 1730년 이 회사의 상태는 너무 무질서하게 되었으므로, 그 설립이 유일한 목적이며 이유였던 보루와 수비대의 유지마저 할 수 없게 되었다. 이 해부터 회사가 최종적으로 해산되었을 때까지 의회는 그 목적을 위하여 연액 1만 파운드를 주어야 할 필요가 있다고 판단했다.[67] 다년간 서인도에 흑인 노예를 보내는 무역에서 손해를 본 뒤

64 〔앤더슨, 《Commerce》(1670).〕

65 〔앤더슨, 《Commerce》(1698).〕

66 〔앤 치세 제10년 법률 제27호. 앤더슨, 《Commerce》(1712).〕

67 〔앤더슨, 《Commerce》(1730). 연간 수여授與는 1746년까지 계속되었다.〕

에 1732년 회사는 결국 그것을 전적으로 포기하고, 회사가 아프리카의 해안에서 구입한 흑인 노예를 아메리카 무역을 하고 있는 개인 무역업자에게 팔아 버리고 회사의 고용인은 아프리카의 내륙지방에서 사금·상아·염료 등을 거래하는 사업에 사용하기로 결심했다. 그러나 이렇게 국한된 무역에 있어서 이 회사의 성공은 종전의 광범위한 무역에 있어서보다 더 크지는 않았다.[68] 이 회사의 업무는 계속 서서히 기울어져 갔으며, 마침내 최종에는 모든 점에서 파산 회사가 되었으므로 의회의 법령에 의해 해산되었으며, 이 회사의 보루와 수비대는 아프리카 무역을 하고 있는 상인들로 된 현재의 규제회사에 주어졌다.[69] 왕립 아프리카 회사의 설립 이전에는 아프리카 무역을 위하여 다른 세 개의 주식회사가 잇달아 설립되었다.[70] 이 회사들은 모두 마찬가지로 성공하지 못했었다. 그러나 이 회사들은 모두 특허장을 가지고 있었는데, 이 특허장은 비록 의회의 법령에 의해서 확인된 것은 아니었으나, 그 당시에는 실질적인 독점적 특권을 주는 것이라고 생각되고 있었다.

허드슨 베이 회사는 제법 성공적이었는데, 이 회사는 사실상 독점적 무역을 하고 있었으며, 주식의 수도 대단히 적었다.

허드슨 베이 회사는 최근의 전쟁으로 불행해지기 전까지는 왕립 아프리카 회사보다 훨씬 행복했다. 이 회사의 필요경비는 훨씬 소액이었다. 이 회사가 보루라고 이름하여 경의를 표하고 있었던 여러 가지 식민지와 정주지에서 부양하고 있는 사람들의 총수總數는 120명을 넘지 않는다고 한다.[71] 그러나 이러한 인원수로도 회사의 선박에 실을 모피와 그 밖의 재화의 적하를 준비하는 데 충분하며,

68 〔앤더슨, 《Commerce》(1733).〕

69 〔조지 2세 제23년 법률 제31호. 조지 2세 제25년 법률 제40호. 앤더슨, 《Commerce》(1750, 1752).〕

70 〔앤더슨, 《Commerce》(1618, 1631, 1662).〕

71 〔앤더슨, 《Commerce》(1743). 여기에는 캡틴 크리스토퍼 미들턴Captain Christopher Middleton이 인용되어 있다.〕

이 방면의 해역에서는 선박은 얼음 때문에 6주 내지 8주간 이상을 정박할 수 없다. 준비가 되어 있는 적하를 가지고 있다는 이러한 이점은 개인 모험자에게는 몇 년에 걸쳐서도 획득될 수 없었던 것이며, 이것 없이는 허드슨 베이와의 무역은 불가능한 것이라고 생각된다. 뿐만 아니라, 이 회사의 자본도 온당한 금액으로서 11만 파운드를 넘지 않는다고 일컬어지고 있는데,[72] 이것으로도 이 회사의 특허장에 포함되어 있는 광대하기는 하지만 비참한 지방의 무역 및 잉여생산물의 전부 또는 거의 전부를 독점하는 데 충분할 것이다. 따라서 개인 모험자라곤 한 사람도 이 회사와 경쟁하여 그 지방과 무역을 해 보려고 꾀하지는 않았다. 그러므로 이 회사는 법률상 인정되어 있지는 않았으나, 사실상 항상 독점적 무역을 누려 왔다. 이런 것뿐만 아니라, 그 위에 이 회사의 온당한 금액의 자본은 극히 소수의 주주 사이에 분할되어 있었다고 한다.[73] 그러나 소수의 주주와 온당한 금액의 자본으로 구성되는 주식회사는 그 성질상 합명회사에 거의 가까우며 거의 같은 정도의 경계심과 주의를 기울일 수 있다. 그러므로 이러한 여러 가지 이점을 가지고 있는 결과로, 허드슨 베이 회사가 최근의 전쟁 이전에 상당한 정도의 성공을 거두면서 그 무역을 해나갈 수 있었다고 해서 결코 조금도 이상할 것은 없다. 그러나 이 회사의 이윤이 돕스 씨Mr. Dobbs가 상상했던 것에 가까웠다고는 생각되지 않는다.[74] 그보다 훨씬 온건하고 현명한 저술가이며, 《상업에 관한 역사적 및 연대기적 추론The Historical and Chronological Deduction of Commerce》의 저자인 앤더슨 씨Mr. Anderson는 아주 정당하게 다음과 같이 설명하고 있다. 즉 돕스 씨 자신이 수년에 걸쳐 기록하여 온 이 회사의 수출입에 관한 보고서를

72 〔앤더슨, 《Commerce》(1670).〕

73 〔"8인 또는 9인의 상인이 현 회사의 자본의 10분의 9를 독점하고 있다." 앤더슨의 《Commerce》(1743). 이것은 아서 돕스Arthur Dobbs, 《An Account of the Countries Adjoining to Hudson's Bay……with an Abstract of Captain Middleton's Journal and Observations upon his Behavior》(1744), 58면에서 인용한 것이다.〕

74 〔《Account》, 3면 및 58면에서 그는 2000퍼센트라고 말하고 있는데, 이것은 물론 사들이는 가격과 팔리는 가격과의 차를 가리키고 있는 데 지나지 않는다.〕

검토하고, 또 이 회사의 이상한 위험과 경비를 정당히 참작하면, 회사의 이윤은 부러움의 대상이 될 만한 것이라고 생각되지는 않는다. 즉 비록 그것이 무역의 통상이윤을 초과한다 하더라도 대단하게 초과할 수 있다고 생각되지는 않는다는 것이다.[75]

남해회사는 스페인령 서인도에 해마다 배를 보냈으나, 아무런 이윤도 보지 못했다. 남해회사는 유지할 보루 또는 수비대를 전혀 갖고 있지 않았으며, 따라서 외국무역을 하는 다른 주식회사가 물어야 하는 큰 경비를 완전히 면제받고 있었다. 그러나 이 회사는 엄청나게 많은 수의 주주들 사이에 분할되어 있는 거액의 자본을 가지고 있었다. 그러므로 회사 업무의 운영 전반에 있어서는 잘못·태만·낭비가 널리 행해질 것이라는 것이 예상되었음은 당연했다. 회사의 주식투기의 협잡과 방종은 충분히 알려져 있으며, 그것에 관한 설명은 현 제목과는 관계가 없을 것이다. 그들의 상업상의 여러 기획도 그 이상 더 잘 처리되지는 않았다. 그들이 최초로 종사한 무역은 스페인령 서인도에 노예를 공급하는 것이었는데 이것에 관해서는 (위트레흐트 조약(the treaty of Utrecht)에 의해서 이 회사에 수여되었던 소위 아시엔토 계약(Assiento contract)의 결과) 그들은 독점적 특권을 가지고 있었다. 그러나 그 이전에 그들과 같은 조건으로 이 무역을 하고 있었던 포르투갈과 프랑스의 회사가 모두 이 무역 때문에 파산했으므로, 이 무역에서 많은 이윤을 올릴 수 있으리라고는 기대되지 않았다. 그래서 그들은 그 대가로서, 스페인령 서인도에 직접으로 무역하는 일정 적재량의 배 한 척을 해마다 그곳에 보내도록 허락받았다.[76] 이 연간 배에 허용되었던 10회의 항해 가운데 이 회사가 상당한 이윤을 올렸던 것은 1731년의 로얄캐롤라인호Royal Caroline號의 항해 한 번만이었으며, 거의 모든 다른 항해에 의해서

75 〔앤더슨, 《Commerce》(1743). 그러나 여기에서의 검토는 결코 포괄적인 것은 아니며, 의견의 표현도 본문에 시사되어 있는 것처럼 그렇게 충분한 것은 아니다.〕

76 〔앤더슨, 《Commerce》(1713).〕

는 다소나마 손해를 보았다고 한다. 그들의 이 실패는 그 대리상과 대리인에 의하면 스페인 정부의 강탈과 압제에 그 탓을 돌렸으나, 아마 바로 이 대리상과 대리인들의 낭비와 약탈에 주로 기인되었던 것이며, 그들 가운데 어떤 사람은 겨우 1년 내에 대재산을 획득했다고 한다. 1734년에 이 회사는 국왕에게 청원하여 연간 배선配船으로 올린 이윤이 조금밖에 되지 않으므로, 그 무역과 선박을 처분하고 스페인 국왕으로부터 획득할 수 있는 등가물을 받도록 허용해 달라고 했다.[77]

포경업으로는 23만 7000파운드나 손해를 보았다.

1724년에 이 회사는 포경업에 착수하였다. 사실 그들은 이것에 관해서는 독점권을 갖고 있지는 않았으나, 그들이 이것에 종사하고 있었던 동안에는 영국의 다른 신민으로서 이것에 종사했던 사람은 한 사람도 없었던 것 같다. 그들의 배가 그린란드에 8회의 항해를 한 가운데 이득을 본 것은 1회였으며, 나머지는 모두 손해를 보았다. 여덟 번째, 즉 마지막 항해 후에 동사가 그 선박·선구·식기류를 팔아 버렸을 때, 이 부문에 있어서의 그들의 손실은 자본 및 이자를 합해서 모두 23만 7000파운드 이상이나 된다는 것을 알았다.[78]

마침내 무역회사로서는 종지부를 찍었다

1722년에 이 회사는 정부에 대부되었던 3380만 파운드 이상에 달하는 거액의 자본을 3등분하여 주도록 허가해 달라고 의회에 청원하였다. 그 반액, 즉 1690만 파운드 이상은 정부의 다른 연부금年賦金과 같은 지위에 두고, 이 회사의 상업상의 기획을 수행하기 위하여 이사들이 계약한 채무 또는 일으킨 손실에 대해서 담보로 하지 않을 것과, 나머지 반액은 종래와 마찬가지로 무역자본으로

77 〔앤더슨, 《Commerce》(1731, 1732, 1734).〕

78 〔앤더슨, 《Commerce》(1724, 1732). 그러나 성공한 항해는 한 번도 없었으며, 이 회사는 8년간의 "어느 연도에도 상당한 손해"를 본 것이었다.〕

두고 그러한 채무와 손실에 대한 담보로 하겠다고 했다. 이 청원은 대단히 정당했으므로, 허가해 주지 않을 수 없었다.[79] 1733년에 이 회사는 다시 의회에 청원하기를 그들의 무역자본의 4분의 3을 연금자본으로 돌리고, 4분의 1만을 무역자본으로서 남겨 두도록 해 달라고 했다. 즉 이만큼을 동사의 이사의 경영상의 실패에서 생기는 위험에 직면하게 해 달라는 것이다.[80] 이 당시에는 벌써 이 회사의 연금자본도 무역자본도 정부로부터의 여러 번의 지불에 의해서 각기 200만 파운드 이상이나 감소되어 있었으므로, 이 4분의 1은 겨우 366만 2784파운드 8실링 6펜스에 지나지 않았다.[81] 1748년 아시엔토 계약의 결과로서 스페인 국왕에 대한 이 회사의 모든 청구권을 엑스 라 샤펠 조약(The treaty of Aix-la-Chapelle)에 의해서 그 등가물이라고 생각되었던 것과 교환으로 방기되었다. 그리하여 회사의 스페인령 서인도와의 무역은 끝을 맺고, 그들의 무역자본의 잔액은 연금자본으로 돌려졌으며, 이리하여 이 회사는 어느 점으로 보나 무역회사가 아니었던 것이다.[82]

이 회사의 연간 정기선 무역에는 경쟁자가 있었다.

주의해 두지 않으면 안 될 것은 남해회사가 연간 정기선에 의해서 하고 있었던 무역은 상당한 이윤을 올릴 수 있으리라고 기대되었던 그들의 유일한 무역이었는데, 이 무역에는 외국시장에서도 국내시장에서도 그들의 경쟁자가 없을 수는 없었다. 즉 카르타헤나Carthagena·포르토벨로Porto Bello·베라크루즈Vera Cruz에서는, 그들이 가는 길의 선박의 복선화물復船貨物과 같은 종류의 유럽 재화를, 카디스에서 그러한 시장으로 반입하는 스페인 상인들과의 경쟁을 당하지 않으면 안 되었다. 그리고 동사는 자사선의 복항화물復航貨物과 같은 종류의 스페인

79 〔조지 1세 제9년 법률 제6호에 의한 것이다. 앤더슨, 《Commerce》(1723).〕

80 〔이것은 조지 2세 제6년 법률 제28호에 의해서 실현되었다. 앤더슨, 《Commerce》(1733).〕

81 〔앤더슨, 《Commerce》(1732, 1733).〕

82 〔앤더슨, 《Commerce》(1748, 1750).〕

령 서인도 재화를 카디스로부터 수입하는 잉글랜드 상인과의 경쟁에 봉착하지 않으면 안 되었다. 실은 스페인 상인의 재산에도 잉글랜드 상인의 재산에도 아마 이 회사의 재화보다 높은 비율의 세금이 과해지고 있었을 것이다. 개인 모험자(투기가)가 정정당당하게 경쟁을 할 수 있을 때 주식회사가 외국무역의 어떤 부문을 성공적으로 운영할 수 있으리라는 것은 모든 경험에 반하는 것이라고 생각된다.

옛 동인도회사는 경쟁을 지탱할 수 없어 현재의 회사가 이를 쇄신했다. 그리고 이 회사는 독점적 여러 특권들을 가지고 성공적으로 무역했으나, 광대한 지역을 정복하여 그것들을 잘못 운영했다. 그리하여 의회는 그 관리제도의 변경을 하지 않으면 안 되었지만, 그것은 아무 소용도 없었던 것 같다.

잉글랜드의 옛 동인도회사는 엘리자베스 여왕의 특허장에 의해서 1600년에 설립되었다. 그들이 인도를 향해 의장艤裝한 최초의 12회의 항해에서는, 비록 자사의 공동선으로써 했다 하더라도, 별개의 독립된 자본을 갖는 하나의 규제회사로서 무역을 하고 있었던 것 같다. 1612년에 그들은 하나의 주식자본으로 합쳤다.[83] 이 회사의 특허장은 독점적이었으며, 의회의 법령에 의해서 확인되지는 않았으나, 당시에는 실질적인 독점적 특허권을 가지고 있는 것이라고 생각되고 있었다. 따라서 이 회사는 다년간 무면허 상인들의 방해를 그렇게 받지 않았다. 이 회사의 자본은 74만 4000파운드를 넘었던 적이 없으며,[84] 한 주株의 금액은 50파운드였는데,[85] 이 정도의 자본이라면 심한 태만과 낭비에 구실을 준다든지 또는 심한 배임을 감싸 줄 수 있을 만큼 그렇게 엄청난 것도 아니었으며, 이 회사의 거래는 또 그렇게 광범위한 것도 아니었다. 일부는 네덜란드인의 동인도

83 〔"이 당시까지 잉글랜드의 동인도무역은 개별적으로 연속항해連續航海를 하는 몇 가지 독립된 자본에 의하여 운영되고 있었으나, 이 연도에 그들은 모두 합동하여 일개의 일반적인 주식자본으로 되었다." 앤더슨, 《Commerce》(1612).〕

84 〔앤더슨, 《Commerce》(1693).〕

85 〔앤더슨, 《Commerce》(1676).〕

회사의 적의 때문에, 또 일부는 다른 여러 가지 우발 사건 때문에 약간의 이상한 손실을 보았지만, 이 회사가 다년간 해 왔던 무역은 성공적이었다. 그러나 때의 흐름에 따라, 자유의 원리가 보다 잘 이해되었을 때, 의회의 법령에 의해서 확인되어 있지 않은 국왕의 특허장이 어느 정도까지 독점적 특권을 가질 수 있을 것인가 하는 것은 나날이 더 의심스러워 갔다. 이 문제에 관한 재판소의 판결은 동일하지 않으며 정부의 권한과 시대의 풍조에 따라 변화했다. 무면허 상인들은 점점 증가하여, 찰스 2세 치세 말경과 제임스 2세의 치세의 전 기간 및 윌리엄 3세 치세의 일부 기간 중에 이 회사를 아주 큰 곤란 속에 몰아넣었다.[86] 1698년에는 만일 응모자가 독점적 여러 특권들을 가지고 있는 새 동인도회사를 설립한다면, 정부에 200만 파운드를 8퍼센트로 대부하겠다는 것이 의회에 제안되었다. 옛 동인도회사는 이것과 같은 조건으로, 그들의 자본금과 거의 같은 금액인 90만 파운드를 4퍼센트로 제공하려고 했다. 그러나 당시의 공신용公信用의 상태에서 본다면, 70만 파운드를 4퍼센트로 빌리는 것보다는 200만 파운드를 8퍼센트로 빌리는 편이 정부로서는 더 편리했던 것이다. 그리하여 새 응모자의 제안이 받아들여졌으며 그 결과, 새 동인도회사가 설립되었다. 그러나 옛 동인도회사는 1701년까지 무역을 계속할 권리를 가지고 있었다. 그들은 이와 동시에, 그들의 회계원의 이름으로 대단히 교묘하게 새 회사의 주를 31만 5000 파운드만큼 응모했다. 그러나 200만 파운드의 이 대부금에 대한 응모자에게 동인도무역을 부여했던 의회의 법령의 표현에 불비한 점이 있었으므로, 해서 모든 응모자가 합동하여 하나의 주식자본을 만들 의무가 있었는지는 명백한 것 같지는 않았다.[87] 소수의 개인 무역상은 자신들의 응모액이 겨우 7200파운드에 지나지 않으면서 자기 자신의 자본과 위험부담으로 개별 독립하여 무역을 하는 특권을 주장했다.[88] 옛 동인도회사는 1701년까지는 옛 자본으로 개별 독립된 무역

86 〔앤더슨, 《Commerce》(1681, 1685).〕

87 〔이 연혁의 전부가 앤더슨, 《Commerce》(1698)에 있다.〕

88 〔앤더슨, 《Commerce》(1701).〕

을 할 수 있는 권리를 가지고 있었으며, 또한 그때를 전후한 어느 시기에는 다른 무역상인의 권리와 마찬가지로, 새 회사의 주에 응모했던 31만 5000파운드로써 독립된 무역을 할 수 있는 권리를 가지고 있었다. 이 두 회사와 개인 무역상과의 경쟁 및 두 회사 상호 간의 경쟁이 그 두 회사를 거의 아주 파산시켜 버렸다고들 한다. 그다음에 있었던 어떤 기회에, 즉 1730년에 이 무역을 하나의 규제회사에 맡기고, 그렇게 함으로써 그 무역을 어느 정도 개방한다는 것이 의회에 제안되었을 때, 동인도회사는 이 제안에 반대해서 그들의 생각대로 당시의 이 경쟁의 비참한 결과를 대단히 강한 어조로 설명했다. 즉 그들이 말한 것은 그 경쟁은 인도에서의 재화의 가격을 너무 올려서 재화는 살 만한 가치도 없게 만든 반면, 잉글랜드에서는 시장이 재고과잉이 됨으로써 그 경쟁은 그 재화로써는 아무런 이윤도 볼 수 없을 만큼 재화의 가격을 떨어뜨렸다는 것이다.[89] 이 경쟁 때문에 인도 재화의 공급이 풍부해지고 잉글랜드의 시장에서 인도 재화의 가격이 크게 떨어져서 공공사회에 큰 이익과 편리를 도모했다는 것은 좀처럼 의심할 수 없는 것이다. 그러나 이 경쟁 때문에 인도 시장에서의 재화의 가격이 많이 올랐다는 것은 그렇게 명확한 것 같지는 않다. 왜냐하면 그 경쟁이 일으킬 수 있는 이상한 수요는 통틀어서도 인도 상업이라고 하는 대양의 물 한 방울에 지나지 않았을 것이기 때문이다. 뿐만 아니라 수요의 증가는 그 당초에 있어서는 재화의 가격을 올릴는지 모르지만, 장기간에 걸쳐서는 그것을 반드시 내리게 한다. 수요의 증가는 생산을 장려하고 나아가서는 생산자들의 경쟁을 증가시켜 이들은 서로 더 싸게 팔기 위하여 다른 경우라면 생각도 할 수 없었을 만한 새로운 분업과 새로운 기술의 개선을 수단으로 사용한다. 그들이 불평을 터뜨린 그 비참한 결과란, 소비재의 저렴과 생산의 장려였으니, 이 두 결과를 촉진시키는 것이야말로 바로 경제정책의 위대한 직무라 하겠다. 그러나 그들이 이렇게 슬픈 설명을 가한 경쟁은 오래 계속되도록 허용되진 않았다. 1702년에 이 두 회사는 여왕을 제삼자로 한 삼자 간의 계약에 의해서 어느 정도 통

89 〔앤더슨, 《Commerce》(1730).〕

합했으며,[90] 1708년에는 의회의 법령에 의해서 완전히 통합되어 현 회사 이름인 동인도무역 합동상사 회사(United Company of Merchants trading to the East Indies)라고 하는 단일의 회사로 되었다. 이 법령에는 별개 독립된 무역상에는 1711년의 성 미카엘 축일(Michaelmas)까지 영업을 계속하도록 허용하지만, 그와 동시에 이사들은, 3년의 예고기간을 두고 그 7200파운드라는 소액의 자본을 회수해서, 이 회사의 전체 자본을 1개의 주식자본으로 바꾸는 권한을 가진다는 1조항을 삽입할 만한 가치가 있다고 생각되었다. 같은 법령에 의해서 회사의 자본은, 정부에 신규대부의 결과로, 200만에서 320만 파운드로 증가되었다.[91] 1743년에 회사는 또 100만 파운드를 대부했다. 그러나 이 100만 파운드는 주주에 대한 불입청구에 의한 것이 아니고, 연금증서를 팔고 사채를 발행하여서 조달된 것이므로 주주가 배당을 요구할 수 있는 자본을 증가시켰던 것은 아니다. 그러나 동사의 무역자본은 그 때문에 증가했는데, 그것은 이 100만 파운드도 다른 320만 파운드와 동등하게 회사가 상업상의 기획을 수행하는 데 입게 되는 손실과 채무의 담보가 되기 때문이다. 1708년 아니면 적어도 1711년부터, 이 회사는 모든 경쟁자로부터 해방되어 동인도에 대한 잉글랜드의 상업을 완전히 독점했으므로, 성공적으로 무역을 수행했으며, 그 이윤에서 연년 온당한 배당을 주주에게 주게 되었다. 1741년에 시작된 프랑스와의 전쟁 동안 퐁디셰리Pondicherry의 프랑스 총독 뒤플렉스 씨Mr. Dupleix의 야심 때문에 회사는 카르나티크Carnatic의 전쟁과 인도제왕의 정쟁에 말려들어 갔다. 수많은 대성공과 대실패 후에 회사는 드디어 당시 인도에서의 주요 정주지였던 마드라스를 잃어버렸다. 그러나 이것은 엑스라 샤펠 조약에 의해서 회사에 환원되었으며, 이 당시는 전쟁과 정복의 정신이 인도에서의 회사의 사용인을 점유하고 있었던 것 같으며, 그 이후에도 그들을 사로잡고 있었던 것 같다. 1755년에 시작된 대불전쟁 동안 회사의 무력은 영국

90 〔"이 합동은 여왕과 상술한 두 회사와의 삼자 간의 계약에 의하여 1702년 7월 22일에 이루어졌다." -앤더슨, 《Commerce》(1702).〕

91 〔앤 치세 제6년 법률 제17호. 앤더슨, 《Commerce》(1708).〕

의 무력과 그 전반적 승운을 함께했다. 회사는 마드라스를 방위했으며, 퐁디셰리를 약취하고, 캘커타를 탈환하고, 부유하고 광대한 영역의 수입을 획득했으니, 이것은 당시 연액 300만 파운드 이상에 달했다고 일컬어지고 있었다. 회사는 수년간 평온하게 이 수입을 취득하고 있었으나, 1767년에 행정부는 회사가 획득한 영토와 그곳에서 생기는 수입을 왕실에 속하는 권리로서 요구했다. 그리하여 회사는 이 요구에 대한 대상으로서 연액 40만 파운드를 정부에 지불할 것에 동의했다. 그 전에 이미 회사는 약 6퍼센트에서 10퍼센트로 그 배당을 증가시켜 놓았다. 즉 320만 파운드의 자본금에 대해서 그 배당을 12만 8000파운드 증가시켰다. 다시 말하면, 연액 19만 2000파운드에서 32만 파운드로 올렸던 것이다. 바로 이때 회사는 그것을 12.5퍼센트로 다시 더 올리려고 하고 있었는데, 그렇게 되면 연년 주주에게 지불하는 금액은 회사가 연년 정부에 지불하기로 동의했던 것과 같은 금액인 연 40만 파운드로 되었을 것이다. 그러나 회사와 정부와의 협정이 유효했던 2개년 동안 연달아 제정된 의회의 두 법령[92] 때문에 회사의 증배는 억제되었으며, 이 법령의 목적은 당시 영화 600만~700만 파운드 이상이라고 추정되고 있었던 회사의 채무를 더 급속히 상환시키는 데 있었다. 1769년에 회사는 정부와의 협정을 다시 5개년간으로 경신했으며, 회사는 이 기간 중에 12.5퍼센트까지 점차 증배하여도 좋으나, 1년간 1퍼센트 이상 증배해서는 안 된다는 것도 약정했다. 그러므로 이 증배는 그것이 그 정점에 달했을 때도 회사의 주주 및 정부에 대한 연간 지불의 합계를 최근의 영토획득 이전의 금액보다 겨우 60만 8000파운드밖에 증가시킬 수 없었던 셈이다. 그러한 영토획득에서 생기는 총수입이 어느 정도에 달할 것이라고 생각되었는지는 이미 설명한 바 있거니와, 1768년에 동인도무역선 크루텐든호Cruttenden號에 의해서 이루어진 보고에 의하면 모든 공제를 다하고, 군대의 경비도 제하고 남는 순수입은 204만 8747파운드였다고 한다. 이와 동시에 별도수입으로서 일부는 토지에서 생기지만, 주로 여러 정주지에 설치되어 있는 세관에서 들어오는 수입을 차지하

92 〔조지 3세 제7년 법률 제49호 및 조지 3세 제8년 법률 제11호.〕

고 있었으며, 그 금액은 43만 9000파운드에 달한다고 일컬어지고 있다. 뿐만 아니라, 동사의 무역에 이윤은 그의 대표이사가 하원에서 증언한 바에 의하면, 당시 적어도 연액 40만 파운드에 달했고, 또 그 회계원의 증언에 의하면, 적어도 50만 파운드에 달해 있었으며, 최저의 계산에 의하더라도 적어도 그 주주에게 지불되기로 되어 있었던 최고의 배당액과 같았다. 이렇게 많은 수입은 동사의 연간 지불에 있어서 60만 8000파운드의 증가를 감당할 수 있었을 것이며, 동시에 채무를 급속히 감소시키는 데 충분한 큰 감채기금을 남길 수 있었을 것은 확실하다. 그러나 1773년 회사의 채무는 감소되기는커녕 국고에 대한 40만 파운드의 지불 중 미불잔금과 세관에 대한 미불관세, 잉글랜드 은행에서 차입한 거액의 채무, 그리고 넷째로 인도에서 회사 앞으로 발행되어 방자하게 인수된 어음 등으로 말미암아 120만 파운드 이상이나 증가했다. 이러한 지불청구의 누적에 의해서 회사에 생긴 곤란은 회사로 하여금 갑자기 배당을 6퍼센트로 줄이게 했을 뿐만 아니라, 정부의 자비에 매달려서라도, 첫째로는 약정된 연액 40만 파운드의 지불을 금후 면제해 줄 것, 둘째로는 직면한 파산에서 회사를 구제하기 위하여 140만 파운드를 대부해 줄 것을 간청하지 않을 수 없게 했다. 회사의 재산의 큰 증가는 그 고용인에게 큰 낭비의 구실과 큰 배임의 잠복소를 제공했을 뿐이며, 이런 것은 재산의 그러한 증가율보다 더 크기까지 했던 것 같다. 인도에서 회사의 사용인의 행장과 인도 및 유럽 쌍방에 있어서의 회사 업무의 일반적 상태는 의회가 조사해야 할 문제로 화했으며,[93] 그 결과 국내에서나 해외에서나 관리제도에 몇 가지 극히 중요한 변경이 이루어졌다. 인도에서는 회사의 주요 정주지인 마드라스·봄베이·캘커타는 종전에는 완전히 서로 독립되어 있었는데, 4인의 고문으로 된 평의회의 보좌를 받는 총독에 종속하게 되었으며, 의회는 이 총독과 평의회의 최초의 임명권을 장악하고, 이들을 캘커타에 거주하도록 했다. 그 도시는 종전의 마드라스처럼 인도에 있는 잉글랜드의 정주

93 〔1772~1773년을 가리킨다. 〈증보 및 정정〉과 제3판에는 이 "문제(subject)"가 "subjects"로 되어 있다.〕

지 가운데 가장 중요한 것이 되고 있다. 캘커타 시장市長의 재판소는 본래 그 시와 그 부근에서 일어나는 상사소송商社訴訟을 심리하기 위하여 설치되었던 것인데, 판도의 확대에 따라 그 관할권도 점차 확대해 갔다. 그러나 이번에는 그것을 그 설치의 본래의 목적으로 되돌려서, 그 목적에만 한정했다. 그 대신 국왕이 임명하는 주석판사 한 사람과 판사 3인에 의해 구성되는 새 최고법원이 설치되었다. 유럽에서는 주주가 주주총회에서 투표하는 데 필요한 자격의 부여 조건으로서, 이 회사의 자본 1주의 최초의 가격인 500파운드에서 1000파운드로 올려졌다. 게다가 이 자격으로 투표하기 위해서는 주주가 상속에 의한 것이 아니라, 손수 구매하여 획득했을 경우 적어도 1년간 그것을 소유할 필요가 있다고 하는 것이 선언되었다. 종래는 이 기간은 6개월이었다. 24인의 이사회는 종래에는 매년 개선되었으나, 이제는 각 이사의 임기는 4년으로 하고, 단지 그 가운데 6인은 매년 윤번제로 퇴직하고, 차년도의 6인의 새 이사의 선거에서는 재선되지 못한다는 것이 법령화되었던 것이다.[94] 이러한 변경의 결과, 주주총회도 이사회도 종래에 항상 그러했던 것보다 더 위엄을 가지고 더 견실하게 행동하리라는 것이 기대되고 있었다. 그러나 어떠한 변경이 있더라도 그러한 총회와 이사회가 하나의 큰 제국을 통치하는 데 적합한 것이 된다는 것은 어떤 점에서도 불가능하며, 아니 그 통치의 일부를 분담하는 것까지도 불가능하다. 왜냐하면 총회와 이사회의 성원의 대부분은 항상 그 제국의 번영에는 거의 무관심하므로 그 번영을 촉진할 수 있는 것에 대해서 조금도 진지한 주의를 기울이지 않기 때문이다. 대재산가라든지 때에 따라서는 소재산가까지도 주주총회에서의 투표권을 획득하면 얻으리라고 생각되는 세력을 위해서만이 동인도회사의 1000파운드의 주를 기꺼이 사는 경우가 흔히 있다. 그 투표권을 획득하면 그는 인도의 약탈까지는 아니더라도, 그 약탈자의 익명에 참여할 수 있게 된다. 그 임명은 이사회가 하지만, 이사회는 다소나마 주주총회의 세력하에 있으며, 또한 주주총회는 그 이사들을 선임할 뿐만 아니라, 인도에서의 그 고용인의 임명을 무효로 해

94 〔조지 3세 제13년 법률 제63호.〕

버릴 때도 있다. 만일 그가 수년 동안 이 세력을 가지고 이 때문에 몇 명의 자기 친구를 부양해 줄 수 있다면, 그는 배당은 물론 자기의 투표권이 근거로 삼고 있는 주식의 가치에 관해서까지도 거의 주의하지 않을 수가 흔히 있다. 그 투표권이 있으므로 해서 통치에 참여할 수 있는 그 대제국의 번영에 관해서 그는 좀처럼 주의하지 않는다. 그러한 상사회사의 주주의 대부분이 불가항력적인 도덕적 원인에서 그러하고, 또한 불가불 그러지 않을 수 없는 것처럼 그들 신민의 행 또는 불행, 그들 영토의 개량 또는 황폐, 그들 행정의 영욕에 관하여 그렇게도 무관심한 주권자는 달리 존재하지도 않았으며, 또 주권자라면 사물의 성질상 그렇게 무관심해 있을 수 없을 것이다. 뿐만 아니라 의회 조사의 결과로써 만들어진 새 규정 가운데 어떤 것은 그러한 무관심을 감소시킨다기보다 더 증가시켰던 것 같다. 이를테면 하원의 결의에 의해서 다음과 같이 선언되었다. 즉 정부가 이 회사에 대부한 140만 파운드가 변제되고 그들의 사채가 150만 파운드로 줄어들 때까지 그들은 그들 자본금에 대해서 8퍼센트의 배당을 할 수 없으나, 줄어들면 그렇게 해도 좋다는 것이다. 그리고 그들의 수입 및 순이윤 가운데 본국에 남아 있는 것은 네 부분으로 분할되어야 하며, 그 가운데 세 부분은 공공사회용으로 국고에 납입하고 나머지 부분은 자금으로서 유보해 두어, 그들 사채의 앞으로의 상환에 쓰거나 또는 그들이 겪을지도 모르는 다른 뜻밖의 긴급사태를 벗어나는 데 써야 한다는 것이다.[95] 그러나 그들의 순수입[96] 및 이윤의 전부가 회사에 속하고 그들이 그것을 자유롭게 처분하고 있었을 때, 회사가 나쁜 집사요, 나쁜 주권자였다면, 그러한 수입과 이윤의 4분의 3이 타인에게 속해 있고 나머지 4분의 1도 비록 회사의 이익을 위하여 쓰여지도록 되어 있다 하더라도 타인의 감시와 인가를 받아서 쓰여지도록 되어 있을 때, 회사가 더 나아

95 〔《House of Commons Journals》, April 27, 1773.〕

96 〔"순수입"의 원어는 "nett revenue"인데 이 "nett"라는 철자는 이 저작의 다른 부분에서는 "neat"라고 되어 있다. 〈증보 및 정정〉에서는 이곳에서나 4행 앞에서나 모두 "nett"라고 되어 있다. 전자의 경우는 이 불일치가 명백하게 느껴졌고 후자의 경우엔 느껴지지 않았던 것이다.〕

질 것 같지는 않다는 것은 확실하다.

그러한 규제는 낭비를 장려하는 경향을 가지고 있다.

그 회사로서는 제안된, 8퍼센트의 배당을 지불한 뒤에 얼마만큼의 잉여금이 남든지 간에 그들 결의 때문에 반드시 어느 정도 회사와 사이가 나빠진 일군의 사람들의 수중에 들어가는 것보다는 오히려 회사의 고용인과 부양인이 그것을 낭비하여 쾌락을 누리거나 착복하여 이윤을 보는 편이 더 좋았을는지 모른다. 주식총회에서는 그러한 고용인과 부양가족의 이해관계는 대단히 우세하여 총회 자체의 권위를 직접 침해하여 약탈을 했던 장본인을 그 총회가 지지하도록 만들 때도 있을 정도이다. 즉 대다수의 주주로서는 자신들 총회의 권위를 무시한 사람들을 지지하는 편이 총회 자체의 권위를 유지하는 것보다 더 중대한 문제라고 보았을 경우도 있었을 것이다.

현재 동사는 종래보다 더 심한 난국에 처해 있다.

따라서 1773년의 여러 규제들도 인도에서의 이 회사의 통치의 난맥을 종식시킬 수는 없었다. 회사는 순간적인 발작처럼 경영이 잘 되던 잠깐 동안에, 한때는 캘커타의 금고에 영화 300만 파운드 이상을 끌어모았던 때도 있었으며, 그 후에 인도에서 가장 부유하고 가장 비옥한 약간의 지방의 광대한 병탄지倂呑地에 걸쳐 자신들의 지배를 확대하고 약탈의 손을 뻗쳤던 적도 있었는데, 이렇게 했음에도 불구하고, 그 모든 것이 낭비되고 파멸되었다. 회사는 하이다르 알리Hyder Ali의 침입을 저지하거나, 그것에 저항하기 위한 준비가 전혀 되어 있지 않았다는 것을 알게 되었으며, 그러한 난맥의 결과, 현재(1784) 회사는 종래보다 더 심한 난국에 처해 있어, 직면한 파산을 막기 위하여 또 한 번 정부의 원조를 애원하기에 이르렀다. 회사의 사업경영을 개선하기 위한 여러 가지 안이 의회의 여러 당파에서 제출되었다. 그리고 그 모든 안이 일치하여 상정하고 있다고 생각되는 것은 당사는 그 영유지를 통치하기에는 전혀 부적당하다는 실로 명백한 사실이었다. 더욱이 회사 자신까지도 그 점에 관해서는 무능력을 자각하고 있는 것 같으며, 그 때문에 그 영유지를 기꺼이 정부에 넘겨주려고 하고 있는 것 같다.

주식회사는 화전和戰의 권리를 악용하고 있다.

멀리 떨어져 있는 야만적인 지방들에 보루와 수비대를 가지는 권리에는 그러한 지방에서의 화전의 권리가 반드시 연결되어 있다. 전자의 권리를 가지고 있었던 주식회사는 끊임없이 후자의 권리를 행사해 왔으며, 암시적으로 그 권리를 수여받았던 적도 흔히 있었다. 그러한 회사가 얼마나 불법적으로, 또 얼마나 자의적으로, 또 얼마나 잔인하게 그 권리를 행사해 왔는지는 최근의 경험에서 너무나 잘 알려져 있다.

주식회사에 일시적인 독점권을 주는 것은 합리적일 때도 있을지 모르나, 영구적인 독점권은 불합리한 조세를 창설한다.

상인들의 회사가 스스로의 위험부담과 비용으로 어떤 멀리 떨어져 있는 야만민족과의 새로운 무역에 착수할 때, 그것을 법인화하여 주식회사로 만들고, 그 회사가 성공할 경우엔 일정 연수 동안 그 무역의 독점권을 주는 것은 불합리한 것은 아닐 것이다. 그렇게 하는 것은 그 회사가 위험하고 비용이 많이 드는 실험을 감행하는 데 대하여, 국가가 보상할 수 있는 가장 용이하고 가장 자연스러운 방법이다. 더욱이 공공사회는 후일 그 실험의 은혜를 입게 된다. 이런 종류의 일시적인 독점권은 신기계에 관한 이와 유사한 독점권이 그 발명자에 주어진다든지, 신저서에 관한 독점권이 그 저자에 주어지는 것과 동일한 원리로써 옹호될 수 있을 것이다. 그러나 그 기간이 만료되면 독점권도 당연히 종식되어야 함은 확실하다. 그리고 보루와 수비대는 만일 설치해 둘 필요가 있다고 인정된다면 정부의 수중에 들어가고, 그 가치는 회사에 지불되어야 하며, 무역은 국가의 모든 국민에게 개방되어야 하는 것이다. 그러나 영구적인 독점권이 수여되면 국가의 다른 모든 국민에게는 두 가지 다른 방법, 즉 첫째는 자유무역의 경우라면 그들이 훨씬 싸게 사들일 재화의 높은 가격 때문에, 그리고 둘째는 많은 신민이 하는 편이 편리하고 유리할지도 모르는 사업부문에서 그들을 모두 몰아냄으로써 극히 불합리하게 과세당하게 된다. 게다가 그들이 이러한 방법으로 과세된다는 것은 가장 가치 없는 목적을 위한 것이라 하겠다. 그것은 단지 회사가 자신들의 고용인들의 태만·낭비·배임을 원조할 수 있도록 해 줄 뿐이며, 그들의 무질서한 행동은 회사의 배당을 완전히 자유로운 사업에 있어서의 통상이윤을 여간해서는 초과하도록 하지는 않으며, 그 비율을 훨씬 밑돌게 하는 수가 아주 자주 있다. 그러나 주식회사가 독점권 없이는 어떠한 무역부문도 오래 해나갈 수 없다는 것은 경험상 확실할 것이다. 양쪽 시장에 다 같이 많은 경쟁자가 있을 때, 한 시장에서 이윤을 붙여 팔기 위하여 다른 한 시장에서 매입한다든지, 또는 수요의 수시적인 변동뿐만 아니라 경쟁의 훨씬 더 크고 더 빈번한 변동, 즉 그 수요가 일으킬 듯한 다른 사람들의 공급의 변동을 감시한다든지 그리고 각 종별의 재화의 수량과 품질을 교묘히 판단하여 이러한 모든 사정에 적합하도록 하는 것은 그 작전이 끊임없이 변화하는 일종의 전투 행위이며, 이것을 성공적으로 처리하기 위해서는 끊임없는 노력으로 경계하고 주의하지 않으면 안 되는데, 그것을 주식회사의 이사들에게 오랫동안 기대할 수는 없는 것이다. 동인도회사는 그들의 자금을 상환하고 그들의 독점적 특권의 기간이 만료된 뒤에도 의회의 법령에 의해서 주식 조직의 회사로서 존속하고, 법인으로서의 자격으로 나머지 동포 시민과 함께 동인도무역을 할 수 있는 권리를 가지고 있다. 그러나 이러한 사태에서는 개인적 모험자의 경계심과 주의는 더 우세하므로, 이 때문에 회사는 결국 그 무역에 지쳐 버리기 쉬울 것이다.

아베 모를레는 외국무역의 독점적 여러 특권들을 가지고 있으면서 실패한 55개 회사의 일람표를 만들었다.

경제학의 문제들에 관하여 탁월한 지식을 가지고 있는 고명한 프랑스의 저자 아베 모를레Abbé Morellet는, 1600년 이래 유럽의 여러 지방에 설립되었으며 독점적 여러 특권을 가지고 있었음에도 불구하고, 모두가 그 경영을 잘못하여 실패했던 55개 외국무역주식회사 일람표를 내어놓았다.[97] 그 가운데 두세 개 회사에 관해서는 그가 그들의 내력을 오해하고 있었으며, 그들 회사는 주식회사가 아니었으며, 또 실패하지도 않았다. 그러나 그 대신 그가 들지 않았던 회사로서 실패한 주식회사가 몇몇 있었다.

독점적 특권 없이도 회사가 훌륭히 할 수 있는 사업은 네 가지뿐이다.

주식회사가 독점적 특권 없이도 성공적으로 해나갈 수 있다고 생각되는 사업은 모든 활동이 소위 일과日課로 환원되어 버릴 수 있는 사업, 즉 그러한 활동을 거의 전혀 변경시킬 여지가 없는 틀에 박힌 방법으로 환원시킬 수 있는 사업이다. 이런 종류의 것으로는, 첫째, 은행업, 둘째, 화재·해난·전시포획에 대한 보험업, 셋째, 항해 가능한 수로 또는 운하를 개설하고 유지하는 사업, 그리고 넷째, 대도시에 대한 급수라고 하는 이와 비슷한 사업 따위 등이다.

즉 은행업.

은행업의 원리는 어느 정도 난해한 것이라고 생각되기는 하지만, 그 실무는 엄격한 규제에 환원되어 버릴 수 있다. 엉뚱한 이득을 올리려고 하는 어떤 허황한 투기심에서 어떤 기회에 그러한 규칙을 벗어난다는 것은 이것을 꾀한 은행업 회사에게는 거의 언제나 지극히 위험한 것이며, 치명적인 것일 경우도 흔히 있다. 그러나 주식회사의 제도는 어떠한 합명회사보다도 기존의 규칙을 일반적으로 보다 더 잘 지키게 하고 있다. 따라서 주식회사는 이러한 사업에 아주 적합한 것이라고 생각된다. 유럽의 주요 은행회사가 주식회사임은 이 때문이며, 이들 가운데는 독점적 특권 없이도 대단히 성공적으로 그들의 사업을 경영하고 있다. 잉글랜드 은행은 독점적 특권을 갖고 있지 않으나, 단지 다른 어떠한 은행업 회사와도 달

97 〔《Examen de la réponse de. M. N** [Necker] au Mémoire de M. l'Abbe Morellet, sur la Compagnie des Indes ; Par l'auteur du Mémoire》(1769), 35~38면.〕

리 6인 이상의 인물로써 구성되어서는 안 된다는 제한에 따르지 않고 있을 뿐이다.[98] 에든버러의 두 은행은 독점적 특권을 갖고 있지 않은 주식회사이다.

보험업.

위험의 가치란 화재로써 생긴 것이든 해난과 포획에 의한 손실에서 생긴 것이든 간에, 아주 정확하게 계산될 수는 없지만 어느 정도까지 엄격한 규칙과 방법으로 환원시킬 수 있을 만큼 대체적인 추산을 할 수는 있는 것이다. 그러므로 보험업은 독점적 특권이 전혀 없는데도 주식회사에 의해서 성공적으로 운영될 수 있다. 런던 보험회사(London Assurance Company)라든가, 로열 익스체인지 보험회사(Royal Exchange Assurance Company)도 그러한 특권은 조금도 갖고 있지 않았다.[99]

운하 및 수도의 관리와 건설에 관한 사업.

항해 가능한 수로 또는 운하가 일단 건설되어 버리면, 그것을 관리하는 것은 아주 단순하고 용이하게 되며, 엄격[100]한 규칙과 방법으로 환원시킬 수 있다. 그 건설까지도 그러하며, 1마일에 얼마, 수문 하나에 얼마라고 기업가와 계약하면 된다. 대도시에 급수하기 위해 물을 끌어오는 운하·수도·대도수관大導水管의 경우도 마찬가지라고 할 수 있다. 그러므로 그러한 독점적 특권을 가지지 않는 주식회사에 의해서 대단히 성공적으로 운영될 수 있으며, 따라서 현재에 그렇게 되고 있는 경우도 흔히 있다.

주식회사라고 하는 것은 합명회사로서는 제공할 수 없을 만한 대자본을 필요로 하는 바, 현저한 효용을 가진 어떤 목적을 위한 것이 아닌 한, 설립되어서는 안 된다. 그러나 주식회사로서 운영하면 성공할 수 있을지도 모른다는 단순한 이유 때문

98 〔앤 치세 제6년 법률 제22호.〕

99 〔적어도 개인에 대해선 그러했다. 앤더슨, 《Commerce》(1720).〕

100 〔이 이하의 구절의 원문은 "and is reducible to strict rule and method"인데 제4판 및 제5판에는 오식으로 "and"의 다음에 "it"이 삽입되어 있다.〕

에, 그러한 합명회사를 설립한다는 것, 즉 특정한 여러 상인들을 그의 모든 이웃 사람들에게 적용되고 있는 일반법의 어떤 것에서 면제해 준다면, 그들은 번영할 수 있을지도 모른다는 이유만으로 면제해 주는 것은 분명히 합리적인 것은 아니다. 그러한 회사의 설립을 완전히 합리적인 것으로 만드는 데는 그 운영이 엄격한 규칙과 방법으로 환원될 수 있다는 사정과 더불어, 다른 두 가지 사정이 작용하지 않으면 안 된다. 첫째는 그 기업이 보통 사업의 대부분이 가지는 것보다 더 크고 일반적인 효용을 가진다는 것, 둘째, 그것이 합명회사로서는 쉽게 끌어모을 수 없는 거액의 자본을 필요로 한다는 것, 이 두 가지 사정이 가장 명백하게 입증되어야 한다. 만일 그렇게 많지 않은 자본으로 충분하다면[101] 그 기업의 효용이 크더라도 주식회사를 설립할 충분한 이유는 되지 않을 것이다. 왜냐하면 이런 경우 그 기업이 생산하기로 되어 있는 것에 대한 수요는 사적 모험자에 의해 곧 쉽게 충족될 수 있을 것이기 때문이다. 상술한 네 가지 사업에서는 이러한 사정이 둘 다 동시에 작용하고 있다.

이러한 조건은 은행업에 있어서는 충족되어 있다.

신중히 운영되고 있을 경우 은행업이 가지는 크고 일반적인 효용에 관해서는 본 연구의 제2편에서 충분히 설명했다. 그러나 공공사회의 신용을 유지하고 특별한 비상사태에는 아마 수백만에 달하는 조세의 전全 수입액을 그 납기의 1~2년이나 앞서 정부에 선대先貸하는 공립은행은 어떤 합명회사도 쉽게 모을 수 없는 대자본을 필요로 한다.

보험업에 있어서도 충족되어 있다.

보험업은 개인의 재산에 큰 안전성을 주며, 일개인을 파산시켜 버릴 만한 손해를 다수의 사람들에게 분할함으로써 그것이 사회 전체에 대한 경이한 부담이

101 〔이 구절의 원문은 "If a moderate capital were……"라고 가정법으로 되어 있는데 〈증보 및 정정〉과 제3판에는 "If a moderate capital was……"라고 직설법으로 되어 있다.〕

되도록 한다. 그러나 이러한 안전성을 보증하기 위해서는 보험업자는 대단히 큰 자본을 가지지 않으면 안 된다. 보험을 위한 두 개의 주식회사가 런던에 설립되기 앞서, 몇 년 동안에 허비된 150명의 개인 보험업자의 일람표가 법무장관에게 제출되었다고 한다.

운하 및 수도사업에 있어서도 충족되어 있다.

항해 가능한 수로와 운하, 그리고 대도시에 급수하기 위해 이따금 필요로 하는 토목사업은 큰 일반적 효용을 가지는 것인데, 이와 동시에 그러한 사업은 개인의 재산으로서는 맞지 않을 정도의 많은 경비를 필요로 할 경우가 흔히 있다는 것은 아주 확실하다.

그러나 그 밖의 다른 사업은 어떤 것도 그 조건이 충족되지 않는다.

상술한 네 가지 사업 이외에 주식회사의 설립에 합리성을 주는 데 필요한 세 가지 사정 모두가 동시에 발생하는 다른 사업을 나는 생각해 낼 수 없었다. 런던의 잉글랜드 동 회사(English copper company), 납정련 회사(lead smeltting company), 그리고 유리연마 회사(glass grinding company)는 추구하는 목적이 위대한 또는 특이한 효용이 있다는 구실을 갖고 있지도 않고, 또한 그 목적을 추구하는 네 수많은 개인의 재산으로써는 감당하지 못할 정도의 경비를 필요로 하고 있는 것 같지도 않다. 과연 이러한 회사들이 하고 있는 사업이 주식회사의 경영에 맞도록 할 만큼 엄격한 규칙과 방법으로 환원될 수 있는지, 또 과연 그러한 회사가 엄청난 이윤을 자랑할 만한 이유라도 가지고 있는지 어떤지를 내가 알고 있다고 주장하는 것은 아니다. 광산투기 회사(mine-adventures company)는 오랜 이전에 파산했다.[102] 에든버러의 영국 아마포 회사(British Linen company)의 주는 수년 전보다는 낮더라도, 현재에도 금액면보다 훨씬 싸게 팔리고 있다. 어떤 특별한 제조업을 진행한다는 공공 정신을 가진 목적을 위해서 설립되어 그 자체의 의무의

102 〔앤더슨, 《Commerce》(1690, 1704, 1710, 1711).〕

운영을 그릇되게 하여, 사회의 총자본을 감소시키게 된 주식회사는 그 밖의 점에서는 백해무익하다는 것은 거의 틀림없다. 특정부문의 제조업의 이사들은 가장 올바른 의도에도 불구하고, 기업가들의 유혹과 강요로 아무래도 그 특정부문을 편애하게 되는데, 이 편애는 제조업의 나머지 부문들을 실제로 저해하고, 그렇지 않을 경우 사려 깊은 산업 활동과 이윤 사이에 세워질 그 자연적 비율, 즉 그 나라의 일반 산업에 대한 장려 가운데 최대이며 가장 유효한 장려인 그 자연적 비율을 반드시 다소는 파괴하는 것이다.

제2항 청소년 교육[103]시설의 경비에 관하여

교육을 위한 시설들은 그 경비를 자변自辨으로 할 수도 있다.

청소년의 교육을 위한 시설들은 위에서 본 바와 마찬가지로, 그들 자신의 경비를 지불하기에 충분할 만한 수입을 올릴 수 있다. 학생이 교사에게 지불하는 수업료 또는 사례는 자연히 이런 종류의 수입을 이루고 있다.

또 기부에 의해서도 할 수 있다.

교사의 보수가 이러한 자연적인 수입에서만 나오지 않는 곳에서도, 반드시 그것을 사회의 일반적 수입에서, 즉 대부분의 나라에서는 그 징수와 충용이 행정권력에 위탁되어 있는[104] 사회의 일반적 수입에서 끌어내야 할 필요는 역시 없는 것이다. 유럽의 대부분을 통하여 학교와 학부(schools and colleges)에는 기부재산이 있어서, 그 일반적 수입에는 아무런 부담도 과하지 않으며, 과한다 하더라도 아주 조금밖에 과하지 않는 것이다. 그 기부재산은 어떤 곳에서나 지방 또는 주의

103 〔"청소년의 교육(the Education of Youth)"은 초판에서는 본문의 첫째 줄의 경우와 마찬가지로, "the Education of the Youth"라고 되어 있다.〕

104 〔"그 징수와 충용이……위탁되어 있는"의 원문은 "the callection and application are……assigned to……"인데, 이 "are"은 초판에서 제4판까지 "is"로 되어 있다.〕

수입에서 또는 약간의 토지재산의 지대에서 또는 약간의 화폐이자에서 주로 생기는 것이며, 이 화폐는 어떤 때에는 주권자 자신이, 어떤 때에는 어떤 개인적인 기증자가 이러한 특정 목적을 위하여 할당했고, 수탁자의 관리하에 두기도 하는 것이다.

기부재산은 유용한 교육을 실제로 촉진시켰던가?

그러한 공공의 기부재산은 그 시설의 목적을 촉진하는 데에 일반적으로 기여했을까? 그것이 교사들의 근면을 장려하고 능력을 개선하는 데 기여했을까? 그것은 교육이 자연히 저절로 향해 갔을 목적보다도 개인과 공공사회에 더 유용한 목적을 향해 그 진로를 돌렸을 것인가? 이러한 설명의 하나하나에 적어도 그럴듯한 답을 한다는 것은 그렇게 어려운 것 같지는 않게 생각되어야 할 것이다.

노력은 항상 그 필요성에 비례하는 것이다.

어떠한 직업에서나 그것에 종사하는 대부분의 사람들의 노력은 그들이 그 노력을 하지 않으면 안 되도록 되어 있는 그 필요성에 항상 비례한다. 이 필요성은 직업상의 보수가 자신의 재산을 만드는 데, 또는 일상의 수입과 생활자료를 얻는 데 유일한 원천이 되어 있는 사람들의 경우에 가장 높다. 이 재산을 획득하기 위해서 또는 이 생활자료를 얻기 위해서, 그들은 1년 중[105] 어떤 기지의 가치를 가진 일정량의 일을 수행하지 않으면 안 되며, 또한 더욱이 경쟁이 자유로운 곳에서는 경쟁자와의 경쟁심은 서로를 밀어내려고 하므로 모든 사람은 자신의 일을 어느 정도까지 정확하게 수행하려고 노력하지 않을 수 없게 된다. 약간의 특수한 직업에 있어서 성공에 의해서 얻어질 목적의 위대함은 틀림없이 비상한 정신력과 야망을 가진 소수의 사람들을 고무하여 노력하게끔 할 때도 있을 것이다. 그러나 위대한 목적만이 최대의 노력을 야기시키기 위하여 필요한 것은 확실히 아니다. 경쟁심과 보수는, 천한 직업에 있어서까지, 그것에 탁월할 것을

105 〔"1년 중(in the course of a year)"의 "a year"는 초판에는 "the year"라고 되어 있다.〕

야심의 목적으로 삼게 하고, 최대한의 노력을 야기시키는 수가 흔히 있다. 이와 반대로 목적이 위대하더라도 그것이 지향될 필요성에 의해서 지탱되지 않는 한, 그것만으로 어떤 상당한 노력을 야기시키는 데 충분하다고는 할 수 없다. 잉글랜드에서는 법률에 관한 직업에서 성공한다는 것이 야심의 대단히 위대한 목적에 달하는 것이지만, 그러나 안락한 신분으로 태어나서 이 나라의 이 직업에서 고명해진 사람은 몇 명이나 있었겠는가?

기부재산은 정력을 기울일 필요성을 감소시킨다.

학교와 학부의 기부재산은 필연적으로 교사들의 정력을 기울일 필요성을 다소나마 감소시켰다. 그들의 생계비가 그들의 봉급에서 생기는 한, 그들의 특정한 직업에서의 성공이나 명성과는 전혀 관계가 없는 기금에서 나오는 것은 명백하다.

교사가 그 보수의 일부를 수업료에서 받고 있는 곳에서는 이 정려精勵의 필요성이 완전히 없어지지는 않는다.

몇몇의 대학교에서는 봉급은 교사의 보수의 일부에 지나지 않으며, 극소 부문에 지나지 않을 때도 흔히 있고, 그 대부분은 학생들의 사례 또는 수업료에서 생긴다. 이런 경우엔 정려의 필요성은 다소는 감쇄되더라도 완전히 없어지지는 않는다.[106] 그의 직업상의 명성은 역시 그에게는 약간 중요한 것이며, 또한 그는 역시 자기 수업에 참여한 사람들의 애정과 감사와 호의적인 보고에 어느 정도는 의존하고 있다. 그리고 이러한 호의적인 감정을 얻기 위해서는 그는 그만큼 해야 한다는 것, 즉 능력과 근면을 다하여 자기의 모든 의무를 다한다는 것 이외에는 방법이 없는 것 같다.

그러나 그의 모든 수입이 기부재산에서 생기는 경우엔 그것은 완전히 없어져 버린다.

106 〔래, 《애덤 스미스의 삶》, 48면에 의하면 글래스고에서의 스미스의 봉급은 주택과 더불어 약 70파운드, 또 그의 수업료는 100파운드 정도였을 것이라고 생각되고 있다.〕

다른 여러 대학교에서는 교수는 자기 학생들로부터 사례 또는 수업료를 받는 것을 금지당하고 있으며, 자기 봉급은 자기 직무에서 얻게 되는 수입의 전부를 이루고 있다. 이런 경우엔 그의 이해관계는 그의 업무와는 될 수 있는 한 정반대의 입장에 놓여 있다. 즉 될 수 있는 대로 편안하게 살아가는 것이 모든 사람의 이익이며, 그리고 만일 그가 대단히 힘이 드는 어떤 업무를 이행하든 하지 않든 자기의 보수가 정확하게 동일하다면 그 이행을 전적으로 등한시하거나 또는 만일 이렇게 하도록 내버려 두지 않을 만한 어떤 권위에 그가 종속되어 있다면, 그 권위가 허용할 만한 정도로 부주의하고 아무렇게나 그것을 이행하거나 하는 편이 자기의 이익이라는 것은 확실하며, 적어도 이해관계가 통속적으로 이해되어 있는 한에 있어서는 그러하다. 만일 그가 후천적으로 활동가요, 노동의 수호자라면 그들의 활동을 아무런 수입도 끌어낼 수 없는 의무를 이행하는 데 쓰기보다는 오히려 약간이라도 이익을 얻을 수 있는 방면에 사용하는 것이 그의 이익인 것이다.

학부 또는 대학교의 성원은 그들의 동료에 대해서 관대하다.

만일 그가 종속하고 있는 권위가 그 자신도 구성원인 단체, 즉 학부 또는 대학교에 속해 있고, 다른 성원의 대부분도 그와 마찬가지로 교사이거나 또는 교사이어야 할 사람들이라면, 그들은 아마 협력하여 모두 서로에게 대단히 관대해지려고 하며, 그리고 모든 사람은 자기가 자기 의무를 게을리하는 것을 용인받는다면 자기의 이웃이 그의 업무를 게을리하는 것에 동의하고 있다. 옥스퍼드 대학교에서는 정교수의 대부분이, 수년 동안 가르치는 체하는 것마저 그만두어 버렸다.

외부로부터의 통제는 무지하고 자의적인 것이다.

만일 그가 종속하고 있는 권위가, 자기가 구성원인 단체라기보다는 오히려 어떤 외부의 사람들, 이를테면 주교 관구의 주교라든지 속주의 지사라든지 또는 아마 어떤 국무장관에게 속해 있는 것이라면, 이런 경우엔 그가 자기의 의무를 전적으로 게을리하도록 묵인될 것이라는 사실은 실로 있을 듯하지 않은 것이다. 그러나 그러한 손위의 사람들이 그에게 하도록 강제할 수 있는 것은 일정 수의 시간을 그 학생을 위해 열중하는 것, 즉 1주 또는 1년에 일정한 횟수의 강의를 해 주라는 것이다. 그러한 강의가 어떤 것이 될 것이라는 것은 역시 교사의 근면에 의존하지 않을 수 없고, 그 근면은 그가 그것을 수행하기에 앞서 갖는 동기에 비례하는 것 같다. 뿐만 아니라, 이런 종류의 외부로부터의 관할권은 자칫하면 무지하게 또 자의적으로 행사되기 쉽다. 그것은 그 성질상의 자의적이요, 독단적인 것이며, 그것을 행사하는 사람들은 그가 교사의 강의를 듣는 것도 아니요, 또 그가 직무로서 가르치는 과학을 아마 이해하고 있지도 않으므로 사리분별 있게 그것을 행사할 수는 거의 없다. 그 위에 직무상의 오만에서 그들은 흔히 아무렇게나 행사하든지 상관하지 않으며 자칫하면 되는 대로 아무런 정당한 이유도 없이 그를 견책하든지 면직시키기 마련이다. 이러한 지배권에 종속되어 있는 사람은 반드시 그것에 의해서 지위도 떨어지고 그 사회에서 가장 존경할 인물의 한 사람이기는커녕 가장 천하고 가장 경멸할 사람들 가운데 한 사람으로 되어 버린다. 그가 줄곧 겪고 있는 나쁜 대우에서 효과적으로 자기를 보호할 수 있는 것은 강력한 보호를 받는 것 이외에는 별도리가 없으며, 그의 직업상의 능력 또는 근면에 의하지 않고, 그의 상관들의 의지에 대한 아첨에 의해서 이 보호를 받을 가능성이 가장 많으며, 또 그 의지를 위하여 현재 그가 일원이 되어 있는 단체의 권리·이익·명예를 언제든지 희생할 용의가 되어 있다는 것에 의하기도 한다. 프랑스의 대학 행정에 상당히 오랫동안 종사한 사람들이라면 누구나 이런 종류의 자의적인 외부로부터의 관할권에 의해서 자연적으로 생겨난 결과들을 감지했을 것이 틀림없다.

젊은 사람들을 강제로 대학교에 다니게 하는 것은 교사들에게 악영향을 미친다. 그 교사들의 진가와 명성과는 관계없이 일정 수의 학생을 강제적으로 어떤 학부 또는 명성의 필요성을 다소나마 감소시키는 경향이 있다.

그러므로 대학교 졸업생의 여러 특권들은 도제조례와 비슷하다.

예술·법학·의학·신학의 대학 졸업생의 여러 가지 특권은[107] 만일 이것들이 어떤 대학교에 일정한 연수 동안 재적해야만이 획득될 수 있을 때는 그 교사들의 진가나 명성과는 상관없이 반드시 일정 수의 학생을 강제적으로 그러한 대학에 입학시키는 것이다. 대학 졸업생의 여러 특권들은 도제조례의 일종으로서 다른 도제조례[108]가 기술과 제조업의 개선에 기여해 온 것과 똑같이 교육의 개선에 기여해 왔다.

연구비 및 전학 금지의 제도는 해롭다.

연구비·장학금·급비 등의 자선적인 기금은 개개의 학부의 진가와는 전혀 관계없이 반드시 일정 수의 학생을 일정한 학부에 얽매어 둔다. 만일 이러한 자선적인 기금에 의지하고 있는 학생들이 자기가 가장 좋아하는 학부를 선택할 자유가 있다면, 그러한 자유는 아마 여러 학부들 사이에 다소 경쟁을 일으키는 데 기여할지도 모른다. 이와 반대로 모든 개개의 학부의 자비학생들까지 그곳을 떠나 다른 곳으로 가는 데는 먼저 퇴학하려는 학부에 허가를 받지 않는 한, 금지되어 있는 그러한 규제는 그 경쟁을 소멸시키는 경향이 매우 클 것이다.

학생을 특정된 지도교사에 할당하는 제도도 유해하다.

만일 모든 예술과 과학에 관해서 학생을 지도해야 하는 각 학부의 지도교사 또는 교사가 학생의 자유의사로써 선택되지 않고 학부의 장에 의해서 임명된다면

107 〔여기까지의 구절의 원문은 "The privileges of graduates in arts, in law, physic and divinity"인데, 초판 및 재판에는 "physic"의 앞에도 "in"이 있다.〕

108 〔"다른 도제조례"의 원문은 "the other statutes of apprenticeship"인데, 초판에는 이 "the"가 없다.〕

그리고 만일 교사가 태만하고 무능하거나 좋지 못한 대우를 할 경우, 학생은 그 교사를 다른 사람과 바꾸는 데 있어서 사전에 신청하여 허가를 얻지 않는 한, 그렇게 할 수 없도록 되어 있다면 그러한 규제는 동일한 학부에 있어서의 여러 지도교사 사이의 모든 경쟁을 소멸시켜 버리는 경향이 대단히 많을 뿐만 아니라, 그들 모두가 근면하고 각자의 학생들에게 주의를 기울이려는 필요성도 크게 감소되는 경향이 매우 클 것이다. 그러한 교사들은 자신들 학생들로부터 충분한 지불을 받고 있다 하더라도 학생들로부터 전혀 지불도 받고 있지 않는 교사들이나 자기 봉급 이외에는 아무런 다른 보수를 받지 않는 교사들과 마찬가지로 그 학생들을 등한시하게 될 것이다.

그러한 규제가 보급되어 있는 곳에서는 교사는 학생 측에서 뚜렷한 비난의 표시를 하더라도 그것을 모두 회피하거나 억압해 버릴 수 있다.
만일 교사가 지각 있는 사람이라면, 자신이 학생들에게 강의하는 동안 무의미하거나 그보다 조금도 낫지 않은 것을 이야기하고 읽고 있다고 자각하는 것은 불쾌한 것임에 틀림없다. 그리고 자기의 학생들의 대부분이 자기의 강의를 듣지 않는다든지 또는 명백히 무시·경멸·우롱을 표시하며 수강하고 있는 것을 본다는 것도 불쾌한 것임에 틀림없다. 그러므로 만일 일정횟수의 강의를 하는 것이 그의 의무로 되어 있다면 이러한 동기에서만도, 즉 다른 아무런 이해관계도 없이 그는 꽤 좋은 강의를 하기 위하여 다소나마 수고하고 싶어질 것이다. 그러나 근면에 대한 그러한 모든 자극의 날카로움을 효과적으로 무디게 해 버릴 몇 가지 편법을 생각해 낼지도 모른다. 즉 교수는 자기의 학생들에게 자기가 지도하려고 생각하는 과학을 손수 설명하는 대신에 그것에 관한 어떤 책을 읽을 수도 있으며, 또 만일 이 책이 외국어나 또는 사어死語로 쓰여 있으면 그것을 그들의 말로 통역해 줄 수도 있고, 또는 훨씬 더 편하게 하려면 그들로 하여금 그것을 자기 앞에서 통역해 보도록 하고 자기는 수시로 그것에 관해서 소견을 말한다면 이것으로도 그는 강의를 하고 있다고 은근히 믿을 것이다. 이런 것은 그가 극히 미미한 정도의 지식을 가지고 조금만 응용하면 능히 할 수 있을 것이며, 또한 참으로 어리석은 것, 불합리한 것, 또는 우스꽝스러운 것을 이야기하지 않아도 되는 셈이다. 이와 동시에 학부의 규율 덕분에 그는 자기의 모든 학생을 강제하여 이 가짜 강의에 가장 규칙 있게 출석시키고 강의 중의 전체 시간을 통하여 가장 예절바르며 존경하는 태도를 유지시킬 수 있다.

대학교와 학부의 규율은 교사들의 안락을 위해 고안된 것이며, 만일 교사가 상당히 근면하다면 전혀 불필요한 것이다.

학부와 대학교의 규율이라는 것은 일반적으로 학생의 편익을 위해 고안된 것이 아니라, 더 적절히 말하면 교사를 편하게 하기 위하여 고안된 것이다. 그것의 목적은 모든 경우에 교사의 권위를 유지하는 것이며, 그가 자기의 업무를 게을리하거나 이행하거나 간에, 모든 경우 학생들로 하여금, 마치 교사가 최대의 근면과 능력을 다하여 그것을 이행하고 있는 것처럼 교사에게 거동하도록 강제하는 데 있다. 그것은 한편의 계급에 관해서는 완전한 지혜와 덕을, 그리고 또 한편의 계급에 관해서는 최대의 결점과 우열함을 전제로 하고 있는 것 같다. 그러나 교사들이 참으로 자기 의무를 다하고 있는 곳에서는, 학생들의 대부분이 자기 의무를 게을리하는 실례는 하나도 없다고 나는 믿고 있다. 참으로 출석할 만한 가치가 있는 강의라면, 그러한 어떤 강의가 이루어지고 있는 곳이라면, 어느 곳에서나 주지되고 있는 바와 같이 그것에 참석시키기 위한 어떠한 규율도 필요하지 않은 것이다. 아동 또는 소년을 강제로 인생의 초년기에 수득修得해 둘 필요가 있다고 생각되는 교육부문에 출석시키기 위하여 어느 정도의 강제와 속박이 필요하다는 것은 틀림없지만, 12~13세가 넘으면 교사가 자기의 의무를 다하고 있는 한, 강제 또는 속박은 어떤 부문의 교육을 하는 데도 거의 불필요하다. 젊은 사람들 대부분은 대단히 관대하므로 교사가 그들을 위해 약간의 진지한 의도를 보이기만 한다면, 그들은 자기 교사의 지도를 무시 또는 경멸할 기분이 생기기는커녕 일반적으로 교사가 자기의 의무를 이행함에 있어서 많은 오류가 있더라도, 그것을 용서하고 때로는 심한 태만이 있더라도 공공사회에 대해서 그것을 감추어 주고 싶기까지 한 것이다.

공공시설에 의해서 수행되지 않는 교육부문은 보다 더 잘 가르쳐지고 있다.

주의해야 할 것은 가르치기 위한 공공시설이 없는 교육부문은 일반적으로 가장 훌륭히 가르쳐지고 있다는 것이다. 젊은 사람이 펜싱 또는 댄스 학교에 갈 때, 그는 반드시 펜싱과 댄스를 아주 훌륭히 가르쳐지고 있다는 것이다. 젊은 사람이 펜싱 또는 댄스 학교에 갈 때, 그는 반드시 펜싱과 댄스를 아주 훌륭하게 배운다고는 할 수 없으나, 펜싱과 댄스를 배우지 못하는 일은 좀처럼 없다. 승마 학교의 양호한 성과는 보통 이처럼 명백하지는 않다. 승마 학교의 경비는 너무나 큰 것이므로 대부분의 곳에서는 그것은 공공시설이다. 학술 교육의 가장 본질적인 세 부문, 즉 읽기·쓰기·셈하기는 아직도 계속 공공교육에서 수득되기보다 사립학교에서 수득되고 있는 것이 보통이며, 그리고 누구나 습득해 둘 필요가 있는 정도의 것을 수득하지 못한다는 것은 거의 없다.

교사가 수업료에 더 많이 의존하고 있는 잉글랜드의 공립학교는 대학보다는 덜 부패해 있다.

잉글랜드에서 공립학교는 대학보다 훨씬 부패해 있지 않다. 학교에서는 청소년은 그리스어와 라틴어를 배우고 있거나 또는 적어도 배울 수가 있다. 즉 교사가 가르치는 체하는 것, 또는 가르쳐야 한다고 기대되고 있는 것이라곤 바로 이것뿐인 것이다. 대학교에서는 청소년은 그러한 단체가 가르치는 것을 직무로 하는 과학들을 배우지도 않으며, 반드시 그것을 배우는 데 적당한 수단을 찾을 수 있는 것도 아니다. 학교의 교사의 보수는 대부분의 경우 주로, 그리고 경우에 따라서는 거의 완전히 자기의 학생의 수업료 또는 사례에 의존하고 있다. 학교는 아무런 독점적 특권을 갖고 있지 않다. 어떤 사람이 졸업이라고 하는 명예를 획득하기 위하여 어떤 공립학교에서 일정 연수 동안 공부했다는 증명서를 가지고 올 필요는 없다. 시험 때 그는 그곳에서 배운 것을 이해하고 있다는 것을 나타내기만 하면, 그것을 어디에서 배웠는가에 관한 질문은 주어지지 않는다.

대학교가 가르치고 있는 것은 불충분한 것이지만, 그들이 없으면 일반적으로 이것마저도 가르쳐지지 않을 것이다.

대학교에서 보통 가르쳐지고 있는 교육부문은 아주 훌륭하게 가르쳐지고 있다고는 할 수 없다고 해도 좋을 것이다. 그러나 그러한 시설이 없었다면 이, 부문은 일반적으로 전혀 가르쳐지지 않았을 것이며, 개인도 공공사회도 그러한 주요한 교육부문의 결여 때문에 큰 손해를 입었을 것이다.

대학교는 본래는 성직자에게 신학을 가르치기 위하여 설립되었던 것이다.

유럽의 현재 여러 대학교는 본래 그 대부분이 교회의 단체였으며, 성직자의 교육을 위하여 설립되었던 것이다. 그것들은 교황의 권위에 의해서 창설되었으며, 완전히 그의 직접적인 보호하에 있었으므로, 교사이든지 학생이든지 간에 그 모든 성원이 그 당시의 소위 성직 재판권을 가지고 있었다. 즉 그들은 자신들 각각의 대학이 소재하는 지방의 시민적 사법권의 적용에서 제외되어 있었으며, 교회재판소의 제재만을 받고 있었다. 그러한 대학교의 대부분에서 가르쳐지고 있었던 것은 그 설립의 목적에 맞는 것, 즉 신학에 대한 준비에 지나지 않는 것이었다.

이 때문에 라틴어가 필요했다.

그리스도교가 처음으로 법률에 의해서 확립되었을 때, 전와轉訛된 라틴어가 유럽 서부 지방 전역의 공통된 언어가 되었다. 그러므로 교회의 예배도, 교회에서 읽혀지고 있었던 성서의 번역도, 모두 그 전와된 라틴어로, 즉 그 나라의 공통어로 행해지고 있었다. 로마제국을 전복한 야만민족의 침입 후 라틴어는 점차 유럽의 어느 지방의 언어도 아닌 것이 되었다. 그러나 사람들의 경건한 마음은, 자연히 종교상 확립되어 있었던 형식과 의식을 그것들이 최초로 도입되고 정당화되었던 여러 사정이 이미 사라진 뒤에도 보존한다. 따라서 라틴어는 이미 어디에서나 국민 대중에게는 이해되지 않았으나, 교회의 모든 예배는 역시 계속 그 언어로 행해지고 있었다. 그리하여 유럽에는 고대 이집트에서와 마찬가지로 두 가지 다른 언어가 확립되었으니, 즉 승려의 언어와 국민의 언어, 신성한 언어와 세속의 언어, 그리고 배운 자의 언어와 못 배운 자의 언어가 그것이다. 그러나 승려에게는 그것을 사용하여 직무를 행해야 할 필요가 있었으므로 라틴어의 학습은 처음부터 대학 교육의 본질적인 부문을 이루고 있었다.

그러나 그리스어나 히브리어는 필요하지 않았지만, 종교개혁에 의해서 이것들도 사용하게 되었다.

그리스어에도 히브리어에도 이런 일은 없었다. 교회의 불가오不可誤의 일이 없는 포고는, 보통 라틴역譯 성서(Latin Vulgate)라고 불리는 성서의 라틴어역은 그리스어와 히브리어의 원전과 동등하게 신성한 영감에 의해서 받아 쓰였던 것이므로, 그것과 동등한 권위를 가지고 있다고 선언했다. 그리하여 그 두 언어에 관한 지식은 성직자에게는 필수불가결한 것은 아니었으므로, 그것에 관한 연구는 오랫동안 대학 교육의 일반과정의 필수부문을 이루지는 않았다. 내가 확실히 아는 바에 의하면 그리스어의 연구가 아직 한 번도 그 과정의 일부가 된 적이 없는 스페인 대학교가 약간 있다. 최초의 종교개혁자들은 신약의 그리스어 원전과 구약의 히브리어 원전까지도 라틴어역보다 자신들의 견해를 위해서는 더 편리하다는 것을 발견했으니, 즉 당연하게 생각되듯이 라틴어역은 가톨릭교회의 교의를 지지하는 방향으로 점차 적응되어 왔기 때문이다. 그리하여 그들은 그 번역의 많은 오류를 폭로하기 시작했고, 따라서 로마 가톨릭의 성직자들은 그것을 옹호 또는 변명할 필요가 있었다. 그러나 이런 일은 그 원어에 관한 지식을 다소간 갖고 있지 않고서는 충분히 이루어질 수 없었으므로, 그에 관한 연구가 점차로 대부분의 대학교에, 즉 종교개혁의 교의들을 받아들인 대학교에도, 거부한 대학교에도 도입되었다. 그리스어는 고전연구의 모든 분야와 연결되어 있었으며, 처음에는 이 고전연구는 가톨릭 교도와 이탈리아인에 의해서 주로 연수되기는 했으나, 종교개혁의 교의들이 세워졌던 것과 거의 동시에 마침 유행하기 시작했다. 그러므로 대부분의 대학에서는 그 언어는 철학의 연구보다 먼저, 즉 학생이 라틴어에 다소 진보를 하자마자 곧 가르쳤다. 히브리어는 고전연구와는 아무런 관계도 없었으며, 또 성서 이외에는 다소나마 존경받을 만한 책이 한 권도 쓰이지 않은 언어이므로, 그것에 관한 연구는 보통 철학의 연구 후까지, 즉 학생이 신학의 연구에 들어갔을 때까지 시작되지 않았다.

그리스어와 라틴어는 계속 대학 교육의 중요한 부문이 되어 있다.

본래 그리스어와 라틴어의 초보는 대학에서 가르쳐지고 있으며, 또한 약간의[109] 대학교에서는 아직도 계속 그러하다. 다른 대학교들에서는 학생은 먼저 이 언어의 한 가지 아니면 두 가지의 적어도 초보를 습득했으리라고 기대되고 있는 것이며, 그것에 관한 연구는 어디에 가나 계속 대학 교육의 극히 중요한 부문을 이루고 있다.

그리스 철학에는 세 부문이 있다.

고대 그리스의 철학은 3대 부문으로 나뉘어져 있었다. 물리학 즉 자연철학과 윤리학 즉 도덕철학, 그리고 논리학이 그것이다. 이 일반적 구분은 사물의 본성과 완전히 일치하고 있는 것 같다.

(1) 물리학 또는 자연철학.

자연의 위대한 여러 현상, 즉 천체의 회전·일월식·혜성·천둥·번갯불 및 그 밖

109 〔여기 이하의 구절의 원문은 "and in some universities they still continue to be so"인데, 초판에는 "and they still continue to be in some universities"라고 되어 있다.〕

의 이상한 대기현상과 식물 및 동물의 발생·생활·성장·사멸은 반드시[110] 놀라운 마음을 일으키므로, 그것들의 원인을 연구하려는 인류의 호기심을 자연히 불러일으키는 대상이다. 처음에는 미신이 그러한 모든 경이적인 현상을 신들의 직접적인 작용으로 돌림으로써 호기심을 만족시키려고 했다. 그 후에는 철학이, 신들의 작용보다 더 익숙한 원인들, 즉 인류가 더 잘 알고 있는 원인들에서 그것들을 설명하려고 노력했다. 그러한 위대한 현상은 인간의 호기심의 최초의 대상이므로 그것들을 설명한다고 하는 과학은 당연히 최초로 연구된 철학부문이었음은 틀림없다. 따라서 역사가 어떤 기록을 보존하고 있는 철학자는 자연철학자였던 것 같다.

(2) 논리학 또는 도덕철학.

세계의 모든 시대, 모든 나라에서 사람들은 서로 다른 사람의 성격·의도·행동에 주의해 왔음은 틀림없으며, 인간생활의 지도를 위한 많은 존중할 만한 원칙과 격률은 일반적 동의에 의해서 규정되고 승인되어 왔음이 틀림없다. 쓰는 것이 일반화되자마자 현명한 사람들 또는 자신이 그러하다고 생각하던 사람들은 당연히 이미 행하여지고 존중되고 있는 그러한 격률의 수를 증가시키고 정당 또는 부당한 행사에 관한 그들 자신의 견해를 표명하려고 노력했을 것이며, 그리고 어떤 때는 이솝의 만화라고 불리고 있는 것처럼 비교적 인위적인 만화의 형식으로, 또 어떤 때는 솔로몬의 속담이라든지 테오그니스Theognis와 포킬리데스Phocylides의 시라든지 헤시오도스Hesiod의 저작 가운데 어떤 것처럼 비교적 간단한 경구 또는 격률의 형식으로 그렇게 하려고 노력했을 것이다. 그들은 오랫동안 신중과 덕성에 관한 그러한 격률의 수를 단순히 이런 식으로 증가시키려고 했을 것이다. 즉 그것들을 어떤 대단히 명백하거나 또는 방법적인 질서에 따라 정돈하려고 꾀하지도 않았거니와 그것들을 하나 또는 그 이상의 일반원리에 의해서 결합하고, 자연적 원인들에서 여러 결과가 나오듯이, 이 일반원리에서 그것

110 〔초판에는 이 "반드시"가 "자연히"로 되고 그다음 줄의 "자연히"가 "반드시"로 되어 있다.〕

들을 추론할 수 있도록 하려고는 하지 않았다. 소수의 공통된 원리에 의해서 결합된 여러 가지 관찰의 체계적 배열의 아름다움은 자연철학의 체계를 세우려고 했던 고대의 조잡한 논문들 가운데 처음으로 나왔었다. 이와 같은 종류의 것이 그 후 도덕에 관해서도 시도되었다. 일상생활의 격률은 사람들이 자연현상을 배열하고 결합하려고 시도했던 것과 마찬가지로 소수의 공통원리에 의거하여 어떤 방법적인 질서에 따라 배열되고 결합되었다. 그러한 결합원리를 탐구하고 설명한다고 칭하는 과학이 도덕철학이라고 불러 마땅한 것이라 하겠다.

⑶ 논리학이 그것이다.

여러 저자가 자연철학에도, 도덕철학에도 여러 가지 체계를 세웠다. 그러나 그들이 그러한 여러 가지 체계를 뒷받침하고 있었던 논거는 항상 논증이기에는 거리가 멀고 기껏해서 박약한 개연성에 지나지 않을 때가 흔히 있었으며, 때로는 일상 용어의 부정확성과 애매성 이외에는 아무런 기초도 없는 단순한 궤변에 지나지 않았다. 사변적 여러 체계는 세계의 모든 시대에 상식 있는 사람의 판단으로써는 너무나 하찮은 이유에서 가장 작은 금전상의 이해문제에까지 채용되어 왔다. 야비한 궤변이 철학과 사색의 문제를 제외한 인간의 견해에 어떤 영향을 주었던 적은 거의 없었으나, 철학과 사색의 문제에 있어서의 그 영향은 이따금 큰 것이었다. 자연철학과 도덕철학에 관한 각 체계의 옹호자들은 자연히 자기 자신의 체계와 반대되는 체계를 지지하기 위하여 인용되는 논거의 약점을 폭로하려고 노력했다. 그러한 논거를 음미해 가면 그들은 필연적으로 개연적인 논거와 논증적인 논거, 그릇된 논거와 결정적인 논거 사이의 상위점을 생각하게 되었고, 논리학, 즉 정당한 추리와 부당한 추리에 관한 일반원리의 과학은 이런 종류의 정밀조사를 위해 행해진 관찰 속에서 필연적으로 생겼던 것이다. 그 기원에 있어서는 물리학과 윤리학보다 뒤떨어져 있지만, 논리학은 고대의 철학학교의 전부는 아니더라도 그 대부분에서 위의 두 과학의 어느 것보다 먼저 가르쳐지는 것이 보통이었다. 학생은 그렇게 중요한 문제들에 관하여 추론하게 되기 전에 정당한 추리와 부당한 추리 사이의 상위를 잘 이해해 두어야 한다고 생각되고 있었던 것 같다.

그 후 철학은 다섯 부문으로 분할되었다.

철학을 세 부문으로 나누는 이 고대의 구분은, 유럽의 대부분의 대학에서 다섯 부문으로 나누는 또 다른 방식으로 변경되었다.

형이상학 또는 정신학이 물리학에 추가되었다.

고대 철학에 있어서는 인간 정신이든 신이든 그 본성에 관하여 가르쳐 왔던 것은 무엇이든지 모두 물리학의 체계의 일부를 이루고 있었다. 그러한 실재는 그 본질이 어디에 있다고 생각되었든지 간에, 우주의 위대한 체계의 일부분이었으며, 가장 중요한 결과들을 만들어 내는 부분이기도 했다. 인간의 이성이 그것들에 관하여 결론을 내리든지 또는 억측할 수 있었던 것은 무엇이든지 우주의 위대한 체계의 기원과 운행을 설명한다고 칭하는 과학의, 이른바 두 개의 장, 다만 틀림없이 더욱 중요한 두 개의 장을 이루고 있었다. 그러나 유럽의 여러 대학에서는 철학은 신학에 종속된 것이라고 가르쳐 왔으므로 이러한[111] 두 개의 장이 이 학문의 다른 어떤 장보다 더 길게 늘어놓는 것은 당연한 것이었다. 그것들은[112] 점점 더 확충되었으며 수많은 더 작은 장으로 분할되어 마침내는 그것에 관해서는 극히 조금밖에 알려질 수 없는 영에 관한 학설이, 대단히 많은 것이 알려질 수 있는 육체에 관한 학설과 같은 크기의 자리를 철학의 체계에서 차지하기에 이르렀다. 그러한 두 가지 문제에 관한 학설은 두 개의 별개의 과학을 이루는 것이라고 생각되었다. 형이상학[113] 또는 정신학이라고 불리는 것이 물리

111 〔"이러한(these)"은 초판엔 "그러한(those)"으로 돼 있다.〕

112 〔"그것들은"은 초판에는 "그러한 두 개의 장은"이라고 되어 있다.〕

113 〔이 원문은 "What are called Metaphysics or Pneumatics were set in opposition to Physics, and were cultivated"인데, 초판에는 이 가운데 "are" 및 두 곳의 "were"가 모두 "was"로 되어 있다.〕

학에 대치되었으며, 두 학문 가운데서 전자는 더 고상할 뿐만 아니라, 특정 직업의 목적을 위해 더 유용한 과학이라고 연수研修되었다. 실험과 관찰의 본래의 주제이며 세심한 주의를 기울이면 대단히 많은 유용한 발견을 할 수 있는 주제는 거의 완전히 무시되었다. 그리고 소수의 극히 단순하고 거의 명백한 진리를 제외하면 가장 세심한 주의를 하더라도 애매함과 불확실한 것 이외에는 아무것도 발견할 수 없는, 따라서 교활함과 궤변 이외는 아무것도 낳을 수 없는 주제가 크게 연수되었던 것이다.

그리하여 존재론이 나왔다.

그 두 과학이 이렇게 해서 서로 대치되었을 때, 그들 사이의 비교에서 자연히 제3의 과학, 즉 존재론(Ontology)이라고 불렸던 과학, 다시 말해서 다른 두 과학의 주제에 공통되는 성질과 속성을 취급했던 과학이 나타났다. 그러나 교활함과 궤변이 여러 학파의 형이상학 또는 정신학의 대부분을 이루고 있었다면, 그것들은 존재론이라는 이 거미집 같은 과학의 전부를 이루고 있었으며, 이것도 역시 때에 따라서는 형이상학이라고 불리었다.

도덕철학은 타락하여 결의론(casuistry)과 금욕적 도덕론이 되었다.

한 개인으로서뿐만 아니라 가족·국가·인류의 큰 사회의 일원이라고 생각될 때의 인간의 행복과 완성은 어디에 있는 것인지의 문제는 고대의 도덕철학이 연구하려고 했던 대상이었다. 그 철학에 있어서는 인간 생활의 의무는 인간 생활의 행복과 완성의 수단으로 취급되었다. 그러나 자연철학은 물론 도덕철학이 신학의 수단이라고만 가르쳐지게 되었을 때, 인간 생활의 의무는 주로 내세의 행복을 위한 수단으로 취급되었다. 고대 철학에서는 덕의 완성은 그것을 소유하는 사람에게 현세에서 가장 완전한 행복을 필연적으로 가져다주는 것이라고 설명되었다. 근대철학에서는 그것은 일반적으로 또는 거의 언제나 현세에 있어서의 어떤 정도의 행복과도 양립하지 않는 것이라고 종종 설명되어 왔으며, 천국은 인간의 자유롭고 관대한, 그리고 생기 있는 행동에 의해서가 아니라, 참회와 금욕에 의해서, 수도승의 내핍과 금욕에 의해서만이 얻어지는 것이었다. 결의론과 금욕적 도덕론이 대부분의 경우 학교의 도덕철학의 대부분을 이루고 있었다. 철학의 모든 부문 가운데서 무엇보다도 가장 중요한 부문이 이렇게 해서 무엇보다도 부패한 부문이 되어 버렸다.

서열은 (1)논리학, (2)존재론, (3)정신학, (4)타락한 도덕철학, (5)물리학 등으로 되었다. 그러므로 유럽에 있어서의[114] 대부분 대학에서 철학교육의 보통과정은 다음과 같았다. 논리학이 처음에 가르쳐졌고, 존재론이 두 번째였고, 인간의 혼과 신의 본성에 관한 학설을 내용으로 하는 정신학은 세 번째였으며, 네 번째로 도덕철학의 타락된 체계가 따랐고, 이 체계는 정신학의 여러 학설과, 인간의 혼의 불멸성과 신의 정의에 의해서 내세에 기대되는 상벌과 직결되는 것이라고 생각되고 있었다. 그리고 물리학의 간단하고 피상적인 체계가 보통 그 과정을 끝맺었다.

대학 교육은 이렇게 해서 세상을 잘 아는 사람을 배출해 낼 가능성이 더 적어져 버렸다.
유럽의 대학이 이렇게 해서 고대 철학의 과정에 초래한 변경은 모두 성직자의 교육을 목적으로 한 것이었고, 그 과정을 신학연구를 위한 더 적절한 입문으로 만들기 위한 의도의 것이었다. 그러나 교활함과 궤변이 많이 추가되었다는 것과 그러한 변경에 의해서 초래된 결의론과 금욕적 도덕론은 그 철학을 신사 또는 세상을 잘 아는 사람의 교육을 위해서는 더 적절한 것이 되지 못하게 했던 것이 확실하며, 다시 말하면 이해력을 개선하거나 또는 심정을 고치거나 할 가능성이 더 많아지도록 하지 않았던 것이 확실하다.

이 과정은 대부분의 대학에서는 아직도 다소나마 부지런히 가르쳐지고 있다.

114 〔"유럽에 있어서의"는 초판에는 "유럽의"라고 되어 있다.〕

철학의 이 과정은 유럽의 대부분 대학교에서 아직도 계속 가르쳐지고 있는 것이며, 특정된 각 대학교의 제도가 때마침 교사들에게 어느 정도의 근면을 필요하게 하느냐에 따라서, 그 가르침에 있어서의 근면의 정도는 달라진다. 가장 부유하고 가장 기부재산이 많은 약간의 대학에서는 지도교사들은 이 부패한 과정의 연결도 되지 않은 몇 조각을 가르침으로써 만족하고 있으며, 이런 것까지도 그들은 보통 대단히 태만하게 또 피상적으로 가르치고 있다.

대학교는 철학을 조금밖에 개선하지 않았으며, 가장 부유한 대학교가 가장 적게 그것을 개선했다.

근대에 있어서 철학의 몇 가지 다른 부문에서 이루어져 왔던 개선은 비록 그 약간의 것은 틀림없이 대학에서 이루어졌지만, 그 대부분은 그렇지 않았다. 대학교의 대부분은 그러한 개선이 이루어진 후에도 솔선해서 그것들을 채용하려고 하지 않았다. 그리고 그러한 학자사회學者社會의 몇몇은 오랫동안 성역으로서, 즉 타파된 체계와 시대에 뒤떨어진 편견이 세계의 다른 모든 구석구석에서 쫓겨난 뒤에 그곳에 피난소를 발견하여 보호를 구하는 성역으로서 남을 것을 택했다. 대체로 가장 부유하고 가장 기부재산이 많은 여러 대학이 가장 완만하게 그러한 개선을 채용했으며, 기정의 교육계획에 어떤 중요한 변경을 허용하는 것을 가장 싫어했다. 그러한 개선은 비교적 가난한 대학교들 가운데 약간의 대학교에 보다 더 쉽게 도입되었으며, 이러한 대학교에서는 교사들의 생계비의 대부분이 그들의 명성에 의존하고 있으므로 교사들은 세계에 유행하고 있는 여러 견해에 더 주의를 기울이지 않으면 안 되었기 때문이라 하겠다.

이러한 사정이 있었음에도 불구하고 여러 대학교는 신사와 재산가의 교육을 손수 맡았다.

그러나 비록 유럽의 공립학교와 대학교는 본래 특수한 직업교육, 즉 성직자의 교육만을 의도하고 있었고, 또한 학교와 대학교는 그 직업에 필요하다고 생각되었던 과학들에 있어서까지 그들의 학생들을 지도하는 데 반드시 아주 열심이었다고는 할 수 없음에도 불구하고 그들은 거의 모든 다른 사람들, 특히 신사와 재산가의 교육을 점차 맡아 가게 되었다. 사람들이 그의 유년 시대와, 그의 여생을 통하여 종사해야 할 직무, 즉 세상의 실무에 진지하게 마음을 기울이기 시작하는 시기와의 긴 간격을 조금이라도 유리하게 쓸 수 있는 방법으로서는 이 이상 좋은 것은 나오지 않은 것 같다. 그러나 학교와 대학교에서 현재 가르쳐지고 있는 것의 대부분은 그 실무를 위한 가장 적절한 준비인 것 같지는 않다.

그러나 잉글랜드에서는 청소년을 해외에 여행시키는 것이 더 보통이 되어 가고 있다. 이것은 불합리한 것이지만, 호평을 받을 수 있었던 것은 여러 대학교가 불신을 당하고 있었기 때문이었다.

잉글랜드에서는 청소년이 학교를 나오면 곧 어떤 대학에도 보내지 않고 외국에 여행시키는 것이 나날이 더욱더 관습이 되어 가고 있다. 우리의 청소년은 여행을 통하여 대체로 아주 발전되어 돌아온다고 한다. 17~18세에 해외로 나가 21세에 귀국하는 젊은이는 해외로 나갔을 때에 비하면 3~4년 더 나이 먹어서 돌아오는데, 그 나이 무렵에 3~4년간에 그렇게 많은 진보를 하지 않고 있다는 것이 참으로 곤란한 것이다. 그 여행 중 그는 대체로 한두 가지의 외국어에 관한 약간의 지식을 적당하게 말하거나 쓸 수 있게 되기에는 아무래도 불충분하다. 그 밖의 점에서는 만일 그가 본국에서 살고 있었을 경우 그렇게 단기간에 될 수 있었던 것보다 더 자부심이 강해지고, 더 방종해지고, 더 방탕해지고, 그리고 연구 또는 실무의 어느 것에나 마음을 기울일 수 없게 되어 귀국하는 것이 보통이다. 그렇게 어린 나이로 여행하고 그 인생의 가장 귀중한 시기를 양친과 친척의 감독과 지배가 닿지 않는 먼 곳에서 가장 천박하고 방탕하게 보냄으로써 그 이전의 교육에 의해서 그에게 형성되고 있었던 모든 유용한 습관은 고정되고 굳어지기는커녕 거의 틀림없이 약화되거나 말살되어 버린다. 인생의 이렇게 젊은 시기에 여행한다는 그렇게 불합리한 관행이 평판이 좋을 수 있었던 것은 여러 대학교가 스스로 불신을 초래하도록 하고 있었기 때문이라고 할 수밖에 없다. 아버지는 아들을 해외에 보냄으로써 직업을 얻지 못하고 무시되고 자기의 눈앞에서 파멸해 가는 아들이라고 하는, 그렇게도 기분 나쁜 대상을, 적어도 얼마 동안은 보지 않아도 되는 셈인 것이다.

근대적 교육시설 가운데 몇 가지 효과는 이상과 같았다.

다른 시대와 다른 국민에게는, 교육을 위한 여러 가지 방법과 여러 가지 시설이 있었던 것 같다.

그리스에서는 국가가 체육과 음악을 지도했다.

고대 그리스의 공화국에서는 모든 자유시민은 국가의 장관의 지휘하에 체육장에서의 훈련과 음악을 배웠다. 체육장에서의 훈련은 그의 신체를 강건하게 하고 그의 용기를 단련하고 그를 전쟁의 피로와 위험에 대비하게 한다는 것이 의도되어 있었고, 그리스의 민병은 어떤 점으로나 세계에서 가장 좋은 민병의 하나였으므로 그들의 공공교육의 이 부분은 그 의도되었던 목적을 완전히 달성했던 것이 틀림없다. 다른 부문인 음악을 통하여 계획되었던 것은 적어도 이들 제도에 관하여 설명하고 있는 철학자와 역사가에 의하면 정신을 교화하고 기질을 부드럽게 만들고 공공 생활에 있어서나 모든 사회적 및 도덕적 의무를 행하고 싶어지도록 하는 것이었다.

로마인은 그리스의 '체육장'과 비슷한 '연병장'을 가지고 있었으나, 음악 교육은 하지 않았다. 그것이 없다고 해서 사태는 조금도 나빠지지 않았다.

고대 로마에서는 연병장(the Campus Martius)에서의 훈련이 고대 그리스에서의 체육장(the Gymnazium)에서의 훈련과 동일한 목적에 응하는 것이었으며, 더욱이 그것들은 동등하게 목적을 충족시켜 주고 있었던 것 같다. 그러나 로마인들 사이에는 그리스인의 음악 교육에 상당하는 것이 없었다. 그런데도 로마인의 도덕은 공공생활에 있어서나 사생활에 있어서나 그리스인의 그것과 동등했을 뿐만 아니라, 전체로서는 그보다 훨씬 뛰어나 있었던 것 같다. 그들이 사생활에 있어서 뛰어나 있었다는 것에 관해서는 양 국민을 잘 알고 있었던 두 사람의 저자, 즉 폴리비오스Polybius[115]와 할리카르낫소스의 디오니시오스(Dionysius of Halicarnassus)[116]의 명백한 증언이 있으며, 또 그리스사와 로마사의 전반적인 취지는 로마인의 공중도덕이 뛰어나 있었다는 증거를 지니고 있다. 서로 다투는 여러 당파가 평정하고 중용을 지키고 있다는 것은 자유 국민의 공중도덕에 있어서 가장 본질적인 사정인 것 같다. 그러나 그리스인의 여러 당파는 거의 언제나 난폭하고 피비린내 풍기는 것이었고, 그 반면 로마인의 어떤 당파도 그라쿠스 형제(Gracchi)의 시대까지는 한 방울의 피도 흘린 적이 없었으며, 더욱이 그라쿠스 형제의 시대부터 로마 공화국은 사실상 해체된 것이라고 생각하여도 좋다. 그러므로 플라톤[117]·아리스토텔레스[118]·폴리비오스[119]의 대단히 존경할 만한 권위가 있었음에도 불구하고, 또 몽테스키외 씨가 아주 독자적인 이유에서 그 권위를 지지하려고 노력했음에도 불구하고[120] 그리스인의 음악 교육이 그들의 도덕을 개선하는 데 있어 큰 효과를 올리지 못했다는 것은 확실한 것 같으며, 이것은 그러한 교육이 전혀 없더라도 로마인의 도덕이 전체로 봐서는 더 뛰어나 있었기 때문이다. 그러한 사회의 최초기의 시대로부터 상당한 정도의 문명에 도달했던 때까지 중단됨이 없이 계속되어 온 단순히 옛 관습에 지나지 않는 것에서 많은 정치적 지혜를 발견하게끔 했을 것이다. 음악과 댄스는 거의 모든 야만민족의 중요한 오락이며 누구에게나 자기의 교우를 즐겁게 해 주는 데 적합하다고 생각되는 훌륭한 예술이기도 하다. 오늘날 아프리카 해안의 흑인들 사이에서도 그러하다. 또한 고대 켈트인들 사이에서도 고대 스칸디나비아인들 사이에서도 그러했으며 호

115 〔《역사Hist.》, 제6권, 56면과 제18권, 34면.〕

116 〔《로마사Ant. Rom.》, 제2권, xxiv~xxvii, 특히 xxvi면.〕

117 〔《국가Repub.》, iii., 400~401면.〕

118 〔《정치학Politics》, 1340 a.〕

119 〔《역사Hist.》, 제4권, 20.〕

120 〔《법의 정신》, 제4권, 제8장에는 플라톤 · 아리스토텔레스 · 폴리비오스가 인용되어 있다.〕

머에게 우리들이 배울 수 있는 바와 같이 트로이 전쟁 이전의 시대의 고대 그리스인들 사이에서도 그러했다.[121] 그리스의 여러 씨족이 스스로 소공화국을 형성했을 때 예능藝能에 관한 연구가 오랫동안 국민의 공적이며 보통의 교육의 한 부문을 이루게 되었다는 것은 당연한 일이었다.

군사훈련과 음악의 교사들이 국가로부터 봉급을 받거나 임명되지는 않았다.

청소년에게 음악 또는 군사훈련을 가르쳤던 교사들은 로마에서도, 그리고 그 법률과 관습에 관하여 우리들이 가장 잘 알고 있는 그리스 공화국의 아테네에서까지도 국가로부터 급료를 받는다거나, 임명되지는 않았던 것 같다. 국가는 모든 자유시민이 전쟁 시에 국가를 방위하기 위한 준비를 하고, 또 그 때문에 자기의 군사훈련을 받아야 할 것을 요구했다. 그러나 자기가 발견할 수 있는 교사에게 그것들을 수득하도록 국가는 시민에게 맡겼으며, 이 목적을 위하여 제공되었던 것은 시민이 군사훈련을 실습하고 실연할 공공의 광장 또는 운동장 이외에는 아무것도 없었던 것 같다.

읽기 · 쓰기 · 셈하기는 사적으로 가르쳤다.

그리스 공화국 및 로마 공화국의 초기의 시대에 있어서는 그 밖의 교육부문은 읽기와 쓰기의 습득과 당시의 산술에 따른 계산의 수득이었던 것 같다. 비교적 부유한 시민은 종종 이와 같은 예능을 가정에서 습득했는데, 대체로 노예거나 또는 노예로부터 해방이 된 사람이었던 약간의 가정교사의 도움으로써 그렇게 했던 것 같다. 그리고 비교적 가난한 시민은 급료를 받고 가르치는 것을 직업으로 삼고 있는 교사들의 학교에서 그러한 것을 습득했다고 생각된다. 그러나 교육의 그러한 부문은 각 개인의 양친 또는 보호자에게 전적으로 내맡겨져 있었다. 국가가 그들의 감독 또는 지휘를 맡아 했던 적은 한 번도 없었던 것 같다.

121 〔《일리아드Iliad》, 제13권, 137행 ; 제18권, 494, 594행, 《오디세이아Odyssey》, 제1권, 152행 ; 제8권 265행 ; 제18권, 304행 ; 제23권, 134행.〕

사실 솔론Solon의 법률에 의하면 아이들은 약간 유리한 직업 또는 직무를 가르쳐 주는 것을 등한시했던 양친을 그 노년기에 부양할 의무를 다하지 않아도[122] 되었다.[123]

철학 교육은 국가로부터 독립되어 있었다.

진보하여 감에 따라 철학과 수사학이 유행하게 되었을 때, 상류층의 사람들은 이러한 유행의 과학을 배우도록 그들의 아이들을 철학자와 수사학자의 학교에 보내는 것이 보통이었다. 그러나 학교는 공공사회에 의해 겨우 묵허되고 있었을 뿐이다. 철학과 수사학에 대한 수요는 오랫동안 너무 적었기 때문에 그 어느 것에 관한 최초의 전문교사들은 어느 도시에서나 항시 일거리를 발견할 수 없었으며, 어떤 장소에서 다른 장소로 여행하며 돌아다니지 않으면 안 되었다. 엘레아의 제논(Zeno of Elea), 프로타고라스Protagoras, 고르기아스Gorgias, 그리고 히피아스Hippias 등 기타 많은 사람들이 이렇게 살고 있었다. 그 수요가 증가함에 따라 철학과 수사학의 두 학교도 최초에는 아테네에서 그다음에는 다른 몇몇 도시에서 정착하게 되었다. 그러나 국가가 그 가운데 어떤 것에 대해서는 가르칠 수 있는 특정된 장소를 지정해 주는 정도 이상의 장려는 해 주지 않았던 것 같고, 이러한 일도 또한 개인의 기부자에 의해 이루어졌던 것이다. 국가는 플라톤에게는 아카데미Academy를, 아리스토텔레스에게는 리케움Lyceum을, 그리고 스토아 철학의 창시자인 키티온의 제논(Zeno of Cittium)에게는 포르티코Portico를 지정하여 주었던 것 같다. 그러나 에피쿠로스Epicurus는 자기의 정원을 자기 자신의 학교에 기증하였다. 그러나 대략 마르쿠스 안토니누스Marcus Antoninus의 시대까지 공공사회로부터 봉급을 받는다든지 자기의 학생들의 사례 또는 수업료에서 생

122 〔"아이들은……양친을 그 노년기에 부양할 의무를 다하지 않아도 되었다"의 원문은 "the children were acquitted from maintaining those parents in their old age, who……"인데, 초판에는 "those parents"가 "age" 바로 뒤에 와 있다.〕

123 〔Plutarch, 《Life of Solon》, (몽테스키외Montesquieu가 인용한, 《Esprit des Lois》), liv., xxvi., ch. v.〕

기는 것 이외의 어떤 보수를 받는 교사는 한 사람도 없었던 것 같다. 루키아노스Lucian로부터 우리들이 배운 바에 의하면, 그 철학적인 황제가 철학의 교사들 가운데 한 사람[124]에게 주었던 장려금은 아마 그가 생존한 일대로서 끝났던 것 같다. 졸업이라는 특권에 필적할 만한 것은 하나도 없었으며, 그러한 학교 가운데 어떤 곳에 다녔다는 것은 어떤 특별한 상업 또는 직업에 종사하도록 허용되기 위해서는 불필요한 것이었다. 그런 학교 자체의 유용성에 관한 평판이 학생들을 끌 수 없을지라도, 법률에 의해서 어떤 사람을 강제적으로 그곳에 입학시킨다든지 그곳에 다녔던 적이 있었던 어떤 사람에게 상을 주는 일은 없었다. 교사들은 자기 학생들에 대해서 아무런 관할권도 갖고 있지 않았으며, 자연적 권위 이외에는 아무런 권위도 가지지 않았는데, 이 자연적 권위는 젊은 사람들로부터 이들의 교육의 어떤 부문을 맡고 있는 사람들이 덕과 능력에 있어서 뛰어날 경우 틀림없이 가질 수 있는 것이었다.

로마에는 법률을 가르치는 공공의 시설은 없었으나 그곳은 법률이 처음으로 정연한 체계로 발달했던 곳이다.

로마에서는 시민법의 연구는 교육의 한 부문으로 이루고 있었는데, 그것은 시민 대부분의 교육에 있어서뿐만 아니라, 약간의 특수한 가족의 교육에 있어서도 그러했다. 그러나 법률에 관한 지식을 얻으려는 젊은 사람들은 통학할 만한 공립학교가 없었으므로 그것을 이해하고 있다고 생각되는 자기 친척과 친구들의 회합에 자주 드나드는 것 이외에는 그것을 공부할 길이 없었다. 저 십이동표十二銅表의 법률 12표법도 약간의 고대 그리스공화국의 법률에서 베껴 온 것이 많았으며, 게다가 고대 그리스의 어느 공화국에서도 법률은 하나의 과학에까지 성장한 적은 없었다는 것은 아마 주목할 만한 것이라 하겠다. 로마에서는 법률

124 〔"한 사람(one of)"이라고 하는 말은 초판 및 재판에는 없다. 이것은 아마 "약간의 사람(some of)"의 오식이거나, 또는 "그의 일대로서"를 "마르쿠스 안토니누스"의 일대라고 이해한 실수에 의해서 생긴 오독일 것이다. 루키아노스Lucian, 《Eunuchus》, iii을 보라.〕

은 아주 일찍이 하나의 과학이 되어 있었으며, 그것을 이해하고 있다는 평판을 받았던 시민들은 그 때문에 상당히 유명해질 수 있었다. 고대 그리스의 공화국, 특히 아테네에서는 보통의 재판소는 수많은, 따라서 무질서한 사람들의 집단으로 구성되어 있었으며, 이들은 거의 아무렇게나, 다시 말하면 소란과 도당 근성徒黨根性과 당파심에서 결정되곤 하는 대로 판결을 내리는 수가 흔히 있었다. 부당한 판결을 내렸다는 불명예도 그것이 500인, 1000인, 또는 1500인이나 되는 사람들 사이에 분할되기라도 한다면(그들의 재판소의 어떤 것은 이만큼 많은 수의 사람들로 구성되어 있었기 때문이다), 어떤 개인에게 대단히 무거운 부담이 될 수는 없었을 것이다. 이와 반대로 로마에서는 주요 재판소는 단 한 사람의 판사나 또는 소수의 판사로써 구성되어 있었으며, 이들은 특히 공개로 심리했으므로 무분별한 또는 부당한 판결을 내린다면 그들의 명성에 틀림없이 중대한 영향을 미쳤을 것이다. 의심스러운 사건에 관해서는 그러한 재판소는 비난을 피하고자 하는 염원에서 의당 같은 재판소 또는 어떤 다른 재판소에서 그 전에 재판했던 적이 있는 판사들의 판례와 전례 밑에 숨으려고 노력했을 것이다. 관행과 전례에 대한 주의가 필연적으로 로마법을 질서 정연한 체계로 만들었으며, 그것은 우리들에게도 전해져 왔다. 그리고 그러한 주의를 기울였던 나라라면 다른 어떤 나라에서나 이와 동일한 효과를 거두었던 것이다. 로마인의 인격이 그리스인보다 뛰어나 있다는 것은 폴리비오스와 할리카르낫소스의 디오니시오스에 의해서 크게 주목되었던 것이며, 이것은 아마 그러한 저자가 그 탓으로 돌리고 있는 여러 사정 가운데 어떤 것보다 더 많이 그들의 재판소의 구성이 잘 되어 있었다는 데 기인되었던 것이다. 로마인은 선서에 높은 경의를 표하고 있었다는 것으로 특히 유명했다고 한다. 그러나 근면하고 정통한 재판소에서만 선서하는 습관이 들어 있었던 사람들이 폭도와 같은 무질서한 집회에서 그와 같은 것을 하는 습관이 들어 있는 사람들보다 자신들의 선서에 대해서 훨씬 더 조심스럽다는 것은 당연한 것이다.

고대의 교육제도는 근대의 것보다 더 성공했으며, 후자는 공공의 교육을 부패시키고 사적인 교육을 억압한다.

그리스인과 로마인의 시민적이고 군사적인 능력이 어떠한 근대 국민의 그러한 능력과 적어도 동등했다는 것은 쉽게 인정될 것이다. 우리들의 선조는 아마 오히려 그것들을 과대평가할 것이다. 그러나 군사훈련에 관한 것을 제외하면 국가는 그러한 위대한 능력을 만들어 내는 데 아무런 수고도 하지 않았던 것 같다. 왜냐하면 나는 그리스인의 음악 교육이 그러한 능력을 만들어 내는 데 크게 효과를 볼 수 있었다는 것을 믿게 되지 않기 때문이다. 그러나 그러한 국민들 가운데 상류의 사람들에게 그 사회의 여러 사정으로 봐서 필요 또는 편리한 모든 예술과 과학을 지도하기 위한 교사는 있었던 것 같다. 그러한 지도에 대한 수요는, 항상 수요가 만들어 내는 것, 즉 지도하는 데 필요한 재능을 만들어 내었고, 또한 무제한의 경쟁이 자극하지 않을 수 없는 대항 의식이 그 재능을 아주 고도로 완성시켰던 것 같다. 고대의 철학자들은 그들이 세인의 주목을 환기시켰던 점에서, 또 그들이 그들의 청강자의 행동과 회화에 일정한 어조와 성격을 주는 데 가지는 능력에 있어서 근대의 어떠한 교사들보다 훨씬 더 뛰어나 있었던 것 같다. 근대에는 공공의 교사들의 근면은 그들을 그 특수한 직업에서의 성공과 명성에 대해서 다소나마 무관심하게 만드는 여러 사정 때문에 다소 부패되어 있다. 또한 그들의 봉급은 그들과 경쟁해 보려고 하는 사적인 교사를, 상당한 장려금을 받아서 영업을 하고 있는 상인과 경쟁하여 영업하려고 꾀하는 장려금 없는 상인과 동일한 상태에 놓는 것이다. 만일 그가 자기의 재화를 경쟁자와 거의 동일한 가격으로 판다면 그는 경쟁자의 것과 동일한 이윤을 올릴 수 없을 것이며, 비록 파산과 파멸의 상태는 아닐지라도 적어도 빈곤과 거지 같은 상태는 그가 틀림없이 당할 운명이 될 것이다. 만일 그가 그 재화를 경쟁자보다 더 비싸게 판다면 그는 아주 적은 고객밖에 가지지 못할 것 같으므로 그의 상태가 크게 개선되지는 않을 것이다. 뿐만 아니라 졸업의 특권은 수많은 나라에서 학문적 직업에 종사하는 대부분의 사람들, 다시 말하면 학문적 교육을 필요로 하는 훨씬 많은 부분의 사람들에게는 필요한 것이며, 적어도 지극히 편리한 것이다. 그러나 그러한 특권은 공공의 교사들의 강의에 출석함으로써만이 획득될 수 있다. 어떤 사적인 교사의 가장 유능한 지도를 최대한의 주의를 기울여 받더라도 그것은 반드시 그 특권을 요구할 만한 어떤 자격을 줄 수 없다. 이러한 여러 가지 원인에서 여러 대학교에서 보통 가르치고 있는 과학의 어떤 것에 관한 사적인 교사는 근대에 있어서는 문필가 가운데 최하층의 사람이라고 일반적으로 생각되고 있다. 실력 있는 사람이 그 재능을 발휘하는 일로서 이보다 더 굴욕적이고 불리한 것은 좀처럼 있을 수 없다. 학교와 대학의 기부재산은 이렇게 해서 공공의 교사들의 근면성을 부패시켰을 뿐만 아니라, 우수한 사적 교사들을 얻는 것을 거의 불가능하게 만들어 버렸다.

만일 교육을 위한 공공시설들이 없다면 유용한 것을 제외하고는 아무것도 가르쳐지지 않을 것이다.

만일 교육을 위한 공공시설들이 없다면, 약간의 수요도 없는 체계와 학문, 다시 말하면 시대의 상황이 그 학습을 필요로 하거나, 또는 편리하게 해 주거나, 또는 적어도 유행시키거나를 하지 않는 체계와 학문은 전혀 가르쳐지지 않을 것이다. 사적인 교사는 유용하다고 인정되고는 있지만, 이미 타파되었고 낡아 버린 학문의 체계를 가르치거나, 또는 궤변과 난센스의 쓸모없고 현학적인 집적集積에 지나지 않는 것이라고 일반적으로 믿어지고 있는 학문을 가르쳐서는 그는 수지를 맞출 수 없을 것이다. 그러한 체계, 그러한 학문이 존속할 수 있는 것은 번영과 수입이 그 명성과는 크게 관계없고 그리고 그 근면과도 전혀 관계없는 교육 단체에서만 가능하다. 비록 교육을 위한 공공적인 시설들이 전혀 없다 하더라도, 그 시대의 상황이 마련해 줄 수 있다고 생각되는 교육의 가장 완전한 과정을 부지런히 그리고 최선을 다하여 마친 한 사람의 신사가 세상에 나왔을 경우, 그곳에서 신사와 세상 물정을 잘 아는 사람들 사이에서 오가는 공통된 화제에 관해서 하나도 모른다는 것은 있을 수 없을 것이다.

여성 교육은 공공적인 시설들이 없기 때문에 훌륭하게 되고 있다.

여성의 교육을 위한 공공적인 시설들은 없으며, 따라서 그들의 교육의 보통 과정에는 쓸데없는 것, 불합리한 것, 또는 가공적인 것이 하나도 없다. 그녀들은 그 양친과 보호자들이 학습할 필요가 있다거나 또는 학습하는 것이 유익하겠다고 판단하는 것을 배우며, 그 이외의 것은 아무것도 가르쳐지고 있지 않다. 그녀들의 교육의 어떤 부분도 명백히 어떤 유용한 목적에 이바지하고 있다. 즉 그들의 몸맵시의 자연적인 매력을 더 많게 하기 위해서라든지 또는 그들의 마음을 신중하고 겸손하고 정숙하고 절약하게 하기 위함이요, 그녀들을 일가의 주부가 되기에 알맞은 사람으로 만들고 또 그렇게 되었을 때 훌륭하게 행동할 수 있게 하는 데 이바지하고 있다. 그 생애의 모든 기간을 통하여 여자는 자기가 받은 교육의 모든 부분에서 다소나마 편의 또는 이익을 느낀다. 남자라면 그 생애의 어느 기간에도 자기가 받은 가장 힘들고 성가신 교육 부분에서 어떤 편의나 이익을 끌어내는 것은 좀처럼 없다.

국가는 교육에 주의를 기울일 의무가 없는 것일까?

그러면 공공사회는 국민의 교육에 아무런 주의도 기울여서는 안 되는 것인가라고 하는 질문이 나올지 모른다. 또한 만일 주의해야 한다면, 국민의 여러 계층 속에서 주의해야 할 교육의 각가지 부문은 무엇이겠는가? 그리고 어떠한 방법으로 유의해야 할 것인가?

어떤 경우에는 주의해야 하고, 어떤 경우에는 그럴 필요가 없다.

어떤 경우에는 그 사회의 상태가 개인의 대부분을 필연적으로 정부의 주의가 없더라도 그 상태가 필요로 하거나 또는 허용할 수 있는 거의 모든 능력과 덕을 그들 가운데 자연히 형성하게 되는 그러한 위치에 놓아 준다. 다른 경우에는 그 사회의 상태가 개인의 대부분을 그러한 위치에 놓아 주지 않으며 국민 대중이 거의 전면적으로 부패하고 타락하는 것을 방지하기 위해서 정부가 다소 주의해야 할 필요가 있다.

분업은 정부가 그것을 방지하기 위하여 수고를 하지 않는 한, 지적 · 사회적 · 군사적인 덕을 파괴한다.

분업이 진보함에 따라 노동으로 생활하는 사람들의 아주 대부분의, 즉 국민 대중의 직업은 몇 가지의 극히 단순한 작업에, 흔히는 한두 가지의 작업에 한정되게 된다. 그러나 대부분의 사람들의 이해력은 반드시 그들의 일상의 직업에 의해서 형성된다. 그의 일생을 작업의 결과가 아마 항상 동일 또는 거의 동일한 그러한 소수의 단순한 작업을 수행하는 데 보내는 사람은, 결코 일어나지도 않을 곤란을 제거하기 위한 편법을 발견하는 데 자기의 이해력을 발휘한다거나, 또는 발명력을 작용시킬 필요가 없다. 그러므로 그는 자연히 그러한 노력을 하는 습관을 잃어버리고, 창조물로서의 인간이 될 수 있는 한에 이르기까지 둔해지고 무지해진다. 그의 정신이 우둔해지므로 어떤 이성 있는 회화를 즐긴다든지, 그것에 한몫 낀다든지 할 수 없게 될 뿐만 아니라, 어떠한 관대하고 고상하고 상냥한 감정을 가질 수도 없게 되며, 따라서 사생활의 의무에 관해서까지 수많은 것에 관한 정당한 판단을 내릴 수 없게 된다. 그는 자기 나라의 중대하고 광범위한 이해관계에 관하여도 전혀 판단을 내릴 수 없으며, 또한 그를 다르게 만들기 위하여 대단히 특수한 고통이 주어지지 않는 한, 그는 역시 전시에 자기의 나라를 방위할 수도 없는 것이다. 그의 정체적인 생활의 한결같음은 자연히 그의 용감한 정신을 부패시키고, 그로 하여금 불규칙적이고 불안정하고 모험적인 병사의 생활을 혐오하게 한다. 그것은 그의 육체의 활동까지 부패시키고, 그는 자기에게 길들여진 직업 이외의 어떠한 직업에도 정신적으로 참을성 있게 자기의 힘을 발휘할 수 없게 된다. 이렇게 해서 그 자신의 특정된 직업에 있어서의 그의 기교는 그의 지적·사회적·군사적인 덕을 희생으로 하여 획득되는 것 같다. 그러나 진보된 모든 문명사회에서는 정부가 그것을 방지하기 위하여 다소나마 수고를 하지 않는 한, 노동 빈민, 즉 국민 대중이 필연적으로 빠지게 되는 상태가 바로 이것이다.

반면 야만적인 사회에서는 그러한 덕은 항상 소요되므로 생생하게 보존되어 있다. 보통 야만적인 사회라고 불리는 그러한 수렵민과 목축민의 사회와 심지어는 제조업의 개선과 외국상업의 확대에 선행하는 영농의 미개상태의 영농자 사회에서까지도 사정은 다르다. 그러한 사회에서는 모든 사람의 다종다양한 직업이 모든 사람으로 하여금 그 능력을 발휘하지 않을 수 없게 하며 끊임없이 일어나는 곤란을 제거하기 위한 편법을 발명하지 않을 수 없게 한다. 발명력은 생생하게 유지되어 있고, 정신[125]은 문명사회에서의 거의 모든 하층계급 사람들의 이해력을 마비시키는 것 같은 그 졸리는 듯한 우둔의 상태에 빠지게 되지는 않는다. 그러한 야만상태의 사회에서는 이미 설명한 바 있거니와, 모든 사람이 각자 전사이다. 또한 모든 사람은 어느 정도 정치가이며 그 사회의 이해관계와 그것을 통치하는 사람들의 행동에 관하여 상당한 판단을 내릴 수 있다. 그들의 수장이 평시에는 어느 정도로 훌륭한 재판관이며, 전시에는 어느 정도로 훌륭한 지휘자인지는 그들의 거의 모든 개개인의 관찰로써 명백한 것이다. 실로 이러한 사회에서는 더 문명화된 상태에서 소수의 사람들이 종종 가지고 있는 개선되고 세련된 이해력을 획득할 수 있는 사람은 아무도 없다. 미개 사회에서는 비록 모든 개인의 직업이 다종다양하지만 사회 전체의 직업은 그렇게 많지 않다. 모든 사람은 다른 어떤 사람도 하고, 또 할 수 있는 것이라면, 거의 어떤 것이라도 하며, 또 할 수 있다. 모든 사람은 상당한 정도의 지식·창의·발명력을 가지고 있으나, 어떤 한 사람이 그것을 크게 많이 가지고 있는 일은 좀처럼 없다. 그러나 보통 소유되고 있는 정도는 그 사회의 단순한 업무 전반을 처리하는 데는 대체로 충분하다. 이와 반대로 문명화된 상태에서는 대부분의 개인의 직업은 별로 다종다양하지 않으나, 사회 전체의 직업은 거의 무한히 다종다양하다. 이렇게 다종다양한 직업은, 자신들은 특정된 직업에 소속되지 않으면서 다른 사람들의

125 〔"정신"은 초판에는 "인간의 정신"이라고 되어 있다.〕

직업을 음미할 여가와 기질을 가지고 있는 소수의 사람들의 사색에 대해서 거의 무한히 다종다양한 대상을 제공해 준다. 그렇게 비교와 결합에 마음을 쓰게 하며, 그들의 이해력을 이상할 정도로 예리하게, 또 포용력이 큰 것으로 만든다. 그러나 그러한 소수의 사람들이 때마침 어떤 대단히 특수한 지위에 놓여 있지 않는 한, 그들의 위대한 능력도, 그들 자신에게는 고상한 것이기는 하지만, 그들의 사회의 훌륭한 통치나 행복에는 아주 조금밖에 이바지할 수 없을 것이다. 그러한 소수의 사람들이 위대한 능력을 가지고 있다 하더라도, 국민 대중 가운데서는 인간의 성격의 보다 고귀한 일면이 대대적으로 말살되고 소멸되어 버릴 것이다.

서민의 교육이 신분과 재산이 있는 사람들의 교육보다 국가의 주의를 더 많이 필요로 하는데, 이는 후자에 있어서는 그들 양친이 돌봐줄 수 있을 뿐만 아니라, 그들 자신도 또한 여러 가지 지적인 직업에서 그들의 생애를 보내기 때문이다.

서민의 교육은 문명화된 상업사회에서는 다소나마 신분과 재산이 있는 사람들의 교육보다 아마 더 많이 공공사회의 주의를 필요로 할 것이다. 약간의 신분과 재산이 있는 사람들은 대체로 18~19세가 되어 비로소 자신들이 입신출세하려고 마음먹은 특정한 사업·직업·영업에 종사한다. 그들은 그동안에 공공사회에서 존경을 받는다든지 존경을 받을 만한 사람이 되게 하는 모든 교양을 습득하거나, 적어도 뒤에 가서 그런 것을 습득할 자신을 갖출 수 있는 충분한 시간적 여유를 가지고 있다. 그들의 양친 또는 보호자들은 일반적으로 그들이 그러한 교양을 지니게 될 것을 몹시 열망하고 있으며, 대부분의 경우 그 목적을 위해 필요한 비용을 아주 기꺼이 지출한다. 비록 그들이 반드시 훌륭하게 교육되지는 않는다 하더라도, 그들의 교육에 지출된 비용의 부족에 의한 경우는 좀처럼 없으며, 오히려 그 비용의 부적당한 충용 때문이다. 그것은 교사의 부족에서 그렇게 되는 수는 좀처럼 없으며, 오히려 구해진 교사의 태만과 무능에서이며, 사물의 현상에 있어서는 보다 나은 교사를 발견하는 데 곤란이 있기 때문이요,

아니 오히려 불가능하기 때문이라 하겠다. 또한 다소 신분과 재산이 있는 사람들이 그 생애의 대부분을 보내는 직업은 서민의 그것처럼 단순한 것도 아니고 한결같은 것도 아니다. 그것들은 모두가 극히 복잡하여 손보다 머리를 써야 할 정도의 것이다. 이러한 직업에 종사하는 사람들의 이해력은 많이 쓰지 않아[126] 둔해질 리는 좀처럼 없는 것이다. 뿐만 아니라, 다소 신분과 재산이 있는 사람들의 직업으로서 아침부터 밤까지 그들을 괴롭힐 만한 것은 좀처럼 없다. 그들은 일반적으로 많은 여가를 가지고 있으며, 그동안에 그들은 생애의 초년기에 그 기초를 닦아 두었거나, 또는 약간의 취미를 갖게 되었을 유용하거나 또는 장식적인 지식의 모든 부문에 있어서 자신들을 완성시킬 수 있을 것이다.

빈민의 아이들은 그렇지 않다.

서민의 경우는 사정이 다르다. 그들은 교육을 위하여 내어 줄 만한 시간이 조금밖에 없다. 그들의 양친은 유년기에 있어서도 그들을 겨우 유지할 수 있을 뿐이다. 그들이 일할 수 있게 되자마자 그들은 자기 생계비를 벌 수 있는 어떤 직업에 적합하게 되지 않으면 안 된다. 또한 그 직업도 대체로 대단히 단순하고 한결같은 것이므로 이해력을 쓸 필요는 거의 없으며, 동시에 그들의 노동은 아주 끊임없이 계속되고 아주 엄격하기 때문에 그들에게는 다른 어떤 것에 충용한다거나 그렇게 하려고 생각할 만한 여유도 거의 없을 뿐만 아니라 그렇게 하고 싶은 생각도 없어진다.

국가는 읽기 · 쓰기 · 셈하기를 사회 전반이 습득하도록 장려 또는 강요할 수 있다.

그러나 비록 서민은 어떠한 문명사회에서도 다소 신분과 재산이 있는 사람들만큼 충분히 교육받을 수는 없으나, 교육의 가장 기본적인 부문, 즉 읽기·쓰기·셈하기는 생애의 아주 초기에 습득될 수 있는 것이므로 가장 비천한 직업에 맞도

126 〔"많이 쓰지 않아"의 원문은 "for want of exercise"인데, 초판에는 "for"대신 "from"으로 되어 있다.〕

록 양육되는 사람들까지도 그 대부분은 그러한 직업에 고용되기 전에 그것들을 습득할 시간적 여유가 있다. 공공사회는 극히 소수의 경비로써 국민의 거의 전부에게 교육의 그러한 가장 기본적인 부문을 수득할 필요성을 조장하고 장려하고 떠맡길 수 있다.

교구 학교를 설립함으로써 그렇게 할 수 있다.

공공사회는 교구 또는 지구마다 하나의 작은 학교를 설립함으로써 이 수득을 조장할 수 있으며, 아이들은 그 학교에서 보통의 노동자라도 지불할 수 있을 만큼 적은 보수로써 가르침을 받을 수 있을 것이다. 교사는 공공사회에서 그 봉급의 전부가 아닌 일부부만 지불받는데, 그 이유는 만일 교사가 공공사회에서 봉급의 전부를 지불받는다거나, 또는 그 대부분을 받을 경우마저도 그는 멀지 않아 자기의 본래 업무를 게을리할 것이기 때문이다. 스코틀랜드에서는 그러한 교구 학교의 제도가 서민의 거의 전부에게 읽는 것을 가르쳐 왔고, 그 대부분에게 쓰고 셈하는 것을 가르쳐 왔다. 잉글랜드에서는 자선학교의 제도가 이와 같은 종류의 효과를 거두었으나, 제도 그 자체가 그렇게 보편적으로 행해지지 않음으로써 그 효과도 그렇게 보편적인 것이 못 되었다. 만일 그러한 작은 학교에서 어린아이들에게 읽기를 가르치는 데 쓰일 책이 보통 그러한 것보다 조금 더 유익한 것이라면, 그리고 만일 서민의 아이들이 그곳에서 가르침을 받고 있으면서도 그들에게는 거의 아무런 소용도 될 수 없는 라틴어의 약간의[127] 겉핥기 대신에 기하학과 기계학의 초보를 배우게 된다면, 이 계급의 사람들의 학문교육은 아마[128] 완전에 가까운 것이 될 것이다. 보통의 직업에 있어서 기하학과 기계학의 원리를 적용할 기회가 다소라도 없는 것은 좀처럼 없으며, 따라서 가장 유용한 학문은 물론, 가장 고귀한 학문에도 필요한 입문인 그런 원리에 대해, 서

127 〔"약간의(a little)"는 초판에는 "the little"로 되어 있다.〕

128 〔이 이하의 구절의 원문은 "would perhaps be as complete as it can be"인데, 초판에는 "would perhaps be as complete as it is capable of being"이라고 되어 있다.〕

민을 점차로 훈련하고 개선하지 않는 보통의 직업은 거의 없을 것이다.

상을 줌으로써 그렇게 할 수 있다.

공공사회는 그러한 가장 기본적인 교육부문에서 뛰어난 서민의 아이들에게 소액의 상금과 작은 우등 배지를 줌으로써 그러한 부문의 수득을 장려할 수 있다.

직업에 나아가기 전에 시험에 급제할 것을 요구할 수도 있다.

공공사회는 모든 사람이 공업조합의 특권을 획득한다든지, 또는 마을이나 자치도시의 어느 곳에서든지, 어떤 직업에 나아가도록 허용되기 전에 교육의 가장 기본적인 부문들에 관한 시험 또는 검정을 받을 것을 강제함으로써 그러한 부문의 기득의 필요성을 거의 모든 국민에게 의무로 지울 수 있다.

이러한 방법으로 그리스인과 로마인은 무용의 정신을 유지했다.

그리스 및 로마공화국이 그들 개개의 시민들의 무용정신武勇精神을 유지했던 것은 이렇게 해서, 즉 그들이 군사상 및 체육상의 훈련을 수득하는 것을 조장하고 국민 전체에 대해서 그러한 훈련을 익힐 필요성을 의무로 지우기까지 함으로써 가능했다. 그 공화국들은 그러한 훈련을 이수하고 실습하기 위한 일정한 장소를 지정하고, 그 장소에서 가르칠 특권을 일정한 교사들에게 수여함으로써 그러한 훈련의 습득을 조장했다. 그러한 교사들은 봉급도 받지 않고 어떤 종류의 독점적 특권도 갖고 있지 않았던 것 같다. 그들의 보수는 그들의 학생들로부터 그들이 받는 것이 전부였으며, 공공의 체육장에서 그 훈련을 이수한 시민은 그것을 사적으로 이수한 시민 이상으로 어떤 종류의 법률상의 특전도 갖고 있지 않았으며, 다만 후자의 이수성적이 전자와 동등할 것을 조건으로 하고 있었다. 그러한 공화국은 그런 훈련에 뛰어난 사람들에게 소액의 상금과 작은 우등 배지를 줌으로써 그러한 훈련의 수득을 장려했다. 올림피아나 이스트미아 또는 네메아의 경기에서 상을 획득했다는 것은 그 획득자뿐만 아니라, 그의 가족 및 친척까지도 유명하게 했다. 만일 소집되면 모든 시민은 일정한 연한을 공화국의 군에 복무할 의무가 지워져 있었는데, 이 의무는 그러한 훈련의 이수의 필요성을 충분히 강제했던 셈이며, 그것 없이는 그는 그 군의 복무를 다할 수 없었을 것이기 때문이다.

국민이 무용정신을 가지고 있으면 상비군의 소요 규모와 그 위험성은 다 같이 감소할 것이다.

개선이 진전하여 감에 따라 군사훈련의 관습은 정부가 그것을 지원하기 위하여 적절한 수고를 하지 않는 한, 점차 쇠퇴해 가며, 이와 더불어 국민 대중의 무용정신도 쇠퇴해 간다는 것은 근대 유럽의 실례가 충분히 입증하고 있다. 그러나 모든 사회의 안전성은 다소나마 반드시 국민 대중의 무용정신에 의존하는 것이다. 사실 현대에 있어서는 그것이 기율이 바른 상비군에 의해서 뒷받침을 받지 않는 한, 무용정신만으로써는 어떠한 사회의 방위와 안전에도 아마 충분하지는 못할 것이다. 그러나 모든 시민이 병사의 정신을 가지고 있는 곳에서는 확실히 비교적 소규모의 상비군이 필요할 것이다. 뿐만 아니라, 그 정신은 보통 상비군으로 말미암아 염려되고 있는 자유에 대한 위험을 그것인 현실의 것이든 상상속의 것이든 간에 필연적으로 크게 감소시킬 것이다. 그 정신은 외국의 침입자에 대한 그 군대의 작전을 크게 촉진하듯이, 그 군대가 불행히도 그 국가의 기본제도에 반항하게 될지라도 그 정신은 위의 경우와 마찬가지로 크게 그것을 저지할 것이다.

그리스와 로마의 제도들은 근대의 민병보다 유효했으며, 근대의 민병은 작은 부분을 포함하고 있을 따름이다. 비겁이 늘어나는 것을 방지하는 것은 정부의 의무이다.

그리스 및 로마의 고대의 여러 제도는 국민 대중의 무용정신을 유지함에 있어서는 근대의 소위 민병이라는 제도보다는 훨씬 유효했던 것 같다. 그 제도들은 훨씬 더 간단했다. 그 제도들이 일단 확립되면, 그들은 독자적으로 그 목적을 달성했으며, 그 활동력을 가장 완전하게 유지하기 위한 정부의 주의는 거의 조금도 필요로 하지 않았다. 그런데 근대의 어떠한 민병도 그 복잡한 규칙을 상당한 정도로 유지하는 데도 정부의 부단하고 고생스러운 주의를 필요로 하고 있으며, 이것 없이는 그러한 규칙은 전적으로 등한시되어 안 쓰이게 된다. 뿐만 아니라 고대 제도의 영향은 훨씬 더 광범했다. 이 제도 때문에 국민 전부가 완전히 무기의 사용에 숙달하게 되었다. 그러나 근대의 어떤 민병의 규칙에 의해서도 그렇게 가르침을 받을 수 있는 것은 국민의 극히 작은 부분에 지나지 않는데, 그 예외는 아마 스위스의 민병일 것이다. 그러나 겁쟁이, 즉 자신을 방위할 수도 없고, 복수할 수도 없는 사람은 인간의 성격 가운데 가장 기본적인 부분을 결여하고 있다. 그는 육체의 가장 기본적인 부분의 어떤 것이 빼앗겼거나, 그것들을[129] 못쓰게 된 다른 사람이 육체적으로 그렇게 된 것과 마찬가지로 정신적으로 불구화되고 기형화된 것이다. 이 두 사람 가운데 명백히 전자가 더 불쌍하고 비참하다. 왜냐하면 행복과 비참이라고 하는 것은 전적으로 마음 가운데 있는 것으로서, 필연적으로 육체보다 정신의 상태가 건강한지 건강하지 않은지, 불구인지 완전한지에 더 많이 의존하고 있기 때문이다. 비록 국민의 무용정신이 그 사회의 방위상 아무런 소용이 없다 하더라도 비겁한 정신에 반드시 내포되어 있는 그러한 부류의 정신적인 불구·기형·비열이 국민 대중에게 전파하는 것을 방지한다는 것은 역시 정부의 가장 엄격한 주의를 받을 만한 일일 것이며, 이는 또한 문둥병이나 또는 다른 지겹고 불쾌한 병이 그들 사이에 퍼지는 것을 방지하는 것은 비록 그것이 치명적인 것도 아니고 위험하지도 않다 하더라도, 그리고 또한 비록 그러한 주의는 공공사회에 대한 대단히 큰 해악을 방지하는 이외에, 공공사회에 대해서 아마 아무런 이익도 가져오지 않는다 하더라도, 정부의 가장 진지한 주의를 받을 만한 일이라는 점에서는 마찬가지일 것이다.

심한 무지와 우둔을 방지하는 것도 정부의 의무이다.

129 〔"그것들을"이 초판에는 "그러한 부분을"이라고 되어 있다.〕

문명사회에 있어서 모든 하층계급의 사람들의 이해력을 그렇게들 마비시키는 일이 많은 것 같은 심한 무지와 우둔에 관해서도 똑같은 말을 할 수 있을 것이다. 인간으로서의 사적인 능력을 적절하게 사용하지 못하는 사람은 가능하다면, 비겁자에 비하여서는 더 경멸할 만한 사람이요, 인간성의 특질상 보다 더 기본적인 면에서 불구이며 기형적인 사람이라고 생각된다. 비록 국가가 하층계급의 국민의 교육에서 아무런 이익을 얻지 못한다 하더라도 그들이 전혀 교육받지 않은 채로 두어져서는 안 된다는 것은 역시 국가가 주의해야 할 만한 것이다. 그러나 국가는 그들의 교육에서 적지 않은 이익을 보고 있다. 그들이 교육을 받으면 받을수록 무지한 국민들 사이에서는 흔히 가장 무서운 무질서를 일으키는 광신과 미신에 현혹되는 일이 그만큼 적어지는 것이다. 뿐만 아니라 교육을 받은 지적인 사람들은 무지하고 우둔한 사람들보다 언제나 예절이 바르고 법을 잘 지킨다. 그들은 무지하고 우둔한 사람들보다 각 개인으로서 더 존경받을 것이라고 자각하고 있으며, 법률상의 상관으로부터 존경받을 가능성도 더 많으며, 따라서 그들은 그러한 상관을 존경하려는 생각이 더 많다. 그들은 당파와 선동의 이해관계가 얽힌 불평을 검토해 보고 싶은 마음이 더 많을 것이며, 그것을 간파하는 능력도 더 크다. 그리고 그 때문에 그들은 정부의 방책에 대해서 어떤 방자하고 불필요한 반대에 휩쓸려 들어갈 경향이 적다. 자유로운 나라, 즉 정부의 안전성이 그의 행동에 관하여 국민이 내리는 호의적인 판단에 의존함이 대단히 큰 나라에서는, 국민이 그것에 관하여 성급하게 또는 변덕스럽게 판단할 마음이 들지 않게 하는 것은 확실히 최고의 중요 사항임이 틀림없는 것이다.

제3항 모든 연령층의 국민의 교육을 위한 시설들의 비용에 관하여

이러한 시설은 주로 종교상의 교육을 위한 것이다. 다른 교사들과 마찬가지로 종교상의 교사도 그 종교가 국교화되지 않고 기부재산도 없을 경우 더 정력적이다.

모든 연령층의 국민의 교육을 위한 시설들은 주로 종교상의 교화를 위한 것이다. 이것은 국민을 현세에서 선량한 시민이 되도록 하기보다는 오히려 내세에 있어서의 또 하나의 더 좋은 세상을 위해 준비시킨다는 것을 목적으로 하고 있는 교화의 일종이다. 이러한 교화를 내용으로 하는 교의의 교사들은 다른 교사들과 마찬가지로 그들의 생계비를 그들의 청취자들의 자발적인 기부에만 의존시킬 수 있고, 또는 그것을 토지재산, 10분의 1세, 즉 지세와 정액의 봉급, 즉 승록처럼 자국의 법률상 그들이 받을 권리가 있는 다른 기금에서 염출할 수도 있다. 그들의 노력, 그들의 열의 및 근면은, 전자의 경우가 후자의 경우보다 훨씬 큰 것 같다. 이 점에서 새로운 여러 종교의 교사들이 지금까지의 국교제도를 공격할 경우 항상 꽤 유리한 점을 가지고 있었으며, 지금까지의 국교제도의 성직자는 자신들의 성직록에 스스로 의존하고 있었으므로 국민 대중 속에 신앙과 헌신이라고 하는 열정을 유지하는 것을 게을리했으며, 또한 그들은 게으름에 빠져서 그들 자신의 국교제도에 관해서까지도 그것을 옹호하기 위한 정력적인 노력을 전혀 할 수 없게 되었다. 국교화되고 기부재산이 많은 종교의 성직자는 종종 학식이 많고 기품 있는 인물이 되며, 신사로서의 모든 덕을 가지고 있거나 또는 신사로부터 존경을 받을 만한 모든 덕을 갖고 있지만, 그러나 그들은 그들이 하층계급의 사람들에 대해서 권위를 가지고 영향을 미쳤던, 그리고 그들의 종교의 성공과 확립에 본질적인 원인이었던 자질을 좋은 것이든 나쁜 것이든 모두 점차 잃어버리기가 쉽다. 그러한 성직자가 비록 아마 우둔하고 무지하더라도 인기가 있고 대담한 일군의 열광자로부터 공격을 받으면, 자신들이 완전히 무방비임을 느끼는데, 이것은 마치 게으르고 나약하고 그리고 포식한 아시아 남부의 국민이 활동적이고 튼튼하고 굶주린 북방의 타타르인으로부터의 침입을 받았을 때와 같은 것이라 하겠다. 그러한 성직자는 그러한 비상사태에는 행정장관에게 청하여 그들의 적대자를 공공의 불화의 교란자로서 박해하고 파멸시키고 몰아내어 달라는 것 이외에는 보통 아무런 수단도 갖고 있지 않다. 로마 가톨릭의 성직자가 행정장관에게 청하여 신교도를 박해한 것도 이 때문이었다. 그리고 일반적으로 종교상의 모든 종파가 일단 1~2세기 동안 법률상 국교로서 안전성을 향수하고 나면 자파自派의 교의 또는 종규宗規에 공격하기로 결정한 어떤 새 종파에 대해서 정력적으로 방위할 수 없다는 것을 알게 되었던 것도 이 때문이었다. 그러한 경우에 학식과 훌륭한 저작이라는 점에서는 국교회 측이 더 유리할 때도 있을 것이다. 그러나 인기를 얻는 술책, 즉 개종자를 획득하는 모든 술책은 항상 그 적대자 측이 유리하다. 잉글랜드에서는 그러한 술책을 국교회의 기부재산이 넉넉한 성직자들은 등한시해 왔으며, 이 술책은 현재에는 비국교도와 감리교도(methodist)에 의해서 주로 연마되고 있다. 그러나 자의의 기부금 및 신탁권, 그 밖의 법률 기피 행위 따위에 의해서 많은 지방에서 비국교도의 교사들을 위해 독립된 식량이 주어지게 되었으므로, 그러한 교사들의 열의와 활동력도 대단히 감퇴된 듯하다. 그들 가운데 수많은 사람들이 많은 학식을 가지고 독창적이고 존경받을 만한 인물이 되었으나, 그들은 대체로 대단히 인기 있는 설교자임을 그만두었던 셈이다. 감리교도는 비국교도가 가지고 있는 학식의 반도 갖고 있지 않으나 비국교도보다 훨신 더 호평을 받고 있다.

로마 교회의 하급 성직자는 국교화된 어떤 신교보다 이기심에 의해서 자극을 더 많이 받고 있다.

로마 교회에서는 하급 성직자의 근면과 열의[130]는 이기심이라고 하는 유력한 동기가 있기 때문에 아마 국교화된 어떤 신교 교회에서보다 더 생생히 유지되고 있다. 교구 성직자의 수많은 사람들이 자신들의 생활자료의 상당히 많은 부분을 국민의 자발적인 헌납에서 마련해 낸다. 이 수입의 원천은 참회가 많으면 많을수록 증대하는 기회도 많아진다. 탁발 수도회는 그 모든 생활자료를 그러한 헌납에서 끌어낸다. 그들에게는 어떤 육군의 경기병과 경보병의 경우처럼 약탈 없이는 급여도 없다(no plunder, no pay)는 것이 있다. 교구의 성직자는 그 보수의 일부가 봉급에 의존하고, 일부는 수업료 또는 사례에 의존하고 있는 교사, 그

130 〔이 구는 원문에는 "the industry and zeal of the inferior clergy are……"인데, 초판에서 제3판까지는 이 "are"이 "is"로 되어 있다.

리고 자기 학생들로부터 받는 이러한 수업료 또는 사례가 항상 다소나마 자기의 근면과 명성에 의존하지 않을 수 없는 교사와 비슷하다. 그러므로 그들은 서민의 헌신을 고무할 수 있는 모든 술책을 사용하지 않을 수 없다. 마키아벨리 Machiavel가 설명하고 있는 것은[131] 성 도미니크 및 성 프란체스코라는 2대 탁발 수도회의 창립은 13~14세기에 시들어 가던 가톨릭교회의 신앙과 헌신을 부활시켰다는 것이다. 로마 가톨릭교 제국에서는 헌신의 정신은 수도사가 비교적 가난한 교구승에 의해서 전적으로 지탱되고 있다. 이 교회의 위대한 고승들은 신사로서의 세상 물정에 밝은 사람으로서 그리고 때로는 학식 있는 사람으로서의 모든 교양을 가지고 하급 성직자들이 필요한 종규를 유지하도록 충분히 주의를 하고 있으나, 손수 국민의 교화를 맡아 하는 일은 좀처럼 없다.

흄은 말하기를, 국가는 어떤 기술의 진흥을 그것에서 은혜를 입을 개인의 자유에 맡겨 두어도 된다고 했다.

현대에 가장 탁월한 철학자이며 역사가는 이렇게 말한다. "일국의 대다수의 기술과 직업이라고 하는 것은 그 사회의 이익을 증진시키는 한편, 약간의 개인에게도 유용 또는 기분 좋은 그러한 성질의 것이므로 그 경우에 위정자가 항상 지켜야 할 원칙은, 어떤 기술을 처음 도입할 경우는 예외라 하더라도 직업 그 자체를 자유롭게 방임하고 그 장려는 그것의 이익을 거둬들이는 각 개인에게 맡겨 둔다는 것이다. 공장들은 고객들의 호의에 따라 그들의 이윤이 증대한다는 것을 알게 되면 그들의 숙련과 근면을 가능한 한 증진시키므로, 사태가 무분별한 간섭에 의해서 교란되지 않는 한, 상품은 항상 그 수요에 거의 비례한다는 것은 항상 확실하다.

다른 것은 국가에 의해서 진흥되지 않으면 안 된다.

그러나 일국에서는 유용하고 또 필요하기까지 한 것일지라도 개인에게는 아무런

131 (《Discourses on the First Decade of Titus Livius》, 제3권, 제1장에 있다.)

이익도 쾌락도 가져다주지 않는 약간의 직업도 있다. 그러므로 최고 권력은 그러한 직업에 종사하는 사람들에 관해서는 그 처리법을 변경하지 않으면 안 된다. 최고 권력은 그들을 존속시키기 위하여 공적인 장려를 해 주지 않으면 안 되며, 따라서 그것들이 자연히 무시되어 버리지 않도록 하기 위하여 그 직업에 특별한 명예를 부가한다거나 장대한 계급적 종속관계와 엄격한 의존관계를 확립한다거나 그 밖에 어떤 편법을 강구한다거나 하지 않으면 안 된다. 재정·해군[132]·해정에 종사하고 있는 사람들은 이 계층의 사람들의 예라고 하겠다.

종교의 교육은 위의 첫 번째 종류에 속한 것이라고 생각될지도 모른다.
"일견하여서는 성직자는 위에서 본 첫 번째 종류에 속하고 그들에 대한 장려는 법률가와 의사에 대한 것과 같이 그들의 교의에 귀의하고 그들의 심영상의 봉사와 원조에서 은혜나 위안을 찾고 있는 개개인의 너그러움에 안심하고 맡겨 두어도 된다고 의당 생각될지도 모른다. 그들의 근면과 경계심은 틀림없이 그러한 특별한 동기에 의해서 연마될 것이며, 그리고 그들의 직업상의 숙련도, 인심人心을 지배하는 솜씨와 함께, 그 실천·연구·주의注意의 증진에서 나날이 나아질 것이 틀림없다.

실은 그렇지 않다. 왜냐하면 성직자의 이해관계가 있는 열의는 저지되어야 할 것이기 때문이다.
"그러나 만일 우리들이 그 문제를 더 엄밀히 고찰한다면 우리는 성직자의 이러한 이해관계에 사로잡힌 근면은, 현명한 입법자라면 누구라도 막으려고 노력할 것이라는 것을 알게 될 것이다. 왜냐하면 그러한 근면은 참다운 종교 이외의 모든 종교에 있어서 극히 유해한 것이며, 그것은 참다운 종교에 대해서도 미신·우행·기만의 강력한 혼합물을 주입하여 그것을 사도私道에 빠뜨리는 자연적 경향까지 가지고 있기 때문이다. 영적인 일에 종사하는 사람은 각자가 자기의 귀의

132 [원문에는 "재정 · 육군 · 해군"이라고 되어 있다.]

자歸依者들의 눈에 자신을 보다 더 고귀하고 신성하게 보이도록 하기 위하여 그들에게 다른 모든 종파에 대한 가장 심한 혐오심이 일어나게 할 것이며, 자기의 청중의 맥빠진 헌신을 어떤 신기한 것에 의해서 자극하려고 항상 노력할 것이다. 가르치는 교의들의 진리라든지, 도덕이라든지, 품위에 관해서는 아무런 고려도 하여지지 않을 것이다. 인심의 무질서한 애착에 가장 잘 어울리는 신조라면 무엇이든지 채용될 것이다. 대중의 열정과 경신輕信을 이용함에 있어서 새로운 근면과 솜씨에 의해서 비국교도의 비밀집회에는 고객들이 모여들 것이다. 그리하여 마침내 행정장관은 승려를 위하여 고정수입을 주지 않았다는 자기의 자랑스러운 절약도 비싸게 먹혔다는 것을 알게 될 것이며, 또 실實문제들로서 자기가 종교상의 교도자들과 맺을 수 있는 가장 품위 있고 유리한 타협은 그들의 직업에 고정급료를 할당함으로써 그들을 매입하여 게으르게 하는 것이며, 그들의 양 떼가 새로운 목초지를 찾아 헤매지 못하게 막는 것 이상의 활동은 그들에게 불필요한 것으로 만들어 버린다는 것을 알게 될 것이다. 이렇게 해서 교회에 관한 고정수입은 처음에는 종교상의 목적에서 나온 것이 보통이지만, 결국에는 그 사회의 정치적 이해관계에 유리하다는 것이 판명된다."[133]

고정수입 및 공공적 기부재산은 위에서 본 바와 같은 추론에 기인된 것은 아니고, 정치적 당쟁의 필요에서 나온 것이다.

그러나 성직자의 고립된 급여의 효과가 좋았든 나빴든 간에 그것이 그러한 효과를 약간이라도 노려서 그들에게 수여되었던 일은 극히 드물었을 것이다. 격렬한 종교상의 논쟁의 시대는 대체로, 동등하게, 격렬한 정치상의 당쟁의 시대였다. 그러한 경우, 각 정당은 상쟁相爭하는 종교상의 종파의 어느 것과 동맹을 맺는 것은 자기의 이익이 된다는 것을 알았든지, 아니면 그러리라 주의를 받아들이든지, 또는 적어도 그것을 지지함으로써만이 이루어질 수 있었다. 승리한 정당과

133 〔흄, 《History》(1773), 제4권, 제29장, 30~31면. 이 이전의 판에서도 이 이후의 판에서도 다 축어적으로는 이와 다르다.〕

동맹을 맺을 행운을 가졌던 종파는 필연적으로 그 동맹자의 승리에 한몫 끼어서 그 지지와 보호로써 얼마 되지 않아 자파自派의 모든 적대자를 어느 정도 침묵시키고 굴복시킬 수 있었다. 그러한 적대자는 일반적으로 승리한 정당의 적과 동맹을 맺음으로써 그 정당의 적이기도 했다. 이 특정된 종파의 성직자는 그렇게 해서 그 분야에 있어서의 주인공이 되었고 국민 대중에 대한 그들의 영향력과 권위도 최고조에 달했으므로 그들은 그들 정당의 영수領袖와 지도자를 위압하고 위정장관을 강제하여 그들의 견해와 의향을 존경하도록 할 만한 힘을 충분히 가지고 있었다. 보통 그들의 첫 번째 요구는 행정장관은 자기들의 모든 적을 침묵시키고 극복시켜야 한다는 것이었고, 또 그들의 두 번째 요구는 행정장관은 자신들에게 독립된 급여를 수여하여야 한다는 것이었다. 대체로 그들은 그 승리에 대해서 크게 공헌했으므로 그들이 그 전리품에서 약간의 몫을 차지한다고 해서 불합리하다고 생각되지는 않았다. 뿐만 아니라 국민의 비위를 맞춰 주고 생계비를 위하여 국민의 변덕에 의존하는 것에 그들은 지쳐 있었다. 그러므로 이러한 요구를 할 경우 그들이 염두에 두고 있었던 것은 그들의 안락과 위안이었으며 그것이 장래 자신들 교단의 영향력과 권위에 미칠지도 모르는 효과에 관해서는 걱정도 하지 않았다. 행정장관은 오히려 자기가 많이 획득하거나 유지해 두려고 마음먹은 어떤 것을 그들에게 줌으로써만이 이러한 요구에 응할 수 있었으므로, 그것을 아주 선뜩 수여하려고는 하지 않았다. 그러나 수많은 연기와 회피와 꾸민 핑계를 한 뒤에 하기는 했으나, 결국은 필요가 항상 그를 강제적으로 굴복시키고 말았다.

만일 정치가 종교의 도움을 구하지 않았다면 종파는 너무 수가 많아져서 그들은 서로 관용을 베풀 것을 배웠을 것이다.

그러나 만일 정치가 종교의 원조를 결코 구하지 않고, 승리한 정당이 어떤 특정한 종파의 교의를 다른 종파의 신조보다 더 많이 채용하지 않았다면, 승리를 획득한 당파는 아마, 모든 각가지 종파를 평등하고 공평하게 다루고, 누구나 자기가 적당하다고 생각되는 대로 자신의 승려와 종교를 선택하도록 허용했을 것이다. 이런 경우에는 틀림없이 종교상의 종파가 엄청나게 많아졌을 것이다. 거의 모든 각가지 회중(congregation)은 아마 그 자체가 하나의 작은 종파를 간직하고 있었을 것이다. 각 교사는 최대한의 노력을 할 필요와 또 자기의 제자들의 수를 유지하고 증가시키기 위해 모든 술책을 써야 할 필요에 쫓기고 있다는 것을 틀림없이 느끼고 있었을 것이다. 그러나 모든 다른 교사도 그와 동일한 필요하에 자신이 놓여 있다는 것을 느끼고 있었을 것이므로, 한 사람의 교사 또는 교사들의 한 종교가 대단히 큰 성공을 거둘 수는 없었을 것이다. 종교상의 교사들의 이해관계에 사로잡힌 적극적인 열의가 위험하고 성가신 것이 될 수 있는 곳은 그 사회에 단 하나의 종파밖에 허용되어 있지 않거나 또 사회에 단 하나의 종파밖에 허용되어 있지 않거나 또는 일대 사회의 전체가 두세 개의 대종파로 분할되어 있어, 그 각각의[134] 교사들이 협동하고 질서 정연한 종규와 복종하에서 활동하고 있는 곳에서만 가능한 것이다. 그러나 그 사회가 200~300명의, 아니 아마도 수천의 작은 종파로 분할되어 어느 하나도 공공의 정온靜穩을 교란하기에 충분한 것일 수 없는 곳에서는, 그러한 열의는 전혀 무해할 것이 틀림없다. 각 종파의 교사들은 친구보다도 더 많은 적대자로써 그들의 사방이 둘러싸여 있으므로, 대종파의 교사들 사이에서는 좀처럼 볼 수 없는 솔직함과 온건함을 배우지 않을 수 없다. 대종파의 교사들의 교의는 행정장관의 지지를 얻고 있으므로 광대한 왕국과 제국의 거의 모든 국민들에게 존경을 받고 있으며, 따라서 그들의 주위에는 종자從者와 제자와 겸손한 숭배자 이외에는 아무도 없다. 각 종파의 교사들은 그들 자신이 거의 고립되어 있다는 것을 알고서는, 다른 거의 모든 종파의 교사들을 존경하지 않을 수 없을 것이고, 서로 양보하는 것이 서로 편리하고 편안하다는 것을 알고, 때가 흐름에 따라 아마 그들 대부분의 교의를 부조리·협잡·광신의 모든 혼합물이 아닌, 순수하고 합리적인 종교, 즉 세계의 모든 시대에 현인들이 확립하고 싶어 했던 그러한 종교로 환원시킬 수 있을 것이다.

134 〔"각각의"는 초판에는 "각 종파의"로 되어 있다.〕

그러나 그러한 종교는 어떤 나라에서도 실정법으로써 확립된 적이 없으며, 결코 확립되지도 않았을 것이다. 왜냐하면 종교에 관해서는, 실정법은 대중의 미신과 열광에 의해서 다소는 항상 영향을 받아 왔으며, 아마 앞으로도 받을 것이기 때문이다. 교회 통치의 이러한 계획, 더 적절히 말한다면 무교회 정치라고 하는 계획은, 틀림없이 아주 난폭한 열광자의 한 종교인, 고립파라고 불리는 종파가, 내란이 끝날 무렵에 잉글랜드에서 확립하려고 의도했던 것이었다. 비록 아주 비철학적인 기원의 것이기는 하더라도 만일 그것이 확립되었다면, 아마 지금쯤은 모든 종류의 종교 원리에 관한 가장 철학적인 좋은 기질과 온건성을 만들어 내었을 것이다. 그것은 펜실베니아에서는 확립되어 있으며, 그곳에서는 비록 때마침 퀘이커파(Quakers)가 가장 다수[135]이긴 하지만, 법률은 사실상 어떤 종파도 우대하지 않는다. 또한 그곳에서는 이 철학적인 좋은 기질과 온건성이 생겨났다고 일컬어지고 있다.

그리고 그렇게 하지 않았다면 그들의 열의는 어떠한 해도 끼칠 수 없었을 것이다.
그러나 비록 이러한 취급의 평등함이 어떤 특정국의 종교적 종파의 전부, 또는 그 대부분에 관해서까지 이러한 좋은 기질과 온건성을 만들어 내지 않는다 하더라도 그러한 종파는 너무 수가 많아, 그 결과 그 각각이 너무 작아서 공공의 평온을 교란시키지 못한다면, 그 각각이[136] 자신의 특유한 신조에 대해서 과도한 열의를 갖는다 하더라도, 아주 유해한 어떠한 결과를 낼 수는 좀처럼 없을 것이며, 오히려 이와 반대로 몇 가지 좋은 결과를 낼 수 있을 것이다. 그리고 만일 정부가 그 모든 종파들을 모두 방임해 두고, 또 각 종파가 서로를 방임하도록 할 것을 단호히 결의한다면, 그러한 종파들은 저절로 급속히 세분화되어 얼마 되지 않아 아주 수가 많아질 것은 거의 틀림없는 것이다.

135 〔"다수"는 초판에는 "다수의 종파"로 되어 있다.〕

136 〔"그 각각이"는 초판에는 "각각의 종파가"라고 되어 있다.〕

두 개의 도덕체계, 즉 엄격 또는 엄숙한 체계와 자유 또는 방종한 체계 가운데 전자는 서민의 호감을 받고, 후자는 상류 사람들의 호의를 받고 있다.

모든 문명사회의 구별이 일단 완전히 확립된 모든 사회에서는 항상 도덕의 상이되는 두 가지 양식, 즉 체계가 동시에 통용되어 왔으니, 그 가운데 하나는 엄격 또는 엄숙한 체계라고 불러도 좋으며, 또 하나는 자유로운, 또는 여러분이 원한다면 방종한 체계라고 불러도 좋을 것이다. 전자는 일반적으로 서민들에 의해서 칭찬과 존경을 받으며, 후자는 소위 상류 사람들로부터 보통 더 많이 존경되고 채용되고 있다. 이 두 가지 대립하는 양식, 즉 체계 사이의 주요한 구별은 우리들이 경박이라고 하는 악덕을 어느 정도로 부인하느냐에 있는 것 같으며, 또한 그 악덕은 자칫하면 대단히 큰 번영에서 그리고 과도한 흥겨움과 좋은 기분에서 생기기 쉬운 것이다. 자유로운 또는 방종한 체계에서는, 사치하고 방자하고 무질서하기까지 한 환락과 과도할 정도의 쾌락의 추구라든지, 양성兩性 가운데 적어도 한쪽의 순결의 파기 등은, 추잡한 행위가 따르지 않고 허위 또는 부정에 이르지 않는 한, 일반적으로 아주 관대하게 다루어지고 있으며 쉽게 용서받거나 완전히 눈감아 주기 마련이다. 이와 반대로 엄숙한 체계에서는 그러한 과도는 극도의 혐오와 증오로서 생각된다. 경박이라는 악덕은 서민에게는 항상 파멸적인 것이며, 단 1주일이라도 무분별한 짓이나 방탕한 짓이라도 한다면 그것만으로도 충분히 가난한 직공을 영구히 파멸시키고 절망한 나머지 그가 엄청난 대죄를 범하게 하는 수가 흔히 있다. 그러므로 서민 가운데서도 비교적 현명하고 선량한 부류의 사람들은, 그러한 지나친 행위에 대해서 항상 극도의 혐오와 증오를 가지고 있으며, 그들은 경험상, 자신들과 같은 경우에 있는 자는 즉각적으로 치명적일 수 있다는 것을 알고 있다. 이와 반대로 상류의 사람은 수년 동안 무질서하고 사치를 하더라도 반드시 파멸되는 것도 아니요, 더욱이 그러한 신분의 사람들은 자칫하면 어느 정도의 지나친 행위에 빠지는 힘을 자신들 재산상의 이점의 하나라고 생각하기 쉬우며, 비난도 책망도 받지 않고 그렇게 할 수 있는 자유를 자신들 지위에 속하는 특권이라고 생각하기 쉽다. 그러므로 그들 자신과 같은 지위의 사람들이 그러한 지나친 행위를 한다 하더라도 그들은 그것을 약간 부인할 정도에 지나지 않으며, 비난한다고 해도 아주 가볍게 하든지 그렇지 않으면 전혀 하지도 않는 것이다.

종교상의 종파는 엄숙한 체계로써 시작한다.

종교상의 거의 모든 종파는 서민들 가운데서 시작되었으며 그들의 가장 초기의 또한 가장 다수의 개종자도 일반적으로 서민들 가운데서 끌어왔다. 따라서 그러한 종파가 일반적으로 도덕의 엄숙한 체계를 채용한 것도 이 때문이었으며, 이것은 거의 일관해 있었으나, 아주 소수의 예외이기는 하지만, 사실 약간의 예외가 있었다. 그 엄숙한 체계야말로 그러한 종파가 기존의 것에 대한 자파의 개혁안을 최초로 제시한 계급의 사람들에게 가장 호감을 살 수 있었던 것이었다. 그러한 종파의 체계에 연마를 가함으로써, 그리고 어느 정도의 우행과 광태를 부려 가면서도 신용을 얻으려고 노력하기까지 했다. 그리고 이 과도한 엄격은 다른 어떤 것보다 더 흔히 서민의 존경과 숭배를 그들이 받게 해 주는 것이었다.

종교상의 소종파에 있어서는, 도덕은 정연하고 질서 있는 것이며, 불결할 만큼 엄격하고 비사교적이기까지 하다.

신분과 재산이 있는 사람은 자기의 지위로써 일대 사회의 걸출한 성원이며, 그 사회는 그의 일거일동一擧一動에 주목하므로 그 자신도 자기의 일거일동에 주의하지 않으면 안 된다. 그의 권위와 중요성은 이 사회가 그에게 대해서 지니고 있는 존경에 크게 의존한다. 그는 그 사회에서 자기를 망신시킨다거나, 불신을 가져올 만한 것이라면 무엇이든 감히 행하려고 하지 않으며, 또한 그는 자유이든 엄숙이든 간에 이 사회의 일반적 동의가 자기와 같은 신분과 재산이 있는 인물에 대해서 규정하는 종류의 도덕을 아주 엄격하게 지키지 않을 수 없다. 이와 반대로 신분이 낮은 사람은 어떠한 큰 사회의 걸출한 성원이라는 것과는 거리가 멀다. 그가 시골의 마을에 남아 있는 동안은 그의 행동은 주목될 것이며, 또 그도 자기의 활동에 주의하지 않을 수 없을 것이다. 이런 처지에 그리고 이런 처지에 있어서만이 그는 소위 잃어버릴 평판을 가질 수 있다. 그러나 그가 대도시에 들어오면 곧 그는 이름 없고 희미한 존재로 화해 버린다. 그의 행동을 관찰하고 주목할 사람은 아무도 없으며, 따라서 그 자신도 자기의 행동을 등한시하고 모든 종류의 비천한 난봉과 악덕에 빠져 버릴 가능성도 대단히 많다. 그는 이러한 무명의 경지에서 아주 유효하게 빠져나오고 그의 행동이 어떤 존경할 만한 사회에서 꽤 주목을 받기 위해서는 그가 종교상의 어떤 작은 종파의 성원이 되는 것 이외에는 다른 길이 없다. 그 순간부터 그는 그 이전에는 가져 본 적이 없었던 어느 정도의 중요성을 획득한다. 그와 같은 종파의 모든 신도들은 그 종파의 명예를 위하여 그의 행동을 관찰하는 데 관심을 가지고, 만일 그가 어떤 추문을 일으키거나, 그들이 거의 언제나 서로 요구하고 있는 그러한 엄숙한 도덕으로부터 심히 일탈한다면 그들은 그를 처벌하는 데 관심을 가지며 그 처벌은 속인으로서는 아무런 효과도 없을지라도 항상 대단히 엄중한 것이니, 그 종파로부터의 추방 또는 파문이 그것이다. 따라서 종교상의 소종파에 있어서는 서민의 도덕은 거의 언제나 뚜렷하게 규칙적이고 질서가 있었으며, 일반적으로 국교회에 있어서보다 훨씬 더 그러했다. 실제로 그러한 소종파의 도덕은 오히려 불쾌할 정도로 혹렬하고 비사교적이었을 때가 많았다.

실행 가능한 구제책이 두 가지 있다.
그러나 아주 대단히 용이하고 유효한 구제책이 두 가지 있으니, 이들의 결합된 작용에 의해서 국가는 그 나라를 분할하고 있었던 모든 소종파의 도덕에 어떠한 비사교적인 것, 또는 어떠한 불쾌할 만큼 혹렬한 것이 있을지라도, 폭력 없이 그것을 모두 교정할 수 있을 것이다.

(1) 자유직업과 관직의 후보자에게 소요되는 자격으로서 과학과 철학에 관한 지식을 요구하는 것,

그러한 구제책의 첫째 것은 과학과 철학의 연구이며, 국가는 그것을 중류 또는 중류 이상의 신분과 재산을 가진 거의 모든 사람들에게 보급시킬 수 있을 것이다. 즉 교사들에게는 그들을 부주의하고 태만하게 만들기 위한 봉급을 주지 않고, 어떤 종류의 시험제도를 세워서 비교적 높고 어려운 과학들에 있어서까지 모든 사람이 어떤 자유직업에 종사하도록 허가되기 전에, 또는 책임이나 이윤이 따르는 어떤 명예로운 관직의 후보자로서 받아들여질 수 있기까지는 그 시험을 치르도록 하는 것이다. 비록 국가가 이 계급의 사람들에게 학문을 할 필요를 강요한다 하더라도, 그들에게 적당한 교사를 손수 마련해 주는 수고를 할 필요는 없을 것이다. 그들은 국가가 그들을 위하여 마련해 줄 수 있는 어떤 교사보다도 더 좋은 교사를 쉽게 발견할 것이다. 과학은 열광과 미신이라고 하는 해독에 대한 위대한 해독제이며 상류의 신분인 사람들 모두가 그 해독에서 안전하게 벗어나 있는 곳에서는 하층의 신분이 사람들도 그 해독의 피해를 크게 입을 리는 없을 것이다.

(2) 대중오락의 장려가 그것이다.

그러한 구제책의 둘째 것은 대중오락을 빈번하게 하고 유쾌한 것으로 하는 것이라 하겠다. 국가는 그것을 장려함으로써, 다시 말하면 모든 사람들이 자기 이익을 위하여 회화·시·음악·무용을 통하여 그리고 모든 종류의 연극의 연출과 상연을 통하여 스캔들 또는 외설 없이 국민을 즐겁게 해 주고 기분전환을 시켜 줄 것을 꾀할 경우, 국가는 그러한 사람들 모두에게 완전한 자유를 줌으로써 거의 언제나 대중의 미신과 열광의 온상인 그 우울하고 음침한 기분을 국민의 대부분 가운데서 용이하게 소산시킬 것이다. 대중오락은 그러한 대중적 광란의 광신적 선동자들 모두에게는 항상 공포와 증오의 대상이 되어 왔다. 그러한 대중오락이 고취하는 흥겨움과 좋은 기분은 그들의 목적에 가장 알맞은 정신상태, 즉 그들이 가장 잘 작용을 가할 수 있는 정신상태와는 전혀 양립하지 못하는 것이었다. 뿐만 아니라 연극은 그들의 책략을 흔히 공중에게 폭로하여 조소를 사게 하고 때에 따라서는 공중의 혐오의 대상이 되게 하기까지 한다. 그 때문에 다른 모든 오락보다도 더욱더 그들에게 특유한 증오의 대상이었던 것이다.

어느 종교도 우대되지 않았던 곳에서는, 주권자는 종교의 교사들에게 영향력을 미칠 필요는 없었다.

법률이 한 종교의 교사들을 다른 종교의 그들 이상으로 우대하지 않았던 나라에서는, 어떤 교사도 주권자 또는 행정권력에 특별 또는 직접적인 의존관계를 가질 필요는 없었을 것이며 또한 주권자도 그들의 성직의 임면에 관하여 어떤 교섭을 가질 필요도 없었을 것이다. 그러한 상황에서는 주권자는 자기의 다른 신민들 사이에 있어서와 마찬가지로 교사들 사이의 평화를 유지하는 것, 즉 그들이 서로 박해하고 모욕하고 억압하는 것을 저지하는 것 이상으로 관심을 가질 필요는 없었을 것이다. 그러나 국교 또는 지배적인 종교가 있는 나라에서는 사정이 전혀 다르다. 이런 경우엔 주권자는 그 종교의 교사들에게 상당한 정도의 영향력을 미친 수단을 가지지 않은 한, 결코 안전할 수는 없는 것이다.

그러나 국교회가 있는 곳에서는 주권자는 종교의 교사들에게 영향을 미쳐야 했다.

모든 국교회 성직자들은 하나의 커다란 단체를 이루고 있다. 그들은 마치 한 사람의 지휘하에 있는 것처럼 협력하여 활동하고 동일 계획하에 동일한 정신을 가지고 자신들의 이익을 추구할 수 있으며, 그리고 또한 그들은 사실 그러한 지휘하에 있을 때도 흔히 있다. 하나의 법인화된 대단체로서의 그들의 이해관계는 주권자의 그것과 결코 동일하지 않으며, 때에 따라서는 정면으로 대립할 때도 있다. 그들의 중대한 이해관계는 국민에 대한 자신들의 권위를 유지하는 것이며, 그리고 이 권위는 그들이 가르치는 교의 전체가 확실하고 중요한 것이라고 생각되어지느냐에 의존하고 있으며, 영원한 불행을 피하기 위하여 그 교의 전체의 모든 부분을 가장 맹신적으로 채용할 필요가 있다고 생각되어지느냐에 의존하고 있다. 만일 주권자가 그들의 교의 가운데 가장 사소한 부분이라도 스스로 비웃거나 의심하든지, 또는 이런 것들의 어느 것을 행한 사람을 인도상 보호하려고 하는 것같이 보인다면, 그 주권자에 대해서 어떤 종류의 의존관계도 없는 성직자의 융통성 없는 명예심은 즉시 자극되어 신을 모욕하는 인물로서 주권자를 배척하고 국민으로 하여금 그 충성을 더 정통적이고 순종적 군주에게 옮기지 않을 수 없게 만들기 위하여 종교상의 모든 공포적 수단을 사용한다. 또한 주권자가 그들의 어떤 주장이나 횡령행위를 반대한다면 위험은 마찬가지로 크다. 이렇게 교회에 대해서 감히 반역을 한 군주들은, 그들의 신앙에 관하여 그리고 또 교회가 그들에게 명령함이 적당하다고 생각한 모든 교의에 겸손하게 복종한 것에 관한 엄숙한 이의임에도 불구하고, 이 반역죄 위에 이단이라고 하는 추가죄가 지워지는 것이 보통이었다. 그러나 종교의 권위는 다른 모든 권위를 능가한다. 종교가 암시하는 공포는 다른 모든 공포를 억누른다. 종교상 인정된 교사들이 국민 대중을 통하여 주권자의 권위를 타도하는 교의들을 선전할 때 주권자가 자기의 권위를 유지할 수 있는 것은 폭력, 즉 상비군의 힘에 의할 수밖에 없다. 이런 경우에 상비군일지라도 주권자의 안전을 영속적으로 보증할 수는 없다. 왜냐하면 만일 병사들이 좀처럼 있을 수 없는 경우, 외국인이 아니고 거의 언제나 그러하듯이 국민 대중에서 뽑혀 나온다면 그들은 바로 그러한 교의에 의해서 얼마 되지 않아 부패될 가능성이 많기 때문이다. 동로마제국이 존속하고 있었던 동안 그리스 성직자의 불온이 콘스탄티노폴리스에서 끊임없이 일으키고 있었던 혁명과 몇 세기를 통하여 로마의 성직자의 불온이 유럽의 각 지방에서 끊임없이 일으키고 있었던 동란은 그 나라의 국교와 지배적인 종교의 성직자에게 영향력을 미칠 적당한 수단을 갖고 있지 않은 주권자의 지위가 항상 얼마나 위험하고 불안전한 것이 아닐 수 없는 것인지를 충분히 증명하고 있다.

이는 주권자는 성직자의 교의들에 직접 반대할 수 없기 때문이다.

신앙의 조목條目은 모든 다른 영적인 사항과 마찬가지로 세속적 주권자의 본령

本領이 아님은 충분히 명백하며, 비록 그가 국민을 보호하는 데 훌륭한 자격을 가지고 있을지라도 그가 국민을 교화하는 데도 그렇게 자격이 있다고는 좀처럼 생각되지 않는다. 그러므로 그러한 사항에 관한 그의 권위는 국교회의 성직자의 통합된 권위와 평형시키기에 충분할 수는 없는 것이다. 그러나 공공의 평온과 그 자신의 안전은 그러한 사항에 관하여 성직자들이 보급시키는 것이 적당하다고 생각하는 교의들에 의존하는 수가 흔히 있다. 그러므로 그는 성직자들의 결정을 본래의 관록과 권위로써 직접 반대할 수 없으므로 그 결정에 대해서 영향력을 미칠 수 있어야 할 것이 필요하고, 더욱이 그가 그 영향력을 미칠 수 있는 것은 그러한 성직 계급에 있는 개개인의 대부분에게 그가 일으킬 수 있을 공포와 기대밖에는 없을 것이다. 그러한 공포와 기대는 면직과 그 밖의 처벌이라고 하는 공포요, 승진한다는 기대라고 하겠다.

성직자는 종신성직록終身聖職錄을 보유하고 있으므로, 그들에게 폭력을 써도 무효일 것이다. 따라서 그들을 통어統御한다는 수단에 호소할 수밖에 없다.

모든 그리스도 교회에서는 성직자의 성직록이란 일종의 자유보호권이며, 그 향수기간은 수의의 것이 아니고 종신, 즉 불성실한 행동이 없는 한 계속하는 것이다. 만일 성직자가 더 불확실한 보유조건으로 성직록을 보유하고, 주권자 또는 그의 대신의 뜻을 조금이라도 거스른다고 해서 그 직을 빼앗기기 마련이라면 국민은 성직자를 궁정에서의 돈에만 움직이는 종자라고 생각할 것이며, 그들의 교화의 성실성에 대해서는 그 이상 신뢰를 할 수 없게 될 것이므로, 그들이 국민에 대한 권위를 유지한다는 것은 아마 불가능해질 것이다. 그러나 만일 주권자가 성직자들이 이상한 열의를 가지고 어떤 당파적 또는 모반적인 교의를 퍼뜨렸다는 것을 이유로, 불법으로 그리고 폭력에 의해서 몇몇 성직자의 자유보유권을 빼앗으려고 꾀한다면, 그는 그러한 박해를 통하여 성직자와 그 교의 쌍방을 종래보다 열 배나 인기있는 것으로 만들고, 따라서 그것들을 종래보다 열 배나 더 성가시고 위험한 것으로 만들어 버리기만 할 것이다. 공포라고 하는 것은 거의 모든 경우, 졸렬한 통치 수단이며 독립에 대한 주장을 최소한이라도 가지고 있는 어떤 계급의 사람들에게도 결코 사용되어서는 안 되는 것이다. 그들을 두려워하게 하려는 것은 오직 그들을 자극하여 노하게 하고, 더 부드럽게 다루어졌던들 아마 쉽게 완화시키든지, 전혀 그만두게 할 수 있었을 그들의 반항심을 강고히 하는 데 도움이 될 뿐이다. 프랑스 정부가 모든 고등법원, 즉 최고재판소를 강제하여 어떤 인기 없는 칙령을 등록시키기 위하여 상투 수단으로 사용했던 폭력은 극히 드물게밖에 성공하지 못했다. 그러나 보통 사용된 수단, 즉 다루기 힘드는 모든 성원의 투옥을, 충분히 유효한 것이 있다고 생각하는 사람도 있을 것이다. 스튜어트가(house of Stewart)의 군주들은 잉글랜드의 의회의 어떤 의원들을 좌우左右하기 위하여 이따금 이와 같은 수단을 사용했고, 대체로 그들도 역시 마찬가지로 억척스럽다는 것을 알았다. 현재 잉글랜드의 의회는 이와는 다른 방법으로 통어統御되고 있으며, 슈아죌 공duke of Choiseul이 약 12년 전 파리 고등법원에 대해서 했던 아주 작은 실험은 프랑스의 모든 고등법원도 이와 같은 방법으로 더욱더 쉽게 통어될 수 있었을 것이라는 것을 충분히 증명했다. 이 실험은 계속되지 않았다. 왜냐하면 통어와 설득은 항상 가장 위험한 통어 수단이지만, 그래도 인간이 나쁜 수단을 사용할 수 없거나 또는 감히 사용할 용기가 없을 경우를 제외하고는 거의 언제나 좋은 수단을 사용할 것을 경멸한다는 것은 인간의 타고난 오만 때문이라고 생각되기 때문이다. 프랑스 정부는 강제라는 수단을 사용할 수 있었으며, 또한 사용할 용기도 있었다. 또한 그로 말미암아 통어와 설득이라는 수단을 사용한다는 것을 떳떳하게 여기지 않았다. 그러나 내가 믿고 있는 바로써는 모든 시대의 경험에서 보더라도 강제와 폭력을 사용하는 것이 어떤 국교회의 존경받고 있는 성직자에 대해서 하는 것처럼 그렇게 위험하고 완전히 파멸적인 것은 다른 어떤 계급의 사람에 대한 것에서도 볼 수 없는 것 같다. 자기의 교단과 사이좋은 성직자 각 개인의 여러 권리와 특권 및 인격상의 자유는 가장 전제적인 정부에 있어서까지도 신분과 재산이 이와 거의 동등한 다른 어떤 인물의 그것들보다 더 존경받고 있다. 그것은 전제주의의 모든 계급, 즉 온화하고 관대한 파리의 정부로부터 격렬하고 광폭한 콘스탄티노폴리스의 정부에 이르기까지의 모든 단계에서 그러하다. 그러나 이 계급의 사람들을 강제할 수는 없다 하더라도, 그들은 다른 어떤 계급의 사람들처럼 쉽게 다스려질 수는 있으며, 그리고 주권자의 안전성은 공공의 평온과 함께 주권자가 그들을 다스리기 위해 가지고 있는 수단에 의존함이 아주 큰 것 같다. 그리고 그러한 수단은 그가 그들에게 베풀어야 하는 승진 외에는 없는 것 같다.

주교는 처음에는 성직자와 국민에 의해서 선거되고 있었지만, 그 후에는 성직자들만에 의해서 선거되었다.

그리스도[137]교회의 옛 기본 제도에서는, 각 주교관구의 주교는 주교 도시의 성직자와 국민의 공동투표에 의해서 선거되고 있었다. 국민은 자신들의 선거권을 오래 유지하지 않았고, 또한 그것을 유지하고 있었을 동안에도 그들은 거의 언제나 그러한 종교상의 사항에 관해서 그들의 자연적 안내인으로 여겨지는 성직자의 영향하에서 행동했다. 그러나 성직자는 얼마 되지 않아 국민을 통어하는 번로에 지쳐 버리게 되고, 그들의 주교를 그들 자신이 선거하는 편이 더 쉽다는 것을 알게 되었다. 이렇게 해서 대수도원장도 적어도 대부분의 대수도원 관구에서는 수도원의 수도사에 의해서 선거되었다. 주교관구에 포괄된 모든 하급자의 성직록은 주교에 의해서 수여되었으며, 주교는 자기가 적당하다고 생각한 성직자에게 그것을 주었다. 이렇게 해서 교회에 있어서의 모든 승진은 교회가 그것을 처리할 권한을 가지고 있었다. 주권자는 그러한 선거에 관해서 간접적인 영향력을 가지고 있었을지라도, 그리고 선거에 관한 동의와 승인을 구하는 것이 관습이었을 때도 있었으나, 성직자를 통어하는 직접적인, 또는 충분한 수단을 전혀 갖고 있지 않았다. 모든 성직자의 야심은 당연히 그로 하여금 자기의 주권자보다도 오히려 자기의 교단의 비위를 더 맞추도록 했으며, 그는 이 후자에서만이 승진을 기대할 수 있었다.

137 〔"그리스도"교회는 초판엔 "로마 가톨릭"교회라 되어 있다.〕

훨씬 뒤에 이르러서는 교황에 의해서 선임되었다.

유럽의 대부분을 통하여 교황은, 가장 먼저 거의 모든 주교직과 대수도사원직의 임명권, 즉 소위 추기경회의 성직록(Consistorial benefices)의 수임권을 점차 자신이 가지게 되었으며, 그 후에는 여러 가지 음모와 구실로써 각 주교관구에 포괄되는 하급자의 성직록 대부분도 손에 넣게 되었으니, 주교에게는 자기 자신의 손아래 성직자에 대한 권위를 갖추기에 겨우 필요할 만한 것밖에 남지 않게 되어 버렸다. 이런 조치 때문에 주권자의 지위는 종전에 비하여 훨씬 더 악화되었다. 이리하여 유럽의 모든 나라의 성직자는 일종의 종교상의 군대를 형성하게 되었으며, 이 군대는 여러 병영에 분산되어 있었기는 하지만, 모든 기동과 작전은 이제는 한 사람의 수령에 의해서 직접 지휘되고 통일적인 방침에 입각하여 수행될 수 있게 되었다. 각 특정국의 성직자는 그 군대의 특정된 분견대라고 간주될 수 있었고, 그 작전은 그 나라 주변에 있는 여러 나라에 숙영하고 있었던 다른 모든 분견대에 의해서 쉽게 지지되고 응원될 수 있었다. 각 분견대는 이것이 숙영宿營하고 부양되고 있었던 나라의 주권자와는 독립하여 있었을 뿐만 아니라, 이 특정국의 주권자에게 언제든지 무기를 돌릴 수 있고, 다른 모든 분견대의 무기에 의해서 지배될 수 있었던 외국의 한 주권자에게 종속되어 있었던 것이다.

이런 사정과 성직자의 거대한 부가 결합되어 그들은 굉장히 무서운 존재가 되었다.

그러한 무기는 좀처럼 상상될 수도 없을 만큼 무서운 것이었다. 기술과 제조업이 확립되기 이전의 유럽의 옛 상태에서는 성직자는 그 부로 인해 서민에게 영향력을 미쳤는데 그 영향력은 대제후가 그 부로 인해 각자의 가신·차지인借地人·종자에 대해서 미쳤던 영향력과 같은 종류의 것이었다. 군주와 개인들 쌍방의 그릇된 신앙심이 교회에 증여했던 큰 소유지에 있어서는, 대제후의 그것에 관한 것과 같은 종류의 재판권이 확립되었으며, 그 이유도 같은 것이었다. 그러한 큰 소유지에 있어서는 성직자 또는 그 집행사는 국왕 또는 다른 어떤 사람의 지지 또는 원조 없이도 용이하게 평화를 유지할 수 있었으며, 그리고 국왕 또는 다른 어떤 사람도 성직자의 지지와 원조 없이 그곳에서 평화를 유지할 수 없었다. 그러므로 성직자의 재판권은 그들의 개개의 영지 또는 장원에 있어서는 세속적 대영주의 것과 동등하게 국왕의 재판소의 권위와는 독립되어 있었으며, 또한 동등하게 그의 권위를 배제하는 것이었다. 성직자의 차지인은 대제후의 차지인과 마찬가지로 거의 모두가 직접적인 영주에게 전적으로 종속되어 있는 임의해약 차지인이며, 따라서 성직자가 그들을 사역하는 것이 적당하다고 생각하는 어떤 싸움에서 싸우게 하기 위하여 성직자 마음대로 소집되기 마련이었다. 성직자는 그러한 소유지의 지대地代 위에다 10분의 1세로써 유럽의 모든 왕국의 다른 모든 소유지의 지대 가운데서 대단히 큰 부분을 소유하고 있었다. 그러한 양종兩種의 지대에서 생기는 수입은 그 대부분이 현물로써, 즉 곡물·포도주·가축·가금家禽으로써 지불되었다. 그 양은 성직자가 손수 소비할 수 있었던 양을 훨씬 초과하고 있었는데도, 그들이 이 잉여와 교환할 수 있는 생산물을 위한 기술도 제조업도 존재하지 않았다. 성직자가 이 거대한 잉여를 사용하여 이익을 볼 수 있었던 방법으로서는 대제후가 자신의 수입 가운데 이와 같은 잉여를 사용했던 것과 마찬가지로 지극히 헤픈 환대와 최대 규모의 자선밖에는 없었다. 옛 성직자의 환대와 자선이 대단히 컸다고 일컬어지고 있는 것도 이 때문이었다. 그들은 모든 왕국의 거의 모든 빈민을 부양했을 뿐만 아니라, 수많은 기사와 지주도 달리 생계의 수난이 없었으므로, 헌신을 구실로 하면서도, 실은 성직자의 환대를 즐기기 위하여 여러 수도원으로 돌아다닐 수밖에 없었다. 어떤 특정된 고위 성직자의 종자가 최대의 속인俗人 영주의 그것과 마찬가지로 다수였을 때도 종종 있었으며, 따라서 모든 성직자의 종자들을 한데 합하면 모든 속인 영주의 그것보다 항상 더 강한 단결이 되었다. 전자는 교황의 권위에 대한 정규의 규율과 복종관계에 있었다. 후자는 정규의 규율 또는 복종관계하에 놓여 있지 않았으나, 거의 언제나 동등하게 서로를 시기하고 국왕을 시기하고 있었다. 그러므로 성직자의 차지인과 종자들은 양자 모두 합해도 속인 대영주의 그들보다 소수이며,

또 그들의 차지인은 훨씬 소수였을지라도 그 단결력은 그들을 더 무서운 존재로 만들었을 것이다. 뿐만 아니라 성직자의 환대와 자선은 그들에게 강대한 세속적 세력을 휘두르게 해 주었을 뿐만 아니라, 그들의 종교상의 무기가 가지는 무게를 훨씬 더 증대시켰다. 그러한 덕행에 의해서 그들은 모두 하층계급의 사람들, 즉 그들 가운데 많은 사람들이 고정적으로 그리고 거의 수시로 그들에 의해 부양되어 왔던 사람들 사이에서 최고의 존경과 숭배를 획득했다. 그렇게도 인기 있는 계급에 속해 있거나 관계있는 모든 것은, 즉 그 소유물, 그 특권, 그 교의는 서민의 눈에는 반드시 신성한 것으로 보였으며, 그것들을 조금이라도 범한다는 것은 그 진위가 어떻든 간에 그것은 최고로 죄받을 사악과 독신의 행위로 보였던 것이다. 이러한 사정하에서는 소수의 대제후의 동맹에 저항하는 것마저 흔히 곤란했던 주권자가 그 이웃에 있는 모든 영토의 성직자의 결합 세력에 의해서 지지되고 있었던 자기 자신의 영토 내의 성직자의 결합 세력에 저항하는 것은 더욱더 곤란하다고 느끼고 있다고 해서 조금도 이상할 것은 없다. 그러한 사정하에서 이상한 것은 주권자가 이따금 굴복하지 않을 수 없었다는 사실이 아니고, 오히려 그가 감히 저항할 수 있었다는 것이라 하겠다.

성직 재판권과 그 밖의 여러 특권들은 자연적인 결과였다.

그러한 옛 시대의 성직자(현대에 살고 있는 우리들에게는 가장 불합리하게 보이는)의 특권, 이를테면 세속의 재판권으로부터 완전히 면제된다는 것, 즉 잉글랜드에서의 성직 재판권이라고 불리고 있었던 것은 이런 사태에서는 자연적인 아니 오히려 필연적인 귀결이었다. 한 사람의 성직자가 어떤 죄를 범하고, 만일 그 자신의 교단이 그를 보호해 줄 생각이 있고, 그렇게도 신성한 사람을 유죄로 하기에는 증거가 불충분하다거나, 또는 그의 일신이 종교에 의해서 신성화되어 있는 사람에 내려지기에는 너무나 가혹한 형벌이라고 주장할 생각이 있을 경우엔 그러한 성직자를 처벌하려고 꾀한다는 것은 주권자에게는 얼마나 위험한 일이었을까? 그러한 사정하에서 주권자가 할 수 있었던 최선의 처치는 그를 교회

재판소의 심리에 맡기는 것이었고, 그리고 이 재판소는 그들 자신의 계급의 명예를 위하여 그 교단의 모든 성원이 대죄를 범한다든지, 또는 국민의 마음을 메스껍게 할 만한 추문을 일으키는 것마저도, 될 수 있는 대로 자제하는 것에 관심을 가지고 있었다.

중세에 있어서의 로마 교회는 자유 · 이성 · 행복에 대한 가장 무서운 결합체였다.

10·11·12·13세기, 그리고 이 기간을 전후한 얼마 동안 유럽의 대부분을 통한 사태에서는 로마 교회라고 하는 기구는 시민 정부가 보호할 수 있는 곳에서만이 성대해질 수 있는 인류의 자유·이성·행복에 대립하는 것으로는 물론, 시민 정부의 권위와 안전성에 대립하는 것으로서는 이때까지 형성된 가장 무서운 결합체라고 생각되어도 좋을 것이다. 그 기구에서 미신이라고 하는 가장 조잡한 망상은 대단히 많은 사람들의 사적인 이해관계에 의해서 지지되고 있었으므로, 인간 이성의 여하한 공격에서 나오는 위험일지라도 이를 모두 벗어날 수 있었다. 왜냐하면 비록 인간 이성은 서민의 눈에 대해서까지, 미신이라는 망상의 어떤 것을 아마 폭로할 수 있었을지 모르지만, 사적인 이해관계의 결속은 단절할 수는 없었기 때문이다. 만일 이 기구가 인간 이성의 미약한 노력 이외의 어떤 적으로부터의 공격도 받지 않았다면 그것은 영구히 계속되었을 것이 틀림없다. 그러나 인간의 지혜와 덕을 다하여서도 결코 흔들 수 없었으며, 뒤집어엎을 수는 더욱더 없었던 그 거대하고 잘 구축된 건조물도 사물의 자연적 운행에 의해서 처음으로 약화되었고, 그리고[138] 그 후에 부분적으로 파괴되었으며, 지금에 와서는 2~3세기 지나면 아마 와해하여 완전한 폐허가 될 것 같다.

로마 교회의 권력은 기술 · 제조업 · 상업의 개선에 의해서 타도되었다.

대제후의 권력을 타도했던 것과 동일한 원인들, 즉 기술·제조업· 상업의 점진적인 개선이 동일한 방법으로 유럽의 대부분을 통하여 성직자의 모든 세속적 권

138 〔초판에는 "그리고"가 없다.〕

력을 타도했다. 성직자는 대제후와 마찬가지로 기술·제조업· 상업의 생산물 가운데서 자신들의 원생산물과 교환할 수 있는 어떤 것을 찾아내었으며, 그리하여 그들의 전체 수입의 어떠한 몫을 다른 사람들에게는 거의 나누어 주지 않고, 그들 자신의 일신에 다 써 버리는 방법을 발견했다. 그들의 자선은 점차 줄어들고, 그들의 환대도 점차 덜 관대하게 되고, 덜 헤프게 되었다. 따라서 그들의 종자의 수도 더 적어졌고, 점차 완전히 없어져 버렸다. 성직자도 대제후와 마찬가지로, 자신의 소유지에서 더 많은 지대를 얻어서 대제후들이 한 것과 마찬가지로 하여 그것을 그들 자신의 사적인 허영과 우행을 만족시키는 데 소비하기를 원했다. 그러나 지대의 이 증가분을 얻기 위해서는 그들은 그들의 차지인에게 차지권을 수여할 수밖에 없었으며, 또한 그렇게 하면 차지인들은 그들과 대대적으로 독립하게 되었다. 하층계급의 사람들을 성직자에게 묶어 두었던 이해관계의 결속은 이렇게 해서 점차 해체되어 풀려 갔다. 그 결속은 바로 같은 계급의 사람들을 대제후에게 묶어 두었던 결속보다도 더 빨리 해체되어 풀어지기까지 했다. 왜냐하면 교회의 성직록은 그대 부분의 것이 대제후의 소유지보다는 훨씬 더 적었으므로, 각 성직록의 소유자는 그 수입의 전부를 스스로를 위해 훨씬 더 빨리 소비할 수 있었기 때문이다. 14~15세기의 대부분에 걸쳐 대제후의 권력은 유럽의 대부분을 통하여 전성기를 구가하고 있었다. 그러나 성직자의 세속적 권력, 즉 그들이 일찍이 국민 대중에게 휘둘렀던 절대적 지배권은 대단히 쇠미해졌다. 그때까지는 교회의 권력은 유럽의 대부분을 통하여 크게 감소되어 거의 종교상의 권위에서 생기는 것에 지나지 않게 되었으며, 그 종교상의 권위마저도 그것이 성직자의 자선과 환대에 의해서 지지받지 못하게 되었을 때는 심히 약화되었다. 하층계급의 사람들은 이제는 그 계급을 그들이 종전에 했듯이 자신들 고뇌의 위안자요, 적빈赤貧의 구제자라고 한 성직자의 허영·사치·소비에 분격함과 메스꺼움을 느꼈고, 이들에게는 그들 자신의 쾌락을 위하여 전에는 항상 빈민의 세습재산이라고 생각되어 왔던 것을 소비하는 것같이 생각되었다.

주권자들은 교황으로부터 중요한 성직록의 처분권을 빼앗으려고 노력했으며, 특히 프랑스와 잉글랜드에서는 성공했다.

이러한 사태에서는 유럽의 여러 국가의 주권자들은 각 주교관구의 사제장과 사제단이 주교를 선거하고, 또 각 대수도원 관구의 수도사가 대수도원장을 선거하는 그들의 옛 권리를 재흥시키도록 알선함으로써 교회의 중요한 성직록의 처분권에 관하여 그들이 한때 미치고 있었던 영향력을 회복하려고 노력했다. 이러한 구질서의 재건은 14세기를 통하여 잉글랜드에서 입법화된 몇 가지 조례의, 특히 후임성직자서임조례(statute of provisors)[139]라고 불리는 것의 목적이었으며, 또한 15세기 프랑스에서 제정된 국본조칙(pragmatic sanction)의 목적이기도 했다. 선거를 유효한 것으로 만들기 위하여 주권자가 미리 그것에 동의하고 선거 후에 당선자를 승인할 것이 필요했으며, 그 선거는 역시 자유라고 생각되고 있었을지라도 그는 자기의 영토 내의 성직자에 영향력을 미치기 위한 모든 간접적인 수단을 가지고 있었으며, 이 수단은 그의 지위가 필연적으로 제공해 주는 것이었다. 이와 비슷한 경향이 있는 다른 여러 규제들이 유럽의 다른 지방들에서 제정되었다. 그러나 교회의 중요한 성직록의 수임권에 관한 교황의 권력이 종교개혁 이전에 프랑스와 잉글랜드에서처럼 효과적으로 그리고 보편적으로 억제되었던 곳은 없었던 것 같다. 그 후 16세기에는 정교조례(concordat)에 의해서 갈리아 교회(Gallican church)의 모든 중요한 성직록, 즉 소위 추기경회의 성직록[140]에 대한 절대적 추천권이 프랑스의 국왕에게 주어졌다.[141]

그 이후 프랑스의 성직자는 교황에게 그렇게 헌신하지 않게 되었다.

국본조칙 및 정교조약의 제정 이후 프랑스의 성직자는 다른 어떤 가톨릭 교단

139 〔초판에는 "특히 후임성직자서임조례라고 불리는 것"이 없다.〕

140 〔"모든 중요한 성직록, 즉 소위 추기경회의 성직록"은 초판에는 "모든 중요한 추기경회의성직록"이라고 되어 있다.〕

141 〔가브리엘 다니엘Gabriel Daniel, 《Histoire de France》(1755), 제7권, 158~159면 ; 제9권, 40면.〕

의 성직자보다 교황청의 포고에 대해서 대체로 존경심을 보이지 않게 되었다. 그들의 주권자가 교황과 행했던 모든 분쟁에 있어서 그들은 거의 일관하여 전자의 편을 들었다. 로마교황청에 대한 프랑스 성직자의 이 독립성은 주로 국본조칙 및 정교조약을 바탕으로 하고 있는 것 같다. 군주정치의 초기에는 프랑스의 성직자는 다른 어느 나라의 성직자들에 못지않게 교황에게 헌신적이었다고 생각된다. 카페왕조(Capetian race)의 제2대 군주 로베르Robert가 로마교황청에 의해서 지극히 부당하게 파문당했을 때 그 자신의 하인들은 그의 식탁에서 나온 식물을 개에게 던져 주었으며, 그와 같은 처지에 있는 인물의 손으로 더렵혀진 것은 어떤 것이든 입에 넣기를 거절했다고 한다.[142] 그들은 그 자신의 영토 내의 성직자에 의해서 그렇게 하도록 가르침을 받았다고 추측하여도 좋을 것이다.

그러므로 종교개혁 이전에도 성직자는 국가를 교란할 힘도 의향도 그렇게 갖고 있지 않았다.

교회의 중요한 성직자의 수임권, 즉 그것을 옹호하기 위하여 로마교황청이 그리스도교의 세계에서 최대의 주권자들 가운데 어떤 것의 왕위를 흔히 뒤흔들어, 때로는 뒤집어엎기도 했던 요구는 이렇게 해서 유럽의 수많은 지방에서 종교개혁 이전에도 제한 또는 수정되었고, 또는 전혀 방기되었다. 이제는 국민에 대한 성직자의 영향력이 작아지자 성직자에 대해 국가의 영향력은 그만큼 커졌다. 그러므로 성직자는 국가를 교란시킬 힘도 의향도 그렇게 갖고 있지 않았던 것이다.

종교개혁의 교의들은 그 교사들의 열의에 의해서 서민의 호감을 얻게 되었다.

로마 교회의 권위가 이렇게 쇠퇴 상태에 있었던 것은 종교개혁을 단행케 한 논

142 ("그를 받들어 식사를 마련하기 위한 하인은 두 사람밖에 남지 않았고, 게다가 그들은 그가 먹었던 접시와 마셨던 그릇은 파문당한 인물이 뒤적거린 것이라고 그것을 깨끗이 하기 위하여 불에 구웠다." 다니엘Daniel, 《Histoire de France》(1775), 제3권, 305~306면. 에노Hénault의 기술도 이와 비슷하다. 《Nouvel Abrégé chronolgique》(1768), 제1권, 114면, ad 996.)

쟁이 독일에서 시작되어 곧 유럽의 모든 지방에 확대되었을 때였다. 그의 새로운 교의들은 민중의 대단한 호의를 받으면서 어디에서나 받아들여졌다. 그 교의는 당파심이 국교화된 권위를 공격할 때 보통 이 당파를 고무하는 그 교사들은, 비록 다른 점에서는 국교회를 옹호한 많은 신학자보다 박학하다고는 할 수 없으나, 대체로 교회사와 교회의 권위의 기초가 사상의 체계의 기원 및 진보에 관해서는 후자보다 많이 알고 있었던 것 같았으므로 그들은 거의 모든 논쟁에서 다소 유리했다. 그들의 태도의 엄숙함은 서민에 대한 권위를 그들에게 주었으며, 서민은 그들의 행동의 엄격한 질서와 그들 자신의 성직자의 대부분의 무질서한 생활을 대조시켰던 것이다. 또한 그들은 그들의 적보다 인기를 얻거나 개종자를 획득하는 모든 수단을 훨씬 고도로 간직하고 있었는데, 이러한 수단은 교회의 고만하고 고귀한 아이들에게는 거의 소용없는 것이므로 오랫동안 무시되어 왔던 것이다. 새로운 교의의 합리성은 약간의 사람들에게 호감을 주었고, 그 교의의 신기함은 많은 사람들에게 또 그러했고, 더욱더 많은 사람들에게는 국교의 성직자에 대한 증오와 경모輕侮가 그렇게 했으나, 가장 많은 사람들에게 호감을 주었던 것은 그 교의가 거의 모든 곳에서 가르쳐졌을 때의 거칠고 소박하기는 할지라도, 그 열의에 찬 정열적인 그리고 광신적인 웅변이었다.

그 결과, 로마와 사이가 나빴던 주권자들은 쉽사리 교회의 권위를 뒤엎을 수 있었다. 새로운 교의들은 거의 어디에서나 대성공을 거두었으므로 그 당시 때마침 로마교황청과 사이가 나빴던 군주들은 그 교의 덕분으로 자신들의 영토 내에서 쉽게 교회를 전복시킬 수 있었으며, 이 교회는 하층계급 사람들의 존경과 숭배를 잃어버렸으므로 아무런 저항도 할 수 없었다. 로마교황청은 독일의 북방 여러 지역의 비교적 작은 몇몇 군주들을 불친절하게 다루었는데, 그것은 아마 그러한 군주들이 너무 미력하여 통어할 만한 가치가 없다고 생각되었을 것이기 때문이다. 그러므로 그 군주들은 그들 자신의 영토 내에서 종교개혁을 널리 실시하였다. 크리스티안 2세Christiern II, 웁살라Upsal의 대주교, 트롤Troll의 폭정은 구스타브 바사Gustavus Vasa로 하여금 그들을 스웨덴으로부터 추방할 수 있게 했다. 교황은 폭군과 대주교를 우대했으며, 따라서 구스타브 바사는 아무런 곤란도 없이 스웨덴에 종교개혁을 실시하고 확립했다. 크리스티안 2세는 그 후 덴마크의 왕위에서 쫓겨났으며, 그곳에서의 그의 행동은 스웨덴에서처럼 그를 추악한 것으로 만들어 버렸던 것이다. 그러나 교황은 여전히 그를 각별히 봐주고 싶어 했으며, 따라서 그를 대신해서 왕위에 오른 홀스타인의 프레드리히(Frederic of Holstein)는 구스타브 바사의 선례를 따라서 교황에게 복수했다. 교황과 특별한 다툼을 하지 않았던 베른Berne과 취리히Zurich의 행정장관들은 그들의 각각의 주에서 아주 용이하게 종교개혁을 실시하고 확립했는데, 그곳에서는 그 직전에 성직자인 어떤 사람이 보통 이상으로 심한 사기를 하여 그 때문에 그 성직자 전체를 추악하고 방해할 만한 대상으로 만들어 버리고 있었던 것이다.

반면 주권자가 로마와 우호적인 나라에서는 종교개혁은 진압 또는 방해되었다.
이러한 위기적인 상황하에서 교황청은 프랑스 및 스페인의 유력한 주권자들과의 우호관계를 깊게 하려고 심히 애쓰고 있었으며, 이들 중 후자는 그 당시 독일 황제이기도 했다. 교황청은 그들의 원조로써, 비록 대곤란과 대유혈이 없었던 것은 아니지만, 그들의 영토 내에서의 종교개혁의 진행을 전면적으로 진압하고 대대적으로 방해할 수 있었다. 교황청은 잉글랜드의 국왕과도 사이좋게 지내려는 생각을 충분히 가지고 있었다. 그러나 당시의 여러 사정에서 그렇게 한다는 것은 역시 강대한 주권자인 스페인 국왕이자 독일 황제인 카를 5세를 성나게 하지 않고서는 될 수 없었다. 따라서 헨리 8세가 자기는 종교개혁의 대부분은 신봉하고 있지도 않았으나, 역시 그것들이[143] 일반적으로 보급되어 있었으므로, 자기의 영토 내에 있는 모든 수도원을 탄압할 수 있었고, 로마 교회의 권위를 폐지할 수 있었다. 그가 그 이상은 나가지 않았으나, 그만큼 나가게 했던 것은 종교개혁

143 〔"그것들이"는 초판에는 "그러한 교의"로 되어 있다.〕

의 지지자들은 그의 아들과 후계자의 치세 때 정권을 장악했기 때문에, 헨리 8세가 시작한 사업을 아무런 고난 없이 완성했다.

약간의 나라에서는 종교개혁이 교회와 국가를 다 함께 전복시켜 버렸다.
스코틀랜드에서처럼, 그 정부가 약하고 인기도 없고 그 기초도 확고하지 않았던 약간의 나라에서는, 종교개혁은 교회뿐만 아니라 그 교회를 지지하려고 꾀한다는 이유에서 국가마저 전복해 버릴 만큼 충분히 강력한 것이었다.

종교개혁의 신봉자들은 로마교황청과 같은 공통된 권위를 갖고 있지 않았으며, 루터주의자와 칼뱅주의자로 분열되어 있었다.
유럽의 모든 나라에 분산되어 있었던 종교개혁의 신봉자들 사이에는 로마교황청이나 또는 공교회의(œcumenical council)처럼 그들 사이에서의 모든 논쟁을 진정시킬 수 있고, 그들 모두에게 정통적 신앙의 정확한 한계를 불가항력적 권위로써 규정할 수 있는 총괄 재판소(general tribunal)라는 것이 없었다. 그러므로 어떤 나라에 있어서의 종교개혁의 신봉자들이 다른 나라에 있는 그들의 형제들과 의견을 달리하게 되는 경우, 그들은 호소할 만한 공통의 재판관이 없었으므로, 그 논쟁은 결코 해결될 수 없었고, 또한 그들 사이에는 그러한 논쟁이 많이 일어났다. 교회의 통치와 성직록의 수여권에 관한 논쟁은 시민사회의 평화와 복지를 위해서는 아마 가장 이해관계가 깊었던 것이었을 것이다. 그러한 논쟁 때문에 종교개혁의 신봉자들 사이에 두 개의 주요 당파, 즉 종파가 생겨났던 것도 그 때문이었고, 루터주의의 종파와 칼뱅주의의 종파가 그것이며, 이때까지의 그 교의 및 종규가 유럽의 어느 지방에서도 법률로써 확립되었던 것은 그들 가운데서 이 두 종파뿐이다.

루터주의자와 잉글랜드 교회는 감독 제도를 좋아했고, 성직록의 처분권을 주권자 및 그 밖의 속인의 지지자에게 주었다.

루터의 신봉자들은 소위 잉글랜드 교회와 함께 어느 정도의 감독 제도적 통치(episcopal government)를 보존했고, 성직자 사이에 종속관계를 확립했으며, 주권자에게 자기 영토 내의 모든 주교직과 그 밖의 주교구법원 성직록의 처분권을 주었다. 그렇게 함으로써, 그를 교회의 실질적 수장으로 만들었던 것이며, 더욱이 그들은 주교관구 내에서 비교적 중요하지 않은 성직록 수임권을 주교로부터 빼앗지 않고 그러한 성직록에 대해서까지도 그 추천권을 주권자 및 다른 속인 지지자에게 주었을 뿐만 아니라, 그 추천권이 행사되는 것을 장려했다. 교회 통치에 관한 이 제도는 그 당초부터 평화와 훌륭한 질서를 위해서는 유리했으며, 속세의 주권자에 대한 복종을 위해서도 좋은 것이었다. 따라서 이 제도가 일단 확립되면, 어떤 나라에서도 그것이 아무런 소동도 속계俗界의 동요도 일으키지 않았다. 특히 잉글랜드 교회가 자신의 여러 원리의 완벽한 충성을 항상 자랑해 왔던 것은 큰 이유가 있었다. 이러한 통치하에서는 성직자는 당연히 그 나라의 주권자·궁정·귀족·지주의 호감을 사려고 노력하며, 또한 이런 사람들의 영향력에 의해서 승진할 것을 주로 기대한다. 성직자가 때로는 가장 비열한 아첨과 영합에 의해서 그러한 지지자의 비위를 맞출 것은 틀림없으나, 신분과 재산이 있는 사람들의 존경을 받기에는 가장 알맞은 것이며, 따라서 실제로 그 존경을 받을 가능성이 가장 많은 모든 학예를 연마함으로써, 그렇게 하는 수도 흔히 있다. 즉 유용하고 장식적인 학문의 모든 부분에 있어서의 그들의 지식에 의해서, 그들의 단정하고 관대한 태도에 의해서, 그들의 회화에 담겨 있는 사교적이고 즐거운 기분에 의해서, 그리고 광신자들이 가르치고 실행하는 체하는 불합리하고 위선적인 엄숙함에 대한 그들의 공공연한 경멸에 의해서 그렇게 한다. 그런데 광신자들의 그 엄숙은 그들 자신에 대해서는 서민의 숭배심을 끌어오고, 그런 것을 실행하지 않는다고 공언하는 신분과 재산이 있는 사람들의 대부분에 대해서는 서민의 증오를 유발시키기 위한 것이라 하겠다. 그러나 그러한 성직자라고 하는 것은 이렇게 해서 높은 신분의 생활을 하는 사람들의 비위를 맞추는 동안에 낮은 신분의 생활을 하는 사람들에 대한 자신들의 영향력과 권위를 유지하는 수단을 전혀 등한시해 버리는 경향이 대단히 많다. 그들은 그들보다 나은 사람들에게는 경청되고 존중되고 존경도 받지만, 그들보다 낮은 사람들 앞에서는 그들을 공격하려 덤벼드는 가장 무지한 열광자에 대해서 그들의 진실하고 온건한 교의들을 유효하게, 즉 그러한 청중이 납득하도록 옹호할 수 없을 때가 흔히 있다.

츠빙글리주의자Zwinglius와 칼뱅주의자는 선거권을 국민에게 주었고, 성직자 사이에 평등을 확립했다.

이에 반하여 츠빙글리의 신봉자들, 또는 더 적절히 말하면 칼뱅의 신봉자들은 각 교구의 인민에게 교회의 성직에 공석이 생기면 언제나 자신들의 목사를 선거하는 권리를 주었고, 동시에 성직자 사이에는 가장 완전한 평등성을 확립했다. 이 제도의 앞의 부분은 그것이 활기를 띠고 있었을 동안은 무질서와 혼란 이외에는 아무것도 낳지 않았으며, 성직자와 국민 쌍방의 도덕을 부패시키는 데 동등하게 도움이 되었던 것이라고 생각된다. 그 뒷부분은 아주 기분 좋은 결과 이외에는 아무것도 없었던 것 같다.

국민에 의한 선거는 대단한 무질서를 일으켰고, 스코틀랜드에서는 시행 후 폐지되었다. 그래도 국민 동의는 역시 아직도 필요로 하고 있다.

각 교구의 인민이 자기 자신의 목사를 선거하는 권리를 유지하고 있었던 동안은 그들은 거의 언제나 그의 성직자의 영향 아래에서 행동했으며, 더욱이 일반적으로 그 계급의 가장 당파적이고도, 광신적인 인물의 영향 아래에서 행동했다. 성직자는 그러한 대중적 선거에 있어서의 자신의 영향력을 유지하기 위하여 그들이 스스로 광신자가 되거나, 또는 그렇게 된 것처럼 보여서 국민들 사이에 광신을 고취했으며, 거의 언제나 가장 광신적인 후보자에게 우선권을 주었다. 한 사람의 교구목사를 임명한다는 극히 사소한 문제가 1교구뿐만 아니라, 이웃의 전 교구에 있어서도 거의 반드시 맹렬한 싸움을 일으켰으며 이웃의 전 교구가 그 싸움에 참가[144]하지 않은 적은 좀처럼 없었다. 그 교구가 때마침 대도시에 위치하고 있을 경우에는, 그것은 주민 전체를 두 개의 당파로 분할했으며, 또한 그 도시가 그 자체로서 하나의 소공화국을 이룩했다거나, 또는 스위스와 네덜란드의 중요 도시에서 많이 있는 경우와 마찬가지로 하나의 소공화국의 두부, 즉 수도이기라도 했다면, 이런 종류의 모든 무가치한 논쟁이 그들의 다른 모든 당파의 적의를 악화할 뿐만 아니라, 교회에 있어서의 새로운 분파와 국가에 있어서의 새로운 당파를 뒤에 남길 위험이 있었다. 그러므로 그러한 소공화국의 행정장관은 공공의 평화를 유지하기 위하여 모든 공석의 성직록에 대한 추천권을 자기의 수중에 넣을 필요가 있다는 것을 알게 되었다. 이 장로제적 형태가 이때까지 확립되었던 나라 가운데서 가장 광대한 나라인 스코틀랜드에서는 윌리엄 3세의 치세 당초에 장로제를 확립했던 법령에 의해서 성직 추천권은 사실상 폐지되었다.[145] 그 법령은 적어도 각 교구의 어떤 계급의 사람들에게 그들 자신의 목사를 선거하는 권리를 아주 적은 값으로 구매할 수 있는 힘을 주었다. 이 법령이 확립한 제도는 약 22년 동안 존속하도록 허용되어 있었으나, 앤 여왕의 치세 제10년 법률 제12호에 의해서 보다 대중적인 이 선거방법이 거의 어디서나 일으켰던 혼란과 무질서 때문에 폐지되었다.[146] 그러나 스코틀랜드처럼 대단히 광대한 나라에서는 어떤 원방의 교구에 소동이 일어나도, 더 적은 국가에 있어서처럼, 그렇게 통치가 교란되기 쉽지는 않았다. 앤 여왕 제10년의 법률은 성직 추천권을 부활시켰다. 그러나 스코틀랜드에서는 법률은 성직 추천권자가 추천한 사람에게는 예외 없이 성직록을 주고 있으나, 그래도 교회는 경우에 따

144 〔"참가(to take part in)"는 초판과 재판에는 "to take party in"이라고 되어 있다.〕

145 〔"성직추천권聖職推薦權에 관한 법률(Act concerning Patronages)", 즉 윌리엄과 메리 제1의회 제2회기 법률 제53호를 의미하고 있음은 틀림없으나, 이것은 "신앙고백을 승인하고 장로제 교회 통치를 확립하는 법률(Act ratifying the Confession of Faith and settling Presbyterian Church Government)"에서 분리된 법률이다. 〈Acts of the Parliaments of Scotland〉(1822), 제9권, 133, 196면.〕

146 〔이 법률의 전문은 "성직 수여권자聖職授與權者의 대곤란大困難"과 "심한 흥분과 분열"에 언급하고 있다.〕

라(이 점에 관한 교회의 결정은 너무나도 획일적인 것이 아니었기 때문에) 피추천권자에게 소위 영혼의 구제라고 하는 것, 즉 그 교구에 있어서의 교회재판권을 수여하기 전에 국민의 어떤 동의를 요구하고 있다. 교회는 그 교구 내의 평화를 걱정하는 체하면서, 이 동의를 얻을 수 있을 때까지 적어도 그 결정을 연기할 때도 있다. 이웃의 어떤 성직자가 때로는 이 동의를 얻기 위하여, 더 빈번하게는 이 동의를 방해하기 위하여 행하는 사적인 간섭과, 그러한 경우에 그들로 하여금 더 효과적으로 간섭할 수 있게 하기 위하여 그들이 연마하는 인기를 얻기 위한 기술은 아마 스코틀랜드의 성직자나 국민 사이에 오래된 광신적 정신이 아직 얼마쯤이라도 남아 있다는 것의 주요 원인일 것이다.

장로파의 성직자 사이의 평등성은 그들을 독립적이며 존경받을 만한 존재로 만든다. 장로제적 형태의 교회 통치가 성직자 사이에 확립하는 평등성은 첫째, 권위 즉 교회재판권의 평등성에 있으며, 둘째, 성직록의 평등성에 있다. 모든 장로파 교회에서는 권위의 평등성은 완전한 것인데 성직록의 평등성은 그렇지 않다. 그러나 성직록 상호 간의 차가 꽤 심할 경우는 좀처럼 없으므로 소액의 것[147]을 보유한 사람까지도 더 다액의 것을 얻기 위하여 비열한 아첨과 영합의 술책을 써서 성직 수여권자의 비위를 맞출 생각을 일으키게 할 정도는 아닌 것이 보통이다. 성직 추천권이 완전히 확립되어 있는 모든 장로파 교회에서는 일정한 지위를 가지고 있는 성직자가 보통 그 상급자의 마음에 들게 하려고 노력하는 것은 보다 고상하고 보다 훌륭한 술책, 즉 그들의 학식과 그들의 생활의 흠잡을 데 없는 규칙성과 그들의 의무의 충실하고 부지런한 이행 등에 의해서 한다. 그들의 성직 추천권자들은 그들의 정신이 독립성에 관하여 흔히 불평을 하기까지 하며, 더욱이 그들은 자칫하면 그 독립성을 과거의 호의에 대한 망은의 뜻으로 해석하지만, 그것은 아마 아무리 나쁘더라도 그런 종류의 호의는 이 이상 결코 기대할 만한 것이 아니라는 자각에서 자연히 생기는 무관심 이외에는 아무것도 아닐 것

147 〔"것"은 초판에는 "성직록"이라고 되어 있다.〕

이다. 아마 유럽의 어디에 가도 네덜란드·제네바·스위스·스코틀랜드의 장로파 교회의 성직자의 대부분보다 더 학식이 있고 단정하고 독립적이고 존경할 만한 일군의 사람들을 좀처럼 찾아볼 수 없다.

그들의 성직록聖職錄의 평범성은 서민에 대한 영향력을 그들에게 준다.

교회의 성직록이 모두 거의 평등한 곳에서는 그들 가운데 누군가가 극히 클 수는 없으며, 성직록의 이 평범성은 틀림없이 너무 지나칠는지 모르지만, 약간의 썩 좋은 효과를 갖는다. 조금의 재산을 가진 사람에게 위엄을 줄 수 있는 것은 가장 모범적인 도덕 이외에는 없다. 경박과 허영이라는 악덕은 반드시 그를 우스꽝스러운 존재로 만들며, 뿐만 아니라 서민에 대해서도 그러하듯이 이 악덕은 그에게 대해서도 거의 파멸적인 것이다. 그러므로 그는 자기 자신의 행동에 관해서는 서민이 가장 존경하는 도덕체계를 따르지 않을 수 없게 된다. 그는 자기 자신의 이해관계와 처지가 따르도록 인도하는 생활설계로써 그들의 존경과 애정을 산다. 서민은 친절한 마음으로 그를 쳐다보며, 그 친절은 우리들이 우리들 자신의 생활상태에 다소나마 접근해 있으면서, 우리보다는 당연히 더 높은 데 있어야 한다고 생각하는 사람을 바라볼 때 자연히 갖게 되는 친절감이라 하겠다. 그들의 친절은 자연히 그의 친절을 자극한다. 그는 그들을 조심하여 교화하고, 그들을 주의깊게 원조하고 구제하게 된다. 그는 자기에게 그만큼이라도 호의를 보이고 싶어 하는 사람들의 편견을 경멸하지 못한다. 그리고 우리들이 부유하고 기부재산도 많은 교회의 고만한 고승들에게서 그렇게도 자주 당하는 모욕적이고 오만한 태도로써 그들을 취급하지는 않는다. 따라서 장로파 교회의 성직자는 아마 다른 어떠한 국교회의 성직자보다 서민의 마음에 큰 영향력을 가지고 있다. 그러므로 서민이 박해를 받지 않고서, 완전히 그리고 거의 한 사람도 남김없이 국교회로 개종했다는 것은 장로파 교회의 각국에서밖에 볼 수 없는 것이다.

성직록의 평범성은 대학교로 하여금 교수들을 끌어올 수 있도록 하고, 교수들은 이리하여 가장 뛰어난 문필가가 된다.

교회의 성직록의 대부분이 아주 온당한 나라에서는 일반적으로 대학에 있어서의 교수직은 교회의 성직록보다 고정수입이 많은 지위이다. 이런 경우, 대학교는 그들 성원을 그 나라의 모든 교회의 신도들 가운데서 뽑아내고 또 골라낼 수 있다. 그리고 어떠한 나라에서도 교회의 신도는 문필가 가운데서의 거의 최대다수의 계급을 이루고 있다. 이와 반대로 교회의 성직록이 다액의 것이 많은 곳에서는 교회는 자연히 여러 대학교에서 뛰어난 문필가의 대부분을 끌어온다. 이들은 대체로 자신들를 교회에서 승진시키는 것을 명예로 하고 있는 어떤 성직 추천권자를 발견한다. 전자의 상황하에서는 대학교는 그 나라에서 찾아볼 수 있는 가장 뛰어난 문필가로써 가득 차 있는 것 같다. 후자의 상황하에서는 대학에는 소수의 뛰어난 문필가밖에 찾아볼 수 없는 것 같고, 또 이 소수는 대학사회에서 가장 젊은 성원들 가운데 있으며, 그들은 역시 대학사회에 크게 도움이 될 만한 경험과 지식을 획득할 수 있기 전에 그곳에서 흘러 나가 버리게 되는 것 같다. 드 볼테르 씨Mr. de Voltaire가 말한 바에 의하면 지금까지 프랑스 내에서 읽을 만한 가치가 있는 저술을 한 유일한 교수는 문필계에서는 그렇게 고명하지도 않은 예수회의 일원인 포레 신부father Porrée였다는 것이다.[148] 그렇게도 많은 뛰어난 문필가를 만들어 낸 나라에서 대학교수가 그 가운데 겨우 한 사람밖에 없었다는 것은 약간 기묘하게 생각될 것은 틀림없다. 유명한 가상디Gassendi는 그의 생애의 초기에는 엑스Aix 대학교의 교수였다. 그의 재질이 처음 나타나기 시작했을 때 그는 교회에 들어가면 훨씬 더 조용하고 기분 좋은 생계와 자기의 연구를 해 나가는 데 더 좋은 지위를 쉽게 찾을 수 있다는 것을 들었으므로, 그는 즉시 그

148 〔볼테르의 표현은 여기에 설명되어 있는 것처럼 그렇게 강한 것은 아니다. 그는 《Siècle de Louis XIV.》 가운데 집필자 목록에서 다음과 같이 말하고 있다. "포레(샤를르Charles)는 1675년 노르망디에서 태어났다. 예수회의 일원, 세인에게 명성을 떨친 소수의 전도사의 일인. 세네카류流의 웅변에 능하고, 시재詩才도 있는 아주 재능 있는 사람이었다. 그의 최대의 공적은 그의 제자들에게 문학과 미덕을 수호하도록 가르쳤던 것이다. 1741년에 죽다."〕

조언을 따랐다. 내가 믿고 있는바는 드 볼테르 씨가 말한 것은 프랑스뿐만 아니라, 다른 모든 로마 가톨릭 국가에 적용될 수 있다. 그러한 나라의 어느 나라에서도 대학교수로 있는 뛰어난 문필가를 좀처럼 찾아볼 수 없는데, 단지 법률과 의학이라는 직업은 예외인 것 같으며, 교회는 이러한 직업에서 문필가를 그렇게 끌어올 것 같지는 않은 것이다. 그리스도교계에서 가장 부유하고 가장 기부재산도 많은 교회로서 로마 교회 다음가는 것으로는 잉글랜드 교회이다. 따라서 잉글랜드에서는 교회가 끊임없이 대학에서 가장 좋고 가장 유능한 성원을 빼앗아 가고 있어서, 그곳에서는 어느 로마 가톨릭 국가도 그러하듯이 유럽에서 뛰어난 문필가로서 알려져 있고 걸출해 있는 학부의 노老교수란 좀처럼 찾아볼 수 없다. 이와 반대로 제네바와 스위스의 프로테스탄트 각주와 독일의 프로테스탄트 국가들과 네덜란드·스코틀랜드·스웨덴·덴마크에서는 이러한 나라들이 배출한 가장 뛰어난 문필가는 물론 그 전부는 아니지만, 거의 대부분이 여러 대학의 교수였다. 이러한 나라에서는 대학들이 끊임없이 교회에서 가장 뛰어난 문필가를 빼앗아 가고 있다.

그리스와 로마에서는 뛰어난 문필가는 거의 교수들이었다.

다음의 사항은 아마 여기에서 지적해 둘 만한 가치가 있을 것이다. 즉 만일 우리가 시인과 소수의 웅변가와 소수의 역사가를 제외하면 그리스에서도, 로마에서도 다른 뛰어난 문필가의 거의 대부분은 공적이거나 또는 사적인 교사들이었으며, 일반적으로 철학이나 수사학의 교사들이었던 것 같다. 이 지적은 리시아스Lysias와 이소크라테스의 시대, 즉 플라톤과 아리스토텔레스의 시대에서 플루타르코스와 에픽테토스Epictetus의 시대, 즉 수에토니우스Suetonius와 퀸틸리아누스Quintilian의 시대에 이르기까지 진실이었다는 것을 알 수 있을 것이다.[149] 학

149 〔수에토니우스에 관해서는 퀘르Quaere를 보라. 초판에는 여기에 다음과 같은 두 문장이 계속되어 있다. "공적인 교사였는지를 우리가 확실히는 알지 못하는 몇몇 사람들은 사적인 지도교사였는지도 모른다. 폴리비오스가 스키피오 이밀리아누스Scipio Æmilianus의 사적인 지도교

문의 어떤 특정부문을 몇 년이나 가르칠 필요를 어떤 사람에게 강요한다는 것은 사실상 그가 손수 그것을 완전히 수득할 수 있도록 하는 가장 유효한 방법인 것 같다. 매년 똑같은 학문을 되풀이해야 하기 때문에 다소나마 쓸모가 있는 모든 부분을 낱낱이 잘 알게 될 것이며, 비록 어느 연도에 그가 어떤 특별한 점에 관하여 너무 성급한 견해를 세웠다 하더라도, 그 뒤의 연도에 강의를 해 나가는 과정에서 이와 동일한 주제를 재고하게 될 때는, 그는 아마 그것을 정정할 것이다.[150] 학문의 교사라는 것은 확실히 순전한 문필가의 천직이지만, 마찬가지로 그것은 아마 그를 견실한 학문과 지식을 가진 사람으로 만들 가능성이 가장 많은 교육이기도 하다. 교회의 성직록의 평범성은 당연히 이것이 일어나고 있는 나라의 문필가의 대부분을 그들이 공공사회에 가장 유용할 수 있는 직업에 끌어들이는 경향이 있으며, 그와 동시에 그들이 받을 수 있는 최선의 교육을 그들에게 주는 경향이 있다. 즉 그것은 그들의 학문을 될 수 있는 대로 견실하게 하고 될 수 있는 대로 유용하게 하는 두 가지 경향을 가지고 있다.

기부재산에서 나오는 부분을 제외하면, 교회의 수입은 국가 수입의 일부분이다. 스위스의 약간의 책에서는 교회의 오래된 수입이 현재에는 교회와 국가의 쌍방을 유지하고 있다. 스코틀랜드의 교회의 총수입은 하찮은 액수의 것에 지나지 않으나, 그 교회는 최대의 좋은 효과를 올리고 있다. 이 사실은 또한 스위스의 프로테스탄트의 교회에 관해서도 더욱더 들어맞는다.

특정된 토지, 또는 장원에서 생길 만한 부분을 제외한 모든 국교회의 수입은 국가의 일반적 수입의 일부문이며, 이것이 그와 같이 국가의 방위와는 다른 목적을 위해 전용되고 있다는 것은 주의하지 않으면 안 된다. 예를 들어 10분의 1세는 참다운 지조이며, 토지의 소유자가 이렇지 않았을 경우 국가의 방위에 공헌

사였다는 것은 우리도 알고 있으며, 할리카르낫소스의 디오니시우스가 마르쿠스 및 퀸투스 키케로의 아이들의 지도교사였다는 것을 믿을 만한 약간의 그럴듯한 이유가 있다.”〕

150 〔《Lectures》를 보면 이것이 스미스의 자서전의 1단편이라는 것은 거의 틀림없는 것이 된다.〕

할 수 있었을 힘을 그만큼 빼앗아 버리는 것이다. 그러나 토지의 지대는 모든 대大군주국에 있어서 국가의 긴박한 사태가 필요로 하는 것을 궁극적으로 충족해야 할 어떤 사람에게는 유일의 원자(fund)이며, 또 다른 사람에게는 주요한 원자인 셈이다. 이 원자가 교회에 많이 주어지면 질수록 그만큼 국가에 돌아갈 몫이 적어지는 것은 명백하다. 다른 모든 사정이 동일하다고 가정한다면, 교회가 부하면 할수록 한편으로는 주권자, 또 한편으로는 국민이 필연적으로 그만큼 가난해질 것은 틀림없으며, 어느 경우에나 국가의 방위력은 그만큼 적어질 것은 틀림없다는 사실은, 확실한 일반원칙이라고 규정해도 좋을 것이다. 몇몇 프로테스탄트의 나라, 특히 스위스의 모든 프로테스탄트의 주에서는 옛날에는 로마 가톨릭 교회에 속해 있었던 수입, 즉 10분의 1세와 교회 소속지는 국교회의 성직자에게 충분한 급료를 제공할 뿐만 아니라, 국가의 다른 모든 경비도 거의 전혀 추가지출을 하지 않고서 지출할 수 있을 만큼 충분한 원자임이 밝혀졌다. 특히 베른Berne이라는 유력한 주의 행정장관은 이 원자에서의 절약분으로 거액의 축적을 했으며, 그 금액은 수백만 파운드에 달했다고 생각되었으며, 그 일부는 공공의 금고에 예탁되고 또 일부는 유럽의 여러 채무국민의 소위 공채(public funds)에, 주로 프랑스와 영국의 공채에 이자부로 투하되어 있다. 베른이라든지 또는 다른 프로테스탄트의 주의 교회가 국가에 들게끔 하는 경비가 얼마나 되는 것인지를 내가 알고 있다고 주장하지는 않는다. 대단히 정확한 계산에 의하면 1755년에 있어서 스코틀랜드 교회의 성직자의 총수입은 그들의 성직령 경지(glebe), 즉 교회 소속지와 그들의 목사관(manse), 즉 주택의 집세를 합리적인 평가에 따라 산정한 것을 포함하여 6만 8514파운드 1실링 5펜스 12분의 1밖에 되지 않았다. 이러한 대단히 온당한 수입은 944명의 목사에게 상당한 생활자료를 제공하고 있다. 교회와 목사관의 시설 및 수리에 수시로 지출되는 것을 1000파운드를 넘는다고는 좀처럼 생각될 수 없다. 그리스도교계에서 가장 부유한 교회도 스코틀랜드의 이 지극히 가난한 기부재산밖에 없는 교회보다 더 훌륭하게 국민 대중 가운데서의 신앙의 통일, 헌신의 열의, 질서의 정신, 그리고 규칙 바르고 엄한 도덕을 유지하고 있지는 않다. 국교회가 낳는다고 생각될 수 있는 성속聖俗 간에 모든 좋은 효과는 스코틀랜드의 교회에 의해서 다른 어떤 교회에 못지않을 만큼 완전히 이룩되고 있다. 스위스의 프로테스탄트 교회의 대부분은 일반적으로 스코틀랜드의 교회보다 기부재산이 많지 않으나, 그러한 효과를 훨씬 고도로 내고 있다. 프로테스탄트 주의 대부분에 있어서는 자기가 국교회에 신앙을 고백하지 않는 사람은 단 한 사람도 없다. 만일 그가 어떤 다른 교회에 신앙을 고백한다면 법률은 그 주를 떠날 것을 그에게 강요한다. 그러나 만일 성직자의 근면이 아마 두세 명을 제외한 국민 전체를 미리 개종시키지 않았다면 그렇게도 엄격한, 아니 오히려 실로 그렇게도 압제적인 법률을 그렇게 자유로운 나라에서 실시할 수는 결코 없었을 것이다. 따라서 프로테스탄트 국가와 로마 가톨릭 국가가 우연히 합병했기 때문에 개종이 그렇게 완전히 이루어지지 않은 스위스의 약간의 지방에서는 두 종교는 모두 관대하게 다루어지고 있을 뿐만 아니라, 법률에 의해서 국교로 되어 있다.

대수입이란, 성직자의 직무에는 적당하지 않은 것이다.

모든 직무의 적절한 수행이라는 것은 그것의 급료 또는 보수가 그 직무의 성질에 될 수 있는 대로 정확하게 비례되어야 할 것을 필요로 하고 있는 것 같다. 만일 어떤 직무에 대단히 불충분한 급료가 지불되고 있다면, 그것에 종사하고 있는 사람들의 대부분이 비열하고 무능하여, 이 때문에 그 직무가 나빠질 가능성이 대단히 많다. 만일 그 직무에 너무 과분한 급료가 지불된다면, 그들의 부주의와 태만 때문에, 그 직무는 아마 훨씬 더 나빠질 경향이 있다. 큰 수입이 있는 사람은 그 직업이 무엇이든지 간에 자기도 큰 수입이 있는 다른 사람들과 마찬가지로 생활하는 것이 당연하다고 생각하고, 또 자기 시간의 대부분을 환락·허영·낭비에 써 버리는 것이 당연하다고 생각한다. 그러나 성직자가 이러한 일련의 생활을 하면, 그의 직무상의 여러 의무 때문에 당연히 충당되어야 할 시간을 다 써 버릴 뿐만 아니라, 서민의 눈으로 보아도 그로 하여금 그러한 의무를 고유의 관록과 권위로써 수행할 수 있게 해 줄 수 있는 그의 인격의 존엄성을 거의 완전히 부수어 버린다.

제4절 주권자의 위엄을 유지하기 위한 경비에 관하여

주권자의 위엄을 유지하기 위한 경비는 국민의 지출이 증가함에 따라서 증가한다.

주권자로 하여금 그 몇 가지 의무를 수행할 수 있도록 해 주는 데 필요한 경비[151] 이외에도 위엄을 유지하는 데 소요되는 일정한 경비가 없어서는 안 된다. 이 경비는 개선의 각 시기에 따라, 그리고 통치의 각 형태에 따라 변화하는 것이다. 부유하고 개선된 사회, 즉 모든 계급의 사람들이 그들의 집과 그들의 가구, 그들의 식탁, 그들의 의복 및 그들의 식기에 관해서 나날이 더 비용을 들이게 되어 가는 사회에서는 주권자만이 유행에 외면하며 견디라는 것은 좀처럼 생각될 수 없다. 그러므로 그도 자연히, 아니 오히려 필연적으로 그러한 각가지 모든 물품에 더 비용을 많이 들이게 된다. 그의 위엄은 그가 그렇게 되어야 할 것을 요구하고 있는 것처럼 생각되기까지 한다.

이것은 공화국에서보다 군주국에서 더 크다.

위엄이라는 점에서는 군주가 자기의 신민 위에 올려져 있음은 어떤 공화국의 원수가 자기의 시민 동포 위에 올려져 있다고 생각되는 것보다 그 정도가 더 크기 때문에 그러한 보다 높은 위엄을 유지하기 위해서는 더 많은 경비가 필요하다. 우리는 자연히 왕국의 궁정이 도시 공화국 총독(doge) 또는 시장의 공관보다 더 훌륭하리라고 기대한다.

151 〔제5판은 "제 경비"라고 되어 있는데, 이것은 몇 가지 경비가 이미 언급되어 왔던 사실에 의해서 연상하게 된 오식 또는 오해라고 생각된다.〕

결론[152]

방위비와 주권자의 위엄을 유지하는 경비는 일반적 공납에 의해서 지불되어야 한다.

사회를 방위하는 경비와 원수의 위엄을 유지하는 경비는 모두 사회 전체의 일반적 이익을 위하여 사용되는 것이다. 그러므로 그러한 경비는 그 사회 전체의 일반적 공납에 의해서, 즉 모든 성원이 각자의 능력에 될 수 있는 대로 비례하여 공납하는 것으로써 지불되어야 할 것이 합리적이다.

그러나 사법비는 재판소의 수수료로써 지불되어도 좋다.

사법행정의 경비도 또한 틀림없이 그 사회 전체의 이익을 위하여 사용되는 것이라고 생각되어도 좋다. 그러므로 그것이 그 사회 전체의 일반적 공납에 의해서 지불되어도 조금도 부당할 것은 없다. 그러나 이 경비를 지불하는 사람들은 그들의 이러저러한 부정 때문에 재판에서 구제 또는 보호를 구할 것을 필요로 하는 사람들이다. 또한 이 경비에 의해서 가장 직접적인 이익을 받는 사람들은 재판소가 그들의 권리를 회복시켜 주거나 또는 그들의 권리를 유지해 주는 사람들이다. 그러므로 사법행정비는 그런 다른 두 부류 사람들의 전자 또는 후자의, 아니면 양자의 특별한 공납, 즉 여러 가지 경우가 필요로 하는 것에 응하여, 다시 말하면 법정 수수료에 의해서 아주 적절히 지불될 수 있다. 그 경비는 그러한 수수료를 지불하는 데 충분할 만큼의 자산 또는 자금을 스스로가 갖고 있지 않은 범죄자들의 유죄판결의 경우를 제외하고는 사회 전체의 일반적 공납에 의존할 필요는 없는 셈이다.

또 지방적 이익에 관한 경비는 지방적 수입에 의해서 지불되어야 한다.

그 이익이 지방의 것이거나, 주州의 것(이를테면, 특정 도시 또는 지구地區의 치안을 위해 지출된 것)에 대한 지방의 또는 주의 경비는 지방의 또는 주의 수입

152 〔목차에서는 "본 장의 결론"이라고 되어 있다.〕

에 의해서 지불되어야 하며, 그 사회의 일반적 수입에 부담시켜서는 안 된다. 그 이익이 사회의 일부에 한정되는 경비에 대해서 사회 전체가 공납한다는 것은 부당하다.

도로에 관한 경비를 일반적 공납에 의해서 지불하더라도 부당하지 않겠으나 통행세에 의하는 편이 더 좋다.

좋은 도로와 교통기관을 유지하는 경비는 틀림없이 사회 전체에 유익하며, 따라서 그 사회 전체의 일반적 공납에 의해서 지불되어도 조금도 부당함은 없을 것이다. 그러나 이 경비는 어떤 곳에서 다른 곳으로 연행하거나 재화를 운반하는 사람들에게 또 그러한 재화를 소비하는 사람들에게 가장 직접적이며 즉각적으로 유익하다. 잉글랜드에 있어서의 유료도로 통행세와 다른 나라에서의 통행세라고 불리는 세는 그 경비를 전적으로 그런 다른 두 부류의 사람들에게 과하고, 그리하여 그 사회의 일반적 수입을 꽤 큰 부담에서 벗어나게 해 주고 있다.

교육과 종교상의 교화에 관한 경비도 역시 일반적 공납에 의해서 지불되어도 좋지만, 수업료와 자발적 기부에 의하는 편이 더 좋다.

교육과 종교상의 교화를 위한 시설들의 경비도 또한 틀림없이 그 사회 전체에 유익하다. 따라서 사회 전체의 일반적 공납에 의해 지불되어도 부당하지는 않다. 그러나 이 경비는 그러한 교육과 교화의 직접적인 이익을 받는 사람들에 의해서, 또는 교육 또는 교화의 어느 것을 필요로 하고 있다고 생각하는 사람들의 자발적 기부에 의해서 전적으로 지불되는 것이 아마 위의 경우와 동등하게 적당할지 모르며, 또한 그렇게 하는 편이 다소 유리하기까지 할지도 모른다.

그 사회 전체에 유익한 시설들의 수입에 있어서의 어떤 부족분은 일반적 공납에 의해서 메워지지 않으면 안 된다.

그 사회 전체에 유익한 시설들 또는 공공 토목사업이 이것에 의해서 가장 직접적으로 이익을 받을 만한 그 사회의 특정 성원의 공납에 의해서 전적으로 유지될 수 없거나 또는 현실적으로 유지되지 않을 경우에는, 그 부족분은 대부분의 경우, 그 사회의 일반적 공납에 의해서 메워지지 않으면 안 된다. 그 사회의 일반적 수입은 그 사회를 방위하는 경비와 그 원수의 위엄을 유지하는 경비를 지불하고, 그 위에 수입의 수많은 부문의 부족분을 메워 주지 않으면 안 된다. 이 일반적 또는 공공적 수입의 원천을, 나는 다음 장에서 설명하려고 노력할 것이다.

제2장 사회의 일반적 또는 공공적 수입의 제 원천에 관하여

모든 수입은 두 가지 원천, 즉 (1) 주권자에 속하는 재산과 (2) 국민의 수입에서 나온다. 사회를 방위하고 원수의 위엄을 유지하는 경비뿐만 아니라, 국가의 기본 제도상 특정의 수입이 전혀 마련되어 있지 않은 정부의 다른 모든 필요경비를 지불해야 하는 수입은, 첫째, 주권자나 국가에 고유하게 속한 것으로 국민의 수입과는 독립되어 있는 어떤 원자元資이고, 둘째, 국민의 수입에서 끌어올 수 있다.

제1절 주권자 또는 국가에 독특하게 속할 수 있는 원자 또는 수입의 원천에 관하여

그 재산이란 자재 또는 토지일 것이다.
주권자나 국가에 독특하게 속할 수 있는 원자 또는 수입의 원천은 자재 또는 토지로 되어 있음이 틀림없다.

자본에서 나오는 수입은 이윤 또는 이자일 것이다.
주권자는 다른 어떠한 자재의 소유자와 마찬가지로 그것을 손수 사용하거나, 그것을 대부함으로써 그것에서 수입을 끌어낼 수 있다. 그의 수입은 전자의 경우는 이윤이며, 후자의 경우는 이자이다.

타타르와 아랍의 족장은 소 떼와 양 떼에서 이윤을 올린다.

타타르와 아랍의 족장의 수입은 이윤에 있다. 그것은 주로 그 자신의 소 떼와 양 떼의 젖과 증식에서 생기며, 그 자신은 그 경영을 감독하고, 더욱이 자기의 집단 또는 종족의 주된 양치기 또는 목우자이다. 그러나 이윤이 군주제 국가의 공공적 수입의 주요 부분을 이룩하고 있었던 것은 시민 정부의 이러한 아주 초기의 가장 미개한 상태에 있었을 때 그러했음에 불과하다.

함부르크는 포도주의 저장실과 약제사의 점포에서, 그리고 많은 국가들은 은행에서 이윤을 올린다.

소공화국들은 때로는 상업적인 사업의 이윤에서 상당한 수입을 올렸을 때도 있었다. 함부르크 공화국은 공영의 포도주 저장실과 약제사의 점포의 이윤에서 수입을 올리고 있다고 한다.[153] 주권자가 포도주상과 약제사의 영업을 해 나갈 만큼의 여가를 가지는 국가란 대국일 리가 없다. 공립은행의 이윤은 이보다 상당히 더 큰 국가의 수입 원천이었다. 함부르크뿐만 아니라, 베네치아와 암스테르담

153 《Memoires concernant les Droits & Impositions en Europe》, 제1권, 73면을 보라. 이 저작은 프랑스의 재정을 개혁하기 위한 적당한 방책의 고찰에 과거 수년 동안을 보낸 위원회로 하여금 집필하도록 관정官廷의 명령에 의하여 편집되었다. 프랑스의 조세에 관한 사절판四折版 세 권에 걸친 설명은 완전히 근거 있는 것이라고 생각해도 좋다. 유럽의 다른 국가의 다양한 조세에 관한 설명은 각가지 관정에 있는 프랑스의 대신들이 제공할 수 있었던 정보에 의하여 편집되었다. 이것은 프랑스의 여러 조세에 관한 그것보다 훨씬 간단하고, 아마 그렇게 정확하지도 않을 것이다. (그 책은 모로 드 보몽Moreau de Beaumont이 쓴 것이며, 1768~1769년 파리에서 4절판 네 권으로 출판되었다. 그 제1권의 올바른 서명은 《Mémoires concernant les Impositions et Droits en Europe》이며, 제2~4권의 서명은 《Mémoires concernant les Impositions et Droits》의 제2판, 《Impositions et Droits en France》이다. 스미스는 그의 책을 튀르고를 통하여 손에 넣었으며, 대단한 저서라고 믿어 그것에 크게 애착을 가지고 있었다. 보너Bonar의 《Catalogue》의 10면을 보라.)

에서도 그러했다. 이런 종류의 수입은 영국만 한 대제국일지라도 주의할 가치가 없는 것은 아니라고 생각하여 온 사람들이 약간은 있다. 잉글랜드 은행의 통상의 배당을 5.5퍼센트라고 하고, 그 자본을 1078만 파운드라고 계산하면 경영비를 지불한 뒤의 연간 순이윤은 59만 2900파운드에 달할 것임이 틀림없다고 한다. 정부는 이 자본을 3퍼센트의 이자로서 차입할 수 있으며, 그 은행의 경영을 그 수중에 장악하고 있음으로써 연액 26만 9500파운드의 순이윤을 올릴 수 있을지 모른다고 주장되고 있다. 베네치아와 암스테르담의 그것처럼 질서 있고, 방심하지 않고, 절약하는 귀족제의 행정부가 이런 종류의 상업을 경영하는 데 극히 적절하다는 것은 경험상 명백하다. 그러나 잉글랜드 정부와 같은 정부, 즉 어떤 장점이 있든지 간에 절약이라는 점에서는 결코 이름나 본 적이 없고, 더욱이 평시에는 아마 군주국에 자연적으로 따르기 마련인 게으르고 부주의한 낭비를 일삼아 왔고, 전시에는 민주정치가 빠지기 쉬운 모든 무분별한 낭비를 끊임없이 하여 온 정부에게, 그러한 사업의 경영을 안심하고 맡길 수 있을는지 어떤지는 훨씬 더 의심쩍은 것이 아닐 수 없다.

또한 우편사업에서도 이윤을 올리고 있다.

우편사업은 본래는 상업적 사업이다. 정부는 다양한 우체국을 설치하고 또 필요한 말과 차를 매입하거나 차용하는 데 드는 경비를 선대하고 우편물에 대한 세에 의해서 큰 이윤을 붙여 그것을 회수하고 있다. 이것은 어떤 부류의 정부에 의해서도 성공적으로 운영되어 왔다고 생각되는 유일한 상업적 사업일 것이다. 선대될 자본은 그렇게 많지 않다. 그 사업에는 아무런 비밀도 없다. 그 대금회수代金回收는 확실할 뿐만 아니라 즉각적이다.

그러나 대체로 군주는 상인으로서는 성공하지 못하고 있다.

그러나 군주들은 종종 많은 다른 상업적 사업에 종사했으며 개인들과 마찬가지로 보통 상업의 부문들에서 모험자가 됨으로써 그들의 재산을 증대시키려고 해 왔다. 그러나 그들이 성공했던 적은 좀처럼 없다. 군주들의 사무 처리에 따르는 낭비가 그들의 성공을 거의 불가능하게 만들었다. 군주의 대리인들은 자기 주인의 부를 무진장이라고 생각하고, 어떤 값으로 사든지, 어떤 값으로 팔든지, 어떠한 경비를 들여서 어떤 장소에서 다른 장소로 주인의 재화를 보내든지 간에 상관하지 않는다. 그러한 대리인들은 흔히 군주처럼 낭비적인 생활을 하고 또 때로는 그 낭비에도 불구하고, 자신들의 계산서를 적당한 방법으로 메워서 군주의 재산을 획득할 때도 있다. 마키아벨리가 말하고 있는 바와 같이 결코 무능한 군주가 아니었던, 메디치가의 로렌초(Lorenzo of Medicis)의 대리인들은 이렇게 해서 그의 상업을 하고 있었다. 피렌체 공화국은 그 대리인들의 낭비 때문에 그가 짊어진 부채를 몇 번이나 지불하지 않으면 안 되었다. 그리하여 그는 자기의 일족이 그 덕분으로 재산을 만들었던 사업인 그 상업을 포기하고, 그의 후반기의 생애에 있어서는, 남은 재산과 자기가 처분권을 가지고 있는 국가 수입 쌍방을 자기의 지위에 더 알맞은 기획과 경비를 위해 사용하는 것이 편하다는 것을 알게 되었다.[154]

두 가지 성격은 양립하지 않는다.

상인과 주권자의 성격처럼 양립하지 않는 두 가지 성격은 없는 것 같다. 잉글랜드의 동인도회사의 상업 정신이 이 회사를 대단히 나쁜 주권자로 만들고 있다면, 주권자라는 그 정신이 이 회사를 동등하게 나쁜 상인으로 만들어 왔던 것 같다. 이 회사가 오직 상인이었을 동안은 그 사업을 성공적으로 운영했으며, 그 이윤 가운데서 자사의 주주에게 온당한 배당을 지불할 수 있었다. 그러나 이 회사가 주권자가 된 이후에는 본래 300만 파운드 이상이나 되었다고 하는 수입이 있는데도, 목전의 파산을 피하기 위하여 정부에 특별한 원조를 간청하지 않을 수 없게 되었다. 회사의 종전의 상황에서는, 인도에 있는 이 회사의 고용인들은 자신들을 상인의 사무원이라고 생각하고 있었는데, 회사의 현재 입장에서는 그

154 〔《Hist. of Florence》, 제8권, 끝까지.〕

러한 고용인들은 자신들을 주권자의 대신이라고 생각하고 있다.

재보는 신민 또는 외국에 대부될 수 있다.

국가는 그 공공수입의 일부를 자재의 이윤에서 꺼내 올 수 있는 것과 마찬가지로, 때로는 화폐이자에서 끌어내는 수도 있다. 만일 국가가 재보를 축적했다면, 그 재보의 일부를 외국이나 자국의 신민에게 대부할 수 있다.

베른은 외국에 대부하고 있다.

베른 주는 재보의 일부를 외국에 대부함으로써, 즉 유럽의 여러 채무 국민의 공채에, 주로 프랑스와 잉글랜드의 그것에 그 일부를 투하함으로써, 상당한 수입을 얻고 있다.[155] 이 수입의 안전성은, 첫째, 그것이 투하되고 공채의 안전성, 즉 그 공채를 관리하는 정부의 성의와, 둘째, 채무국민과의 평화가 계속될 것인가의 확실성 또는 가능성에 의존하고 있음이 틀림없다. 전쟁의 경우 채무국민 쪽에서 하는 제일 처음의 적대행동은 채권자의 공채의 몰수일 것이다. 외국에 화폐를 대부하는 이 정책은 내가 알고 있는 한에서는 베른 주州의 독특한 것이다.

함부르크는 공영 전당포를 가지고 있다.

함부르크 시[156]는 일종의 공영 전당포를 설립했으며, 저당물에 6퍼센트의 이자를 받고 그 국가의 신민에게 화폐를 대부해 주고 있다. 이 전당포, 즉 대금업자(Lombard)라고 불리는 것은 국가에 15만 크라운의 수입을 제공하고 있다고 주장되고 있으며, 1크라운을 4실링 6펜스로 하여 환산하면 영화 3만 3750파운드에 달한다.

155 〔이 숫자는 지조법地租法에 있는 것이다.〕

156 《Memoires concernant les Droits & Impositions en Europe》, 제1권, 73면을 보라.

펜실베니아는 토지를 담보로 하여 지폐를 대부하고 있다.

펜실베니아 정부는 아무런 재보도 축적하지 않으면서, 실은 화폐가 아니지만 화폐와 같은 것을 그 신민에게 대부해 주는 방법을 고안했다. 이 정부는 이자부로 두 배의 가치의 토지를 담보로 하는 신용증권(paper bills of credit)을 개인에게 대부하고 이것에 의해서 온당한 수입을 올렸으며, 이러한 신용증권은 15년 상환으로, 그동안은 은행권처럼 손에서 손으로 이전될 수 있도록 되어 있었고, 식민지의회의 법령에 의해서 그 속령의 한 사람의 주민으로부터 다른 주민에 대한 모든 지불에 있어서 법화(법정통화)라고 선언되었던 것이며, 또한 이 온당한 수입은 그 검소하고 질서 있는 정부의 경상비 총액, 약 4500파운드라고 하는 연경비를 지불하는 데 상당한 도움이 되었다. 이런 종류의 편법의 성공은 다음 세 가지 상이한 사정에 의존했음이 틀림없다. 즉 첫째는 금은화폐 이외에도 어떤 다른 상업 용구에 대한 수요가 있었다는 것, 다시 말하면, 소비자재를 구매하기 위하여 해외에 그들의 금은화폐의 대부분을 보내지 않고서는 얻어질 수 없을 만큼 다량의 소비자재에 대한 수요가 있었다는 것이며, 둘째는 이 편법을 사용한 정부에 대한 신용이 충분히 있었다는 것, 셋째는 이 편법이 절도 있게 쓰였다는 것, 즉 신용증권의 총가치가 만일 이것이 전혀 없었을 경우, 그들의 유통을 꾸려나가는 데 필요했을 금은화폐의 총가치를 결코 초과하지 않도록 되어 있었다는 것이다. 똑같은 편법이 여러 가지 경우를 따라 다른 몇몇 아메리카 식민지에서 채용되었으나, 이 절도節度가 결여되어 있었으므로, 그 대부분이 편익은커녕 더 심한 혼란을 가져왔다.

이상과 같은 원천에서는 대수입을 끌어낼 수가 결코 없다.

그러나 자재와 신용은 그 성질상 불안정하고 소실하기 쉬우므로, 정부에 안전성과 위엄을 줄 수 있는 유일의 확고하고 영속적인 수입의 주요 원자元資로써 신뢰하기에는 부적당한 것이 된다. 이미 목축국을 넘어서 전진한 대국민의 정부로서 그 공공적 수입의 대부분을 그러한 원천에서 끌어낸 적이 있었던 것은 하나도 없다고 생각된다.

토지에서 나오는 수입은 이보다는 훨씬 더 중요하다.

토지는 이보다 더 안정적이고, 영속적인 성질이 있는 원자이며, 따라서 공유지의 지대는 이미 목축국을 훨씬 넘어 전진한 수많은 대국민의 공공적 수입의 주요원천이었다. 그리스와 이탈리아의 고대 공화국은 오랫동안 국가의 필요경비를 꾸려 가는 수입의 대부분을 공공의 토지의 생산물 또는 지대에서 끌어내었다. 왕실 영지의 지대는 오랫동안 유럽의 옛날 주권자의 수입의 대부분을 이루고 있다.

고대 그리스와 이탈리아에서처럼 전비戰費가 적었을 때는 특히 그러했다.

전쟁과 전쟁 준비는 근대에 있어서 모든 대국가의 필요경비의 대부분의 원인이 되는 두 가지 사정이다. 그러나 그리스와 이탈리아의 고대 공화국에서는 모든 시민이 병사였으며 자비로써 군에 복무하고 그 준비도 손수 했다. 그러므로 그 두 가지 사정의 어느 것도 국가에 대해서는 다액의 경비의 원인이 될 수 없었다. 아주 온당한 소유지의 지대는 정부의 다른 모든 필요경비를 지불하는 데 아주 충분할 정도였을 것이다.

모든 경비가 소액이었을 때인 봉건시대에도 그러했다.

유럽의 고대의 습속과 관행이 유럽의 옛 군주국에서는 당시 국민 대중에게 충분히 전시 준비를 시켰으며 출전했을 때는 그들은 봉건적 토지 보유의 조건에서 자비 또는 직속 영주의 경비로써 부양되도록 되어 있었으므로, 주권자에게는 아무런 새로운 부담을 지우지 않았다. 정부의 그 밖의 경비는 대부분이 아주 온당한 것이었다. 이미 설명한 바 있거니와, 사법행정은 경비의 원인이라기보다 수입의 원천이었다. 수확 전의 3일간과 수확 후의 3일간 농민의 노동은 그 나라의 상업상 필요하다고 생각되었던 모든 교량과 공로, 그 밖의 공공 토목사업을 건설하는 데 충분한 원자라고 생각되고 있었다. 당시 주권자의 주요경비는 자신의 가족을 부양하고 궁정을 유지하는 것으로 되어 있었던 것 같다. 따라서 당시는 궁정의 관리가 바로 국가의 대관이었다. 재무장이 주권자의 지대를 받아들였다. 집사장執事長과 의전장儀典長이 주권자의 가족의 경비를 돌보았다. 그의 마구간의 손질은 보안장保安長과 의전장에게 일임되어 있었다. 그의 집은 모두 성의 형태로 건축되어 있었고 이것은 그가 소유하는 주요한 요새이기도 했던 것 같다. 그러한 집, 즉 성의 수호장들은 일종의 위수총독衛戍總督(militay governors)이라고 생각될 수 있었다. 그들은 평시에도 부양할 필요가 있었던 유일한 군인들이었던 것 같다. 이러한 사정하에서는 통상의 경우라면 대소유지의 지대가 정부의 모든 필요경비를 지불하고도 남음이 있었을 것이다.

현재에는 그 나라의 모든 토지의 지대도 충분치는 못할 것이지만, 그러나 만일 그 나라의 토지의 전부가 국가의 낭비적인 관리하에 놓인다면 지대는 크게 감소할 것이다. 유럽에서 문명화된 대부분의 군주국의 현상에서는, 만일 그 나라의 토지 전부가 일인의 소유자에게 속해 있을 경우처럼 관리된다면 그 나라의 모든 토지의 지대일지라도 평시에 있어서마저 국민에게 과세하고 징수하는 경상수입액만큼도 되지 못할 것이다. 예를 들면 영국의 경상수입은 그 연도의 경상비를 지불하는 데 필요한 것뿐만 아니라 공채의 이자지불과 그 공채의 원금의 일부를 상환에 필요한 것을 포함시키면 연액 1000만 파운드 이상에 달한다. 그런데 1파운드당 4실링의 지조(land tax)는 연액 200만 파운드도 되지 않는다. 그러나 이 소위 지조라고 불리는 것은 모든 토지의 지대의 5분의 1뿐만 아니라, 모든 가옥의 임대료의 5분의 1과 공공에 대부되거나 또는 농업경영 자재로서 토지의 경작에 충당되고 있는 부분만을 제외한 영국의 모든 자본적 자재의 이자의 5분의 1이라고 생각되고 있다. 이 조세가 되는 것의 상당히 중요한 부분은 가옥의 임대료와 자본적 자재의 이자에서 생긴다. 예를 들면 런던 시의 지조를 파운드당 4실링이라고 하면 12만 3399파운드 6실링 7펜스가 된다. 웨스트민스터 시의 그것은 6

만 3092파운드 1실링 5펜스이다. 와이트홀과 세인트제임스의 두 궁전의 그것은 3만 754파운드 6실링 3펜스가 된다.[157] 지조의 일정 비율은 이와 같이 해서 이 왕국 내의 다른 모든 도시 및 자치도시에도 부과되고 있으며 거의 전부가 가옥의 임대료나 또는 상업 자재와 자본적 자재의 이자라고 생각되고 있는 것에서 나온다. 그렇기 때문에 영국이 지조를 할당하고 있는 견적액에 의하면 모든 토지의 지대와 모든 가옥의 임대료와 그리고 공공사회에 대부되거나 토지의 경작에 사용되는 부분만을 제외한 모든 자본적 자재의 이자에서 나오는 수입의 총액은 연액 영화 1000만 파운드, 즉 정부가 평시에 국민에게 과징하는 경상수입을 초과하지 않는다. 영국이 지조로 할당하는 견적액은 비록 몇몇의 특별한 주와 지구에서는 실질가치와 거의 동등하다고 일컬어지고 있기는 하지만, 왕국 전체를 평균하면 틀림없이 실질가치보다 훨씬 적다. 가옥의 임대료와 자재의 이자를 제하고 토지의 지대만을 들면 많은 사람들이 그것을 2000만 파운드라고 평가해 왔으나, 이 견적[158]은 아마 상당히 아무렇게나 된 것이며 이는 사실상 그 이상일 수도 있고 그 이하일 수도 있을 것 같다고 나는 생각한다. 그러나 나는 만일 영국의 토지가 경작의 현 상태에서 연액 2000만 파운드 이상의 지대를 제공하지 않는다면, 만일 그 토지의 모두가 단 한 사람의 소유자에게 속해 있고 그의 토지 관리인과 대리인의 게으르고 낭비하고 압제적인 관리하에 두어진다면, 그것은 위와 같은 지대의 반은커녕 아마 4분의 1도 제공할 수 없을 것이다. 현재 영국의 왕실 영지는 만일 그것이 개인의 소유지일 경우 그것에서 나올 수 있을 지대의 4분의 1도 제공하고 있지 않다. 왕실 영지가 더 광대하면 아마 그 관리도 역시 더 나빠지기 마련일 것이다.

또한 국민의 수입은 국가의 그것보다 훨씬 대대적으로 감소할 것이다.

157 〔이 숫자는 지조법에 있는 것이다.〕

158 〔이러한 견적에 관해서는 로버트 기펜 경Sir Robert Giffen, 《The Growth of Capital》(1889), 89~90면을 보라.〕

국민 대중이 토지에서 얻고 있는 수입은 지대가 아닌 토지 생산물에 비례한다. 모든 나라의 토지의 연간 총생산물은 종자로서 유보되는 것을 제외하면 국민 대중에 의해서 매년 소비되거나 또는 그들이 소비하는 다른 어떤 것과 교환된다. 토지 생산물을 다른 경우라면 이것이 증가했을 만한 양 이하로 만들어 두는 것이라면 무엇이거나 국민 대중의 수입을 토지소유자의 그것보다 훨씬 더 억누른다. 토지의 지대, 즉 토지소유자에게 속하는 생산물 부분은 영국의 어디에 가나 전체 생산물의 3분의 1이상이라고 생각되는 곳은 거의 없다. 만일 경작의 어떤 상태하에서 연액 영화 1000만 파운드의 지대를 제공하고 있는 토지가 다른 상태에서 2000만 파운드의 지대를 제공한다면, 어느 경우에나 지대는 생산물의 3분의 1이라고 상정되어 있기 때문에, 토지소유자의 수입은 전자의 경우가 후자의 경우보다 연간 1000만 파운드밖에 적어지지 않는데, 국민 대중의 수입은 종자를 위해 필요한 것만을 제하더라도 후자의 경우보다 연간 3000만 파운드나 적어질 것이다. 이 나라의 인구는 연액 3000만 파운드에서 언제나 종자를 제한 나머지가 여러 계급의 사람들 사이에 분배되고, 그들이 각각의 양식의 생활과 지출을 하면서 부양할 수 있을 사람 수만큼이 적어질 것이다.

왕실 영지의 매각은 주권자와 국민 쌍방의 이익이 될 것이다.

현재 유럽에는 그 공공적 수입의 대부분을 국유재산인 토지의 지대에서 얻고 있는 문명국은 하나도 없다. 그러나 유럽의 모든 대군주국에는 왕실에 속해 있는 광대한 토지가 아직도 많이 있다. 그것은 대체로 사냥터인데, 때로는 수 마일에 걸쳐 나무 한 그루 발견할 수 없는 사냥터이기도 하며, 생산물이라는 점에서나 인구라는 점에서나 다 같이 이것은 국토의 순전한 낭비요 손실일 뿐이다. 유럽의 모든 대군주국에서 왕실 영지를 매각하면 대단히 거액의 화폐가 생길 것이며, 만일 그것을 공채의 상환에 충당한다면, 종래 그러한 토지가 왕실에 제공해 왔던 수입보다 더 큰 수입을 그 담보에서 해제해 줄 것이다. 아주 고도로 개량되어 경작되고 있고, 그 매각시에는 쉽게 얻어질 수 있을 만큼의 다액의 지대를 거두어들이고 있는 토지가 보통 30년의 구매 연수로 매각되고 있는 나라에서는, 개량도 되지 않고 경작도 되고 있지 않은 지대가 낮은 왕실 영지는 40년, 50년, 내지는 60년의 구매 연수로 매각된다고 생각해도 좋을 것이다. 왕실은 이 거액의 가격이 담보에서 되찾아 줄 수입을 즉시 누릴 수 있을 것이다. 왕실은 몇 년 되지 않아 아마 또 하나의 수입을 누리게 될 것이다. 왕실 영지가 사유재산이 되면 몇 년 되지 않아 훌륭히 개량되고 훌륭히 경작되어 있게 될 것이다. 이들 토지 생산물의 증대는 국민의 수입과 소비를 증대시킴으로써, 그 나라의 인구를 증대시킬 것이다. 그러나 왕실이 관세와 내국소비세에서 끌어내는 수입도 국민의 수입과 소비의 증대와 더불어 반드시 증가할 것이다.

왕실 영지에서 나오는 수입은 국민에게 다른 어떤 수입보다도 더 많은 부담이 된다.

문명화한 어떤 군주국에서도 왕실이 왕실 영지에서 올리는 수입은 개개인에게는 아무런 부담도 되지 않는 것같이 보이나 실제에는 아마 왕실이 누리고 있는 다른 어떤 같은 금액의 수입보다도 더 많은 부담을 사회에 지우고 있다. 사회로서는 왕실에 대한 이 수입을 같은 금액의 어떤 다른 수입으로 대치시키고 그 토지를 국민들 사이에 분할하는 것이 어느 경우에나 이익이 될 것이며, 또한 이 분할에는 그 토지를 공매公賣하는 것보다 더 좋은 방법은 없을 것이다.

공원 등은 주권자에게 속해 있어야 할 유일한 토지이다.

쾌락과 장려를 목적으로 하는 토지, 즉 공원과 정원 및 공공의 산책로 등은 어디에서나 지출의 원인이지 수입의 원천이라고는 생각되지 않는 재산인데, 이것은 문명화된 대군주국에서 왕실에 속해 있어야 할 유일한 토지인 것 같다.

주권자의 경비의 대부분은 제조세로써 지불되지 않으면 안 된다.

그러므로 공공의 자재 및 공공의 토지, 즉 주권자 또는 국가에 특별히 속할 수 있는 수입의 두 개의 원천은 문명화한 어떤 대국가의 필요경비를 지불하는 데도 부적당하기도 하고 불충분하기도 한 원자이므로, 이 경비는 그 대부분이 이러저러한 종류의 조세로써 지불되어야 한다는 문제가 남는다. 즉 국민은 자신의 개인적 수입의 일부를 주권자 또는 국가의 공공적 수입을 메우기 위하여 공납하는 것이다.

제2절 조세에 관하여

조세는 토지 · 이윤 · 임금에, 또는 이러한 세 종류의 수입 모두에 과해지도록 작정되어도 좋다.

이 연구의 제1편에서 설명한 바 있거니와 개개인의 사적인 수입은 궁극적으로는 세 가지 상이한 원천, 즉 토지·이윤·임금에서 생긴다. 모든 조세도 결국에는 그러한 상이한 세 부류의 수입의 어느 것에서 지불되든지, 또는 공평하게 그 모두에서 지불되지 않으면 안 된다. 나는 첫째, 지대에 과하도록 작정되어 있는 조세에 관하여, 둘째, 이윤에 과하도록 작정되어 있는 조세에 관하여, 셋째, 임금에 과하도록 작정된 조세에 관하여, 그리고 넷째, 사적 수입의 그러한 세 가지 원천 모두에 무차별하게 과하도록 작정된 조세에 관하여 될 수 있는 대로 최선을 다하여 설명하려고 노력할 것이다. 이러한 네 가지 상이한 부류의 조세는 개별적으로 고찰되므로 본 장의 제2절은 네 개 항으로 나뉠 것이며, 그 가운데 세 개 항은 또 몇 가지로 다시 세분될 필요가 있을 것이다. 그러한 조세 가운데에서 많은 것이 이하의 검토에서 밝혀지게 될 것이지만, 결국 그러한 조세가 나오도록 작정되어 있었던 원자라든가 또는 수입 원천에서 지불되지는 않는 것이다.

조세 일반에 관해서는 네 가지 일반원칙이 있다.

개개의 조세의 검토에 들어가기 전에 조세 일반에 관한 다음의 네 가지 일반원칙을 서두로서 설명하여 둘 필요가 있다.

⑴ 공평해야 할 것.

모든 국가의 신민은 각자의 능력에 될 수 있는 대로 비례하여 다시 말하면 그들이 각각 국가의 보호하에서 누리는 수입에 비례하여 정부를 유지하기 위해 공납하지 않으면 안 된다. 어느 대국민의 개개인에 대한 정부의 경비는 대소유지의 공동차지인共同自治人에 대한 경영비와 같은 것이며, 이 모든 공동차지인은 그 소유지에서의 그들 각자의 이윤관계에 비례하여 공납하지 않을 수 없도록 되어 있다. 이 일반원칙을 준수하느냐 무시하느냐에 따라 소위 과세의 공평 또는 불공평이 있다. 여기에서 확실히 설명해 두지 않으면 안 될 것은 상술한 세 부류의 수입 가운데 한 가지에만 결국 쏠리는 모든 조세는 다른 두 가지 수입에 영향을 미치지 않는 한, 반드시 불공평하다는 것이다. 앞으로 여러 가지 조세를 검토함에 있어서 나는 이런 부류의 불공평에 관해서는 이 이상 더 주의를 하지는 않을 것이고, 대부분의 경우 특정의 조세에 의해서 영향을 받고 있는 특정한 부류의 사적인 수입에까지 불공평하게 과하여지고 있는 특정 조세에 의해서 일어나는 불공평에 관하여서만 나의 관찰을 한정시킬 것이다.

⑵ 확실해야 할 것.

각 개인이 지불할 의무를 지고 있는 조세는 확실해야 하며 자의적이어서는 안 된다. 지불시기·지불방법·지불금액은 공납자에게나 모든 다른 사람에게나 모두 명백하고 알기 쉬운 것이어야 한다. 그렇지 못할 경우에는, 조세를 물어야 하는 모든 사람은 다소나마 징세인의 손아귀에 들어가게 된다. 즉 징세인은 자기 비위에 맞지 않는 어떤 공납자에게는 조세를 더 무겁게 하든지 또는 더욱 무겁게 하겠다고 위협하여 어떤 뇌물, 즉 부수입을 강요하든지 할 수 있다. 과세의 불확실은 본래 인기 없는 계급의 사람들의 오만함을 조장하고 부패를 장려하는 것이며 그러한 사람들이 거만하지도 부패하지도 않은 곳에서까지 그러하다. 과세에 있어서는 각 개인이 지불해야 할 금액이 확실히 정해져 있어야 한다는 것은 대단히 중요한 문제이므로 모든 국민의 경험에서 내가 믿고 있는 바로는 상당한 정도의 불공평이 있더라도, 이것은 아주 적은 정도의 불확실에 비한다면 그렇게 큰 폐해는 아닌 것 같다.

⑶ 지불의 편의가 있어야 할 것.

모든 조세는 공납자가 그것을 지불하는 데 가장 편리할 것 같은 시기와 방법으로 징수되지 않으면 안 된다. 토지의 지대 또는 가옥의 임대료에 대한 조세는 이러한 지대와 임대료가 보통 지불되는 것과 같은 기간에 지불할 수 있는 것이라면 공납자가 지불하는 데 가장 편리할 듯한 시기, 즉 그가 지불할 수단을 가장 많이 가지고 있는 시기에 징수되는 것이라 하겠다. 사치품과 같은 소비재화에 대한 조세는 결국 모든 소비자에 의해서 지불되는데, 그에게 가장 편리한 방법으로 지불된다. 그는 그 재화를 살 필요가 있을 때마다 조금씩 그 조세를 지불하는 셈이다. 또한 그가 사든지 안 사든지 자유이므로 만일 그가 그러한 조세 때문에 어떤 상당한 불편을 겪는다 하더라도 그것은 자업자득일 수밖에 없다.

⑷ 징수비가 절약되어야 한다는 것 등이다.

모든 조세는 이것을 국민의 호주머니에서 끌어내거나 호주머니 밖에 보존해 두거나 간에 그것이 국고에 납입되는 분을 될 수 있는 대로 적게 초과하도록 고안되어야 한다. 조세가 국민의 호주머니에서 나오거나 또는 호주머니 밖에 머물거나 그것이 국고에 납입되는 것보다 더 많은 금액이 되는 것은 다음 네 가지 방법에서이다. 첫째, 조세의 징수에 다수의 관리를 필요로 하고 그들의 봉급이 조세의 산출고의 대부분을 먹어 버리며, 그들의 부수입은 또 하나의 추가적 조세를 국민에게 과하게 되는 수가 있다. 둘째, 조세가 국민의 산업 활동을 방해하며 아주 많은 사람들에게 생활수단과 직업을 줄 수 있을지도 모를 만한 어떤 사업 부문에 국민이 종사하는 것을 저지하는 수가 있다. 조세는 국민에게 납세를 강요하고 있는 동안에 또 한편으로 국민이 더 쉽게 납세할 수 있게 해 주는 원자의 어떤 것을 이렇게 해서 감소시키든지 파멸시킬지도 모른다. 셋째, 탈세를 꾀하여 실패하는 불행한 사람들에게 몰수와 그 밖의 형벌을 과함으로써 조세는 그들을 파멸시키고 그렇게 함으로써 사회가 그들의 자본의 운용을 통하여 받을 수 있었을 이익에 끝장을 내어 버리는 수가 흔히 있다. 분별없는 조세는 밀수에 대한 대유혹이 된다. 그러나 밀수에 대한 형벌은 그 유혹에 비례하여 무거워짐이 틀림없다. 모든 정의의 상칙에 반하여 법률은 먼저 유혹을 만들어 놓고 그다음에 그것에 넘어간 사람들을 처벌한다. 그리고 그 법률은 당연히 형벌을 가볍게 해 주어야 하는 바로 그 사정, 즉 죄를 범하려는 유혹에 비례하여 형벌을 무겁게 하는 것이 보통이다.[159] 넷째로 국민은 징세인의 빈번한 방문과 밉살스러운 검사에 따라야 하므로 조세는 그들에게 불필요한 수고를 하게 하고 속상하게 하고 억압을 당하게 하는 수가 많을 것이다. 그리고 속상하다는 것은 엄격히 말한다면 비용은 아니지만 그것은 모든 사람이 기꺼이 그것을 지불하여 그러한 분함에서 벗어나려고 할 만한 비용과 등가임은 확실하다. 각가지 조세가 주권자에게 이익이 된다는 것보다 종종 국민에게는 그만큼 더 무거운 부담이 되는 것은 이러한 네 가지 점 가운데 어떤 것에 의해서 되는 것이다.

이러한 일반원칙은 모든 국민의 마음에 들었다.

상술한 일반원칙은 명백히 정당하고 유용하므로, 모든 국민은 그것에 대해 다소 주의[160]를 해 왔다. 모든 국민은 자신들 판단의 최선을 다하여 그 조세를 될

159 〔헨리 홈, 카메스 경Henry Home, Lord Kames,〕《Sketches of the History of Man》, 〔1744년, 제1권〕 474면 이하를 보라. 〔이 저자는 인용한 곳에서 과세에 관하여 다음 여섯 가지 "일반원칙"을 들고 있다.

1. "밀수의 기회가 조금이라도 있는 곳에서는 조세는 적의의 것이어야 한다."
2. "징세비가 많이 드는 조세는 피해야 한다."
3. "자의적인 조세를 피할 것."
4. "될 수 있는 대로 빈민에게 경과하고, 부자에게 중과함으로써" 부의 불평등을 "감소시킬 것."
5. "국민을 가난하게 만드는 경향이 있는 모든 조세는 분노로써 거부되어야 한다는 것."
6. "당사자의 선서를 요구하는 조세를 피할 것."〕

160 초판에는 여기 이하가 다음과 같이 되어 있다. "그 조세를 될 수 있는 대로 공평하게 하고, 또

수 있는 대로 공평하게 하려고 획책하고, 또 그 지불의 시기와 방법도 될 수 있는 대로 확실하고 공납자에게 편리하게 하고, 또한 군주에게 보내지는 수입과의 비에 있어서는 될 수 있는 대로 국민의 부담을 가볍게 하려고 노력해 왔다. 여러 시대와 나라에서 있었던 주요 조세의 어떤 것에 관한 이하의 간단한 검토는 모든 국민의 노력도 이 점에서는 한결같이 성공하지 못했다는 것을 밝힐 것이다.

제1항 임대료에 대한 조세와 지대에 대한 조세

토지의 지대에 대한 조세에는 불변의 평가액을 기초로 하고 있는 것과, 가변의 평가액을 기초로 하고 있는 것이 있을 수 있다.

토지의 지대에 대한 조세는, 각 지구를 어떤 일정한 지대로써 평가하고, 그 평가액을 그 후에 변경하지 않는다는 어떤 규준에 따라 부과되는 수도 있고, 또는 그 토지의 현실적 지대가 변동함에 따라 변동하고 그 토지의 경작의 개선 또는 쇠퇴에 따라 등락하는 방법으로 부과되는 수도 있다.

만일 불변의 평가액에 의거하면 영국의 지조처럼 불공평한 것이 된다.

영국의 경우와 같이 어떤 지조가 어떠한 불변의 규준에 따라 각 지구에 부과되는 것은,[161] 그것이 최초로 제정되었을 때는 공평했을지라도 때가 흐름에 따라, 그 나라의 여러 지방에서 경작이 개량되느냐 등한시되느냐의 정도가 불균등됨에 따라, 반드시 불공평한 것이 된다. 잉글랜드에 있어서는 윌리엄과 메리의 치세 제4년의 법률에 의해서 여러 주와 교구에 지조가 부과되었을 때의 평가액은

그 지불의 시기와 방법도 될 수 있는 대로 확실하고 공납자에게 편리하도록 하고, 또한 군주에게 보내지는 수입과의 비에 있어서 될 수 있는 대로 국민의 부담을 가볍게 하도록 획책劃策해 왔다."

161 〔"어떠한 불변의 규준에 따라 각 지구에 부과되는 것은"은 초판에는 "어떤 불변의 규준에 따라 과해지는 것은"이라고 되어 있다. 지조의 전형적인 부과방법의 기원에 관해서는, 캐넌 Cannan, 《Hist. of Local Rates in England》(1896), 114~119면을 보라.〕

그 최초의 제정 시에도 아주 불공평한 것이었다. 그러므로 본세本稅는 그런 한에 있어서는 상술의 네 가지 일반원칙의 제1의 것에 반하고 있다. 그러나 본세는 나머지 세 가지 일반원칙에는 완전히 합치한다. 그것은 완전히 확실한 조세인 것이다. 본세의 지불시기는 지대의 그것과 같으므로, 공납자에게는 아주 편리한 것이다. 어떠한 경우에도 지주가 실제 공납자이긴 하지만, 본세는 보통 차지인에 의해서 선불되고, 지주는 지대의 지불 시에 그것을 공제해 주도록 되어 있다. 이 세稅는 이와 거의 동일한 수입을 내어 주는 다른 어떤 조세보다도 훨씬 소수의 관리에 의해서 징수되고 있다. 각 지구에 과해지는 본세는 지대의 상승과 더불어 오르지 않으므로, 주권자는 지주의 개량에 의한 이윤에는 한몫 끼지 않는다. 사실 그러한 개량은 그 지구의 다른 지주들의 부담 경감에 이바지하는 수가 종종 있다.[162] 그러나 이 때문에 어떤 소유지의 조세부담이 가중하게 될지라도, 그 부담 가중은 항상 대단히 적은 것이므로, 그러한 개량을 저해할 수 있을 만한 것도 아니며,[163] 그 토지의 생산물을 그렇지 않았을 경우 증가했을 정도 이하로 억눌러 둘 수 있을 만한 것도 결코 아니다. 그것은 그 생산물의 양을 감소시키는 경향을 갖고 있지 않으므로, 그 생산물의 가격을 올릴 리도 없다. 그것은 국민의 근로를 방해하지도 않는다. 그것은 지주에 대해서는 납세한다는 불가피한 불편 이외에는 아무런 불편도 주지 않는다.

불변의 평가액을 영국의 지주들에게 유리한 것으로 만들어 준 여러 사정이란, 이 나라의 번영과 지대의 상승이 그것이다.

그러나 영국의 모든 토지에 지조가 매겨지고 있는 평가액의 불변적 항상성에서 지주가 얻어 낸 이익은 주로 그 조세의 성질과는 전혀 관계없는 약간의 사정에 기인하고 있었던 것이다.

162 〔제2판에는 "종종 있다"는 없다.〕

163 〔4행 앞의 "각 지구에 과해지는 본세는"에서 여기까지는 초판에는, "본세는 지대地代의 상승과 더불어 증징增徵되지 않으므로 주권자는 지주의 개량에 의한 이윤에는 한몫 끼지 않는다. 그러므로 본세는 그러한 개량을 저해하지는 않는다"라고 되어 있다.〕

그것은 이 평가액이 처음으로 책정된 이래로, 영국의 거의 모든 지방이 크게 번영했고, 이 나라의 거의 모든 소유지의 지대가 끊임없이 상승했으며, 하락한 것은 거의 없었다는 것에 일부는 기인하고 있었다. 그러므로 지주들은 거의 모두가 그들의 소유지의 현재의 지대에 따라 지불했을 조세와 옛날의 평가액에 따라 현재 지불하고 있는 조세와의 차액을 덕 본 셈이다. 만일 그와 반대로 이 나라의 상태가 그렇지 못했고 경작도 쇠퇴하여 지대가 점차 하락해 왔다면, 지주들은 거의 모두가 이 차액을 손해 보았을 것이다. 혁명 이래 때마침 일어나고 있었던 사태에서는 평가액의 불변성은 지주에게 유리했고, 주권자에겐 유해했다. 사태가 이와는 달랐더라면, 그것은 주권자에게 유리하고 지주에게 유해했을 것이다.

화폐와 은의 가치가 한결같았다는 것도 그것이다.

그 조세는 화폐로 지불될 수 있게 되어 있으므로, 토지의 평가액도 화폐로 표현되고 있다. 이 평가액이 정해진 이래 은의 가치는 거의 균일했으며, 주화의 표준에는 그 중량에 있어서나 그 순도에 있어서나 전혀 변경이 없었다. 아메리카의 광산들의 발견 이전의 3세기 동안 그러했다고 생각되듯이, 만일 은의 가치가 상당히 올랐다면 평가액의 불변성은 지주에게는 대단히 억압적이었다는 것이 밝혀졌을지도 모른다. 그러한 광산의 발견 후 적어도 약 1세기 동안 그러했듯이 은의 가치가 상당히 하락했더라면 평가액의 바로 그 불변성은 주권자의 수입의 이 부문을 크게 감소시켰을 것이다. 동량의 은을 더 낮은 금액면으로 떨어뜨린다든지 또는 더 높은 금액면으로 끌어올린다든지 하여 화폐의 표준에 상당한 변경이 이루어졌다면, 예를 들어 은 1온스가 5실링 2펜스로 주조되지 않고 겨우 2실링 7펜스라고 하는 낮은 금액면밖에 지니지 않는 주화편으로 주조되든지 또는 10실링 4펜스라고 할 만큼 높은 금액면을 가지는 주화편으로 주조되었다면, 그것은 전자의 경우에는 토지소유자의 수입을, 후자의 경우에는 주권자의 수입을 해쳤을 것이다.

평가액의 불변성은 당사자의 어느 한편에 대해서는 대단히 불편한 것이 되었을지도 모른다.

따라서 실제로 일어났던 것과는 약간 다른 여러 사정에서는 평가액의 이 불변성은 공납자 아니면 국가 중 어느 한쪽에 아주 크게 불편한 것이었을지도 모른다. 그러나 시대가 흐름에 따라 언젠가는 그러한 사정이 일어날 것이 틀림없다. 그러나 제국帝國은 인간의 다른 모든 소산과 마찬가지로 여태까지 모두 필멸의 것임을 입증해 왔지만, 그래도 모든 제국은 불멸을 지향하고 있다. 그러므로 제국 그 자체와 마찬가지로 영원히 존속해야 한다고 의도된 모든 기본 제도도 어떤 특정된 사정하에서만이 아니라, 모든 사정하에서도 편리한 것이 아니면 안 된다. 즉 과도적·임시적·우연적인 여러 사정에 맞는 것이어야 할 것이 아니라 필연적인 따라서 항상 동일한 여러 사정에 적합한 것이어야 한다.

프랑스의 이코노미스트들은 지대와 함께 변동하는 조세를 추장推奬하고 있다.

스스로를 이코노미스트라고 부르는 프랑스의 문필가의 일파는 토지의 지대의 모든 변동과 더불어 변동하는 조세, 즉 경작의 개량, 또는 태만에 따라 증감하는 토지의 지대세를 모든 조세 가운데 가장 공평한 것이라고 추장하고 있다. 그들은 모든 조세는 궁극적으로는 토지의 지대에 과해지며, 따라서 최종적으로 그 조세를 지불해야 하는 원자元資에 공평하게 과해져야만 한다고 주장한다. 모든 조세는 최종적으로 이것을 지불하여야 하는 원자에 될 수 있는 대로 공평하게 과해져야 한다는 것은 확실히 진리이다. 그러나 그들의 극히 독창적인 이론을 뒷받침하고 있는 형이상학적인 의논에 관하여 불유쾌한 토의를 할 것 없이 최종적으로 토지의 지대에 부과되는 조세는 어떤 것이며, 최종적으로 어떤 다른 원자에 부과되는 조세는 어떤 것인지는 이하의 검토에서 충분히 드러날 것이다.

베네치아의 영토에서는 대지에는 10퍼센트, 토지소유자가 경작하는 토지에는 8퍼

센트가 과세되고 있다.

베네치아의 영토에서는 농업경영자에게 임대되는 모든 경지는 그 지대의 10분의 1이 과세되고 있다.[164] 임대차 계약은 각 주 또는 각 지구의 수입관리가 보관하는 공공의 등기부에 기록된다. 토지소유자가 자기 자신의 토지를 경작하고 있을 때는 그러한 토지는 공평한 견적에 따라 그는 그 세의 5분의 1의 공제를 받으므로 그러한 토지에 대해서는 그는 상정상想定上의 지대의 10퍼센트를 지불하지 않고 8퍼센트만을 지불한다.

그러한 지조는 영국의 것보다는 공평하지만, 그렇게 확실하지 않고 더 비싸게 먹힌다.

이런 종류의 지조는 잉글랜드의 지조보다는 확실히 공평하다. 그러나 그것은 아마 잉글랜드의 지조만큼 확실하지는 않은 것 같으며, 그리고 그 세의 부과에는 지주를 훨씬 더 성가시게 하는 수가 흔히 있을지도 모른다. 또한 그것은 징수비가 훨씬 더 비싸게 먹힐지도 모른다.

이 불확실성과 징수비는 감소될 수 있을 것이다.

그러나 이 불확실성을 크게 방지하고 이 징수비를 경감시킬 만한 행정제도는 고안될 수 있을 것이다.

즉 임대차 계약을 등기登記시키는 것이다.

예를 들면, 지주와 차지인이 공동으로 그들의 임대차 계약을 공공의 등기부에 기록하지 않으면 안 되도록 할 수도 있다. 여러 조건의 어떤 것을 은닉하거나 또는 부진실不眞實 표시를 하는 것에 대해서는 적당한 벌금을 제정할 수 있으며, 또한 만일 양당사자의 어느 한 편이 다른 한 편의 그러한 은닉 또는 부진실 표시를 고발하여 후자를 유죄로 만들 경우, 그 벌금의 일부를 전자에게 주도록 한다면 공공적 수입을 착취하기 위한 그들의 결탁은 유효하게 방지될 것이다. 임대차

164 《Memoires concernant les Droits》, 제1권, 240~241면.

계약의 모든 조건은 그러한 기록에서 충분히 알려질 수 있을 것이다.

또 부담금에 대해서는 지대에 대한 것보다 더 높은 비율의 과세를 하는 것이다.

어떤 지주들은 지대를 올리는 대신에 임대차 계약의 경신에 대해서 부담금(fine)을 받고 있다. 이 관행은 대부분의 경우 낭비자의 편법이며, 낭비자는 어떤 금액의 현금을 받고 그보다 훨씬 더 큰 가치가 있는 장래의 수입을 파는 셈이다. 그러므로 그것은 대부분의 경우 지주에게 유해하다. 그것이 차지인에게 유해할 때도 흔히 있으며, 더욱이 공동사회에 대해서는 항상 유해하다. 그것은 차지인으로부터 그의 자본의 대단히 큰 부분을 흔히 빼앗아 버리고 또한 그럼으로써 토지를 경작하는 그의 능력을 그만큼 감살減殺시키므로 그는 그렇지 않았을 경우 지불했을 다액의 지대보다 더 적은 지대를 지불하는 것도 더 어렵다는 것을 알게 된다. 그의 경작 능력을 감살시키는 것은 무엇이든지 필연적으로 공동사회의 수입의 가장 중요 부분을 그렇지 않았을 경우의 수준 이하로 눌러 두는 것이라 하겠다. 그러한 부담금에 대한 조세를 통상의 지대에 대한 것보다 훨씬 더 무겁게 함으로써, 이 유해한 관행은 저지되고 모든 관계 당사자, 즉 지주·차지인·주권자·공동사회 전체에 적지 않은 이익이 될 것이다.

경작에 관한 조건을 높게 평가함으로써 그러한 조건을 저지하는 것이다.

어떤 임대차 계약은 그 계약의 전 계속기간 중 차지인이 일정한 경작방법을 사용할 것과 일정한 윤작을 할 것을 규정하고 있다. 이 조건은 대체로 지주가 지주 자신의 뛰어난 지식에 관한 자부심(대부분의 경우, 대단히 근거박약한 자부심)의 결과이며, 실은 언제나 일종의 추가적 지대, 즉 화폐지대를 대신하는 노역지대(rent in service)라고 간주되어 마땅한 것이다. 대체로 어리석어 빠진 이 관행을 저지하기 위해서는, 이런 종류의 지대를 다소 높게 평가하며, 그 결과 보통의 화폐지대보다 약간 높게 과세해도 좋을 것이다.

또 현물지대를 높게 평가하는 것이다.

어떤 지주들은 화폐지대 대신에 곡물·가축·가금·포도주·기름 등의 현물지대를 요구하고, 다른 지주들은 또 노역지대를 요구한다. 그러한 지대는 항상 지주에게 유리한 이상으로 차지인에게는 유해하다. 그러한 지대는 전자의 호주머니 속에 넣는 것보다 더 많은 것을 후자의 호주머니 밖에 꺼내 두든지 한다. 이러한 지대가 거둬지고 있는 모든 나라에서는 그것이 거둬지고 있는 정도에 거의 비례하여 차지인들은 가난하고 거지꼴이 되어 있다. 앞의 경우와 마찬가지로 이러한 토지를 다소 높게 평가하여, 그 결과 보통의 화폐지대보다 약간 무겁게 그것에 과세하면, 전 공동사회에 유해한 관행인 그것은 아마 충분히 저지될 수 있을 것이다.

그리고 자신의 토지 일정 부분을 경작하는 지주에 대해서는 조세를 경감해 주는 것들이다.

지주가 자기 자신의 토지의 일부를 손수 점유하기로 할 때는 그 지대는 이웃의 농업경영자들과 지주들의 공평한 재정에 따라 평가되어도 좋은 것이며, 베네치아의 영토에서와 마찬가지로 조세의 온당한 경감이 그에게 허용되어도 좋은 것이다. 다만 이 경우, 그가 점유하는 토지의 지대가 어떤 일정액을 넘지 않을 경우, 그가 점유하는 토지의 지대가 어떤 일정액을 넘지 않을 것을 조건으로 한다. 지주가 자기 자신의 토지의 일부를 경작하도록 장려한다는 것은 중요한 것이다. 그의 자본은 대체로 차지인의 것보다 크므로 그는 숙련에 있어서는 뒤떨어지더라도 차지인보다 더 많은 생산물을 흔히 낼 수 있다. 지주는 여러 가지 실험을 해 볼 수 있고, 또 대체로 해 보고 싶어진다. 그가 실험에 실패하더라도 그 자신에게는 약간의 손실이 있을 뿐이다. 그의 성공적인 실험은 전국의 개량과 보다 나은 경작에 이바지하게 된다. 그러나 그 세를 경감하여 경작을 장려한다 하더라도, 그것을 어떤 일정 면적에만 한정하게 할 것이 중요할 것이다. 만일 지주는 대부분이 그들 자신의 토지 전부를 경영하고 싶어지기라도 한다면 농촌은 (그들 자신의 이해관계에 구속되어 그 자본과 숙련이 허용하는 한, 훌륭히 경작할 온건하고 부지런한 차지인 대신에) 게으르고 방탕한 집행관으로 가득차게 될 것이며, 이들의 헤픈 관리는 곧 경작을 타락시키고 토지의 연간 생산물을 감소시켜서 그들의 주인들의 수입뿐만 아니라, 사회 전체의 수입의 최중요 부분마저 감소시킬 것이다.

이러한 제도는 조세를 불편한 불확실성에서 벗어나게 하고 개량을 장려할 것이다.

이러한 행정제도는 아마 이런 종류의 조세를 공납자에게 억압이 되게 한다든지 불편하게 할 수도 있을 불확실성에서 전혀 벗어나게 할 수 있을 것이며, 동시에 농촌의 일반적 개량과 좋은 경작에 크게 기여할 만한 계획 또는 정책을 토지의 보통 경영에 도입하는 데 도움이 되게 할 것이다.

이 조세를 징수하기 위한 특별경비는 별로 중요한 것은 아닐 것이다.

지대가 변동할 때마다 함께 변하는 지조의 징수비는 항상 고정적인 평가액에 따라 할당되고 있었던 지조의 징수비보다는 틀림없이 약간 더 많을 것이다. 농촌의 여러 지구에 설립되는 것이 적당할 여러 가지 등기소와 토지소유자가 손수 점유하려고 하는 토지에 관하여 수시로 이루어질지도 모르는 여러 가지 평가의 쌍방은 반드시 약간의 추가적 경비를 초래하게 될 것이다. 그러나 이러한 모든 경비는 극히 온당한 것이겠고, 이런 종류의 조세에서 쉽게 나올 수 있는 수입에 비하면 아주 하찮은 수입을 제공함에 지나지 않을 많은 다른 조세의 징수에 요하는 경비보다는 많이 낮은 편일 것이다.

개량의 가치는 일정 기간만의 면세이어야 한다.

이런 종류의 가변적인 지조는 토지의 개량을 저해할지도 모른다는 것이 이 조세에 대해서 이루어질 수 있는 가장 중요한 반대론인 것 같다. 토지개량의 경비에 대해서 아무것도 보태 주지 않는 주권자가 그 개량의 이윤에서 한몫을 차지하도록 되어 있다면 지주는 확실히 개량하고 싶어지는 마음이 덜할 것이다. 지주가 개량을 시작하기 전에 수입관리와 협력하여 그 이웃에 있는 지주들과 농업경영자들의 양당사자 측에서 똑같이 선출된 일정 수의 사람들의 공평한 재정에 따라 자기 토지의 실제의 가치를 확인하도록 허용되고, 또한 그가 완전한 보상을 받기에 충분할 만한 연수 동안 이 평가액에 따라 이 조세를 할당해 주도록 한다면, 이러한 반대론일지라도 미연에 방지될 수 있을지도 모른다. 주권자의 주의를 자기 자신의 수입증가라는 고려에서 토지의 개량으로 돌린다는 것은 이런 종류의 지조에 의해서 의도되는 주요한 이점의 하나이다. 그러므로 지주의 보상을 위해 허용된 기간은 그 목적을 위하여 소요되는 기간 이상으로 너무 길어서는 안 된다. 이익이 너무 먼 곳에 있으므로 해서 이 주의를 너무 약화시키지 않도록 하기 위함이다. 그러나 그 기간은 어떤 점에서도 너무 짧은 것보다는 약간 긴 편이 더 좋다. 주권자의 주의에 대한 자극이 어떠한 것일지라도, 지주의 주의에 대한 최소한의 저해도 메울 수 없는 것이다. 주권자의 주의는 기껏해야 어떻게 하면 자기 영토의 대부분을 조금 더 잘 경작하는 데 이바지할 것인가 하는 극히 일반적이며 막연한 고려에 지나지 않을 것이다. 그러나 지주의 주의는 어떻게 하는 것이 자기 소유지의 지면을 1인치라도 더 유리하게 고용하느냐 하는 것에 관한 꼼꼼하고 세심한 고려이다. 주권자의 주된 주의는 자기 쌍방의 범위 내에 있는 모든 수단을 다하여 지주와 농업경영자 쌍방의 주의를 환기시키는 것이어야 한다. 즉 그들 쌍방에게 그들 자신의 이익을 그들 스스로의 방법으로 또 그들 자신의 근로의 전체 보수를 향수할 것을 가장 완전히 보증해 주고, 그리고 모든 다른 군주의 영토에의 수출에 대해 가장 구속 없는 자유는 물론, 주권자의 영토의 모든 지방을 통하는 수륙의 가장 용이하고 안전한 교통을 확립해 줌으로써 그 쌍방에게 그들의 생산물의 모든 부분에 대한 가장 광대한 시장을 제공해 주는 것이라 하겠다.

그렇게 되면 이 조세의 불편은 가능한 한 최소의 것이 될 것이다.

만일 이러한 행정제도에 의해서 이런 종류의 조세가 토지의 개량을 조금도 저해하지 않을 뿐만 아니라, 반대로 오히려 그것을 다소라도 장려하도록 운영될 수 있다면, 이 조세는 납세의 의무를 진다는 항상 불가피한 불편 이외에는 아무 불편도 지주에게 주는 것 같지 않다.

이 조세는 모든 변화에 적응할 것이다.

사회 상태가 어떻게 변하든, 또한 농업이 개선되든 쇠퇴하든 간에, 그리고 은의 가치가 어떻게 변동하고 주화의 표준이 어떻게 변동하든 간에, 이런 종류의 조세는 저절로, 즉 정부의 주의 없이도 사물의 실정에 쉽게 맞추어 나갈 것이며, 그러한 모든 변화가 일어나더라도 똑같이 정당하고 공평할 것이다. 그러므로 이 조세는 항상 일정한 평가액에 따라 징수된 어떤 조세보다도 영구불변의 법규로서, 즉 소위 국민의 기본법으로서 제정되기에 훨씬 더 적합한 것이라 하겠다.

약간의 국가는 지조를 위하여 측량과 평가를 하고 있다.

약간의 국가는 임대차 계약의 등기라고 하는 단순하고 명백한 편법 대신에 그 나라에 있는 모든 토지의 실제의 측량 및 평가라고 하는 수고스럽고 경비가 드는 편법에 의존해 왔다. 그들은 아마 공공적 수입을 착취하기 위해 대지인과 차지인이 결탁하여 참다운 임대차조건을 은닉하지나 않을까 하고 의심했던 것 같다. 토지대장(Doomsday-book)은 이런 종류의 대단히 정확한 측량의 결과였던 것 같다.

예를 들면, 프로이센과 슐레지엔이 그러하다.

프로이센 왕국의 옛 영토에서는 지조는 실제의 측량 및 평가에 따라 부과되고, 또 때에 따라 재검토되고 개정된다.[165] 그 평가액에 의하면 속인의 토지소유자는 자신들 수입의 20퍼센트 내지 25퍼센트를 지불한다. 성직자는 40퍼센트 내

165 《Memoires convernant les Droits, &c.》, 제1권, 114~116면.

지 45퍼센트를 지불한다. 슐레지엔의 측량 및 평가는 현 국왕의 명령에 의해서 이루어진 것으로 대단히 정확하다고 일컬어지고 있다. 그 평가액에 의하면 브레슬라우Breslau의 주교에게 속하는 토지는 그 지대의 25퍼센트가 과세된다. 두 종파 성직자의 다른 수입에는 50퍼센트이다. 튜튼기사단(Teutonic order) 및 몰타Malta기사단의 기사령에서는 40퍼센트이다. 귀족적 보유권에 의해서 보유되고 있는 토지에 대해서는 38과 3분의 1퍼센트이다. 예농적 보유권(base tenure)에 의해서 보유되고 있는 토지에 대해서는 35와 3분의 1퍼센트이다.[166]

또 보헤미아도 그러하다.

보헤미아의 측량과 평가는 100년 이상이나 걸린 사업이었다고 한다. 그 사업은 현 여황제의 명령에 의해서 1748년의 강화 후에 비로소 완료되었다.[167] 카를 6세Karl VI(685~1740)의 시대에 시작된 밀라노 공국의 측량은 1760년 이후에야 완료되었다. 그것은 그때까지 이루어졌던 측량 가운데 가장 정확한 것의 하나라고 평가되고 있다. 사부아Savoy와 피에몬테Piedmont의 측량은 사르데냐Sardinia의 작고한 왕의 명령으로 실시되었던 것이다.[168]

프로이센의 지조에서는 교회 소유지는 그 밖의 토지보다 더 높은 비율로 과세되고 있는데, 약간의 국가에서는 교회 소유지는 그 밖의 토지보다 저율로 과세되고 있다.

프로이센 국왕의 영토에서는 교회의 수입은 속인의 토지소유자의 그것보다 훨씬 높은 비율로 과세된다.[169] 교회의 수입은 그 대부분이 토지의 지대에 지워지는 부담인 것이다. 그러나 그것의 어떤 부분도 토지의 개량에 충용되거나 또는 어떤 점에 있어서든 국민 대중의 수입을 증가시키는 데 도움이 되도록 사용되는 적은 좀처럼 없다. 그 때문에 아마 프로이센 황제 폐하는 교회의 수입은 국가의

166 〔《Memoires convernant les Droits, &c.》, 제1권, 117~119면.〕

167 《Memoires convernant les Droits, &c.》, 제1권, 83~84면, 〔79면.〕

168 《Memoires convernant les Droits, &c.》, 제1권, 280면 이하, 287면 이하 316면까지.

169 〔바로 앞에서 진술한 바와 같다.〕

위기를 구하기 위해서는 무엇보다도 훨씬 더 많이 기여하는 것이 합리적이라고 생각했을 것이다. 약간의 나라에서는 교회의 토지는 모든 조세를 면제받고 있다. 다른 제국에서는 그것은 다른 토지에 비해서 더 가볍게 과세되고 있다. 밀라노 공국에서는 1575년 이전에 교회가 소유하고 있었던 토지는 그 가치의 3분의 1만에 조세가 할당되고 있을 뿐이다.[170]

귀족적 보유권에 의해서 보유되고 있는 토지와 예농적 보유권에 의해서 보유되고 있는 토지 사이에는 차별이 설정되어 있는 수가 종종 있다.

슐레지엔에서는 귀족적 보유권에 의해서 보유되고 있는 토지는 예농적 보유권에 의해서 보유되고 있는 것보다 3퍼센트 높게 과세되고 있다. 전자에 부수附隨되어 있는 여러 가지 종류의 명예와 특권은 조세를 약간 무겁게 하더라도 그 토지소유자에 대한 충분한 보상이 될 것이며 이와 동시에 후자의 굴욕적인 열등감은 전자보다 약간 가볍게 과세해 줌으로써 어느 정도 완화될 것이라고 프로이센 황제 폐하는 상상했던 것 같다. 다른 여러 나라에서는 과세제도가 이 불공평을 완화하기는커녕 한결 더 무겁게 하고 있다. 사르데냐 국왕의 영토와 소위 부동산 또는 토지 타이유(real or predial taille)가 과해지고 있는 프랑스의 여러 주州에서는 조세는 모두 영농적 보유권에 의해서 보유되고 있는 토지에만 과해지고 있다. 귀족적 보유권에 의해서 보유되고 있는 토지는 면세되고 있다.

전국적 측량 및 평가에 따라 부과되는 지조는 얼마 되지 않아 불공평한 것이 된다.

전국적 측량 및 평가에 따라 부과되는 지조는 처음 아무리 공평한 것일지라도 아주 얼마 되지 않는 기간이 지나면 불공평한 것이 되어 버린다. 그것이 그렇게 되는 것을 방지하기 위해서는 그 나라의 온갖 각가지 농지의 상태와 생산물의 모든 변동에 대해서 정부는 끊임없는 성가신 주의를 기울여야 할 필요가 있다. 프로이센, 보헤미아, 사르데냐 및 밀라노 공국의 정부는 이런 종류의 주의를 실

170 〔《Memoires convernant les Droits, &c.》, 제1권, 282면.〕

제로 기울이고 있었다. 그러나 그러한 주의는 정부의 성질상 극히 부적당한 것이므로 오래 계속될 것 같지는 않으며 비록 오래 계속되더라도 아마 결국에 가서는 공납자에게 가져다줄 수 있을 구제보다도 훨씬 더 큰 번로煩勞와 괴로움을 일으킬 것이다.

몽토방에서는 그러하다.

1666년 몽토방Montauban의 대부분은 아주 정확한 부동산 또는 토지 타이유[171]가 부과되었다.[172] 이 부과는 1727년까지는 대체로 불공평한 것이 되어 버렸다. 이 불편을 없애기 위하여 정부는 징세구 전체에 12만 리브르의 부가세를 부과하는 것보다 더 좋은 편법을 찾지 못했다. 이 부가세는 종래의 부과에 따라 타이유가 부과되는 모든 지구地區에 할당되고 있다. 그러나 그것은 구래舊來의 부과로 말미암아 당시의 실정에서는 과세 부족이 되어 있는 지구에서만 징수되었으며, 따라서 그것은 그 과세로 말미암아 과세 과중이 되어 있는 지구의 구제를 위해 충용되고 있다. 예를 들면 당시의 실정에 있어서는 한편은 900리브르 또 한쪽은 1000리브르가 과세되어야 마땅한 두 지구가 구래의 부과 때문에 두 지구 모두에 1000리브르가 과세되고 있다고 하자. 그리고 이 두 지구가 각각 부가세 때문에 1100리브르가 할당된다고 하자. 그러나 이 부가세는 부담부족負擔不足의 지구에서만 징수되며 그 전부는 부담과중이 되어 있는 지구의 구제를 위해 충용되는데, 그 결과 이 지구는 900리브르만 지불한다. 정부는 그 부가세에 의해서 이득도 손실도 보지 않으며 부가세의 전부는 구래의 평가 때문에 생기는 불공평을 바로잡는 데 충용된다. 부가세의 충용은 징세구徵稅區의 지사知事의 판단에 따라 규제되는 수가 대단히 많으며 따라서 대단히 자의적인 것이 되지 않을 수 없다는 것이다.

171 〔여기와 3행 뒤에 나오는 "타이유(taille)"는 제2판~제5판 모두 "tallie"라고 오식되어 있다.〕

172 〔《Memoires convernant les Droits, &c.》, 제2권, 139면 등, 〔145~147면.〕

1. 지대에 비례하지 않고 토지 생산물이 비례하는 조세

생산물에 대한 조세는 최종적으로 지주에 의해서 지불된다.

토지 생산물에 대한 조세는 실은 지대에 대한 조세이며, 비록 그것이 본래 농업경영자에 의해서 지불될지 모르지만 결국은 지주에 의해서 지불된다. 생산물의 일정 부분이 조세로서 지불되도록 되어 있을 때 농업경영자는 이 부분의 가치가 해마다 평균해서 얼마만 한 금액에 달할 것 같은지를 될 수 있는 대로 잘 산정하여 그가 지주에게 지불할 것을 동의하는 지대에서 그만큼을 덜어 두는 것이다. 이런 종류의 지조地租인 교회의 10분의 1세가 해마다 평균해서 얼마만 한 금액에 달할 것 같은지를 미리 산정해 두지 않는 농업경영자는 한 사람도 없다.

또한 그것은 대단히 불공평한 조세이다.

10분의 1세와 이런 종류의 모든 다른 지조는 보기에는 아주 공평한 것 같으나 대단히 불공평한 조세이다. 즉 생산물의 일정 부분은 사정이 달라지면 지대의 극히 다른 부분과 등가가 되기 때문이다. 어떤 대단히 비옥한 토지에서는 생산물이 대단히 많으므로 그 반만으로도 농업경영자가 경작에 사용한 자본을 그 이웃에서의 농업경영 자재의 통상이윤과 아울러 회수하기에 충분하다. 만일 10분의 1세가 없다면 그는 나머지 반을, 다시 말하면 나머지 반의 가치를 지대로서 지주에게 지불할 수 있었을 것이다. 그러나 만일 생산물의 10분의 1을 10분의 1세로서 그가 빼앗긴다면, 그는 자기의 지대의 5분의 1의 감액을 요구하지 않으면 안 된다. 즉 그렇게 하지 않으면 그는 자기의 자본을 통상이윤과 아울러 회수할 수 없기 때문이다. 이런 경우, 지주의 지대는 전체 생산물의 반, 즉 10분의 5 대신에 그것의 10분의 4밖에 되지 않을 것이다. 이와 반대로 보다 더 빈약한 토지에서는 생산물이 너무나 적고 경작비가 대단히 많을 때가 있으므로, 농업경영자가 자기의 자본을 통상이윤과 함께 회수하기 위해서는 전체 생산물의 5분의 4를 필요로 한다. 이런 경우엔 비록 10분의 1세가 없더라도 지주의 지대는 전체 생산물의 겨우 5분의 1, 즉 10분의 2밖에 될 수 없을 것이다. 그런데 만일 그 농업경영자가 생산물의 10분의 1을 10분의 1세로서 지불한다면, 그는 지주의 지대에서 같은 금액만큼의 감액을 요구하지 않으면 안 되고, 따라서 지주의 지대는 전체 생산물의 겨우 10분의 1로 감소될 것이다. 10분의 1세는 비옥한 토지의 지대에 대해서는 그 5분의 1, 즉 1파운드당 4실링의 조세밖에 되지 않겠지만 그보다 더 빈약한 토지의 지대에 대해서는 이따금 2분의 1, 즉 1파운드당 10실링의 조세가 될 수도 있다.

개량과 훌륭한 경작을 모두 저해한다.

10분의 1세는 그것이 특히 지대에 대해서 극히 불공평한 조세이듯이, 지주의 개량과 농업경영자의 경작 쌍방을 항상 크게 저해하고 있다. 그 경비를 전혀 부담하지 않는 교회가 그 이윤 가운데 아주 큰 몫을 차지하도록 되어 있다면 지주는 가장 중요하나 대체로 가장 비용이 많이 드는 개량을 감히 할 리도 없으며 또 농업경영자로서도 최고가最高價이기는 하지만 역시 경비가 가장 많이 드는 농작물을 감히 재배할 리도 없다. 꼭두서니속의 식물(madder)의 재배는 10분의 1세 때문에 오랫동안 연합제주聯合諸州에 국한되어 있었으며, 장로교회파였던 이 나라들은 그 때문에 이 파괴적인 조세를 면제받고 그 유용한 염료에 관해서는 유럽의 나머지 제국에 대해서 일종의 독점권을 향수하고 있었던 것이다. 이 식물의 재배를 잉글랜드에 도입하려고 하는 최근의 시도는 꼭두서니속 식물에 대한 모든 종류의 10분의 1세 대신에 1에이커에 5실링을 징수하기로 규정한 조례가 생긴 결과 비로소 실행되었다.[173]

생산물에 대한 조세는 아시아의 많은 나라에서는 국가의 주요 수입을 형성하고 있었다.

유럽의 대부분을 통하여 교회가 그러한 것처럼 아시아의 수많은 나라에서는 국

173 〔조지 2세 제31년 법률 제12호이며, 이것은 조지 3세 제5년 제18호에 의해 계속되었다.〕

가가 지대 아닌 토지 생산물에 비례하는 지조에 의해서 주로 유지되고 있다. 중국에서는 주권자의 주요 수입은 이 제국의 모든 토지 생산물의 10분의 1로 되어 있다. 그러나 이 10분의 1은 극히 알맞게 평가되므로 많은 주에서는 그것은 통상의 생산물의 30분의 1을 넘지 않는다고들 한다. 벵골이 잉글랜드의 동인도회사의 수중에 들어가기 전에, 이 나라의 회교回敎 정부에 지불되는 것이 보통이었던 지조, 즉 지대는 생산물의 약 5분의 1에 달했다고 한다. 고대 이집트의 지조도 역시 마찬가지로 5분의 1에 달했다고 한다.[174]

더욱이 그것은 주권자로 하여금 그곳에서의 토지의 개량과 경작에 관심을 가지게 한다고 한다.

아시아에서는 이 부류의 지조는 주권자로 하여금 토지의 개량 및 경작에 관심을 갖게 한다고 일컬어지고 있다. 따라서 중국의 주권자, 회교 정부 치하에 있었을 동안의 벵골의 주권자와 그리고 고대 이집트의 주권자는 토지 생산물의 모든 부분에 그들 자신의 영토가 제공할 수 있는 한의 가장 광대한 시장을 제공하여 그 생산물의 양과 가치의 쌍방을 될 수 있는 대로 증가시키기 위하여 좋은 도로와 항행 가능한 운하를 건설하고 유지하는 데 극히 주의해 왔다고 한다. 그러나 교회의 10분의 1세는 대단히 적은 부분으로 분할되어 있으므로, 그 소유자는 누구도 이런 종류의 관심을 가질 수 없다. 교구의 목사일지라도, 자기 자신의 특정교구의 생산물을 위한 시장을 확대하기 위하여 그 나라의 먼 지방에 통하는 도로나 운하를 건설해서 수지를 맞출 수는 없을 것이다. 국가의 유지를 위해 예정되어 있다면, 그러한 조세는 그들의 불편을 어느 정도 상쇄하는 데 도움이 될지 모르는 약간의 이점을 가지고 있다. 교회를 유지하기 위해 마련된 것이라면 불편하다는 것 이외에는 아무것도 따르지 않는 조세인 것이다.

이 조세는 현물로 징수되어도 좋고, 화폐로 징수되어도 좋다.

174 (〈창세기〉 47장 26절.)

토지 생산물에 대한 조세는 현물이든지 또는 일정한 평가에 따라 화폐로 징수되어도 좋다.

현물로 징수하는 것은 공공적 수입으로서는 부적당하다.

교구의 목사라든지 자기의 소유지에서 생활하고 있는 소小재산가인 지주는 전자가 그것의 10분의 1세를 후자가 그것의 지대를 현물로 받아들이는 것이 약간 이익이라고 생각할 때도 아마 있을 것이다. 징수될 양과 이것을 징수하게 되어 있는 지구가 대단히 적기 때문에 그들은 모두 그들에게 당연히 돌아갈 모든 부분의 징수 및 처분을 자신들 눈으로 감시할 수 있다. 그러나 수도에서 생활하고 있는 대大재산가의 지주는 만일 먼 지방에 있는 소유지의 지대가 이렇게 지불되도록 되어 있다면, 자기의 토지 관리인과 대리인의 태만 때문에 큰 손실을 본다든지, 그들의 사기에 의해서 더 큰 손실을 보게 될 위험에 처할 것이다. 조세징수관의 부정과 강박에서 오는 주권자의 손실은 틀림없이 이보다도 훨씬 더 많을 것이다. 가장 부주의한 개인의 사용인일지라도 가장 주의하는 군주의 사용인에 비하면, 아마 그들의 주인의 감시를 훨씬 더 많이 받고 있을 것이다. 그러니 현물로 지불된 공공적 수입은 징세관의 잘못된 처리 때문에 크게 손해를 봄으로 국민에게서 징수된 것의 극히 적은 부분밖에 군주의 보고에 들어가지 못하게 될 것이다. 그러나 중국의 공공적 수입의 어떤 부분은 이런 방법으로 지불되고 있다고 한다. 중국의 관리 및 그 밖의 징세리徵稅吏들은 틀림없이 화폐로써 하는 어떤 지불보다도 훨씬 더 부정을 많이 할 수 있는 이 지불 습관을 계속시키는 것이 그들의 이익이라는 것을 알게 될 것이다.

생산물에 대해서 화폐로 징수되는 조세는 항상 동일하든지 또는 생산물의 시장가격과 더불어 변동하는 수도 있다.

토지 생산물에 대해서 화폐로써 징수되는 조세는 시장가격의 모든 변동과 함께 변동하는 평가에 따라서 징수될 수도 있고, 또는 고정적인 평가에 따라, 이를테면 소맥 1부셸bushel은 시장의 상태가 어떻든 간에 항상 전혀 똑같은 화폐가격으로 평가되고 이것에 따라 징수되는 수도 있다. 전자의 방법으로 징수되는 조세액은 오직 토지의 실제의 생산물의 변동에 따라, 즉 경작의 개량 또는 태만에 따라서만 변동할 것이다. 후자의 방법으로 징수되는 조세액은 토지 생산물의 변동에 따라 변동할 뿐만 아니라, 귀금속의 가치의 변동과 여러 시대에 동일 명목의 주화에 함유되는 귀금속의 양의 변동과의 쌍방에 따라 변동할 것이다. 전자의 징세액은 토지의 실제 생산물의 가치에 대해서 항상 동일한 비율을 가질 것이다. 후자의 징세액은 그 가치에 대해서 시대를 달리함에 따라 대단히 다른 비율을 가질지도 모른다.

이 조세에 대한 보상으로서 일정액의 화폐가 지불되도록 되어 있을 때는 그것은 꼭 잉글랜드의 지조와 비슷한 것이 된다.

토지 생산물의 일정 부분이나 또는 그 일정 부분의 가치 대신에 일정액의 화폐가 지불되어 이것으로 모든 조세 또는 10분의 1세의 완전한 보상이 되도록 되면, 이 조세는 이 경우에 잉글랜드의 지조와 꼭 동일 성질의 것이 된다. 이 조세는 토지의 지대와 더불어 등락하지는 않는다. 이 조세는 개량을 장려하지도 않으며 저해하지도 않는다. 다른 모든 10분의 1세 대신에 이른바 대납금貸納金(modus)을 지불하고 있는 대부분의 교구에서의 10분의 1세는 이런 종류의 조세이다. 벵골이 회교 정부 치하에 있었을 동안 생산물의 5분의 1[175]을 현물로 지불하는 대신에 대납금, 즉 극히 온당하다고 일컬어지는 대납금이 그 나라의 대부분의 지구, 즉 영지(zemindaries)에서 확립되어 있었다. 동인도회사의 사용인使用人 가운데 어떤 사람은 공공적 수입을 그 본래의 가치로 복귀시킨다는 구실하에 약간의 주에 있어서의 이 대납금을 현물지불로 바꾸었다. 그들의 관리하에서의 이런 변화는 경작을 저해하고, 공공적 수입의 징수에 있어서 부정을 할 새로운 기회를 제공하는 것도 될 것 같으며, 이 공공적 수입은 이것이 최초로 이 회

175 〔"5분의 1(the fifth part)"은 초판에서 제4판까지 "a fifth part"라고 되어 있다.〕

사의 관리하에 들어갔을 때 그러했다고 일컬어지고 있었던 것보다는 훨씬 적어졌다. 이 회사의 사용인은 아마 이러한 변화에 의해서 이익을 보았을 것이지만, 그러나 그것은 그들의 주인과 나라 쌍방의 희생으로 그렇게 된 것 같다.

2. 가옥의 임대료에 대한 조세

가옥의 임대료는 두 가지 부분으로 되어 있다.

가옥의 임대료는 두 가지 부분으로 구별될 수 있으니, 그 하나는 건물 임대료라고 불리는 것이 아주 적절하며 다른 하나는 보통 부지지대라고 불리고 있다.

즉 건물 임대료와,

건물 임대료는 가옥을 짓는 데 지출된 자본의 이자 또는 이윤이다. 건축업자의 사업을 다른 사업과 동등한 수준에 올려놓기 위해서는, 이 임대료는 첫째, 그가 자기의 자본을 확실한 담보를 잡고 빌려주었을 경우 그가 받았을 것과 동일한 이자를 그에게 지불할 만한 것이어야 하고, 둘째, 그 가옥을 항상 수리해 두는 데, 즉 같은 말이 되겠지만, 일정 연한 내에 그 건축에 사용되었던 자본을 회수하는 데 충분한 것이어야 함을 필요로 한다. 그러므로 건물 임대료 즉 통상의 건물 이윤은 어떤 곳에서나 통상의 화폐이자에 의해서 규정되고 있다. 시장이자율이 4퍼센트인 곳에서 가옥의 임대료가 부지지대를 지불한 위에 총건축비의 6퍼센트 내지 6.5퍼센트를 제공한다면 아마 그것은 건축업자에게는 충분한 이윤이 되는 셈이라 하겠다. 시장이자율이 5퍼센트인 곳에서는 그의 이윤은 아마 7퍼센트 내지 7.5퍼센트를 필요로 할 것이다. 만일 화폐이자와의 비에 있어서 건축업자의 사업이 어느 때든지 이것보다 훨씬 더 큰 이윤을 본다면 이 사업은 곧 다른 사업으로부터 대단히 많은 자본을 끌어와서 그 결과 그 이윤을 적당한 수준으로 되돌아가게 할 것이다. 만일 그 사업이 어느 때든지 이보다 적은 이윤밖에 보지 못한다면 다른 사업은 곧 이것에서 대단히 많은 자본을 끌어갈 것이며,

그 결과 그 이윤을 다시 상승시킬 것이다.

부지지대가 그것이다.

가옥의 임대료 총액 가운데서 이러한 합리적인 이윤을 제공하는 데 족할 만한 금액을 초과해서 남는 부분이 얼마가 되든지 간에 그것은 자연히 부지지대가 되며, 그리고 부지의 소유자와 가옥의 소유자가 동일인이 아닐 때에는 대부분의 경우, 그 전부가 전자에 지불된다. 이 잉여 임대료는 가옥의 거주자가 그 장소의 약간의 현실적 또는 상상적 이익에 대해서 지불하는 대가이다. 대도시에서 멀리 떨어져 있어 골라 가질 수 있을 만큼 토지가 풍부한 농촌의 가옥에 관해서는 그 부지지대는 거의 없든지 아니면 그 가옥이 서 있는 부지가 농업에 사용되었을 경우 지불했을 금액 이상은 되지 않는다. 어떤 대도시의 이웃에 있는 시골 별장의 경우는 그것이 훨씬 더 높을 때도 있고 그곳에서의 장소가 특히 편리하다든지 경치가 좋다든지 하면, 그것에 대해서 대단히 많이 지불되는 수도 흔히 있다. 부지지대는 대체로 수도에서 가장 높으며 도시 가운데서도 특히 그 수요의 이유가 영업과 사업을 위한 것이든, 또는 환락과 사교를 위한 것이든, 또는 단순한 허영과 유행을 위한 것이든 간에 상관할 것 없이 때마침 가옥에 대해서 최대의 수요가 있는 특정지구에서 그러하다.

차가인借家人이 지불하는 가옥 임대료에 대한 조세는 일부는 거주자에게 돌아가고 일부는 부지의 소유자에게 돌아간다.

차가인이 지불하고, 각 가옥의 임대료 총액에 비례하는 가옥 임대료에 대한 조세는 적어도 어느 상당한 기간 동안 건물 임대료에 영향을 미칠 수 없을 것이다. 만일 건축업자가 합리적인 이윤을 보지 못한다면 그는 그 사업을 그만두지 않을 수 없을 것이며, 그렇게 하면 건축물에 대한 수요가 오르므로 얼마 되지 않아 그의 이윤은 다른 사업의 그것과의 관계에 있어서 적당한 수준에 돌려지게 될 것이다. 또한 그러한 조세가 전적으로 부지지대에 부과되는 일도 없을 것이며, 그러한 조세는 일부는 가옥의 거주자에 부과되고, 일부는 부지의 소유자에게 부과되도록 분할될 것이다.

이는 예시될 수 있다.

이를테면 어떤 특정인이 자기는 가옥 임대료로서 1년에 60파운드를 지불할 수 있다고 판단한다고 가정하고 또한 1파운드에 4실링, 즉 5분의 1 조세가 가옥 임대료에 부과되고 이것이 거주자에 의해서 지불된다고 가정하자. 임대료 60파운드의 가옥은 이런 경우 그에겐 연액年額 72파운드가 먹힐 것이며, 이 금액은 그가 지불할 수 있다고 생각하는 것보다 12파운드나 더 많다. 그리하여 그는 더 나쁜 가옥, 즉 50파운드라는 임대료는 그가 조세로서 지불하지 않으면 안 되는 10파운드와 더불어 연액 60파운드, 즉 그가 지불할 수 있다고 판단하는 비용을 메울 것이며, 그는 그 조세를 지불하기 위하여, 임대료가 10파운드 더 높은 가옥에서 얻을 수 있었을 추가적인 편의의 일부분을 방기放棄할 것이라고 내가 말하는 것은 그가 그 전부를 방기하는 수는 좀처럼 없고, 오히려 그는 그 조세의 결과, 조세가 없었을 경우 그가 얻을 수 있었을 가옥보다 더 좋은 가옥을 연액 50파운드로써 얻을 것이기 때문이다. 이런 종류의 조세는 이러한 특별한 경쟁자를 제거하여 임대료 60파운드의 가옥에 대한 경쟁을 틀림없이 줄이듯이, 역시 마찬가지로 다른 모든 가옥에 대한 그것을 줄일 것이 틀림없지만, 단지 최저 임대료의 가옥만 예외로서 이런 종류의 조세는 이 최저 임대료의 가옥에 대한 경쟁을 얼마 동안 증대시킬 것이다. 그러나 경쟁이 줄어들 모든 등급의 가옥의 임대료는 필연적으로 다소 감소될 것이다. 그러나 이 감소의 어느 부분도 적어도 어떤 상당한 기간 동안은 건물 임대료에 영향을 미칠 수 없을 것이므로, 그 전부는 결국에 가서 필연적으로 부지지대에 과해지지 않을 수 없다. 그러므로 이 조세의 최종적 지불은 일부는 자기의 몫을 지불하기 위하여 자기의 편의의 일부를 포기하지 않을 수 없는 그 가옥의 거주자에 과해질 것이며, 또 일부는 자기의 몫을 지불하기 위하여, 자기 수입의 일부를 포기하지 않을 수 없게 될 그 부지의 소유자에게 부과되게 될 것이다. 이 최종적 지불이 어떠한 비율로 그들 사이에 분할될 것인지를 확인한다는 것은 아마 쉬운 일이 아닐 것이다. 그 분할은 아마 사정을 달리함에 따라 대단히 다를 것이며 그리고 이런 종류의 조세는 그러한 상이한 사정에 따라 가옥의 거주자와 부지의 소유자 쌍방에 대해서 극히 불공평하게 영향을 미칠지도 모를 것이다.

이 조세는 부자에게는 가장 무겁게 과해지므로 거주자에게는 불공평한 조세가 될 것이다.

이런 종류의 조세가 여러 가지 부지지대의 소유자에게 주게 될 불공평은 전적으로 이러한 분할의 우연적인 불공평에서 생길 것이다. 그러나 그것이 여러 가지 가옥의 거주자에게 주게 될 불공평은 이 원인에서뿐만 아니라, 또 하나의 원인에서도 생길 것이다. 총생활비에 대한 가옥 임대료의 비율은 재산의 정도가 다름에 따라 다르다. 아마 재산의 정도가 최고이면 그 비율도 최고이며, 재산의 정도가 낮아짐에 따라 그 비율도 점점 하락하여 대체로 그 정도가 최저이면 그 비율도 최저일 것이다. 생활필수품은 가난한 사람들에게는 큰 지출을 야기시킨다. 그들은 식품을 얻는 것을 어렵게 생각하고 그들의 얼마 되지 않는 수입의 대부분을 그것을 얻는 데 쓰인다. 생활상의 사치품과 허영품은 부자의 주요 지출을 일으키고, 장엄한 저택은 그들의 소유하는 다른 모든 사치품과 허영품을 미화하고 돋보이게 하는 데 가장 유리한 것이다. 그러므로 가옥 임대료에 대한 조세는 대체로 부자에게 가장 무겁게 부과된다. 그리고 이런 종류의 불공평에는 아마 대단히 불공평한 것이라고는 조금도 없을 것이다. 부자가 그 수입에 비례할 뿐만 아니라, 약간 그 비례 이상으로 공공적 경비에 기여한다고 해서 그렇게 불합리할 것은 없기 때문이다.

이 조세는 다른 모든 소비품에 대한 조세와 비슷한 것이 될 것이며, 사람들의 총지출에 썩 잘 비례할 것이고 상당한 수입을 가져올 것이다.

가옥의 임대료는 토지의 지대와 약간 비슷하지만, 본질적으로 다른 한 가지가 있다. 토지의 지대는 생산적인 물건의 사용에 대해서 지불된다. 그것을 지불하는 토지가 그것을 생산한다. 가옥의 임대료는 비생산적인 물건의 사용에 대해서 지불된다. 그 가옥도, 그것이 서 있는 부지도 아무것도 생산하지 않는다. 그러므로 그 임대료를 지불하는 사람은 이 물건과는 별개 독립된 어떤 다른 수입의 원천에서 그것을 끌어내지 않으면 안 된다. 가옥의 임대료에 부과되는 조세도 이것이 그 거주자에게 부과되는 한에 있어서는 임대료 그 자체와 동일한 원천에서 나오지 않으면 안 된다. 그리고 그것은 노동의 임금, 또는 자재의 이윤, 또는 토지의 지대 가운데 그 어느 것에서 나오든지 간에 그 거주자의 수입에서 지불됨이 틀림없다. 그것이 그 거주자에 부과되는 한 그것은 수입의 유일한 원천이 아니고, 그 세 가지 다른 모든 원천에 무차별하게 부과되는 조세 가운데 하나이므로, 모든 점에서 다른 모든 부류의 소비품에 대한 조세와 같은 성질의 것이다. 대체로 어떤 사람의 지출 전체가 후한지 인색한지는 지출 또는 소비의 어떤 항목보다도 그 사람의 가옥 임대료에 의해서 더 잘 판단될 수 있다. 이 특수한 지출 항목에 대한 비례적인 조세는 아마 이때까지 유럽의 어떤 지방에서 내어지고 있는 조세수입보다 더 큰 수입을 만들어 낼 수 있을 것이다. 이 조세가 실로 대단히 높다면 대부분의 사람들은 보다 더 작은 가옥으로 만족하기도 하고 자신들 지출의 대부분을 어떤 다른 방면에 돌림으로써 될 수 있는 대로 이 조세를 피하려고 노력할 것이다.

가옥 임대료는 쉽게 확정될 수 있다. 맥주 있는 집은 면세되어야 하고, 소유자가 살고 있는 가옥에는 그 임대가치로써 부과되어야 한다.

가옥의 임대료는 토지의 보통의 지대를 확정하는 데 필요하게 될 것과 같은 종류의 수단을 쓰면 충분히 정확하게 또 쉽게 확정될 수 있을 것이다. 사람이 살고 있지 않는 가옥에는 부과해서는 안 된다. 그러한 가옥에 대한 조세는 전적으로 소유자에게 과해질 것이다. 즉 그는 자기에게 편의도, 수입도 제공해 주지 않는 물건에 과세되는 셈이 될 것이다. 그 소유자가 살고 있는 가옥은 그 건축에 들었을지도 모르는 비용이 아니고, 그것을 차가인에게 임대했을 경우, 그 가옥에서 나올 것 같다고 공평한 재정에 의해서, 판단되는 임대료에 따라 과세되어야 한다. 만일 그 건축에 소요되었을 비용에 따라 과세된다면 1파운드에 3실링 내지 4실링의 세는 다른 조세와 결합하여, 이 나라의 그리고 내가 믿기로는 다른 모든 문명국의 거의 모든 부유한 명가名家를 파멸시켜 버릴 것이다. 이 나라에서 가장 부유한 명가 가운데 어떤 것이 도시와 농촌에 가지고 있는 여러 가지 가옥을 주의해서 검토해 보려는 사람은 누구나 당초의 건축비의 겨우 6.5퍼센트 내지 7퍼센트의 비율로 계산하더라도 그들의 가옥 임대료는 그들의 소유지의 지대 총액과 거의 같다는 것을 알게 될 것이다. 실은 그것은 크게 아름답고 장려한 물건에 대해서 지출된 비용이 수세기에 걸쳐 축적된 것이기는 하지만, 그동안에 소요된 것에 비한다면 얼마 되지 않는 교환가치밖에 없는 것이다.[176]

부지지대는 건물 임대료보다는 더 적절한 과세의 대상물이다.

부지지대는 가옥 임대료보다는 훨씬 더 적당한 과세의 대상물이다. 부지지대에 대한 조세는 가옥 임대료를 올리지 않을 것이다. 그것은 항상 독점자로서 행동하고 자기의 부지를 사용하게 하는 대가로써 획득될 수 있는 최대의 지대를 강요하는 부지지대의 소유자에게 전적으로 과해지게 될 것이다. 그것의 대가로써 획득될 수 있는 것이 많은지 적은지는, 경쟁자들이 때마침 부유하든지 가난하

176 본서가 처음 출간된 이래 거의 상술한 여러 원리에 입각한 조세가 과해지게 되었다. 〔이 각주는 제3판에 처음으로 나온다. 이 조세는 최초로 조지 3세 제18년 법률 제26호에 의해서 과해졌으며, 그 세율은 5파운드 내지 50파운드 미만의 연 가치의 가옥에 대해서는 1파운드에 6펜스, 그 이상의 가치의 가옥에 대해서는 1파운드에 1실링이었으나, 조지 3세 제19년 법률 제59호에 의해서 세율이 변경되어, 5파운드 내지 20파운드 미만의 연 가치의 가옥에 대해서는 1파운드에 6펜스이며, 20파운드 내지 40파운드 미만의 것에 대해서는 9펜스, 40파운드 및 그 이상의 것에 대해서는 1실링이 되었다.〕

든지, 즉 그들이 특정의 작은 지점에 대한 자신들 기분을 만족시키기 위하여 제공할 수 있는 비용이 많은지 적은지에 의존하고 있다. 어떤 나라에서도 부유한 경쟁자의 최대다수는 도시에 살고 있으며, 그곳에서의 부지지대가 최대인 것도 이 때문이다. 그러한 경쟁자의 부는 어떤 점에서도 부지지대에 대한 조세 때문에 증대하지도 않을 것이므로, 아마 그들은 부지의 사용에 대해서 더 많이 지불하고 싶어지지는 않을 것이다. 이 조세가 거주자에 의해서 선불되어야 할 것인지 또는 부지의 소유자에 의해서 선불될 것인지는 별로 중요하지 않을 것이다. 거주자가 지불하지 않으면 안 되는 이 조세가 많으면 많을수록, 그는 부지에 대해서 그만큼 적게 지불하고 싶어질 것이다. 그러므로 이 조세의 최종적인 지불은 전부 부지지대의 소유자에게 과해질 것이다. 사람이 살고 있지 않은 가옥의 부지지대에 대해서도 과세해서는 안 된다.

이는 토지의 지대에 과세하더라도 근로는 전혀 저해하지 않기 때문이다.

부지지대와 토지의 통상의 지대는 다 같이 그 소유자가 자기 스스로는 어떤 주의나 배려도 하지 않으면서 향수하는 부류의 수입이다. 비록 이 수입의 일부분을 국가 경비를 지출하기 위하여 그에게서 빼앗는 일이 있더라도 그 때문에 어떤 부류의 생산활동이 저해되지는 않을 것이다. 그 사회의 토지 및 노동의 연간 생산물, 즉 국민 대중의 실질적인 부와 수입은 그러한 조세가 부과된 뒤에도 그 이전과 동일할 것이다. 그러므로 부지지대와 토지의 통상의 지대는 특수한 조세가 과해지더라도 아마 가장 훌륭하게 감당할 수 있는 부류의 수입일 것이다.

부지지대는 통상의 지대에 비해서도 더 적절한 과세의 대상물이다.

부지지대는 이런 점에서 특수한 과세물로서는 토지의 지대보다도 더 적절한 것 같다. 토지의 통상의 지대는 적어도 부분적으로는 지주의 주의와 좋은 관리에 의존할 경우가 많다. 너무 지나친 중세는 이러한 주의와 좋은 관리를 크게 저해할지도 모른다. 부지지대는 이것이 토지의 통상의 지대를 초과하는 한에 있어서는 모두가 주권자의 훌륭한 통치의 덕분인 것이며, 이 통치는 전체 국민 또는 어떤 특정 장소에 살고 있는 국민의 근면을 보호함으로써 그들로 하여금 자기들의 가옥이 세워져 있는 부지의 실질가치보다 그만큼 더 많은 지불을 할 수 있게 하거나, 또는 그들로 하여금 부지가 이렇게 사용됨으로써 그 소유자가 입게 될 손실을 보상하는 이상으로 그만큼 더 많은 것을 그에게 해 줄 수 있도록 한다. 국민의 훌륭한 통치의 덕분으로 존재하고 있는 원자元資(fund)가 특수하게 과세되어야 한다는 것, 즉 그 통치를 유지하기 위하여 다른 대부분의 원자보다도 약간 더 많은 것을 공납한다는 것은 지극히 합리적인 것이라 하겠다.

부지지대를 별도로 과세하고 있는 곳은 아무 데도 없으나, 그렇게 할 수도 있다.
유럽의 수많은 여러 나라에서는 가옥 임대료에 조세가 과해져 왔지만, 부지지대가 별개의 과세물건으로 간주되었던 나라를 나는 하나도 알지 못한다. 아마 조세의 입안자는 임대료 가운데 얼마만 한 부분이 부지지대로 마땅한지, 얼마만 한 부분을 건물 임대료로 마땅한지를 확인하는 데 약간 어려웠던 것 같다. 그러나 임대료의 이들 두 부분을 서로 구별하는 것은 그렇게 어려운 것이라고 생각되지는 않는다.

가옥 임대료는 법률적으로는 영국의 지조地租를 따라야 할 것이다.
영국에서는 가옥의 임대료는 소위 연간 조세에 의해서 토지의 지대와 동일한 비율로 과세되는 것이라고 상정되어 있다. 각기의 교구教區와 지구地區가 이 조세의 부과를 받음에 있어서 쓰이는 평가액은 항상 동일하다. 그것은 본래는 극히 불공평했으며 아직도 역시 그러하다. 이 왕국의 대부분을 통하여 이 조세는 토지의 지대보다도 가옥의 임대료에 역시 더 가볍게 과해지고 있다. 처음에는 높게 평가되었고, 그 후 가옥의 임대료가 상당히 하락한 어떤 소수의 지구에서만 1파운드에 3 내지 4실링의 지조가 가옥의 실제의 임대료[177]에 대한 공평한 비율

177 〔"가옥의 실제의 임대료(real rent of houses)"는 초판에 "real rent of th houses"라고 되어 있다.〕

이 되어 있다고 일컬어지고 있다. 임대되지 않은 가옥은 법률상 과세 대상이지만 대부분의 지구에서는 사정자査定者의 호의에 의해서 면세되어 있으며, 그 결과 당해 지구의 과세율은 항상 동일하더라도 개개의 가옥의 과세율에는 이 면세 때문에 약간의 변동이 일어날 때도 있다. 신축과 수리 등에 의한 임대료의 증대는 당해 지구의 부담 경감이며, 그 때문에 개개의 가옥의 과세율에는 훨씬 더 큰 변동이 일어난다.[178]

네덜란드에서는 가옥의 자본 가치에 대한 조세가 있다.

네덜란드의 주[179]에서는 모든 가옥은 실제로 지불하고 있는 임대료라든지, 임대되고 있거나 안 되어 있거나 하는 사정과는 전혀 관계없이 그 가치의 2.5퍼센트가 과세되고 있다. 임대도 하지 않은 집, 즉 아무런 수입도 낼 수 없는 가옥의 소유자에게 조세지불을 강요한다는 것은, 특히 그것이 중세일 때는 가혹한 것이라고 생각된다. 시장이자율이 3퍼센트를 넘지 않는 네덜란드에서는 가옥의 전체 가격에 대한 2.5퍼센트는 대부분의 경우 물건 임대료의, 아니 아마도 전체 임대료의 3분의 1이 넘지 않을 수 없다. 실로 가옥에 과세될 경우의 평가액은 극히 불공평한 것이기는 하지만, 그것은 항상 실제의 가치 이하라고 일컬어지고 있다. 가옥이 개축·수리·증축될 경우에는 새로운 평가가 있고, 조세도 그것에 따라 할당된다.

잉글랜드에서는 가옥 조세는 가옥 임대료에 비례하지 않았다.

잉글랜드에서 각 시대를 통해 가옥에 부과하여 왔던 몇몇 조세의 고안자들은 각 가옥의 실제의 임대료가 얼마만 한 것인지를 꽤 정확하게 확정하는 데는 상당한 어려움이 있다고 생각하고 있었던 것 같다. 그러므로 그들은 대부분의 경우, 그 임대료에 대해서 어떤 비례를 이루고 있을 것이라고 상상했던 것 같은 조

178 〔이 문장은 초판에는 없다.〕

179 《Memoires concernant les Droits, &c.》, 〔제1권〕, 223면.

금 더 명확한 사정에 따라서 그들의 조세를 규제해 왔던 것이다.

그러나 처음에는 난로의 수에 비례했다.

이런 종류의 최초의 조세는 난로세(hearth money), 즉 각 난로당 2실링의 조세였다. 그 가옥에 난로가 몇 개 있는지를 확인하기 위하여 징세인은 그 집의 각 방에 들어가 보아야 한다. 이 밉살스러운 임검臨檢이 이 조세를 싫은 것으로 만들었다. 그리하여 혁명 후 얼마 되지 않아 이 조세는 노예제의 표상이라 하여 폐지되었다.

그 후에는 창문의 수에 비례했다.

이런 종류의 그다음 조세는 사람이 살고 있는 각 주택에 대한 2실링의 조세였다. 창문이 10개 있는 가옥은 4실링으로 더 많이 지불하도록 되어 있었다. 창이 20개 이상 있는 가옥은 8실링을 지불해야 했다. 이 조세는 그 후 변경된 결과, 20개 이상 30개 미만의 창이 있는 가옥은 10실링, 30개 이상의 창이 있는 집은 20실링을 지불하도록 명령받았다. 창의 수數라는 것은 대부분의 경우 외부에서, 그리고 또한 어떤 경우에도 그 가옥의 어느 방에도 들어가지 않아도 헤아려질 수 있다. 그러므로 징세인의 임검은 이 조세의 경우에는 난로세보다는 덜 거슬리는 것이었다.

현행의 창세는 2펜스에서 2실링까지 점증漸增한 것이다.

이 조세는 그 후 철폐되고, 그 대신에 창세窓稅가 제정되었는데, 그것도 또한 여러 차례의 변경과 증징을 겪었다. 현행(1775년 1월)의 창세도 잉글랜드에서는 각 가옥당 3실링, 스코틀랜드에서는 각 가옥당 1실링의 세금 이외에 모든 창마다 세금을 과하고 있는데, 이 세금은 잉글랜드에서는 최저율인 7개 이하의 창밖에 없는 가옥에 대한 2펜스에서 점증하여 최높은 비율인 25개 이상의 창이 있는 가옥에 대한 2실링까지 점증하고 있다.

창세에는 불공평하다는 것을 주된 이유로 드는 반대론이 있다.

이러한 모든 과세에 대한 주된 반대론은 그것들의 불공평성, 즉 가장 나쁜 종류의 불공평성에 있다는 것이다. 이는 그러한 조세가 부자보다 빈자에 대해서 훨씬 더 무겁게 과해지기 때문인 것이다. 농촌 마을에 있는 임대료 10파운드짜리의 가옥이 런던에 있는 임대료 500파운드짜리의 가옥보다 더 많은 창을 가지고 있을 경우도 있을 수 있으며, 또한 전자에 사는 사람이 후자에 사는 사람보다 훨씬 더 가난한 사람이기 마련이긴 하지만, 그의 공납금이 창세에 의해서 규제되고 있는 한 그는 국가의 유지를 위해 더 많이 공납하지 않으면 안 된다. 그러므로 그러한 조세는 상술한 네 가지 일반원칙 가운데 제1의 원칙에 정면으로 위반하고 있다. 그러나 그러한 조세는 다른 세 가지 원칙의 어느 것과도 크게 어긋나지는 않는 것 같다.

가옥에 대한 조세는 임대료를 저하시킨다.

창세와 가옥에 대한 그 밖의 모든 조세의 자연적인 경향은 임대료를 저하시키는 것이다. 사람은 조세를 많이 지불하면 할수록 임대료를 지불할 수 있는 여유가 그만큼 적어진다는 것은 명백하다. 그러나 창세가 부과된 이래 내가 잘 알고 있는 영국의 거의 모든 도시와 마을에서는 가옥의 임대료가 대체로 다소간 올랐다. 가옥에 대한 수요가 거의 모든 곳에서 증가했기 때문에 창세가 임대료를 하락시키는 이상으로 그 수요가 그것을 올렸던 것이며, 이것은 이 나라가 크게 번영하고 그 주민의 수입이 증가하고 있다는 것에 관한 수많은 증거 가운데 하나라 하겠다. 만일 이 조세가 없었다면 임대료는 아마 훨씬 더 높이 상승했을 것이다.

제2항 이윤 즉 자재에서 생기는 수입에 대한 조세

이윤은 이자와 이자 이상의 잉여로 분할된다.

자재에서 생기는 수입, 즉 이윤은 자연히 두 가지 부분, 즉 이자를 지불하여 자재의 소유자에게 속하는 것과 그 이자를 지불하는 데 필요한 금액을 넘는 잉여부분으로 분할된다.

그 잉여부분은 과세될 수 없는 것이다.

이윤의 이 후자의 부분은 직접 과세될 수 없는 물건임은 명백하다. 그것은 자재를 사용하는 데 따르는 위험과 번로에 대한 보상이며, 더욱이 대부분의 경우 극히 온당한 보상에 지나지 않는다. 자재의 사용자는 이 보상을 받지 않으면 안 되며, 그렇지 않으면 그는 자기의 이익과 모순됨이 없이 그 자재의 사용을 계속할 수 없다. 그러므로 만일 그가 이윤 전체에 비례하여 직접으로 과세당한다면 그는 자기의 이윤율을 올리든지 또는 그 과세를 화폐이자에 부담시키든지 하지 않을 수 없게 될 것이다. 다시 말하면, 보다 적은 이자밖에 지불하지 않을 수 없을 것이다. 만일 그가 본세에 비례하여 자기의 이윤율을 올린다면 비록 그가 본세의 전액을 지불한다 하더라도 그 전액은 그의 관리하에 있는 자재를 사용할 여러 가지 방법에 따라 최종적으로는 상이한 두 그룹의 사람들 가운데 어느 일방에 의해서 지불되게 될 것이다. 만일 그가 그것을 농업경영 자재로서 토지의 경작에 사용하면 토지 생산물의 보다 큰 부분 또는 같은 뜻이 되겠지만, 보다 큰 부분의 가격을 유보함으로써만이 그는 자기의 이윤율을 올릴 수 있을 것이며, 또한 이는 지대를 줄임으로써만이 이루어질 수 있는 것이므로 이 조세의 최종적인 지불은 지주의 부담으로 돌아가게 될 것이다. 만일 그가 그것을 상업 또는 제조업의 자재로서 사용한다면 그는 자기 자재의 가격을 올림으로써만이 자기의 이윤율을 올릴 수 있을 것이며, 또한 이 경우에도 이 조세의 최종적인 지불은 그러한 자재의 소비자에게 전부 부담이 될 것이다. 만일 그가 자기의 이윤율을 올리지 않는다면 그는 이 조세의 전부를 이윤 가운데서 화폐이자로 할당되었던 부분에 부담시키지 않을 수 없을 것이다. 그는 자기가 빌린 자재가 얼마나 되든지 간에, 그것에 대해서는 보다 적은 이자밖에 지불할 수 없을 것이며, 이 경우 이 조세의 무게는 궁극적으로는 화폐이자에 떨어질 것이다. 그가 전자의 방법으로 이 조세를 면하지 않는 한, 후자의 방법으로 그것을 면하지 않을 수 없을 것이다.

이자란, 얼핏 보기에는 지대와 마찬가지로 과세에 적당한 것 같다.

화폐이자는 얼핏 보아 토지의 지대와 똑같이 직접 과세될 수 있는 물건인 것같이 생각된다. 그것은 토지의 지대와 마찬가지로 자재의 사용에 관한 모든 위험과 번로를 완전히 보상한 뒤에 남는 순생산물인 것이다. 토지의 지대에 대한 조세는 지대를 올릴 수 없다. 왜냐하면 농업경영자의 자재를 그의 합리적인 이윤과 함께 회수한 뒤에 남는 순생산물은 과세 전보다 과세 후가 더 커질 수 없기 때문이다. 또한 이와 동일한 이유로 화폐이자에 대한 조세도 이자율을 올릴 수 없을 것이다. 왜냐하면 그 나라에 있어서의 자재 또는 화폐의 양은 그 토지의 양과 마찬가지로 과세 후에도 그 전과 역시 마찬가지라고 생각되기 때문이다. 제1편에서 밝혀 둔 바와 같이,[180] 통상이윤이란 어느 곳에서나 사용될 자재의 양과 자재의 용도, 즉 그것을 사용하여 이루어져야 할 사업의 양과의 비에 의해서 규제된다. 그러나 그 용도, 즉 자재의 사용에 의해서 이루어져야 할 사업의 양은 화폐이자에 대한 어떤 조세에 의해서도 증감될 수는 없는 것이다. 그러므로 만일 사용될 자재의 양이 이 조세 때문에 증감되지 않는다면 통상의 이윤율도 필연적으로 변동하지 않고 있을 것이다. 그러나 이 이윤 가운데 자재의 사용자의 위험과 번로를 보상하는 데 필요한 부분도 역시 변동하지 않고 있을 것이다. 즉 위험과 번로는 어떤 점으로도 변하지 않는 것이기 때문이다. 따라서 그 잔여, 즉 자재의 소유자에게 속하며, 화폐이자를 지불하는 부분도 역시 동일할 것이다. 그러므로 얼핏 보아, 화폐이자는 토지의 지대와 마찬가지로 직접 과세하기에 적합한 물건인 것같이 보인다.

180 〔제9장.〕

사실은 그렇지 않다.

그러나 두 가지 다른 사정이 있어 화폐이자는 직접 과세의 물건으로서는 토지의 지대보다 훨씬 부적당한 것이다.

⑴ 즉, 개인이 받는 금액은 쉽게 그리고 정확하게 확인될 수 있을 리가 없기 때문이다.

첫째, 어떤 사람이 소유하고 있는 토지의 양과 가치는 결코 비밀로 되어 있을 수 없고 항상 아주 정확하게 확인될 수 있다. 그러나 그가 소유하고 있는 자본적 자재의 전액은 거의 언제나 비밀로 되어 있어, 꽤 정확하게 확인될 수는 좀처럼 없다. 뿐만 아니라 그것은 거의 계속적으로 변동하기 쉬운 것이다. 그것이 다소나마 증감되지 않고 1년이 지나가는 경우는 좀처럼 없으며, 흔히 1개월 이내에, 아니 때에 따라서는 1일 내에도 다소나마 증감되지 않는 일이 별로 없다. 각자의 사적인 여러 사정에 관한 조사, 그리고 그러한 여러 사정에다 조세를 맞추기 위하여 각자의 재산의 모든 변동을 감시하는 조사는 어떤 사람에게도 견딜 수 없는 지속적이며 끊임없는 괴로움의 원천이 될 것이다.

⑵ 자재는 과세하면 그 나라에서 이동해 버릴 것이기 때문이다.

둘째, 토지는 이동할 수 없는 물건이지만 자재는 쉽게 이동할 수 있다. 토지의 소유자는 필연적으로 자기의 소유자가 존재하는 특정한 나라의 시민이다. 자재의 소유자는 본래 세계시민이며, 반드시 어떤 특정한 나라에 붙어 있다고는 할 수 없다. 그는 자칫하면 괴로운 조사를 받아 성가신 조세를 부과당하는 나라를 버리고, 자기의 사업을 운영해 나가든지 재산을 더 쉽게 향수할 수 있을 만한 어떤 다른 나라에 자기의 자재를 이동해 버릴 것이다. 그가 자기의 자재를 이동시키면 그는 자기가 떠나온 나라에서 그것이 유지하고 있었던 모든 산업 활동을 정지시켜 버릴 것이다. 자재가 토지를 경작하며, 자재가 노동을 고용하는 것이다. 어떤 특정한 나라에서 자재를 구축하는 경향을 가지고 있는 조세는 주권자와 사회 쌍방에 대한 수입의 모든 원천을 그만큼 고갈시키는 경향을 가질 것이다. 그 이동 때문에 자재의 이윤뿐만 아니라 토지의 지대와 노동의 임금마저 필연적으로 다소는 감소했을 것이다.

그러한 조세가 존재하는 곳에서는 그것은 느슨하고 대단히 낮은 평가에 따라 징수된다.
따라서 자재에서 생기는 수입에 과세하고자 했던 나라에서는, 이런 종류의 엄격한 조사가 아니라, 약간의 극히 느슨하고 따라서 다소 자의적인 평가로써 만족하지 않을 수 없었다. 이렇게 부과되는 조세의 지극히 불공평함과 불확실함은 그것을 극도로 경과해 줌으로써만이 보상될 수 있는 것이며, 그렇게 해 줌으로써 모든 사람은 자기가 그 실제의 수입에 비해 훨씬 낮게 과세되고 있다는 것을 알게 되므로, 비록 자기의 이웃 사람이 자기보다 약간 더 낮게 과세되더라도 별로 시끄럽게 굴지 않게 되는 것이다.

잉글랜드의 지조가 그러하다.
잉글랜드에서 지조라고 불리는 것은 자재에도 토지와 동일 비율로 과세해야 한다는 것이 의도되어 있었던 것이다. 토지에 대한 조세가 1파운드에 4실링, 즉 가정상의 지대의 5분의 1이었을 때는, 자재에도 또한 그 가정상의 이자의 5분의 1을 과세하도록 의도되었던 것이다. 현행의 연간 지조가 최초로 과해졌을 때, 법정이자율은 6퍼센트이었다. 따라서 자재는 100파운드마다 24실링, 즉 6파운드의 5분의 1이 과세된다고 상정되고 있었다. 법정이자가 5퍼센트로 내려진 이래 자재는 100파운드마다 20실링밖에 과세되지 않는다고 상정되고 있다. 소위 지조에 의해서 조달될 금액은 농촌과 주요 도시 사이에 분할되었다. 그리고 그 대부분은 농촌에 부과되었으며, 도시에 부과되어야 할 것의 대부분은 가옥에 부과되었다. 도시의 자재 또는 영업에 부과될 것으로 남겨진 것은 (토지에 투하되는 자재는 과세되는 것이라고 생각되지 않았기 때문에) 그 자재 또는 영업의 실제 가치보다 훨씬 낮은 것이었다. 그러므로 최초의 부과에 어떠한 불공평이 있었다 하더라도 거의 소용은 없었다. 모든 교구와 지구는 아직도 그 토지, 그 가옥 및 그 자재에 대해서 최초의 부과에 따라 계속 과세되고 있으며, 또한 이 나라의 거의 보편적인 번영은 거의 모든 곳에서 그러한 것들의 가치를 크게 올렸기 때문에 현재에도 그러한 불공평은 더욱더 그렇게 중요한 것이 못 되게 되어 있다. 뿐만 아니라 각 지구에 대한 할당액은 계속 항상 동일해 있으므로 이 조세가 어떤 개인의 자재에 대해서 부과되는 한 그 불확실성도 대단히 감소되었으며, 또한 그 중요성도 훨씬 적어졌다. 잉글랜드의 토지의 대부분이 현실의 가치의 반만큼의 조세밖에 할당되지 않는다면, 잉글랜드의 자재의 대부분은 아마 그 현실의 가치의 겨우 50분의 1에 대해서 할당되기도 어려울 것이다. 약간의 도시에서는 지조의 전부가 가옥에 부과되고 있으며, 웨스트민스터에서처럼 자재와 영업은 무세이다. 그러나 런던에서는 다르다.

조사는 회피되고 있다.

어느 나라에서나 개인들의 여러 사정을 파고들게 되는 엄격한 조사는 조심스럽게 회피되어 왔다.

함부르크에서는 각 주민이 각자 선서宣誓로써 자기 자신에게 부과하고 있다.

함부르크에서는[181] 모든 주민은 자기가 소유하는 전 재산의 4분의 1퍼센트를 국가에 지불할 의무를 가지고 있으며 함부르크의 사람들의 부는 주로 자재에 있으므로 이 조세는 자재에 대한 조세라고 생각되어도 좋을 것이다. 모든 사람은 스스로 사정하고 장관의 면전에서 해마다 공공의 금고에 일정 금액의 화폐를 넣고 그것이 자기가 소유하는 전 재산의 4분의 1퍼센트라고 하는 것을 선서하지만, 그러나 그 금액이 얼마가 된다는 것은 신고하지 않으며, 또한 그 물건에 관

181 《Memoires concernant les Droits》, 제1권, 74면.

해서도 아무런 검사도 받지 않는다.[182] 이 조세는 대단히 충실하게 지불되고 있다고 일반적으로 상상되고 있다. 사람들이 자신들 장관을 신뢰하고 국가를 유지하기 위해서는 조세가 필요하다는 것을 확신하고, 그리고 그것이 그 목적에만 성실히 충용될 것이라는 것을 믿고 있는 그러한 소공화국에서는 그러한 양심적이고 자발적인 지불이 기대될 수도 있을 것이다. 그것은 함부르크의 사람들에게만 특유한 것은 아니다.

스위스의 몇몇 주에서는 각자는 스스로가 공개적으로 사정査定하고 있다.

스위스의 운터발덴Underwald[183]이라는 주는 종종 폭풍과 홍수로 황폐하며, 그리고 그 때문에[184] 임시 지출을 하게 된다. 그러한 경우에 사람들은 회합을 갖고 그것에 따라서 과세되기 위해서 모든 사람은 자기의 재산이 얼마나 된다는 것을 아주 솔직하게 공언한다고 한다. 취리히에서는 각자는 필요할 경우에는 자기의 수입에 비례하여 과세되어야 한다는 것, 그리고 그 수입에 관해서는 각자는 선서로써 공언할 의무가 있다는 것을 법률이 명하고 있다. 그들은 자신들 동포 시민의 누군가가 그들을 속일 것이라고는 의심하지 않는다고 한다. 바젤에서는 국가의 주요 수입은 수출되는 자재에 대한 소액의 관세에서 나온다. 모든 시민은 법률에 의해서 부과된 모든 조세를 3개월마다 지불하라는 것을 선서한다. 모든

182 〔《Memoires》는 단지 다음과 같이 말하고 있다. 즉 "타이유는 각 주민이 자기가 소유하는 전 동산動産 및 부동산에 관하여 예외 없이 납부하지 않으면 안 되는 것의 4분의 1퍼센트이었다. 이 타이유의 할당은 결코 없었다. 각 시민은 각자가 분담액을 결정하여 그 현금을 시청에 가지고 가며, 그 이외의 것은 요구당하지 않으나, 다만 자기가 납부하는 것은 확실히 자기가 이행하지 않으면 안 되는 것이라고 하는 것을 선서해야 한다"라고 되어 있다. 그러나 헨리 홈, 카메스 경Henry Home, Lord Kames의 《Sketches of the History of Man》, 제1권, 476면은, "각 상인은 당연히 공납貢納해야 한다고 자기가 판단하는 공공의 금액을 금고에 각자가 넣는다"라고 하고 있다.〕

183 〔"Underwald" 초판에는 "Underwold"라고 되어 있다.〕

184 〔"그리고 그 때문에……"의 원문은 "and is there by……"이고, 제5판에는 "and it is there-by……"라고 되어 있는데 이 "it"은 틀림없는 오식이다.〕

상인들, 그리고 모든 여인숙 주인들까지도 그들이 그 영토의 내외에서 판매하는 재화에 관한 계산서를 손수 보존할 것을 위임받고 있다. 3개월이 끝날 때마다 그들은 그 하란下欄에 자기가 산정한 세액을 기입한 계산서를 출납관에게 보낸다. 이러한 신뢰 때문에 수입이 손해를 보지나 않을까 하고 의심받지는 않는다.[185]

이것은 함부르크에서는 곤란한 일일 것이다.

모든 시민이 자기의 재산액을 선서로써 공언하도록 한다는 것은 이들 스위스의 주에서는 아마도 곤란한 일로 생각되지 않은 것 같다. 그러나 함부르크에서는 그것은 가장 곤란한 것이라고 생각될 것이다. 상거래라고 하는 모험적인 기업에 종사하는 상인들은 자신들 자산의 실상을 언제나 드러내어 놓도록 강요당한다는 것은 생각만 해도 떨리는 일이다. 그들은 그렇게 되면 그 결과는 너무나 흔히 자신들 신용은 허물어지고 기업도 실패할 것이라는 것을 예견하고 있기 때문이다. 그러한 기업에 대해서 문외한인 진실하고 검소한 사람들은 그러한 은닉을 조금이라도 할 필요가 있다고 느끼지는 않을 것이다.

네덜란드도 한때 함부르크의 관행을 채용한 적이 있었다.

네덜란드에서는 고故 오라니에 공이 주총독으로 승진된 후 얼마 되지 않아 모든 시민이 전 재산에 대해서 그 2퍼센트, 즉 소위 50분의 1페니라고 하는 조세가 과해졌다. 모든 시민은 자신이 사정했으며, 함부르크에서와 마찬가지로 자기의 조세를 지불했고 대체로 그것은 대단히 충실하게 지불되었다고 생각되고 있었다. 당시 국민들은 그들이 전국적인 반란에 의해서 방금 확립해 놓은 그들의 새 정부에 대해서 최대의 애착을 가지고 있었다. 이 조세는 특별한 난관에 처한 국가를 구하기 위하여 단 한 번만 지불하도록 되어 있었다. 실로 그것은

185 《Memoires concernant les Droits》, 제1권. 163, 166, 171면. 〔이러한 자기 사정査定에 관한, 신뢰감에 관한 진술은 《Memoires》에서 나온 것은 아니다.〕

영구적인 것으로서는 너무 무거운 것이었다. 시장이자율이 좀처럼 3퍼센트를 넘지 않는 나라에서 2퍼센트의 조세란 자재에서 보통 나오는 최고 순수입 1파운드에 13실링 4펜스나 되는 것이다. 자신들 자본을 다소나마 잠식하지 않고서 이 조세를 지불할 수 있는 사람들이라곤 극히 소수밖에 되지 않을 것이다. 특별한 난국에 처하면 사람들은 공공적 열의에서 국가를 구하기 위하여 크게 애쓰고 자신들 자본의 일부를 포기하기까지 할 것이다. 그러나 그들이 꽤 오랫동안 그렇게 계속해야 한다는 것은 불가능하며, 만일 그들이 그렇게 한다면 이 조세는 곧 그들을 완전히 파멸시켜서 그들로 하여금 국가를 유지하지 못하게 만들어 버릴 것이다.

그 경우, 이 조세는 자본에 대한 조세를 뜻하는 것이었다.
잉글랜드에서의 지조법안에 의해서 자재에 부과되는 조세는 자본에 비례한 것이기도 하지만, 그 자본의 일부는 감소시키거나 빼앗아 버리려고 의도된 것은 아니다. 그것은 이 조세를 토지의 지대에 부과하는 것과 같은 비율로 화폐이자에 과하는 조세로 할 작정이었으므로 전자가 1파운드에 4실링일 때는 후자도 또한 1파운드에 4실링일 것이다. 함부르크에서의 조세도, 그보다 훨씬 더 가벼운 운터발덴과 취리히의 조세도 이와 마찬가지로 자본에 대한 것이 아니라 이자, 즉 자재의 순수입에 과하는 조세를 작정한 것이다. 네덜란드의 조세는 자본에 과하는 조세를 작정하는 것이었다.

특수한 직업의 이윤에 대한 조세

조세는 때에 따라서는 특수한 이윤에 부과된다.
어떤 나라에서는 자재가 상업의 특수 부문에 사용되고 있을 때, 그리고 농업에 사용되고 있을 때, 자재의 이윤에 대해서 특수한 조세가 부과된다.

도붓장수와 행상인 등에 대한 조세가 그것이다.

전자의 종류의 것으로는 잉글랜드에서 도붓장수와 행상인에 대한 조세, 전세 낸 마차와 가마에 대한 조세, 술집 주인이 에일과 증류주를 소매하기 위한 면허장에 대해서 지불하는 조세가 그것이다. 최근의 전쟁 중에는 이와 같은 종류의 또 하나의 조세가 점포店鋪[186]에 대해서 제안되었다. 그 전쟁은 이 나라의 상업을 방위하기 위하여 이루어졌던 것이므로 그것 때문에 이윤을 보는 상인은 그것을 지지하기 위해 공납금을 공납함이 당연하다는 것이었다.

이러한 조세는 상인들의 부담이 되지는 않고, 재화의 소비자들에게 부담된다.

그러나 상업의 어떤 특수 부문에 사용되는 자재의 이윤에 대한 조세가 최종적으로 상인들에게 떨어질 수는 없다(그들은 보통의 경우라면 언제나 적당한 이윤을 올리지 않으면 안 되고, 더욱이 경쟁이 자유로우면 그 이상의 이윤을 결코 올릴 수 없다). 그러나 그 조세는 항상 소비자에게 떨어지는데, 소비자는 재화의 가격으로서 상인이 선불한 조세를 대체로 약간 덧붙여서 지불하지 않으면 안 된다.

그러나 그것이 상인의 영업에 비례하지 않을 때는 소상인을 억압하고 대大상인을 우대하게 된다.

이런 종류의 조세가 상인의 영업에 비례할 때 그것은 최종적으로 소비자에 의해서 지불되므로 상인에게는 아무런 억압도 되지 않는다. 그러나 그것이 그렇게 비례하지 않고 모든 상인에게 같은 금액이 과해질 때는 이 경우도 역시 최종적으로는 소비자에 의해서 지불되기는 하더라도, 그것은 대상인을 편들고 소상인을 다소나마 억압하게 된다. 전세 낸 마차 각 한 대당 주 5실링의 조세와 전세 낸 가마 한 대당 연 10실링의 조세는 그러한 전세 낸 마차와 가마의 경업자들에

186 〔1759년 레그Legge가 제안한 것. 스티븐 도웰Stephen Dowell, 《A History of Taxation and Taxes in England》(1884), 제2권, 137면을 보라.〕

의해서 선불되는 한, 그들 개개의 상업의 규모와 아주 정확하게 비례한다. 그것은 대상인을 편들지도 않고, 보다 작은 상인을 억압하지도 않는다. 에일 판매 면허장에 대한 연 20실링의 조세, 증류수 판매 면허장에 대한 40실링의 조세, 그리고 포도주 판매 면허장에 대한 40실링의 조세는 모든 소매상인에 대해서 같은 금액이므로 반드시 대상인을 다소나마 유리하게 하고 소상인을 다소나마 억압하지 않을 수 없다. 전자는 후자보다 더 쉽게 자기의 재화의 가격에서 이 조세를 되찾을 것이라고 생각해야 한다. 그러나 이 조세는 지나친 것이 아니므로, 이러한 불공평은 그렇게 중대한 것이 되지는 않으며, 작은 술집이 늘어나는 것을 약간 저지한다고 해서 많은 사람들이 부당하다고 느껴지지는 않을 것이다. 점포에 대한 조세는 모든 점포에 대해서 동일하지 않으면 안 되도록 작정되어 있고 그렇게 할 수밖에 다른 도리가 없었다. 자유로운 나라에서는 전혀 견딜 수 없게 될 만한 조사같은 것이 없고서는 점포에 대한 조세를 그곳에서 하여지고 있는 영업의 크기에 꽤 정확하게 비례시킨다는 것은 불가능했을 것이다. 만일 이 조세가 상당히 무거운 것이었다면 그것은 소상인을 억압했을 것이며, 소매상의 거의 전부를 강제적으로 대상인의 손에 넘겨 버렸을 것이다. 전자의 경쟁이 없어지므로 후자는 그 상업에서 독점을 누렸을 것이며 또한 다른 모든 독점자와 마찬가지로 자신들의 이윤을 이 조세의 지불에 필요한 금액을 훨씬 넘을 만큼 끌어올리기 위하여 곧 단결했을 것이다. 그리고 이 조세의 최종적인 지불은 상점주가 아니라 소비자의 부담이 되었을 것이며, 더욱이 상점주의 이윤으로서의 상당한 과잉 부담을 소비자가 지게 되었을 것이다. 이와 같은 여러 이유 때문에 점포에 과세한다는 제안을 그만두게 되었고, 그 대신에 1759년의 서브시디subsidy가 채용되었다.

농업 이윤에 부과되는 프랑스의 동산 타이유는 자의적이고 불확실한 것이다.

프랑스에서 동산 타이유라고 불리는 것은 농업에 사용되는 이윤에 대해서 유럽의 어느 지방에서 과해지고 있는 조세보다도 아마 더 중요한 것일 것이다.

봉건적 통치가 지배하고 있었을 동안의 유럽의 혼란 상태에서는 주권자는 납세를 거부하기에는 너무 약한 사람들에게 과세하는 것으로 만족하지 않을 수 없었다. 대영주들은 특정의 비상사태에서는 서슴지 않고 주권자들을 원조했지만, 항상적인 조세의 부담을 거부했으며, 주권자도 그들에게 그것을 강제할 수 있을 만큼 강력하지 못했다. 유럽의 어디에서나 토지의 점유자의 대부분은 본래 농노였다. 유럽의 대부분의 지방을 통하여 그들은 점차로 해방되었다. 그들 가운데 몇몇은 토지재산의 소유권을 획득했으며, 어떤 때는 국왕 아래에서 때로는 어떤 다른 대영주 아래에서 그것을 옛날 잉글랜드의 등본 소유권자처럼 어떤 예농적 또는 평민적 보유권에 의해서 보유하고 있었다. 그들 가운데 다른 사람들은 소유권을 획득하지는 않고 그들이 그들의 영주 밑에서 점유하고 있었던 토지에 관해 일정 연액의 임차권을 획득했으며, 그럼으로써 그들은 영주에 대한 종속성이 적어졌다. 대영주들은 이러한 하층계급의 사람들이 이렇게 해서 어느 정도의 번영과 독립을 향수하게 된 것을 악의와 경멸적인 분노로써[187] 바라보았으며 주권자가 그들에게 과세하는 것에 기꺼이 동의했던 것 같다. 어떤 나라에서는 이 조세는 평민적 보유권에 의해서 재산으로서 보유되고 있었던 토지에 한정되었으며, 이 경우의 타이유는 부동산 타이유라고 일컬어지고 있었다. 사르데냐의 선왕에 의해서 제정된 지조와 랑그도크·프로방스·도피네·브르타뉴의 각 주에서의 타이유와 몽토방의 징세구 및 아쟁Agen과 콩동Condon의 징세분구徵稅分區(elections) 및 프랑스의 다른 몇몇 지구에서의 타이유는 평민의 보유권에 의해서 재산으로서 보유되어 있는 토지에 대한 조세이다. 다른 나라에서는 소유자가 보유하고 있는 보유관계가 어떻든 간에 타인에 속하는 토지를 차지 또는 임대차계약으로 보유하는 모든 사람의 추정 이윤에 대해서 조세가 부과되었으며, 이런 경우의 타이유는 동산 타이유라고 일컬어졌다. 프랑스에서 징세분구 지방이라고 불리고 있는 각 주의 대부분에서의 타이유는 이런 종류의 것이다. 부동산

187 〔"악의와 경멸적인 분노로써"의 원문은 "with a malignant and contemptuous indignation"인데, 초판에는 "a"가 없다.〕

타이유는 그 나라의 토지의 일부분에 대하여만 부과되는 것이므로, 반드시 불공평한 것이지만 비록 그것이 어떤 경우에는 자의적이 되더라도 반드시 언제나 그러한 조세라고는 할 수 없다. 동산 타이유는 어떤 일정 계급의 사람들의 오직 추측할 수밖에 없는 이윤에 비례하도록 의도된 것이므로, 그것은 반드시 자의적이고 불공평한 것이다.

이 조세를 부과하는 당국자는 항상 공납자의 참다운 지불능력을 알지 못하고, 우정과 당파적인 적의와 사적인 원한에 의해서 그르치게 되는 수가 종종 있다.

프랑스에서 징세분구 지방이라고 불리는 20개 징세구에 대해서 해마다 과해지고 있는 동산 타이유는 현재(1775년)에는 4010만 7239리브르 16수에 달하고 있다.[188] 이 금액이 그러한 여러 주에 부과되는 비율은 수확의 양부良否와 그들 각 주의 지불능력을 증감시킬 수 있는 다른 사정들에 관하여 추밀원에 제출되는 보고들에 따라 해마다 변동한다. 각 징세구는 일정 수의 징세분구로 분할되어, 당해 징세구 전체에 부과되는 전액이 여러 징세분구에 지출되는 보고들에 따라서 해마다 변동한다. 그러나 추밀원이 최선의 의향이 있더라도 그러한 두 가지 부과의 어느 것이든, 각자에게 개별적으로 과세되는 주 또는 지구의 실지적인 능력에 상당히 정확하게 비례시킨다는 것은 불가능한 것 같다. 추밀원이 아무리 올바르더라도 불화와 오보로서 항상 다소나마 판단을 그르칠 것은 틀림없다. 징세분구 전체에 부과되는 금액 가운데 얼마만큼을 각 교구가 부담해야 할 것인지의 비율과 또 개개의 교구에 부과되는 금액 가운데 얼마를 각 개인이 부담해야 할 것인지의 비율도 위에서와 마찬가지로 여러 사정상 필요하다고 생각되는 것에 따라서 해마다 변동한다. 이러한 여러 사정을 판단하는 것은 전자의 경우에는 징제분구의 관리이며 후자의 경우에는 교구의 관리인데 이 관리들은 쌍방이 모두 다소의 주지사의 지휘, 즉 세력하에 놓여 있다. 실정에 어둡고 오보에 접하기 때문일 뿐만 아니라, 우정과 당파적 적의와 개인적인 원한도 흔히

188 《Memoires concernant les Droits, &c.》, 제2권, 17면.

그러한 사정자들의 판단을 그르치게 한다고 한다. 그러한 조세를 부담해야 하는 어떤 사람도 자기에게 실제로 부과되기까지는 자기의 납세액을 확인할 수 없다는 것은 명백하다. 그는 자기에게 부과된 뒤에도 그것을 확인할 수 없다. 만일 어떤 사람이 당연히 면세되어야 하는데 과세되었다든지, 양자는 비록 그동안 지불하지 않으면 안 되더라도, 만일 그들이 불만을 호소하고 그 호소가 잘 되면 그들에게 변상하기 위하여 그다음 해에는 전 교구가 재과세된다. 또 만일 공납자 가운데 어떤 사람이 파산하든지 지배불능이 된다면 징세인은 그 사람의 조세를 대신 물어 줄 의무가 있으므로, 그 징세인에게 변상하기 위하여 그다음 해에 전 교구가 재과세된다. 만일 징세인이 파산한다면 그를 선임하는 교구는 그 징세분구의 징세장관에 대해서 그의 행위에 관한 책임을 져야 한다. 그러나 그 징세관에게는 전 교구를 소추한다는 것은 성가신 일일 것이므로, 그는 가장 부유한 공납자들 가운데 5~6명의 사람들을 자기 마음대로 뽑아서 그들에 강요하여 징세인의 지배불능에 의한 손실분을 메우도록 한다. 그 교구는 그 뒤에 그 5~6명의 사람들에게 변상하기 위하여 재과세된다. 그러한 재과세는 언제나 이것이 부과되는 특정 연도의 타이유와 중복된다.

농업 이윤에 대한 조세는 다른 상업의 이윤에 대한 그것과는 달라서, 소비자에게 가는 것이 아니고 지주에게 돌아간다.

어떤 특정의 상업부문에서 자재의 이윤에 조세가 과해질 때, 모든 상인은 그들이 그 조세를 선불한 것을 충분히 변상해 받을 만한 가격으로 팔 수 있는 것만큼의 재화만을 시장에 내어 가려고 대단한 주의를 기울인다. 그들 가운데 어떤 사람은 자신들 자재의 일부를 당해 상업에서 거둬들이므로 시장의 공납은 그 이전보다는 모자라게 된다. 재화의 가격이 상승하므로 그 조세의 최종적인 지불은 소비자의 부담이 된다. 그러나 농업에 사용되는 자재의 이윤에 조세가 과해질 때는, 그 용도에서 조금이라도 자기의 자재를 거둬들인다는 것은 농업경영자의 이익은 아니다. 각 농업경영자는 일정량의 토지를 점유하고 있고, 그것에 대해서 지대를 지불하고 있다. 이 토지의 적절한 경작을 위해서는 일정량의 자재가 필요한데, 이 필요량의 자재의 일부라도 거둬들인다면 그 농업경영자는 지대 또는 조세를 넉넉히 지불할 수 있을 가능성이 작아진다. 조세를 지불하기 위하여 자기의 생산물의 양을 감소시킨다든지, 따라서 또 시장에 그전보다 더 모자라게 공급을 한다고 해서 그것이 자기의 이익이 될 수는 없다. 그러므로 이 조세는 그가[189] 그의 최종 지불을 소비자에게 부담시킴으로써 변상을 받을 정도까지 자기의 생산물의 가격을 올릴 수 있게 해 주지는 않을 것이다. 그러나 농업경영자도 다른 모든 상인들과 마찬가지로 합리적인 이윤을 얻지 않으면 안 되며, 그렇지 않는 한, 그는 자기의 생업을 포기하지 않으면 안 된다. 이런 종류의 조세가 부과된 뒤에는 그는 이 합리적 이익을 올리기 위해서는 보다 적은 지대를 지주에게 지불할 수밖에 없다. 그가 조세로서 지불할 의무를 지고 있는 것이 많으면 많을수록 지대로서 지불할 여유는 그만큼 적어진다. 임대차 계약의 계속기간 중에 부과되는 이런 종류의 조세는 틀림없이 농업경영자를 괴롭히든지 몰락시킬 것이다. 그 계약이 갱신될 경우 그것은 항상 지주의 부담으로 돌아갈 것이 틀림없다.

동산 타이유에 기인된 좋은 경작의 저해는 공공사회 · 농업경영자 · 지주에게 손해를 준다.

동산 타이유가 행해지고 있는 나라에서는 농업경영자는 외견상 자기가 경작에 사용하고 있는 자재에 비례하여 본세가 부과되는 것이 보통이다. 이 때문에 그는 흔히 훌륭한 일군의 말, 또는 황소를 갖는 것을 두려워하고, 될 수 있는 대로 보잘것없고 가장 비참한 농업 기구로써 경작하려고 노력한다. 조세 사정자의 정의에 대한 그의 불신은 대단하므로 그는 가난한 체 가장하고 과중한 지불을 강요당할 것이 두려워서 지불능력이 조금도 없는 것처럼 보이고 싶어 한다. 이러한

189 〔초판에는 이 이하가 다음과 같이 돼 있다. "그가 자기의 생산물의 가치를 올릴 수 있게 해 주지도 못할 것이며, 또한 그 최종 지불을 소비자에게 전가시킴으로써 변상을 받도록 해 주지도 못할 것이다."〕

비참한 수단을 그가 쓴다 하더라도, 아마 그는 반드시 가장 유효한 방법으로 자기 자신의 이익을 찾지는 못할 것이며 그는 조세의 감소에 의해서 절약하는 이상의 것을 자기의 생산물의 감소에 의해서 잃을 것이다. 이러한 비참한 경작의 결과로써 시장의 공급이 약간 악화할 것은 틀림없다 하더라도, 이 때문에 일어날지도 모르는 가격의 약간의 상승은 농업경영자에게 생산물의 감소에 대한 보상마저도 해 줄 것 같지 않으므로, 그가 지주에게 더 많은 지대를 지불할 가능성도 역시 더 적어진다. 공공사회도, 농업경영자도, 지주도 모두가 이 악화된 경작 때문에 다소는 손해를 본다. 동산 타이유가 여러 가지 모양으로 경작을 저해하고, 따라서 모든 대국의 부의 주요원천을 고갈시키는 경향이 있다는 것은 내가 이미 본 연구의 제2편에서 설명을 해 둔 바 있다.

흑인에 대한 인두세는 지주의 부담이 된다.

북아메리카의 남부의 여러 주와 서인도 제도[190]에서의 소위 인두세(poll taxes), 즉 모든 흑인에 대해서 한 사람에 얼마라고 하는 연간 조세는 실은 농업에 사용되는 어떤 종류의 자재의 이윤에 대한 조세이다. 재식자栽植字는 그 대부분이 농업경영자이기도 하고 지주이기도 하므로, 이 조세의 최종적 지불은 아무런 보수 없이 지주라고 하는 그들의 자격으로 그들의 부담이 되어 버린다.

인두세는 노예 상태를 상징하는 것이라고 주장되어 왔으나 납세자에게는 모든 조세는 자유의 상징이기도 하다.

경작에 사역使役되는 농노에 대해서 한 사람당 얼마라고 하는 조세는 옛날에는 모든 유럽에 흔한 것이었던 것 같다. 현재에도 이런 종류의 조세는 러시아 제국에 존속하고 있다. 모든 종류의 인두세는 노예 상태를 상징하는 것이라고 종종 주장되어 왔던 것도 아마 이 때문일 것이다.[191] 그러나 모든 조세는 그것을 지불

190 〔원어는 "West Indian islands"인데, 초판에는 "West India islands"라고 되어 있다.〕

191 〔예를 들면, 몽테스키외, 《법의 정신》, 제13권, 제14장에 의하면 그러하다.〕

하는 사람에게는 노예 상태를 상징하는 것이 아니라, 자유를 상징하는 것이다. 사실은 그것은 그가 통치에 종속되어 있다는 것을 의미하는 것이지만, 그러나 그는 약간의 재산을 가지고 있으므로, 자기 자신이 어떤 주인의 재산일 수는 없다는 것을 뜻하는 것이다. 노예에 대한 인두세는 자유인에 대한 인두세와는 전적으로 다르다. 후자는 그것이 부과되는 사람에 의해서 지불된다. 후자는 전혀 자의적이든지 전혀 불공평하든지 하며, 또한 대부분의 경우 자의적이기도 하고 불공평하기도 하지만 전자는 노예가 다르면 그 가치도 다르므로 어떤 점에서는 불공평하기는 하더라도, 어떤 점에서 보더라도 자의적인 것은 아니다. 자기가 소유하고 있는 노예의 수를 알고 있는 모든 주인은 자기가 지불해야 할 것을 정확하게 알고 있다. 그러나 그러한 여러 가지 조세는 동일한 이름으로 불리고 있었으므로, 동일한 성질의 것이라고 생각되어 왔다.

하인에 대한 조세는 소비품에 대한 조세와 같은 것이다.

네덜란드에서는 남녀의 사용인에 대해서 부과되는 조세는 자재에 대한 것이 아니라 지출에 대한 조세이며, 그런 한에서는 소비품에 대한 조세와 비슷하다. 최근에 영국에서 과해지고 있었던 남자 사용인 한 사람당 1기니라는 조세[192]도 이와 같은 종류의 것이다. 이 조세는 중산계급에 가장 무겁게 떨어진다. 연수입 200파운드인 사람은 남자 하인 한 사람을 둘지 모른다. 그러나 연수입 1만 파운드의 사람이라도 50명이나 하인을 두지는 않을 것이다. 이 조세는 가난한 사람에게는 영향을 미치지 않는다.[193]

특수한 이윤에 대한 조세는 이자에 영향을 미칠 수 없다.

특수한 직업에 있어서의 자재의 이윤에 대한 조세는 결코 화폐이자에는 영향을 미칠 수 없다. 어떤 사람도 과세되는 직업에 종사하는 사람들에게, 과세되지 않

192 〔조지 3세 제17년 법률 제39호.〕
193 〔이 단락은 초판에는 없다.〕

는 직업에 종사하는 사람들에 대한 것보다 싼 이자로써 자기의 돈을 빌려주려고 하지는 않을 것이다. 모든 직업의 자재에서 생기는 수입에 대한 조세는 정부가 그것을 어느 정도 정확하게 징수하려고 꾀하는 곳에서는 화폐이자에 지워지는 경우가 많을 것이다. 프랑스에서 20분의 1세稅(Vingtième), 즉 20분의 1페니세稅는 잉글랜드에서 지조라고 불리는 것과 같은 종류의 조세이며, 토지·가옥·자재에서 생기는 수입에 대해서 앞서 본 바와 같은 방법으로 부과되고 있다. 이 조세는 이것이 부과되는 자재에 영향을 미치는 한 대단히 엄격하게 부과되고 있지는 않더라도, 역시 잉글랜드의 조세 가운데서 이와 동일한 원자에 과해지고 있는 부분에 비한다면, 훨씬 정확하게 부과되고 있다. 허다한 경우 그것은 전부 화폐이자에 부과된다. 프랑스에서는 소위 연금계약이라고 불리는 것에 흔히 화폐가 투하되는데, 이 연금계약은 채무자는 처음 선대된 금액을 갚는다면 언제든지 상환할 수 있으나, 채권자는 특별한 경우를 제외하고는 상환을 청구할 수 없는 영구연금이다. 20분의 1세(Vingtième)는 그러한 연금 전부에 정확하게 과해지고 있지만, 그러한 연금의 비율을 올리지는 않았던 것 같다.

제1항 및 제2항에 대한 부록

토지·가옥·자재의 자본 가치에 대한 조세

재산의 양도에 대한 조세는 필연적으로 자본 가치의 일부를 빼앗을 경우가 종종 있다. 재산이 동일 인물의 소유로 남아 있는 동안은 아무리 영구적인 조세가 그것에 과해질지라도, 그 조세는 재산의 자본 가치를 조금도 감소시킨다든지 빼앗아 버리려는 의도는 없으며, 그것에서 생기는 수입의 일부를 그렇게 하려고 한 것에 지나지 않는다. 그러나 재산이 소유주를 바꿀 때, 즉 그것이 죽은 사람으로부터 산 사람에게, 또 살아 있는 사람으로부터 살아 있는 사람에게 양도될 때는 그 재산의 자본 가치의 일부를 필연적으로 빼앗아 버릴 만한 조세가 종종 그것에 과해져 왔다.

죽은 사람으로부터 산 사람에게 이전되는 것과 모든 부동산의 이전은 직접 과세될 수 있고, 화폐의 대부貸付에 의한 이전은 인지세 또는 등기세로써 과세되어 왔다.

죽은 사람으로부터 산 사람에게 가는 모든 부류의 재산의 이전, 그리고 산 사람으로부터 산 사람에게 넘어가는 부동산, 즉 토지와 가옥의 이전은 그 성질상 공공연히 사람들에게 잘 알려지거나 또는 오랫동안 은닉될 수 없는 거래이다. 그러므로 그러한 거래에는 직접 과세할 수 있다. 화폐의 대부로써 이루어지는 산 사람으로부터 산 사람에게 넘어가는 자재 또는 동산의 이전은 종종 비밀로 거래되며, 또한 항상 그렇게 할 수 있다. 그러므로 그것은 쉽게 직접 과세될 수는 없다. 그것은 다음 두 가지 방법으로 간접적으로 과세되어 왔다. 즉 첫째, 갚을 의무를 기재한 증서는 일정한 인지세를 지불한 종이, 또는 양피지에 기입할 것을 요구하고, 그렇지 않으면 무효로 하는 방법이고, 둘째, 위와 같은 무효의 벌칙을 두고 그것을 공개 또는 비밀의 등기부에 기록해 두어야 할 것을 요구하며 그러한 등기에 일정한 조세를 부과하는 방법이다. 죽은 사람으로부터 산 사람에게 가는 모든 종류의 재산의 이전증서에 대해서도, 그리고 산 사람으로부터 산 사람에게 가는 부동산의 이전증서에 대해서도 인지세와 등기세가 역시 마찬가지로 흔히 부과되어 왔는데, 이러한 거래는 직접 과세하려고 하면 쉽게 될 수 있었을 것이다.

죽은 사람으로부터 산 사람에게 가는 이전移轉에 대해서는 20분의 1 상속세가 과해졌다.

아우구스투스가 고대 로마인에 과했던 20분의 1 상속세, 즉 상속에 관한 20분의 1페니세는 죽은 사람으로부터 산 사람에게 가는 재산의 이전에 대한 조세였다. 이 조세에 관하여 가장 명확하게 쓴 바 있는 저자 디온 카시오스[194]는 다음

194 제55권. 〔(25) 부르만Burman과 부쇼Bouchaud가 인용하고 있다.〕 또한 《Burman de

과 같이 말하고 있다. 즉 이 조세는 사망할 경우 최근친 및 빈자에 대한 것을 제외하고 모든 상속·유증·증여에 대해서 과해졌다고.

네덜란드의 상속세가 과해지기도 했다.

이와 같은 것으로 네덜란드의 상속세가 있다.[195] 즉 방계傍系에는 촌수에 따라 상속재산의 가치 총액에 대해서 5퍼센트 내지 30퍼센트가 과세된다. 유언에 의한 방계자에의 증여, 즉 유증도 이와 마찬가지로 과세된다. 남편으로부터 아내에게, 아내로부터 남편에게 하는 유증에는 15분의 1[196]페니세가 부과된다. 애처로운 상속(Luctuosa Hereditas), 즉 직계존속에 의한 직계비속의 애처로운 상속에는 20분의 1페니세밖에 과하지 않는다. 직계상속, 즉 직계비속에 의한 직계존속의 상속은 무세이다. 아버지의 죽음이 그 아이들 가운데 아버지와 같이 살고 있는 아이의 수입에 증가를 가져다주는 수는 좀처럼 없으며, 오히려 상당히 감소시키는 수가 흔히 있다. 이 감소는 아버지의 근로와 관직 또는 아버지가 소유하고 있었을지도 모르는 약간의 생애부동산권을 잃게 됨으로써 일어난다. 아버지로부터의 상속재산의 어떤 부분을 아이들한테서 빼앗아 버림으로써 그들의 손실을 교화시키는 조세가 있었다면 그것은 잔인하고 억압적인 것이었을 것이다. 그러나 로마법의 문언에서 말하는 부권에서 해방된 아이들이라든지 스코틀랜드법의 문언에서 말하는 토지를 분여分與받은 아이들(forisfamiliated children)에 관해서는, 즉 자신들에게 분여된 재산을 받았으며 자신들 가족을 가지고 그들의 아버지의 그것과는 분리, 독립된 원자로써 생계를 유지하고 있는 아이들에 관해서

Vectigalibus Pop. Rom》, 제11장 〔《Utriusque thesauri antiquitatum romanarum graecarumque nova supplementa congesta ab Joanne Poleno》(Venice, 1737), 제1권, 1032B면의〕 및 부쇼Bouchaud, 《De l'impôt du vingtieme sur les successions 〔et de l'impôt sur les marchandises chez les Romains》(nouvelle, 1772), 10면 및 이하〕를 보라.

195 《Memoires concernant les Droits, &c.》, 제1권, 255면을 보라.

196 〔어느 판에도 다 "50분의 1"로 되어 있으나 《Mémoires》에는 "15분의 1(quinzième)"라고 되어 있으며, 또한 다음 문장에 "겨우 20분의 1페니세밖에 과해지지 않는다"라고 한 것은 스미스가 "15분의 1"이라고 쓰려고 했던 것이었다는 것을 설명해 준다.〕

는 사정이 다를 때도 있을 것이다. 그러한 아이들에게 아버지의 유산의 어떤 부분이 상속되든지 간에 그것은 그들의 재산에 대한 현실적인 추가분이 될 것이며, 따라서 그것에 약간의 조세를 부과하더라도 이런 종류의 모든 세금에 따르는 불편 이외에는 아무런 불편도 있을 수 없을 것이다.

봉건법은 토지의 이전에 과세했다.

봉건법의 임시상납금(casulaties)은 죽은 사람으로부터 산 사람에게, 산 사람으로부터 산 사람에게 주는 토지의 이전에 대한 조세였다. 옛날에는 조세가 유럽의 모든 지방에서 국왕의 수입의 주요 부문의 하나를 이루고 있었다.

후견제도와 상속상납금에 의한 과세가 그것이었다.

국왕에게 직속하는 모든 신하의 상속인은 영지의 임관을 받을 경우, 그것에 대해서 일정세, 즉 대체로 1년치의 지대를 지불했다. 만일 그 상속인이 미성년자일 때는 미성년의 상태가 계속되는 동안, 그 영지의 지대의 전부는 주군(superior)에 귀속되었는데, 그 경우 주군은 미성년자의 부양과 또 그 토지에 관하여 때마침 과부산권寡婦産權을 가진 과부가 있으면, 그 과부의 과부산의 지불 이외에는 아무런 부담도 없었다. 그리고 그 미성년자가 성년이 되었을 때도 상속상납금(Relief)이라고 하는 또 한 가지의 조세가 군주에게 응당 지불되도록 되어 있었으며, 그리고 이 조세도 역시 대체로 1년치의 지대에 상당하는 것에 보수하는 모든 부담이었다. 오늘날에는 미성년기가 길면 대소유지는 이것에서 벗어나게 되고, 그 가족은 옛날의 뛰어난 지위에 복위하는 수가 아주 흔히 있는데, 당시에는 이러한 효과를 가질 수 없었다. 당시 미성년기가 길다는 것은 그 소유지에 보수하는 부담을 면제시키기는커녕, 그 황폐를 가져오게 하는 것이 보통이었다.

그리고 양도 부담금에 의한 과세도 그것이다. 그리고 이 마지막 것은 아직도 많은 나라에서 수입의 중요 부문을 이루고 있다.

봉건법에 의하면 신하는 주군의 동의 없이는 양도할 수 없었고, 또 주군은 대체로 그 동의를 해 주는 대가로써 양도 부담금 또는 화해금을 강요했다. 양도 부담금은 처음에는 자의적인 것이었는데, 여러 나라에서는 토지가격의 일정 부분이라고 규정되도록 되었다. 다른 봉건적 관습의 대부분이 폐지되어 버린 몇몇 나라에서는, 토지의 양도에 대한 이 조세가 아직도 계속 주권자의 수입의 아주[197] 주요한 부문을 이루고 있다. 베른 주에서는 이 조세는 극히 높은 비율이어서 모든 귀족적 봉지(noble fiefs)의 가격의 6분의 1, 또한 모든 평민적 봉지(ignoble fiefs)의 가격의 10분의 1에 달할 정도이다.[198] 루체른 주에서는 토지의 매각에 대한 조세는 보편적인 것이 아니라, 오직 어떤 지역에서만 행해지고 있다. 그러나 만일 어떤 사람이 그 영역에서 이전하기 위하여 자기의 토지를 매각하면, 그는 매각 가격 전체의 10퍼센트를 지불하도록 되어 있다.[199] 모든 토지 또는 일정한 보유관계로써 보유되어 있는 토지의 매각에 대한 이와 같은 종류의 조세는 다른 많은 나라에서도 행해지고 있으며 주권자의 수입에 어느 정도의 중요한 부문을 이루고 있다.

토지의 매각에 대한 이러한 조세는 인지세 또는 등기세로써 징수될 수 있다.

이상과 같은 거래에는 인지세 또는 등기세라는 방법으로 간접적으로 과세할 수 있으며 또 그러한 조세는 이전되는 물건의 가치에 비례시킬 수 있을 경우도 있고 그렇게 할 수 없을 경우도 있다.

영국에서는 그러한 세는 재산의 가치에 비례되어 있지 않다.

영국에서는 인지세는 이전되는 재산의 가치에 따르는 것이 아니고 (최대 금액의 채무증서라도 18페니 내지 반 크라운의 인지로써 충분하므로), 증서의 성질에 따라서 높아지기도 하고 낮아지기도 한다. 최고라고 해도 용지 또는 양피지 한

197 〔초판에는 "아주"는 없다.〕

198 《Memoires concernant les Droits, &c.》, 제1권, 154면을 보라.

199 《Memoires concernant les Droits, &c.》, 제1권, 157면을 보라.

장당 6파운드를 넘지는 않으며, 이러한 높은 조세는 주로 국왕으로부터 권리 수여라든지 어떤 법률 수속에 대해서 부과되는 것으로써 그 물건의 가치와는 아무런 관계도 없다. 영국에서는 증서 또는 문서의 등기는 무세이며, 다만 등기부를 다루는 관리의 수수료가 있을 뿐인데, 더욱이 이 수수료는 그들의 노동에 대한 합리적인 보수 이상의 것은 좀처럼 되지 않는다. 국왕은 그러한 수수료에서는 아무런 수입도 내지 않는다.

네덜란드에는 비례적인 것도 있고 그렇지 않은 것도 있다.

네덜란드에는[200] 인지세도 있으며 등기세도 있는데, 이러한 조세는 어떤 경우에는 이전되는 재산의 가치에 비례되기도 하고 어떤 경우에는 그렇게 되지 않는다. 모든 유언은 인지를 붙인 종이에 쓰지 않으면 안 되고, 이 종이의 가격은 처분되는 재산에 비례하므로, 인지에는 한 장당 3펜스, 즉 3스타이버stiver에서 우리 화폐로는 약 27파운드 10실링에 해당하는 300플로린이나 되는 것까지 있다. 유언자가 당연히 사용했어야 할 인지보다도 낮은 가격의 인지가 사용되어 있을 경우엔, 그의 상속재산은 몰수된다. 이 조세는 상속에 관한 다른 모든 조세가 부과된 그 위에 부과되는 것이다. 환어음 및 그 밖의 약간의 상업어음을 제외하고는 다른 모든 증서·채무증서·계약서는 인지세를 지불하지 않으면 안 된다. 그러나 이 인지세는 그 물건의 가치에 비하여 오르지는 않는다. 토지 및 가옥의 매각과 이 양자에 대한 저당권의 설정은 모두 등기되지 않으면 안 되며, 또한 그 등기의 경우엔 그 가격 총액 또는 저당권 총액[201]의 2.5퍼센트의 세를 국가에 지불하여야 한다. 이 세는 적재량 2톤 이상의 모든 선박의 매각에까지 확충되고 있으며, 이 경우 선박에는 갑판이 있든 없든 상관이 없다. 이러한 선박은 수상에 있는 가옥의 일종으로 간주되고 있는 것 같다. 동산의 매각은 그것이 재판소의 명령

200 《Memoires concernant les Droits, &c.》, 제1권, 223~225면을 보라.

201 〔이곳의 원문은 "the amount of the price or of the mortgage"인데, 초판에는 "or" 다음의 "of"가 없다.〕

에 의한 경우라면 2.5퍼센트와 같은 세금을 지불해야 한다.

프랑스에는 인지세를 징수하는 관리와 등기세를 징수하는 관리가 따로 있다.
프랑스에는 인지세도 있고 등기세도 있다. 전자는 보조금(aides), 즉 내국소비세의 일부문이라고 간주되고 있으며 이 조세가 행해지고 있는 주에서는 내국소비세를 취급하는 관리에 의해서 징수되고 있다. 후자는 국왕의 소유지 수입의 일부문이라고 간주되고 있으며, 이것은 다른 부류의 관리에 의해서 징수되고 있다.

인지세와 등기세는 모두가 근대적인 과세 방법이다.
인지세와 등기세에 의한 이들 과세 방법은 아주 근대에 발명된 것이다. 그러나 겨우 1세기가 경과할까 말까 한 동안에 유럽에서는 인지세가 거의 보편화되었으며 등기세도 극히 흔하게 되었다. 어떤 정부가 다른 정부로부터 빨리 배우는 것으로는 국민의 호주머니에서 돈을 빼앗아 내는 기술보다 더한 것은 없다.

죽은 사람으로부터 산 사람으로의 이전에 대한 조세는 재산을 획득하는 사람에게 과해지고, 토지의 매각에 대한 조세는 파는 사람에게 과해지며, 신축 가옥의 매각에 대한 조세는 사는 사람에게 과해지고, 낡은 가옥의 매각에 대한 조세는 파는 사람에게 과해지며, 부지지대의 매각에 대한 조세는 파는 사람에게 과해지고, 대차에 대한 조세는 빌리는 사람에게 과해지며, 소송절차에 대한 조세는 원고에게 부과된다.
죽은 사람으로부터 산 사람에의 재산의 이전에 대한 조세는 즉시적으로나 최종적으로나 재산이 이전되는 사람에게 부과된다. 토지의 매각에 대한 조세는 전부 파는 사람에게 부과된다. 파는 사람은 거의 언제나 팔아야 할 필요하에 놓여 있으므로 받을 수 있는 가격을 받지 않을 수 없다. 그러나 사는 사람은 사야 할 필요에 쫓기고 있는 경우는 좀처럼 없으므로, 그는[202] 자기 마음에 드는 가격을

202 〔이 이하의 원문은 "……only give such a price……"인데, 초판에는 "……give only such a price……"로 되어 있다.〕

줄 뿐일 것이다. 사는 사람은 그 토지가 조세와 가격을 합쳐서 얼마가 나갈 것인가를 생각한다. 그리하여 그는 조세로서 지불할 의무를 많이 지면 질수록 가격으로 지불할 것을 그만큼 적게 하고 싶어질 것이다. 그리하여 그러한 조세는 거의 언제나 필요에 쫓기고 있는 사람에게 부과되고, 따라서 극히 잔인하고 압제적인 것이 되지 않을 수 없을 때가 흔히 있다. 신축가옥의 매각에 대한 조세는 그 건물이 토지를 빼고 팔리는 곳에서는 대체로 사는 사람에게 부과된다. 왜냐하면 건축업자도 일반적으로 자기의 이윤을 보지 않으면 안 되며 그렇지 못하면 그는 영업을 포기하지 않으면 안 되기 때문이다. 그러므로 만일 그가 그 조세를 선불한다면 사는 사람은 대체로 그것을 그에게 갚아 주지 않으면 안 된다. 낡은 가옥의 매각에 대한 조세는 토지의 매각에 대한 그것과 같은 이유에서 일반적으로 파는 사람에게 부과되는데, 대부분의 경우 그는 편의상 또는 필요상 팔지 않을 수 없게 되어 있기 때문이다. 해마다 시장에 나오게 되는 신축가옥의 수는 어느 정도 수요에 의해서 규제된다. 모든 비용을 지불한 뒤에 건축업자에게 그 이윤을 가져다줄 만큼 수요가 있지 않는 한, 그는 집을 그 이상 더 짓지 않으려고 할 것이다. 어느 시기에 때마침 시장에 나오는 낡은 가옥의 수는 그 대부분이 수요와는 전혀 관계없는 우연사에 의해서 규제된다. 어떤 상업도시에서 대규모의 파산이 두세 건 일어나면 수많은 가옥이 팔리려고 나오는데, 그러한 가옥은 살 사람이 부르는 가격으로 팔리지 않을 수 없다. 부지지대의 매각에 대한 조세는 전부 파는 사람에게 부과되는데, 이는 토지의 매각에 대한 조세와 같은 이유에서이다. 인지세와 차입금의 채무증서 및 계약서에 대한 등기세는 전부가 빌리는 사람에게 과해지며, 사실 언제나 빌리는 사람이 지불하고 있다. 소송절차에 대한 이와 같은 종류의 조세는 원고에게 부과된다. 이 조세는 소송 당사자 쌍방에 대해서 분쟁 중의 물건의 자본 가치를 감소시킨다. 어떤 재산이라도 그것을 획득하는 데 드는 비용이 많으면 많을수록, 일단 획득되었을 때 그것의 순가치[203]는 적어짐이 틀림없다.

203 〔"순가치"는 초판에는 "가치"라고 되어 있다.〕

이전에 대한 모든 조세는 이것들이 자본 가치를 감소시키는 한에 있어서는 낭비적인 것이다.

모든 종류의 재산의 이전에 대한 모든 조세는 이것들이 그 재산의 자본 가치를 감소시키는 한, 생산적 노동을 부양하기 위해 예정된 원자를 감소시키는 경향이 있다. 그러한 모든 조세는 생산적 노동자만을 부양하는 인민의 자본을 희생하여 비생산적 노동자 이외에는 아무도 부양하지 않는 주권자의 수입을 증가시키는 다소간 낭비적인 조세이다.

이 조세는 그것이 재산의 가치에 비례될 때라도 이전의 도수가 변하기 때문에 불공평하다. 그러나 이것은 확실하고 편리하고 또 징수비가 적게 든다.

이러한 조세는 이전되는 재산의 가치에 비례할 경우일지라도 역시 불공평하다. 즉 가치가 같은 재산이라도 이전의 도수는 반드시 같다고 할 수 없는 것이다. 그리고 인지세와 등기세의 대부분이 그러하지만, 이 조세가 이 가치에 비례하지 않을 경우엔 더욱더 불공평한 것이 된다. 그러나 이 조세는 어떤 점으로도 자의적인 것은 아니고, 모든 경우 완전히 명백하고 확실하며, 또 그럴 수 있다. 비록 이 조세가 지불능력도 그렇게 없는 사람에게 부과되는 때도 있겠지만, 그 지불시기는 대부분의 경우 그 사람에게는 충분히 편리하다. 지불시기가 오면 대부분의 경우 그는 지불할 돈을 가지고 있음이 틀림없다. 이 조세는 아주 적은 비용으로 징수되며, 대체로 공납자에 대해서는 납세한다는 불가피한 불편 이외에는 아무런 불편도 주지 않는다.

이전移轉에 대한 프랑스의 인지세에 관해서는 그렇게 불평은 없으나, 등기세(즉 콩트롤)는 자의적이고 불확실한 것이라고 일컬어지고 있다.

프랑스에서는 인지세에 관해서는 그렇게 불평은 없다. 등기세, 즉 그들이 콩트롤(Contrôle)이라고 부르고 있는 것에 관해서는 불평이 많다. 이 조세는 대단히 자의적이고 불확실한 조세를 징수하는 징세청부국徵稅請負局의 관리들에게 강탈을 행할 기회를 주는 것이라고 주장되고 있다. 프랑스에서 현재의 재정제도에 반대해서 씌어진 소책자[204]의 대부분에서는 콩트롤의 폐해가 그 주요 항목이 되어 있다. 그러나 불확실성이란 반드시 그러한 조세의 성질에 고유한 것이라고 생각되지는 않는다. 만일 민중의 불평이 충분히 근거 있는 것이 아니면, 이 조세의 폐해는 이 조세의 성질에서 생기는 것이라기보다는 이 조세를 부과하는 칙령, 또는 법률의 용어가 정확성과 명료성을 결여하고 있다는 것에서 생기는 것임이 틀림없다.

저당권과 부동산에 대한 모든 권리의 공개적인 등기는 유익하지만, 비밀의 등기는 존재해서는 안 된다.

저당권의 등기와 대체로 부동산에 대한 모든 권리의 등기는 채권자와 구매자 쌍방에게 큰 안전을 보증하는 것이므로 공공사회에 극히 유익하다. 다른 종류의 증서의 대부분에 관한 등기는 개개인에게는 흔히 불편하고 위험하기까지 하며, 그리고 공공사회에도 아무런 이익도 되지 않는다. 비밀로 해 두지 않으면 안 된다고 승인되어 있는 모든 등기는 확실히 존재를 인정해서는 안 된다. 개개인의 신용은 수입을 다루는 하급관리의 성실과 양심 같은 아주 마음 놓을 수 없는 보증에 의존해서는 안 되는 것이다. 그러나 등기의 수수료가 주권자의 수입의 한 원천이 되어 있는 곳에서는, 그것을 등기할 필요가 있든지 없든지 간에 증서를 위한 등기소가 대체로 제한도 없이 증가되어 왔다. 프랑스에는 다른 종류의 비밀의 등기부가 몇 가지 있다. 그러한 폐해는 그러한 조세의 필연적인 결과라고는 할 수 없으나, 그러한 조세의 아주 자연적인 결과라고 하는 것은 시인되지 않으면 안 된다.

많은 인지세는 소비에 대한 세금이다.

204 〔"소책자(libels)"란 말은 보다 더 넓은 의미로 사용된 것으로, 근대의 팸플릿pamphlets과 같다. 제임스 머레이James Murray, 《옥스퍼드 영어사전Oxford English Dictionary》의 그 항을 보라.〕

잉글랜드에서 트럼프와 주사위 놀음에, 그리고 신문과 정기간행물에 과해지고 있는 인지세는 소비에 대한 조세이며, 그 최종 지불은 그러한 상품을 사용 또는 소비하는 사람들에게 부과된다. 에일·포도주·증류주를 소매하기 위한 면허장에 과해지고 있는 인지세는 아마 소매업자의 이윤에 과해지도록 작정되었던 것 같지만, 역시 최종적으로는 그러한 음료의 소비자에 의해서 지불되고 있다. 그러한 조세는 상술한 재산의 이전에 대한 인지세와 동일한 이름으로 불리고 있으며, 또한 동일한 관리에 의해서 동일한 방법으로 징수되는 것이기는 하지만, 아주 다른 성질의 것으로서 완전히 다른 원자元資에 부과되는 것이다.

제3항 노동임금에 대한 조세

임금에 대한 조세는 반드시 그 세액 이상으로 임금을 올린다.

하층계급의 직공의 임금은 내가 제1편에서 밝히려고 노력했지만, 어떠한 곳에서도 반드시 두 가지 상이한 사정, 즉 노동에 대한 수요와 식료품의 통상적인 또는 평균적인 가격에 의해서 규제된다. 노동에 대한 수요는 이것이 때마침 증가하고 있는지, 정체하고 있는지, 또는 쇠퇴하고 있는지에 따라서, 다시 말하면 그것이 인구의 증가·정체·쇠퇴의 어느 것을 필요로 하고 있는가에 따라서 노동자의 생활수단을 규제하고, 그것이 어느 정도 많아지는지, 온당해지는지, 또는 부족해질 것인지를 결정한다. 식료품의 통상적인 또는 평균적인 가격은 해마다 직공이 이 넉넉한 또는 온당한 또는 부족한 생활수단을 구매할 수 있도록 하기 위해서 그에게 지불되어야 하는 화폐의 양을 결정한다. 그러므로 노동에 대한 수요와 식료품의 가격이 동일한 그대로인 동안은 노동의 임금에 대한 직접세는 임금을 이 조세보다 약간 더 높게 올리는 효과밖에 낼 수 없는 것이다. 예를 들면 어떤 특정 장소에 있어서 노동에 대한 수요와 식료품의 가격이 주 10실링으로 하여금 노동의 통상의 임금이 되도록 할 만한 것이었다고 상상하고 임금에 대해서 5분의 1, 즉 1파운드에 4실링의 조세가 과해졌다고 가정하자. 만일 노동에 대한 수요와 식료품의 가격이 동일한 그대로 있다면 그 노동자는 역시 그 장소에서 주 10실링으로써만이 구매될 수 있을 만한 생활수단을 벌어야 할 것을 필요로 할 것이다. 즉 이 조세를 지불한 뒤에도 주 10실링이라는 무세의 임금(free wages)을 가져야 할 것을 필요로 할 것이다. 그러나 이 조세를 지불한 뒤에 그에게 그러한 무세의 임금을 남겨 주기 위해서는 그 장소에서의 노동의 가격은 곧 한 주에 겨우 12실링이 아니라 12실링 6펜스로 상승하지 않으면 안 된다. 즉 그로 하여금 5분의 1의 조세를 지불할 수 있도록 하기 위해서는 그의 임금은 반드시 얼마 되지 않아 5분의 1만이 아니라 4분의 1이 상승하지 않으면 안 된다. 조세의 비율이 어떠했든지 간에, 노동의 임금은 모든 경우 그 비율에만 그칠 것이 아니라 그보다 더 높은 비율로 상승하지 않으면 안 된다. 예를 들면 만일 조세가 10분의 1이라면 노동의 임금도 반드시 곧 겨우 10분의 1이 아니라, 8분의 1이 상승하지 않으면 안 된다.

제조업에 있어서의 노동임금의 상승은 고용주가 선불하여 소비자가 지불하고, 농업에 있어서의 임금의 상승은 농업경영자가 선불하고 지주가 지불한다.

그러므로 노동의 임금에 대한 직접세는 노동자가 자기 손에서 그것을 지불할지라도 적어도 노동에 대한 수요와 식료품의 평균가격이 과세 후에도 그 이전과 동일한 그대로 있다면, 그가 그것을 지불했다고 하는 것마저 적절하다고는 할 수 없을 것이다. 그러한 경우는 언제나 조세뿐만 아니라 조세보다 약간 더 많은 것이 직접 그를 고용하는 사람에 의해서 실제로 선불될 것이다. 그리고 그 최종적인 지불은 경우를 달리함에 따라, 다양한 사람들에게 부과될 것이다. 그러한 조세가 제조업의 노동의 임금을 상승시킨다면, 이 상승된 것은 마스터 제조업자에 의해서 선불될 것이며, 또 그는 그것을 이윤과 함께 자기의 재화의 가격에 과하는 권리를 가지고 있으며, 또 과하지 않을 수 없을 것이다. 그러므로 임금의 이러한 상승분은 마스터 제조업자의 추가이윤과 함께 소비자의 부담으로 될 것이다. 그러한 조세가 농촌 노동의 임금을 상승시킨다면 그 상승된 것은 농업경영자에 의해서 선불될 것이며, 농업경영자는 이전과 같은 수의 노동자를 부양하기 위하여 보다 큰 자본을 사용하지 않을 수 없을 것이다. 보다 큰 이 자본을 자재의 통상이윤과 함께 회수하기 위하여 그는 토지 생산물의 보다 큰 부분을, 또는 같은 뜻이 되겠지만 보다 큰 부분의 가격을 남겨 두어야 할 것이며, 따라서 그는 지주에게는 보다 적은 지대를 지불해야 할 것이다. 그러므로 임금의 이 상승분의 최종적인 지불은 이런 경우에는 그것을 선불했던 농업경영자의 추가이윤과 함께 지주의 부담이 되어 버릴 것이다. 어떠한 경우에도 노동의 임금에 대한 직접세는 결국에 가서는 그 조세로써 생기는 것과 같은 금액의 것을 일부는 토지의 지대에, 일부는 소비물품에 적당하게 부과할 경우 일어났을 정도보다 토지의 지대를 더 크게 감축시키며 제조품의 가격을 더 크게 상승시킬 것이 틀림없다.

임금을 상승시키는 데 있어서의 조세의 효과는 그것 때문에 노동에 대한 수요가 감소하므로 대체로 표면에는 나타나지 않는다.

만일 노동의 임금에 대한 직접세가 반드시 그러한 임금을 비례적으로 상승시키지 않았다면, 그것은 그러한 조세가 대체로 노동에 대한 수요를 상당히 감소시켰기 때문이다. 산업의 쇠퇴, 빈민을 위한 일터의 감소, 그 나라의 토지 및 노동의 연간 생산물의 감퇴는 대체로 그러한 조세의 효과였었다. 그러나 그러한 조세의 결과로써 노동의 가격은 항상 그렇지 않을 경우 그 수요의 실정하에서 있었을 정도보다 약간 높을 것임은 틀림없고, 가격의 이 등귀분은 이것을 선불하는 사람들의 이윤과 함께 최종적으로는 항상 지주 및 소비자에 의해서 지불됨이 틀림없는 것이다.

농업의 임금에 대한 조세는 농업경영자의 이윤에 대한 조세와 마찬가지로 가격을 올리지 않는다.

농촌 노동의 임금에 대한 조세는 그 조세에 비례하여[205] 토지의 조祖생산물의

205 〔초판에는 "그 조세에 비례하여"가 없다.〕

가격을 올리지 않는데, 이는 농업경영자의 이윤에 대한 조세가 그 비례로[206] 그 가격을 올리지 않는 것과 같은 이유에서이다.

많은 나라가 그러한 조세를 가지고 있다. 이를테면, 프랑스와 보헤미아가 그러하다. 그러나 그러한 조세는 부조리하고 파괴적인 것임에도 불구하고, 많은 나라에서 행해지고 있다. 프랑스에서는 농촌의 여러 마을에서 직공과 날품 노동자의 근로에 과해지고 있는 타이유의 일부는 실은 이런 종류의 조세이다. 그들의 임금은 그들이 살고 있는 지구의 보통의 비율로 산정되고 더욱이 될 수 있는 대로 부담 과중이 되지 않게 하기 위하여 그들의 연간 수입은 1년의 노동일이 200일을 넘지 않는 것으로서 평가되고 있다.[207] 각 개인의 세액은 여러 가지 사정에 따라 해마다 변동하며, 그 판정자는 징세관 또는 그를 보좌하기 위하여 지사가 임명하는 위원이다. 보헤미아에서는 1748년에 시작된 재정제도의 변경의 결과 대단히 무거운 세가 공장의 근로에 과해지고 있다. 그들은 네 계급으로 나뉘어져 있다. 최고의 계급은 1년에 100플로린을 지불하는데, 이것은 16펜스에 상당한다. 제2의 계급은 70, 제3의 계급은 50, 그리고 제4의 계급은 농촌의 공장 및 도시에 있어서의 최하급의 공장을 포함하는 것으로서 25플로린으로 과세되고 있다.[208]

자유업 등의 보수에 대한 조세도 또한 그 보수를 올릴 것이다.
독창적인 예술가와 자유업을 가진 사람들의 보수는 내가 제1편에서 설명하려고 노력한 바 있거니와 그보다 못한 제직업의 보수와 반드시 일정한 비율을 가지고 있다. 그러므로 이 보수에 대한 조세는 그 조세에 비례하는 것보다 약간 높게 그 보수를 올리는 효과밖에 낼 수 없을 것이다. 만일 그것이 이렇게 올라가지 않는다면, 독창적인 예술과 자유직업은 벌써 다른 제직업과 같은 수준에 있지 못

206 〔초판에는 "그 비례로"가 없다.〕

207 《Memoires concernant les Droits, &c.》, 제2권, 108면.

208 《Memoires concernant les Droits, &c.》, 제3권, 〔실은 제1권〕 87면.

하게 되고 아주 방기放棄될 것이므로, 그것은 곧 그 수준에 복귀할 것이다.

그러나 정부의 관직에 대한 조세는 봉급을 올리지 않을 것이다.

관직의 보수는 보통 직업과 지적 직업(전문직)의 그것처럼 시장의 자유경쟁에 의해서 규제되지 않으므로 반드시 그 직업의 성질상 필요로 하는 금액과 정당한 비례를 이루고 있다고는 할 수 없다. 대부분의 나라에서는 아마 그것은 그 성질상 필요로 하는 금액보다 더 높을 것이다. 정부의 행정을 맡고 있는 사람들은 대체로 그들 자신에게나 그들에게 직속해 있는 부하에게나 충분하고도 남을 정도의 보수를 주고 싶어 하기 때문이다. 그러므로 관직의 보수는 대부분의 경우 조세를 충분히 부담할 수 있다. 뿐만 아니라 공직, 특히 보수가 많은 공직을 가지고 있는 사람들은 어떤 나라에서나 일반적인 선망의 대상이 되어 있고 그들의 보수에 대한 조세는 다른 어떤 부류의 수입에 대한 조세보다도 약간 더 높더라도 항상 대단히 인기 있는 조세였다. 예를 들면 잉글랜드에서 지조에 의해서 다른 모든 부류의 수입이 1파운드당 4실링으로 부과된다고 상상되고 있었을 때[209] 연액 100파운드를 넘는 관직의 봉급에는 1파운드에 5실링 6펜스[210]의 현실적인 조세를 부과하는 것은 극히 평판이 좋았다. 다만[211] 왕실의 비교적 새로운 분가의 연금과 육해군 장교 및 시기를 받게 되는 일이 비교적 적은 다른 약간의 관직의 급여는 제외되었다. 잉글랜드에는 노동의 임금에 대한 이 이외의 직접세는

209 〔"부과된다고 상상되고 있었을 때"라고 한 것은 "현실적으로가 아니라, 명목상 부과되고 있었을 때"와 같은 것이다.〕

210 〔"5실링 6펜스"는 초판과 재판에는 "5실링"이라 되어 있다.〕

211 〔이 이하의 문장은 초판과 재판에는 이렇게 되어 있다. "다만 재판관 및 시기를 받게 되는 일이 비교적 적은 다른 약간의 관직의 봉급은 제외되었다." 조지 2세 제31년 법률 제22호에 의하여 연액 100파운드 이상의 모든 관직의 봉급은 1파운드에 1실링의 율로 과세되었으나 육해군의 관직은 제외되었다. 재판관은 제외되지 않았으나, 그들의 봉급은 그 후 얼마 되지 않아 올랐다. 스티븐 도웰Stephen Dowell, 《History of Taxation and Taxes》, 제3권, 135~136면을 보라. "6펜스"라고 되어 있는 것은 잘못된 것인 듯하다. 5실링은 4실링(즉 관직의 경우의 "현실의" 과세액)에 그 1실링을 가해서 나온 것이다.〕

전혀 없다.

제4항 모든 종류의 수입에 차별 없이 과해지기로 작정된 조세

이것에는 인두세와 소비품에 대한 조세가 있다.

모든 종류의 수입에 차별 없이 과할 것을 목적으로 하는 조세는 인두세(capitation taxes)와 소비품에 대한 조세(taxes upon consumable commodities)이다. 이러한 조세는 공납자들이 어떠한 수입을 얻고 있든지 간에 그 수입에서 차별 없이 지불되지 않으면 안 된다. 즉 그들의 토지의 지대에서, 그들의 자재의 이윤에서, 또는 그들의 노동의 임금에서 차별 없이 지불되지 않으면 안 된다.

1. 인두세

표면상 수입에 비례하는 인두세는 모두가 자의적인 것이다.

인두세는 만일 그것을 각 공납자의 재산 또는 수입에 비례시키려고 한다면 전적으로 자의적인 것이 된다. 사람의 재산 상태는 나날이 변동하는 것이어서 어떠한 조세보다 더 견딜 수 없는 조사를 하여 적어도 매년 한 번 경신하지 않는 한 그것은 억측될 수밖에 없는 것이다. 그러므로 그의 부과액은 대부분의 경우, 사정자의 기분이 좋고 나쁜 것에 의존하며 따라서 전적으로 자의적이며 불확실한 것이 되지 않을 수 없다.

만일 신분에 비례하면 이 조세는 불공평한 것이 된다.

인두세는 만일 그것을 각 공납자의 추정재산이 아니라 그 신분에 비례시킨다면 전적으로 불공평한 것이 되는데 이는 재산의 정도는 신분이 동일하더라도 동등하지 않을 수가 흔히 있기 때문이다.

제1의 경우에는 이 조세는 항상 고통을 주는 것이고 제2의 경우에는 이 조세는 가볍지 않는 한, 견디기 어려운 것이다.

따라서 그와 같은 조세는 만일 그것들을 공평한 것으로 만들려고 하면 전혀 자의적이며 불확실한 것이 되어 버리고 그것들을 불확실한 것, 즉 자의적인 것이 아닌 것으로 만들려고 하면 전혀 불공평한 것이 되어 버린다. 그 세가 가볍든지 무겁든지 간에 불확실하다는 것은 항상 크게 고통거리이다. 그것이 가벼우면 상당한 정도의 불공평이 있더라도 견딜 수 있으나 무거우면 전혀 참을 수 없는 것이 된다.

윌리엄 3세의 인두세는 주로 신분에 따라 부과되었다.

윌리엄 3세의 치세 기간에 잉글랜드에서 행해지고 있었던 여러 가지 인두세(poll taxes)에 있어서는, 공납자의 대부분이 공작·후작·백작·자작·남작·향사(esquires)·지주·귀족의 장자 및 말자 등과 같은 신분의 정도에 따라 부과되었다.[212] 300파운드 이상의 재산을 가지는 모든 상점주와 상인, 즉 그들 가운데 상류에 속하는 사람들은 그들의 재산에 어떠한 큰 차이가 있을지라도 동일한 부과를 받게 되어 있다.[213] 그들의 신분이 재산보다 더 중시되었던 셈이다. 최초의 인두세에 있어서 추정상의 자산에 따라서 과세되었던 몇몇 사람은 그 후에 그들의 신분에 따라 과세되었다. 법정변호사·사무변호사·소송대리인은 최초의 인두세의 경우에는 추정소득 1파운드에 3실링이 부과되었는데, 그 후에 지주로서 부과되었다.[214] 그렇게 무겁지 않은 조세의 부과에 있어서는 어떤 불확실함보다는

212 〔이러한 인두세 가운데 최초의 것은 윌리엄과 메리 치세 제1년 제1의회 법률 제13호에 의하여 과해졌다.〕

213 〔윌리엄과 메리 치세 제1년 제2의회 법률 제7호 제2조.〕

214 〔윌리엄과 메리 치세 제1년 법률 제13호 제4조 의하여 법정변호사·사무변호사·대조인은 그 밖의 어떤 다른 계급의 사람들과 마찬가지로 그 수입금 1파운드에 3실링을 지불하도록 되어 있다. 윌리엄과 메리 치세 제1년 제2의회 법률 제7호 제2조에 의하여 사무변호사와 대조인 및 다른 사람들은 이미 과해지고 있는 세액에 추가하여 20실링을 더 지불하도록 되었다. 윌리엄과 메리 치세 제2년 제1의회 법률 제2호 제5조에 의하여 법정변호는 15파운드를 지불하도록 되었

상당한 정도의 불공평이 오히려 견딜 수 있을 만한 것이라고 생각되어 왔다.

프랑스에서는 상층계급의 사람들은 신분에 의해서 또 하층계급의 사람들은 추정재산에 의해서 부과되고 있다.

현 세기의 초두부터 프랑스에서 조금도 중단됨이 없이 징수되어 온 인두세에 있어서는 최고 계급의 사람들은 그들의 신분에 따라 불변의 세율에 의해서 과세되고 그보다 낮은 계급의 사람들은 그 추정재산에 따라 해마다 변화하는 부과에 의해서 과세되고 있다. 궁정의 관리와 상급재판소의 재판관과, 그 밖의 관리와 군대의 장교 등은 첫 번째 방법으로 부과된다. 각 주에 있는 이보다 낮은 계급의 사람들은 두 번째 방법으로 부과된다. 프랑스에서는 신분이 높은 사람들은 그들에게 그렇게 무거운 조세가 아닌 한에서는 상당한 정도의 불공평이 있더라도 쉽게 따르지만, 지사의 자의적인 부과에는 견딜 수 없을 것이다. 그 나라에서는 이보다 신분이 낮은 사람들은 그들의 상관이 그들에게 해 주는 것을 적당하다고 생각하는 바의 대우를 참을성 있게 견디지 않으면 안 된다.

프랑스에서의 이 조세는 잉글랜드의 그것보다도 더 엄하게 강요되고 있다.

잉글랜드에는 여러 가지 인두세가 있었는데 어느 것도 예기되고 있었던 금액, 즉 엄격히 징수되었다면 거두어들일 수 있으리라고 생각되었던 금액을 거두어들이지는 못했다. 프랑스에서는 인두세는 항상 예기되었던 만큼의 금액을 내고 있다. 잉글랜드의 온화한 정부는 여러 신분의 사람들에게 인두세를 부과했을 때 그 부과에 의해 거둬들이곤 했던 징세액으로써 만족하고 있었으며 정부는 이 조세를 지불할 수 없는 사람들이라든지, 또는 그것을 지불하려고 하지 않는 사

는데, 이것은 명백히 1파운드당 3실링에 대한 추가이다. 윌리엄과 메리 치세 제3년 법률 제6호에는 파운드세는 전혀 나와 있지 않다. 그 변경은 틀림없이 확실성을 확보하기 위해 이루어졌던 것이지만 그것은 순전히 정부의 이익이라는 견지에서 된 것이며, 정부는 그것에서 확실히 일정액을 획득하려고 하였던 것이다. 윌리엄 3세 제8, 9년 법률 제6호 제5조의 지조법에는 법정변호사·사무변호사·대조인 등은 다시 소득세를 부과받도록 되어 있다.]

람들(이런 사람들이 많이 있었기 때문에), 또는 법률의 관대한 시행으로 이 조세의 지불을 강제당하지 않는 사람들 때문에 국가가 입을지도 모르는 손실에 대해서 전혀 보상을 요구하지 않았다. 이보다 더 엄한 프랑스 정부는 각 징세구에 일정액을 부과하고 있으며 지사는 될 수 있는 대로 그 금액을 조달하지 않으면 안 된다. 만일 어떤 주가 부과된 세금이 너무 높다고 불평을 하면 그 주는 그 다음 해의 부과 때 전년의 과중 부담에 비례하는 몫을 감액해 받을 수 있다. 그러나 그 주는 당면의 부과액을 납입하지 않으면 안 된다. 지사는 자기의 징세구에 대한 부과액의 조달을 확보하기 위하여 과대한 금액을 부과할 권한을 부여받았으니 공납자의 어떤 사람이 실패 또는 지불불능이 되어도 나머지 사람들의 과중 부담으로써 메울 수도 있도록 되어 있었으며 그리고 1765년까지 이 초과 부과액의 결정은 전적으로 지사의 자유재량에 맡겨져 있었다. 그러나 바로 이 연도에 추밀원이 이 권한을 손수 장악하여 버렸다. 완전히 정통한 《프랑스에서의 공과에 관한 각서Memoirs upon the impositions in France》의 저자가 설명하고 있는 바에 의하면 각 주의 인두세에는 귀족 및 타이유를 면제받는 특권을 가진 사람들에게 부과되는 비율이[215] 최소의 것에 지나지 않는다고 한다. 그 최대의 부분은 타이유를 과세당하는 사람들에게 과해지고 있으며 그들은 타이유를 지불하는 금액에 따라서 1파운드에 얼마라고 하는 비율로 인두세를 부과받고 있는 셈이다.[216]

하층계급의 사람들에 대한 인두세는 임금에 대한 조세와 같은 것이다.

인두세는 이것이 하층계급의 사람들에게 부과되는 한에서는 노동의 임금에 대한 직접세이며 그러한 조세에 따르는 모든 불편한 점을 가지고 있다.

인두세는 징수비가 적게 들고 확실한 수입을 제공해 준다.

215 "비율"은 초판에는 "부분"이라고 되어 있다.

216 《Mémoires》, 제2권, 421면.

인두세는 적은 비용으로 징수되는 것이며 이것이 엄격히 강요되고 있는 곳에서는 그것은 국가에 대단히 확실한 수입을 제공하고 있다. 인두세가 신분이 낮은 사람들의 안락과 위안과 안전에는 조금도 주의를 하지 않는 나라에서 대단히 흔한 것으로 되어 있는 것도 바로 이 때문이다. 그러나 대제국에서 그러한 조세에서 종래 꺼내어지고 있었던 공공수입은 대체로 그의 한 작은 부분에 지나지 않는 것이다. 그리고 이 조세가 종래 제공했던 최대 금액도 국민에게는 훨씬 더 편리한 다른 방법으로 언제든지 조달될 수 있었을 것이다.

2. 소비품에 대한 조세

수입에 따라 과세하는 것은 불가능하므로 소비품에의 지불에 따라 과세하게 되었다.
어떠한 인두세로도 인민의 수입에 비례시켜 과세하는 것은 불가능하다는 사실이 소비품에 대한 조세를 부과한다는 것을 고안하게 만들었던 것 같다. 국가는 그 신민의 수입에 직접적, 그리고 비례적으로 과세하는 방법을 모르므로 인민의 지출에, 즉 대부분의 경우 그 수입에 거의 비례할 것이라고 생각되는 그의 지출에 과세하려고 노력한다. 인민의 지출에 대한 과세는 그것이 투하되는 소비품에 과세함으로써 이루어지고 있다.

소비품은 필수품이거나 사치품이다.
소비품은 필수품이거나 사치품이다.

필수품은 최하층의 사람들이라도 그것 없이는 칭찬할 만한 사람으로서 남보기 흉하지 않게 살아갈 수 없는 모든 상품을 포함한다.
내가 알고 있는 필수품이란 생활을 유지하기 위해 필요불가결한 상품일 뿐만 아니라, 그 나라의 관습상 최하층의 사람들까지도 그것이 없으면 칭찬할 만한 사람으로서 남보기 흉하게 되어 버리게 하는 그러한 모든 상품을 말한다. 예를 들면 아마포의 셔츠는 엄밀히 말하여 생활필수품은 아니다. 그리스인과 로마인은 아마포를 갖고 있지 않았으나 아주 기분 좋게 생활했다고 나는 생각한다.[217] 그러나 현대에는 유럽의 대부분을 통하여 칭찬할 만한 날품 노동자라면 아마포 셔츠를 입지 않고 사람들 앞에 나가는 것을 부끄러워할 것이다. 즉 그것을 입지 않고 있다는 것은 극단적으로 나쁜 행동을 하지 않고서는 어떤 사람도 그렇게 되어 버릴 리가 없으리라고 추측할 만큼 수치스러운 정도의 빈곤을 뜻하는 것이라고 생각될 것이다. 이와 마찬가지로 잉글랜드에서는 관습상 가죽 구두가 생활필수품이 되어 버렸다. 아무리 가난한 남녀라도 칭찬할 만한 사람이면 그것을 신지 않고 사람들 앞에 나가는 것을 부끄러워할 것이다. 스코틀랜드에서는 그것은 관습상 최하층의 남자의 생활필수품이 되었으나, 같은 계급의 여자에게는 그렇지 않고, 여자는 맨발로 걸어 다녀도 괜찮으며, 그 때문에 어떤 불명예가 된다는 것은 없다. 그러나 프랑스에서는 그것은 남녀 어느 편에게도 필수품은 아니며 최하층의 남녀라도 때로는 나막신을 신고 때로는 맨발로 공중 앞에 나타난다고 해서 조금도 불명예가 되지 않는다. 따라서 나는 필수품이라고 하는 것에, 자연이 최하층의 사람들에게 필요불가결한 것으로 만들어 버린 것뿐만 아니라, 예절이라는 기성의 통칙이 그렇게 만들어 버린 것을 포함시키고 있다. 이 이외의 모든 것을 나는 사치품이라고 부르는데, 단지 이렇게 부른다고 해서 나는 사치품의 사용을 삼가는 것을 조금이라도 책망하려는 뜻은 없다. 예를 들어, 영국에서는 맥주와 에일을, 그리고 포도주 산출국에서까지도 포도주를 나는 사치품이라고 부른다.[218] 어떤 신분의 사람이라도, 비난이 조금도 없더라도 그러한 음료를 전적으로 삼갈 수 있을 것이다. 자연은 그것들을 생활 유지에 필요불가결한 것으로 만들지는 않으며, 또 관습상 그것 없이 생활하는 것이 남보기 흉하

217 〔존 아버스넛 박사Dr. John Arbuthnot는 자기의 저서, 《Tables of Ancient Coins, Weights and Measures》, 제2판(1754), 142면에서 알렉산드로 세베루스Alexander Severus의 시대까지 아마포는 로마인의 적어도 남자들 사이에서는 사용되지 않았다고 하고 있다.〕

218 〔《Lectures》, 179면과 본서의 초판에서는 맥주는 사치품이라기보다 오히려 생활필수품이라고 생각되고 있는 것 같다.〕

다는 곳은 아무데도 없다.

생활수단의 가격을 올리는 것은 반드시 임금을 올린다.

노동의 임금은 어떠한 곳에서도 일부는 그것에 대한 수요에 의해서, 또 일부는 생존에 필요한 물품의 평균가격에 의해서 규제되는 것이므로 이 평균가격을 올리는 것은 무엇이든지 필연적으로 그러한 임금을 올리게 되며 따라서 노동자는 노동에 대한 수요가 증가되고 수요의 상태가 그로 하여금 가질 필요가 있게 하는 양의 필수품을 역시 구매할 수 있을 것이다. 그러한 물품에 대한 조세는 필연적으로 그 가격을 과세액보다 약간 높게 올리는데, 이는 그 조세를 선불하는 상인은 대체로 이윤과 함께 그것을 회수하지 않으면 안 되기 때문이다. 그러므로 그러한 조세는 가격의 이러한 상승에 비례하는 노동임금의 상승을 일으키지 않을 수 없다.

따라서 필수품에 대한 조세는 임금에 대한 조세와 마찬가지로 임금을 올린다.

이렇게 해서 생활필수품에 대한 조세는 노동의 임금에 대한 직접세와 똑같은 작용을 한다. 노동자는 비록 자기의 손에서 그것을 지불할지라도, 적어도 어떤 상당한 기간에 걸쳐서는 그것을 선불한다고까지 할 수는 없는 것이다. 결국에는 그것은 그의 임금율의 인상이라는 것으로써 그의 직접적인 고용주가 그에게 선불하게 될 것은 틀림없다. 그의 고용주가 만일 제조업자라면 임금의 이 등귀분을 이윤과 함께 자기의 재화의 가격에 지울 것이다. 그러므로 이 조세의 최종적인 지불은 이 초과 부담분과 함께 소비자의 부담으로 돌아갈 것이다. 만일 그의 고용주가 농업경영자라면 그 최종적인 지불은 위에서와 같은 초과 부담분과 함께 지주의 지대에 과해질 것이다.

사치품에 대한 조세는 비록 가난한 사람에 의해서 그것이 소비될지라도 그러한 영향을 미치지는 않는다.

내가 사치품이라고 부르는 것에 대한 조세에 관해서는 비록 빈민의 사치품에 대한 것일지라도 사정이 다르다. 과세된 상품의 가격이 등귀하더라도 그것이 반드시 노동의 임금인상을 일으킨다고는 할 수 없을 것이다. 예를 들면 담배는 부자에게는 물론 빈자에게도 사치품이지만 그것에 과세하더라도 임금은 올려지지 않을 것이다. 그것은 잉글랜드에서는 원가의 세 배, 프랑스에서는 원가의 다섯 배나 과세되고 있으나 그러한 높은 비율의 세금이 노동의 임금에는 아무런 영향도 미치고 있지는 않은 것 같다. 차와 설탕에 대한 조세에 관해서도 같다고 할 수 있으며, 이것들은 잉글랜드와 네덜란드의 최하층의 사람들의 사치품이 되어 버렸고, 또한 스페인에서 그렇게 되어 있다고 하는 초콜릿에 대한 조세에 관해서도 같은 경우라고 할 수가 있을 것이다. 영국에서는 현 세기를 통하여 증류주에 여러 가지의 조세가 부과되어 왔는데, 이러한 조세가 노동의 임금에 어떤 영향을 미쳤다고는 생각되지 않는다. 강한 맥주 한 통에 3실링의 부가세가 과해졌기 때문에[219] 흑맥주의 가격은 등귀했으나 이것이 런던의 보통 노동의 임금을 올리지는 않았다. 이 임금은 그 부가세가 과해지기 전에는 하루에 약 18펜스 내지 20펜스였는데, 현재에도 그 이상은 되지 않는다.

그것은 사치금지법과 같은 작용을 하므로, 빈민이 유용한 가족을 양육할 수 있는 능력을 감소시키지는 않는다.

그러한 상품의 가격이 높다는 것은 하층계급의 사람들이 가족을 양육하는 능력을 반드시 감소시킨다고는 할 수 없다. 그러한 상품에 대한 조세는 성실하고 근면한 빈민에게는 사치금지법과 같은 작용을 하므로 그들은 이제는 쉽게 마련할 수 없는 가외加外 것의 사용을 절제하든지 전적으로 자제하고 싶어진다. 이러한 강제된 절약의 결과, 그들이 가족을 양육하는 능력은 이 조세 때문에 감소되기는커녕 아마 오히려 증가되는 수도 흔히 있을 것이다. 가장 많은 가족을 양육하고 주로 유용노동에 대한 수요를 충족시켜 주는 사람이야말로 성실하고 부지런

219 〔조지 3세 제1년 법률 제7호.〕

한 빈민이다. 물론 모든 빈민이 성실하고 근면하다는 것은 아니며 방종하고 무질서한 사람은 그러한 상품의 가격이 등귀하더라도 계속 이전과 같은 모양으로 그 사용에 빠져서, 이 도락이 그들의 가족에게 가져다줄지도 모르는 슬픔을 상관하지 않는 수도 있다. 그러나 이러한 무질서한 사람은 수많은 가족을 좀처럼 부양하지는 못한다. 그리고 그들의 식물이 모자란다든지 건강하지 않은 것이어서 대체로 죽어 없어지기 때문이다. 비록 그러한 아이들이 신체가 튼튼해서 그들의 양친의 악행 때문에 겪게 되는 곤란을 견디어 살아남는다 하더라도 그들은 양친의 악행을 배워서 타락하는 것이 보통이다. 그러므로 그들의 근로로써 사회의 유익한 인물이 되기는커녕 그 악덕과 방종으로써 공공사회의 성가신 사람이 되어 버린다. 따라서 빈민이 쓰는 사치품의 가격 등귀는 이러한 무질서한 가족의 근심을 다소 증가시키고 나아가서는 아이들을 양육할 그들의 능력을 다소 감소시킬지도 모르지만 그러나 그 나라의 유용인구를 크게 감소시키지는 않을 것이다.

반면 필수품의 가격 등귀는 가난한 사람이 유용한 가족을 양육하고 노동에 대한 수요를 충족시키는 능력을 감소시킨다.

필수품의 평균가격이 조금이라도 등귀하면 그 등귀가 노동임금의 비례적인 상승에 의해서 메워지지 않는 한, 빈민이 수많은 가족을 양육하고 따라서 유용노동에 대한 수요를 충족시키는 능력은 필연적으로 다소는 감소되지 않을 수 없다. 그리고 그 수요의 상태가 어떠하든지 간에, 즉 그것이 증가하고 있는 상태든지 정체하고 있는 상태든지 감퇴하고 있는 상태든지 간에 다시 말하면 그것이 인구의 증가를, 정체를, 또는 감퇴를 필요로 하고 있든지 간에 그러하다.

필수품에 대한 조세는 중류계급과 상류계급의 사람들의 이익에 반한다.

사치품에 대한 조세는 과세된 상품의 가격을 제외하고는 다른 어떤 상품의 가격을 올리는 경향을 전혀 갖고 있지 않다. 필수품에 대한 조세는 노동의 임금을 올리므로 반드시 모든 제조품의 가격을 올리고 따라서 그 판매와 소비의 규모를 축소시키는 경향을 가지고 있다. 사치품에 대한 조세는 피과세상품의 소비자에 의해서 최종적으로 지불되는데 이 경우 소비자는 아무런 대가도 받지 않는다. 이러한 조세들은 모든 종류의 수입, 즉 노동의 임금, 자재의 이윤 및 토지의 지대에 차별 없이 부과된다. 필수품에 대한 조세는 이것이 노동 빈민에 영향을 미치는 한에서는 최종적으로는 그 일부는 지대의 감소로써 지주에 의해서 지불되고 일부는 지주이든 다른 사람이든 간에 부유한 소비자에 의해서 제조품의 가격 등귀라는 형식으로 지불된다. 더욱이 언제나 초과 부담이 따른다. 이를테면 조잡한 모직물처럼 참다운 생활필수품이며 더욱이 빈민들의 소비를 위해 예정된 제조품의 가격이 등귀하면 이것은 그들을 더욱 증가된 임금에 의해서 보상될 것이 틀림없다. 중류계급과 상류계급의 사람들은 만일 이들이 자신들의 이해관계를 이해하고 있다면 노동의 임금에 대한 모든 직접세와 마찬가지로 생활필수품에 대한 모든 조세에 항상 반대하여야 한다. 전자와 후자 쌍방의 최종적인 지불은 전부 그들 자신에게 과해지고 더욱이 항상 상당한 초과 부담이 따른다. 그러한 조세는 지주에게 가장 무겁게 과해지며 지주들은 항상 이중의 자격으로 지불을 한다. 즉 지주라는 자격으로서는 그들의 지대의 감소라는 형식으로 지불하고 부유한 소비자라는 자격으로서는 그 비용의 증가라는 형식으로 지불을 한다. 어떤 조세는 어떤 재화의 가격이라는 형식으로 지불을 한다. 어떤 조세는 어떤 재화의 가격이라는 형식으로 때에 따라서는 4~5회나 반복 누적되는 수가 있다고 한 매튜 데커 경Sir Matthew Decker의 관찰은 생활필수품에 대한 조세에 관해서는 아주 정당하다. 예를 들면, 가죽의 가격이라는 형식으로, 여러분은 여러분 자신의 구두의 가죽에 대한 조세뿐만 아니라, 구두장이와 가죽무두질장이의 가죽에 대한 조세의 일부를 지불하지 않으면 안 된다. 또한 여러분은 그러한 직공들이 여러분을 위해 봉사하고 있는 동안 소비하는 소금·비누·양초에 대한 조세를 지불하지 않으면 안 되고, 또 소금·비누·양초 제조인이 구두장이와 무두질장이들을 위해 봉사하고 있는 동안에 소비하고 있는 가죽에 대한 조세마

저 지불하지 않으면 안 된다.[220]

필수품에 대한 영국의 주된 조세는 소금 · 가죽 · 비누 · 양초에 대한 조세이다.

한 주요 조세는 방금 기술한 네 가지 상품, 즉 소금·가죽·비누·양초에 대한 것이다.

소금이란 대단히 오래되고 아주 일반적인 과세물건이다. 그것은 로마인들 사이에서도 과세되고 있었으며 내가 믿고 있기에는 현 유럽의 모든 지방에서도 그렇게 되고 있다. 어떤 개인이 해마다 소비하는 소금의 양은 대단히 적은 것이며, 대단히 서서히 구매되는 것이므로 그것에 대한 과세액이 꽤 무거울지라도 누구도 그것을 그렇게 심하게 느낄 수는 없으리라고 생각되어 왔던 것 같다. 잉글랜드에서의 염鹽세는 1부셸에 3실링 4펜스, 즉 그 상품의 원가의 약 세 배이다. 다른 약간의 나라에서는 염세는 더 높다. 가죽은 참다운 생활필수품이다. 아마포가 사용되므로 비누도 그러하다. 겨울밤이 긴 나라에서는 양초는 필요불가결한 직업용구이다. 영국에서는 가죽과 비누에는 1파운드에 1페니 반, 양초에는 1페니가 과세되고 있으며,[221] 이러한 조세는 가죽의 원가의 약 8퍼센트 또는 10퍼센트, 비누에 대한 것은 그것의 약 20퍼센트 내지 25퍼센트, 양초에 대한 것은 그것의 약 14퍼센트 내지 15퍼센트에 해당될 것이다. 또한 이러한 조세는 염세에 비한다면 가벼운 것이지만 역시 대단히 무거운 세이다. 이상의 네 가지 상품은 모두 참다운 생활필수품이므로 그것들에 대한 그러한 무거운 시금은 성실하고 근면한 빈민의 지출을 약간 증가시키지 않을 수 없고 따라서 그들의 노동의 임금을 다소나마 올리지 않을 수 없을 것이다.

해상운수된 석탄에 대한 것도 있다.

220 〔가죽은 데커가 든 실례이다. 《Essay on the Decline of the Foreign Trade》, 제2판(1750), 29~30면 또한 10면을 보라.〕

221 〔도웰Dowell, 《History of Taxation and Taxes》(1884), 제4권, 318, 322, 330면을 보라.〕

영국에서처럼 겨울이 너무 추운 나라에서는 이 계절 동안 연료는 가장 엄밀한 의미에서 생활필수품이다. 식물을 조리하기 위해서뿐만 아니라 옥내에서 일하는 여러 종류의 직공들의 기분 좋은 생활을 위해서도 그러하다. 그리고 석탄은 모든 연료 가운데서 가장 싼 것이다. 연료의 가격은 노동의 가격에 극히 중대한 영향을 미치므로 영국의 어디에서도 제조업은 석탄이 산출되는 지방에 주로 한정되어 왔을 정도이며, 이 나라의 다른 지방은 이 필수품의 가격이 높기 때문에 산탄지방에서처럼 일하는 데 싸게 먹힐 수 없는 것이다. 뿐만 아니라 어떤 제조업에서는 석탄은 필요불가결한 직업용구이기도 하다. 이를테면 유리, 철, 그 밖의 다른 모든 금속의 제조업에서 그러하다. 만일 장려금에도 합리적인 경우가 있을 수 있다면 그것은 아마 이 나라의 풍부한 석탄지방에서 부족한 지방으로 석탄을 수송하는 것에 대해서 주어지는 것이 될 것이다. 그러나 입법부는 장려금은커녕, 연안 항로로 운반되는 석탄 1톤에 3실링 3펜스의 조세를 부과해 왔으며[222] 이것은 많은 종류의 석탄에 있어서 탄갱에서의 원가의 60퍼센트 이상이나 된다. 육로 또는 내륙 항로로 운반되는 석탄은 무세이다. 즉 석탄은 자연적으로 싼 곳에서 무세로 소비되고, 이것이 자연적으로 비싼 곳에서는 중세가 부과되는 것이다.

이러한 조세는 나쁜 효과를 내지만 여하튼 수입이 된다. 그러나 곡물무역 등의 여러 규제들은 이와 마찬가지로 나쁜 효과를 낸다고 할 수 있는데, 이것은 수입이 되지는 않는다.
이러한 조세는 생활수단의 가격을 올리고 따라서 노동의 임금을 올리기는 하지만 다른 어떤 방법으로도 쉽게 찾아낼 수 없을 만큼 많은 수입을 정부에 제공해준다. 그러므로 그러한 조세를 존속시키는 데는 훌륭한 이유들이 있을지도 모른다. 그러나 곡물의 수출에 대한 장려금은 이것이 경작의 실상에 있어서 그 필

222 〔헨리 색스비Henry Saxby, 《The British Customs》, 307면. 앤 치세 제8년 법률 제4호, 제9년 법률 제6호.〕

수품의 가격을 올리는 경향을 가지고 있는 한에서는 위의 조세와 같은 모든 악효과를 내며 더욱이 정부에 어떤 수입을 제공하기는커녕 오히려 대단히 큰 지출의 원인이 되는 수가 흔히 있다. 외국산의 곡물의 수입에 대한 높은 비율의 세금과 생가축이나 소금에 절인 식료품의 수입의 절대적 금지는 생활필수품에 대한 조세와 마찬가지의 모든 악효과를 낳으며 더욱이 정부에는 아무런 수입도 제공하지 않는 것이며, 전자에 대한 높은 비율의 세금은 제법 풍년인 해에는 금지와도 같을 정도의 것이며, 후자의 수입의 절대적 금지는 보통의 법률상태에서도 일어나고 있지만 그것이 부족되고 있기 때문에 아일랜드와 영국의 식민지에 관해서는 이 금지도 일시 정지되어 있다. 그러한 규제를 폐지하기 위해서는 이 규제를 세우게 되었던 그 제도가 무익하다는 것을 공공사회에 납득시키는 방법 이외에는 없다고 생각된다.

다른 수많은 나라에서는 필수품에 대한 이보다 훨씬 더 높은 비율의 조세가 널리 시행되고 있다. 즉 빵에 대한 조세가 그 예이다.

생활필수품에 대한 조세는 수많은 다른 나라에서는 잉글랜드에서보다 훨씬 더 높다. 제분소에서 제조해 내는 밀가루와 거친 가루라든지 빵가마에서 구워지는 빵에 대한 세금은 많은 나라에서 행하여지고 있다. 그러한 조세 때문에 두 배나 된다고 생각되고 있다. 농촌에 살고 있는 사람들은 그러한 세의 일부 대신에 그들이 소비한다고 상상되는 빵의 종류에 따라서 매년 한 사람당 얼마씩 지불하고 있다. 밀가루로 만든 빵을 소비하는 사람들은 3길더 15스타이버, 즉 약 6실링 9펜스 반을 지불한다. 이 조세 및 이와 같은 종류의 다른 몇 조세는 노동의 가격을 올리기 때문에 네덜란드의 제조업의 대부분을 파멸시켜 버렸다고 한다.[223] 그렇게 중세는 아니더라도 이와 비슷한 조세가 밀라노 공국과 제노바 각 주, 모데나 공국, 파르마, 피아첸차 및 구아스탈라 등의 여러 공국에서 행해지고 있었으며 또 교황령에서도 행해지고 있다. 약간 이름 있는 프랑스의 한 저자[224]

223 《Memoires concernant les Droits, &c.》 210~211면 (및 233면을 보라.)

224 《Le Reformateur》((암스테르담, 1756). 가르니에는 《국민의 부》의 불역의 제4권 387면에서 본

는 자기 나라의 재정을 개혁하기 위하여 다른 조세의 대부분을 폐지하고 그 대신에 모든 조세 가운데 가장 파괴적인 이 조세를 대치시킬 것을 제안했다. 키케로는 말하기를, 이때까지 어떤 철학자에 의해서 주장된 적이 없었을 만큼 부조리한 것은 없다고 한다.[225]

수육에 대한 조세도 그 예이다.

수육에 대한 조세는 빵에 대한 것보다 훨씬 더 흔하다. 수육이 어디에서나 생활필수품인지 아닌지는 실로 의심스러울 것이다. 곡류와 그 밖의 야채류는 우유·치즈·버터, 또는 버터가 없는 곳에서는 기름을 쓰면 수육이 전혀 없더라도 가장 풍부하고, 가장 건강에 좋으며 가장 영양이 있는 그리고 가장 활력을 주는 식물이 될 수 있다는 것은 경험상 잘 알려져 있다. 체면상 대부분의 장소에서는 아마포 셔츠를 입는다든지 가죽 구두를 신어야만 하겠지만, 이와 마찬가지로 누구나 수육을 먹어야 할 것을 요구하는 곳은 아무 데도 없다.

소비품에 대한 조세는 소비자로부터 정기적으로 징수되는 수도 있고, 또 소비자가 그것을 사들일 때 1회에 한하여 상인으로부터 징수될 수도 있다.

소비품은 필수품이든 사치품이든 간에 두 가지 방법으로 과세될 수 있다. 즉 소비자는 자기가 어떤 종류의 재화를 사용 또는 소비하고 있다는 것 때문에, 해마다 어떤 금액을 지불하는 수도 있고, 또 재화가 상인의 수중에 남아 있을 동안, 즉 소비자에게 넘어가기 전에 그 재화에 과세할 수도 있다. 소비재 가운데서 다 소비되어 버리려면 상당한 시간이 걸리는 것은 전자의 방법으로 과세되는 것이

구절에 관한 주를 붙여서, 이 저자는 1766~1790년에 프랑스의 제조업과 상업 총독을 하고 있었던 클리코 드 블레르바시Clicquot de Blervache라고 하고 있으나, 그 후의 전담은 클리코의 저작이라는 것을 의심하거나 부정하고 있다. Jules Hériot de Vroil, 《Étude sur Clicquot Blervache》(1870), xxxi~xxxiii면을 보라.〕

225 〔키케로, 《신점론De Divinatione》, 제2권, 58, "어찌된 영문인지는 몰라도 어떤 철학자로서는 너무 부조리하기 때문에 주장할 수 없다고 하는 것은 있을 수 없다(Sed nescio quomodo nihil tam absurde dici potest quod non dicatur ab aliquo philosophorum)."〕

가장 적당하다. 그것이 즉시 또는 비교적 급속히 소비되는 것은 후자의 방법으로 과세하는 것이 가장 적당하다. 사륜마차세와 금은식기세는 전자의 과세 방법의 예라고 하겠으며, 내국소비세와 관세라고 하는 다른 조세의 대부분은 후자의 과세 방법의 예라 하겠다.

내구성이 있는 상품의 경우에는 제1의 방법이 가장 좋다.
사륜마차란 관리만 잘하면 10년 내지 12년은 견딜 것이다. 그것에 대해서는 그것이 제조인의 손에서 나가기 전에 한 번에 과세할 수 있는지 모른다. 그러나 사륜마차를 사는 사람에게는 사륜마차를 보유한다는 특권에 대해서 1년에 4파운드를 지불하는 편이, 그 제조인에게 40파운드 내지 48파운드의 추가가격을, 즉 자기가 그것을 사용하고 있을 동안에 조세로써 지불해야 할 것이 상당하는 금액을 한꺼번에 지불하는 것보다 더 편리하다는 것은 확실하다. 이와 마찬가지로 한 벌의 금은식기는 1세기 이상이나 견딜 것이다. 그 소비자에게는 금은식기의 100온스마다 1년에 5실링, 즉 그 가치의 겨우 1퍼센트를 지불하는 편이, 이 장기의 연금을, 그 가격을 적어도 25퍼센트 내지 30퍼센트를 올릴 만큼의 25년 내지 30년이라는 구매 연수로 상환하는 것보다 더 쉽다는 것은 확실하다. 가옥에 부과되는 여러 가지 조세도 연간 온당한 금액의 지불로 하는 편이, 그 최초의 건축 또는 매각 시에 같은 가치의 중세를 지불시키는 것보다 더 편리하다는 것은 확실하다.

M. 데커 경은 상품을 소비하는 허가증을 해마다 발급함으로써 제1의 방법을 다른 상품에도 적용할 것을 제안했으나, 이것은 제2의 보통의 방법보다 더 큰 반대를 받기 쉬울 것이다.
매튜 데커 경의 유명한 제안이란, 모든 상품은 비록 그것이 즉각적으로 소비되거나 또는 대단히 급속히 소비되는 것까지도 이러한 방법으로 과세되어야 한다는 것이며, 즉 그 방법은 상인들에게 아무것도 선불시키지 않고 소비자가 일정 재화를 소비하는 허가증을 받는 대가로 해마다 일정액을 지불한다는 것이다.[226] 그의 계획의 목적은 외국무역의 모든 부문, 특히 중계무역을 촉진시키기 위하여 수출인에 대한 모든 세금을 폐지하고, 그 결과 상인으로 하여금 자기의 자본과 신용을 조금이라도 조세의 선불에 전용함이 없이 그 전부를 재화의 구입과 선박의 운임에 충당할 수 있게 하는 것이었다. 그러나 즉각적으로 또는 급속히 소비되는 재화에 대해서 이러한 방법으로 과세하려는 계획은 다음과 같은 극히 중대한 네 가지 반대를 받기 쉽다고 생각된다. 즉 첫째, 이 조세는 더 불공평한 것이 되거나 또는 보통의 과세 방법에 의할 경우처럼, 여러 가지 공납자의 지출과 소비에 잘 비례하지 않을 것이다. 에일·포도주·증류주에 대한 조세는 상인들에 의해서 선불되지만 최종적으로는 각가지 소비자에 의해서 그들 각자의 소비에 정확하게 비례하여 지불된다. 그러나 만일 이 조세가 그러한 주류를 마시는 허가증을 구입함으로써 지불되도록 된다면,[227] 절주가는 자기의 소비에 비해 대주가보다 훨씬 더 무겁게 과세될 것이다. 크게 환대를 일삼아 온 가족은 그보다 적은 손님을 접대한 사람[228]보다 훨씬 가볍게 과세되는 셈이 될 것이다. 둘째, 일정 재화를 소비하는 허가증에 대해서 1년마다, 반년마다, 또는 4반기마다 지불한다는 이 과세 방식은 급속히 소비되는 재화에 대한 조세가 가지고 있는 가장 중요한 편의의 하나, 즉 조금씩 점차로 지불하는 편의를 크게 감쇄시켜 버릴 것이다. 현재 흑맥주 한 잔에 지불되는 3펜스 반의 가격 가운데는 맥아와 홉 및 맥주에 대한 여러 가지 조세에다. 양조자가 그러한 조세를 선불한 대가로써 청구하는 특별한 이윤을 가산해서 아마 총계 약 1페니 반이 포함되어 있을 것이다. 만일 어떠한 직공이 그 1페니 반을 손쉽게 절약할 수 있다면, 그는 한 잔의 흑맥주를 산다. 만일 그것이 되지 않는다면 그는 1파인트로 만족하고 격언에 이르기를, 1페니를 아끼면 1페니가 득이라고 하듯이, 자기의 절주로써 1파딩을 벌

226 〔《Essay on the Causes of the Decline of the foreign Trade》, 제2판(1750), 78~163면.〕

227 〔이 구들의 원문은 "if……were……"라고 가정법인데, 초판에서 제3판까지는 "if……was……"라고 직설법으로 되어 있다.〕

228 〔"가족"을 받는 관계대명사는 여기에서는 "who"인데, 초판과 제2판에서는 "which"로 되어 있다.〕

게 되는 셈이다. 그는 그가 지불할 수 있을 만큼의 조세를 지불할 여유가 있을 때 조금씩 지불하는 것이며, 모든 지불행위는 완전히 자발적이며 지불하려고 하지 않으면 안 할 수도 있다. 셋째, 그러한 조세는 사치금지법으로서의 작용도 감소시킬 것이다. 허가증이 일단 구입되어 버리면 그 구입자는 많이 마시든 적게 마시든지 간에 그의 조세액은 같을 것이다. 넷째, 만일 직공이 1년, 반년, 또는 4반기에 마시고 있는 모든 각가지 분량의 흑맥주에 대해서 거의 아무런 불편도 없이 현재 지불하고 있는 것과 같은 금액의 조세를 1년, 반년, 또는 4반기마다 한꺼번에 지불하도록 된다면,[229] 그 금액은 흔히 그를 대단히 괴롭힐지도 모른다. 그러므로 이러한 과세 방식은 가장 엄한 압제라도 하지 않는 한, 아무런 압제도 없는 현행 방식에서 나오고 있는 수입과 거의 같은 금액의 수입을 낼 수는 결코 없을 것이다. 그러나 몇몇 나라에서는 즉각적으로 또는 급속히 소비되는 여러 상품이 이러한 방법으로 과세되고 있다. 네덜란드에서는 차를 마시기 위한 허가에 대해서 인민은 한 사람당 얼마라고 하는 금액을 지불하고 있다. 나는 이미 그곳에서의 빵에 대한 조세에 언급한 바 있는데, 그것이 농가와 농촌에서 소비되고 있는 한에 있어서는 위에서 본 바와 같은 방법으로 과세되고 있는 셈이다.

상술한 네 가지 상품을 제하면, 영국의 내국소비세는 주로 사치품에 부과된다.
내국소비세는 국내에서 소비되도록 예정된 국산의 재화에 주로 부과된다. 이 조세는 가장 일반적으로 사용되는 몇몇 종류의 재화에만 부과된다. 이 조세가 부과되는 재화에 관해서나, 각종의 재화에 부과되는 개개의 세에 관해서나 의문의 여지는 전혀 있을 수 없다. 이 조세는 거의 모두가 내가 사치품이라고 부르는 것에 과해지며, 단지 상술한 네 가지 세금, 즉 소금·비누·가죽·양초에 대한 세금은 그 예외이며, 초록빛 유리에 대한 세금도 아마 그 예외일 것이다.

229 〔이 구들의 원문은 "If…… was……"라고 가정법인데 초판에서 제3판까지는 "If…… was……"라고 직설법으로 되어 있다.〕

관세는 처음에는 상인의 이윤에 대한 조세라고 간주되고 있었다.

관세는 내국소비세보다 훨씬 더 오래된 것이다. 이 조세가 관습(customs)이라고 불려 왔던 것은 그것이 기억할 수도 없을 만큼 옛날부터 행해지고 있는 관습적 지불(customary payments)을 의미하고 있기 때문이라 생각된다. 이 조세도 처음에는 상인의 이윤에 대한 조세라고 생각되어 있었던 것 같다. 봉건적 무정부상태의 야만적인 시대를 통하여 상인은 자치도시의 다른 모든 주민과 마찬가지로 해방된 농노보다 조금도 더 낫다고 생각되지 않았으며, 그들의 인격은 경멸당하고 그들의 이득은 시기당하고 있었다. 대귀족은 자신들 차지인의 이윤에 대해서 국왕이 공납세(tallage)를 과할 것에 동의했으니, 그들을 보호에 관하여 훨씬 이해관계가 적은 계급의 사람들에게 국왕이 마찬가지로 공세를 부과한다는 것에도 동의했다. 그러한 무지의 시대에는 상인의 이윤은 직접으로 과세할 수 없는 물건이라는 것, 즉 그러한 모든 조세의 최종적인 지불은 상당한 초과 부담과 함께 반드시 소비자에게 부과된다고 하는 것이 이해되지 못했다.

외국 상인의 이윤은 더 무겁게 과세되었다.

외국 상인의 이득은 잉글랜드의 상인의 그것보다 더욱 달갑지 않게 간주되고 있었다. 그러므로 전자의 이득은 후자의 그것보다 더 무겁게 과세되어야 했다는 것은 당연했다. 외국인에 대한 세금과 잉글랜드인에 대한 세금과의 차별은 무지에서 시작되었던 것인데, 그 후에도 독점의 정신에 의해서, 즉 국내시장과 외국시장에서 우리나라 상인에게 이익을 주기 위하여 계속되어 왔다.

따라서 관세는 처음에는 모든 부류의 재화에 대해 평등하게 과해지고 있었다. 즉 수입품은 물론 수출품에도 과해지고 있었다.

이러한 차별이 있었음에도, 옛날의 관세는 모든 부류의 재화에 대해서 평등하게 과해지고 있었다. 즉 사치품뿐만 아니라 필수품에도, 그리고 수입 재화는 물론 수출재화에도 과해지고 있었다. 어떤 부류의 재화를 취급하는 상인은 왜 다른 재화를 취급하는 상인보다 더 우대되지 않으면 안 되는가, 또한 수출 상인은 왜 수입 상인보다 더욱 우대되지 않으면 안 되는가 하는 문제가 생각되어 온 것 같다.

첫째, 관세는 양모 및 가죽에 대한 것이었고, 둘째, (포도주에 대한) 톤세, 셋째, (다른 모든 재화에 대한) 파운드세였다. 그리고 서브시디는 파운드세의 부가세였다.

옛날의 관세는 세 부문으로 나뉘어져 있었다. 제1의 그리고 그러한 모든 세금 가운데서 가장 오래된 것은 양모와 가죽에 대한 세금이었다. 이 조세는 주로 또는 전적으로 수출세였던 것 같다. 모직물업이 잉글랜드에서 확립되었을 때, 국왕은 모직물의 수출에 의해 그의 양모에 대한 관세를 조금이라도 잃어버리지 않도록 하기 위하여 모직물에 대하여도 같은 세가 과해졌다. 나머지 세 부문 중 첫째는 포도주에 대한 세금이었으며, 이것은 1톤에 얼마라고 과해졌으므로 '톤세'라고 불리었다. 둘째는 다른 모든 재화에 대한 세금이었으며, 이것은 그 추정 가치 1파운드에 얼마로 과해졌으므로 '파운드세'라고 불리었다. 에드워드 3세 제47년에는 모든 수출입재화에 대해서 1파운드에 6펜스의 세금이 과해졌는데, 다만 양모·양모피·가죽·포도주는 제외되었으며, 이것에는 특별한 조세가 과해졌기 때문이다. 이 조세는 리처드 2세 제14년에 1파운드에 1실링으로 인상되었으나, 3년 후에는 또 6펜스로 다시 줄어들었다. 그러나 헨리 4세 제2년에는 그것은 8펜스로, 그리고 같은 왕의 제4년에는 1실링으로 인상되었다. 이때부터 윌리엄 3세 제9년까지 이 조세는 1파운드에 계속 1실링이었다. 톤세와 파운드세는 일반적으로 의회의 동일한 법령에 의해서 국왕에게 수여되었으며, '톤세 및 파운드세라는 서브시디'라고 불리었다. 파운드세라는 서브시디는 대단히 오랫동안 계속하여 1파운드에 1실링, 즉 5퍼센트였으므로, 관세용어에서는 이런 종류의 5퍼센트 일반세를 의미하게 되었다. 이 서브시디는 현재에는 구왕실보조세라고 불리고 있으며, 찰스 2세의 제12년에 제정된 세율표에 따라 아직도 계속 징수되고 있다. 이 조세가 부과되는 재화의 가치를 세율표에 의해서 확정하는 방법은 제임스 1세 시대보다 더 오래전의 것이라고 일컬어지고 있다.[230] 윌리엄 3세 제9년 및 제10년[231]에 부과된 새 서브시디는 대부분의 재화에 대한 5퍼센트의 부가세였다. 그리고 3분의 1서브시디와 3분의 2서브시디[232]가 합해서 또 하나의 5퍼센트세를 이룩하고 있으며, 3분의 1과 3분의 2가 5퍼센트세의 비례부분이 되어 있었다. 1747년의 서브시디[233]는 거의 대부분의 재화에 대한 제4의 5퍼센트세를 이루었고, 1759년의 서브시디[234]는 어떤 특정 부류의 재화에 대한 제5의 5퍼센트세가 되었다. 이러한 다섯 가지 서브시디 이외에도 특정 부류의 재화에 대해서 실로 다른 여러 가지 세금이 수시로 과해져 왔으며, 이런 세금들은 때로는 국가의 위급을 구하기 위한 것이기도 하고, 또 때로는 중상주의체계의 여러 원리에 따라 그 나라의 무역을 규제하기 위한 것이기도 했다.

중상주의체계의 제 원리의 보급은 수출세의 거의 전부를 폐지하도록 했다.

이 체계는 점차로 더 유행하여 갔다. 구왕실보조세는 수출에나 수입에나 무차별하게 과해지고 있었다. 그러나 이것에 따르는 네 가지 서브시디와 그 후 특정 부류의 재화에만 수시로 과해지고 있었던 다른 여러 세금도 소수의 예외는 있으나, 전적으로 수입에만 부과되어 왔던 것이다. 국내산과 국내제의 재화의 수출에 부과되어 왔던 구래의 세금의 대부분은 경감 내지는 전폐되어 버렸다. 대부분의 경우 그러한 세금은 폐지되었다. 그러한 재화의 어떤 것의 수출에 대해서는 장려금까지 주어져 왔다. 또한 외국 재화의 수입에 대해서 지불된 세금도 어

230 〔길버트Gilbert, 《Treatise on the Court of Exchequer》(1758), 224면은 1586년에 인쇄된 세율표에 언급하고 있다. 도웰Dowell, 《History of Taxation and Taxes》(1884), 제1권, 146면과 165면은 이 제도의 시기를 1558년의 직후라고 하고 있다.〕

231 〔법률 제23호.〕

232 〔앤 제2, 3년 법률 제9호와 제3, 4년 법률 제5호.〕

233 〔조지 2세 제21년 법률 제2호.〕

234 〔조지 2세 제32년 법률 제10호에서 그것은 다음과 같은 물품에 과해졌다. 즉, 담배, 아마포, 설탕 및 그 밖의 식료품, 다만 씨 없는 건포도, (커피 및 생사生絲를 제외한) 동인도재화, (식민지산의 럼주를 제외한) 브랜디 및 그 밖의 화주火酒와 종이는 제외된다.〕

떤 경우에는 전부, 대부분의 경우엔 일부가 그 수출 시에 조세환급으로서 수여되어 왔다. 수입에 대해서 구왕실보조세에 의해 부과되는 세금은 수출의 경우에는 그 반밖에 환불되지 않는다. 그러나 후자의[235] 서브시디와 그 밖의 다른 수입세에 의해서 부과되는 세는, 대부분의 재화에 대해서 그 전액이 마찬가지로 환불된다.[236] 이렇게 수출업의 원료에 주로 관계있는 몇 가지 예외만이 허용되었다. 우리나라의 상인과 제조업자는 이러한 원료를 될 수 있는 대로 싸게 들여오고, 다른 나라에 있는 그들의 적대자와 경쟁자에게는 될 수 있는 대로 비싸게 들여가게 하려고 하고 있는 셈이다. 이 때문에 외국의 원료라도 때로는 무세로 수입되도록 허용되며, 스페인의 양모와 아마 및 원료 아마사가 그 예이다. 국산의 원료와 우리 식민지의 특수한[237] 산물인 원료의 수출은 때로는 금지되었고 때로는 높은 비율의 세금을 물게 해 왔다. 잉글랜드의 양모의 수출은 금지되어 왔다. 비버의 가죽, 비버의 털, 그리고 세네갈 고무의 수출에는 비교적 높은 비율의 세금이 부과되어 왔으며, 이것은 영국이 캐나다와 세네갈을 정복함으로써 그러한 상품의 독점권을 거의 획득해 버렸기 때문이다.

국가의 수입에는 불리한 것이었다.

중상주의체계가 인민대중의 수입, 즉 그 나라의 토지 및 노동의 연간 생산물을 위해 그렇게 유리하지는 않았다는 것은 내가 본 연구의 제4편에서 밝히려고 노력한 바 있다. 그것은 주권자의 수입을 위해서는 적어도 그 수입이 관세에 의존하는 한, 더 유리했던 것 같지는 않다.

이는 수입의 금지에 의해서 그 수입의 어떤 부분이 없어져 버렸기 때문이며,

235 〔"후자의(later)"가 초판에는 "그 후의(later)"라고 되어 있고, 이것이 오히려 더 알기 쉽다.〕

236 〔앞의 2면. 그것은 이 문장보다 뒤에 쓰인 것이다.〕

237 〔"특수한(particular)"은 초판에는 "특유의(peculiar)"라고 되어 있는데, "particular"는 아마 오식일 것이다.〕

이 체계의 결과 몇몇 부류의 재화의 수입은 전면적으로 금지되어 버렸다. 이런 금지는 그러한 상품의 수입을 어떤 경우에는 완전히 방해했으며, 또 다른 경우에는 수입업자를 밀수의 필요에 몰리게 함으로써 그 수입을 크게 감소시켰다. 그것은 외국산 양모의 수입을 완전히 방해했으며, 외국산의 견직물과 벨벳의 수입을 많이 감소시켰다. 어느 경우에도 그것은 그러한 수입에서 징수될 수 있었을 관세수입을 완전히 근절시켜 버렸다.

또한 다른 부분이 높은 비율의 세금 때문에 감소되었기 때문이다.

수많은 종류의 외국 재화가 영국에서 소비되는 것을 저지하기 위하여 그러한 재화의 수입에 높은 비율의 세금이 과해졌는데, 이것은 수많은 경우 밀수를 장려하는 데 도움이 되었을 뿐이며, 또한 어떠한 경우에도 관세수입은 세금이 더 온당했던들 올렸을 것인 금액 이하로 감소되어 버렸다. 스위프트 박사Dr. Swift는 관세의 산수에서는 2와 2를 합하더라도 4가 되지 않고 1밖에 되지 않을 때도 있다고 하는데,[238] 이 말은 그러한 중세에 관해서는 완전히 옳은 것이며, 이러한 중세重稅는 만일 중상주의체계가 수많은 경우 조세를 수입의 수단이 아닌 독점의 수단으로 사용할 것을 우리들에게 가르쳐 주지 않았다면, 결코 부과되었을 리가

238 〔조너선 스위프트Jonathan Swift는 이 말을 어떤 무명의 관세위원이 한 말이라고 하고 있다. "나는 당신에게 한 비밀을 말해 드리겠는데, 이것은 내가 수년 전에 런던의 관세위원들에게 들었던 것입니다. 즉 그들은 어떤 상품이 온당한 비율 이상으로 과세되고 있다고 생각되었을 때, 그 결과는 그 부문의 수입을 반감시키는 것이었다고 말했으며, 그리고 이들 신사들 가운데 한 사람은 재미있는 듯이 나에게 말하기를, '그러한 경우 의회가 범한 잘못은 2와 2를 합하면 4가 된다고 하는 데 있다. 그러나 실제 과세업무에 있어서는, 2와 2를 합해도 결코 4가 되지 않는다. 이것은 적어도 이 왕국에서는 수입을 감소시킴으로써 높은 비율의 관세를 지불하게 되는 재화는 그것을 밀수하게끔 하는 강한 유혹을 일으키기 때문이다'라고 했다."－《An Answer to a Paper Called a Memorial of the Poor Inhabitants, Tradesmen and Labourers of the Kingdom of Ireland》(《Works》, 월터 스콧Walter Scott(편), 제2판, 1883, 제7권, 165~166면). 이 말은 스위프트로부터, 흄이 자기의 《Essay on the Balance of Trade》에서, 그리고 케임즈 경은 자기의 《Sketches of the History of Man》(1774), 제1권, 474면에서 인용하고 있다.〕

없었을 것이다.

장려금 · 조세환급(이 대부분은 사기에 의해서 획득되고 있다) · 관리비는 관세수입에서의 큰 공제액을 이루고 있다.

국내산물과 제조품의 수출에 대해서 때때로 주어지고 있는 장려금과 대부분의 외국 재화의 재수출에 대해서 지불되는 조세환급은 많은 사기를 일으켰으며, 공공적 수입에 대해서는 다른 어떤 것보다 더 파괴적인 일종의 밀수를 일으켰다. 장려금 또는 조세환급을 획득하기 위하여 재화를 선적하여 일단 해상에 내어 보내고는 곧 그 뒤에 그 나라의 다른 어떤 지방에 남몰래 풀어놓아지는 것은 주지의 사실이다. 장려금과 조세환급에 의해서 일어나는 관세수입의 결손은 막대한 것이며, 더욱이 장려금과 조세환급의 대부분은 사기로써 획득되는 것이다. 1755년 1월 5일에 끝난 연도의 관세의 총수입은 506만 8000파운드에 달했다. 이 수입 가운데서 지불된 장려금은, 그 연도에는 곡물에 대한 장려금은 없었는데도 16만 7800파운드에 달했다. 조세환급증명서와 인가증에 대해서 지불된 조세환급은 215만 6800파운드에 달했다. 장려금과 조세환급을 합하면 232만 4600파운드나 되었다. 이런 것들을 다 공제하면 결국 남는 관세수입은 겨우 274만 3400파운드밖에 되지 않았고, 봉급 그 밖의 부대업무에 드는 관리비 28만 7900파운드를 공제하면 그 연도 관세의 순수입은 겨우 245만 5500파운드가 되는 것이다. 이렇게 관리비는 관세 총수입의 5퍼센트 내지 6퍼센트에 달하고, 장려금 및 조세환급으로서 지불되는 것을 공제한 뒤의 수입잔액에 대해서는 그 10퍼센트를 약간 넘는 정도의 것이 된다.

세관의 보고서에는 수입은 최소로 되고 수출은 과장된다.

거의 모든 수입 재화에 무거운 세금이 과해지고 있으므로, 우리의 수입업자는 될 수 있는 대로 많이 밀수하고, 될 수 있는 대로 적게 신고한다. 이와 반대로 우리의 수출업자는 자신들이 수출하는 것보다 더 많은 것을 신고하고 있는데,

허영심에서, 즉 무세의 재화에 관한 대상인으로 통하기 위하여 그렇게 할 때도 있고, 장려금 또는 조세환급을 획득하기 위하여 그렇게 할 때도 있다. 이러한 여러 가지 사기의 결과, 우리나라의 수출은 세관의 장부상으로는 수입을 훨씬 초과하고 있는 것으로 보인다. 그리고 이것은 국민적 번영을 소위 무역차액으로 측정하는 정치가에겐 말할 수 없는 위안이 된다.

관세는 그 수가 대단히 많으며 내국소비세에 비하면 훨씬 덜 명료하고 덜 명확하다.
모든 수입 재화는 그렇게 많지 않은 특수한 예외를 제외하면 약간의 관세를 물어야 한다. 만일 세율표에 기재되어 있지 않는 어떤 재화가 수입되는 경우에는, 수입업자의 선서에 따라 그 가치의 20실링마다 4실링 9와 20분의 9펜스, 다시 말하면 다섯 개의 서브시디 또는 다섯 가지 파운드세가 과세된다.[239] 세율표는 극히 포괄적인 것이며, 대단히 다종다양한 품목을 열거하고 있는데 그 가운데, 많은 것은 조금도 사용되지 않고 있으며, 따라서 잘 알려져 있지도 않다. 이 때문에 어떤 특정 부류의 재화를 어떤 품목으로 분류해야 할 것인지, 따라서 그것은 어떤 세금을 지불해야 할 것인지가 불확실할 때가 흔히 있다. 이런 것에 관한 잘못 때문에 세관리稅關吏가 자신을 파멸시키는 때도 있고, 수입업자에게 많은 수고와 경비와 괴로움을 끼칠 때도 흔히 있다. 그러므로 명료성·정밀성·명확성이라는 점에서는 관세는 내국소비세보다 훨씬 못한 것이라 하겠다.

관세를 소수의 품목에 한정하면, 큰 이익을 얻을 것이다.
어떤 사회의 성원의 대부분이 그들 앞앞의 지출에 비례하여 공수입을 공납하기 위해서는, 그 지출의 모든 개개의 품목에 과세해야 할 필요는 없는 것 같다. 내국소비세에 의해서 징수되는 수입은 관세에 의해서 징수되는 수입과 똑같이 공평하게 공납자의 부담이 된다고 생각되고 있으며, 그리고 내국소비세는 가장 일반적으로 사용되고 소비되는 소수의 물품에만 부과되고 있다. 적절히 관리된다

239 〔색스비Saxby, 《British Customs》, 266면.〕

면, 관세도 역시 소수의 품목에만 한정되더라도 공공수입에는 아무런 손해도 주지 않고 더욱이 외국무역에는 큰 이익을 줄 것이라고 하는 것은 많은 사람들의 의견이 되어 왔다.

현재에는 관세수입의 대부분이 외국산 포도주와 브랜디 및 아메리카 및 서인도의 산물에서 올려지고 있다.

영국에서 가장 일반적으로 사용되고 소비되는 외국산의 물품은 현재에는 주로 외국산의 포도주·브랜디·설탕·럼주·담배·코코넛 등과 같은 아메리카 및 서인도의 일부, 그리고 차, 커피, 도자기, 모든 종류의 향료, 수종의 직물 등의 약간의 동인도의 산물들이라고 생각된다. 이러한 여러 가지 물품이 현재로서는 아마 관세수입에서 나오는 대부분의 수입을 제공해 주고 있다. 현재 외국산의 제조품에 대해서 존속하고 있는 제조세는 만일 그 가운데서 위에서 열거한 것에 포함되는 소수의 것을 제외한다면 그 대부분은 수입의 목적이 아니라 독점의 목적으로, 다시 말하면 우리나라 상인들에게 국내시장에서 유리한 조건을 제공한다는 목적에서 부과되어 왔던 것이다. 모든 금지를 철폐하고, 모든 외국산의 제조품에, 각 물품이 공공사회에 최대의 수입을 내어 주었음이 경험상 밝혀졌을 정도로 온당한 조세를 부과하더라도 우리나라 직공은 여전히 국내시장에서 상당히 유리한 조건을 누릴 수 있을 것이며, 더욱이 현재 어떤 것은 정부에 아무런 수입도 제공하지 않고 있으며, 나머지 것은 극히 조금밖에 되지 않는 것을 제공하고 있는 많은 물품은 대단히 큰 수입을 제공할 수 있게 될 것이다.

높은 비율인 조세의 소수액은 종종 밀수 또는 소비 감소 때문에 줄어든다.

높은 비율의 조세는 피과세상품의 소비를 감소시킬 때도 있으며, 밀수를 장려할 때도 있으므로, 더 온당한 조세에서 나올 수 있었을지도 모르는 것보다 더 적은 수입을 정부에 제공하는 수가 흔히 있다.

제1의 경우, 유일한 구제책은 세금을 경감하는 것이다.

수입의 감소가 소비 감소의 결과일 때는 그 구제책은 하나밖에 있을 수 없다. 즉 그것은 조세를 경감하는 것이다.

밀수에 대한 구치책救治策은 조세를 경감하든지 또는 밀수의 어려움을 더 증가시키든지 하는 것이다.

수입의 감소가 밀수의 장려의 결과일 때는 그것은 아마 다음 두 가지 방법으로 구치될 수 있을 것이다. 즉 밀수에의 유혹을 감소시키든지 또는 밀수의 어려움을 증가시키든지 하는 것이다. 밀수에의 유혹은 조세를 경감함으로써만이 감소될 수 있으며, 그리고 밀수의 어려움은 그것을 방지하는 데 가장 적당한 행정제도를 확립함으로써만이 증가시킬 수 있다.

내국소비세법은 관세보다 더 밀수업자를 난처하게 만든다.

내가 믿고 있기에는, 내국소비세법이 관세보다 훨씬 더 유효하게 밀수업자의 활동을 방해하고 난처하게 한다는 것은 경험상 명백하다. 관세에도 내국소비세에 관한 행정제도와 될 수 있는 대로 비슷한 제도를 두 가지 다른 세금의 성질이 허용하는 한에서 도입한다면, 밀수의 곤란성을 크게 증가시킬 수 있을지 모른다. 이러한 변경은 아주 쉽게 실행될 수 있으리라고 많은 사람들이 생각해 왔다.

만일 관세가 소수의 물품에만 한정된다면, 보세창고제도保稅倉庫制度를 확립할 수도 있을 것이다.

어떤 관세가 부과되는 상품의 수입업자에게는 그러한 상품을 자기의 사설 창고에 반입하든지 또는 자비나 공비로써 설치되는 창고에 납입해 두든지 마음대로 할 수 있도록 허용하는 것이 좋을 것이다. 다만 후자의 경우엔 그 열쇠를 세관리가 보관하고, 그가 입회하지 않는 한 결코 열 수 없도록 해 두는 것이 좋다고 일컬어지고 있다. 상인이 그러한 상품을 자기의 사설 창고에 반입할 경우에는,

세금은 즉시 지불되도록 하고 그 후에 환불되지 못하게 하며, 그리고 그 창고는 재고 상품의 수량이 납세를 마친 상품의 그것과 어느 정도로 일치하고 있는지를 확인하기 위하여 언제든지 세관리의 임검을 공설 창고에 반입하는 경우에는 그러한 상품이 국내소비를 위해 반출될 때까지는 세금을 지불하지 않도록 해 둘 수도 있다 만일 그러한 상품이 수출을 위해 반출될 경우에는 무세로 한다. 다만 그러한 상품이 참으로 그렇게 수출된다는 적당한 보증이 언제나 주어지도록 해 두는 것이 좋다. 그리고 그러한 특정된 상품을 도매 또는 소매로서 취급하는 상인들은 언제든지 세관리의 임검을 받도록 하고 자신들 점포 또는 창고에 있는 상품의 전량에 대한 조세를 납부했다는 것을 적당한 증명서에 의해서 입증하지 않으면 안 되도록 해 두는 것이 좋다. 수입 럼주에 대한 소위 내국소비세는 현재 이러한 방법으로 징수되고 있으며, 그리고 이와 동일한 행정제도는 아마 수입 재화에 대한 모든 조세에까지 뻗쳐질 수 있을 것이다. 다만 그러한 세금은 내국소비세처럼 가장 일반적으로 사용되고 소비되는 몇몇 부류의 재화에만 한정된다는 것을 조건으로 한다. 만일 그러한 세금이 현재와 같이 거의 모든 부류의 재화에까지 뻗쳐진다면, 충분히 넓은 공설 창고는 쉽게 설치될 수 없을 것이며, 상인으로서도 그 성질상 대단히 섬세하다든지 또는 그 보존에 많은 관심과 주의를 요하는 재화는 자기의 창고 이외의 어느 곳에도 안심하고 위탁해 둘 수 없을 것이다.

이렇게 하면 수입의 손실 없이 제도를 크게 단순화할 수 있을 것이다.

만일 이러한 행정제도를 통해 매우 높은 비율의 세금에도 불구하고 밀수를 상당한 정도로 방지할 수 있다면, 그리고 만일 모든 세금을 국가에 최대의 수입을 제공하도록 이러저러한 방법으로 수시로 높였다 내렸다 한다면, 과세는 항상 수입의 수단이지 독점의 수단으로 사용되지는 결코 아니하므로, 적어도 현재의 관세의 순수입에 필적할 만한 수입이 가장 일반적으로 사용되고 소비되는 극히 소수의 부류의 재화만의 수입세에서 나올 수 있고, 따라서 관세가 내국소비세와 같은 정도로 단순, 확실하며 정확해지는 것은 불가능한 것은 아닌 것 같다. 이러한 제도하에서는 현재 외국 재화의 재수출에 대한 조세환급으로 입고 있는 수입업자의 손실은 아주 없어질 것이다. 즉 이 외국 재화는 실은 재수출 후에 재양륙되어 현재 국내에서 소비되고 있다. 그것만으로도 대단히 큰 것이 될 것인데, 만일 이 절약에다 국내 생산물의 수출에 대한 모든 장려금, 즉 어떤 경우에도 실은 그 이전에 선불되었던 어떤 내국소비세의 조세환급이 아닌 모든 장려금이 폐지된다면,[240] 관세의 순수입이 이런 종류의 변경 후에도 그 이전과 아주 동등할 수 있으리라는 것은 좀처럼 의심할 수 없다.

반면, 이 나라의 무역과 제조업은 크게 이익을 볼 것이다.

만일 제도를 그렇게 변경하더라도 공적 수입이 아무 손실도 입지 않는다면, 이 나라의 무역 및 제조업은 대단히 큰 이익을 볼 것은 확실하다. 최대다수를 차지하는 무세의 상품의 무역은 완전히 자유로워질 것이며, 가능한 모든 이익을 올리면서 세계의 온갖 지방에서 지방으로 왕복하면서 영위될 수 있을 것이다. 그러한 상품에는 모든 생활필수품과 제조업의 모든 원료가 포함될 것이다. 생활필수품의 자유로운 수입이 국내시장에서의 그것들의 평균 화폐가격을 떨어뜨리는 한에 있어서는, 그것은 노동의 화폐가격을 떨어뜨릴 것이지만, 그 실질적 보수를 감소시키지는 않을 것이다. 화폐의 가치는 이것이 구매할 생활필수품의 양에 비례한다. 그러나 생활필수품의 가치는 이것들의 대가로서 받아질 수 있는 화폐의 양과는 전혀 관계가 없는 것이다. 노동의 화폐가격의 저락低落은 필연적으로 모든 국내 제조품의 가격의 비례적인 저락을 가져오며, 그리고 그 결과 국내 제조품은 모든 외국시장에서 약간 유리하게 될 것이다. 어떤 제조품의 가격은 그 원료의 자유로운 수입에 의해서 훨씬 더 큰 비율로 떨어질 것이다. 만일 생사生絲가 중국과 인도에서 무세로 수입될 수 있다면, 잉글랜드의 견직물은 프랑스

240 〔여기까지의 구는 "if……were……"라고 가정법이었는데, 초판에서 제3판까지는 "if……was……"로 직설법으로 되어 있다.〕

와 이탈리아의 그것보다 훨씬 더 싸게 팔릴 수 있을 것이다. 외국의 견직물과 벨벳의 수입을 금지할 필요도 없게 될 것이다. 우리나라 직공이 만든 재화가 싸다는 것은 그들에게 국내시장의 점유뿐만 아니라, 외국시장의 광범위한 지배를 확보해 줄 것이다. 그리고 과세되는 상품의 무역까지도 현재보다는 훨씬 더 유리하게 운영될 것이다. 만일 그러한 상품이 외국에 수출되기 위해 공설 창고에서 인출된다면, 그런 경우엔 모든 조세를 면제받으므로 그러한 것들의 무역은 완전히 자유롭게 될 것이다. 모든 부류의 재화의 중계무역은 이 제도하에서는 가능한 모든 이익을 향수할 것이다. 만일 그러한 상품이 국내소비를 위해서 넘겨주어진다면, 그 수입업자는 자기의 재화를 어떤 상인이나 어떤 소비자에게 팔 기회가 올 때까지 조세를 선불하도록 강요당하지 않을 것이므로, 수입할 그 순식간에 그것을 선불하지 않으면 안 되었을 경우에 비하여 항상 더 싸게 그 재화를 팔 수 있을 것이다. 따라서 동일한 조세하에서도, 과세된 상품에 관해서까지도 이렇게 해서 소비품의 외국무역은 현재보다도 훨씬 더 유리하게 행해질 수 있을 것이다.

로버트 월폴 경의 내국소비세 계획은 포도주와 담배에 관한 한 이런 종류의 것이었다. 로버트 월폴 경Sir Robert Walpole의 유명한 내국소비세 계획의 목적은 포도주와 담배에 관하여 여기에 제안되어 있는 것과 그리 다르지 않는 제도를 확립하는 것이었다. 그러나 비록 당시 의회에 제출된 방안은 그러한 두 가지 상품만을 포함하고 있었다 하더라도, 그것은 그와 같은 종류의 더 광범위한 계획에 대한 서론을 의미하는 것이라고 일반적으로 생각되었다. 밀수상인의 이해와 결합된 당파가 그 법안에 반대해서 극히 부당하지만 맹렬히 소란을 피웠으므로, 이 수상도 그것을 철회하는 것이 적당하다고 생각했을 정도였다. 그리고 그의 후계자들도 같은 종류의 소란을 일으킬 것을 두려워하여 누구도 감히 그 계획을 다시 들고 나오지 않았다.

외국산의 사치품에 대한 세금은 주로 중류 및 상류의 계급들의 부담이 된다.

국내소비를 위해 수입되는 외국산의 사치품에 대한 세금은 빈민에게 과해질 때도 있겠지만, 주로 중류 이상의 재산을 가진 사람들에게 부과된다. 예를 들면, 외국산의 포도주·커피·초콜릿·차·설탕 등에 대한 세금이 그러하다.

국내산의 사치품에 대한 세금은 모든 계급의 사람들에게 부과된다.

국내소비를 위해 예정된 국내산의 가장 값싼 사치품에 대한 세금은 모든 계급의 사람들에게 그들 앞앞의 지출에 비례하여 아주 평등하게 부과된다. 빈민은 맥아·홉·맥주 및 에일 등에 대한 세금을 지불하며, 부자는 그들 자신들의 소비와 하인의 소비 쌍방에 대하여[241] 지불하는 셈이다.

하층계급의 소비에 대한 조세는 부자의 소비에 대한 조세보다 훨씬 더 많은 금액을 거둬들인다.

하층계급의 사람들, 또는 중류계급 이하의 사람들의 모든 소비가 모든 나라에서 중류 및 그 이상인 계급의 사람들의 그것보다 양적으로는 물론 가치에 있어서도 훨씬 더 크다는 것은 주의할 필요가 있다. 하층계급의 총지출은 상층계급의 지출 전체보다 훨씬 더 크다. 첫째, 하층계급의 사람들 사이에 해마다 분배된다. 둘째, 토지의 지대와 자재의 이윤 쌍방에서 생기는[242] 수입의 대부분은 하인과 그 밖의 비생산적 노동자의 임금과 생활 유지비로서 같은 계급 사이에 해마다 분배된다. 셋째, 자재 가운데 어떤 부분은 같은 계급 사람들의 소자본의 사용에서 생기는 수입으로서 같은 계급의 것이 된다. 소규모의 상점주와 상인 및 모든 종류의 소매업자가 해마다 올리는 이윤 총액은 어디서나 아주 상당한 것으

241 〔"쌍방에 대하여(upon both)"는 초판에는 "both upon"이라고 되어 있다.〕

242 〔여기까지의 구의 원문은 "arising from both the rent of land and the profits of stock"인데, 초판에는 "arising both from the rent of land and from the profits of stock"라고 되어 있다.〕

로서 매년 생산물의 극히 중요한 부분을 이루고 있다. 마지막으로, 토지의 지대까지도 어떤 부분은 같은 계급의 것이 된다. 즉 그 상당한 부분은 중류계급보다 약간 낮은 계급의 사람들의 것이 되며, 그리고 그 작은 부분은 최저계급의 사람들의 것이 되기까지 하는데, 이는 보통의 노동자도 1~2에이커의 토지를 재산으로서 소유하고 있을 때도 있기 때문이다. 따라서 그러한 하층계급의 사람들의 지출은 그들을 개개인으로 따져 보면 대단히 적은 것에 지나지 않지만, 그들을 함께 뭉쳐 본다면 그 총액은 언제나 그 사회의 지출총액의 최대 부분에 달하며, 그 나라의 토지 및 노동의 연간 생산물 가운데서 하층계급의 소비를 위하여 남는 것은 그 양은 물론 가치에 있어서도 언제나 이보다 더 적기 때문이다. 그러므로 상층계급의 사람들의 지출, 즉 연간 생산물의 보다 적은 부분에 주로 부과되는 여러 조세는, 모든 계급의 지출에 무차별하게 부과되는 것보다도, 또는 하층계급의 그것에 주로 부과되는 것보다도, 다시 말하면 연간 총생산물에 무차별하게 부과되는 것보다도, 또는 그 생산물의 보다 큰 부분에 주로 부과되는 것보다도 훨씬 더 적게 거둬들여지는 것 같다. 국내산의 발효주와 증류주의 원료와 제품에 대한 내국소비세가 지출에 대한 모든 조세 가운데 가장 많이 거둬들여진다는 것도 이 때문이며, 그리고 내국소비세의 이 부문은 서민의 지출에 대단히 무겁게, 아마 가장 무겁게 부과되는 것이다. 1775년 7월 5일에 끝난 연도에 내국소비세의 이 부문의 수입 총액은 334만 1837파운드 9실링 9펜스[243]에 달했다.

그러나 그러한 조세는 하층계급의 필수적인 소비에 과해져서는 결코 안 된다.

그러나 기억해 두어야 할 것은, 비록 과세하는 것이 당연하다 하더라도, 하층계급의 사람들의 사치스러운 지출에 대한 것이지 그 필수적인 지출에 대한 것은 아니라는 것이다. 그들의 필수적인 지출에 대한 어떤 조세도 그 최종적인 지불은 상층계급의 사람들에게 전적으로 부담이 되어 돌아갈 것이다. 즉 연간 생산물의 보다 큰 부분이 아닌 보다 적은 부분에 전적으로 과해질 것이다. 그러

243 〔초판에는 "331만 4223파운드 18실링 10과 4분의 3펜스"라고 되어 있다.〕

한 조세는 어떤 경우에도 노동의 임금을 올리든지, 아니면 그것에 대한 수요를 줄이든지 한다. 그러한 조세는 그 최종적인 지불을 상층계급의 사람들에게 부담시키지 않고서는 노동의 임금을 올릴 수 없을 것이다. 그리고 그것은 그 나라의 토지 및 노동의 연간 생산물을 감소시키지 않고서는, 즉 모든 조세가 최종적으로 지불되어 나와야만 하는 원자를 감소시키지 않고서는 노동에 대한 수요를 감소시킬 수 없을 것이다. 이런 종류의 조세 때문에 노동에 대한 수요가 감소하는 그 상태가 어떤 것이든지 간에, 그런 종류의 조세는 항상 임금을 그렇지 않았을 경우 그 상태하에서 유지되었을 임금보다 더 높이 올리지 않을 수 없으며, 또한 임금의 이러한 등귀분의 최종적인 지불은 어떠한 경우에도 반드시 상층계급의 사람들의 부담이 되어 돌아가는 것이다.

자가소비용의 양조주 또는 증류주는 내국소비세를 면제받고 있다. 그렇지만 맥아의 제조에는 대납금이 지불되지 않으면 안 된다.

판매용이 아니라 자가소비용으로 양조되는 발효주와 증류되는 증류주는 영국에서는 내국소비세를 물지 않는다. 이 면세는 개인의 가족을 수세리收稅吏의 성가신 임검과 검사를 모면하게 하기 위한 것인데,[244] 이 때문에 이러한 세의 부담은 빈민보다 부자에게 더 가볍게 되는 수가 흔히 있다. 실제로 자가소비용으로 증류주를 만드는 것은 때로는 있을 것이지만, 대단히 흔한 것은 아니다. 그러나 농촌에서는 많은 중류의 가족과 거의 모든 부유한 대가족이 그들 자신의 맥주를 양조하고 있다. 그러므로 그들의 강한 맥주는 조세에 대해서나, 그리고 자기가 선불하는 다른 모든 비용에 대해서나 자기의 이윤을 거두어들이지 않으면 안 되는 보통의 양조가釀造家의 그것보다도 한 통에 8실링 싸게 먹히는 셈이다. 그러므로 그러한 가족은 서민이 마실 수 있는 동질의 어떠한 주류보다도 반드시 한 통에 적어도 9 내지 10실링 싸게 자신들 맥주를 마시고 있는 셈인데, 서민으

244 〔이 구는 초판에는, "개인의 가족을 수세리收稅吏의 성가신 임검臨檢과 검사檢査를 당하지 않게 하기 위한 것"이라고 되어 있다.〕

로서는 어느 곳에서나 그들의 맥주를 양조장 또는 술집에서 조금씩 사는 편이 더 편리하다. 이와 마찬가지로, 사가의 자가소비용으로 만들어지는 맥아도 수세리의 임검 또는 검사를 받지는 않으나, 이런 경우 해당 가족은 조세 대신에 한 사람당 7실링 6펜스의 대납금을 지불하지 않으면 안 된다. 7실링 6펜스란 맥아 10부셸에 대한 내국소비세와 같은 것이며, 그리고 10부셸이라는 양은 어떤 절약하는 가족의 모든 성원, 즉 남자·여자·아이들이 평균적으로 소비할 것 같은 양과 아주 같은 것이라 하겠다. 그러나 농촌풍의 환대가 성행되고 있는 부유한 가족에게는 그 가족의 성원이 소비하는 맥아주는 그 집의 소비량의 겨우 작은 부분에 지나지 않는다. 그러나 이 대납금 때문인지 또는 그 밖의 이유에서인지 자가소비용을 위한 맥아의 제조는 자가소비용으로서의 양조만큼 흔하지는 않다. 그러니 자가소비용을 위해 양조하거나 증류하고 있는 사람들이 왜 이와 같은 종류의 대납금을 물지 않아도 되는지에 관한 어떤 공정한 이유를 상상하는 것은 곤란하다.

맥아 · 맥주 · 에일에 대한 현행의 제조세를 함께 합한 것보다 더 많은 수입이 맥아에 대한 그보다 더 가벼운 조세로써도 거둬질 것이라고 일컬어지고 있다.

맥아·맥주·에일에 대한 현행의 모든 중세에서 거둬지고 있는 것보다 더 많은 수입이 맥아에 대한 훨씬 더 가벼운 조세로써 조달될 수 있을 것이라는 것은 흔히 일컬어져 왔던 사실이다. 그 이유는 맥아 제조소보다도 양조장에서 수입을 속일 기회가 훨씬 더 많으며, 자가소비용을 위해 양조하는 사람들은 모든 세금 또는 세금을 대신하는 대납금을 면제받고 있는데, 자가소비용을 위해 맥아를 만드는 사람에게는 이 면제가 없기 때문이다.

또한 그것을 입증하는 숫자도 인용되어 있다.

런던의 흑맥주 양조장에서는 보통 1쿼터의 맥아에서 두 통 반 이상, 때에 따라서는 세 통의 흑맥주가 양조된다. 맥아에 대한 여러 가지 조세는 1쿼터에 6실링이

되고, 강한 맥주 및 에일에 대한 그러한 조세는 1통에 8실링이 된다. 따라서 흑맥주 양조장에서는 맥아·맥주·에일에 대한 여러 가지 조세는 맥아 1쿼터의 생산물에 대해서 26실링 내지 30실링이 되는 셈이다. 일반적으로 지방에서의 맥아에서 강한 맥주 두 통과 약한 맥주 한 통도 되지 않게 양조되는 경우는 좀처럼 없으며, 강한 맥주 두 통 반이나 양조되는 수도 흔히 있다. 약한 맥주에 대한 여러 가지 조세는 한 통에 1실링 4펜스에 달한다. 따라서 왕국 전체를 통틀어 평균하면 맥아·맥주·에일에 대한 세금의 총계는 맥아 1쿼터의 생산물에 대한 24내지 25실링보다 더 적게 평가될 리는 없는 것이다. 그러나 맥주와 에일에 대한 모든 조세를 철폐하고 맥아세를 세 배로하면, 즉 맥아 1쿼터에 6실링이던 것을 18실링으로 올리면 단 하나의 이 조세만으로도, 현재 더 무거운 모든 조세에서 얻어지고 있는 것보다 더 많은 수입이 조달될 수 있을 것이라고 일컬어지고 있다.

연도	세금종류	파운드	실링	펜스
1772년	옛 맥아세	722,023	11	11
	부가세	356,776	7	9¾
1773년	옛 맥아세	561,627	3	7½
	부가세	278,650	15	3¾
1774년	옛 맥아세	624,614	17	5¾
	부가세	310,745	2	8½
1775년	옛 맥아세	657,357	–	8¼
	부가세	323,785	12	6¼
	이상 4년의 합계	3,835,580	12	¾
	이상 4년의 평균	958,895	3	3/16

연도	세금종류	파운드	실링	펜스
1772년	지방내국소비세	1,243,128	5	3
	런던양조장납세	408,260	7	2¾
1773년	지방내국소비세	1,245,808	3	3
	런던양조장납세	405,406	17	10½
1774년	지방내국소비세	1,246,373	14	5½
	런던양조장납세	320,601	18	¼
1775년	지방내국소비세	1,214,583	6	1
	런던양조장납세	463,670	7	¼

이상 4년의 합계	6,547,832	19	2¼
이상 4년의 평균	1,636,958	4	9½
맥아세의 평균	958,895	3	3/16
이상 모든 세금의 총액	2,595,853	7	9 11/16
맥아세의 세 배[1*]	2,876,685	9	9/16
차액[2*]	280,832	1	2 14/16

1* 그러나 맥아세를 세 배로 하면, 즉 맥아 쿼터당 6실링이던 것을 18실링으로 하면 단 한 가지 이 조세만으로 나오는 세액이 다음과 같이 될 것이다.

2* 전기前記 금액에 대한 초과분.

옛 맥아세에 포함되는 사과주와 맘주에 대한 조세는 사과주·산미과즙·식용초·밀주에 대한 지방내국소비세로써 메워지고 있다.

사실 옛 맥아세에는 사과주 1호그즈헤드hogshead(52.5갤런)에 4실링의 조세와 맘mum주 한 통에 대한 10실링의 또 하나의 조세가 포함되어 있다. 그러나 1774년의 사과주에 대한 조세는 겨우 3083파운드 6실링 8펜스밖에 거둬들이지 못했다. 이것은 아마 이 조세의 예년 총액보다 약간 모자랐을 것인데, 이 해에는 사과주에 대한 모든 조세가 통상 이하의 금액밖에 내지 못했던 것이다. 맘주에 대한 조세는 훨씬 더 무거웠지만, 그 음료의 소비량이 비교적 적었기 때문에 그 세액도 훨씬 더 적다. 그러나 이러한 두 가지 조세의 통상의 총액이 얼마가 되든지간에 그것을 메우기 위하여 이른바 '지방내국소비세' 밑에 다음과 같은 것이 포함되어 있다. 즉 첫째, 사과주 1호그즈헤드에 대한 6실링 8펜스의 옛 내국소비세와, 둘째, 산미과즙 1호그즈헤드에 대한 6실링 8펜스인 같은 금액의 조세와, 셋째, 식용초 1호그즈헤드에 대한 8실링 9펜스의 또 하나의 조세와, 그리고 마지막으로 봉밀주 또는 당밀수 1갤런에 대한 11펜스의 넷째 조세가 그것인데, 이러한 여러 가지 조세의 징수액은 소위 '사과주 및 맘주에 대한 연간 맥아세'에 의해서 부과되는 여러 조세의 징수액을 메우고도 남음이 있을 것이다.

만일 맥아세를 올린다면 맥아가 들어 있는 포도주와 화주에 대한 내국소비세를 경감하는 것이 옳을 것이다.

맥아는 맥주와 에일의 양조장에서 소비될 뿐만 아니라 약한 포도주와 화주의 제조에도 소비된다. 만일 맥아세를 1쿼터에 18실링으로 올리기라도 한다면[245] 맥아가 원료의 어떤 부분을 이루고 있는 특정 부류의 약한 포도주와 화주에 과해지고 있는 여러 가지 내국소비세를 약간 경감시킬 필요가 있을 것이다. 소위 맥아화주의 경우에는 맥아는 보통 그 원료의 3분의 1을 차지하고 있는 데 지나지 않고, 다른 3분의 2는 미가공의 보리이든지, 또는 3분의 1이 보리이고, 3분의 1이 소맥이기도 하다. 맥아화주의 증류장에서는 밀조의 기회와 유혹이 다 같이 양조장 또는 맥아 제조장에서보다 훨씬 더 많으며, 기회가 많은 것은 그 상품의 용적은 비교적 적은데 가치는 크기 때문이며, 유혹이 많음은 화주 1갤런에 3실링 10과 3분의 2펜스[246]나 되는 높은 비율의 세금 때문이라 하겠다. 맥아에 대한 세를 증가시키고, 증류장에 대한 그것을 경감하면 밀조의 기회와 유혹이 다 같이 감소할 것이며, 또한 그 때문에 수입은 훨씬 증가할 것이다.

그러나 화주의 가격을 내리게 할 만큼 경감해서는 안 된다.

증류주의 소비를 저지한다는 것은 얼마 전부터 영국의 정책이 되어 왔는데, 그 이유는 증류주가 서민의 건강을 파괴하고 도덕을 부패시키는 경향을 가지고 있다고 생각되었기 때문이다. 이 정책에 의하면 증류장에 대한 조세의 경감은 어떤 점에서도 그러한 식료의 가격을 떨어뜨릴 만큼 대폭적인 것이어서는 안 된

245 〔이 구절은 "if……were……"라고 가정법인데, 초판에서 제3판까지는 "if……was……"라고 직설법으로 되어 있다.〕

246 〔표준 강도의 화주에 대해서 직접 부과되는 세는 1갤런에 겨우 2실링 6펜스밖에 되지 않지만, 이것이 증류되어 나오는 원료인 약한 포도주에 대한 세금을 이것에 가산하면 3실링 10과 3분의 2펜스에 달한다. 약한 포도주도 표준 강도의 화주도 사기를 방지하기 위하여 현재에는 발효맥아즙으로 측정한 것에 따라 과세되고 있다. 이 주는 제3판에서 처음 나온다. 초판에는 본문 중의 "3실링 10과 3분의 2펜스"가 "2실링 6펜스"로 되어 있다.〕

다. 증류주는 종래와 마찬가지로 비싼 그대로 두어도 되는데, 이와 동시에 한편으로는 맥주와 에일이라고 하는 건강에 좋고 활력을 주는 음료의 가격은 상당히 내려져도 좋을 것이다. 그렇게 하면 국민은 현재 가장 심한 불만을 품고 있는 부담의 하나에서 약간 해방될 수 있을 것이며, 동시에 공공적 수입은 상당히 증가될 수 있을 것이다.

대버넌트 박사는 맥아 제조인의 이윤이 부당하게 과세될 것이며, 보리밭의 지대 및 이윤이 저하된다고 반대한다.

현행의 내국소비세제도의 이러한 변경에 대한 대버넌트 박사의 반대론은 근거가 없는 것이라고 생각된다. 그 반대론은 다음과 같다. 즉 이 조세는 현재 맥아 제조인의 이윤, 양조가의 이윤, 그리고 소매업자의 이윤에 아주 공평하게 배분되는 대신에, 그것이 이윤에 영향을 미치는 한에 있어서는, 맥아 제조인의 이윤에 전적으로 부과될 것이라는 것, 그리고 맥아 제조인이 자기의 맥아의 가격을 올려서 세금을 회수하려고 해도 양조가의 소매업자가 자신들 음료의 가격을 올려서 그렇게 할 수 있는 것처럼 쉽게 될 수는 없다는 것, 그리고 맥아에 대한 그렇게 무거운 세는 보리밭의 지대 및 이윤을 떨어뜨릴 것이라는 것 등이다.[247]

247 〔찰스 휘트워스 경Sir Charles Whitworth(편), 《The Political and Commercial Works》(1771), 제1권, 222~223면. 그러나 대버넌트는 현재의 조세의 효과를 맥아 제조인·양조가·소매업자에만 국한시키고 있지는 않다. 그는 "맥아에 대한 것이라고 생각되는 조세는 통속적으로 생각되고 있는 것처럼 모두가 그 상품에 과해지는 것은 아니다. 왜냐하면 이 조세가 국고에 들어가기까지는 대단히 많은 여러 층의 사람들이 그 지불支拂에 기여하기 때문이다. 첫째는 지주인데, 그는 내국소비세 때문에 자기의 보리밭을 보다 낮은 지대地代로써 대여할 것을 강요당하고 있으며 그리고 이와 동일한 이유에서 차지인借地人은 자기의 보리를 보다 싼 가격으로 팔지 않으면 안 되는 것이다. 둘째는 맥아 제조인으로, 그도 자기의 몫을 부담하게 되는데, 즉 그는 이 조세 때문에 자기의 맥아의 가격을 약간 내리지 않으면 안 되든지, 또는 그것을 올려서는 안 되는 것이다. 그리고 또한 이 조세는 어떤 일정한 비율로 홉 상인, 통桶 제조자, 석제石製 상인 및 그 상품과 관계가 있는 모든 영업에까지 영향을 미친다. 소매업자나 양조가도 마찬가지로 커다란 몫을 부담하며, 이들의 이득은 그 과세 때문에 필연적으로 감소할 것이다. 그리고 끝으로 이 조세는 누구보다도 그 소비자에게 가장 무겁게 돌아간다"라고 말하고 있다. 만일 이 조세가 맥

그러나 이 변경은 맥아음료를 싸게 만들 것이므로, 아마 그 소비를 증가시킬 것이다. 어떤 조세라도 어떤 특정 사업의 이윤율을 상당한 시기 동안 내려 둘 수는 없으며, 그것은 항상 그 이웃의 다른 여러 사업과 같은 수준을 지키지 않으면 안 되는 것이다. 맥아·맥주·에일에 대한 현행세는 이러한 상품을 취급하는 상인의 이윤에 영향을 미치지 않으며, 그들 모두는 자신들 재화의 가격을 올림으로써 추가이윤과 함께 그 세금을 회수하는 셈이다. 실로 조세란 그것이 부과되고 있는 재화의 소비를 감소시킬 만큼 그것을 비싸게 만들 수도 있을 것이다. 그러나 맥아의 소비는 맥아로 된 주류의 형태로 이루어지므로, 맥아 1쿼터에 대해서 18실링의 조세를 부과한다고 해서 그 때문에 총액 24 내지 25실링이나 되는 여러 가지 조세가 현재 그렇게 하고 있는 것 이상으로 그것들을 비싸게 만들 리는 좀처럼 없을 것이다. 오히려 그와는 반대로 그러한 주류는 아마 더 싸질 것이며, 또한 그 소비는 감퇴하기는커녕 더 증가할 가능성이 많을 것이다.

맥아 제조인은 현재 양조가가 24 내지 30실링을 회수하고 있는 것과 마찬가지로 쉽게 18실링을 회수할 수 있을 것이며, 또한 그는 양조가보다 더 장기의 납세상의 신용을 받을 수 있을 것이다.

맥아 제조인이 자기의 맥아의 가격을 올림으로써 24 내지 25실링을, 때에 따라서는 30실링을, 현재 회수하는 것보다 왜 더 곤란하게 되어 있는 가를 이해한다는 것은, 그렇게 쉬운 것이 아니다. 사실 맥아 제조인은 맥아 매쿼터당 6실링의 조세 대신에 8실링의 조세를 지불하지 않을 수 없게 된 것이다. 그러나 양조가는 자기가 양조하는 맥아 매쿼터당 24 내지 25실링의 조세를, 때에 따라서는 30실링의 조세를 현재 선불하지 않을 수 없게 되어 있다. 맥아상인이 보다 가벼운 조세를 지불하는 것이 양조가가 보다 무거운 조세를 선불하는 것보다 더 불리할

아 제조인에게 과해진다면, "그로서는 값비싼 상품을 즉시로 꼭 3분의 1페니를 올리는 것도 곤란할 것이다. 그러므로 그렇지 않으면 보리를 싸게 주게 함으로써 그것을 농업자에게 부담시키지 않으면 안 된다. 그렇게 되면, 이 조세는 직접 잉글랜드의 토지에 과해지는 것이다.")

리는 없을 것이다. 그리고 맥아 제조인이 자기의 곡창에 보존하고 있는 맥아의 재고는 양조가가 자기의 지하실에 흔히 가지고 있는 맥주와 에일의 재고보다도 그 처분에 반드시 더 시간이 걸린다고는 할 수 없다. 그러므로 전자는 후자처럼 속히 자기의 화폐를 회수하는 수도 흔히 있을 수 있다. 그러나 맥아 제조인이 보다 무거운 조세를 지불하지 않을 수 없으므로 해서 생길지도 모르는 불편이 얼마나 되든지 간에 양조가가 현재 받고 있는 것보다 1~2개월 더 장기의 납세상의 신용을 맥아 제조인에게 수여함으로써 그것은[248] 쉽게 구제될 수 있을 것이다.

보리의 소비가 감소되지 않으므로 보리밭의 지대地代와 이윤이 감소될 리는 없을 것이며, 더욱이 독점이라는 것이 전혀 없기 때문이다.

보리에 대한 수요를 감퇴시키지 않는 한, 보리밭의 지대와 이윤을 감소시킬 수는 결코 없을 것이다. 그러나 맥주와 에일을 만들기 위해 양조되는 맥아 1쿼터에 대한 세를 24 내지 25실링에서 18실링으로 내리는 제도의 변경은 그것의 수요를 감퇴시키기는커녕 오히려 증가시킬 것이다. 뿐만 아니라 보리밭의 지대와 이윤은 이 땅과 거의 동등하게 비옥하고 경작이 잘되어 있는 다른 토지의 그것들과 거의 동등함이 틀림없다. 만일 그 지대와 이윤이 보다 더 적다면 보리밭의 일부는 곧 어떤 다른 목적을 위해 전용될 것이며, 그리고 그것이 보다 더 많으면 더 많은 토지가 곧 보리를 재배하기 위해 전용될 것이다. 토지의 어떤 특정생산물의 가격이 소위 독점가격이라고 불려질 만한 것일 때는, 그것에 대한 조세는 그것을 산출하는 토지의 지대와 이윤을 필연적으로 감소시킨다. 귀중한 포도원이 있는데, 그곳에서 생산되는 포도주가 유효수요에 많이 모자라기 때문에 그 가격이, 이와 같은 정도로 비옥하고 경작도 잘되어 있는 다른 토지의 생산물의 가격과의 자연적 비율 이상이 되어 있을 때, 그러한 포도원의 생산물에 대한 조세는 그러한 포도원의 지대와 이윤을 필연적으로 감소시킬 것이다. 그러한 포도주의 가격은 시장에 보통 보내지는 분량의 대가로 얻어질 수 있는 것으로서는

248 〔초판에는 "그것은"이 없다.〕

이미 최고의 가격이므로 그 양을 감소시키지 않고서는 그 가격을 올릴 수는 없을 것이다. 그 분량을 감소시키면 훨씬 더 큰 손실이 생길 것이다. 왜냐하면 그 토지는 다른 어떠한 등가치等價値의 생산에도 전용될 수 없기 때문이다. 그러므로 조세의 모든 부담은 지대와 이윤에, 적절히 말한다면 그 포도원의 지대와 이윤에 과해질 것이다. 설탕에 대해서 어떤 신세를 부과할 것이 제안되었을 때, 우리나라의 설탕 재배자들은 그러한 조세의 모든 부담은 소비자에게 가는 것이 아니고, 생산자에게 부과된다고 종종 불평을 했다. 즉 일단 과세된 뒤에는 그들은 자신들 설탕의 가격을 그 이전보다 높이 올릴 수는 없었기 때문이다. 그 가격은 과세 이전에는 독점가격이었던 것 같은데, 설탕이 부적당한 과세물건이라는 것을 제시하기 위해 제기된 이 논의야말로 오히려 아마 그것이 적절한 과세물건이라는 것을 입증했던 것이다. 즉 언제 포착해 보더라도 독점자의 이득만큼 적절한 과세물건은 달리 없다는 것은 확실하기 때문이다. 그러나 보리의 통상가격이 독점가격이었던 때는 없었고, 그리고 보리밭의 지대와 이윤이 이것과 같은 정도의 비옥하고 경작도 잘되어 있는 다른 토지의 지대 및 이윤과의 자연적 비율 이상이었을 때도 없었다. 맥아·맥주·에일에 과해지고 있는 여러 가지 조세가 보리의 가격을 저하시키지는 않았으며, 또 보리밭의 지대와 이윤을 감소시킨 일도 결코 없었다. 양조가로서는 맥아의 가격은 이것에 부과된 조세에 비례하여 끊임없이 상승했으며, 또 소비자에게는 그러한 조세는 맥주와 에일에 대한 여러 가지 세금과 더불어 부단히 그러한 상품의 가격을 올리든지, 아니면 같은 말이지만, 그러한 상품의 질을 저하시키든지 했다. 이들 조세의 최종적 지출은 부단히 소비자에 부과되었던 것이며, 생산자에게 부과되었던 것은 아니다.

유일한 피해자는 자가소비용을 위해 양조하는 사람들이 될 것이다.

여기에 제안된 제도의 변경에서 손해를 입을 듯한 유일한 사람들은 자가소비용을 위해 양조하는 사람들이다. 그러나 이 상층계급의 사람들은 가난한 노동자와 공장이 지불하고 있는 모든 무거운 세금을 면제받고 있는데, 현재 그들이 향수하고 있는 그 면제는 확실히 가장 부당하고 불공평한 것이며, 당연히 철폐되어야 한다. 그런데 틀림없이 공공수입을 증가시키고 국민을 구제할 수 있을 제도 변경이 현재에 이르기까지 방해되어 왔던 것은 아마 이 상층계급의 사람들의 이해관계 때문이었을 것이다.

어떤 장소에서 다른 곳으로 운반되는 재화에 대한 통행세는 가격에 대해서 불공평하게 영향을 미친다.

위에서 설명한 관세와 내국소비세와 같은 세금 이외에도 재화의 가격에 더 불공평하게 그리고 더 간접적으로 영향을 미치는 몇 가지 세금이 있다. 이런 종류 가운데는 현재 프랑스에서 통행세(Péages)라고 불리는 것, 즉 옛날 색슨 시대에 통행세(Duties of Passage)라고 불리던 것이었는데, 그 제도의 본래의 목적은 우리들의 유료도로의 통행세, 즉 도로와 항로를 유지하기 위하여 우리들의 운하와 항행 가능한 하천에 대해서 과하고 있는 통행세와 같은 것이었다고 생각된다. 그러한 세금이 그와 같은 목적에 충용될 때 재화의 용적 또는 중량에 따라 과세되는 것이 가장 적절하다. 그러한 세금은 본래 지방 및 주의 여러 목적에 충용하기 위한 지방세 및 주세였으므로, 그 관리는 대부분의 경우 그러한 세가 징수되는 특정의 도시와 교구 또는 영지에 맡겨져 있었는데, 그러한 공동체는 그러한 세의 충용에 대해서 어떤 의미에서 책임이 있다고 생각되고 있기 때문이다. 그러나 수많은 나라에서 책임이 전혀 없는 주권자가 그러한 세금의 관리권을 손수 장악했으며, 대부분의 경우 그는 그 세금을 크게 거둬들였지만, 그 충용을 등한시한 경우도 많았다. 만일 영국의 유료도로의 통행세가 정부의 재원의 하나가 되기라도 한다면 우리는 그 결과가 아마 어떻게 될 것인지를 다른 많은 국민의 실례에서 알 수 있을 것이다. 그러한 통행세가 최종적으로는 소비자에 의해서 지불되는 것은 틀림없으나, 만일 소비자가 자기가 소비하는 것의 가치에 응하는 것이 아니고 그 용적 또는 중량에 따라 지불한다면 그는 자기의 지출에 비례하여 과세되는 셈이 아니다. 그러한 세가 용적 또는 중량에 따르지 않고,

그 추정적인 가치에 따라 부과된다면, 그러한 세는 내국관세 또는 국내소비세의 일종이 된다고 함이 적당하겠으며, 그것은 모든 상업부문 가운데 가장 중요한 부문, 즉 그 나라의 국내상업을 크게 방해하는 것이다.

어떤 나라들은 외국 재화에 대해서 통과세를 부과하고 있다.

몇몇 소국가에서는 그러한 통행세와 유사한 세금이 육로 또는 수로로 자국의 영토를 거쳐서, 어떤 외국에서 또 다른 외국으로 운반되는 재화에 대해서 과해지고 있다. 이러한 것은 어떤 나라에서는 통과세(transit duties)라고 불리고 있다. 포강Po江 및 이것에 유입하는 하천의 연안에 있는 이탈리아의 소국가의 일부 국가는 이런 종류의 세금에서 약간의 수입을 획득하고 있었는데, 이러한 세금은 전적으로 외국인에 의해서 지불되는 것이며, 또한[249] 그것은 아마 일국이 자국의 산업 또는 상품을 조금도 저해함이 없이 타국의 신민에게 과할 수 있는 유일한 세일 것이다. 세계에서 가장 중요한 통과세는 덴마크의 국왕이 사운드 해협을 통과하는 모든 상선에 부과하고 있다.

사치품에 대한 조세는 부재자不在者에까지 미치지 않으며, 자발적으로 지불되고 있다는 사실이 이 조세를 권하게 한다.

대부분의 관세와 내국소비세와 같이 사치품에 대한 제조세는 그 모두가[250] 모든 종류의 수입에 차별 없이 과해지며, 또한 최종적으로 또는 아무런 대상도 없이 그러한 세금이 부과되고 있는 상품을 소비하는 모든 사람들에 의해서 지불되는 것이지만, 반드시 각 개인의 수입에 대해서 공평하게 또는 비례적으로 부과되는 것은 아니다. 각자의 성미는 자기의 소비의 정도를 좌우하므로 각자는 자기의 수입에 비례하기보다는 자기의 성미에 따라 공납하는 셈이며, 낭비가浪費家는 자

249 〔"또한 그것은, 아마……"의 원문은 "and which, perhaps, are……"인데 "and which are perhaps……"라고 되어 있다.〕

250 〔초판에는 "그 모두"가 없다.〕

기의 수입의 적당한 비율 이상으로 공납하고, 절약가節約家는 그 이후를 공납한다. 대재산가라도 미성년인 동안은 국가의 보호로써 대수입을 올리고 있으면서도 그 국가를 유지하는 데는 자기의 소비에 의해서 아주 조금밖에 공납하지 않는 것이 보통이다. 다른 나라에 살고 있는 사람들은 자신들 수입의 원천이 존재하는 나라의 정부를 유지하기 위하여 자신들 소비를 통하여 아무것도 공납하지 않는다. 만일 이 후자의 나라에서, 아일랜드에서의 경우처럼, 지조도 없고 동산과 부동산의 이전移轉에 대한 어떤 상당한 세도 없다면, 그러한 부재자는 그 정부의 보호로써 대수입을 올리겠지만, 그 정부를 유지하기 위해 단 1실링도 공납하지 않는다. 이 불공평은 정부가 어떤 점에서 어느 다른 정부에 종속되어 의존하고 있는 나라에서는 최대일 것 같다. 종속국에 가장 광대한 토지재산을 소유하고 있는 사람들은 이런 경우 보통 그 지배국에서 살고 싶어 할 것이다. 아일랜드는 정확하게 이러한 상태에 있다. 그러므로 부재자에 과세한다는 제안이 그 나라에서 대단한 인기를 얻을 것이라고 해서 조금도 이상할 것은 없다. 단지 어떤 부류의 또는 어느 정도의 부재라면 이를 부재자로서 과세되도록 할 것인지[251] 그리고 그 과세의 시기와 종기終期를 어떠한 정확한 시점으로 할 것인지를 확정하는 것은, 아마 조금 어려울지 모른다. 그러나 만일 제군이 이러한 극히 특수한 사태를 제외한다면, 그러한 조세에서 생기는 각자의 공납의 모든 불공평은 다름 아닌 바로 이 불공평을 일으키는 바로 그 사정에 의해서, 즉 피과세상품을 소비하든지 안 하든지 하는 것은 완전히 각자의 마음대로 하는 것이므로, 각자의 공납은 완전히 자발적인 것이라고 하는 사정에 의해서 상쇄되고도 남음이 있을 것이다. 그러므로 그러한 조세가 적절한 상품에 대해서 적당하게 부과되고 있는 곳에서는 그것은 다른 어떤 조세보다도 불평을 적게 받으면서 지불되고 있다. 그러한 조세가 상인 또는 제조업자에 의해서 선불될 때는 그것을 최종적으로 지불하는 소비자는 곧 그것을 상품의 가격과 혼돈하게 될 것이며, 자기가 어떤 조세를 지불하고 있다는 것을 거의 잊어버린다.

251 〔"과세되도록 할 것인지"는 초판에는 "과세되어야 할 것인지"라고 되어 있다.〕

이들 조세는 또한 확실하다.

그러한 조세는 완전히 확실하거나 또는 확실할 것인 바, 즉 다시 말하면 얼마를 지불해야 할 것인지에 관해서도, 언제 그것을 지부해야 할 것인지에 관해서도, 즉 지불의 금액과 시기의 어느 것에 관해서도 의문의 여지가 없도록 부과될 수 있다. 영국의 관세나 또는 다른 나라에서의 이와 같은 종류의 다른 세금에 이따금 어떤 불확실한 점이 있을지라도 그것은 그러한 세금의 성질에서 생기는 것일 수는 없는 것이고, 그것들을 부과하는 법률의 표현방법이 부정확하거나 또는 졸렬한 데서 생기는 것이다.

또한 편리한 시기에 지불할 수도 있다.

사치품에 대한 조세는 일반적으로 조금씩, 즉 공납자가 피과세재화를 구매할 때마다 그것에 비례하여 지불되고 있으며 또 항상 그렇게 할 수 있다. 지불의 시기와 방법에 있어서는 이 조세는 모든 조세 가운데 가장 편리하거나 또는 편리한 것으로 할 수 있다. 따라서 전체로서 본다면 그러한 조세는 아마 다른 어떤 조세보다도 과세에 관한 네 가지 일반원칙 가운데 처음의 세 가지와 일치하고 있을 것이다.

그러나 그것이 국민으로부터 가져가는 금액은 국가에 넘겨주는 금액보다 많은데, 그 이유는 다음과 같다.

그러한 조세는 그것이 국고에 가져다주는 금액에 비한다면, 다른 모든 조세의 경우보다 더 많은 것을 국민의 호주머니에서 꺼내든지, 또는 호주머니 속에 들어가지 않도록 하는 것이다. 이것은 그렇게 될 수 있는 다음 네 가지 방법이 있는 것 같다.

(1) 세관리稅關吏와 내국소비세리內國消費稅吏의 봉급과 부수입은 징세액의 큰 부분을 차지하고 있기 때문이며

첫째, 그러한 조세의 징수에는 아무리 현명한 방법으로 부과되더라도, 수많은 세관리와 내국소비세리를 필요로 하며, 그들의 봉급과 부수입은 국민에 대한 실질적인 조세이다. 더욱이 이 조세는 국고에는 아무런 수입도 가져다주지 않는다. 그러나 이 경비가 영국에서는 다른 대부분의 나라에서보다 적다는 것은 시인되어야 한다. 1775년 7월 5일에 끝난 연도에, 잉글랜드의 내국소비세위원의 관리하에 있는 여러 가지 조세의 소수총액所收總額은 550만 7308파운드 18실링 8과 4분의 1펜스[252]였으며, 이것은 5.5퍼센트를 약간 넘는 경비로서 징수되었다. 그러나 이 총액에서 내국소비세가 부과될 재화의 수출에 대한 장려금과 조세환급으로서 지불된 것을 공제하지 않으면 안 되는데, 그렇게 되면 순소수액純所收額은 500만 파운드 이하로 감소할 것이다.[253] 같은 내국소비세라도 소관所管을 달리하는 염세鹽稅의 징수에는 이보다 훨씬 더 많은 경비가 든다. 그리고 관세의 순수입은 250만 파운드에도 달하지 않는데 이것은 관리의 봉급, 그 밖의 부대경비로서 10퍼센트 이상을 들여 징수되고 있다. 그러나 세관리의 부수입은 어느 곳에서나 그들의 봉급보다 훨씬 많으며, 약간의 항구에서는 그 봉급의 두 배 또는 세 배 이상이다. 그러므로 그 관리들의 봉급과 그 밖의 부대경비가 관세 순수입의 10퍼센트 이상에 달한다면, 그 수입을 징수하는 데 드는 총경비는 봉급과 부수입을 합하여 20 내지 30퍼센트 이상이나 될 것이다. 내국소비세리는 부수입이라는 것을 좀처럼 또는 전혀 받지 않으며, 그리고 수입의 이 부문의 행정은 더 최근에 확립된 것이므로, 확립된 지 오랜 세월이 흘러, 많은 폐해가 도입되고 또 그것이 공인되어 있는 관세행정보다 일반적으로 부패가 적다. 맥아와 맥아주에 대한 다양한 세금에 의해 현재 징수되고 있는 수입의 전부를 맥아에만 부담시키면, 내국소비세에 관한 연간 경비는 5만 파운드 이상은 절약할 수 있다고 생각된다. 관세를 몇 가지 종류의 재화에만 한정하고, 그러한 세금을

252 〔이 금액은 초판에는 "547만 9695파운드 7실링 10펜스"로 되어 있다.〕

253 모든 경비와 급여를 공제한 뒤에 그 연도의 순수입은 497만 5652파운드 19실링 6펜스에 달했다. 〔이 주는 재판에서 처음 나온다.〕

내국소비세법에 따라 징수한다면 관세의 연간 경비를 아마 이보다 훨씬 더 많이 절약할 수 있을 것이다.

⑵ 산업 활동의 특정의 부문이 저해되기 때문이며,

둘째, 그러한 조세는 반드시 어떤 산업부문을 약간 방해 또는 저해하게 된다. 그것들은 항상 피과세상품의 가격을 올리기 때문에, 그러한 한에서는 그 소비를, 따라서 그 생산을 저해한다. 그것이 국내산이나 국내에서 제조된 상품이라면, 그것을 산출하고 생산하는 데보다 더 적은 노동밖에 사용되지 않게 된다. 만일 조세 때문에 이와 같이 가격이 오르는 것이 외국 상품이라면, 그와 같은 종류의 국산 상품은 그 때문에 국내시장에서 약간 유리해질 것이며, 그리하여 국내의 더 많은 산업 활동이 그런 것을 마련하는 데 돌려질 것이다. 그러나 비록 외국 상품의 가격의 상승이 어떤 특정부문에서는 국내의 산업 활동을 자극할지라도, 그것은 다른 부문의 거의 모든 산업 활동을 필연적으로 저해한다. 버밍엄의 제조업자가 자기의 외국산 포도주를 비싸게 사면 살수록 그는 자기의 철물 가운데서 포도주를 사는 데 충당하는 부분을, 그리고 같은 말이겠지만 그 부분의 가격을 그만큼 싸게 파는 셈이 된다. 따라서 자기의 철물 가운데 그 부분은 그에게는 그만큼 가치가 적은 것이 되므로, 그는 그것에 종사할 격려도 적게 받는 셈이다. 어떤 나라의 소비자들이 다른 나라의 잉여생산물의 대가로서 많이 지불을 하면 할수록, 그들은 자국의 잉여생산물 가운데 다른 나라의 잉여생산물을 구매하는 데 충당되는 부분을, 또는 같은 말이지만, 그 부분의 가격을 그만큼 싸게 팔지 않을 수 없는 셈이다. 자국의 잉여생산물의 그 부분은 그들에게는 그만큼 가치가 적은 것이 되므로 그들은 그 양을 증가시키기 위한 자극을 적게 받는 것이다. 그러므로 소비품에 대한 모든 조세는 그것들이 국내 상품이라면 피과세상품을 제조하기 위한 생산적 노동의 양을, 그리고 그것들이 외국 상품이라면 그것을 구매하는 데 충당되는 국내 상품을 제조하기 위한 생산적 노동의 양을 이 조세가 없었을 경우 그렇게 되었을 것보다 더 감소시키는 경향이 있다. 뿐만 아니라 그러한 조세는 국민적 산업의 자연적 방향을 늘 다소나마 변경시켜 국민적 산업이 저절로 향했을 진로보다는 항상 다르고 일반적으로 더 불리한 진로로 향해 가도록 돌리는 것이다.

⑶ 밀수가 장려되기 때문이고,

셋째, 그러한 조세를 밀수로써 면하려고 하는 희망은 종종 재산의 몰수, 그 밖의 형벌의 원인이 되고, 그 때문에 밀수업자는 완전히 파멸해 버린다. 이러한 사람은 비록 자국의 법률을 범하는 뜻에서는 틀림없이 크게 비난받아야 할 것이지만, 자연적 정의의 법을 범할 수 없을 때가 종종 있는데, 만일 그 나라의 법률이, 자연이 결코 죄라고 인정하지 않은 것을 죄로 만들어 놓지 않았다면, 그는 모든 점에서 훌륭한 시민이었을 것이다. 정부가 부패하여 불필요한 거액의 지출과 공공적 수입의 남용에 관하여 적어도 일반적 의혹이 존재하는 곳에서는, 공공적 수입을 지키기 위한 법률은 조금도 존중되지 않는다. 위증죄로 걸리지 않고 밀수할 기회를 쉽게 그리고 안전하게 발견할 수 있을 때, 조심스러워서 밀수를 하지 않는다는 사람은 그렇게 많지 않다. 밀수품을 산다는 것은, 수입법에 대한 위반과 그리고 거의 반드시 그것에 따르게 마련인 위증죄를 장려하는 것이지만, 가책이 되어 밀수품을 사는 데 망설이고 있는 체하는 것은 대부분의 나라에서는 아는 체하는 위선행위의 일종으로 간주될 것이며, 그리고 그러한 행위는 어떤 사람에게도 신용을 얻지 못할뿐더러, 즐겨 그런 행위를 하는 사람은 그 대다수의 이웃 사람들에게서 훨씬 더 큰 악한이 아닌가 하는 의심을 사게 하는 데 도움이 될 뿐이다. 공공사회의 이러한 관용으로 말미암아 밀수업자는 그와 같이 별로 큰 죄가 아니라고 생각하도록 교육받은 상업을 계속하도록 종종 자극받으며, 따라서 수입법의 엄벌이 바야흐로 그에게 내려지려고 할 때는 종종 그는 자기의 정당한 재산이라고 생각하는 습관이 되어 버린 것을 지키기 위하여 폭력을 쓰기도 한다. 처음에는 아마 죄를 범한다기보다는 오히려 분별이 없었다는 것에서부터 마침내 그는 사회의 법률에 대한 가장 대담하고 가장 결정적인 위반자의 한 사람이 되는 수가 역시 종종 있다. 밀수업자의 파멸 때문에, 종전에는 생산적 노동을 부양하기 위해 사용되고 있었던 그의 자본은 국가의 수입 또는 세수관리의 수입에 흡수되어 버려서, 비생산적 노동을 유지하는 데 사용되어 그 사회의 총자본과, 그렇지 않았을 경우 그 자본이 유지할 수 있는 유용한 산업 활동을 감소시킨다.

⑷ 비용과 등가인 성가심이 징세인의 임검과 검사에 의해서 야기되기 때문이다.
넷째로, 그러한 조세는 적어도 피과세상품을 다루는 상인들로 하여금 징세인의 빈번한 임검과 밉살스런 검사를 받도록 하므로, 그들은 이따금 틀림없이 어느 정도의 압제를 받으며, 그리고 항상 많은 노고와 성가심을 겪게 된다. 그리고 성가심이란 이미 말한 바와 같이, 엄밀히 말한다면 비용은 아니지만 모든 사람이 기꺼이 그것을 지불하여 그 성가심을 면하려고 할 만한 비용과 등가임은 확실하다. 내국소비세법은 그 제도의 목적으로 보아서는 관세법보다 더 유효하기는 하지만, 이 점에서는 그보다 더 번거로운 것이다. 어떤 상인이 어떤 관세를 물어야 하는 재화를 수입했을 때, 그를 지불하고 그 재화를 자기의 창고에 넣고 나면, 대부분의 경우 그 이상 그는 세관리로부터 어떤 수고와 성가심도 받지 않는다. 그러나 내국소비세가 부과되는 재화의 경우는 이와 다르다. 즉 그 상인은 내국소비세리의 끊임없는 임검과 검사를 받기에 쉴 사이가 없다. 이 때문에 내국소비세는 관세보다 더 인기가 없는 것이며, 또한 이 조세를 징수하는 관리도 그러하다. 그러나 다음과 같이 주장하는 사람이 있으니, 즉 내국소비세리는 일반적으로 세관리와 마찬가지로 충분히 자기 의무를 다하고 있을지라도 역시 그 의무 때문에 그들은 이웃 사람들에게 대단히 귀찮은 존재가 되지 않을 수 없을 때가 흔히 있으므로, 보통 그들은 세관리에게는 흔히 볼 수 없는 어떤 엄한 성격을 가지게 된다는 것이다. 그러나 이러한 소견은 그러한 세리의 근면으로 말미암아 자신들 밀수가 방해 또는 적발되어 버리는 부정한 상인의 단순한 추측에 지나지 않을 것 같다.

영국은 다른 나라들보다는 이러한 불편 때문에 받는 고충이 덜하다.

그러나 아마 소비품에 대한 조세와는 어느 정도 불가분인 그 불편은 영국의 국민이 겪게 될 경우, 그 정도는 그 정부가 거의 동등하게 경비가 드는 다른 어떤 나라의 국민이 겪게 되는 것과 같을 정도로 가볍게 겪는다. 우리의 상태는 완전하지 못하며 개선될 만한 것이기는 하지만, 우리들의 대부분의 이웃 나라의 상태에 비하더라도 같을 정도로 좋든지, 그보다 더 좋은 편이다.

상품에 대한 세금은 스페인의 내국소비세에 의한 것처럼 판매할 때마다 반복되어 부과되는 경우도 있다.

소비재에 대한 세금은 상인의 이윤에 대한 조세라고 하는 견해가 있었던 결과 약간의 나라에서는 재화가 잇달아 판매될 때마다 그러한 세금이 되풀이되어 과해져 왔다. 수입업자와 상품제조업자의 이윤이 과세되는 경우, 이것이 공평하려면 그런 상안과 어느 편과 소비자 사이에 개재하는 모든 중간 구매자의 이윤도 역시 과세되어야 할 필요가 있는 것이라고 생각되었다. 스페인의 유명한 내국소비세는 이 원리에 입각하여 제정되었던 것 같다. 그것은 동산이든 부동산이든 간에 모든 종류의 재산의 매각에 대해서 최초에는 10퍼센트, 그 후에는 14퍼센트, 현재에는 겨우 6퍼센트의 조세이었으며, 또한 그것은 그 재산이 팔릴 때마다 되풀이되고 있다.[254] 이 조세의 징수에는 재화를 어떤 주에서 다른 주에 수송

254 《Memoires concernant les Droits, &c.》, 제1권, 455면. ["제1의 부문은 내국소비세 및 100분의 1세(Alcavala y Cientos)라는 이름으로 알려져 있는 것으로서, 이것은 판매 · 교환 · 거래되는 모든 동산 및 부동산에 과해지는 조세이다. 이 조세는 최초에는 14퍼센트라고 정해졌으나, 그 후 6퍼센트로 내려졌다." 이 이외의 지식은 아마 다음의 저서에서 나온 것일 것이다. 즉 우스타리스Uztariz 《Theory and Practice of Commerce and Maritime Affairs》(1751), 존 키팩스John Kippax(역), 제96장 처음에, 제2권, 236면. "이 조세는 기본적인 알카발라로서 10퍼센트를 과하고 그것에 4퍼센트를 부가한다는 극히 억압적인 것인데, 재화의 최초의 판매에 대하여서만 과해지는 것이 아니라, 그 후에도 그것이 판매될 때마다 과해지도록 되어 있다. 나는 이 조세가 우리나라의 제조업과 무역의 대부분을 파멸시키는 데 이바지하였던 주요도구主要道具의 하나가 아닐까 하는 걱정이 된다. 왜냐하면 이 조세는 장소에 따라서는 완전히 과해지는 것은 아니지만, 지불되는 것은 중세重稅이기 때문이다."]

할 경우뿐만 아니라, 어떤 점포에서 다른 점포로 옮길 경우, 그것을 감시하기에 충분한 다수의 징입 관리를 필요로 한다. 이 조세는 어느 종류의 재화의 판매업자뿐만 아니라, 모든 종류의 재화의 판매업자, 모든 농업경영자, 모든 제조업자, 모든 상인 및 상점주로 하여금 징세인의 부단한 임검과 검사를 받게 한다. 이런 종류의 조세가 제정되어 있는 나라의 대부분은 먼 곳에 팔기 위한 것으로는 아무것도 생산할 수 없다. 그 나라의 각 지방의 생산물은 그 이웃의 소비에 비례함이 틀림없다. 우스타리스Ustaritz가 스페인의 제조업의 파멸을 내국소비세에 그 탓을 돌리는 것도 이 때문이다.[255] 그는 마찬가지로 농업의 쇠퇴도 이 조세의 탓으로 돌렸던 셈인데, 이는 이 조세가 제조품뿐만 아니라 토지의 원생산물에도 부과되고 있기 때문이다.

나폴리에도 3퍼센트세가 있다.

나폴리 왕국에도 이와 비슷한 세가 있어 모든 계약의 가치에 대하여, 따라서 모든 판매계약의 가치에 대해서 3퍼센트를 과하고 있다. 본세는 스페인의 조세보다 가벼우며, 그리고 대부분의 도시와 교구는 세 대신에 대납금을 지불하도록 허용되어 있다. 그러한 도시와 교구는 임의의 방법으로 이 대납금을 징수하고 있으며, 일반적으로는 그 지방의 국내상업을 조금도 방해하지 않을 만한 방법으로 하고 있다. 그러므로 나폴리의 조세는 스페인의 그것처럼 그렇게 파멸적인 것은 아니다.

영국에서는 과세제도가 통일되어 있기 때문에 큰 이익을 얻고 있다.

영국 연합왕국의 전역을 통하여 그렇게 중요하지 않은 예외는 몇몇 있으나, 영국의 전역을 통하여 통일된 과세제도가 이루어져 있으며 그 때문에 이 나라의 국내상업, 즉 내륙 및 연안의 상업은 거의 완전히 자유로 방임되어 있다. 국내

255 〔앞의 각주를 보라. 우스타리스의 견해는 카메스 경Lord Kames, 《Sketches of the History of Man》(1774), 제1권, 516면에 인용되어 있다.〕

상업은 거의 완전히 자유롭고 대부분의 재화를 이 왕국의 일단에서 다른 끝까지 수송하는 데도 허가증이나 통행증은 전혀 불필요하며, 수입관리로부터 아무런 심문도 임검도 검사도 받지 않는다. 소수의 예외는 있으나, 그것도 이 나라의 내륙상업의 어떤 중요한 부문을 방해할 수 있을 만한 것은 아니다. 실은 해안을 따라 수송되는 재화는 증명서, 즉 연안수송허가증(coast cockets)을 필요로 한다. 석탄을 제외하면 그 밖의 거의 모든 것은 무세다. 과세제도의 통일의 결과인 내륙상업의 이 자유는 아마 영국의 번영의 주요 원인의 하나일 것이다. 왜냐하면 모든 대국은 자국 산업의 생산물 대부분을 위한 최선이며 최대의 시장이기 때문이다. 만일 이와 같은 통일의 결과로서 그와 같은 자유가 아일랜드와 식민지에까지 확대될 수 있다면, 국가의 위대함도 제국 각지의 번영도 아마 현재보다는 훨씬 더 커질 것이다.

프랑스에서는 주가 다르면 조세가 다르기 때문에 국내상업에 수많은 장해가 일어났다.

프랑스에서는 주가 다르면 수입법도 다르기 때문에, 어떤 재화의 수입을 저지한다든지 또는 그것에 어떤 세금을 지불하게 하기 위해서는 이 왕국의 국경뿐 아니라 거의 모든 개개의 주의 경계를 둘러싸는 수많은 수세리를 필요로 하고, 이것은 국내상업에 적지 않은 장해가 되고 있다. 어떤 주에서는 가벨gabelle, 즉 염세에 대한 대납금이 허용되고 있다. 다른 주에서는 그것이 전부 면제되어 있다. 어떤 주는 징세청부인이 이 왕국의 대부분을 통하여 향수하고 있는 담배의 전매권에서 제외되어 있다. 잉글랜드에서의 내국소비세에 해당하는 헌금(aids, 상납금)은 주에 따라 대단히 다르다. 즉 어떤 주는 그것이 면제되고 그 대납금, 또는 그에 상응하는 금액의 것을 지불하고 있다. 그것이 행해지고 있고, 더욱이 그것이 청부제로 되어 있는 주에서는 특정의 도시 또는 지구 안에서만 적용되는 수많은 지방세가 있다. 우리나라의 관세에 해당하는 트레트(Traites, 교역세)는 이 왕국을 크게 삼분三分하고 있다. 즉 첫째는 1664년의 세율에 따르는 속주로서 소위 5대 징세청부제의 속주이며, 그 가운데는 피카르디, 노르망디 및 이 왕국의 내륙 속주들의 대부분이 포함되어 있다. 둘째는 1667년의 세율에 따르는 여러 속주, 즉 소위 외국으로 간주되는 속주이며, 그 가운데는 국경속주의 대부분이 포함되어 있다. 그리고 셋째는 외국으로 취급되고 있다고 일컬어지고 있는 속주이다. 다시 말하면 이러한 주들은 외국과의 자유로운 통상이 허용되어 있기 때문에 프랑스의 다른 속주와 통상할 경우에는 다른 나라들과 같은 세를 물도록 되어 있다. 이런 것은 알자스, 메스, 툴 및 베르됭의 세 도시이다. 5대 징세청부제 속주(옛날에는 관세가 5대 부문으로 나뉘어져 처음에는 각각 별개의 징세청부의 대상이었기 때문에 이렇게 불렸다. 그러나 지금은 그것들은 모두 하나로 통합되어 있다)에도 외국으로 간주되고 있다고 하는 속주에도 특정의 도시 또는 지구에서만 적용되는 수많은 지방세가 있다. 외국으로 취급되고 있다고 하는 속주에까지도 그러한 조세가 약간은 있다. 특히 마르세유 시에서 그러하다. 이 나라의 국내상업에 대한 여러 제한들과 그러한 여러 가지 과세제도에 따르는 여러 주와 지구의 경계를 감시하기 위해 수세관리收稅官吏의 수는 모두 얼마나 증가되지 않으면 안 되는 것인지 이것은 진술할 필요도 없는 것이다.

그리고 포도주에 관한 상업은 특수한 제한을 받는다.

이러한 복잡한 수입법의 제도에서 생기는 일반적 제한들에다. 곡물 다음가는 프랑스의 가장 중요한 생산물은 포도주의 상업은 대부분의 주에서 특수한 제한을 받고 있으며, 또한 그러한 제한은 특정한 주와 지구의 포도원을 다른 주와 지구의 그것 이상으로 우대해 왔기 때문에 생긴 것이다. 내가 믿고 있기로는 포도주가 최대의 명물이 되어 있는 속주에서는 그 물품의 거래에 부과되는 이런 종류의 제한이 가장 적다는 것이 알려질 것이다. 그러한 주가 향수하고 있는 광대한 시장이 포도원의 경작에 관해서도, 그리고 그 후의 포도주의 제조에 관해서도 훌륭한 관리를 촉구하는 것이다.

밀라노와 파르마는 훨씬 더 불합리하게 다스려지고 있다.

이러한 다양하고 복잡한 수입법은 프랑스에만 특유한 것은 아니다. 밀라노 공국은 6개 주로 나뉘어져 있고, 그 각각에는 몇 가지 부류의 소비품에 관한 각각 다른 과세제도가 있다. 파르마 공의 훨씬 더 작은 영토도 3 내지 4개 주로 분할되어 있고, 그 각각이 위에서와 마찬가지로 독자적인 제도를 가지고 있다. 그러한 부조리한 관리로는 그 토질이 대단히 비옥하고 기후가 알맞다는 것 이외에는 그 나라들이 빈곤과 야만의 최저 상태로 이윽고 역행하는 것을 막을 수 있는 것은 아무것도 없을 것이다.

정부의 관리에 의한 조세의 징수는 징세청부제보다는 훨씬 낫다.

소비품에 대한 조세는 다음 두 가지 방법으로 징수될 수 있다. 즉 하나는 정부에 의해서 임명되고 정부에 대해서 직접적인 책임을 지는 관리로 구성되는 행정기관에 의해서 징수되는데, 이 경우에는 조세의 징세액이 수시로 변동하는 데에 따라 수입도 매년 변동함이 틀림없다. 또 한 가지는 그 징수를 일정액의 임대료로서 청부에 맡기는 것으로서, 이 경우 징세청부인은 자기의 관리를 임명하도록 되어 있으므로, 그 세리는 법률이 지시하는 방법으로 조세를 징수할 의무를 지고 있지만, 징세청부인의 직접적인 감사를 받으며 직접적으로는 그에게 책임을 진다. 가장 좋고 가장 경비가 적게 드는 징세 방법은 결코 징세청부제일 리가 없다. 약정된 임대료와 세리의 봉급과 행정상의 모든 경비를 지불하는 데 필요한 것 이상으로 징세청부인은 적어도 자기가 하는 선불, 자기가 빠지게 되는 위험, 자기에게 따르는 고생, 그리고 그렇게 복잡한 업무를 처리하는 데 필요한 지식과 숙련 등에 비례하는 일정한 이윤을 조세의 징수액에서 항상 빼내어 가지지 않으면 안 되기 때문이다. 만일 정부가 징세청부인이 확립하는 것과 같은 종류의 관리제도를, 정부 자신의 직접적인 감사하에 확립한다면, 정부는 적어도 거의 언제나 엄청난 금액에 달하는 이러한 이윤을 절약할 수 있을 것이다. 공공수입의 꽤 중요한 부문을 청부 맡는다는 것은 커다란 자본이나 신용을 필요로 하며, 이러한 사정만으로도 그러한 사업에 대한 경쟁은 극히 소수의 사람들에게 제한되어 버릴 것이다. 이러한 자본 또는 신용을 가지고 있는 몇몇 사람 가운데서 필요한 지식과 경험을 가지고 있는 사람은 더욱더 적으며, 이것 또한 그 경쟁을 훨씬 더 소수의 사람들에게 제한하는 또 하나의 사정이다. 그리하여 경쟁자가 될 조건을 갖춘 극히 소수의 사람들은 서로 단결하고, 경쟁자가 되기는커녕 협동자가 되고, 청부가 경매에 붙여질 때는 청부 임대료가 실제의 가치보다 많이 낮은 것이 아닌 한, 그것을 낙찰하지 않는 편이 자신들의 이익이라는 것을 알게 된다. 공공수입의 징수가 청부제로 되어 있는 나라에서는 징세청부인은 일반적으로 가장 부유한 사람들이다. 그들의 부만으로도 공중의 격분을 자극할 것인데, 그러한 건방진 재산가에게는 거의 언제나 따르는 허영심, 즉 그들이 그 부를 떠벌리는 겉치레는 그 분노를 더욱더 건드릴 것이다.

징세청부인은 잔인한 수입법을 요구한다.

공공수입의 청부인들은 법률이 탈세의 모든 기도를 아무리 가혹하게 처벌하더라도, 그것을 지나치다고는 결코 생각하지 않는다. 그들은 자신들 신민도 아닌 공납자에게는 동정을 하지 않으며 또한 공납자가 한 사람도 빠짐없이 파산한다 하더라도, 만일 그것이 청부 기한 만료된 다음 날에 일어난 것이라면, 그들의 이익에는 그렇게 큰 영향을 미치지는 않을 것이다. 국가가 최대의 위기에 당면하여 주권자의 수입의 정확한 납입에 대한 자신의 우려가 필연적으로 최대로 될 때에도, 징세청부인들은 현행법을 더 엄격화하지 않는 한, 그들로서는 평소의 청부 임대료를 납입하는 것마저 불가능할 것이라고 불평을 털어놓지 않고서는 못 견딘다. 그러한 곤란의 시기에는 그들의 요구에 시비를 붙일 수가 없다. 그러므로 수입법은 점점 더 가혹해진다. 공공수입의 대부분이 청부제로 되어 있는 나라에서는 항상 수입법이 가장 잔인하다. 그것이 가장 온화한 것은 공공수입이 주권자의 직접의 감사하에서 징수되고 있는 나라에서이다. 나쁜 주권자일지라도 자기 수입의 청부인들에게서 기득할 수 있는 것보다는 더 많은 정을 자기 나라의 국민들에게 느끼고 있다. 주권자는 자기 가족의 영원한 영화가 자기의 국민의 번영에 의존하고 있다는 것을 알고 있으며, 그는 자기 자신의 어떤 일시적인 이익을 위하여 국민의 번영을 의식적으로 파멸시켜 버리려고는 하지 않을 것이다. 그러나 그의 수입의 청부인들에게는 사정이 다르다. 그들의 영화는 국민의 파멸의 결과이며, 번영의 결과는 아닌 수도 흔히 있다.

독점권에 의한 조세가 청부에 맡겨지는 것은 더 나쁘기까지 하다.

조세는 일정액의 임료[256]로써 청부될 뿐만 아니라, 그 징세청부인은 그 외에도 피과세상품에 관한 독점권을 가지고 있을 때도 있다. 프랑스에서는 담배와 소금에 대한 세[257]는 이런 방법으로 징수되고 있다. 이러한 경우에는 징세청부인은 인민으로부터 하나가 아닌 두 가지 엄청난 이윤을 징수하는 셈이다. 징세청부인의 이윤과 이보다 훨씬 더 엄청난 독점자의 이윤이 그것이다. 담배는 사치품으로 모든 사람은 그것을 사든지 사지 않든지는 자기 마음이다. 그러나 소금은 필수품이므로 모든 사람은 그 일정량을 징세청부인으로부터 사지 않으면 안 되는데, 이는 만일 그가 이 양을 징세청부인에게 사지 않는다면 그것을 어떤 밀수업자에게서 살 것이라고 추측되기 때문이다. 이 두 가지 상품에 대한 세는 엄청난 것이다. 따라서 밀수에의 유혹도 많은 사람들에게는 억제할 수 없는 것이지만, 동시에 그 반면 법률의 엄벌과 그리고 징세청부인의 세리들의 경계 때문에 그 유혹에 넘어가기만 하면 거의 확실히 파멸해 버린다. 소금과 담배의 밀수는 연년 수백 명의 사람들을 갤리선(the galley)에 보내며, 그 외에서 교수대에 보내지는 사람도 상당히 많다. 이렇게 해서 징수되는 조세는 상당한 거액의 수입을 정부에 낳아 준다. 1767년에는 담배의 징세청부 임대료는 연액 2254만 1278리브르였다. 소금의 그것은 3649만 2404리브르였다. 쌍방의 경우는 모두 그 징세청부가 1768년에 개시되어 6년간 계속되기로 되어 있었다. 군주의 수입에 비한다면 국민의 피 같은 것은 아무것도 아니라고 생각하는 사람들은 아마 이 징세 방

256 〔"일정액의 임료(a certain rent)"는 초판에는 "a rent certain"이라고 되어 있다.〕

257 〔"세(the duties)"는 초판에는 "the taxes"라고 되어 있다.〕

법을 시인할 것이다. 소금과 담배에 관한 이와 유사한 조세와 독점은 다른 많은 나라에도 확립되어 왔으며, 특히 오스트리아와 프로이센 영토와 이탈리아 대부분 국가의 대부분에서 그러하다.

프랑스에서는 정부관리에 의해서 징수되는 수입의 세 가지 부문이 훨씬 경제적이다.
프랑스에서는 국왕의 현수입의 대부분은 다음 여덟 개의 상이한 원천에서 나온다. 즉 타이유와 인두세, 두 가지의 20분의 1세, 염세, 상납금, 교역세, 직령지 및 담배의 징세부담임대료가 그것이다. 뒤의 다섯 가지는 대부분의 주에서는 청부제로 되어 있다. 앞의 세 가지는 어디에서나 정부의 직접적인 감사와 지휘를 받는 행정기관에 의해서 징수되고 있는데, 이러한 조세는 국민의 호주머니에서 꺼내 오는 금액과 비교하면, 그 행정이 훨씬 낭비적이고 비싸게 먹히는 나머지 다섯 가지보다 훨씬 많은 수입을 군주의 창고에 넣어 준다는 것은 누구나가 다 시인하고 있다.

타이유와 인두세는 폐지되어야 하며, 20분의 1세는 증가되어야 하고, 소비품에 대한 조세는 통일되어야 하며, 징세청부제도는 폐지되어야 한다.
프랑스의 재정은 그들의 현 상태로서는 세 가지의 대단히 명백한 개혁을 단행할 여지가 있는 것 같다. 첫째, 타이유와 인두세를 폐지하고 이 두 가지 세의 총액과 같은 추가적 수입을 낳을 정도로 20분의 1세의 수를 증가시키면, 국왕의 수입은 유지되고 징세비는 훨씬 감소될 수 있을 것이며, 또한 타이유와 인두세에 기인하는 하층계급들의 사람들의 괴로움도 완전히 방지될 수 있을 것이며, 상류계급의 사람들은 그 대부분이 현재 부담하고 있는 것보다 그 부담이 더 무거워지지 않아도 될 것이다. 내가 이미 설명한 바와 같이 20분의 1세는 잉글랜드의 소위 지조와 거의 같은 종류의 조세이다. 타이유의 부담이 최종적으로는 토지소유자에게 돌아간다는 것은 일반적으로 시인되고 있으며, 그리고 인두세의 대부분도 타이유를 물어야 하는 사람들에게 대해서 그 세 1파운드에 얼마라고 하여 부과되는 것이므로, 인두세의 대부분의 최종적인 지불도 역시 마찬가지로 같은 계급의 사람들의 부담이 된다. 그러므로 비록 20분의 1세의 수를 증가하여 그 두 가지 세의 총액과 동일한 추가적 수입을 낼 만한 것으로 한다 하더라도, 상류계급의 사람들의 부담은 현재보다 더 무거워지지는 않을 것이다. 개개인으로 볼 때는 많은 사람의 부담이 무거워질 것이 틀림없는데, 이는 타이유가 여러 개인의 소유지와 차지인에게 보통 부과될 때 심한 불공평이 따르기 때문이다. 그러한 우대받고 있는 신민의 이해관계와 반대가 아마 이러한 개혁이라든지, 또는 이와 같은 종류의 어떤 다른 개혁을 방해하는 장해물일 것이다. 둘째, 염세·헌금·관세[258]· 담배세, 즉 모든 관세와 내국소비세를 이 왕국의 모든 지방을 통하여 통일하면, 그러한 조세의 징세비는 훨씬 적어지고, 이 왕국의 국내상업은 잉글랜드의 그것과 같을 정도로 자유롭게 될 수 있을 것이다. 셋째, 그러한 모든 조세를 정부의 직접적인 감사와 지휘를 받는 행정기관에게 맡겨서 징수하도록 하면 징세청부인의 엄청난 이윤이 국가의 수입에 추가될 것이다. 개개인의 사적인 이해관계에서 생기는 반대는, 첫째로 든 개혁안과 마찬가지로 마지막 두 가지 안도 유효하게 저지할 것이다.

프랑스의 과세제도는 모든 점에서 영국의 것보다 못하다.

프랑스의 과세제도는 모든 점에서 영국의 그것보다 못한 것 같다. 영국에서는 영화英貨 1000만 파운드가 800만도 안 되는 국민에게 해마다 부과되고 있는데, 그렇다고 해서 어떤 특정 계급이 억압되고 있다고는 할 수 없다. 아베 엑스피이Abbé Expilly의 수집자료[259]와 "곡물의 입법 및 상업에 관한 논문"의 저자의

258 〔"관세"는 초판에는 없다.〕

259 〔이러한 추계는 당시의 잉글랜드에서 인용되고 있었던 것 같은데, 이는 앤더슨Anderson, 《Commerce》의 속편이 1773년의 곳에서 "아베 엑스피이가 이번에 파리에서 공간한 계산"에 언급하고 있기 때문이며, 그것에는 로렌주 및 바르주를 포함한 프랑스의 1754년에서 1763년까지의 9년간의 숫자로서, 출생 866만 1381, 사망 666만 4161을 내어놓았다. 엑스피이는 자기의 《Dictionnaire géographique, historique et politique des Gaules et de la France》

설명에 의하면[260] 로렌 주와 바르 주를 포함하여 프랑스에는 약 2300만 내지 2400만의 국민이 있다는 것은 확실한 것 같다. 그 수는 영국의 인구의 세 배이다. 프랑스의 토질과 기후는 영국의 그것보다 더 좋다. 이 나라는 영국보다 훨씬 전부터 개선되고 경작된 상태에 놓여 있었기 때문에, 이를테면 대도시라든지 또는 도시 및 농촌 등에 있는 편리하고 잘 지어진 가옥들처럼, 만들고 쌓아 올리는 오랜 시간이 필요한 모든 것들이 훨씬 더 많이 갖추어져 있다. 이러한 이점이 있다면, 프랑스는 영국이 1000만 파운드의 수입을 별로 불편 없이 징수하는 것과 마찬가지로 3000만 파운드의 수입을 국가의 유지를 위하여 징수할 수 있다고 기대해도 좋을 것이다. 1765년과 1766년에 프랑스의 국고에 납입된 모든 수입은 대단히 불완전하다는 것은 나도 시인하고 있으나, 내가 얻을 수 있었던 최선의 보고서에 의하면 보통 3억 800만 리브르에서 3억 2500만 리브르였는데, 그것은 영화 1500만 파운드에도 달하지 않는 것이다. 즉 프랑스의 국민이 영국의 국민과 수적으로 동일한 비율로 공납했을 경우 기대할 수 있었을 금액의 반도 되지 않는 것이다. 그런데 프랑스의 국민은 영국의 국민보다 조세 때문에 훨씬 더 억압당하고 있다는 것은 일반적으로 인정되고 있다. 그러나 프랑스는 영국 다음으로는 가장 온화하고 가장 관대한 통치를 향수하고 있는 유럽의 대제국임은 확실하다.

네덜란드에서는 필수품에 대한 무거운 세금이 제조업을 파멸시켰다.

네덜란드에서는 생활필수품에 대한 무거운 세금이 그들의 주요 제조업을 파멸시켜 버렸다고들 하며, 또한 점차로 어업과 조선업마저 저해할 것 같다. 생활필수

(1768), 제5권의 'Population'이라는 항에서 그 인구를 2201만 4357이라고 어림잡고 있다. 피에르 에밀르바서Pierre Émile Levasseur, 《La Population francaise》(1889), 제1권, 215면과 216면의 주를 보라.〕

260 〔자크 네케르Jacques Necker, 《Sur la législation et le Commerce des grains》(1775), 제8장은 사망자 수를 31배로 하는 방법으로 인구를 계산하고, 그 인구를 2418만 1333이라고 하고 있다.〕

품에 대한 조세는 영국에서는 그렇게 대단한 것이 아니며, 이때까지 그것 때문에 파멸한 제조업은 하나도 없다. 제조업을 가장 심하게 압박하고 있는 영국의 조세란 원료의 수입에 대한 약간의 세이며, 특히 생계의 수입에 대한 그것이다. 그러나 네덜란드 의회와 여러 도시의 수입은 총액 영화英貨 525만 파운드 이상이나 된다고 하며, 그리고 연합제주의 주민이 영국의 주민의 3분의 1이상에 달한다고 상정할 수는 없으므로 그들은 그 수에 비해서 영국의 주민보다 훨씬 더 무겁게 과세되고 있음이 틀림없다.

그러나 네덜란드는 아마 가능한 최선을 다해 왔을 것이다.

적당한 과세물건이 모두 다 부과되었는데도 불구하고 만일 국가의 위급이 역시 신세를 계속 필요로 한다면, 그 조세는 부적당한 과세물건에 부과될 것은 틀림없다. 따라서 그 독립을 획득하고 그것을 유지하기 위하여 크게 절약했음에도 불구하고 거액의 채무를 지지 않을 수 없었을 정도로 비싸게 먹힌 전쟁에 휩쓸려 들어왔던 그 공화국이 생활필수품에 과세한다고 해서 그 지혜를 비난할 수는 없을 것이다. 뿐만 아니라 네덜란드 및 질란드Zealand라는 특이한 나라는, 나라의 존재를 유지하기 위해서, 다시 말하면 그들의 나라가 바다에 휩쓸려 버리는 것을 막기 위해서 상당한 경비를 필요로 하고 있는 것이며, 그리고 이것은 그 두 개 주에서의 조세부담을 상당히 증가시키는 데 이바지했음이 틀림없다. 공화정체라는 것이 네덜란드의 현재의 위대함의 주주인 것 같다. 대자본의 소유자, 대상인의 가족은 그 정부의 행정에 대해서 대체로 다소나마 직접 참가하든지, 또는 다소나마 간접적으로 영향력을 갖든지 한다. 그들은 이러한 입장에서 생기는 존경과 권위 때문에, 유럽의 다른 어떤 곳에 비해서 보다도, 그들의 자본이 만일 그것을 자기들이 손수 사용한다면, 더 적은 이윤밖에 가져오지 못할 것이며, 다른 사람에게 빌려준다면 더 적은 이자밖에 받지 못할 것이며, 또한 거기서 끌어낼 수 있는 아주 온당한 수입으로는 생활필수품과 편의품을 보다 적게 구매할 것인, 그러한 나라에 기꺼이 살고 있다. 그렇게 부유한 사람들이 거주하고 있으면 어떠한 불이익이 있더라도 반드시 그 나라의 사업은 어느 정도 그 활동을 유지하게 된다. 그러나 어떤 곤란이 일어나서 공화정체가 파괴되기라도 한다면, 그리고 모든 행정권이 귀족과 군인의 수중에 던져지기라도 한다면, 또한 그러한 부유한 상인의 중요성이 전혀 없어지기라도 한다면, 그들은 이제 더 이상 존경받을 수 없게 된 나라에서 생활한다는 것이 곧 불쾌하다고 느끼게 될 것이다. 그들은 자신들 주거와 자본을 다른 나라로 옮길 것이며, 또한 그렇게 되면 얼마 되지 않아 네덜란드의 산업과 상업은 그것을 지탱하고 있었던 자본을 뒤쫓게 될 것이다.

제3장 공채에 관하여

비싼 사치품이 알려지지 않았을 시대에는, 많은 수입을 얻고 있었던 사람들은 여유재산을 저장했다.

상업의 확대와 제조업의 개선에 선행하는 미개상태의 사회에서는 상업과 제조업만이 도입할 수 있는 값비싼 사치품은 전혀 알려져 있지 않았던 때이므로, 이러한 시대에 많은 수입을 가지고 있는 사람은 그 수입으로 될 수 있는 대로 많은 사람을 부양하는 이외에는 그것을 소비 또는 향수할 수 있는 방법이 달리 없었다는 것은 내가 본 연구의 제3편에서 밝히려고 노력한 바 있다. 그런데 많은 수입이란, 어떠한 시대에도 대량의 생활필수품에 대한 지배력에 있다고 해도 좋을 것이다. 그러한 미개상태에서는 그 수입은 보통 대량의 필수품, 즉 간소한 식물과 조잡한 의복의 원료로, 그리고 곡물과 가축으로, 그리고 양모와 생피로 지불되는 것이 보통이다. 그 소유자가 자기 자신의 소비를 하고 남는 그러한 원료의 대부분과 교환할 수 있을 만한 것을 상업도 제조업도 전혀 제공하지 않을 때에, 그는 그 잉여로써 될 수 있는 대로 많은 사람들을 먹이고 입히는 일 이외는 아무것도 할 수 없는 것이다. 사치스럽지 않은 환대와 겉치레가 아닌 관대함이 이러한 사태에서 부귀한 사람들의 주요 지출의 원인이 된다. 그러나 이러한 지출은 내가 역시 제3편에서 밝히려고 노력한 바 있거니와, 그것 때문에 사람들이 자신들을 파멸시킬 것 같지는 않은 그러한 지출이다. 이기적인 쾌락처럼 어리석은 것은 아마 없을 것이며, 그것을 추구하면 분별 있는 사람까지도 자신을 망쳐 버리는 수가 종종 있다. 그 예로, 닭싸움에 대한 지나친 열광은 많은 사람들을 파멸시켰다. 그러나 내가 믿고 있기에는, 이런 종류의 환대와 후한 마음 때문에 파멸했다는 사람의 예는 그리 많지 않지만, 그러나 사치스러운 환대와 겉치레를 하는 후한 마음 때문에 파멸한 사람의 예는 많다. 우리의 봉건시대의 선조들 사이에서, 토지재산을 동일한 가족에게 장기간 계속 이어지는 것이 보통이었는데, 이것은 사람들이 자신들 소득의 범위 내에서 생활한다는 일반적 성향을 충분히 나타내고 있다. 대지주가 끊임없이 하고 있었던 시골식의 환대는 현대의 우리들에게는 견실한 가정(œconomy)과 떼어 놓을 수 없이 결합되어 있는 것이라고 생각하기 쉬운 그 질서와 양립할 수 없는 것같이 보일지 모르지만, 그래도 우리가 확실히 인정하지 않으면 안 되는 것은 그들은 적어도 보통 그들의 모든 소득을 다 써 버리지 않을 정도로는 검소했다는 것이다. 그들은 일반적으로 그들의 양모와 생피의 일부를 화폐를 받고 팔 수 있는 기회를 가지고 있었다. 그리고 그들은 아마 그 화폐의 일부를 그 시대의 여러 사정에서 얻을 수 있었던 허영과 사치를 위한 소수의 목적물을 구매하는 데 썼을 것이지만, 그러나 그들은 그 일부를 보통 저장했던 것 같다. 실제로 그들은 돈을 얼마나 모아 놓든지 간에 그것을 저장해 두는 것 이외에는 어떻게도 할 수 없었다. 장사를 한다는 것은 신사로서 체면이 깎이는 것이었고, 이자를 받고 화폐를 빌려주는 것도 당시에는 고리대라고 간주되어 법률상 금지되어 있었으므로 더욱더 그러했을 것이다. 뿐만 아니라 폭력과 무질서였던 그때는 가까이에 화폐를 저장하여 두는 것이 편리했으며, 그렇게 해 두면 만일 자신들 고향으로부터 쫓겨나게 될 경우에도 그들은 주지의 가치를 지닌 어떤 것을 어디든 안전한 장소로 가지고 갈 수 있었던 것이다. 그리고 화폐의 저장을 편리한 것으로 만들었던 바로 그 폭력이 그 저장물의 은닉을 또한 편리한 것으로 만들었던 것이다. 재보의 발굴, 즉 소유자가 알려져 있지 않은 재보가 종종 발견되었다는 것은 그 시대에는 저장과 저장물의 은닉이 흔히 있었다는 것을 입증하고 있다. 당시 발굴된 재보는 주권자의 수입의 중요 부문이라고 생각되고 있었다. 현대에는 아마 이 왕국에서 발굴된 재보의 전부를 합해도 훌륭한 소유지를 가진 지주 한 개인의 수입의 중요 부문도 좀처럼 되지 않을 것이다.

그러므로 유럽의 옛날 주권자는 재보를 축적했다.

저축하며 저장하는 성향은 신민에게는 물론 주권자들 사이에도 유행했다. 아직 상업과 제조업을 거의 모르는 국민들 사이에서는, 주권자는 이미 제4편에서 설명한 바 있거니와 자연히 축적에 필요한 절약을 하고 싶어지는 사태에 놓인다. 그러한 사태에 놓이면 주권자의 경비일지라도 궁정의 번지르르한 화려함을 즐기는 허영심에 지배될 수는 없는 것이다. 그 시절에는 아직 무지의 시대였으므로, 얼마 되지 않는 장식품밖에 없었으며 그 화려함이란 것도 그런 것으로 되어 있는 것에 지나지 않았다. 당시에는 상비군이 필요하지 않았으므로, 주권자의 경비일지라도 어떤 다른 대영주의 경비와 마찬가지로, 자신의 차지인에 대한 은혜와 자신의 종자에 대한 환대 이외의 것에는 좀처럼 사용될 수 없었다. 그러나 은혜와 환대가 낭비에 이르는 수는 좀처럼 없지만, 허영심은 거의 언제나 그러하다. 따라서 유럽의 옛날 주권자는 재보를 소유하고 있었으며 이것은 이미 설명한 바 있다. 그리고 오늘날에도 모든 타타르인의 족장도 재보財寶를 소유하고 있다고 한다.

사치품이 도입되자, 주권자의 경비는 평시에는 자기의 수입과 같은 금액이 되는데,

모든 부류의 고가의 사치품이 충만하여 있는 상업국에서는, 주권자는 자기 영토 내의 거의 모든 대지주와 마찬가지로, 자연히 자기의 수입의 대부분을 그러한 사치품을 구입하는 데 쓴다. 그 자신의 나라도 이웃 나라들도, 궁정을 화려는 하지만 무의미한 허식으로 꾸미는 모든 값비싼 장식품을 풍부하게 그에게 공급한다. 그의 귀족들은 종류는 같지만 그보다 못한 허식을 위하여 그들의 종자를 내쫓고, 그들의 차지인을 독립시키고, 그들 자신은 점차 그의 영토상의 부유한 대부분의 시민과 같은 정도로 대수롭지 않는 존재가 되어 버린다. 귀족들의 행동에 영향을 미치는 그 하찮은 정념이 주권자의 행동에도 영향을 준다. 그의 영토 내에서는 주권자만이 이런 종류의 쾌락에 무감각한 부자이어야 한다는 것을 어떻게 생각할 수 있겠는가? 주권자가 자기 수입의 대부분을 그러한 쾌락에 소비하고, 그 때문에 국가의 방위력이 크게 약화된다는 것은 그로서는 아주 있음직한 것이지만, 비록 그가 그 정도로 하기까지는 않는다 하더라도, 그 방위력을 유지하는 데 필요한 것 이상으로 남은 수입 부분을 전부 그러한 쾌락에 써 버리지 않는다고는 좀처럼 기대할 수 없는 것이다. 그의 통상의 경비는 그의 통상의 수입과 같아지며, 그리고 여비가 자주 수입을 초과하지 않는다면 좋은 편이겠다. 재보의 축적은 더 이상 기대할 수 없으며, 긴급사태가 일어나서 임시의 경비가 필요하게 되면 그는 자기 신민에게 임시의 헌금(extraordinary aid)을 요구하지 않으면 안 된다. 1610년에 프랑스의 앙리 4세가 죽은 이래, 유럽의 대군주 가운데 상당히 많은 재보를 축적했다고 생각되는 것은 프로이센의 현 국왕과 전 국왕뿐이다. 축적을 향하는 극도의 절약은 공화정치에 있어서도 군주정치에 있어서와 마찬가지로 거의 드문 것이 되어 버렸다. 이탈리아의 공화국들도, 네덜란드의 연합 주들도 모두 채무를 지고 있다. 베른 주는 유럽에서 상당한 재보를 축적하고 있는 유일한 공화국이다. 그 밖의 스위스의 공화국들은 전혀 축적하지 않았다. 어떤 종류의 허식, 적어도 화려한 건축물이나 그 외의 공공의 장식물에 대한 기호가, 종종 일견해서는 검소해 보이는 소공화국의 원로원에서도, 국왕 최대의 화려한 궁정과 같을 정도로 유행하고 있다.

전시에는 채무계약을 맺게 된다.

평시에 절약하지 않으므로, 전시에는 채무계약을 맺지 않을 수 없게 된다. 전쟁이 일어나면 국고에는 평시편제平時編制를 위한 통상경비를 감당하는 데 필요한 화폐밖에 없다. 전시에는 그것의 3~4배나 경비가 드는 편제가 국방상 필요하게 되며, 따라서 평시수입의 3~4배의 수입이 필요하게 된다. 주권자가 경비의 증가에 비례하여 수입을 증가시키는 직접의 수단을 가지고 있는 경우는 좀처럼 없지만, 만일 주권자가 그것을 가지고 있다고 가정하더라도, 역시 이 수입의 증가분이 염출捻出되어야 하는 조세의 수납분은 아마 그것이 부과된 뒤 10개월 또는 12개월이 되어서야 비로소 국고에 들어오기 시작할 것이다. 그러나 전쟁 발발의 그 순식간에, 아니 오히려 전쟁이 발발할 것 같은 그 순식간에 군대는 증원되지 않으면 안 되고, 함대는 출항채비를 하지 않으면 안 되고, 수비대가 있는 도시는 방비 태세에 들어가지 않으면 안 되는데, 그 군대와 함대 및 수비대가 있는 도시는 무기·탄약·식량을 공급받지 않으면 안 된다. 즉 직접적인 위험이 닥친 그 순식간에 즉각적으로 거액의 경비가 필요하게 되므로 새로운 조세의 점차적이며 완만한 수입을 기다리고 있지는 않을 것이다. 이러한 비상사태에는 차입에 의한 방법 이외에는 정부로서는 다른 아무런 재원을 갖고 있지 않은 셈이다.

차입금을 필요하게 하는 바로 그 원인들이 또한 그것을 가능하게 한다.

이렇게 해서 도의상의 원인들의 작용에 의해서 정부는 차입을 해야 할 필요에 쫓기게 되는데, 정부를 그렇게 만드는 바로 그 사회의 상업 상태가 신민들 가운데 대부의 능력과 성향을 낳아 준다. 즉 만일 그것과 함께 차입이 필요하게 된다면, 역시 그것과 함께[261] 손쉽게 차입이 될 수 있게도 되는 것이다.

상인과 제조업자는 대부할 능력을 갖고 있으며,

상인과 제조업자가 많은 나라에는, 반드시 다음과 같은 사람들이 많다. 즉 그들 자신의 자본뿐만 아니라, 그들에게 화폐를 대부하거나 또는 재화를 위탁하는

261 〔제5판에는 "그것과 함께(along with it)"의 "along"이 없는데, 이것은 틀림없이 오식에 의한 것이다.〕

모든 사람의 자본이 그들의 손을 거쳐 가는데, 그 횟수는 상업이나 사업을 하지 않고 자신의 소득으로 살고 있는 개인의 수입이 그 사람의 손을 경유하는 빈도와 같거나 또는 그보다 많다. 그러한 개인의 수입이 그 사람의 손을 경유할 수 있는 것은 규칙적으로 1년에 한 번뿐이다. 그러나 그 대금회수가 대단히 신속한 거래에 종사하고 있는 상인의 자본과 신용의 총액은 때에 따라서는 1년에 2~3회 또는 4회나 그의 손을 경유할 수 있을 것이다. 그러므로 상인과 제조업자가 많은 나라는 그들이 그렇게 하려고만 한다면, 아주 거액의 화폐를 정부에 대부할 수 있는 실력을 언제나 갖추고 있는 사람들이 반드시 있다. 상업국가의 신민이 대부능력을 가지고 있다는 것도 이 때문이다.

그리고 또한 대출하려는 의사도 가지고 있다.

상업과 제조업은, 정규의 사법행정을 누릴 수 없고, 국민이 자신들 재산을 안심하고 소유하지 못하고, 계약의 신의가 법률에 의해서 유지되지 않고, 국가의 권위가 지불능력이 있는 모든 사람들에게 채무지불을 강제하기 위해 올바르게 행사된다고 생각되지 않는 국가에서는, 오랫동안 번영할 수는 좀처럼 없다. 요컨대 상업과 제조업은 정부의 정의에 대한 어느 정도의 신뢰가 없으면 어떠한 국가에서도 좀처럼 번영할 수 없다. 평상의 경우, 대상인과 대제조업자로 하여금 자신들 재산을 특정의 정부의 보호에 맡기고 싶게 하는 신뢰가, 비상의 경우에 그들로 하여금 자신들 재산의 신용을 정부에 신탁하고 싶어지도록 한다. 정부에게 화폐를 빌려준다고 해서 그들은 한순간일지라도 그들이 상업과 제조업을 운영해 나가는 능력을 감소시키지는 않는다. 그와는 반대로 그들은 보통 그 능력을 증진시킨다. 국가는 필요에 쫓기고 있으므로, 정부는 대부분의 경우, 대주에게 극히 유리한 조건으로 기꺼이 빌리려고 한다. 정부가 최초의 채권자에게 수여하는 채무증서는 다른 어떠한 채권자에게도 이전이 가능하도록 되어 있으며, 국가의 정의에 대한 신뢰는 보편적인 것이어서 일반적으로 그 증서는 최초의 불입액 이상으로 시장에서 팔린다. 상인과 돈 많은 사람은 정부에 화폐를 대출함으로써 돈을 벌고, 자기의 영업자본을 감소시키기는커녕 오히려 증대시킨다. 따라서 행정부가 신규 기채新規起債의 최초의 모집에 그의 참여를 허용하면 보통 그는 그것을 하나의 특전이라고 생각한다. 상업국가의 신민이 대출의 성향 또는 의지를 가지고 있다는 것도 이 때문이라 하겠다.

차금할 수 있다는 것을 알게 되면 정부는 저축을 게을리한다.
그러한 국가의 정부는 비상사태에 임하여 자신들 화폐를 빌려주는 신민의 이러한 능력과 의지에 자칫하면 의지하려고 한다. 정부는 쉽게 차금할 수 있다는 것을 예견하므로, 저축의 의무에서 해방되는 셈이다.

그러나 차금의 가능성이 전혀 없다면 정부도 저축해야 한다고 생각한다.
미개상태의 사회에 있어서는 커다란 상업자본 또는 제조업자본은 전혀 없다. 개개인은 그들이 절약할 수 있는 화폐를 모두 저장하고, 자신들 저장물을 은닉하는데, 이는 정부의 정의에 대한 불신에서이며, 만일 자신들이 저장물을 가지고 있다는 것과 그 은닉 장소가 알려지면 갑자기 약탈될 것이라는 두려움에서이다. 이러한 사태에서는 비상사태에 처하여 자신들 화폐를 정부에 빌려줄 수 있는 사람은 극히 소수밖에 되지 않을 것이며, 기꺼이 그렇게 하는 사람도 없을 것이다. 그러니 주권자도 저축에 의해서 그러한 비상사태를 위한 준비를 하지 않으면 안 된다고 느끼는데, 이는 그가 차금이 절대적으로 불가능하다는 것을 예견하기 때문이다. 이 예견이 그의 자연적인 저축에 대한 성향을 훨씬 더 증가시킨다.

모든 국민은 특정의 담보를 제공하지 않고 차금하기 시작했는데, 그 후에는 특정의 기금을 저당하게 되었다.
현재 유럽의 모든 국민을 억압하고 있으며, 결국에 가서는 파멸시켜 버릴 만큼 채무가 팽창해 간 과정은 아주 균일했다. 여러 국민도 개인들과 마찬가지로, 채무지불을 위한 특정의 기금을 맡긴다든지 저당하지 않고 소위 대인신용對人信用

으로 차금을 하기 시작했으며, 이 재원으로는 해 나갈 수 없게 되자 특정의 기금을 맡긴다든지 저당하여서 차금을 하게 되었다.

영국의 일시차입금은 전자의 방법에 의해 기채되고 있다.

영국의 소위 일시차입금(unfunded debt)은 그러한 두 가지 방법 가운데 전자의 방법에 의해서 기채된다. 그것은 일부는 무이자의 또는 표면상 무이자라고 생각되는 채무로서 개인이 대차계정貸借計定으로 계약하는 채무와 비슷하다. 임시의 근무에 대해서 지불되어야 할 채무, 또는 사전에 수당이 지급되지 않았던 근무라든가 또는 수행시 급여가 주어지지 않은 근무에 대해서 지불되어야 하는 채무, 즉 육군·해군·군수품부의 특별수당의 일부, 외국 군주에 대한 특별 보조금의 미불금, 선원 급료의 미불금 등은 보통 이 첫 번째 종류의 채무를 구성한다. 때로는 이러한 채무의 일부를 지불하기 위하여 발행되고 또 어떤 때는 다른 목적을 위해 발행되는 해군어음, 재무부증권은 두 번째 종류의 채무를 구성하는 것으로서, 재무부증권은 발행당일부터 이자를 낳는데, 해군어음은 발행 6개월 후부터 이자를 낳는다. 잉글랜드 은행은 그러한 어음을 시가로서 임의로 할인하든지 또는 일정한 대가를 받고 재무부증권을 유통시킨다는 협정, 다시 말하면 그것들을 금액면가격으로 받아들이고 때마침 만기가 되어 있는 이자를 지불한다는 협정을 정부와 맺든지 함으로써 그것들의 가치를 유지하고, 유통을 촉진시키고, 나아가서는 흔히 정부가 극히 거액의 이런 종류의 채무계약을 맺을 수 있게 해 준다. 은행이 없는 프랑스에서는 국채증권(billets d'état)[262]이 때에 따라서는 60퍼센트 내지 70퍼센트로 할인되어 팔렸다. 국왕 윌리엄 시대의 대규모 개주改鑄가 행해졌을 동안 잉글랜드 은행이 그의 평상의 거래를 정지하는 것이 적당하다고 생각했을 때, 재무부증권과 할부(tally)는 25퍼센트에서 60퍼센트나

262 《Examen des Reflexions politiques sur les Finances》를 보라. 〔Joseph Páris-Duverney, 《Examen du livre intitulé Réflexions politiques sur les finances et le Commerce》(by Du Tot), 제1권, 225면.〕

할인되어 팔리고 있었다고 한다.[263] 그리고 이것은 그 일부는 혁명에 의해서 수립된 새 정부가 불안정한 것이라고 생각되었기 때문임은 틀림없으나, 다른 한편으로는 잉글랜드 은행의 지지가 없었기 때문이기도 했다.

수입의 특정부문의 저당은 화폐가 선취先取에 의해서 조달된다고 하는 경우는 그 기간을 일정한 것으로 하는 수도 있고, 화폐가 공채차환에 의해서 조달된다고 할 경우에는 영구적인 것으로 하는 수도 있다.

이 재원은 이미 다 쓰여졌고 그런데도 화폐를 조달하기 위해서는 공공적 수입의 어떤 특정부문을 채무지불을 위하여 맡긴다든지, 저당에 넣을 필요가 있게 되었을 경우, 정부는 경우를 달리함에 따라 두 가지 다른 방법으로 이것을 처리했다. 즉 정부는 어떤 때는 이 양도 또는 저당을 단기간에 한하여, 이를테면 1년 또는 수년 동안만 했으며, 때로는 영구적으로도 했다. 전자의 경우 그 기금은 한정된 기일 내에 차입금의 원리를 지불하는 데 충분하다고 생각되었다. 후자의 경우 그것은 그 이자 또는 이자에 상당하는 영구연금만을 지불하는 데 충분한 것이라고 생각되었으며, 정부는 차입금의 원금을 갚기만 하면 언제 이 연금을 상환하든지 자유였다. 화폐가 전자의 방법으로 조달될 때는 그것은 선취(anticipation)에 의해서 조달된다고 일컬어졌으며, 후자의 경우에는 그것은 영구공채에의 차환(perpetual funding)에 의해서, 또는 더 간단하게 말해서 공채차환에 의해서 조달된다고 일컬어졌다.

연간 지조 및 맥아세는 항상 선취되고 있다.

영국에서는 연간 지조 및 맥아세는 이것들을 부과하는 법령에 언제나 기입되어

263 〔제임스 포스틀레쓰와이트James Postlethwayt, 《The History of the Public Revenue》(1759), 14~15면은 25퍼센트와 55퍼센트의 할인을 들고 있다. 그 할인율은 할부의 우선순위에 따라 변화하였으며, 일반적으로 국가의 신용을 측정하는 것이 아니라, 수납되는 개개의 조세가 할부에 의거하여 청구되는 금액을 지불하기에 충분할 만한 것인지 아닌지의 가능성을 측정하는 것이었다.〕

있는 차입조항 덕분으로 매년 규칙적으로 선취되고 있다. 잉글랜드 은행은 그러한 조세가 양도되는 대가인 그 금액을 혁명 이래 8퍼센트에서 3퍼센트로 변동하여 온 이자로써 선대하며, 그리고 그러한 조세액이 점차로 수납되는 대로 그 상환을 받는 것이다. 항상 일어나는 일이지만 만일 결손이 생기면 그것은 차연도의 국비로써 지변된다. 그리하여 공공적 수입 가운데 아직 저당되지 않고 남아 있는 유일한 중요 부문으로 그것이 수납되기도 전에 규칙적으로 소비되어 버린다. 긴급한 필요 때문에 자기의 수입의 규칙적인 지불을 기다리게 하지 못하는 준비성 없는[264] 낭비가와 마찬가지로, 국가도 역시 자신의 대리상과 대리인으로부터 차금하고, 자신의 화폐를 사용하는 데 이자를 지불한다는 관행을 끊임없이 되풀이하고 있다.

윌리엄 3세와 앤 여왕의 치세에는 선취 때문에 결손이 생겼다.

윌리엄의 치세와 앤 여왕의 치세의 대부분을 통하여 영구공채로 바꾸는 관행이 아직 현재처럼 익숙해지지 않았을 때는 신세의 대부분은 단기간밖에(즉 4, 5, 6년, 또는 7년밖에) 부과되지 않았고, 그리고 매년의 지출예산액의 대부분은 그러한 조세액의 선취에 의한 차입금이었다. 그 조세액은 한정된 기간 내에 차입금의 원리를 지불하기에 불충분한 때가 흔히 있었으므로 결손이 생겼으며, 그것을 메우기 위해 그 기한을 연장할 필요가 생기게 되었다.

그리고 저당된 조세의 기한은 1697년에 연장되었다.

1697년, 윌리엄 3세 제8년 법률 제20호에 의해서, 몇 가지 조세의 결손은 당시 제1차 일반저당 또는 기금(the first general mortgage or fund)이라고 불리고 있었던 것의 부담이 되었으며, 그것은 더 단기간 내에 기한이 만료되었을 몇 가지 다른 조세 중 한 조세의 수납금을 축적하여 하나의 일반기금으로 만들어진 것이었다.

264 〔"준비성 없는(improvident)은 초판에는 "unprovident"라고 되어 있는데, 400면에서는 어느 판에나 모두 "unprovident"라고 되어 있다.〕

기한이 연장된 이 조세에 부담시킨 결손액은 516만 459파운드 14실링 9와 4분의 1펜스[265]에 달했다.

1701년에도,

1701년, 그러한 세금은 약간의 다른 몇 가지 세금과 함께 같은 목적으로 역시 1710년 8월 1일까지 그 기한이 연장되었으며, 제2차 일반저당 또는 기금이라 불리었다.[266] 그것의 부담이 된 결손액은 205만 5999파운드 7실링 11과 2분의 1펜스에 달했다.

1707년에도,

1707년, 그러한 세금은 신규차입금을 위한 기금으로서 또다시 1712년 8월 1일까지 그 기한이 연장되었으며, 제3차 일반저당 또는 기금이라고 불리었다. 그것에 의거하여 차입된 금액은 98만 3254파운드 11실링 9와 4분의 1펜스였다.

1708년에도,

1708년, 그러한 세는 모두(그러나 그 반만이 이 기금의 일부로 되어 있었던 톤세 및 파운드세라고 하는 구왕실보조세와, 합방의 여러 조항에 의해서 철폐되었던 스코틀랜드산 아마포의 수입세를 제외하고는)가 신규차입금을 위한 기금으로서 다시 1714년 8월 1일까지 계속되게 되었으며, 제4차 일반저당 또는 기금이라고 불리었다.[267] 그것을 기초로 하여 차입된 금액은 92만 5176파운드 9실링 2와 4분의 1펜스였다.[268]

265 〔포스틀레쓰와이트Postlethwayt, 《The History of the Public Revenue》, 38면. 제5판에는 9와 2분의 1펜스라고 되어 있는데, 이것은 오식이다.〕

266 〔포스틀레쓰와이트, 《The History of the Public Revenue》, 40면.〕

267 〔포스틀레쓰와이트, 《The History of the Public Revenue》, 59면.〕

268 〔포스틀레쓰와이트, 《The History of the Public Revenue》, 63~64면.〕

1709년에도,

1709년, 그러한 세금들은 모두(이제 이 기금에서 완전히 제외된 톤세 및 파운드세라고 하는 구왕실보조세를 제외하고) 위와 같은 목적으로 다시 1716년 8월 1일까지 계속하게 되었으며, 제5차 일반저당 또는 기금이라고 불리었다.[269] 그것에 의거하여 차입된 금액은 92만 2029파운드 6실링 0펜스였다.

그리고 1710년에도 연장되었다.

1710년, 그러한 세금들은 1720년 8월 1일까지 기한을 연장하게 되었으며, 제6차 일반저당 또는 기금이라고 불리었다.[270] 그것에 의거하여 차입된 금액은 129만 6552파운드 9실링 11과 4분의 3펜스였다.

1711년 그러한 조세들은 영속하게 되어, 917만 7968파운드에 대한 이자지불을 위한 기금이 되었다.

1711년, 위의 여러 세금은 (이렇게 해서 이 당시에 네 가지의 다른 선취의 담보가 되었다) 다른 몇 가지 세금과 더불어 영속하게 되었고, 남해회사의 자본의 이자지불을 위한 기금이 되었으며, 동사는 그해에 채무지불과 결손보전을 위해 정부에 총액 917만 7967파운드 15실링 4펜스를 대출했다.[271] 이것은 당시까지 이루어졌던 것 가운데 가장 큰 대출금이었다.

이 이전에 채무의 이자지불을 위해 영구적으로 부과된 조세는 잉글랜드 은행 및 동인도회사로부터의 대출금의 이자지불을 위한 것뿐이었다.

이 시대 이전에 채무의 이자지불을 위하여 영구적으로 부과된 주요한, 그리고 내가 알 수 있었던 한으로는 유일한 조세는 잉글랜드 은행 및 동인도회사로부터

269 〔포스틀레쓰와이트, 《The History of the Public Revenue》, 68면.〕

270 〔포스틀레쓰와이트, 《The History of the Public Revenue》, 71면.〕

271 〔포스틀레쓰와이트, 《The History of the Public Revenue》, 311면.〕

정부에 대출되었던 화폐와, 계획 중이었던 토지 은행으로부터의, 기대되었지만 실현되지 않았던, 정부에의 대출금의 이자지불을 위한 것이었다. 이 당시 잉글랜드 은행으로부터의 자본은 총액 337만 5027파운드 17실링 10과 2분의 1펜스에 달했으며, 이것에 대해서 20만 6501파운드 13실링 5펜스의 연금, 즉 이자가 지불되었다.[272] 동인도회사로부터의 자금은 320만 파운드에 달했으며, 이것에 대해서 16만 파운드[273]의 연금, 이자가 지불되었는데, 이는 잉글랜드 은행으로부터의 자금의 이자는 6퍼센트,[274] 동인도회사로부터의 자금의 이자는 5퍼센트이었기 때문이다.

1715년, 몇 가지 조세가 누적되어 총합기금이 되었다.

1715년, 조지 1세의 치세 제1년 법률 제12호에 의해서 잉글랜드 은행 연금을 지불하기 위해 저당되어 왔던 여러 가지 조세는, 이 법령에 의해서 역시 영구화된 다른 몇 가지 조세와 더불어 총합기금(The Aggregate Fund)이라고 불리는 하나의 공동기금으로 누적되었으며, 이 기금은 잉글랜드 은행 연금의 지불[275]뿐만 아니라, 여러 가지 종류의 다른 몇 가지 연금과 부담금까지 맡게 되었다. 이 기금은 그 후 조지 1세 제3년 법률 제8호 및 조지 1세 제5년 법률 제3호에 의해서 증액되었으며, 그때 그것에 추가된 여러 가지 세금도 영구화되었던 것이다.[276]

1717년, 다른 몇 가지 조세를 누적하여 일반기금으로 만들었다.

1717년, 조지 1세 제3년 법률 제7호[277]에 의해서 총액 72만 4849파운드 6실링 10과 2분의 1펜스에 달하는 일정한 연금의 지출을 위해 다른 몇 가지 조세도 영

272 〔포스틀레쓰와이트, 《The History of the Public Revenue》, 301~303면.〕

273 〔포스틀레쓰와이트, 《The History of the Public Revenue》, 319~320면.〕

274 〔20만 6501파운드 13실링 5펜스 중 4000파운드가 여분이며, 이것은 경영비였다.〕

275 〔"지불(payments)"은 초판에는 "payment"라고 되어 있는데, 아마 이것이 옳을 것이다.〕

276 〔포스틀레쓰와이트, 《The History of the Public Revenue》, 305면.〕

277 〔이 법령은 1716년의 것이며, 1717년의 것은 아니다.〕

구화되었고, 일반기금(The General Fund)이라고 불리는 또 하나의 공동기금으로 누적되었다.

이리하여 선취된 조세의 대부분은 이자지불만을 위한 기금으로 되어 버렸다.

그러한 여러 가지 법령 때문에 이전에는 단기의 연한 동안만 선취되고 있었던 조세의 대부분이 그 후의 계속적인 선취에 의해서 차입되었던 화폐의 원금이 아닌 이자만을 지불하는 기금으로서 영구화되어 버렸다.

일단 익숙해지면 선취보다는 차라리 영구공채적인 차환을 택하게 된다.

만일 화폐가 선취에 의해서만이 조달되고 있었다면, 수년만에 공동적 수입은 채무에서 해방되었을 것이며, 정부는 한정된 기간 내에 지불할 수 있을 부담 과중이 되지 않도록 할 것과, 최초의 선취의 기한이 아직 만료되기 전에 제2차의 선취를 하지 않도록 주의하는 것 이외에는 아무런 주의를 하지 않아도 되었을 것이다. 그러나 대부분의 유럽 정부는 그러한 주의를 할 수 없었다. 즉 그들은 최초의 선취일 경우마저 그 기금에 과중 부담을 시켰던 적이 종종 있었으며, 때마침 이런 경우가 아니더라도 일반적으로 최초의 선취의 기한이 아직 만료하기 전에 제2, 3차의 선취를 함으로써 그 부담을 과중하게 하려는 배려를 했다. 이렇게 해서 그 기금은 그것을 담보로 하여 빌린 자금의 원리금을 상환하기에는 턱없이 부족하였으므로, 기금에는 이자 또는 이자에 상당하는 영구연금만을 부담시킬 필요가 생겼다. 그리고 그렇게 준비성 없는 선취는 영구공채로의 차환이라고 하는 더 파괴적인 관행을 필연적으로 탄생시켰다. 그러나 이 관행은 공공수입이 채무에서 해방되는 것을 확정적인 시기로부터 언제 끝이 날지도 모르는 불확정한 시기로 필연적으로 연기하는 것이지만, 이 새로운 관행에 의하는 편이, 선취라고 하는 낡은 관행에 의하는 것보다, 모든 경우에 더 많은 자금을 조달할 수 있기 때문에, 새로운 관행은 일단 사람들이 그것에 익숙해지기만 하면, 국가의 대비상사태에는 낡은 관행보다 더 좋아하게 된다. 공사의 처리에 직접 관여하는 사람들의 주된 관심사는 항상 당면한 비상사태를 구제한다는 것이다. 그들은 장래의 공공수입의 채무로부터의 해방을 자손들이 처리할 것으로 남겨 주어 버는 셈이다.

시장이자율의 하락은 절약을 가능하게 했고, 이는 감채기금이 생기게 했다.

앤 여왕의 치세 동안 시장이자율은 6퍼센트에서 5퍼센트로 하락했으며, 그리고 그녀의 치세 제12년에는 5퍼센트가 개인담보로 차입되는 화폐에 대해서 합법적으로 요구할 수 있는 최고의 이자율이라고 선언되었다. 영국의 일시적 제조세의 대부분이 영구화되고, 이것이 총합기금·남해기금·일반기금으로 분해된 후 곧 공공의 채권자는 개인들의 채권자들과 마찬가지로 자신들 화폐에 대해서 5퍼센트의 이자를 받도록 권유를 받았던 것이며,[278] 그리고 이 때문에 이상에서처럼 영구공채로 바뀌어진 채무의 대부분의 원금을 1퍼센트만큼, 다시 말하면 상술한 3대 기금에서 지불되는 대부분의 연금의 6분의 1만큼 절약되게 되었다. 이 절약에 의해서 그러한 기금에 누적되어 왔던 여러 가지 조세의 소수액은 오늘날 그러한 기금이 부담하고 있는 여러 연금을 지불하는 데 필요한 것을 넘을 만큼 상당한 거액의 잉여를 남기게 되었으며, 그 이래로 감채기금(Sinking Fund)이라고 불려온 것의 기초를 마련했다. 1717년에는 그것을 총액 32만 3434파운드 7실링 7과 2분의 1펜스에 달했다.[279] 1727년에는 대부분의 공채의 이자는 역시 4퍼센트로 더 낮아졌으며,[280] 1753년[281]및 1757년에는 3.5퍼센트 및 3퍼센트로 낮아졌고, 그리고 이러한 감소 때문에 감채기금은 더욱더 증대되었다.

감채기금은 신규의 기채를 촉진한다.

278 〔1717년, 조지 1세 제3년 법률 제7호의 규정에 의한 것. 포스틀레쓰와이트, 《History of the Public Revenue》, 120, 145면.〕

279 〔앤더슨, 《Commerce》(1717).〕

280 〔앤더슨, 《Commerce》(1727).〕

281 〔이것은 1750년이어야 할 것이다. 앤더슨Anderson, 《Commerce》(1749).〕

감채기금은 묵은 부채를 지불하기 위하여 제정된 것이지만, 신규 기채를 대단히 쉽게 한다. 그것은 국가의 어떤 비상사태에 있어서, 화폐의 조달을 시도할 경우에, 다른 어떤 불확실한 기금을 도와서 언제든지 손쉽게 저당잡힐 수 있는 보조적인 기금이다. 영국의 감채기금이 그러한 두 가지 목적 가운데 어느 것을 위해서 더 흔히 충용되어 왔는지는 이하 점차로 충분히 밝혀질 것이다.

화폐는 유기연금과 종신연금에 의해서도 차입된다.

선취와 영구공채로의 차환에 의한 그러한 두 가지 차입 방식 이외에 양자의 중간 위치를 차지할 만한 다른 두 가지 방법이 있다. 유기연금에 의한 차입과 종신연금에 의한 차입이 그것이다.

윌리엄 3세 및 앤 여왕의 치세에는 유기연금을 담보로 거액의 차입이 이루어졌다.

윌리엄 3세 및 앤 여왕의 치세 동안에 유기연금을 담보로 거액의 차입이 종종 이루어졌는데, 그 기한은 장기의 경우도 있었으며, 단기의 경우도 있었다. 즉 1693년에는 14퍼센트의 연금, 즉 연 14만 파운드의 연금으로 100만 파운드를 16년간 차입하기 위한 법령이 통과되었다.[282] 1691년에는 종신연금을 담보로, 즉 현재라면 매우 유리하다고 생각될 만한 조건으로, 100만 파운드를 차입하기 위한 법령이 통과되었다. 그러나 그 응모액은 미달이었다. 그리하여 그 익년[283]에는 14퍼센트의 종신연금, 즉 7년 남짓한 구매 연수(years purchase)의 종신연금을 근거로 한 차입에 의해서 그 결손이 보전되었다. 1695년, 그러한 연금을 구입한 사람들은 그것을 100파운드당 63파운드를 국고에 불입하면, 96년 동안의 다른 연금과 교환할 수 있도록 허용했다. 다시 말하면 종신연금의 14퍼센트와 96년 동안의 연금의 14퍼센트의 차이를 63파운드, 즉 4년 반의 구매 연수로 팔렸던 셈이다. 그러나 정부는 대단히 불안하게 생각되고 있었기 때문에, 이러한 조건마저

282 〔윌리엄과 메리 치세 제5, 6년 법률 제7호.〕

283 〔윌리엄과 메리 치세 제4년 법률 제3호.〕

도 소수의 구입자밖에 획득하지 못했다. 앤 여왕의 치세에는 종신연금과 유기연금과의 쌍방을 근거로 하여 여러 가지 기회에 화폐가 차입되었는데, 후자의 기한은 32년, 89년, 98년 및 99년이었다. 1719년에는 32년의 유기연금의 소유자는 이것들 대신에 그 연금들의 11년 반의 구매 연수에 상당하는 금액의 남해회사의 주식을, 마침 당시에 지불 기한이 더의 다 된 연금원금의 미불입금에 상당하는 주식을 추가하여 인수하도록 권유받았다.[284] 1720년에는 그 밖의 장기와 단기의 연금은 어느 것이나 대부분이 기금으로 신입申入되었다. 그 당시의 장기연금은 연액 66만 6821파운드 8실링 3과 2분의 1펜스에 달했다.[285] 1775년 1월 5일 그 잔액, 즉 그 당시 아직 그 기금에 신입되지 않았던 것은 13만 6453파운드 12실링 8펜스밖에 안 되었다.

그러나 18세기 중엽의 전쟁 때에는 이러한 방법으로 차입된 화폐는 조금밖에 되지 않았다. 대부분의 사람들은 영구연금을 좋아한다.

1739년과 1755년에 발발한 두 전쟁 동안 유기연금 또는 종신연금을 기초로 차입된 화폐는 얼마 되지 않았다. 그러나 98년이라든지 99년이라는 유기연금은 영구연금과 거의 같은 금액의 화폐로서의 가치가 있었으며, 따라서 그것과 거의 같은 금액을 차입하기 위한 기금이 되는 셈이라고 생각하는 사람이 있을지 모른다. 그러나 가족에게 재산을 증여하고, 먼 장래를 위한 준비로서 공채를 사들이는 사람들은 그 가치가 부단히 감소하는 것을 구입하려고 애쓰지는 않을 것이며, 더욱이 그러한 사람들은 공채의 소유자, 또는 구입자의 대부분을 이루고 있다. 그러므로 장기의 연금은 그 내재적 가치가 영구연금의 그것과 거의 동일하겠지만, 그것과 거의 같은 수의 구입자를 구하지는 못할 것이다. 신규공채의 응모자도 대체로 자신들 응모분을 될 수 있는 대로 빨리 팔려는 뜻에서 그 금액만 동등하고 상환될 수 없는 장기연금보다도 의회가 상환해 주는 영구연금을 훨씬

284 〔앤더슨, 《Commerce》(1719).〕

285 〔앤더슨, 《Commerce》(1720).〕

더 좋아한다. 영구연금의 가치는 항상 동일 또는 거의 동일하다고 생각될 것이며, 따라서 또한 장기연금보다 한층 편리하며 이전 가능한 공채로 되어 있다.

그리고 유기연금과 종신연금은 오직 프리미엄으로서 수여되었을 뿐이다.

상기한 지난 두 전쟁 동안에 연금은 장기의 것이든 종신의 것이든 간에 신규공채의 응모자에 대한 프리미엄으로서, 차입이 이루어지리라 생각되었던 신용에 의거하여 상환할 수 있는 연금 또는 이자 이상의 것이 수여된 일은 좀처럼 없었다. 그러한 연금은 이것을 기초로 화폐가 차입되는 고유의 기금으로서가 아니라, 대여자에 대한 추가적인 장려금으로서 수여되었던 것이다.

톤틴연금은 개별적인 종신연금보다 더 즐겨 채택되지만, 그러나 그것은 후자만큼 신속히 공공수입을 해방시키지 않는다.

종신연금은 수시로 두 가지 다른 방법으로 수여되어 왔다. 즉 개개의 생명에 대해서 수여되는 것이든지 또는 일단의 사람들의 생명에 대해서 수여되는 것이다. 후자는 프랑스에서는 그 발명자의 이름을 따서 톤틴Tontines이라 불리고 있다. 연금이 개개의 생명에 대해서 수여될 때, 공공적 수입은 개개의 연금수령자가 죽을 때마다 그의 연금액만큼 부담을 덜게 된다. 톤틴연금법에 의거하여 연금이 수여되는 경우, 공공수입이 부담으로부터 해방되는 것은 일단에 포함되어 있는 모든 연금수령자가 전부 죽음으로써 비롯되는 것인데, 이는 이 일단은 20~30명의 사람들로 되어 있을 때도 있으며, 그 가운데 생존자가 자기보다 먼저 죽은 모든 사람들의 연금을 계승하고, 최후의 생잔자가 그 일단 전부의 연금을 계승하도록 되어 있기 때문이다. 같은 금액의 수입을 기초로 할 경우, 개별적인 종신연금보다 톤틴연금이 언제나 더 많은 화폐를 조달할 수 있을 것이다. 잔존자권을 지니고 있는 연금은 같은 금액의 개별적 종신연금보다도 실제로는 가치가 더 많은 것이며, 누구든지 자기의 행운에 관하여 자연적으로 가지고 있는 자신감, 즉 모든 복권 당첨의 성공을 기초로 하여 세워진 원리에서 그러한 연금은 일반적으로 그 가치보다 약간 비싸게 팔리고 있다. 정부가 연금을 수여함으로써 자금을 조달하는 나라에서는, 이 때문에 사람들은 대체로 개별적 종신연금보다 톤틴연금을 더 좋아한다. 가장 거액의 자금을 조달하는 편법이 가장 신속한 방법으로 공공수입의 부담에서 해방시켜 줄 것 같은 편법보다 거의 언제나 더 즐겨 채택된다.

프랑스에서는 공채 총액 가운데서 차지하고 있는 종신연금의 비율이 잉글랜드에서보다 훨씬 더 크다.

프랑스에서는 공채 속에 종신연금이 차지하는 비율이 잉글랜드에서보다 훨씬 더 크다. 1764년에 보르도의 고등법원이 국왕에게 제출한 건백서에 의하면 프랑스의 공채 총액은 24억 리브르라고 평가되어 있으며, 그 가운데 종신연금이 수여되었던 원금(capital)은 3억 리브르, 즉 공채 총액의 8분의 1에 달하는 것이라고 추정되어 있다. 연금 그 자체는 연액 3000만 리브르, 즉 공채 총액의 추정이자 1억 2000만리브르의 4분의 1에 달하지 않는다는 것을 잘 알고 있지만, 그러나 그렇게도 존경할 만한 단체가 사실에 거의 접근한 것으로서 제출했던 것이므로 그렇게 생각되어도 좋으리라고 나는 생각한다. 프랑스와 잉글랜드의 각 정부의 차입 방법에 이러한 차이가 생기는 것은 공공수입을 부담으로부터 해방시키려는 양 정부의 열의에 있어 정도의 차가 있기 때문은 아니다. 그 차는 전적으로 대여자의 견해와 이해관계에서 생기는 것이다.

이 차이는 잉글랜드에서는 대여자가 상인이란 사실에 기인한다.

잉글랜드에서는 정부의 소재지가 세계 최대의 상업도시이므로 정부에 화폐를 대여하는 사람은 대체로 상인들이다. 그들은 그것을 대출해 줌으로써 자신들 상업자본을 감소시키기는커녕 반대로 증대시키려고 꾀하고 있으며, 신규공채에 응모하더라도 자신들 몫이 다소나마 이윤이 붙여져서 팔릴 것이라고 기대되지 않는 한, 결코 응모하지 않을 것이다. 그러나 만일 그들의 화폐를 대출하고, 영구연금 대신 종신연금밖에 구입할 수 없게 되어 있다면, 그 종신연금이 자신들 것이든지, 다른 사람들의 것이든지 간에 반드시 그것을 이윤을 붙여서 팔 수 있다고는 할 수 없을 것이다. 그들 자신의 생명에 대한 연금은 팔면 반드시 손해를 볼 것인데, 이는 자기 자신과 연령이나 건강상태가 거의 같은 타인의 생명을 대상으로 하는 연금에, 자기 자신의 생명을 대상으로 하는 연금에 지불하는 것과 같은 가격을 지불할 사람은 아무도 없을 것이기 때문이다. 사실 제3자의 생명에 대한 연금은 사는 사람에게나 파는 사람에게나 틀림없이 그 가치는 동등하지만, 그 실질가치는 그것이 수여된 순간부터 감소하기 시작하여, 그것이 존속하는 한 점점 더 감소해 간다. 그러므로 그러한 연금은 그 실질가치가 항상 동일 또는 거의 동일하다고 생각될 수 있는 영구연금처럼 편리하고 이전 가능한 자재는 결코 될 수 없는 것이다.

프랑스에서는 대여자가 조세의 청부와 징수에 종사하고 있는 사람들이며, 이들은 대체로 독신자들이라는 점에 기인한다.

프랑스에서는 정부의 소재지가 큰 상업도시는 아니므로 상인은 정부에 화폐를 대출하는 사람들 가운데서 그렇게 큰 비율을 차지하고 있지 않다. 재정에 관여하고 있는 사람들, 즉 징세청부인과 청부제로 되어 있지 않는 조세의 수납관과 궁정의 은행가 등이 모든 공공의 비상사태에 화폐를 빌려주는 사람들의 대부분을 이루고 있다. 그러한 사람들은 보통 출신은 천한 사람들이지만, 큰 부자로서 대단히 교만할 때가 흔히 있다. 그들은 같은 신분의 사람과 결혼하기에는 너무 도도하며, 그렇다고 해서 상류의 여성들은 그들과 결혼하는 것을 탐탁하게 여기지 않는다. 그래서 그들은 흔히 독신으로 살려고 결심하는 것이며, 그래서 자신들 가족도 없고, 그들의 친척의 가족에도 그렇게 관심을 가지지 않고, 게다가 친척이라고 인정하는 것을 반드시 아주 좋아한다고 할 수도 없으므로, 그들은 그들의 일생을 화려하게 살아갈 것만을 바라고, 자신들 재산이 자신의 1대로서 끝나게 할 것을 바라고 있는 셈이다. 뿐만 아니라 결혼을 싫어한다든지 일신상의 형편 때문에 그렇게 하는 것이 부적당하거나 불편한 부자의 수는 잉글랜드보다도 프랑스에 훨씬 더 많다. 자손을 위해서 거의 또는 조금도 배려하지 않는 사람들에게는 자신들 자본을 꼭 자신들이 희망하고 있는 동안만[286] 존속하고, 그 이상은 존속하지 않게 되어 있는 수입과 교환하는 것처럼 편리한 것은 없을 것이다.

영구공채로 바꾸는 제도는 국민으로 하여금 전쟁의 부담을 확실히 느끼지 못하게 한다.

대부분의 근대 정부는 평시의 경상비가 그 경상수입과 같든지 또는 거의 같으므로, 전쟁이 발발하면 정부는 경비의 증대에 비례하여 수입을 증징하고자 하지도 않으며, 또 할 능력도 없다. 하고자 하지 않는다는 것은 정부가 국민의 감정을 상하게 하는 것을 두려워하기 때문이며, 국민은 상당한 거액의 갑작스러운 증세에 의해서 곧 전쟁을 혐오하게 될 것이고, 정부가 그럴 능력이 없는 것은 어떠한 조세가 필요한 수입을 내는 데 충분할 것인지를 알지 못하기 때문이다. 손쉽게 차입이 된다면 정부는 그렇지 않았을 경우, 이러한 공포와 무능력 때문에 당하는 낭패로부터 구출되는 것이다. 차입금에 의하면, 그렇게 많이 증세하지 않더라도 정부는 전쟁을 치러 나가는 데 충분한 화폐를 해마다 조달할 수 있으며, 더욱이 영구공채로 바꾸는 관행에 의하면, 정부는 최소한도의 증세로써 해마다 최대한으로 거액의 화폐를 조달할 수 있다. 대제국에서는, 수도에서 살고 있는 사람들과 전쟁터에서 멀리 떨어져 있는 지방에 살고 있는 사람들은 전쟁에서 생기는 불편을 거의 느끼지 못하고, 자국의 육해군의 전공을 신문에서 읽는 즐거움을 편안히 향수하고 있다. 그들에게는 이러한 즐거움이 있으므로 평시에 지불해 왔던 조세와, 전쟁 때문에 지불하는 조세 사이에 약간의 차가 있더라도 상쇄되는 셈이다. 보통 그들은 평화가 회복되는 것에는 불만인 것이며, 그것은 그들의 즐거움이 끝나고, 또 전쟁이 더 계속되면 이루어질지도 모르는 정복과 국민

286 〔"꼭……동안만(just as long)"은 초판에는 "just as long as"라고 되어 있다.〕

적 영광이라는 수많은 꿈같은 희망도 끝이 나기 때문이다.

평화가 회복되더라도 그들의 부담은 경감되지 않는다.

실은 평화가 회복되더라도 그들이 전쟁 중에 부과된 조세의 대부분으로부터 해방되는 수는 좀처럼 없다. 이러한 조세는 전쟁을 계속하기 위해 기채된 공채의 이자를 위해 저당되어 있다. 만일 지금까지의 수입에 신세를 가한 것이 공채의 이자를 지불하고 정부의 경상비를 지불하고 그 위에 약간의 잉여 수입을 낳는다면, 그것은 아마 공채를 상환하기 위한 감채기금으로 돌려질 것이다. 그러나 첫째, 이 감채기금은 다른 목적에는 충용되어서는 안 된다고 가정하더라도, 평화가 계속되리라고 당연히 예상할 수 있는 기간 동안에, 전쟁 중에 기채된 모든 공채를 상환하는 데는 대체로 매우 불충분하며, 그리고 둘째, 이 기금은 거의 언제나 다른 목적에 쓰인다.

새로운 세금이 부과되어도 신이자를 지불하고 남을 경우는 드물다. 감채기금은 일반적으로 이자의 절감에서 생기는 것이다.

새로운 세금은 이것을 기초로 차입된 화폐의 이자지불이라는 목적만을 위해 부과되었다. 비록 새로운 세금이 그 이상의 것이 된다 해도, 일반적으로 의도도 예상도 하지 않았던 것이므로, 그렇게 많은 금액에 달하는 경우는 좀처럼 없다. 감채기금은 대체로 그것이 부담하고 있는 이자, 또는 연금 지불에 필요한 것을 초과하는 조세수입의 잉여에서 생긴다기보다 오히려 후에 있는 이자의 절감에서 생기는 것이다. 1655년의 네덜란드의 그것, 그리고 1685년의 교황령의 그것도, 모두 이렇게 해서 된 것이다.[287] 그러한 기금이 항상 불충분한 것도 이 때문이다.

287 〔앤더슨의 《Commerce》는 이러한 이자절감이 위의 날짜에 있었음을 기재하고, 1717년의 영국의 절감과 관련하여 상기시키고 있다.〕

그리고 그것은 언제나 남용되고 있다.

가장 깊숙한 평화에 젖어 있는 동안에도 임시비를 필요로 하는 여러 가지 사건이 발생하는데, 그러면 정부는 새로운 세금을 부과하기보다 감채기금을 유용함으로써 이 경비를 지불하는 것이 더 편리하다는 것을 알고 있다. 모든 새로운 세금은 즉각 국민에게 다소나마 자극을 준다. 즉 그것은 언제나 약간이나마 불평을 일으키고, 약간의 반대를 받는다. 세금의 종류가 증가되면 될수록, 그리고 모든 각가지의 과세 물건에 대한 세율이 인상되면 인상될수록 국민은 모든 새로운 세금에 대해서 점점 더 시끄럽게 불평을 하므로, 새로운 과세물건을 찾아낸다는 것도, 기존의 과세 대상에 부과되어 있는 세금을 더 올린다는 것도, 점점 더 어렵게 된다. 그러나 공채의 상환이 일시 정지되더라도, 즉각 국민들이 느끼지 못하므로 수군거리게 하거나, 불평을 일으키게 하지 않는다. 감채기금에서 차입하는 것은 항상 당면한 어려움에서 벗어나는 데 가장 확실하고 손쉬운 편법이다. 공채가 누적되면 될수록, 그 정리 방법의 연구는 더욱더 필요하게 되고, 감채기금을 조금이라도 남용하는 것은 더욱더 위험하고 파멸적인 것이 되며, 공채를 상당한 정도로 감소시킬 가능성은 점점 더 적어지는 반면, 감채기금을 남용하게 되어 평시에 일어나는 모든 임시비를 지불할 가능성은 점점 더 많아지고 점점 더 확실해지게 된다. 국민이 이미 조세를 부과중하게 부담하고 있을 때, 새로운 전쟁이 필요하다는 것 이외에는, 즉 국민적 복수라는 적의라든가, 국가의 안전에 대한 불안 같은 것 이외에는 어떠한 것도 국민으로 하여금 상당한 인내심을 가지고 새로운 세금에 따르게 하도록 설득시킬 수는 없을 것이다. 감채기금이 항상 남용되는 것도 이 때문이다.

영국의 공채의 기원은 1688~1697년의 전쟁에 있다.

영국에서는 우리가 처음으로 영구공채로 바꾸는 파멸적인 편법에 의지하게 되었던 때 이후, 평시에 있어서의 공채의 정리가 전시에 있어서의 그 누적에 비례한 적은 결코 없었다. 영국의 현재의 막대한 공채의 기초가 처음으로 놓여졌던 것은 1688년에 발발하여 1697년의 라이스바이크 조약(treaty of Ryswick)으로 종결된 전쟁 때였다.

이 전쟁은 2150만 파운드의 공채를 남겼다. 그리고 이 공채는 1697~1701년에 500만 파운드가 정리되었다.

1697년 12월 31일 영국의 공채는 영구공채와 일시차입금을 합하여 2151만 5742파운드 13실링 8과 2분의 1펜스에 달했다. 그러한 공채의 대부분은 단기의 선차先借로서 기채된 것이며, 종신연금으로 된 부분은 얼마 되지 않았기 때문에, 1701년 12월 31일 이전, 즉 4년도 채 되지 않아 일부는 상환되었고, 일부는 국고에 복귀했으니, 그 총액은 512만 1041파운드 12실링 4분의 3펜스에 달했으며, 그 이후 그렇게도 단기간에 그보다 더 거액의 공채가 정리된 적은 없었다. 그러므로 공채의 잔고는 총액 1639만 4701파운드 1실링 7과 4분의 1펜스밖에 되지 않았다.

1702년에서 1722년까지의 증가는 3900만 파운드였으며, 1722년부터 1739년까지의 정리액은 겨우 830여만 파운드에 지나지 않았다.

1702년에 발발하여 유트레히트 조약(The treaty of Utrecht)에 의해서 종결된 전쟁에서 공채는 더욱더 많이 누적되었다. 1714년 12월 31일, 그 공채는 총액 5368만 1076파운드 5실링 6과 12분의 1펜스에 달했다. 단기 및 장기[288]의 연금을 모집하여 남해기금으로 했으므로 공채의 원금은 증대했고, 1722년 12월 31일 그것은 5528만 2978파운드 1실링 3과 6분의 5펜스에 달했다. 공채정리는 1723년에 시작되어 너무 완만히 진행되었으므로 1739년 12월 31일 현재, 즉 17년간이나 되는 평화에 함빡 젖어 있었던 동안의 상환총액은 832만 8354파운드 17실링 11과 12분의 3펜스에 지나지 않았으며, 그 당시의 공채의 원금은 총액 4695만 4623파운드 3실링 4와 12분의 7펜스에 달해 있었다.

288 〔“단기 및 장기”는 초판에는 “장기 및 단기”라고 되어 있다.〕

1739년에서 1748년까지의 증가는 3130여만 파운드였다.

1739년에 발발한 스페인 전쟁과 바로 그 뒤를 따랐던 프랑스 전쟁은 공채를 더욱더 증가시켰으며, 엑스 라 샤펠 조약(the treaty of Aix la Chapelle)에 의해 종결되었던 전쟁 이후인 1748년 12월 31일, 그 총액은 7829만 3313파운드 1실링 10과 4분의 3펜스에 달했다. 가장 깊은 평화가 17년간이나 계속되었는데, 그것은 832만 8354파운드 17실링 11과 12분의 3펜스를 감액했을 뿐이다. 그러나 9년이 채 못 되게 계속된 전쟁이 거기에 3133만 8689파운드 18실링 6과 6분의 1펜스를 추가했던 것이다.[289]

1748~1755년의 평화 동안에 600만 파운드가 정리되었는데, 7년간의 전쟁 동안 7500만 파운드 이상을 추가했다.

펠람 씨의 시정 동안에 공채의 이자는 4퍼센트에서 3퍼센트로 줄여졌든지 아니면 적어도 그렇게 하기 위한 조치가 취해진 것이니, 즉 감채기금이 증가되기도 하고, 공채의 일부는 상환되기도 했다. 최근의 전쟁 발발 전인 1755년에는 영국의 영구공채는 총액 7228만 9673파운드에 달했다.[290] 1763년 1월 5일에 강화조약이 체결되었을 때, 영구공채는 총액 1억 2260만 3336파운드 8실링 2와 4분의 1펜스에 달했다.[291] 그리고 일시차입금은 1392만 7589파운드 2실링 2펜스라고 일컬어지고 있었다. 그러나 그 전쟁에 기인된 경비는 강화조약의 체결과 함께 끝나지 않았으므로,[292] 1764년 1월 5일에는 영구공채가 (일부는 신규차입에 의하고, 일부는 일시차입금의 차환에 의해)[293] 1억 2958만 6789파운드 10실링 1

289 포스틀레쓰와이트, 《History of the Public Revenue》를 보라. 〔42, 143~145, 147, 224, 300면. 이 각주는 본문의 여기까지의 세 개 단락 전체에 관한 것이다.〕

290 〔《Present State of the Nation》, 28면.〕

291 〔앤더슨, 《Commerce》, 후기 처음에.〕

292 〔"그러나 그 전쟁의 경비는 작전과 함께 끝나지 않았다."-《Considerations》(몇 줄 뒤를 보라.) 4면.〕

293 〔《Considerations》, 5면 참고.〕

과 4분의 3펜스로 증액되었는데도,[294] 거기에는 아직도 (《영국의 무역과 재정에 관한 고찰》의 박식한 저자[295]에 의하면) 일시차입금이 남아 있었고, 그 12실링 2와 44분의 15펜스라는 계산이 나왔다. 그러므로 이 저자에 의하면 1764년에 영국의 공채는 영구공채와 일시차입금을 합하여 총액 1억 3956만 1807파운드 2실링 4펜스[296]에 달했다. 뿐만 아니라 1757년에 신규공채의 응모자에게 프리미엄으로 수여되었던 종신연금은 그 구매 연수를 14년이라고 계산하여 47만 2500파운드라고 평가되었고, 1761년과 1762년에 이와 마찬가지로 프리미엄으로서 수여되었던 장기연금은 27년 반이라는 구매 연수로서 682만 6875파운드라고 평가되었다.[297] 약 7년간 계속된 평화기간에, 펠람 씨의 신중하고 참으로 애국적인 시정도 600만 파운드라는 옛 부채를 상환할 수 없었던 것 같다. 거의 같은 기간 계속된 전쟁 중에 7500만 파운드 이상의 신규 공채가 기채되었던 것이다.

1775년 1월 이전 11년간의 평화기에 공채 정리액은 1500만 파운드에 지나지 않았으며, 이것도 그 대부분이 이자의 인하에 기인된 것이었다.

1775년 1월 5일 영국의 영구공채는 총액 1억 2499만 6086파운드 1실링 6과 4분의 1펜스에 달했다. 일시차입금은 거액의 왕실비의 부채를 제하면 총액 415만 236파운드 3실링 11과 8분의 7펜스나 된다. 양자를 합하면 1억 2914만 6322파운드 5실링 6펜스나 된다. 이 계산에 의하면 11년간의 평화에 깊이 젖어 있었던

294 〔이 계산은 앤더슨, 《Commerce》(1764) 속편, 1801년도 판, 제4권, 58면에 나와 있다. "4분의 3펜스"는 "4분의 1펜스"라고 해야 될 것이다.〕

295 〔토마스 와틀리Thomas Whately, 《Considerations on the Trade and Finances of this Kingdom and on the measures of administration with respect to those great national objects since the conclusion of the peace》(1766), 22면. 본서는 종종 조지 그렌빌George Grenville의 저작이라고 일컬어지고 있다.〕

296 〔상기의 두 개 항목을 합계하면 이 금액이 나오며, 초판에도 이렇게 되어 있다. 제2판에서 제5판까지는 "1억 3951만 6807파운드 2실링 4펜스"라고 되어 있으나, 틀림없이 오식일 것이다. 이 합계액은 《Considerations》에는 나와 있지 않다.〕

297 〔《Considerations》, 4면.〕

동안 상환된 공채 총액은 1041만 5474파운드 16실링 9와 8분의 7펜스에 지나지 않았다는 것이 된다. 그러나 이 소액의 공채 정리마저도 그 전부가 국가의 경상수입으로부터 절약한 것으로 이루어졌던 것도 아니다. 그 경상수입과는 전혀 관계없는 몇 가지의 이질적인 금액이 정리에 기여했다. 이런 것들 가운데[298] 우리들은 1파운드당 1실링이라는 3년간의 지조 부가세, 동인도회사로부터 그들의 영토 획득에 대한 배상으로서 받아들인 200만 파운드, 특허장의 경신의 대가로서 잉글랜드 은행으로부터 받아들인 11만 파운드를 헤아릴 수 있다. 그리고 이런 것에다 다른 몇 가지 금액이 추가되지 않으면 안 되는데, 그것은 최근의 전쟁에서 생긴 것이므로 아마 당연히 그 전쟁의 경비에서 면제되는 것이라고 생각되어야 할 것이다. 그 주요한 것은 다음과 같다.

	파운드	실링	펜스
프랑스로부터의 전리품 수익	690,449	18	9
프랑스인 포로 배상금	670,000	0	0
할양제도 매각금	95,500	0	0
합계	1,455,949	18	9

만일 우리들이 이 금액에다 채텀 백작 및 캘크래프트 씨의 계정 잔고, 그리고 이것과 같은 종류의 다른 군사비의 절약분을 추가하고, 잉글랜드 은행과 동인도회사로부터의 수령금 및 1파운드당 1실링의 지조부가세를 합하여 추가한다면, 그 총액은 500만 파운드를 훨씬 넘을 것이 틀림없다. 그러므로 평화가 회복된 이후, 국가의 경상수입에서의 절약으로 상환된 공채는 연간 평균하여 50만 파운드가 되지 않았다. 틀림없이 감채기금은 평화 회복 이후 상당히 증가되었는데, 그것은 상환된 공채가 있었다는 것, 상환될 공채의 이자가 4퍼센트에서 3퍼센트로 인하되었다는 것, 만기가 된 종신연금이 있었다는 것 때문이었으며, 또한 만일 평화가 계속되고 있었다면,[299] 현재에는 아마 그 가운데서 해마다 100만

298 〔"이런 것들 가운데서(amongst these)"는 초판에는 "among these"라고 되어 있다.〕

299 〔"만일 평화가……"라는 구는 "if peace were……"라고 직설법이 되어 있다.〕

파운드가 공채상환을 위하여 할애되고 있었는지도 모른다. 작년 중에 또 한 번 100만 파 파운드가 상환된 것도 이 때문이었다. 그러나 그와 동시에 거액의 왕실비 채무는 미불된 채 남아 있고, 더욱이 우리가 현재 새로운 전쟁에 말려들어 가고 있으니, 이 전쟁은 그 진전에 따라 종래 우리나라가 수행한 어떠한 전쟁 못지않게 값비싼 것이 될 것이다.[300] 다음 회전이 끝나기 전에 기채될 신규공채는 국가의 경상수입 가운데서 절약분으로 상환되어 왔던 옛 부채의 총액과 거의 같을지도 모른다. 그러므로 현상과 같은 경상수입에서라도 이루어질 듯한 절약에 의해서 공채가 완전히 상환되리라고 기대한다는 것은 공상이라 하겠다.

국채는 추가적 자본이라는 견해는 전혀 잘못이다.

어떤 저자가 주장한 바에 의하면, 유럽의 여러 채무국의 공채, 특히 잉글랜드의 공채는 그 나라의 다른 자본에 더욱 부가된 일대자본의 구채이며, 그것으로써 다른 자본만으로는 이루어질 수 없었을 정도로 그 나라의 상업이 확대되고 그 나라의 제조업이 증진되고, 또 그 나라의 토지가 경작되고 개량된다고 한다.[301] 그러나 그는 다음과 같은 것을 고려하고 있지 않다. 즉 공공사회의 최초의 채권자들이 정부에 대부한 자본은 그들이 그것을 대출한 그 순간부터 자본으로서의 기능을 하는 것으로부터 수입으로서의 기능을 하는 것에로 전용된 연생산물의 일정 부분이라는 것, 다시 말하면 그것은 생산적 노동자를 부양하는 것에서 비생산적 노동자를 부양하는 것에로, 더욱이 장래의 재생산에 대한 아무런 희

300 이 전쟁은 종래 우리들이 치른 어떤 전쟁보다 비싸게 먹힌 전쟁이라는 것이 입증되었으며, 우리를 1억파운드 이상의 추가공채에 묶이도록 했다. 11년간의 평화에 깊이 젖어 있는 동안에 상환된 공채는 1000만 파운드 남짓한 것인데, 7년간의 전쟁 동안에 기채된 공채는 1억 파운드 이상까지 달했다. 〔이 주는 제3판에 처음 나온다.〕

301 〔가르니에Garnier는 《Recherches etc.》, 제4권, 501면에서 "pinto, Traité de la Circulation et du Crédit"라는 주를 붙였다. 이 저작은 '사치에 관한 논문의 저자에 의해서' 1771년에 (암스테르담에서) 출판된 것이며, 특히 그 44, 45, 209~211면을 보라. 그러나 이것과 같은 취지의 1731년의 영문 논문이 장 프랑수아 멜론Jean-François Melon, 《Essai Politique sur le Commerce》(1761), 제23장, 296면에 인용되어 있다. 《Lectures》, 210면과 비교 참조하라.〕

망도 없이 대체로 그 해가 지나는 동안에 소비되어 버리는 것에 전용된 부분이라는 것을 고려하고 있지 않다. 실로 그들은 그들이 대출한 자본의 대가로써 대부분의 경우, 그것과 등가 이상의 공채로 된 연금을 획득했다. 이 연금은 틀림없이 그들에게는 그들의 자본을 대신해 주었으며, 이것 때문에 그들은 종래와 동일 또는 그 이상으로 대규모의 상업과 사업을 해 나갈 수 있었다. 즉 그들은 이 연금의 신용을 기초로 하여 다른 사람들로부터 새로운 자본을 빌릴 수 있었으며, 또는 그것을 팔아서 자신들이 정부에 대출한 것과 동등 또는 그 이상의 그들 자신의 새로운 자본을 다른 사람들로부터 획득할 수 있었다. 그러나 그들이 이렇게 해서 다른 사람들로부터 사들였거나 차입한 이 새로운 자본은 그 이전에도 그 나라에 존재하고 있었음이 틀림없으며, 모든 자본이 그러하듯이 생산적 노동을 부양하기 위해 사용되고 있었음이 틀림없다. 그 자본이 화폐를 정부에 대출해 준 사람들의 수중에 들어올 때, 그것은 그들에게는 어떤 점에서는 새로운 자본이었을 것이지만, 그 나라에 대해서는 그렇지 않았고, 다른 용도에 돌려지기 위해 어떤 용도에서 회수된 자본에 지나지 않았다. 그것은 그들에게는 그들이 정부에 대출한 것을 대신해 주었지만, 그 나라에 대해서는 그것을 대신해 주지 않았다. 만일 그들이 이 자본을 정부에 대출하지 않았다면 그 나라에는 하나가 아닌 두 개의 자본, 즉 연간 생산물이 두 부분의 생산적 노동을 유지하는 데 사용되고 있었을 것이다.

필요경비가 조세로써 치러질 때는 그것은 다만 비생산적 노동을 하나의 비생산적 용도에서 또 하나의 비생산적 용도에로 돌리는 데 지나지 않는다.

정부의 경비를 지출하기 위한 수입이 그 연도 내에 자유로운, 즉 저당되지 않는 조세징수액에서 조달될 때는, 개인들의 수입의 일정 부분이 어떤 종류의 비생산적 노동의 유지에서 다른 종류의 비생산적 노동의 유지에로 전용되는 것에 지나지 않는다. 그들이 조세로써 지불하는 것 가운데 어떤 부분은 틀림없이 자본으로 축적될 것이며, 따라서 생산적 노동을 유지하는 데 사용될 수도 있었을 것이지만, 그 대부분은 아마 소비되고, 따라서 비생산적 노동을 유지하는 데 사용되었을 것이다. 그러나 공공적 경비가 이렇게 해서 지변되면 틀림없이 새로운 자본의 더 많은 축적을 다소 저지할 것이지만, 그것은 반드시 현존하는 자본을 파괴한다고는 할 수 없다.

그러나 필요경비가 차입금으로써 치러질 때에는, 그것은 노동을 생산적 용도에서 비생산적 용도로 돌리는 것이며, 이 경우 유일한 이익은 개인들이 전쟁 중에도 계속 더 절약할 수 있다는 것이다.

공공적 경비가 공채차환에 의해서 지변될 때는 그것은 이전에 그 나라에 존재하고 있었던 약간의 자본을 해마다 파괴함으로써, 즉 이전부터 생산적 노동의 유지를 위하여 예정되고 있었던 연간 생산물의 약간부분을 비생산적 노동의 유지를 위해 악용하는 것에 의해서 지변되는 셈이다. 그러나 이 경우에는 위에서와 같은 경비를 메워 주는 데 만족할 만한 수입이 연도 내에 조달되었더라면, 과해졌을 조세보다 가벼운 조세가 과해지므로, 개개인의 사적인 수입은 필연적으로 부담이 적어지고, 따라서 그들이 수입의 일부분을 절약하고 축적하여 자본화할 수 있는 능력은 훨씬 적게 손상된다. 비록 공채차환이라는 방법이 연도 내에 조달되는 수입에 의해서 공공적 경비를 메우는 방법에 비하여 보다 많은 자본을 파괴한다 하더라도,[302] 동시에 그것은 새로운 자본의 축적 또는 획득을 보다 적게 저지한다. 공채차환 제도하에서는 개인들의 절검과 근로는 정부의 낭비와 남용이 그 사회의 총자본에 수시로 만들어 놓은 손상을 더 쉽게 보수할 수 있다.

그런데 그 이익은 평화가 되면 즉시 소멸한다. 다른 제도하에서도 전쟁은 더 짧아질 것이며, 평화의 기간은 더 길어질 것이다.

그러나 공채차환 제도가 다른 제도에 비하여 이러한 장점을 가지고 있는 것은

302 〔"비록……방법이……파괴한다 하더라도(if the method……destroy)"라고 가정법인데, 초판에서 제3판까지에는 "if the method……destroys"라고 직설법으로 되어 있다.〕

전쟁이 계속되고 있는 기간 중에만 그러하다. 만일 전쟁 비용이 그 연도 내에 조달되는 수입에 의해서 메워지기라도 한다면, 그 임시수입이 염출되어 나왔던 조세는 전쟁이 끝나면 폐지될 것이다. 개인들의 누적 능력은 공채차환 제도의 경우에 비해서 전시 중에는 적었더라도 평시에는 더 커졌을 것이다. 전쟁은 반드시 오래된 자본의 전부를 파괴했다고는 할 수 없을 것이며, 또 평화는 보다 많은 새로운 자본의 축적을 일으켰을 것이다. 전쟁은 대체로 더 급속히 끝나게 될 것이고, 방자하게 착수되는 것도 적어질 것이다. 국민은 전쟁이 계속되는 동안 그 부담을 온통 다 느끼므로, 얼마 되지 않아 그것에 지쳐 버리게 될 것이며, 정부도 그들의 비위를 맞추어 주기 위해 필요 이상으로 그것을 오래 끌지 않도록 하지 않을 수 없을 것이다. 전쟁의 부담이 무겁고 피하기 어렵다는 것을 예견하면, 국민은 싸워야 할 진실의, 또는 견실한 이해관계도 없는데 방자하게 전쟁을 바라지는 않을 것이다. 개인들의 누적 능력이 다소라도 손상되는 시기는 더욱더 드물게 찾아올 것이며, 더욱더 짧은 동안밖에 계속되지 않을 것이다. 그 반대로 그 능력의 최성기는 공채차환 제도하에서보다 훨씬 오래 계속될 것이다.

그 위에 공채차환은 결국 수입에 대해 대단히 큰 부담이 되므로, 평시의 경상지출이, 다른 제도하에서의 전시 지출에 충분했던 금액을 넘을 정도로 더 많아진다.
공채차환이 어느 정도 진전되면 그것과 더불어 조세도 증가하므로 평시에 있어서까지, 전시에 있어서 다른 제도 때문에 그렇게 되는 것과 같은 정도로 개인들의 축적 능력이 손상될 때가 있다. 영국의 평시의 수입은 현재로서는 연액 1000만 파운드에 달하고 있다. 만일 그 수입이 자유롭고 저당되지 않는 것이라면, 그것을 적절히 관리함으로써, 1실링의 새로운 공채도 기채함이 없이 가장 격렬한 전쟁을 충분히 수행할 수 있을 것이다. 현재 영국의 주민의 개인적 수입이 평시에 부채를 지고 있는 정도, 즉 그들의 축적 능력이 손상되고 있는 정도는,[303] 공

303 〔"그들의 축적 능력이 손상되고 있는 정도는"의 원문은 "their ability to accumulate is as much impaired"인데 제5판에는 "is"가 "it"라고 오식되어 있다.〕

채차환이라는 유해한 제도가 채용되지 않았을 경우 가장 비용이 많이 드는 전쟁의 시기에 있어서의 그것과 같은 것이다.

공채의 일부 또는 전부가 국내에서 보유되고 있다는 사실은 사태를 변화시키지는 않는다.

공채 이자 지불의 경우 오른손이 왼손에 지불한다는 말이 있다.[304] 화폐는 그 나라 밖으로 나가지 않는다. 주민들 가운데 어떤 사람들의 수입의 일부분이 다른 어떤의 사람들에게 이전될 뿐이며, 그 때문에 국민이 1파딩이라도 더 가난해지는 것은 아니다. 이 변명은 중상주의체계의 궤변에 전적으로 그 기초를 두고 있으며, 나는 이미 이 체계를 오래 검토했으므로, 그것에 관해서 그 이상 말할 필요는 아마 전혀 없을 것이다. 게다가 그 변명은 공채는 전부가 그 나라의 주민으로부터 빌린 것이라고 상정하고 있으나, 그것이 사실이 아닐 경우도 일어난다. 다른 몇몇 나라의 외국인들과 더불어 네덜란드인도 상정한 거액의 우리 공채를 가지고 있다. 그러나 비록 공채가 모두 그 나라의 주민에게 지워진다 하더라도 그렇다고 해서 공채의 해가 적어진다고는 할 수 없을 것이다.

토지와 자본, 즉 모든 수입의 두 가지 본원적인 원천은 지주와 자본의 소유자에 의해서 관리된다.

토지 및 자본적 자재는 공채 쌍방의 모든 수입의 두 가지 본원적인 원천인 것이다. 자본적 자재는 생산적 노동의 임금을 지불하는데, 그 노동의 농업·제조업·상업 어느 것에 고용되든지 상관없다. 수입의 이러한 두 가지 본원적인 원천의 관리는 두 가지 다른 부류의 사람들, 즉 토지의 소유자와 자본적 자재의 소유자 또는 사용자에게 속해 있다.

304 〔"일국의 공채는 우수가 좌수에 대하여 짊어지는 채무이며, 그 신체는 일정량의 필요한 식물食物이 존재하고, 그 분배의 방법이 알려져 있으면 결코 쇠약하지는 않는다."—멜론Melon, 《Essai politique sur le Commerce》(1761), 제23장, 296면.〕

과세는 지주가 자기의 토지를 개량하는 능력을 감소시키거나 파괴할 것이다.

토지의 소유자는 자기 자신의 수입을 위하여, 자기의 차지인의 집을 건축, 수리하고 필요한 배수로와 울타리, 그 밖의 본래 지주가 해야 하고 유지해야 할 값비싼 개량을 하거나 유지함으로써 자기의 소유지를 될 수 있는 대로 양호한 상태로 해 두려고 하는 데 관심을 가진다. 그러나 여러 가지 지조 때문에 지주의 수입은 그만큼 감소되는 셈이며, 그리고 생활필수품과 편익품에 대한 각가지 세금 때문에 감소된 수입의 실질가치는 아주 적은 것이 되어 버릴 것이므로, 그는 도저히 그렇게 비싸게 먹히는 개량을 행한다든지 유지할 수 없다는 것을 알게 될 것이다. 그러나 지주가 자기의 본분을 다하기를 중지할 때는, 차지인이 계속 자기의 본분을 다한다는 것은 전혀 불가능할 것이다. 지주의 곤궁이 증가함에 따라 그 나라의 농업은 필연적으로 쇠퇴하지 않을 수 없다.

또한 자본의 소유자로 하여금 자기의 자본을 그 나라로부터 타국에 옮기고 싶어지게 한다.

자본적 자재의 소유자와 사용자가 그것에서 얼마만큼의 수입을 얻고 있다 하더라도 생활필수품과 편의품에 여러 가지 조세가 부과되므로, 어떤 특정국에서는 이와 같은 금액의 수입이 거의 모든 다른 나라에서 구매할 수 있는 것과 같은 양의 생활필수품과 편의품을 구매할 수 없다는 것을 알게 되면, 그들은 어떤 다른 나라에 옮기고 싶어질 것이다. 그리고 그러한 조세가 징수되기 위하여 상인과 제조업자의 전부 또는 대부분, 즉 대자본의 사용자의 전부 또는 대부분이 수세리로부터 억울하고, 성가신 임검을 끊임없이 받게 되면, 옮기고 싶은 이러한 의향은 드디어 실제의 이전으로 바뀔 것이다. 그 나라의 산업 활동은 그것을 지탱하고 있었던 자본의 이전과 더불어 필연적으로 떨어질 것이며, 상업과 제조업의 파멸이 농업의 쇠퇴에 뒤따를 것이다.

수입의 원천을 그 특정 부분의 소유자로부터 공공의 채권자에로 이전시키면 반드시 토지가 등한시되고 자본이 낭비 또는 이전되게 된다.

토지 및 자본적 자재라는 수입의 2대 원천에서 생기는 수입의 대부분을 그러한 2대 원천의 소유자로부터, 즉 토지의 모든 특정 부분의 양호한 상태와 자본적 자재의 모든 특정 부분의 양호한 관리에 직접 관심을 가지고 있는 사람들로부터, 다른 사람들(즉 그러한 특별한 관심을 가지지 않는 공공의 채권자)에게 이전시키면, 결국에는 토지가 등한시되고 자본적 자재가 낭비, 또는 이전되어 버리게 된다. 공공의 채권자란 틀림없이 그 나라의 농업·제조업·상업의 번영에 일반적 관심을 가지고 있으며, 따라서 그 나라의 토지의 양호한 상태와 그 나라의 자본적 자재의 양호한 관리에 관심을 가지고 있다. 만일 이런 것의 어느 한편에 일반적인 선취와 쇠퇴가 일어난다면 벌써 여러 가지 세수고는 그에게 지불되어야 할 연금 또는 이자를 지불하기에 충분한 것이 되지 못하게 될 것이다. 그러나 공공의 채권자란, 단순히 채권자로만 생각하면 토지의 어떤 특정 부분의 양호한 상태라든지, 자본적 자재의 어떤 특정 부분의 양호한 관리에는 아무런 관심을 갖고 있지 않다. 공공의 1채권자로서 그는 그러한 특정 부분의 어떤 것에 관해서 아무런 지식도 갖고 있지 않다. 그는 그것을 전혀 점검해 보지도 않는다. 그는 그것에 관해서 배려할 수도 없다. 그것이 파멸하더라도 어떤 경우엔[305] 그에겐 알려지지도 않을 것이며, 또한 그것이 그에게 직접적 영향을 미칠 리도 없는 것이다.

공채차환이라는 관행은 항상 국가를 약화시켰다.

공채차환이라는 관행은 그것을 채용한 모든 국가를 점차로 약화시켰다. 이탈리아의 여러 공화국이 먼저 그것을 시작한 것 같다. 독립적인 존재를 주장할 수 있는 단 두 개의 공화국인 제노바와 베네치아는 모두 그것 때문에 약화되어 왔다. 스페인은 그 관행을 이탈리아의 공화국으로부터 배웠던 것 같으며 (조세가 그러한 공화국들의 그것보다 현명한 것이 아닌 것 같으므로), 그 나라의 자연

305 〔“어떤 경우엔”은 초판에는 “대부분의 경우”라고 되어 있다.〕

적인 힘에 비해서 훨씬 더 약화되어 버렸다. 스페인의 채무는 대단히 오래된 것이다. 이 나라는 16세기 말엽 이전, 즉 잉글랜드가 1실링도 차금을 하지 않았던 거의 100년전에 거액의 채무를 지고 있었다. 프랑스는 그 자연적 자원에도 불구하고 이와 같은 종류의 압제적 부담으로 시달리고 있다. 네덜란드의 연합제주 공화국은 제노바 또는 베네치아와 같을 만큼 그 채무 때문에 약화되어 있다. 다른 모든 나라에 결점 또는 황폐를 가져다준 관행이 영국에서만 무해했을 리가 있겠는가?

영국의 과세제도가 탁월하더라도 영국은 무한한 부담을 지탱할 수는 없는 것이다.
그러한 여러 나라에 독립된 과세제도는 잉글랜드의 그것보다는 못한 것이라고 일컬어지고 있을는지 모른다. 나는 그렇다고 믿고 있다. 그러나 기억해 두어야 할 것은 가장 현명한 정부라도 적당한 과세물건을 전부 다 써 버렸을 때는 절박한 필요성이 있을 경우에 부적당한 과세물에 의지하지 않으면 안 된다는 것이다. 현명한 네덜란드 공화국도 경우에 따라서는 스페인의 대부분의 조세와 마찬가지로 불편한 조세에 의지하지 않을 수 없었다. 공공수입이 아직 부담에서 훨씬 벗어나기 전에 또 다른 전쟁이 발발하여 그 진전에 따라 그것이 지난 전쟁과 같은 정도로 비싸게 먹히게 되면, 영국의 과세제도도 불가항력적인 필요에서 네덜란드의 그것, 또는 스페인의 그것과도 같을 만큼 압제적인 것이 될 것이다. 사실 우리나라의 현행 과세제도의 명예가 되는 것은 그것 때문에 산업 활동이 저해된 적은 거의 없었으므로 가장 값비싼 전쟁 중에도 개개인의 검소와 훌륭한 행동은 저축과 축적으로써, 정부의 낭비와 남용이 사회의 총자본에 만들어 놓은 모든 손상을 보수할 수 있었던 것 같다는 점이라 하겠다.[306] 영국이 이때까지 싸웠던 가운데서 가장 비용이 많이 든 최근의 전쟁이 종결되었을 때, 이 나라의 농업은 번영하고 제조업은 늘어나고 또 완전히 취업되었으며, 상업은 확대됐으니 그들 모두가 이전과 다름이 없었다. 그러므로 그러한 모든 각가지 산업부

306 〔"같다(seem)"는 초판 및 재판에는 "seems"라고 되어 있다.〕

문을 유지했던 자본도 그 이전과 같은 금액이었을 것은 틀림없다. 평화가 된 이래 농업은 더욱더 개량되어 갔고, 가옥의 임대료는 이 나라의 모든 도시와 마을에서 상승했으니, 이것은 국민의 부와 수입이 증대하고 있다는 증거이다. 그리고 옛 세금의 대부분, 특히 내국소비세와 관세의 주요 부문의 연간 수입 총액도 부단히 증대해 왔으니, 이것도 마찬가지로 소비가 증대해 가고 있다는 것, 따라서 오직 소비를 지탱할 수 있는 생산이 증대해 가고 있다는 것의 명백한 증거라 하겠다. 영국은 반세기 전에는 견딜 수 있으리라고는 누구도 믿지 않았던 부담을 쉽게 지탱하고 있는 것 같다. 그러나 그렇다고 해서 영국은 어떠한 부담도 지탱할 수 있다고 성급하게 결론을 내려서는 안 된다. 뿐만 아니라, 이 나라는 이미 지탱해 온 것보다 약간 더 무거운 부담이라면 큰 고통 없이 지탱할 수 있다고 지나치게 자신해서도 안 된다.

채무가 크게 누적되면 그 마지막에는 언제나 파산이다.

일단 채무가 어느 정도까지 축적되면 그것이 공정하게 그리고 완전히 상환되었다는 사례는 거의 하나도 없다고 나는 믿고 있다. 공공수입을 부담에서 해방시키는 것은 비록 그것이 성취되었다 하더라도 언제나 파산에 의해서 성취되었다. 즉 공언된 파산에 의할 경우도 있고, 흔히 가장된 상환에 의한다고 하지만 항상 실질적인 파산에 의해서 성취되었던 것이다.[307]

주화의 명목가치의 인상은 파산을 위장하기 위한 상탈常奪수단이었다. 그러나 이 편법은 공개파산보다 더 나쁜 결과를 낸다.

주화의 명목가치의 인상은 공공사회의 현실적인 파산이 거짓된 상환이라는 외

307 〔레이날은 말하기를, "국민을 위해 불행하게도 공채라고 하는 가증한 제도를 채용한 정부는 조만간 그것을 버리지 않으면 안 된다. 그리고 정부가 그것을 남용하면 아마 불신을 초래하지 않을 수 없게 될 것이라고 하는 것만은 명백한 증거에 의해서 말할 수 있다"라고 한다. - 《Histoire philosophique》(암스테르담, 1773), 제4권, 274면.〕

관으로 위장하는 가장 상투적인 편법이었다. 예를 들면 의회의 편법 또는 칙령에 의해서 6펜스화가 영화 1실링의 명목가치로 인상되고, 또 6펜스화 20개가 영화 1파운드의 명목가치로 인상되었다면, 옛 명목가치하에서 20실링, 즉 은 약 4온스를 빌린 사람은 새 명목가치하에서는 6펜스화 20개, 즉 은 2온스도 되지 않는 것으로써 그 채무를 상환하는 셈일 것이다. 약 1억 2800만 파운드의 국채, 즉 영국의 장기공채 및 일시차입금의 원금에 가까운 이 국채는 이렇게 하면 우리의 현재 화폐도 약 6400만 파운드로써 상환할 수 있을 것이다. 이것은 실은 겉치레만의 상환에 지나지 않을 것이며, 공공사회의 채권자는 당연히 자신들에게 지불되어야 했을 금액 가운데서 실은 1파운드당 10실링을 착취당하게 될 것이다. 또한 그 재난은 공공사회의 채권자에만 그치지 않고 훨씬 더 확대할 것이어서 모든 개인들도 그에 상응하는 손실을 입게 될 것이며, 더욱이 이것은 공공사회의 채권자에게는 아무런 이익도 되지 않을 뿐 아니라, 대부분의 경우 큰 추가적인 손실이 될 것이다. 실로 만일 공공사회의 채권자가 일반적으로 다른 사람들에게 다액의 채무를 지고 있다면, 그들은 공공사회가 상환해 준 것과 동일한 주화로써 자신들 채권자들에게 지불함으로써 그들의 손실을 어느 정도 메울 수 있을 것이다. 그러나 대부분의 나라에서는 공공사회의 채권자 대부분은 부유한 사람들이며, 이들은 그들 이외의 시민 동료에 대해서는 채무자라는 관계에 있다기보다 오히려 채권자라는 관계에 있다. 그러므로 이런 종류의 겉치레만의 상환은 대부분의 경우 공공사회의 채권자의 손실을 완화하기는커녕 그것을 더욱 악화시키며, 그리고 공공사회에서는 아무런 이익도 주지 않고 그 재난을 다른 수많은 죄 없는 사람들에게 확대시킨다. 그것은 개인들의 재산에 전반적이고 가장 치명적인 와해를 일으키며, 그것은 대부분의 경우, 부지런하고 검소한 채권자를 희생시켜 게으르고 낭비적인 채무자를 부유하게 하기 때문이며, 또한 그것은 국민적 자본의 대부분을, 이것을 증대시키고 개선할 것 같은 사람들의 손으로부터 그것을 낭비하고 파괴할 것 같은 사람들의 손으로 이전시키기 때문이다. 국가가 자신의 파산을 선고할 것이 필요하게 되면, 개인이 그렇게 할 필요가 있을 때와 마찬가지로, 공정하고 공개적이고 공언된 파산은 항상 채무자의 불명예가 가장 적고 채권자에게는 가장 적게 해가 되는 수단이다. 실질적으로 파산했다는 치욕을 감추기 위하여, 국가가 쉽게 간파되고 동시에 지극히 유해한 이런 종류의 속임수의 술책에 의지한다면, 국가의 명예도 확실히 초라하게 된다.

그러나 그것은 고대 로마를 포함한 많은 국가에 의해서 채용되어 왔다.

그런데 고대뿐만 아니라, 근대에도 거의 모든 국가는 이러한 필요에 쫓기게 되면 경우에 따라서는 이러한 극히 사기적인 술책을 사용해 왔다. 로마인은 제1차 포에니 전쟁의 마지막에, 그들이 다른 모든 주화의 가치를 산정해 내는 주화 또는 그 명칭인 아스As를 함유동량 12온스에서 겨우 2온스로 내리었다. 즉 그들은 동 2온스를 그 이전에는 항상 12온스의 가치를 표현하고 있었던 명목가치로 인상한 셈이다. 이렇게 해서 자국이 계약한 거액의 채무를 실제로 차입되었던 금액의 6분의 1로서 상환할 수 있었다. 현재의 우리는 그렇게도 급격하고 거대한 파산은 민중의 아주 맹렬한 소동을 일으켰으리라고 상상하기 마련이다. 그러나 그 소동은 일어나지 않았던 것 같다. 그것을 제정한 법률은 주화에 관한 다른 모든 법률과 마찬가지로 호민관이 국민의회에 제출하여 그곳에서 성립된 것이므로 아마 대단히 인기 있는 법률이었다. 로마에서는 다른 모든 고대 공화국과 마찬가지로 빈민은 항상 부자와 상류의 사람들에게 채무를 지고 있었으며, 이들은 매년 선거 때 표를 확보하기 위하여 엄청난 고리를 받고 빈민에게 화폐를 빌려주는 것이 보통이었다. 그리고 그 이자는 전혀 지불되지 않았으므로 곧 누적되어 채무자로서도, 또는 그를 대신해서 지불해 줄 그 어떤 사람으로서도 도저히 지불할 수 없을 만큼 거액의 것이 되었다. 채무자는 엄격한 강제집행을 두려워하여 아무런 보수도 받지 않고 채권자가 추천하는 후보자에게 투표하지 않을 수 없었다. 증회와 매수를 막는 모든 법률이 있었음에도, 후보자로부터의 증물은 원로원이 명하는 곡물의 수시의 분배와 함께 로마 공화국의 말기[308]를 통하

308 〔"말기(latter times)"는 초판과 재판엔 "후반기(later times)"라고 되어 있다.〕

여, 비교적 가난한 시민들이 그들의 생활수단을 마련해 낸 주요 원자主要元資였다. 비교적 가난한 시민들은 그들의 채권자에 대한 이러한 복종에서 자신들을 해방시키기 위하여, 채무의 완전한 폐지 또는 그들이 말하는 소위 새 포고(New Tables)라는 것을 항상 요구했다. 그런데 이 새 포고란 그들의 누적된 채무의 일정 부분만을 갚는 것으로서 그것을 완전히 소멸시켰다는 권리를 그들에게 주는 법률이었다. 모든 명목가치의 주화를 종래의 가치의 6분의 1로 떨어뜨리는 법률은 그들이 실제로 지고 있었던 채무를 그 6분의 1로서 상환할 수 있게 해 주었으므로, 가장 유리한 새 포고와 같은 것이었다. 국민을 만족시키기 위하여 부귀한 사람들은 몇 번의 상이한 기회에 채무를 전폐하는 법률에, 또 새 포고를 도입하는 법률에도 동의하지 않을 수 없었다. 그리고 아마 그들이 이 법률에 동의하게 되었던 것은 일부는 위에서와 같은 이유에서였고, 또 일부는 공공적 수입을 부담에서 해결시킴으로써 그들 자신이 주도권을 가지고 있는 정부에 생기를 회복시켜 줄 수 있을지도 모르기 때문이었다. 이런 종류의 조작은 1억 2800만 파운드의 채무를 즉시 2133만 3333파운드 6실링 8펜스로 줄일 수 있다. 제2차 포에니 전쟁 동안에 아스는 더욱더 인하되어 최초에는 동 2온스에서 1온스로, 그 후에는 1온스에서 반온스로, 즉 본래의 가치의 24분의 1로 인하되고 말았다.[309] 로마인이 행한 3차의 조작을 결합하여 하나로 하면 현재 우리의 화폐로 1억 2800만 파운드의 채무로, 이렇게 하면 순식간에 533만 3333파운드 6실링 8펜스로 정리될 수 있을 것이다. 영국의 거대한 공채까지도 이렇게 하면 곧 상환될 수 있을지도 모른다.

그리고 그 때문에 주화의 가치는 도처에서 떨어지게 되었다.

이러한 편법에 의해서 모든 국민의 주화는 점차로 그 본래의 실질가격 이하로

309 〔로마사에 관한 이 장은, 플리니우스Pliny, 《박물지H.N.》, 제33권, 제3장에 있는 몇 가지 문장에 기초를 둔 것이다. 근대의 비판은 진상은 본문에 나와 있는 것처럼 그렇게 단순한 것은 아니었다는 것을 밝혀냈다.〕

떨어져 갔으며, 동일한 명목액이 점차로 더 소량의 은을 함유하게 되어 갔던 것이다.

또 한 가지의 비상편법은 주화의 품위를 저하하는 것이다.
많은 국민들은 이와 같은 목적을 위하여 종종 그들의 주화의 법정 표준품위를 섞음질하여 나쁘게 만들었다. 즉 더 다량의 합금을 그 속에 혼입했다. 예를 들면 만일 우리의 은화 1파운드의 함량 가운데 현행의 표준품위인 18페니웨이트pennyweight 대신에 8온스의 합금이 혼입되어 있다면, 영화 1파운드, 즉 그러한 주화 20실링은 현재 우리의 주화로 6실링 8펜스 남짓한 가치밖에 되지 않을 것이다. 현재의 우리 화폐 6실링 8펜스에 함유된 은량은 이렇게 해서 거의 영화 1파운드라는 명목가치에 가깝게 인상될 것이다. 표준품위의 조악화는 프랑스인의 소위 화폐의 인상(augmentation), 즉 주화의 명목가치를 직접적으로 올리는 것과 같은 효과를 가지고 있다.

그러나 이것은 배신적인 사기 행위이며, 대단한 격분을 일으키고 보통은 선취한다.
화폐의 인상, 즉 주화의 명목가치의 직접적인 인상은 언제나 공개적이고 공언된 조작이며, 또한 그 성질상 그렇지 않을 수 없는 것이다. 그 때문에 보다 작은 중량과 용적의 주화편이 그 이전에는 보다 큰 중량과 용적의 주화에 주어졌던 명목으로 불리게 된다. 이와 반대로 표준품위의 조악화는 대체로 비밀의 조작이었다. 그 때문에 그 이전에는 훨씬 더 큰 가치로 유통되고 있었던 주화와 같은 명칭의, 게다가 꾸며 낼 수 있는 한 될 수 있는 대로 같은 중량·용적·외견을 가진 주화가 조폐국에서 발행되었다. 프랑스의 국왕 장[310]이 자기의 채무를 지불하기

310 캉게 경 샤를 뒤 프렌Charles du Fresne, sieur du Cange의 용어 사전(Glossary), 《voce Moneta》 베네딕틴Benedictine 판을 보라. [이 책은 주화에 관하여 이루어진 변경의 표를 제시하고 있다. 그리고 프랑수아 르블랑François Le Blanc, 《Traité historique des Monnoyes de France》(1792)에 관하여 설명하고 있는데, 이 책의 218면에는 직원들이 선서로써 비밀을 지킬 것을 엄명받았다는 사실이 기술되어 있으나, 그 선서는, 더 손에 넣기 쉬운 멜론Melon, 《Essai politique sur le

위하여 자기의 주화를 조악화했을 때, 그의 조폐국의 모든 직원은 비밀을 지킬 것을 서약당했다. 이 두 가지 조작은 모두 부정이다. 그러나 단순한 화폐의 인상은 공공연한 폭력이라는 부정인데, 그 반면 조악화는 배신적인 사기행위라는 부정이다. 그러므로 후자의 조작은 그것이 발견되자마자, 그리고 그렇게 오래 감추어져 있을 수 없는 것이지만, 전자의 조작보다 훨씬 심한 의분義憤을 자극했다. 주화가 어느 정도 인상된 뒤에는 이전의 중량으로는 좀처럼 되돌려지지는 않았지만, 그러나 최대한도로 조악화된 뒤에는 그것은 거의 언제나 이전의 본디의 순도로 되돌려졌다. 왜냐하면 국민의 격노와 분노를 이 이외의 방법으로는 달랠 수 있었던 적이 좀처럼 없었기 때문이었다.

그것은 잉글랜드와 스코틀랜드 및 그 밖의 대부분의 다른 나라에서도 시도되어 왔다.
헨리 8세의 치세 말에, 그리고 에드워드 6세의 치세 초에 잉글랜드의 주화는 그 명목가치가 올려졌을 뿐만 아니라, 표준품위도 조악화되었다. 이와 같은 사기행위는 제임스 6세가 미성년이었던 동안의 스코틀랜드에서도 실시되었다. 그런 것이 대부분의 다른 나라에서도 수시로 행해져 왔다.

영국의 공채를 상환 또는 정리하기 위해서는 수입의 상당한 증가 또는 경비의 상당한 삭감이 필요하다.
영국의 잉여, 즉 평시편제비를 지불하고 남는 잉여와 대단히 소액인 동안은, 공공적 경비가 언젠가[311]는 그 부담에서 완전히 해결될 수 있으리라고 기대하거나, 또는 그 해방을 향하여 언젠가는 상당히 전진할 것이라고 기대하는 것은 완전히 헛된 것인 듯하다. 그 해방은 공공적 수입이 상당히 증가한다든지, 또는 공공적 경비가 마찬가지로 상당히 삭감되든지 하지 않는 한, 결코 성취될 수 없다는 것은 명백하다.

Commerce》)(1761), 제13장, 177면에도 인용되어 있다.〕
311 〔"언젠가(ever)"는 제2판에서 제5판까지 "never"라고 오식되어 있다.〕

과세제도를 개혁하면 수입을 상당히 증가시킬 수 있을지 모르나, 그것만으로는 불충분하다.

지조를 더 공평하게 하고, 가옥 임대료세도 더 공평하게 하고, 현행의 관세제도와 내국소비세 제도를 앞 장에서 기술한 바와 같이 개혁하면 대부분의 국민의 부담을 증가시키지 않고 단지 그 부담을 가장 공평하게 전 국민에게 분배함으로써 수입은 상당히 증가할 것이다. 그러나 가장 낙관적인 입안자라도, 이런 종류의 증수로써, 공공적 수입이 부담에서 완전히 해방된다든지 다음 전쟁에서 공채가 이 이상으로 누적되는 것을 방지 또는 보상할 수 있을 만큼 평시에 그 해방이 진행한다거나 하는 합리적 희망을 줄 수 있을 만한 것이라 은근히 믿을 리는 없을 것이다.

과세제도를 아일랜드와 식민지들에까지 확대하면 더 큰 수입이 마련될 것이다.

영국의 과세제도를 영국계 또는 유럽계 민족[312]이 살고 있는 제국의 모든 속령에까지 확대하면, 훨씬 거액의 수입 증가를 기대할 수 있다. 그러나 이것은 영국의 의회에, 또는 만일 여러분이 희망한다면 영국의 신분 의회에 모든 그러한 속령의 공정하고 평등한 대표를 보내는 것을 허용하지 않고서는, 즉 영국의 대표선출권이 영국에 부과되는 조세징수액에 대해서 가지는 것과 같은 비율을 각 속령의 대표가 그의 조세징수액에 대해서 가지는 것을 허용하지 않는 한, 영국의 국가 기본 제도의 원리와 어긋나지 않게 실행하는 것은 아마 불가능할 것이다. 실로 수많은 유력자의 사적인 이해관계와 국민 대중의 굳어진 편견은 현재로서는 그러한 큰 변화에 대립하여 그 극복이 아주 곤란한, 아마 전혀 불가능한 장해가 되어 있는 것 같다. 그러나 그러한 합방이 실행가능한지 않는지를 굳이 결정지으려고 할 것 없이 이런 종류의 추론적인 저술을 통하여 영국의 과세제도는 어느 정도까지 이 제국의 모든 각가지 속령에 적용될 수 있을 것

312 〔여기까지의 구의 원문은 "by people of either British or European extraction"인데, 초판에는 "of either"가 "either of"로 되어 있다.〕

인지, 그리고 이런 종류의 전반적 합방은 어떻게 해서 그것에 포함되는 여러 속령의 행복과 번영에 영향을 미칠 수 있을 것인지를 고찰하는 것은 아마 부적당하지는 않을 것이다. 그러한 사색은 최악의 경우라 해도 하나의 새로운 유토피아, 즉 옛날의 유토피아에 비하면 확실히 그렇게 재미있는 것은 아니지만 그보다 쓸모없지도 않으며 터무니없는 것도 아닌 하나의 새로운 유토피아로서 간주될 수는 있을 것이다.

지조, 인지세, 여러 가지 관세 및 내국소비세는 영국의 조세의 네 가지 주요 부문을 이루고 있다.

지조는 아일랜드와 아메리카 및 서인도에 확충할 수 있을 것이다.

아일랜드가 영국과 같을 정도로 지조를 지불할 수 있음은 확실하며, 우리의 아메리카와 서인도의 재식지栽植地는 그 이상으로 지불할 수 있다. 지주가 10분의 1세도 구빈세도 물지 않는 곳에서는, 지조 이외에 그 쌍방의 부담을 지고 있는 곳에서보다 확실히 그는 더 많은 지조를 지불할 수 있을 것이 틀림없다. 10분의 1세는 그의 대납제가 없어 현물로 징수되고 있는 곳에서는, 그렇지 않았을 경우 지주의 지대가 되었을 것을 실제로 1파운드당 5실링에 달하는 지조 이상으로 감소시킨다. 그러한 10분의 1세는 대부분의 경우, 그 토지의 참다운 지대, 즉 농업경영자의 자본을 그의 합리적인 이윤과 함께 완전히 회수한 뒤에 남는 것의 4분의 1 이상에 달한다는 것을 알게 될 것이다. 만일 모든 10분의 1세 대납금과 모든 교회령 속인소유俗人所有가 폐지된다면, 영국과 아일랜드의 완전한 교회 10분의 1세가 600만 내지 700만 파운드 이하로 평가될 리는 없을 것이다. 만일 영국에도 아일랜드에도 10분의 1세가 전혀 없다면 지주들은 그 대부분이 현재 이상으로 부담을 지게 되지 않고, 600만 내지 700만 파운드의 추가적인 지조를 지불할 만한 여유를 가질 수 있을 것이다. 아메리카는 10분의 1세를 전혀 지부하고 있지 않으므로, 지조를 지불할 만한 여유는 충분히 있는 셈이다. 실로 아메리카와 서인도에서는 대체로 토지를 농업경영자에게 임대하지도 않으며, 차지계약으로서 빌려주지도 않는다.[313] 그러므로 어떠한 지대장에 따라서도 그러한 토지에 부과될 수는 없을 것이다. 그러나 영국의 토지도 윌리엄과 메리의 치세 제4년에는 어떠한 지대장에 따라서도 부과되지는 않았으며, 대단히 산만하고 부정확한 견적에 의해서 부과되었다. 아메리카의 토지도 이와 같은 방법으로 부과될 수 있든지 또는 최근 밀라노 공국과 오스트리아, 프로이센 및 사르데냐의 영토에서 이루어졌던 것과 같이 정확한 측량의 결과에서 나온 공평한 평가에 따라 부과될 수도 있을 것이다.

인지세는 쉽게 확충될 수 있을 것이다.

인지세는 소송 절차의 형식과 동산 및 부동산 쌍방이 이전될 경우의 증서가 같거나 거의 같은 지방에서는 어디서나 아무 변경 없이 징수할 수 있는 것은 명백하다.

관세법의 확충은 자유무역 확대를 동반할 것이므로, 모두에게 크게 유리할 것이다.

영국의 관세법을 아일랜드 및 식민지들에 확대한다는 것은, 다만 그것이 당연히 그렇게 되어야 하듯이, 무역의 자유의 확대를 수반한다면 쌍방 모두에게 최고도로 유리하게 될 것이다. 현재 아일랜드 무역을 억압하고 있는 모든 불쾌한 제한도, 아메리카의 열거상품과 비열거상품과의 사이의 구별도 완전히 없어질 것이다. 피니스테레곶의 북방 지방들은 그 곶의 남방 지방들이 현재 아메리카의 생산물의 어떤 부분에 대해서 그렇게 되어 있는 것과 마찬가지로, 아메리카의 생산물의 모든 부분에 대해서 개방될 것이다. 영국의 모든 지방 상호 간의 무역은 관세법의 이러한 통일의 결과로서, 영국의 연안무역이 현재 그러한 것과 마찬가지로 자유로워질 것이다. 영국은 이렇게 해서 자국 내에 모든 속령의 모든 생산물에 대한 거대한 국내시장을 제공할 것이다. 시장이 그렇게 크게 확대되면,

313 〔이 이하의 원문은 "The lands……are in general not tenanted nor leased out to farmers"인데 초판에는 "nor"가 "or"로 되어 있다.〕

아일랜드도, 식민지들도 관세의 증가에서 입을 모든 손실을 얼마 되지 않아 메우게 될 것이다.

내국소비세는 약간의 변경을 필요로 할 것이다.

영국의 과세제도 가운데서, 그것이 이 제국의 여러 속령에 적용되는 경우에 따라 나름대로 변경을 필요로 하는 것은 내국소비세뿐이다. 그러나 그것이 아일랜드에 적용될 경우에는 아무런 변경도 필요 없을 것인데, 이는 그 왕국의 생산과 소비가 영국의 그것과 똑같은 성질의 것이기 때문이다. 생산과 소비가 영국의 그것과 대단히 다른 아메리카 및 서인도에 그것을 적용할 경우에는, 잉글랜드의 사과주와 맥주를 주요 음료로 하는 각 주에 적용하는 경우와 마찬가지로 약간의 수정을 필요로 할 것이다.

예컨대 아메리카의 맥주의 경우가 그러하다.

예를 들면, 맥주라고 불리고는 있지만, 실은 당밀로써 만들어지므로 우리들의 맥주와는 거의 비슷한 데가 없는 양조주가 아메리카에서는 국민의 일상 음료의 상당한 부분을 이루고 있다. 이 음료는 불과 며칠간밖에 보존되지 않으므로 우리나라의 맥주처럼 큰 양조장에서 판매를 위해 조제하고 저장될 수는 없으나, 각 개인의 가정이 그들의 식물을 요리하는 것과 마찬가지로 자가 소비용을 위해 양조하지 않으면 안 된다. 그러나 우리나라에서 공중에게 판매할 것을 목적으로 하는 술집의 주인과 양조에게 당하고 있는 것과 마찬가지로, 각 개인의 가정에 수세리의 불쾌한 임검과 검사를 받도록 하는 것은 자유와 전혀 양립하지 않는다. 만일 공평을 기하기 위하여 이 음료에 과세할 필요가 있다고 생각되면, 그 제조원료에 대해서 과세하면 될 것이다. 즉 그 원료가 제조되는 장소에서 과세하든지 또는 만일 거래 사정이 그러한 내국소비세를 부적당한 것으로 만들고 있다면 그것이 소비되도록 되어 있는 식민지에의 수입에 대해서 과세하든지 하면 될 것이다. 영국의 의회는 아메리카에의 당밀의 수입에 대해서 1갤런에 1페니의 세를 부과하고 있는데, 그 외에도 다른 식민지의 선박으로 매사추세츠 만으로 가는 그것들의 수입에는 한 통에 8펜스라는 이런 종류의 속주세가 과해지고, 그것이 북부 식민지들에서 사우스캐롤라이나에 수입되는 경우에는 1갤런당 5펜스의 다른 속주세가 부과되고 있다. 또한 만일 이러한 두 가지 방법이 어느 것이나 다 불편하다면, 각 가정이 이 음료의 소비에 대해서 대납금만 치러도 될 것이다. 즉 잉글랜드의 사적인 가정이 맥아세에 대해서 대납금만 치르고 있는 것과 같은 방법으로 그 구성 인원 수에 따라서 치르게 하든지, 또는 네덜란드에서 여러 가지 조세가 부과되고 있는 것과 같은 방법으로 여러 가지 연령별과 성별에 따라 하든지, 또는 잉글랜드에서 소비품에 부과되어야 할 모든 조세에 관하여 매튜 데커 경이 제안하고 있는 것과 거의 같은 방법으로 하든지 하면 될 것이다. 이미 말한 바와 같이 이 과세 방법은 급속히 소비되는 물건에 적용될 경우에는 아주 편리한 것이 못 된다. 그러나 달리 좋은 방법이 전혀 없을 때는 그것을 채용해도 좋을 것이다.

설탕 · 럼주 · 담배는 내국소비세가 과해지도록 될 수 있을 것이다.

설탕·럼주·담배가 생활필수품이 되어 있는 곳은 아무 데도 없으나, 이것들은 거의 보편적인 소비의 대상이 되어 있다. 따라서 극히 적당한 과세물건이기도 하다. 만일 식민지들과 합방이 이루어진다면,[314] 그러한 상품들은 이것들이 제조업자의 손에서 떠나기 전에 과세되도록 해도 좋을 것이며, 또는 만일 이러한 과세 방법이 그러한 사람들의 여러 사정에 적합하지 않는다면 그러한 상품들은 제조의 장소와 그 후 그것들이 수송되는 제국 내의 모든 항구에 있는 공설의 창고에 맡겨져서 그 상품의 소유자와 세무리와의 공동 보관으로 하고, 소비자나 국내소비를 위한 소매상과 또는 수출업자에게 인도될 때까지 그대로 둔 채, 인도되기 전에는 조세가 성불되지 않도록 해도 좋을 것이다. 그리고 그것들이 수출을 위

314 〔이 구의 원문은 "If……were"라고 가정법으로 되어 있으나 초판에서 제3판까지는 "If……was……"라고 직설법으로 되어 있다.〕

해 인도될 때에는, 이 제국의 바깥으로 틀림없이 수출된다고 하는 데 관한 적당한 보증이 있으면 무세로 하는 것이다. 아마 이러한 상품은 식민지들과의 합방의 경우 영국의 현행 과세제도에 어떤 상당한 변화를 필요로 할 만한 주요 상품들일 것이다.

이리하여 달성되는 수입의 증가가 과세인구의 증가에 비례한다면, 공채정리에 충용될 625만 파운드를 거두어들일 것이다. 그리고 이 금액은 물론 점점 증대해 갈 것이다.

이 과세제도가 이 제국의 모든 속령까지 확충될 경우 얼마만큼의 금액의 수입이 나올 것인지를 꽤 정확하게 단언한다는 것은 틀림없이 전혀 불가능한 것이다. 영국에서는 이 제도로 800만 미만의 국민으로부터 연년 1000만 파운드 이상의 수입을 징수하고 있다. 아일랜드에는 200만 이상의 국민이 있고, 또 아메리카 의회에 제출된 보고서에 의하면[315] 아메리카의 12개의 연합 속주에는 300만 이상의 국민이 있다. 그러나 이 보고서는 아마 그들 스스로의 국민을 격려하기 위해서든지 또는 우리나라의 국민을 위협하기 위해서 과장되었을 것이므로, 우리는 우리의 북아메리카와 서인도의 식민지를 한데 뭉쳐서 그 주민이 300만밖에 되지 않으며, 또 유럽과 아메리카에 있는 전 영국에는 1300만의 주민밖에 없다고 가정해 두자. 만일 이 과세제도가 800만이 못되는 주민으로부터 영화 1000만 파운드 이상의 수입을 올린다면, 1300만의 주민으로부터는 영화 1625만 파운드 이상의 수입을 올려야만 한다. 이 제도가 그만한 것을 올릴 수 있다고 가정하면, 이 수입에서 그들 각자의 일반 행정비를 지출하기 위해 아일랜드 및 식민지들에서 보통 조달되고 있는 수입이 공제되지 않으면 안 된다. 아일랜드의 일반행정 및 군사상의 상설편제비常設編制費는 공채의 이자를 합하면 1775년 3월에 끝난 2년을 평균으로 하여 연액 75만 파운드보다 약간 적은 것에 달하고 있다. 아메리카 및 서인도의 주요 식민지들의 수입에 관한 대단히 정확한 기록

315 〔앤더슨의 속편, 《Commerce》(1774), 1801년도 판, 속편, 제4권, 178면에 나와 있다.〕

에 의하면, 현재의[316] 동란이 시작되기 전 그것은 14만 1800파운드에 달했었다. 그러나 이 기록에는 메릴랜드, 노스캐롤라이나 및 대륙과 제도에서 우리가 최근에 획득한 모든 지역의 수입이 빠져 있고, 그 때문에 아마 3만에서 4만 파운드의 차이가 생길 것이다. 그러므로 끝수를 없애기 위하여 아일랜드 및 식민지들의 일반행정을 유지하기 위하여 필요한 수입을 총액 100만 파운드가 남을 것이며, 이것이 이 제국의 일반경비를 지불하고, 공채를 상환하기 위하여 충당될 것이다. 그러나 만일 영국의 현 수입에서 100만 파운드를 공채상환을 위하여 평시에 할애될 수 있다면, 이 개선된 수입에서 625만 파운드를 할애하기는 극히 쉬운 일일 것이다. 뿐만 아니라 이 거액의 감채기금은 전년에 상환된 공채의 이자만큼 매년 증가할 것이며, 이렇게 해서 아주 신속히 증가하여 몇 년 되지 않아 공채 전액을 상환하고, 그리하여 현재 쇠약, 소모해 가는 이 제국의 생기를 완전히 회복하기에 충분할 만한 것이 될 것이다. 그동안에 국민은 가장 견디기 어려운 약간의 조세에서, 즉 생활필수품 또는 제조업의 원료에 과해지고 있는 조세에서 해방될 수 있을 것이다. 이렇게 해서 노동 빈민은 보다 나은 생활을 하고 보다 헐값으로 노동을 하고 그들의 재화를 보다 헐값으로 시장에 보낼 수 있게 될 것이다. 그들의 재화가 싸다는 것은 그 재화에 대한 수요를 증가시킬 것이며, 그 결과 그러한 재화를 생산하는 사람들의 노동에 대한 수요도 증가시킬 것이다. 노동에 대한 수요의 이러한 증가는 노동 빈민의 수를 증가시키고, 그들의 사정을 개선하기도 할 것이다. 그들의 소비는 증대될 것이고, 이와 더불어 종래대로의 조세가 과해져도 괜찮게 되어 있는 모든 소비물품에서 생기는 수입도 증대할 것이다.

이 견적에서 필요한 약간의 할인은 몇몇 간단한 변경에서 생기는 추가에 의해서 상쇄될 것이다.

그러나 이 과세제도에서 생기는 수입은 그것을 치르도록 되어 있는 국민의 수에

316 〔"현재의"는 초판에는 "최근의"로 되어 있다.〕

비례해서 즉각 증가하지는 않을 것이다. 종래 길들여져 있지 않은 부담을 이렇게 해서 부담하게 되는 제국의 속령들에 대해서는 얼마 동안은 대단히 관대한 조치가 강구되어야 할 것이며, 그리고 동일한 조세가 어디에서나 될 수 있는 대로 정확하게 징수되기에 이르렀을 때일지라도, 속령들이 어디에서나 그 국민의 수에 비례한 수입을 거두어들이지는 못할 것이다. 빈국에서는 관세와 내국소비세가 부과되는 주요 상품의 소비는 대단히 적고, 그리고 주민이 희박한 나라에서는 밀매매의 기회가 대단히 많다. 스코틀랜드의 하층계급의 사람들 사이에서의 맥아주의 소비는 대단히 적고 또 맥아·맥주·에일에 대한 내국소비세도 인구와 세율에 비해서 잉글랜드에서보다 더 적다. 그리고 맥아에 대한 세율은 그 품질에 차가 있다고 생각되기 때문에 같지 않다. 내국소비세의 이러한 특정부문에 있어서 잉글랜드에서보다 스코틀랜드에서 밀매매가 더 많은 것은 아니라고 나는 생각한다. 증류주 제조소에 대한 세와 관세의 소수고所收高의 대부분은 해당 국가들의 국민 수에 비해서 스코틀랜드가 잉글랜드에서보다 더 적게 징수되는데, 그것은 피과세상품의 소비가 잉글랜드보다 적기 때문일 뿐만 아니라, 훨씬 밀매매하기가 쉽기 때문이다. 아일랜드에서도 하층계급의 사람들은 스코틀랜드보다 훨씬 더 가난하며, 그 나라의 대부분의 지방은 스코틀랜드와 거의 같은 정도로 주민이 희박하다. 그러므로 아일랜드에서는 피과세상품의 소비는 국민 수에 비해서 스코틀랜드에서보다 훨씬 더 적을 것이지만 밀매매의 용이함은 거의 같을 것이다. 아메리카와 서인도에서는 최하층의 백인들까지도 잉글랜드에서의 같은 계급의 사람들보다 훨씬 더 좋은 형편에 있기 때문에 그들이 일상 탐닉하고 있는 모든 사치품의 소비도 아마 훨씬 더 많을 것이다. 실로 이 대륙의 남부의 식민지들과 서인도 제도[317]의 주민의 대부분을 이루고 있는 흑인은 노예 상태에 있으므로, 스코틀랜드 또는 아일랜드의 가장 가난한 사람들보다 생활상태가 더 나쁠 것은 틀림없다. 그러나 우리는 그렇다고 해서 그들이 보다 더 나쁘게 부

317 〔이곳의 원문은 "West India islands"인데, 초판과 재판에는 "West indian islands"라고 되어 있다.〕

양되고 있다든지, 또는 얼마만큼의 세금이 과해져 있는 물품에 관한 그들의 소비가 잉글랜드의 하층계급의 사람들의 소비에 비해서도 보다 적을 것이라고 상상해서는 안 된다. 그들이 더 일을 잘하도록 하기 위해서 잘 먹이고 용기를 잃지 않도록 해 두는 것이 그들의 주인의 이익이 되는 것으로, 그것은 마치 가축을 그렇게 해 두는 것이 그의 이익이 되는 것과 마찬가지이다. 따라서 흑인은 거의 어디에서나 백인 하인과 마찬가지로 럼주와 당밀 또는 당회주를 그들의 수당으로서 지급받고 있으며, 또한 그러한 물품에 얼마만큼의 세금을 과할지라도 이 수당이 빼앗겨지지는 않을 것이다. 그러므로 아메리카와 서인도는 주민수에 비해서 피과세상품의 소비가 영국의 어느 지방에서와 마찬가지로 많을 것이다. 사실 밀매매의 기회는 훨씬 많을 것이다. 왜냐하면 아메리카는 국토의 면적에 비해서 스코틀랜드나 아일랜드의 어느 곳보다 인구가 희박하기 때문이다. 그러나 만일 맥아와 맥아주에 대한 여러 가지 조세로써 현재 조달되고 있는 수입이 맥아에 대한 단일한 세에 의해서 징수되게 된다면,[318] 내국소비세의 최중요 부문에서의 밀매매의 기회는 거의 완전히 없어질 것이다. 그리고 만일 관세가 거의 모든 수입품에 부과되는 대신에 가장 일반적으로 사용되고 소비되는 몇 가지 물품에 한정되고, 그러한 세의 징수가 내국소비세법에 따르도록 되어 있다면,[319] 밀매매의 기회는 비록 완전히 없어지지는 않을지라도 크게 감소할 것이다. 이상 두 가지의 명백하고 간단하고 용이한 변경의 결과로서, 관세와 내국소비세는 아마 주민이 가장 희박한 지방일지라도 가장 조밀한 지방이 그 소비에 비례하여 현재 올리고 있는 것과 같은 정도로 큰 수입을 그 소비에 비례해서 올릴 것이다.

아메리카인은 금은을 별로 갖고 있지 않다.

실제로 아메리카인은 금화 또는 은화를 전혀 갖고 있지 않은데, 이는 그 나라의

318 〔이 구는 "if……were……"라고 가정법인데, 초판에서 제3판까지는 "if……was……"라고 직설법으로 되어 있다.〕

319 〔이 구는 "if……were……"라고 가정법인데, 초판에서 제3판까지는 "if……was……"라고 직설법으로 되어 있다.〕

내륙상업이 지폐로써 행해지고 있으며, 금은이 이따금 그들에게 들어가더라도 그 모두가 우리들로부터 받아들이는 상품의 대금으로써 영국에 보내져 버리기 때문이라고 일컬어져 왔다. 그러나 금은이 없이는 납세도 할 수 없다고 덧붙였다. 우리는 이미 그들이 가지고 있는 금은을 모두 손에 넣었다. 그들이 갖고 있지도 않은 것을 그들로부터 빼앗아 낸다는 것이 어찌 가능하겠는가?

그러나 이것은 선택의 결과지 필연의 결과는 아니다.

아메리카에서 현재 금화와 은화가 부족하다는 것은 그 나라가 빈곤하다든지 그 국민이 그러한 금속을 구매할 능력이 없다는 결과는 아니다. 잉글랜드에서보다 노동의 임금이 훨씬 높고, 식료품의 가격이 훨씬 낮은 나라에서는, 국민의 대부분은 만일 금은을 구매할 필요가 있다든지 그렇게 하는 것이 편리하기라도 하다면[320] 보다 다량으로 그것들을 구매할 수 있는 수단을 확실히 가지고 있음은 틀림없다. 그러므로 그러한 금속의 부족은 선택의 결과이지 필연의 결과가 아님이 틀림없다.

금화와 은화가 필요하거나 또는 편리한 것은 국내거래 또는 국외거래를 처리하기 위한 것이다.

아메리카인에게는 지폐가 국내상업을 위해서는 더 편리하다.

본 연구의 제2편에서 밝혀 둔 바이지만, 모든 나라의 국내거래는 적어도 평시에는 금화와 은화로써 하는 것과 거의 같은 정도로 지폐로써 처리할 수 있을 것이다. 쉽게 획득될 수 있는 이상의 많은 자재를 그들의 토지개량에 사용하여 항상 이윤을 올릴 수 있었던 아메리카인에게는, 금은값이 대단히 비싼 상업 용구에 비용을 들이는 것을 될 수 있는 대로 절약하고 오히려 그러한 금속을 구매하기 위해 필요하게 될 잉여생산물 부분을 사업 용구, 의복의 재료, 몇 가지 종류의

320 〔이 구는 "if……were……"라고 가정법인데, 초판에서 제3판까지는 "if……was……"라고 직설법으로 되어 있다.〕

가구, 그들의 정주지와 재식지를 건설하고 확대하는 데 필요한 철제품을 구매하는 것에, 즉 죽은 자재가 아닌 활동적이며 생산적인 자재를 구매하는 데 사용하는 것이 편리하다. 식민지의 여러 정부도 인민[321]에게 그들의 국내거래를 처리하는 데 충분할 만한, 그리고 일반적으로 그 이상 많은 지폐를 공급하는 것이 여러 정부의 이익이라는 것을 알고 있다. 그러한 정부 가운데 어떤 것, 특히 펜실베니아 정부는 얼마만큼의 비율의 이자를 받고 이 지폐를 그 신민에게 대출함으로써 수입을 얻고 있다. 매사추세츠 만의 정부 같은 다른 정부들은 비상사태의 경우 공공의 경비를 지출하기 위하여 이런 종류의 지폐를 선불해 놓고 그 뒤에 그 식민지의 형편이 괜찮아질 때, 차츰 떨어진 가치로 이 지폐를 되사서 회수하고 있다. 1747년[322]에 그 식민지는 이렇게 해서 그 공채의 대부분을 공채증서를 수여하고 얻었던 화폐의 10분의 1로써 상환했다. 재식자들로서는 그들의 대내거래에 금화와 은화를 사용하는 비용을 절약하는 편이 좋은 것이며, 또한 식민지의 여러 정부로서도 비록 약간의 대단히 큰 불이익이 따르더라도 그 경비의 절약을 가능하게 해 주는 매개물을 그들에게 공급하는 편이 편리하다. 지폐가 과잉이 되면 식민지들의 대내거래에서 필연적으로 금은이 구축되는데, 이는 지폐가 과잉해졌기 때문에 스코틀랜드에서의[323] 대부분 대내거래에서 그러한 금속이 구축되었던 것과 동일한 이유에서이며, 또한 지폐의 이러한 과잉을 일으켰던 것은, 국민의 빈곤이 아니라, 그들의 사업가 정신과 기획가 정신, 즉 그들이 획득할 수 있는 자재의 전부를 활동적이고 생산적인 자재로서 사용하려고 하는 열망인 것이다.

반면 대외상업을 위해서는 그들은 필요한 대로 금은을 쓰고 있다.

여러 식민지가 영국과 행하고 있는 대외상업에 있어서는 금은은 적든 많든 간에

321 〔원문에는 "the people"인데, 초판에는 "the"가 없다.〕

322 토마스 허친슨Thomas Hutchinson, 《History of Massachusett's Bay》, 제2권, 436면 등을 보라. 〔《The History of the Colony of Massachusetts Bay》, 제2판(1765~1768).〕

323 〔"스코틀랜드에서의(in Scotland)"는 초판에는 "of Scotland"로 되어 있다.〕

그것들이 필요한 것에 정확하게 비례하여 사용되고 있다. 즉 그러한 금속이 필요하지 않는 곳에서는 그것들은 좀처럼 나타나지 않는다. 그것들이 필요한 곳에서는 대개 찾아볼 수 있다.

영국과 버지니아 및 메릴랜드와의 무역에 있어서는 담배가 금은보다 더 편리한 통화이다.

영국과 담배 식민지 사이의 상업에 있어서는 영국의 재화는 일반적으로 꽤 장기의 신용으로 식민자들에게 선대되어진 다음, 후일 일정가격으로 평가되는 담배로써 그 대가를 받는다. 식민자들에게는 금은보다 담배로써 지불하는 편이 더 편리하다. 어떠한 상인으로서도 자기의 거래처가 자기에게 팔아 준 재화의 대가를 지불할 경우 때마침 자기가 취급할 만한 어떤 다른 종류의 재화로써 지불하는 편이 화폐로써 하는 것보다 더 편리할 것이다. 그러한 상인은 수시의 청구에 응하기 위하여 자기의 자재의 일부분을 쓰지도 않은 채, 더욱이 현금으로 수중에 가지고 있을 필요는 전혀 없을 것이다. 그는 그렇게 함으로써 항상 자기의 점포 또는 창고에 보다 다량의 재화를 가지고 있을 수 있고, 또한 보다 큰 규모로 거래를 할 수 있을 것이다. 그러나 어떤 한 상인의 모든 거래처들로서는, 그들이 그 상인에게 파는 재화의 지불을 때마침 그가 취급하고 있는 어떤 다른 종류의 재화로 받는 편이 다 같이 편리하다는 것은 좀처럼 있을 수 없다. 버지니아와 메릴랜드와 무역하고 있는 영국의 상인들은 마침 특수한 종류의 거래처이어서, 그들은 그러한 식민지에 파는 재화의 지불을 금은보다도 담배로 받아들이는 편이 훨씬 편리한 거래처들이기도 하다. 그들은 담배를 팔아서 이윤을 올릴 것을 기대하고 있다. 금은을 팔아서는 아무런 이윤을 볼 수 없을 것이다. 따라서 금은은 영국과 담배 식민지 사이의 상업에서는 극히 드물게 나타날 뿐이다. 버지니아와 메릴랜드는 외국상업에 있어서도 국내상업에서와 마찬가지로 그러한 금속을 거의 필요로 하지 않는다. 따라서 그들은 아메리카의 다른 어떤 식민지보다 더 적은 금화와 은화를 가지고 있다고 일컬어지고 있다. 그러나 그들은 그들

이웃의 다른 식민지에 못지않게 번영하고 있고, 따라서 부유한 것으로 생각되고 있다.

북부의 식민지들은 대체로 영국과의 무역차액을 지불하는 데 필요한 금은을 지니고 있다.

북부의 식민지들, 즉 펜실베니아·뉴욕·뉴저지·뉴잉글랜드의 네 개 속령 등에서는, 영국에 수출되는 그들 자신의 생산물의 가치는, 그들 자신이 사용하거나 또는 그들이 운송업자 역할을 하는 다른 식민지들이 사용하기 위해 수입하는 제조품의 가치와 같지 않다. 그러므로 차액은 모국에 금은으로 지불되어야 하는데, 그런 식민지는 대체로 이 차액의 금은을 가지고 있다.

설탕 식민지도 대체로 설탕 재식자가 부재지주이므로 해서 발생하는 영국에의 차액을 지불하는 데 필요한 금은을 지니고 있다.

설탕 식민지에서는 해마다 영국에 수출되는 생산물의 가치가 그곳으로부터 수입되는 모든 재화의 그것보다 훨씬 더 크다. 만일 해마다 모국에 보내지는 설탕과 럼주가 이들 식민지에서 지불된다면, 영국은 매년 거액의 차액을 화폐로써 그곳에 내어 보내지 않으면 안 될 것이며, 어떤 정론가는 이러한 서인도 무역을 극히 불리한 것이라고 간주할 것이다. 그러나 설탕 식민지의 수많은 주요 소유자는 대개가 영국에 살고 있다. 그래서 그들의 지대는 그들의 소유지의 생산물인 설탕과 럼주로써 그들에게 송달된다. 서인도의 상인들이 그러한 식민지에서 그들 자신의 이익을 위하여 구매하는 설탕과 럼주도 그들이 해마다 그곳에 판매하는 재화의 가치에 따르지 못한다. 그러므로 차액은 금은으로 그들에게 반드시[324] 지불되지 않으면 안 되며, 이 차액분의 금은도 대체로 그곳에 있는 셈이다.

지불의 어려움이 당연히 지불해야 할 차액의 크기에 비례한 적은 없었다.

324 "반드시"는 초판에는 "일반적으로"라고 되어 있다.

여러 식민지로부터 영국에 행하는 지불의 어려움과 불규칙성이 그들 각자가 의당 지불해야 하는 차액의 대소에 비례한 적은 없었다. 지불은 대체로 북부 식민지에서 담배 식민지보다 더 규칙적으로 행해져 왔으며, 더욱이 전자는 일반적으로 상당히 큰 차액을 화폐로 지불한 반면, 후자[325]는 차액을 전혀 지불하지 않았거나 또는 아주 소액밖에 지불하지 않았다. 우리들의 각가지 설탕 식민지로부터의 지불을 받는 어려움의 대소는 각 식민지가 의당 지불해야 할 차액의 크기에는 그렇게 많이 비례하지 않았고 각 식민지가 가지고 있는 미경작지의 넓이, 즉 재식자들이 어느 정도 기업열企業熱에 떠 있었던가, 다시 말해서 그들이 그들의 자본에 맞지 않을 만큼 광대한 황야를 맡아 정주지와 재식지를 만들려고 했던 유혹이 어느 정도 컸었던가에 비례하고 있었다. 아직도 광대한 미경작지가 있는 자메이카라는 큰 섬으로부터의 대금회수代金回收가 바베이도스와 안티가 및 세인트 크리스토퍼 같은 작은 섬들에서의 수익보다 불규칙하고 불확실한 것도 이 때문이었고, 이 작은 섬들은 여러 해에 걸쳐 완전히 경작되었으므로 재식자에게 투기의 여지를 줄 만큼 여유가 없었던 셈이다. 그레나다·토바고·세인트빈센트·도미니카가 새로이 획득되었으므로, 이런 종류의 투기를 위한 새로운 분야가 열렸던 것이다. 따라서 그러한 섬으로부터의 대금회수는 최근에 자메이카라는 큰 섬으로부터의 수익과 마찬가지로 불규칙하고 불확실했다.

그 곤란성은 불필요하고 과도한 기업열에서 생겼던 것이다.

그러므로 식민지의 대부분에서 현재 금화와 은화가 부족한 것은 그 식민지의 빈곤에 기인한 것은 아니다. 그러한 식민지에서는 활동적이고 생산적인 재화에 대한 수요가 왕성하기 때문에, 죽은 자재를 될 수 있는 대로 적게 하는 것이 편리하며, 그리고 그 때문에 그들은 금은보다는 불편하더라도 보다 값싼 상업 용구로써 만족하고 싶어지는 것이다. 그리하여 그 식민지들은 그 금은의 가치를 사

325 이 이하의 구의 원문은 "while the latter have either paid no balance, or a much smaller one"인데, 초판에는 이 "either paid"가 "paid either"라고 되어 있다.

업 용구, 의복의 재료, 가구, 정주지와 재식지를 건설, 확대하는 데 필요한 철제품으로 전환하게 할 수 있다. 금화와 은화 없이는 거래될 수 없는 사업부문에서는 그 식민지들은 항상 그러한 금속의 필요량을 지니고 있는 것 같으며, 또한 만일 그러한 양이 없을 경우가 흔히 있다 하더라도 그러한 실패는 대체로 그들의 피할 수 없는 빈곤이 아니라 불필요한 과도의 기업열의 결과이다. 그들의 지불이 불규칙하고 불확실한 것도 가난하기 때문이 아니라, 과도하게 부유해지려고 너무 지나치게 열망하고 있기 때문이다. 비록 그 식민지의 세수가 그들 자신의 문치文治 및 군사상의 상설편제비常設編制費를 지출하는 데 필요한 것 이상으로 남는 부분의 전부를 금은으로 영국에 송금하도록 되어 있을지라도, 식민지들은 그러한 금속의 필요량을 구매할 만한 수단을 풍부하게 가지고 있다. 물론 이런 경우 식민지들은 현재 활동적이고 생산적인 자재를 구매하고 있는 잉여생산물의 일부분을 주고 죽은 자재와 교환하지 않을 수 없게 될 것이다. 식민지들은 그들의 대내거래를 처리할 경우 값싼 상업 용구 대신에 비싼 것을 사용하지 않을 수 없게 될 것이며, 이 비싼 용구의 구입비는 토지개량에 관한 과도한 기업열이라고 하는 생기와 열정을 다소나마 시들게 할지도 모른다. 그러나 아메리카의 수입의 어떤 부분도 반드시 그것을 금은으로 송금해야 한다는 필요는 없을 것이다. 그것은 아메리카의 잉여생산물의 일부를 이미 위탁받은 영국의 특정 상인 또는 회사 앞으로 발행되어 인수된 어음으로 송금되어도 좋을 것이다. 그리하여 그들은 아메리카의 수입의 가치를 이미 재화의 형태로서 받았으므로, 그것을 화폐로 국고에 납입할 것이며, 또한 모든 거래는 단 1온스의 금 또는 은[326]을 수출하지 않고서도, 이따금 처리될 수 있을 것이다.

아일랜드와 아메리카가 영국의 공채의 상환에 기여하는 것은 타당한 것이다.

아일랜드와 아메리카의 쌍방이 영국의 공채의 상환에 기여하는 것은 정의에 반하는 것은 아니다. 그 공채는 혁명에 의해서 수립된 정부를 유지하기 위하여 기

326 "금 또는 은"은 초판에는 "금과 은"이라고 되어 있다.

채되었던 것이며, 또한 이 정부의 덕택으로 아일랜드의 신교도는 현재 자국에서 누리고 있는 모든 권위를 얻었을 뿐만 아니라, 그들의 재산 및 그들의 종교에 대해서 그들이 지니고 있는 모든 보증을 받았던 것이다. 그리고 그 정부의 덕택으로 아메리카의 몇몇 식민지는 현행의 특허장을, 따라서 또한 현재의 기본적 정치제도를 획득했으며, 또 그 정부 덕택에 아메리카의 모든 식민지가 그때 이후 누려 왔던 자유와 안전과 재산을 얻었던 것이다. 그 공채는 영국뿐만 아니라 이 제국의 모든 속령을 방위하기 위하여 기채되었던 것이며, 특히 최근의 전쟁 때 기채된 거액의 공채와 그 전의 전쟁 때 기채된 공채의 대부분은 모두 실은 아메리카의 방위를 위하여 기채되었던 것이다.

영국과 합방은 아일랜드를 종교적 및 정치적인 편견에 근거를 두고 있는 압제적인 귀족정치에서 해방시킬 것이다.

영국과의 합방에 의해서 아일랜드는 무역의 자유뿐만 아니라, 훨씬 더 중요한 다른 이익을 획득할 것이며, 더욱이 그러한 이익은 그 합방에 따라 일어날지도 모르는 조세의 어떤 증가일지라도 그것을 치르고도 남을 만한 것일 것이다. 잉글랜드와 합방함으로써 스코틀랜드의 중류 및 하층계급의 사람들은 그 이전에는 그들을 항상 억압하고 있었던 귀족의 권력에서 완전히 해방되었다. 영국과 합방하면 아일랜드의 모든 계급의 사람들의 대부분은 이보다 훨씬 더 억압적인 귀족제에서 마찬가지로 완전히 해방될 것이다. 이 귀족제는 스코틀랜드에서의 그것처럼 출신과 재산이라는 자연스럽고 존중할 만한 차별에 근거를 두고 있는 것이 아니고, 종교상 및 정치상의 편견에 의한 모든 차별 가운데 가장 증오할 만한 차별에 근거를 두고 있는 것인데, 이 차별이야말로 다른 어떠한 차별보다 더 심하게, 억압자의 불손과 피억압자의 증오 및 분노를 자극하며 또한 같은 나라의 주민 상호 간에, 다른 나라의 주민들사이에서도 볼 수 없는 것보다 심한 적의를 갖게 한다. 영국과 합방하지 않는 한, 아일랜드의 주민은 몇 세기가 지나도 그들 자신을 하나의 국민이라고 생각하지는 않을 것 같다.

영국에서 분리되면 유혈로 이를 것 같은 원한에 찬 당쟁에서 식민지들은 모면될 것이다.

식민지들에서 억압적인 귀족제가 유행했던 적은 없었다. 그러나 그러한 식민지라 할지라도, 영국과 합방하면 행복과 평온이라는 점에서 상당히 향상될 것이다. 적어도 이 합방은 소민주국으로서는 불가분의 것인 악의와 적의에 찬 당쟁에서 식민지들을 구원할 것이다. 그리고 그 당쟁이야말로 흔히 그 국민의 애정을 분열시키고 또 그 형태에 있어서는 아주 민주적인 것에 가까운 그들 정부의 평온을 교란시켰던 것이다. 영국으로부터 완전히 분리될 경우, 만일 그것이 이런 종류의 합방에 의해서 저지되지 않는 한, 일어난 가능성은 많은 것 같은데, 만일 그럴 경우엔 그러한 당쟁은 종전보다 열 배나 유독한 것이 될 것이다. 현재의 동란이 개시되기 전에는 모국은 강압적인 권력으로 그러한 당쟁이 심한 만행과 모욕으로 더욱 악화된 사태로 뛰어들어 가는 것을 항상 억제할 수 있었다. 만일 그 강압적인 쌍방이 완전히 철수되어 버린다면[327] 그러한 당쟁은 아마 드디어 공공연한 폭행과 유혈로 뛰어들어 갈 것이다. 하나의 통일 정부하에 뭉친 모든 대국에서, 당파심이 우세한 것은 보통 그 제국의 중심에서이며, 멀리 떨어져 있는 지방들에서는 덜하다. 그러한 지방은 도시에서, 즉 당쟁과 야심이 대쟁탈전을 벌이는 주요 중심지에서 멀리 떨어져 있으므로, 다투는 어떤 당파의 견해에도 쉽게 가담하지 않고, 모든 당파의 행동에 관한 보다 무관심하고 치우지치 않는 방관자가 된다. 당파심은 잉글랜드보다 스코틀랜드가 덜 우세할 것이며, 식민지들은 아마 얼마 되지 않아 현재 영국의 어떤 지방에도 알려져 있지 않을 정도의 일치와 통일을 향수하게 될 것이다. 사실 아일랜드에도, 식민지에도 현재 그들이 지불하고 있는 것보다 더 무거운 조세를 부담하게 될 것이다. 그러나 국채를 상환하기 위하여 공공적 수입을 부지런히 충실하게 충당하기만 하면 그러한 조세의 대부분은 오래 계속되지는 않아도 될 것이며, 영국의 공공적 수입은 얼마

327 〔이 구의 원문은 "if…… were……"라는 가정법인데, 초판에서 제3판까지는 "if…… was……"라는 직설법으로 되어 있다.〕

되지 않아 적도의 평시 편제를 유지하기 위해 필요한 금액에까지 감축될 것이다.

동인도도 조세를 더 경감하고 행정상의 부패를 적게 하면, 보다 다액의 추가수입마저 낳을 수 있을 것이다.

동인도회사가 획득한 영토는 국왕의, 즉 영국의 국가 및 국민의 의문의 여지가 없는 권리로서 아마 이 기술한 바 있는 모든 것보다 더 풍부한 또 하나의 수입의 원천이 될 수 있을 것이다. 그러한 나라들은 영국보다 더 다산적이고 더 광대하고 또 그 면적에 비해서 훨씬 더 부유하고 인구가 더 많은 것으로 알려져 있다. 그들로부터 일대수입을 거둬들이기 위하여 이미 충분히, 아니 그 이상으로 충분히 과세되어 있는 그러한 나라들에 어떤 새로운 과세제도를 도입한다는 것은 아마 불필요할 것이다. 그러한 불행한 나라들의 부담을 가중하기보다는 경감해 주는 것이, 그리고 신세를 부과하지 않고 그들이 이미 지불하고 있는 조세의 대부분에 관한 횡령과 남용을 방지함으로써 그들에게서 수입을 얻으려고 노력하는 것이 아마 더 적합할 것이다.

만일 그러한 수입 증가가 달성될 수 없다면, 영국은 평시 및 전시에 있어서 식민지에 관한 경비를 면함으로써 자국의 경비를 축감해야 할 것이다.

만일 영국으로서는 상술한 재원의 어떤 것에서 상당한 수입 증가를 낸다는 것이 실행불가능하다고 하면, 남겨진 유일한 재원은 자국의 경비를 축감하는 것이라 하겠다. 공공적 수입을 징수하는 방법에 있어서나, 그것을 지출하는 방법에 있어서나 이 쌍방에는 아직 개선의 여지는 있겠지만, 영국은 절약을 해야 하겠다는 점에 있어서는 적어도 그 이웃의 어느 나라에 못지않은 것 같다. 영국의 자국의 방위를 위하여 평시에 유지하고 있는 군사상의 상설편제는 부富 또는 힘에 있어서 영국에 필적한다고 주장할 수 있는 유럽의 어떤 나라의 그것보다도 온당한 것이다. 그러므로 그러한 비용 가운데 경비를 상당히 절감할 여지가 있는 것은 하나도 없는 것 같다. 그러나 현재의 동란이 개시되기 전까지의 식민지들의 평시상설편제비는 상당한 것이었으며, 그리고 그것은 전부 절약될 수 있는 경비이며, 또한 만일 식민지들로부터 아무런 수입도 끌어낼 수 없다면 완전히 절약할 수 있는 마땅한 경비이다. 평시에 있어서의 이 부단한 경비는 거액이기는 하지만, 전시에 있어서 식민지들의 방위 때문에 우리가 부담해 온 것에 비하면 대수롭지 않은 것이다. 전적으로 식민지 때문에 이루어졌던 최근의 전쟁에서 영국의 9000만 파운드 이상의 비용을 썼다는 것은 이미 설명한 바 있다. 1739년의 스페인 전쟁도 주로 식민지들 때문에 치러졌던 것이며, 이 전쟁과 또 그 결과였던 프랑스 전쟁에서 영국은 4000만 파운드 이상을 소비했는데, 그 대부분은 당연히 식민지들에 부담시켜야 할 것이었다. 그 두 전쟁에서 식민지들은 최초의 전쟁의 개시 이전의 국채 총액의 세 배 이상의 경비를 영국에게 부담시킨 셈이다. 만일 그러한 전쟁이 없었다면, 그 공채는 지금에 이르러 완전히 상환될 수 있었을 것이며, 아마 상환되어 버렸을 것이다. 그리고 만일 식민지들이 없었다면 그러한 전쟁 가운데 전자는 일어나지 않았을지도 모르며, 후자는 확실히 일어나지 않았을 것이다. 식민지들이 영국의 속령들이라고 생각되었기 때문에 이러한 경비가 식민지들을 위해 지출되었던 것이다. 그러나 이 제국을 유지하기 위해 수입도 군사력도 갹출하지 않는 나라들은 속령이라고 생각될 수 없다. 그것들은 아마 이 제국의 부속품, 즉 화려하고 눈부신 집기의 일종이라고 생각될 수 있을 것이다. 그러나 이 제국이 이러한 집기를 보존하는 데 드는 경비를 이 이상 더 감당할 수 없다면, 그것을 버리는 것이 확실히 당연할 것이며, 그리고 그 제국이 그 지출에 비례하는 수입을 조달할 수 없다면, 당연히 그 제국은 지출을 그 수입에 맞추어야 할 것이다. 만일 식민지들이 영국의 조세를 감수할 것을 거부하는 데도 불구하고, 역시 영국의 속령으로 간주되어야 한다면, 장래 언젠가 전쟁이 일어날 경우, 그들의 방위는 종래에 치렀던 어떤 전쟁이 있어서도 못지않을 만큼 거액의 경비를 영국에 지울 것이다. 영국의 지배자들은 지난 1세기 이상 대서양의 양안에 일대 제국을 영유하고 있다는 상상으로 국민을 즐겁게 해 주어 왔다. 그러나 이 제국은 이때까지는 오직 상상 가운데서만 존재하고 있었다. 이때까지는 그것은 제국이 아니었고, 제국에 관한 계획이었으며, 금광이 아니라 금광에 관한 계획이었는데, 그 계획은 이윤을 내어 줄 가능성도 조금도 없으면서 이미 거액의 경비가 들었으며, 현재 계속 들고 있으며, 만일 이때까지 행해졌던 것과 같은 방법으로 계속된다면, 앞으로도 계속 들 것 같은 계획이다. 왜냐하면 이미 밝혀 둔 바 있거니와, 식민지 무역의 독점의 결과는 국민 대중에게 이윤은커녕 순전한 손실에 지나지 않기 때문이다. 지금이야말로 우리의 지배자들이 아마 국민과 함께 빠져 있었던 이 황금의 꿈을 실현하든지 또는 그들 스스로가 그 꿈에서 깨어나서 국민을 깨우려고 노력하든지 해야 할 시기라 하겠다. 만일 그 계획이 완성될 수 없다면, 그것은 당연히 포기되어야 할 것이다. 만일 영국의 어떤 속주 그것을 제국 전체를 유지하는 데 기여하도록 만들 수 없다면, 지금이야말로 영국이 그것들의 문치 또는 군사상의 상설편제의 모든 부분을 유지하기 위해 드는 경비에서 자신을 해방하고, 자국의 장래의 전망과 계획을 나라 사정에 비추어 현실적으로 온당한 것에 적합하도록 노력해야 할 시기다.

국부론 2

초판 발행 | 2014년 4월 17일
개정판 발행 | 2020년 7월 10일
펴낸이 | 홍정욱
기획 | 이상민 김지훈
편집 · 교열 | 김화란
표지제호 | 강병인
디자인 | 황인정
펴낸곳 | 사단법인 올재
출판등록 | 2011년 11월 4일 제300－2011－188호
주소 | 서울시 용산구 이태원로 220 3층
전화 | 02－720－8278
팩스 | 070－4763－5551
홈페이지 | www.olje.or.kr
ISBN | 979－11－5993－201－4 04320

Olje Classics

01 한글논어 이을호 역 | 현암학술문화연구소 보補
02 국가 플라톤 저 | 조우현 역
03 정치학 아리스토텔레스 저 | 라종일 역
04 고운집 최치원 저 | 이상현 역 | 한국고전번역원 기획
05 한글맹자 이을호 역 | 현암학술문화연구소 보補
06 소크라테스의 변명 외 플라톤 저 | 조우현 역
07 유토피아 토머스 모어 저 | 주요섭 역
08 청성잡기 성대중 저 | 한국고전번역원 기획 · 번역
09 한글중용 · 대학 이을호 역 | 현암학술문화연구소 보補
10 팡세 파스칼 저 | 정봉구 역
11 군주론 마키아벨리 저 | 임명방 역
12 기측체의 최한기 저 | 한국고전번역원 기획 · 번역
13 우서 유수원 저 | 한영구 역 | 한국고전번역원 기획
14 채근담 홍자성 저 | 송정희 역
15 차라투스트라는 이렇게 말했다. 프리드리히 니체 저 | 김정진 역
16 천로역정 존 버니언 저 | 주요섭 역
17 조선경국전 정도전 저 | 한영우 역
18, 19 계원필경집1, 2 최치원 저 | 이상현 역
20 꿈의 해석 지그문트 프로이트 저| 장병길 역
21 명심보감 추적 저 | 이민수 역
22 서경 | 권덕주 역
23 사회계약론 장 자크 루소 저 | 박은수 역
24 명상록 마르쿠스 아우렐리우스 저| 황문수 역
25 택리지 이중환 저| 이민수 역
26, 27 열하일기1, 2 박지원 저 |이가원 역
28 햄릿 윌리엄 셰익스피어 저 | 최재서 역
29 유혹자의 일기 쇠렌 키에르케고어 저 | 황문수 역
30 에밀 장 자크 루소 저 | 박은수 역
31 땅의 양식 앙드레 지드 저 | 박은수 역
32 격몽요결 이이 저 | 정후수 역
33 훈민정음통사 방종현 저 | 이상규 주해
34 방법서설 르네 데카르트 저 | 김형효 역
35 리바이어던 토머스 홉스 저 | 이정식 역
36 역옹패설 이제현 저 | 남만성 역
37 유리알 유희 헤르만 헤세 저 | 노태한 역
38, 39 국부론1, 2 애덤 스미스 저 | 최임환 역
40 도덕경 노자 저 | 이석명 역
41 마음 나쓰메 소세키 저 | 김성기 역
42~45 수호지1~4 시내암 저 | 연변대학 수호지 번역팀 역
46 난중일기 이순신 저 | 이은상 역
47 징비록 유성룡 저 | 구지현 역
48, 49 쇄미록1, 2 오희문 저 | 이민수 역
50 장자 장자 저 | 신동준 역
51 열자 열자 저 | 정창영 역
52 바가바드 기타 | 정창영 역
53 젊은 베르테르의 슬픔 요한 볼프강 폰 괴테 저 | 이인웅 역
54 산해경 | 장수철 역
55 박물지 쥘 르나르 저 | 손석린 역
56, 57 춘추좌전1, 2 좌구명 저 | 신동준 역
58~61 서유기1~4 오승은 저 | 연변인민출판사 번역팀 역
62 대당서역기 현장 저 | 권덕주 역
63 손자병법 손무 저 | 임용한 역
64 오자병법 오기 저 | 임용한 역
65 전술론 니콜로 마키아벨리 저 | 이영남 역
66 포화 앙리 바르뷔스 저 | 정봉구 역
67 시경 | 신동준 역
68 문심조룡 유협 저 | 김관웅 · 김정은 역
69 시학 · 데 아니마 아리스토텔레스 저 | 김완수 역
70 주홍 글씨 너대니얼 호손 저 | 최재서 역
71, 72 지봉유설1, 2 이수광 저 | 남만성 역
73 종의 기원 찰스 다윈 저 | 이민재 역
74 비글호 항해기

찰스 다윈 저 | 권혜련 · 김정석 · 박완신 · 이혜진 역

75~78 홍루몽1~4 조설근 저 | 연변인민출판사 번역팀 역

79~83 동주 열국지1~5 풍몽룡 저 | 신동준 역

84, 85 카라마조프네 형제들1, 2 도스토옙스키 저 | 이동현 역

86 고용, 이자 및 화폐의 일반이론 케인스 저 | 조순 역

87, 88 법, 입법 그리고 자유1, 2 하이에크 저 | 양승두 외 역

89~93 금병매1~5 난릉 소소생 저 | 김관웅 · 김정은 역

94, 95 한비자1, 2 한비 저 | 신동준 역

96 상군서 상앙 저 | 신동준 역

97, 98 회남자1, 2 유안 저 | 이석명 역

99 금강경 동봉 역해

100 동의수세보원 이제마 저 | 이을호 · 홍순용 역 | 주종천 보補

101, 102 르네상스 미술가 평전1, 2

조르조 바자리 저 | 이근배 역 | 최병진 감수

103, 104 삼국사기1, 2 김부식 저 | 허성도 역

105 크눌프 · 황야의 이리 헤르만 헤세 저 | 이인웅 역

106 최초의 모험 헤르만 헤세 저 | 이인웅 역

107 사기 본기 · 사기 서 사마천 저 | 신동준 역

108 사기 표 사마천 저 | 신동준 역

109 사기 세가 사마천 저 | 신동준 역

110, 111 사기 열전1, 2 사마천 저 | 신동준 역

112~116 삼국지1~5 나관중 저 | 연변인민출판사 번역팀 역

117, 118 황금가지1, 2 제임스 조지 프레이저 저 | 장병길 역

119 파워엘리트 찰스 라이트 밀스 저 | 진덕규 역

120 묵자 신동준 역

121, 122 십팔사략1, 2 증선지 저 | 신동준 역

123, 124 당시삼백수1, 2 손수 편 | 임동석 역

125 돈키호테 미겔 데 세르반테스 저 | 최민순 역

126~135 자치통감1~10 사마광 저 | 신동준 역

136~145 잃어버린 시간을 찾아서1~10

마르셀 프루스트 저 | 김창석 역

146, 147 관자1, 2 관중 저 | 신동준 역

148 순자 순자 저 | 신동준 역

149 주역 신원봉 역

150, 151 전국책1, 2 유향 저 | 임동석 역

152 맥베스 윌리엄 셰익스피어 저 | 김우탁 역

153 오셀로 윌리엄 셰익스피어 저 | 김우탁 역

154 리어왕 윌리엄 셰익스피어 저 | 김우탁 역

155, 156 데카메론1, 2 조반니 보카치오 저 | 허인 역

157, 158 유림외사1, 2 오경재 저 | 김관웅 · 김정은 역

159, 160 정관정요1, 2 오긍 저 | 임동석 역

161 안씨가훈 안지추 저 | 임동석 역

162 신기관 프랜시스 베이컨 저 | 김홍표 역

Olje Selections

01 한글논어 이을호 역 | 현암학술문화연구소 보補

02 국가 플라톤 저 | 조우현 역

03 조선경국전 정도전 저 | 한영우 역

04 햄릿 윌리엄 셰익스피어 저 | 최재서 역

05 한글맹자 이을호 역 | 현암학술문화연구소 보補

06 훈민정음통사 방종현 저 | 이상규 주해

07 정치학 아리스토텔레스 저 | 라종일 역

08 도덕경 노자 저 | 이석명 역

09~12 수호지1~4 시내암 저 | 연변대학 수호지 번역팀 역

13, 14 열하일기1, 2 박지원 저 | 이가원 역

15 명상록 마르쿠스 아우렐리우스 저 | 황문수 역

16 젊은 베르테르의 슬픔

요한 볼프강 폰 괴테 저 | 이인웅 역

17, 18 국부론1, 2 애덤 스미스 저 | 최임환 역